NUEVA
ENCICLOPEDIA
CUMBRE

NUEVA ENCICLOPEDIA CUMBRE

VOLUMEN 8

INSECTICIDAS – LYRA

CARIBE GROLIER

PUERTO RICO

IMPRESO EN 2002

insecticidas. Sustancias que sirven para matar insectos. Hay infinidad de insectos perjudiciales, no solamente por las molestias que causan y las enfermedades que pueden transmitir, sino también por los grandes daños que ocasionan a los cultivos. El uso de insecticidas es una de las formas más eficaces de combatir estas plagas.

Se puede agrupar a los diversos insecticidas en sustancias venenosas por ingestión, que se usan contra insectos masticadores; venenos que matan por contacto, y venenos gaseosos, que se emplean en fumigaciones. Los insecticidas *por ingestión* suelen estar hechos de arsénico y sus derivados. El óxido de plomo se utiliza contra las langostas y el arseniato de plomo en disoluciones acuosas débiles con que se riegan árboles frutales, plantas ornamentales y hortalizas. El arseniato de calcio se usa para proteger la patata, el tomate y el algodón. Los fluoruros se usan también como venenos de ingestión. El fluoruro de sodio es eficaz contra las cucarachas y el fluoraluminato de sodio sirve para combatir el escarabajo de la alubia y otras plagas. El empleo de estos insecticidas venenosos, así como los de contacto, ha de hacerse con suma precaución, cuidando que no estén al alcance de los animales domésticos o de los niños. Entre los insecticidas *por contacto*, uno de los más empleados por jardineros y hortelanos es la nicotina, que se extrae del tabaco y se emplea en débiles disoluciones contra los pulgones. El azufre y el sulfato cálcico se utilizan en pulverizaciones para combatir insectos y hongos parásitos. Muchos insectos se combaten con emulsiones de aceites derivados del petróleo o del alquitrán de carbón mezclados con sustancias jabonosas. El polvo de piretro y la rotenona son insecticidas muy convenientes pues son altamente mortales para los insectos, pero inofensivos para los animales de sangre caliente. Uno de los insecticidas más completos es el que se conoce con las iniciales DDT, que químicamente corresponde al diclorodifeniltricloroetano; actúa enérgicamente sobre casi todos los insectos, además de ser un poderoso veneno por ingestión y contacto.

Entre los insecticidas por fumigación es el ácido cianhídrico uno de los más enérgicos. Se utiliza para fumigar barcos, almacenes, molinos, etcétera, que se cierran herméticamente.

insectívoro. Mamífero que se alimenta de insectos. Los paleontólogos afirman que figuran entre los primeros mamíferos que aparecieron sobre la tierra; aunque tienden a desaparecer con relativa rapidez aún subsisten numerosas especies de este tipo. ¿Cómo han logrado sobrevivir a pesar de que otros animales mucho más grandes

25

0.015   5   10   1.600

concentración del insecticida (en ppm)

Ediciones Calíope

Diagrama en el que se muestra el incremento en la concentración de un insecticida organoclorado en los diversos eslabones de una cadena alimentaria.

sucumbieron en la lucha por la existencia? La respuesta se halla en las numerosas defensas que los protegen: algunos están cubiertos de agudas púas que los ponen a salvo de toda clase de enemigos, otros se esconden bajo tierra y otros poseen glándulas que exudan humores de olor repulsivo. Casi todos son nocturnos y su reducido tamaño les permite escapar a numerosos peligros. Los principales insectívoros son las tupayas, que viven en la India y China; los macroscélidos o ratas de trompa, que existen en África; los erizos, que viven en todos los continentes; los topos, animales de ojos muy pequeños y pelaje lustroso que construyen viviendas subterráneas de admirable complejidad; las musarañas, parecidas a los ratones y el extraño ténrec, que vive sólo en Madagascar.

insecto. Animal artrópodo, con el cuerpo segmentado en tres secciones bien definidas: cabeza, tórax y abdomen, particularidad a la cual debe su nombre, que proviene del latín y significa dividido.

Conformación y órganos principales. Los insectos son generalmente pequeños, y su tamaño varía entre $1/4$ de mm y más de 30 cm. Nunca poseen más de seis patas, y esto los diferencia de sus parientes los arácnidos y los miriápodos. Como carecen de pulmones respiran gracias a un complejo sistema de tráqueas, las cuales están extendidas por todo el cuerpo y terminan en pequeños orificios llamados estigmas, que se abren o cierran a voluntad. De esta forma la sangre se pone directamente en contacto con el oxígeno del aire o del agua para depurarse, lo cual permite un sistema circulatorio rudimentario.

En la cabeza radican los órganos de la vista que pueden ser simples, en cuyo caso están colocados en la frente en número de dos o tres, o compuestos, situándose entonces lateralmente y alcanzando dimensiones extraordinarias. Estos ojos, formados por facetas exagonales cuyo número puede llegar a 20 mil, son de foco fijo, pero permiten al insecto ver en todas direcciones sin necesidad de moverse lo que explica lo difícil que resulta sorprender a una mosca. Complementan la vista las antenas, par de apéndices de muy variada longitud,

Escarabajo tigre.

Corel Stock Photo Library

insecto

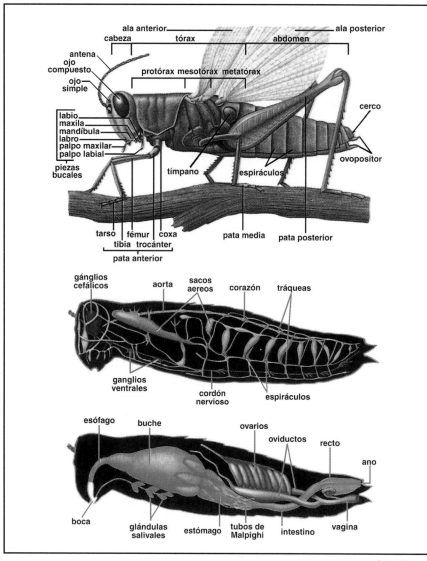

Insectos. Morfología y estructura de un saltamontes hembra.

también constituir verdaderas corazas en los coleópteros cuando están plegadas sobre el cuerpo. En este último caso se llaman élitros. El ala es, por lo general, atributo del insecto adulto y corresponde a la época más brillante y fugaz de su vida.

El abdomen está destinado a la digestión y a las funciones de reproducción. Puede dilatarse extraordinariamente en las hembras durante el desove, alcanzando dimensiones que superan varias veces el tamaño normal del individuo, como ocurre con la reina de los termes. A veces el abdomen termina en oviscapto, órgano punzante con el cual la madre perfora la tierra, la madera o el cuerpo de otros animales para depositar sus huevos.

A falta de esqueleto, los insectos mantienen su forma gracias a la quitina, sustancia que impregna sus tejidos externos y cuya proporción determina su grado de dureza. La sangre es incolora, verdosa o amarillenta, y su temperatura es generalmente la del medio, motivo por el cual los cambios climáticos afectan tanto sus actividades. También el sistema nervioso difiere mucho del de los vertebrados, caracterizándose por la falta de cuerda espinal y la gran independencia de que gozan los ganglios locales. Por ese motivo algunos individuos pueden vivir un tiempo sin cabeza. Parecen también ser poco sensibles al dolor, citándose el caso de larvas que han comenzado a devorar su propio cuerpo.

El oído está en general poco desarrollado y los tímpanos suelen localizarse en los lugares más diversos; así, en los grillos y chicharras se encuentran en las patas anteriores, y en los saltamontes en el primer segmento del abdomen. Los insectos son mudos, pues no producen ruidos por la boca, pero en cambio lo hacen frotando élitros, vibrando las alas modificadas para el caso, como las chicharras, o bien con un dispositivo especial membranoso, muy desarrollado en la cigarra. Ciertos parásitos chupadores de sangre reaccionan a la proximidad de un cuerpo caliente, y en casi todos es notable el sentido del olfato. Hay varias especies de insectos luminosos como las luciérnagas.

Reproducción. La particularidad de los insectos que más llama la atención es su manera de reproducirse. Los huevos se desarrollan casi siempre fuera del cuerpo de la madre, la que los deposita, a veces en enormes cantidades, en todos los lugares imaginables: bajo las piedras, enterrados en el suelo, en profundas galerías cavadas en la madera, en la carne de larvas vivas, en arañas paralizadas, en el estiércol, en cadáveres y hasta en huevos de otros insectos. Algunos lo hacen con su aspecto definitivo; la mayoría en forma de gusanillos que inmediatamente comienzan a devorar las provisiones que la madre puso previsoramente a su alcance. En esta ocupación

con sensibilidad táctil y olfativa a veces muy desarrollada por medio de las cuales las insectos suelen comunicarse entre sí.

La boca adquiere, según las especies y el género de alimentación, las formas más diversas. Como formidables mandíbulas trituradoras, como picos articulados capaces de atravesar la madera y hasta el plomo, y como trompas chupadoras enrolladas en espiral. Bajo las mandíbulas suelen tener algunas glándulas venenosas que se utilizan para la defensa o el ataque, o las que producen la admirable saliva que al contacto del aire se solidifica en hilos de seda.

En la parte inferior del tórax están fijos los tres pares de patas, originariamente destinados a la locomoción, pero que sufren adecuadas modificaciones en muchas especies o pueden desaparecer por completo. Así, por ejemplo, las extremidades an-

teriores de la Mantis se han convertido en garras erizadas de espinas con las cuales atrapa al vuelo moscas y pequeñas mariposas; las del alacrán cebollero, en instrumentos para cavar y cortar ramitas; mientras en otros casos son las posteriores las que se transforman, ya sea desarrollándose y fortaleciéndose para el salto, como en las langostas, o convirtiéndose en remos para nadar o patinar sobre el agua. En ciertas ocasiones las patas poseen también poros olfatorios, y quizá hasta el sentido del gusto.

Los insectos poseen órganos destinados exclusivamente al vuelo. Las alas, fijadas encima del tórax, pueden ser dos o cuatro, y varían mucho en tamaño y forma. Faltan por completo en ciertos parásitos y a menudo son patrimonio exclusivo de los machos. Transparentes en la libélula, delicadas en las mariposas, las alas pueden suelen pasar todo el invierno, desarrollándose de manera extraordinaria. Así, el gusano de seda aumenta 10 mil veces de peso y la larva de la mariposa *cosus* 70 mil en los tres años que dura su desarrollo.

Una vez llegada a su plenitud, la larva comienza a envolverse en una especie de sudario, tejido con su propia saliva, que en ocasiones adopta la forma de un huevo grande y otras veces deja traslucir los miembros que se van formando. En ese estado se llama *ninfa* o *pupa* y en él permanece un periodo que varía según las especies. La inmovilidad exterior de la ninfa es casi absoluta; pero, en el interior tienen lugar los cambios más fundamentales. Apéndices que no estaban ni esbozados en el gusano aparecen: alas, patas, antenas, ojos, pelos sensibles, todo cuanto el insecto perfecto necesitará para su corta existencia se confecciona con precisión invariable en ese breve espacio y se pliega y aprieta dentro de la túnica que ellos mismos romperán llegado el momento.

No se limita la transformación a la forma: larvas acuáticas se harán mariposas aéreas; parásitos se volverán trabajadores diligentes; voraces carnívoros se contentarán con una gota de néctar o prescindirán por completo de alimento. Tan extraordinario proceso lleva el nombre de metamorfosis y suele ser completa, como la que acabamos de esbozar, o sencilla, en cuyo caso el insecto puede salir ya perfecto del huevo. En cada muda aparecen o se definen nuevos órganos, así los del vuelo, al principio muñones informes, alcanzan poco a poco sus distintivas características y el insecto no deja nunca de alimentarse.

La partenogénesis consiste en la reproducción sin concurso del macho, de modo que los huevos se desarrollan sin haber sido fecundados. Pueden sucederse, como en los pulgones, varias generaciones partenogenéticas. También ciertas hembras pueden fecundar o no los huevos que van poniendo y dar así origen a individuos de sexo diferente o atrofiado, como parece ocurrir con las abejas.

Corel Stock Photo Library

Mariposa brillante de Singapur (izq.) y araña en su red (der.).

Alimentación y costumbres. Teniendo en cuenta su régimen alimenticio, los insectos pueden dividirse en vegetarianos y carnívoros, pero es común que sean ambas cosas en diferentes etapas de su vida. En el segundo caso las víctimas son casi siempre otros insectos, ya sea que los devoren o que los maten para asegurar provisiones a sus crías.

Los parásitos de los mamíferos han cambiado la aptitud de volar por la de adherirse al vellón de la oveja o al cuerpo de la vaca y se dejan llevar por prados y colinas convertidos en ventosas insaciables. En el cáliz de la flor espera paciente la larva del triangulino la llegada de la abeja o la avispa, y mientras éstas se atarean con el polen, agarrándose a sus pelos ventrales, penetra inadvertida en los ricos almacenes, donde no tiene reparo en devorar los huevos del ápido y quedarse en la celda con todas las provisiones. A veces se equivoca y trepa por la pelambre de alguna mosca, que en su vagar errátil la lleva a la muerte. El parasitismo suele limitarse al estado larval; luego el insecto perfecto busca por sí mismo su alimento. Cuando se prolonga toda la vida produce visibles degeneraciones y la pérdida de las alas.

En algunos casos los padres cuidan de sus hijos trayéndoles la comida y protegiéndolos de sus enemigos. Pero, es la excepción pues en general la corta vida del adulto no le permite ni conocer a su prole. Cuida entonces, de asegurarles medios de subsistencia, colocando los huevos donde los gusanitos al salir no tengan más ocupación que comer. Esto tiene fácil solución cuando se trata de seres vegetarianos, pues basta alojarlos entre las nervaduras de las hojas, en el tronco de un árbol o en la semilla o el fruto. Pero, la cosa se complica si la larva es carnívora. A veces se contentará con el cadáver de un pájaro y hasta con una bola de estiércol, sin embargo hay otras delicadas que requieren todos los días su porción de carne fresca, como ocurre con la mayoría de los himenópteros. Por fortuna, la naturaleza ha dotado al adulto de un aguijón venenoso, y así, con habilidad de cirujano, da con el punto justo del sistema nervioso de su presa; ésta quedará paralizada y convertida en incubadora para el huevecillo que aquél le deposita encima. Impotente presenciará el nacimiento del gusano, que necesita alimentos vivos para nutrirse y crecer, y que devorará a la víctima inmóvil empezando por las partes de su cuerpo menos necesarias para la vida, evitando hasta el fin, la destrucción de sus órganos esenciales. Las arañas suelen ser las víctimas preferidas de estos in-

Ademas de polinizar, las catarinas resultan atractivas para los niños.

Corel Stock Photo Library

Abejorro posado sobre flores de cactus.

sectos, y aunque por lo general son mayores que ellos no les presentan batalla, refugiándose en cambio en sus cuevas. En otras ocasiones el parásito come los huevos o las larvas de su huésped, o bien acaba con sus provisiones, obligándolo a morir de hambre. No faltan los ladrones que aprovechan el trabajo ajeno y, destapando las galerías donde el primer atacante dejó a su presa adormecida, tiran el huevo de éste y colocan el suyo en su lugar.

Los ápidos, los formicidos y otras especies elaboran un néctar azucarado con el cual alimentan sus crías y resisten la escasez del invierno. Algunos viven en familias separadas, otros se reúnen en colmenas u hormigueros, y en este caso se produce una división de trabajo que modifica la forma y hasta el sexo de los individuos.

Casi no hay materia orgánica que no sea aprovechada por algún insecto para su subsistencia. Su adaptación a los nuevos

(De arriba abajo y de izq. a der.) Libélula, abeja de flor, oruga de pino Hyloicus pinastri *y oruga tigre amarilla.*

productos es evidente en la polilla, devoradora de ropas y libros, y en el diminuto lasioderma, que destruye los cigarrillos. No detiene su voracidad la putrefacción, no hay para sus mandíbulas madera demasiado dura y hasta produce estragos en las farmacias consumiendo compuestos venenosos.

La vivienda. La mayoría de los insectos tiene el mundo por casa y no necesita albergue especial. El techo de una hoja, las fisuras de la corteza, la grieta en el suelo, le sobran para vivir y reproducirse. Muy frecuentemente habitación y alimentación se confunden. Hay especies que requieren para sus complejas actividades en perfecto alojamiento, mientras otras se conforman con labrar galerias en troncos o perforaciones en frutos o semillas.

Ningún mamífero sabe construir viviendas comparables, que posean salas, celdas, establos, almacenes y hasta un curioso sistema de calefacción, originada por el fermento de productos vegetales. Pueden ser subterráneas, como la mayoría de los hormigueros; aéreas, como las colmenas; o bien alzarse formidables sobre el suelo, como ciertos termiteros que alcanzan una elevación mayor de 5 m. Los insectos solitarios fabrican también pequeños nidos, empleando barro, briznas de hierba y piedritas.

Los que saben producir seda tapizan sus moradas con este delicado material, con el que también protegen los huevos envolviéndolos en leves capullos. Pero, quizá el caso más misterioso en materia de vivienda sea la formación de las agallas que ciertos himenópteros provocan en robles y rosales para que vivan allí sus larvas. Se trata de protuberancias esféricas o tumores pilosos que la planta produce, no se sabe si excitados los tejidos por la picadura de la madre o por secreciones del gusano que se alberga en su interior.

Instintos y diferenciación. En los insectos el instinto suele alcanzar categorías de inteligencia, tal es la habilidad con que se adaptan a cambios o dificultades. Su rasgo más notable es la diferenciación producida por las diversas actividades de su compleja organización, que llega a modificar sexo, miembros y tamaño. La reina de los termes, dedicada exclusivamente a poner huevos, desarrolla monstruosamente su abdomen. Hay hormigas que apacientan rebaños de pulgones, los albergan y defienden a cambio de unas gotas de líquido almibarado. Otras, guerreras, raptan individuos de especies hacendosas y los obligan a trabajar en su provecho; o bien, a ejemplo de los termes, se dedican a la agricultura y cultivan hongos para su alimentación.

Los insectos poseen sexos separados y suelen diferenciarse también por su color, tamaño y conformación. Es común que el macho tenga alas y la hembra carezca de ellas hasta que no termine su evolución.

Formas de ataque y defensa. La lucha por la vida es particularmente dura para la mayoría de los insectos. Su pequeño tamaño los hace fácil presa de pájaros y alimañas, y, como suele ocurrir, los peores enemigos son los de su misma familia. El régimen carnívoro hace imprescindible la caza para lograr el sustento, y así la mitad de ese mundo extraño vive devorando a la otra. Las presas favoritas de los carniceros son los gordos y desnudos gusanos atareados en el banquete de las hojas; pero ni los coleópteros mejor protegidos pueden esquivar la trampa de la tela o el aguijón que afecta sus centros nerviosos.

La diversidad del ataque ha perfeccionado la defensa. Algunos órganos se transforman en diminutos cañones que arrojan ácidos quemantes, o disimulan al poseedor tras una nubecilla de polvo. Hay insectos que se convierten en cebos envenenados, fatales para el pájaro; y así, con el sacrificio de unos pocos individuos, salvan a la especie. Otros insectos tienen élitros formados por quitina endurecida, que plegados sobre el cuerpo forman una eficiente coraza. Otros buscan la salvación en la velocidad de su carrera o vuelo, se esconden en sus cuevas o en las grietas de la corteza. Y los que no pueden utilizar ninguno de estos procedimientos con ayuda de la partenogénesis, o dividiendo sus huevos por gemación, aumentan su fecundidad y vencen la destrucción con el número.

Entre los insectos se encuentran admirables ejemplos de mimetismo y coloración protectora. A fin de pasar inadvertidos, muchos insectos poseen la sorprendente propiedad de adquirir el color y la forma del objeto en que viven. Por lo general imitan vegetales. Los que se fingen hojas llevan la semejanza a un grado increíble, pues reproducen en sus alas y nervaduras, las partes secas y las irregularidades de contorno de las formas vegetales. Hay algunos insectos que copian la apariencia de individuos mejor armados o venenosos, y así logran esquivar la voracidad de los pájaros. Los procesos miméticos no han sido todavía satisfactoriamente explicados, y la dificultad aumenta al comprobarse que estos pequeños seres, llevados a otro medio, suelen cambiar hasta tres veces la tonalidad de su colorido, como si ello dependiese de su voluntad.

Los insectos existen desde hace cientos de millones de años, desde la era paleozoica. Se han encontrado restos fósiles en el periodo devoniano, que aumentan en el carbonífero. Al parecer, algunos alcanzaban dimensiones gigantescas. En las épocas terciaria y cuaternaria se vuelve abundantes, aunque muchas especies desaparecen. No obstante su fragilidad, han

Corel Stock Photo Library

Monte de termitas en Australia (izq.) y escarabajo de patata de Colorado (der.).

llegado intactos hasta nosotros, preservados dentro de pedazos de ámbar.

Los insectos son los animales más numeroso de la tierra. Más de 800,000 especies hay clasificadas, y es probable que su total alcance a varios millones, cada una de las cuales cuenta con un gran número de individuos. En sus relaciones con el hombre, los insectos se dividen en perjudiciales y útiles.

Entre los perjudiciales, unos atacan y destruyen las cosechas y los frutos almacenados; otros contaminan los alimentos; otros transmiten enfermedades al hombre y a los animales; y otros destruyen ropa y muebles.

Los insectos útiles suministran miel, cera, seda, etcétera; otros sirven para destruir a los insectos perjudiciales, ya sea porque éstos les sirven directamente de alimento —entomófagos— o porque se convierten en sus parásitos y los destruyen en alguna fase de su ciclo vital.

Afortunadamente, sólo una proporción muy pequeña (menos de 2%) de los insectos son perjudiciales. Con todos los estragos que causan los insectos destructores, el beneficio que reportan los útiles es infinitamente mayor.

La clasificación de los insectos se basa en las características que presentan la cabeza, las alas y las patas, y en las particularidades de la metamorfosis. Una de las clasificaciones más empleadas en entomología (parte de la zoología encargada del estudio de los insectos), divide la clase de los insectos en los 23 órdenes siguientes: proturos, tisanuros, colémbolos, ortópteros, dermápteros, plecópteros, plectópteros, paraneurópteros, isópteros, em-

biópteros, psocópteros, anopluros, tisanópteros, hemípteros, neurópteros, coleópteros, estresípteros, mecópteros, tricópteros, lepidópteros, dípteros, sifonápteros e himenópteros.

insomnio. Imposibilidad de conciliar el sueño por diversas causas. Puede ser crónico (tal como les sucede a los histéricos, hipocondríacos e individuos de temperamento nervioso), y pasajero, ya sea producido por enfermedades agudas o por causas circunstanciales, como, por ejemplo, las preocupaciones, la falta de ejercicio físico, abuso de bebidas excitantes, tales como el café. Todas ellas obran de manera distinta, según las personas. La prolongación de este estado puede acarrear graves consecuencias. Es síntoma de algunas enfermedades. Su tratamiento consiste en combatir las causas que lo originan y en la administración de somníferos, narcóticos (barbitúricos) y antiespasmódicos, según la gravedad del caso.

inspección. Verificación de un hecho, examen o reconocimiento de una cosa. Tiene como fin velar por el cumplimiento de una ley, o de una disposición o el manejo de determinados asuntos. Los inspectores municipales comprueban si la limpieza de una zona es eficazmente realizada, si los comerciantes expenden productos adulterados, etcétera. Los inspectores civiles, al servicio del Estado o de entidades privadas, realizan inspecciones para determinar si los subordinados han ejecutado bien una tarea. También Los jueces realizan inspecciones oculares, las cuales son admitidas como prueba por las leyes.

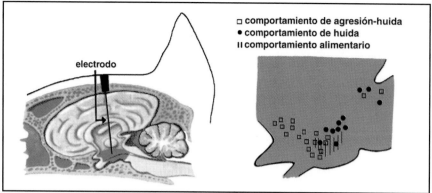

Instinto. (izq.), corte sagital del encéfalo de un gato en que se muestra como estaban implantados los electrodos en las experiencias de Hess (la región sombreada en naranja corresponde aproximadamente al hipotálamo); (der.), esquema del hipotálamo con indicación de algunos puntos del mismo en los que la estimulación por electrodos produce la aparición de determinadas pautas de comportamiento.

inspiración. Estímulo que experimentan los artistas, que se sienten impulsados a producir espontáneamente una obra, sin esfuerzo y casi involuntariamente. En la antigüedad se creía que las Musas, diosas menores del Olimpo, dictaban al artista su obra. Los psicólogos modernos suponen que la inspiración es obra del subconsciente, es decir, de aquella parte del alma que lleva una vida secreta y que de pronto se revela.

instinto. Facultad que permite a los seres vivos realizar actos irreflexivos necesarios para su conservación. Es un impulso innato y hereditario, bajo cuya guía el animal hace sin vacilar cosas que nun-

El Castillo *del Instituo Smithsonian.*

ca aprendió. Determinado y casi inmutable, en sus manifestaciones primitivas se confunde con los movimientos reflejos (así las actividades celulares o los esfuerzos de succión del lactante), pero suele perder más tarde todo carácter egoísta y llegar hasta la abnegación, como en el caso de los padres que se sacrifican por su prole, o en el del perro que se deja matar para defender al amo. El instinto puede entonces traicionar al individuo, pero jamás a la especie, cuya prosperidad es su fin evidente.

instituto. Corporación científica, literaria, benéfica, etcétera. Los institutos tienen distintos fines y propósitos, entre ellos la difusión de conocimientos, estudios y trabajos de investigación en distintas disciplinas científicas, filosóficas, sociales, artísticas y otras varias. Pueden ser de carácter regional, nacional o internacional. Los miembros de los institutos suelen designarse entre las personalidades más relevantes en el campo de la actividad particular a que la corporación se dedique. El nombre expone, generalmente, los propósitos y el alcance de esos centros de investigación, como, por ejemplo, Instituto Geográfico y Estadístico, Instituto Nacional de Ciencias Físicas, Instituto Internacional de Agricultura, etcétera. Se llaman también institutos algunos centros y establecimientos oficiales donde se siguen estudios de cultura general y que forman parte del sistema de educación pública organizado en una nación, como, por ejemplo, los institutos de segunda enseñanza.

Instituto Caro y Cuervo. Organismo colombiano, creado en 1942, en homenaje a Rufino José Cuervo y a Miguel Antonio Caro, que tiene como objeto la continuación del *Diccionario de Construcción y Régimen de la Lengua Castellana*, la difusión de la cultura colombiana y la investigación filológico-lingüística en el área del

español. Su sede principal se encuentra en Yerbabuena, hacienda que perteneció al presidente de Colombia José Manuel Marroquín. Cuenta con cinco departamentos de investigación (lexicografía, dialectología, bibliografía, filología clásica e historia cultural), el Seminario Andrés Bello (para la unificación de la enseñanza del español), una imprenta (la Imprenta Patriótica), una biblioteca especializada y dos museos (el literario y el etnográfico). Entre sus publicaciones figuran la revista *Thesaurus* y el boletín informativo *Noticias Culturales*.

Instituto Indigenista Interamericano. Organismo establecido en México en 1940 por resolución de la I Conferencia Interamericana sobre la Vida Indígena. Investiga acerca de la legislación, las condiciones de vida de la mujer, la historia del trabajo, etcétera de los indígenas.

Instituto Nacional de Bellas Artes (INBA). Organismo mexicano fundado el 31 de diciembre de 1946 con el fin de conservar, vigilar y desarrollar la expresión artística de México en todas sus facetas. Depende de la secretaría de Educación Pública y comprende los departamentos de arquitectura, artes plásticas, teatro, música, danza y literatura.

Instituto para la Integración de América Latina (ITAL). Organismo radicado en Buenos Aires (Argentina), fundado en 1965 como departamento permanente del Banco Interamericano de Desarrollo. Sus funciones son primordialmente el estudio del proceso de la integración regional y la investigación de los problemas que presenta cada país. Entre sus publicaciones destacan el *Boletín de la Integración*, de periodicidad mensual, y *Derecho de la Integración, Revista de la Integración y Estudios*, estas dos semestrales.

instrumentación. Parte de la música que trata del timbre y de las posibilidades técnicas de los diversos instrumentos, incluso la voz humana. No debe confundirse con el concepto, más restringido, de *orquestación*, que trata de los mismos problemas, pero sólo referidos a la orquesta. El arte de la instrumentación ha variado fundamentalmente a lo largo de la historia. Estas variaciones han obedecido a dos razones principales: la invención de nuevos instrumentos y las preferencias individuales de los compositores por un instrumento, un grupo de instrumentos, o una peculiar combinación de los mismos.

instrumento. Utensilio o conjunto de piezas adecuadamente combinadas que sirven de agente o medio auxiliar para el ejercicio de una ciencia, arte u oficio. Su variedad es tan considerable como di-

verso su uso y distintas sus características particulares.

Estimulado por ansias de mejoramiento
y progreso, el hombre inventó los instrumentos que le permitieron pesar, medir,
examinar, analizar y estudiar los cuerpos,
crear la belleza, etcétera. Su empleo en el
campo de las ciencias y las artes abrió nuevos caminos a los descubrimientos y las
creaciones y fue así como el instrumento
se hizo indispensable. El artista, el hombre
de ciencia y el artesano necesitan del instrumento para dominar y reglamentar los
elementos, estudiar, modificar y aun transformar la materia.

Instrumentos musicales. Son los que
producen sonidos armoniosos por medio
de la vibración de cuerdas, de cajas sonoras o materiales resonantes o de columnas
de aire comprimidas en tubos. Por los escritos, monumentos y restos de las más
antiguas civilizaciones, se puede seguir el
desarrollo de algunos instrumentos desde
su forma primitiva, hasta los más complicados diseños actuales; por ello se llega a
la conclusión de que, tan pronto como el
hombre se acostumbró a distinguir los ruidos –generalmente desagradables y mo-
nótonos– de los sonidos musicales –armoniosos y agradables–, como la resonancia de un golpe sobre el tronco hueco,
la vibración de una cuerda tensa o el sil-
bido del viento entre las ramas, se inventaron los instrumentos capaces de reproducir esos sonidos.

Entre los restos dejados por el hombre
de las cavernas se encuentran flautas de
hueso y sonoros gongs de piedra; en las
tumbas egipcias había flautas de caña que
reproducían toda la escala, y el Antiguo

Corel Stock Photo Library

*Diversos Instrumentos musicales (de arriba abajo y de izq. a der.): Balalika, trompeta, guitarra electro-
acústica, pandero, conga, saxofón, acordeón, violín y tambor (al centro).*

Testamento habla repetidas veces del laúd,
la cítara, el arpa y el salterio. La división
de los instrumentos musicales se hizo de
acuerdo con el método utilizado para producir los sonidos, y así se llaman instrumentos de *cuerda* los que emiten sonidos
armoniosos por la vibración de las cuerdas
tensas; de *viento*, si el sonido se produce
por la vibración de una columna de aire
dentro de un tubo, y de *percusión*, si mediante golpes dados sobre cajas sonoras o
materiales resonantes se obtienen los sonidos armoniosos.

Los instrumentos de cuerda consisten
en cajas de madera sobre las que se encuentran tendidas y suspendidas las cuerdas de tripa o de metal. Comprenden tres
clases: los que suenan cuando se tira de
sus cuerdas con los dedos, como el arpa,
la guitarra, el laúd y la cítara; los que reciben golpes sobre sus cuerdas para hacer-
las vibrar, como el piano; y aquellos cuyas
cuerdas vibran por la presión y el roce de
un mechón de cerdas tendidas en un arco,
como el violín, viola, violonchelo, contraba-
jo y demás miembros de la misma familia.
El piano, junto con el clavicordio y la espi-
neta, forman una sección aparte, que se
distingue por el teclado, que se compone
de teclas o rectángulos de madera –hueso,
marfil o metal– dispuestos de tal manera
que el ejecutante pueda dominarlas a todas con sus manos o sus pies. En el piano
las cuerdas están tendidas sobre una armazón con la forma del arpa, que se mueve y
extiende mediante pedales, mientras que
las cuerdas se golpean por un complicado
sistema de martillos que se pone en movimiento desde las teclas. El piano y sus afines producen los sonidos en toda la gama
de las tonalidades. Asimismo, el órgano,
que tiene su clase aparte, produce esa gran
variedad de sonidos, pero no con las cuerdas, sino por vibración del aire introducido
en tubos metálicos de distinta longitud, por
medio de las teclas que abren las válvulas
y del movimiento de los pies sobre pedales que dan entrada y presión al aire.

Se llaman instrumentos de percusión a
aquellos en que el sonido se produce por
un golpe. Su uso es universal y por la gran
cantidad y variedad que se han desarrollado, pueden dividirse en dos grupos: los que

INBA. El palacio de Bellas Artes, en la ciudad de México, es uno de los recintos a cargo del INBA.

Corel Stock Photo Library

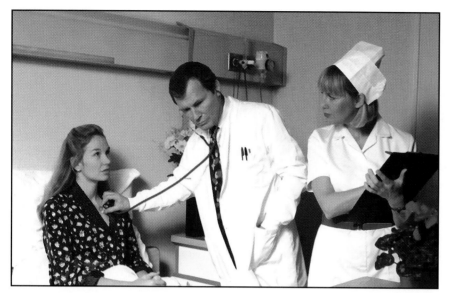

Corel Stock Photo Library

Doctor con estetoscópio médico.

producen un tono musical definido, y los que no lo producen, sino que dan un sonido particular, sin variantes, que contribuye para marcar el ritmo, la intensidad o el efecto dramático de ciertos pasajes en una composición musical. Entre los primeros se cuenta el tímpano o timbal, las campanillas, que dan los sonidos de las campanas por medio de tubos metálicos suspendidos a un armazón de madera; el carillón, el xilófono, la marimba y la celesta. Todos estos instrumentos producen sonidos en distintos tonos mediante los golpes dados

Microscopio.

Corel Stock Photo Library

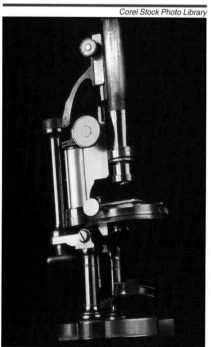

sobre ellos con bastoncitos de madera o de metal, o, sencillamente, con la mano. Entre los que no tienen un tono definido cabe citar a los tambores, el tamboril, las castañuelas, la pandereta, los platillos o címbalos, el gong, el triángulo y una serie de instrumentos nuevos –particularmente usados en las orquestas de *jazz* para marcar el ritmo– que producen sonidos particulares e iguales al golpearse unos contra otros o sobre ellos con otro objeto.

Los instrumentos de viento, que emiten los sonidos en todas las tonalidades por medio de la vibración de una columna de aire dentro de un tubo, se dividen en dos clases: los hechos con madera y los fabricados con metal. En ellos, el movimiento de aire se logra soplando por un agujero abierto en la mitad del tubo y el tono se produce abriendo agujeros y válvulas que se hallan a los costados del instrumento. La flauta con sus hermanos menores, el *piccolo* y el pífano; el oboe, el corno inglés, el fagot y el contrafagot; el clarinete y el saxófono en varios tonos, constituyen las maderas. Los metales comprenden diversos cornos, trompetas, trombones, tubas, cornetas, etcétera. En algunos de estos instrumentos de metal el sonido y sus tonos se obtienen por la vibración de los labios del ejecutante en el extremo del tubo.

Existe también otra categoría de instrumentos, los electrónicos, que por lo general emplean osciladores y cuentan con su propio equipo amplificador de sonidos. Tal es el caso de la guitarra, el piano y el órgano electrónico, los cuales no sólo imitan a sus respectivos congéneres de corte tradicional, sino que a veces los superan, al desarrollar nuevas tonalidades de efectos especiales que, además de enriquecer la armonía, prestan un colorido singular a las

notas emitidas por ellos. Sin embargo, la elevación exagerada del volumen (sobre todo en las percusiones) puede afectar seriamente al oído humano y convertirse así en uno más de los factores de contaminación ambiental.

Instrumentos científicos. En el campo de las ciencias y su aplicación a la mecánica, la variedad de los instrumentos es casi infinita por ser tan vasto y distintos los usos que tienen. Precisamente, de acuerdo con su uso, los instrumentos científicos se han dividido en cuatro grandes grupos: los de peso y medida, los que analizan y examinan las sustancias y los cuerpos, los que regulan y registran el funcionamiento de las máquinas y los que se emplean para cambiar o modificar la naturaleza de los cuerpos.

Las medidas de toda clase son importantes para la ciencia, pues se recurre al instrumento tanto para establecer la diferencia de una milésima de milímetro en el diámetro de un cilindro de metal, como para calcular lo que pesa el globo terreste. Los termómetros de mercurio, alcohol y diversos gases miden las temperaturas; el barómetro, la presión de la atmósfera; el anemómetro, la velocidad del viento; el voltímetro, el amperímetro y el galvanómetro miden la corriente eléctrica.

Con los instrumentos el hombre ha llegado a medir y pesar la energía y el volumen de cuanto existe en la Tierra y se han inventado aparatos capaces de registrar el intervalo que necesitan las ondas electromagnéticas (que corren a razón de 300,000 km/sg) para salvar unos cuantos

Telescopio de 15 metros.

Corel Stock Photo Library

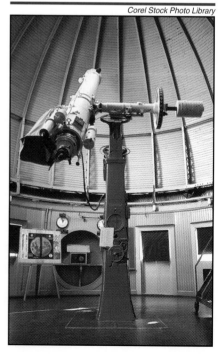

metros. Entre las *balanzas* y las *básculas*, las hay tan delicadas y sensibles que se puede saber la diferencia de peso que hay entre una hoja de papel en blanco y la misma hoja con tres palabras escritas con lápiz. El *micrómetro* y otro instrumento similar que funciona por aire comprimido y es aún más preciso, son capaces de registrar la diferencia de una diezmilésima de milímetro en la superficie bien pulida de un objeto metálico.

Para el examen o el análisis existen también instrumentos, entre los que destacan el *telescopio*, que descubre estrellas invisibles para el ojo humano, y el *microscopio*, que con su capacidad de aumentar miles de veces nuestra percepción visual nos reveló el mundo de lo infinitamente pequeño. Los *espectroscopios* desmenuzan la luz de las estrellas y analizan los elementos químicos que componen los cuerpos que la emiten. La ciencia médica tiene sus propios instrumentos, como el *estetoscopio*, con el que se escuchan los latidos del corazón y los sonidos del pulmón; el *electrocardiógrafo*, que registra la acción del corazón, y el *electroencefalógrafo*, que dibuja las líneas de las ondas cerebrales. Los rayos X permiten al médico ver los huesos y los órganos del cuerpo, y otra serie de instrumentos similares ayudan al examen del estómago, el riñón, la vejiga y otros órganos internos.

La fotografía es importante auxiliar de la ciencia. Empleada en combinación con el microscopio permite obtener ampliaciones fotográficas que representan un aumento adicional al obtenido por el microscopio. En astronomía, cámaras fotográficas adaptadas a los telescopios registran estrellas de luz tan débil que el ojo humano no podría percibirlas.

En todas las divisiones de la ingeniería hay gran cantidad de instrumentos especiales, entre los que se conocen especialmente el *cuadrante*, el *teodólito,* el *nivel*, el *compás*, el *transportador de ángulos*, etcétera. En los aeroplanos hay multitud de instrumentos indicadores, entre ellos los que registran la velocidad del aire y del aparato, la posición de éste en el espacio, altura, funcionamiento del motor, velocidad de las hélices, presión del aceite y cantidad de combustible. Todo este instrumental permite al avión volar casi automáticamente. En el mundo de la radiotelefonía y de la electricidad hay también piezas y mecanismos *generadores, condensadores* y otros muchos que producen, regulan, sincronizan, distribuyen, transforman y conectan las corrientes eléctricas.

Las ondas empleadas en radiocomunicación necesitan también de instrumentos para que las regulen y dirijan. Entre las máquinas que modifican o cambian las sustancias hay que señalar, sobre todo, al *ciclotrón*, que rompe el núcleo de

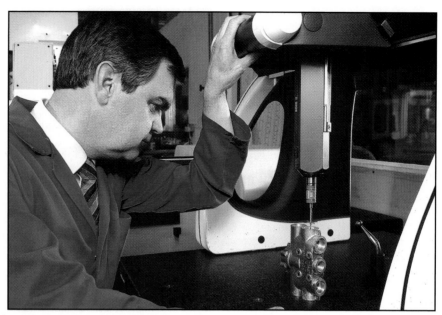

Corel Stock Photo Library

Instrumento de medida de tres ejes.

los átomos y genera una enorme cantidad de energía. Similar a éste es el generador de *van de Graaf*, que utiliza la electricidad estática, y el *betatrón*, que emplea rayos x poderosos. Hay que mencionar también a los instrumentos que permiten al hombre dominar el funcionamiento de las máquinas, regularlo y dirigirlo; por ejemplo, los *giróscopos* y los *compases* se utilizan en la navegación marítima y aérea; los *velocímetros,* que permiten regular y medir la velocidad en los automóviles y demás vehículos, y los diversos instrumentos que sirven para determinar la presión del vapor en las calderas, el calor de los hornos, el frío de los refrigeradores, la cantidad de aceite y de combustible que consumen los motores, etcétera.

Actualmente, gracias a los avances en la tecnología electrónica y al empleo tanto del sistema analógico como del digital (o numérico) se ha perfeccionado el funcionamiento de computadoras, relojes de cuarzo y metal líquido, discos compactos, así como la comunicación telefónica, alámbrica o inalámbrica (de células o celdillas fotoeléctricas), la transmisión de imágenes fotográficas o televisivas desde una nave espacial a la Tierra. Además, la aplicación del máser y el láser a distintos campos de la ciencia (en la medicina y en la astronomía) ha logrado verdaderos prodigios al aumentar enormemente la capacidad de los instrumentos.

El desarrollo de la ciencia y de la técnica siempre estuvo ligado estrechamente a la invención y desarrollo de los instrumentos adecuados. La ciencia no hubiera progresado tanto sin la ayuda del telescopio o del microscopio, pero la eficacia y pre-

cisión de estos y otros instrumentos dependen de su perfecta fabricación. La manufactura de instrumentos de toda clase se ha convertido en una industria altamente especializada que de continuo encuentra nuevos métodos para mejorarlos y simplificarlos, y es así como la cadena se prolonga, porque al progreso de la música, de la ciencia o del arte, sigue la consecuencia lógica de la creación de nuevos instrumentos o el mejoramiento de los ya existentes.

Insúa, Alberto (1885-1963). Periodista y novelista cubano. Se educó en España, donde desarrolló la totalidad de su carrera literaria. Cultivador de la novela realista popular, obtuvo grandes éxitos de público. Entre sus obras se destacan: *La mujer, el torero y el toro* ; *Humo, dolor, placer*; *El amante invisible; El barco embrujado,* y *El negro que tenía el alma blanca*, repetidas veces llevada al teatro y al cine.

insuficiencia. La insuficiencia general, en patología, representa una disminución de la capacidad orgánica para desarrollar un correcto funcionamiento. Puede ser hereditaria, debida a enfermedades de los padres, a una mala alimentación de la madre, o adquirida a consecuencia de enfermedades.

La insuficiencia cardiaca refleja un trastorno del corazón que ha perdido la capacidad para contraerse y dilatarse según lo requieren las exigencias orgánicas. La causa puede ser originada por factores hereditarios o enfermedades adquiridas. Si la insuficiencia se hace crónica, pueden aparecer los signos de congestión periférica (edema, cianosis, hepato-megalia, etcétera). Los síntomas más acusados de la insuficiencia cardiaca son: la dificultad respiratoria al menor esfuerzo, o disnea, opresión más o menos intensa en el pecho e hinchazón en los tobillos.

La insuficiencia cardiaca crónica acusa una lesión grave del corazón, que puede ser achacada a la herencia o a enfermedades como el reumatismo, sífilis y otras. En las dos clases de insuficiencia, el examen médico debe calificar el grado de la incapacidad cardiaca y prescribir el tratamiento adecuado.

La insuficiencia renal demuestra una alteración patológica en la emisión de la orina. Los riñones pueden hacerse insuficientes por muchas causas: invasión microbiana, tumores, traumatismos y complicaciones que provienen de otros órganos enfermos. El síntoma más precoz de la insuficiencia renal es la incapacidad para concentrar los componentes normales de la orina. La insuficiencia renal descuidada o cuando se hace incurable, conduce a la acidosis o a la uremia, que es la intoxicación de la sangre por las sustancias de la orina. La uremia pone en peligro la vida y complica al aparato respiratorio produciendo el coma o inconsciencia profunda, que puede acarrear la muerte.

La insuficiencia tiroidea o de la glándula tiroides es producida por la disminución de la secreción glandular o por la extirpación quirúrgica de la tiroides. La manifestación más típica es el mixedema, cuyos síntomas más sobresalientes son: color amarillento de la piel y cara redonda con gestos de indiferencia. La persona se hace obesa y la voz se vuelve ronca. Su mentalidad es torpe y los movimientos son lentos. El niño que nace con disminución o falta de la función tiroidea se transforma en cretino. Su cara adopta una expresión retraída, babeando todo el tiempo. Los miembros se deforman y su vida es delicada y muere por lo general antes de la edad adulta. Existe una forma de cretinismo con bocio, muy frecuente en determinadas regiones montañosas. Se culpa al agua potable que carece de algunos elementos químicos, entre ellos el yodo. En la actualidad, la insuficiencia tiroidea se combate con eficacia a base de extractos de la tiroides, cuyas dosis serán aconsejadas por un especialista en secreciones internas. *Véanse* CORAZÓN; RIÑÓN; TIROIDES.

insulina. Hormona descubierta en 1921 por los investigadores Sir Frederick Grant Banting y Best, de Toronto (Canadá). Producto de la secreción interna de los islotes de Langerhans en el páncreas, tiene entre otras funciones la de reducir el azúcar sanguíneo y favorecer la utilización por el organismo de los hidratos de carbono. Es una proteína, y el doctor Abel, en 1926, consiguió su cristalización. Se emplea en el

Corel Stock Photo Library

La inteligencia puede reflejarse en un desempeño escolar eficiente.

tratamiento de la diabetes, en inyección, principalmente por la vía subcutánea o intramuscular. La insulina es ineficaz dada por la boca, ya que es destruida por los jugos digestivos. Se despacha en frascos esterilizados de 5 cm^3, que contienen un determinado número de unidades. Un miligramo contiene alrededor de 22 unidades internacionales. Con objeto de prolongar la acción eficaz de la insulina se le añaden a veces otras sustancias, como protamina-cinc. Están muy difundidas las insulinas lenta, ultralenta y semilenta.

integral. Dada una curva limitada por el eje de abscisas *OX* y las ordenadas *Aa* y *Bb* de sus extremos, si dividimos el segmento ab en partes iguales o desiguales, cuatro por ejemplo, y trazamos por los puntos de división las ordenadas correspondientes y por aquellos en que éstas cortan a la curva sendas paralelas al eje x, el área del trapezoide *abBA* resulta mayor que la suma de las áreas de los rectángulos que tienen por base los intervalos del eje *OX* y por altura las ordenadas mínimas, es decir: las de la izquierda en la figura, y menor que la suma de las áreas de los rectángulos cuyas bases son las mismas que antes pero las ordenadas son las máximas: las de la derecha en la figura. Se comprende que, a medida que aumenta el número de divisiones del segmento ab, las primeras sumas van aumentando y las segundas disminuyendo, pero conservándose las primeras siempre menores que el área del rectángulo y las segundas mayores. Por tanto, cuando el número de divisiones crezca indefinidamente, ambas sumas coincidirán, en el límite, con el área del trapezoide, que se llama entonces integral de la función *f(x)*. Su gráfica es la curva *AB*, definida entre a y b, que se representa así:

$$\int_a^b f(x)\, dx$$

donde el símbolo ∫ es una S estilizada, inicial de la palabra suma.

Esta definición permite calcular aproximadamente el valor de una integral definida, es decir, determinar el área de los trapezoides, cuyo estudio ha dado origen al cálculo integral, como rama del infinitesimal.

Este método sólo se puede aplicar en algunos casos concretos; para que sea general es necesario pasar de la definición anterior, de tipo geométrico, a otra analítica; integral es el valor límite a que tiende una suma de infinito número de sumandos infinitamente pequeños, en la que se funda todo el cálculo integral, el cual se apoya esencialmente en esta propiedad: la integración es la operación inversa de la derivación, lo que equivale a decir que derivar es, dada una curva representativa de una función, hallar la ley de variación angular de las tangentes trazadas en los diferentes puntos de la misma, e integrar es partir de la ley de variación de las tangentes, como dato, para hallar la curva representativa de la función. *Véanse* DERIVADA Y DIFERENCIAL.

inteligencia. Facultad intelectiva, conjunto de todas las funciones que tienen por objeto el conocimiento. Más corrientemente, facultad de comprender, sobre todo en alto grado. Esta facultad se exterioriza cuando el individuo debe resolver alguno de sus problemas diarios, de manera que es posible realizar pruebas que determinen la medida de su inteligencia. *Véase* TEST.

inteligencia artificial. En teoría, habilidad que tiene un mecanismo artificial para demostrar alguna forma de comportamiento inteligente, equivalente al comportamiento observado en los organismos vivos con tal facultad. También es el nombre del campo de la ciencia y la tecnología en el cual se desarrollan y estudian los mecanismos que muestran un comportamiento similar a la inteligencia.

Se hace mucha investigación en relación con todos los aspectos de la inteligencia artificial (IA) como ciencia, pero existe una cierta preocupación en cuanto a su verdadera importancia, ya que los programas de IA resultan primitivos cuando se les compara con los distintos tipos de razonamiento intuitivo y de inducción de los que es capaz el cerebro humano, o aun el cerebro de organismos menos avanzados. A pesar de que la IA es una gran herramienta para el desarrollo de *sistemas expertos* (programas de computadora enfocados a resolver problemas muy específicos de determinados sectores de la ciencia y la tecnología), hasta ahora ha sido completamente inútil cuando se trata de crear mecanismos que realicen razonamientos abiertos o adaptables, o en verdad inteligentes.

En la actualidad existen *sistemas expertos* capaces de hacer diagnósticos médicos y análisis de suelos, así como computadoras que en cierta medida pueden realizar razonamientos legales, capturar

Corel Stock Photo Library

Inteligencia artificial. Chip *de una computadora.*

El piloto automático de un avión es un ejemplo cotidiano de inteligencia artificial.

Corel Stock Photo Library

diálogos hablados, interpretar imágenes, procesar el lenguaje natural, resolver ciertos problemas y, también, aprender. Sin embargo, aunque tienen una gran utilidad como herramientas de investigación o aplicados a procesos prácticos específicos, están aún muy lejos de ser perfectos, o de ser siquiera lo que se espera de ellos.

Una de las ideas más útiles surgidas de la IA es que los hechos y las reglas se pueden representar independientemente de los algoritmos de *toma de decisiones.* Este descubrimiento ha tenido un gran efecto en la forma en la que los científicos analizan los problemas, así como en las técnicas utilizadas en la ingeniería de sistemas de IA. El resultado es que al adoptar un elemento de procesamiento particular, llamado *herramienta de inferencia,* el desarrollo de un sistema de IA se reduce a obtener y codificar suficientes reglas y hechos relacionados con el problema en cuestión. Este proceso de codificación es llamado *Ingeniería del conocimiento.* Al limitar el desarrollo de sistemas a la Ingeniería del conocimiento, se han abierto las puertas a quienes no están directamente relacionados con la IA. Además, los negocios y las industrias han reclutado a los científicos dedicados a la IA para crear *sistemas expertos* que faciliten su trabajo.

intendencia. Institución creada en Hispanoamérica durante el siglo XVIII, cuyo objeto consistía en facilitar la administración de los virreinatos y capitanías generales. Los Borbon, deseosos de hacer más ágil la compleja maquinaria administrativa de las Indias, resolvieron fraccionar las divisiones políticas en otras más reducidas que confiaron a funcionarios llamados *intendentes de Ejército y Real Hacienda.* Tareas de justicia, policía, hacienda y guerra quedaron a cargo de los intendentes, que eran representantes directos de la Corona y se encargaban de percibir impuestos, vigilar la administración de los ejércitos y velar por la moralidad pública; cada uno de

ellos debía levantar un mapa de su provincia, informar sobre la calidad de las tierras y las características de las riquezas naturales, fomentar el cultivo del lino y del algodón, *averiguar la vida y costumbres de los vecinos para corregir a los ociosos* y vigilar la situación económica de cada región.

La primera ordenanza de Intendentes fue dictada por Carlos III en 1776 y en los años sucesivos se emitieron otras varias, todas similares a la reglamentación española de 1718. En todas las regiones de Hispanoamérica entró a regir el sistema; la capitanía general de Chile, por ejemplo, fue dividida en dos intendencias; la de Santiago, que se extendía desde el límite con el virreinato de Perú hasta el río Maule, y la de Concepción, que abarcaba desde este río hasta la frontera de Arauco. El virreinato del Río de la Plata, a su vez, quedó repartido entre ocho intendencias, que dependían de una superintendencia con sede en Buenos Aires: Asunción, Salta, Córdoba, Cochabamba, La Paz, La Plata, Potosí y los gobiernos subordinados de Mojos y Chiquitos. En el virreinato de Nueva España se efectuó la división del territorio de 1776 a 1786, que comprendió 12 intendencias, tres gobiernos y dos comandancias de provincias internas. Las intendencias fueron las siguientes: México, Puebla, Veracruz, Oaxaca, Valladolid de Michoacán, Guadalajara, Zacatecas, Guanajuato, San Luis Potosí, Mérida de Yucatán, Durango y Arizpe. Los gobiernos fueron los de Tlaxcala, Alta o Nueva California y Baja o Vieja California. Las comandancias experimentaron diversas modificaciones y subdivisiones que elevaron su número a cinco. A la vez que tendían a simplificar la administración de los vastos dominios hispanoamericanos, las intendencias llegaron a ser el gran instrumento utilizado por los Borbón en su política centralizadora. Como órganos de un poder unitario y metropolitano, no tardaron en tener serios rozamientos con los cabildos, representantes de las autoridades municipales y de la democracia local.

Intelsat

INTELSAT. Acrónimo de *International Telecommunications Satellite Organization*, consorcio multinacional dedicado a la explotación en común de una red mundial de satélites de comunicaciones, y los satélites lanzados por dicho consorcio. El acuerdo de constitución fue firmado en 1964 por representantes de 14 países, y actualmente tiene más de 100 integrantes. Intelsat cuida del diseño, construcción y mantenimiento de los satélites que componen la red de enlaces. Las estaciones terrestres de emisión-recepción son construidas y operadas por las correspondientes agencias nacionales de comunicaciones. Los diferentes modelos de satélites Intelsat se distinguen con un número romano. Del primer modelo (Intelsat I), sólo se lanzó uno, el *Early Bird*, en 1965. Los satélites lanzados en la década de 1990, corresponden al modelo Intelsat VI.

intensidad. Grado de fuerza o energía con que actúa un agente mecánico o natural. La intensidad de una fuerza es su magnitud y es independiente de su dirección y del punto en que actúe. La intensidad de un sonido depende de la mayor o menor amplitud de las vibraciones del cuerpo que produce el sonido y, por lo tanto, de la amplitud de las ondas sonoras que lo transmiten. Dentro de ciertos límites, la intensidad de una sensación, como frío, calor, peso, dolor, etcétera, depende de la magnitud, duración y extensión del fenómeno que actúa como excitante.

intercambio. Operación consistente en permutar o cambiar objetos o informaciones entre corporaciones análogas de diversos países y también en mantener, a base de reciprocidad, determinados servicios que afectan a la comunidad internacional. Sus principales motivos son naturales, pues ningún país puede bastarse a sí mismo: los motivos jurídicos están basados en el principio de la equidad, según el cual el trato dispensado por un Estado a los extranjeros de un país debe ser análogo al que sus nacionales reciban en ese mismo país; los motivos culturales, fundados en que el carácter universal de la cultura exigen un contacto estrecho; los políticos, como consecuencia de la misión de velar por la paz internacional sosteniendo ciertos servicios en que todos los países se hallan interesados. Entre los varios órdenes de intercambio conocidos citaremos: *a) cultural*, efectuado por establecimientos docentes y centros de investigación y también por revistas profesionales, publicaciones, bibliotecas, archivos y museos de especialidades; *b) de servicios*, realizados de Estado a Estado, tales como la Unión Postal Universal, el empleo de mano de obra extranjera, la protección de patentes y marcas, informes policíacos y represión de actividades ilícitas; *c) de informaciones*, mantenido por los diversos instrumentos y servicios de comunicación y *d) comercial*, efectuado con mercancías y materias primas para compensar las deudas de las importaciones, regular las divisas y equilibrar la balanza comercial del país, al propio tiempo que se logra una mayor expansión y desarrollo de la industria, evitando la desocupación y las huelgas que tanto afectan a la paz interior de los Estados.

interés. Inclinación del ánimo hacia algo que lo atrae ó conmueve. La moderna pedagogía considera que el interés es esencial en el proceso de la formación intelectual, y antes de atiborrar al alumno de áridos conocimientos, trata de mostrarle, en su aspecto más práctico, la materia que deba ser estudiada, creando *centros de interés*, cada vez más amplios, ya que sólo se asimila aquello que verdaderamente interesa. La solución del más difícil problema está casi siempre próxima cuando se consigue concentrar en él las ilimitadas potencias del espíritu. Y si bien basta el sentido del deber para forzarnos a realizar una tarea difícil, la voluntad de interesarnos en nuestro trabajo resulta más productiva, buscando las diferentes posibilidades que puedan existir como soluciones viables, y que hay en todas las actividades humanas.

interés. Precio que el deudor paga al prestamista por el uso del dinero de éste, es decir, el producto obtenido de un capital dado a préstamo, o precio de alquiler del dinero. Cuando un comerciante, por ejemplo, concierta una operación de préstamo con un banco, adquiere el compromiso de pagar cierta cantidad de pesos al año, en calidad de interés por cada cien pesos que recibe prestados. Si paga 7 pesos por cada ciento, la tasa del interés es de 7%. El tanto por ciento de un préstamo se fija, generalmente, de acuerdo con la máxima económica: "A más riesgo, mayor interés". También se tiene en cuenta el monto del préstamo. Los gobiernos pueden procurarse por lo regular dinero a un interés más bajo que los otros prestatarios, pues sus títulos de empréstito se considera que ofrecen mayor garantía. Asimismo, una gran compañía comercial o industrial, con larga actuación en plaza y que logra buenos beneficios, si recurre a un préstamo para ampliar sus actividades, logrará una tasa de interés relativamente baja. Por otra parte, la tasa del interés será más alta en préstamos a largo plazo, pues es mucho más difícil prever el futuro por un periodo largo, aumentando así el riesgo.

El interés o tasa constituye un tanto por ciento pagado sobre la suma prestada, o capital. Este tanto por ciento se paga por el uso que el deudor hace del capital del prestamista por el término de un año. Por ejemplo, si una persona toma prestados 10,000 a un plazo de cinco años y a un interés de 7% deberá pagar por año y en concepto de interés 7% de 10,000, es decir 700 pesos. Al vencimiento del plazo, deberá restituir el capital. Esa persona habrá pagado entonces, en esos cinco años, 3,500 pesos de interés. Esto indica que el interés está en relación directa del capital y del tiempo. Este tipo de interés, que se paga sólo sobre el capital, es el llamado *interés simple*.

Los intereses son manejados por las instituciones bancarias como el First National Bank *de EE.UU.*

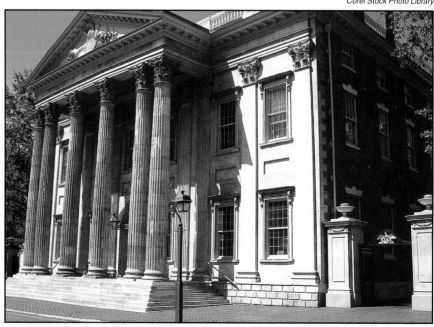

Hay otro tipo de interés, pagado no solamente sobre el capital sino también sobre los intereses que se van acumulando: es el *interés compuesto*. Por ejemplo, si en el caso anteriormente enunciado, en lugar de hacerse la operación a interés simple se realizara a interés compuesto, el prestamista ganará el primer año 700 pesos de interés, suma que no percibe y que se acumula al capital; el segundo año ganará 749 pesos, que es 7% de 10,700 pesos, etcétera. Generalmente, los intereses se pagan semestralmente. También se acostumbra realizar los pagos cada tres meses. El método más sencillo para calcular el interés simple es el método directo. Como hemos dicho, el interés está en relación directa del capital y el tiempo. Multiplicando el capital por el tiempo y por la tasa, y dividiendo el producto por 100, (pues la tasa está expresada en relación a 100 unidades), se obtendrá el interés. En el ejemplo antes enunciado, el total de los 3,500 pesos de interés es la cantidad resultante de la multiplicación de 10,000 por 5 y por 7, y de la división de este producto por 100. Hay también tablas para calcular el interés, que indican a cuanto asciende éste según las diversas tasas y por periodos que van desde un día a un año. Son especialmente útiles para los empleados de banco y los contadores.

Los límites dentro de los que oscila la tasa del interés en determinada plaza se fijan por la relación entre la oferta de capitales por parte de los prestamistas y la demanda de los mismos por parte de los prestatarios. Esa tasa tipo de interés varía mucho de una época a otra. Naturalmente, experimenta un alza en tiempos de gran actividad comercial e industrial y desciende en tiempos de depresión junto con los precios de los productos. Cabe señalar, no obstante, que el porcentaje varía mucho según los diferentes tipos de préstamo, y con frecuencia los préstamos personales se conceden sólo con un tipo de interés elevado.

Para evitar la usura los gobiernos suelen fijar tasas legales máximas de interés. Apuntamos como dato curioso que los grandes hombres de la antigüedad y casi todas las religiones consideraban ilícito el cobro de intereses. Se adaptaba el argumento de Aristóteles de que el dinero era estéril y no se reproducía como las plantas y los animales y que, por ello, la persona que recibía dinero prestado y debía pagar intereses por él sufría un quebranto a causa de su necesidad. En nuestros días se piensa, en cambio, que el prestamista tiene derecho a exigir un interés porque se ha privado por un tiempo de utilizar su dinero, y porque los préstamos no se hacen hoy exclusivamente a los necesitados, para comer, sino que tienen un carácter económico, y se utilizan por los prestatarios para realizar inversiones e impulsar o ampliar actividades mercantiles o industriales, con miras a obtener un lucro legítimo. *Véanse* CAPITAL; ECONOMÍA.

interferencia. Fenómeno de la luz o de cualquier otro tipo de onda en la que se puedan combinar dos o más ondas para producir una onda resultante, cuya amplitud o intensidad puede ser mayor o menor que las de las ondas componentes. La interferencia se ha demostrado en todo tipo de ondas, incluyendo las de sonido, microondas, rayos X y agua.

Si dos ondas del mismo tipo y frecuencia se combinan de modo que la cresta de una coincida con el hundimiento de la otra, se cancelarán por completo una a la otra. Ésta es una interferencia destructiva. Alternativamente, las dos ondas se pueden combinar cuando sus crestas coinciden; entonces la interferencia es constructiva y la amplitud resultante es igual a la suma de las amplitudes separadas.

La luz blanca es una mezcla de frecuencias, cada una asociada con un color diferente. Cuando dos o más rayos de luz blanca interfieren, ciertas frecuencias son eliminadas por la interferencia destructiva y la luz producida se pigmenta. Esto afecta mucho a la definición de colores, como a los colores de las capas aceitosas y a la iridiscencia de la madreperla.

El destino de la luz *cancelada* debe tomarse en cuenta. El término de *interferencia destructiva* está mal aplicado, ya que ningún fenómeno de interferencia resulta de la pérdida real de luz. Se presenta una redistribución y la luz perdida de las regiones de interferencia destructiva se encuentra en las regiones de interferencia constructiva. En los casos en que la interferencia impide el reflejo de la luz, ésta es transmitida o absorbida por el medio, de modo que se reafirman los principios de la conservación de la energía.

La interferencia es una propiedad tan característica de las ondas (así como opuesta al flujo de partículas) que a ningún rayo que muestre interferencia se le considera como un fenómeno de onda o de esta naturaleza. Cuando en la década de 1920 Clinton Joseph Davisson y Lester H. Germer mostraron que dos rayos de electrón podían estar hechos para interferirse, no se consideró que fuera una contradicción del principio; por lo contrario, se tomó como evidencia del comportamiento de las ondas de partículas atómicas.

Fase de diferencia. Cuando se interfieren dos ondas, la resultante depende de la diferencia de la fase entre éstas. Las ondas originadas por la misma fuente pueden recorrer diferentes distancias antes de que se vuelvan a combinar; el número de ondas en cada transcurso diferente determina la diferencia de fase. Por ejemplo, si el trayecto que tomó una de las ondas difiere del

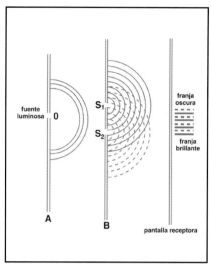

Interferencia. Producción de franjas de interferencia luminosa por la emisión de luz desde dos orificios de una pantalla.

otro por exactamente 0,1,2,3,... espacios entre cada onda o cualquier número completo de espacios entre éstas, las ondas se combinarán otra vez *en* fase; esto es, sus crestas coincidirán e interferirán constructivamente. La fase de diferencia es cero. Si la diferencia en el largo del trayecto es 1/, 11/2, 21/2,... entre cada onda, las ondas estarán por completo *fuera de* fase y se cancelarán mutuamente. En este caso la diferencia de fase es de la mitad de la medida de una onda. Valores intermedios para las diferencias de fase darán, por supuesto, resultados entre estos límites.

La fase también se indica en analogía por medio de un círculo, con el equivalente de 360° por cada ciclo de onda (o 2 π de radio). Las ondas que están completamente fuera de fase, por media onda, tienen una fase de diferencia de 180° (o π de radio).

Está claro que la diferencia dada entre cada trayecto tendrá como resultado la fase de diferencia que depende del largo de la onda de luz. Por lo tanto, si un patrón de interferencia es creado por una luz roja y el experimento se repite con una luz azul, las bandas claras y oscuras tendrán diferente locación y espesor.

Los anillos de Newton. Aunque los efectos de la interferencia pueden ser comúnmente observados en la naturaleza, fue hasta el siglo XVII cuando se les estudió bajo condiciones controladas. Robert Hook examinó los colores en películas delgadas de mica transparente, en bombas de jabón y en capas de aire entre dos hojas de vidrio. A Hook se le atribuye el descubrimiento de los anillos de Newton, círculos de colores que se forman en la capa de aire entre un lente convexo y una hoja de vidrio plano sobre la cual se coloca el lente.

interferencia

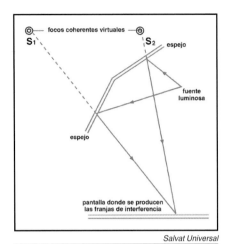

Salvat Universal

Interferencia. Producción de franjas de interferencia luminosa mediante espejos.

Los experimentos de Isaac Newton sobre este efecto fueron el fundamento del Libro II de su *Opticks*. No fue capaz de explicar correctamente la causa de los anillos. Es curioso que estos anillos, los cuales son una de las demostraciones más contundentes de la interferencia de las ondas de luz, se le deban a Newton, quien fue uno de los principales postulantes de la naturaleza corpuscular (como la partícula) de la luz.

Principio de sobreposición. Thomas Young es considerado generalmente como el fundador de la teoría de las ondas de luz. Young descubrió el principio de la interferencia en 1801 y calculó la duración de las ondas y frecuencias del espectro. En 1802 estableció el importante principio de sobreposición que se aplica a todas las ondas: cuando dos ondas viajan simultáneamente a través del mismo medio, cada una tiene un comportamiento diferente excepto en la región de cruce; ahí las ondas se sobreponen, y su efecto puede ser mayor o menor que el efecto de cada una por sí sola. Demostró sus teorías con el, ahora famoso, experimento de ranuras dobles. (Aunque Young originalmente utilizó el paso de la luz a través de agujeros, la demostración es mejor si se reemplazan los agujeros por ranuras y se usa una fuente de luz monocromática; que es una luz de ondas con una misma duración). La luz pasa por la estrecha ranura y luego a través de un par de dos ranuras ligeramente espaciadas para formar una imagen sobre una pantalla. Los dos juegos de luces que salen de la doble ranuración interferirán entre sí, y la imagen consistirá en una luz espaciada uniformemente y bandas o tiras oscuras. Con acierto, Young adjudico el origen de esas bandas a la diferencia en la duración de los trayectos de los dos juegos de ondas, de modo que uno llegaría en fase para crear las bandas brillantes, y otro llegaría fuera de fase produciendo las bandas oscuras.

Interferencia por reflejos múltiples. La proyección de luz en un medio delgado y transparente, como en una burbuja de jabón o en una capa de aceite sobre agua puede reflejar tanto la superficie alta como la baja del medio. De hecho, la luz se puede reflejar varias veces dentro del medio antes de salir. La interferencia de los rayos reflejados crea uno de los efectos de color más espectaculares que se pueden ver en la naturaleza.

Como ya se mencionó, los colores son el resultado de la falta de reflejo de ciertos componentes (frecuencias) de la luz blanca de acuerdo al ángulo que forma la superficie con la línea visual del observador. Los anillos de Newton se forman bajo este principio, como se da la interferencia en reflejos de un lente cóncavo y uno plano.

Capas antirreflejantes. Un empleo simple y práctico de estos principios de interferencia es la capa en lentes ópticos y en prismas para cámaras, binoculares y otros artículos que requieren de superficies antirreflejantes. Esto reduce la pérdida de luz que puede reflejarse en las superficies, así como reduce la fuga de luz que podría alcanzar a la imagen y causar una pérdida de contraste. Una delgada película de una sustancia transparente se deposita sobre el lente, el grosor de esta capa es igual a la cuarta parte del promedio de la duración de la onda de luz visible. La luz que se refleja de la película del lente viaja dos veces, así su trayecto es una onda y media más largo que el de la luz que se reflejaría en un superficie plana. Los dos rayos que se reflejan interfieren destructivamente, y, por lo tanto, no hay reflejo. La luz no es destruida; se añade a la luz transmitida.

La interferencia destructiva solo se completa por un espacio de onda, el cual por lo general se localiza a la mitad del espectro (amarillo). El reflejo de las ondas adjuntas se suprime pero no se elimina por completo. Debido a que la parte central del espectro no se refleja en la película, los lentes con capa muestran un entintado morado con el reflejo de la luz.

interferencia e interferómetro.

Las ondas luminosas, acústicas, hertzianas y hasta las que se producen en las aguas tranquilas de un estanque donde se arroja una piedra sufren alteraciones que reciben el nombre de interferencias. Si, en efecto, se tiran al mismo tiempo dos o tres guijarros en la tranquila superficie de un lago, se formarán otros tantos círculos, de los cuales partirán, a su vez, otros concéntricos, y llegará un momento en que dos o más juegos de círculos se toquen, se crucen o sufran cualquier otra interferencia que altere la marcha de los demás. Lo que ocurre en el agua, ocurre con las ondas luminosas y sonoras. Estas últimas no son otra cosa que el resultado de la vibración de la materia, cuyas moléculas, al chocar con las que componen el aire, las hacen vibrar a su vez. Hay interferencias producidas por ondas que marchan en un mismo sentido y otras debidas a ondas que se dirigen en sentido contrario. Se denomina interferómetro a un instrumento, inventado por Albert Abraham Michelson en 1891, que tiene la propiedad de dividir un rayo luminoso en dos o más partes y luego reunirlas para producir la interferencia. El encuentro de ambas o más divisiones produce bandas de interferencia de color más intenso que permiten medir la velocidad de la luz, sus longitudes de onda y el diámetro de las estrellas.

Interferón. Interleucinas sintetizadas por ciertas células del organismo al ser parasitadas por virus, y que confieren resistencia a las células vecinas frente a la invasión viral. El primer interferón fue descubierto por los británicos A. Isaacs y J. Lindenmann en 1957 durante una serie de investigaciones que realizaban sobre el fenómeno de la interferencia viral.

Los interferones son glucoproteínas fabricadas por gleucocitos (interferón alfa), por fibroblastos (interferón beta) o por linfocitos (interferón gamma). Todos los vertebrados æy posiblemente muchos invertebradosæ son capaces de fabricar interferones. Dichas sustancias son una de las más importantes defensas del cuerpo contra las infecciones virales. Los interferones son específicos para cada especie animal, pero no para cada tipo de virus.

Las técnicas modernas recombinantes de ingeniería genética han hecho posible su síntesis en el laboratorio a partir de bacterias y su producción industrial para su utilización en terapéutica humana. Son antitumorales, aunque no se conoce con exactitud su mecanismo de acción.

Especial interés suscitan su actividad antiviral inespecífica y su aplicación en el control de la replicación celular y en la modulación de la respuesta inmunitaria.

interjección. Vocablo que sirve para expresar los estados de ánimo, especialmente aquellos tan súbitos e intensos que escapan a las formas de manifestación más racionales. Su nombre proviene de la palabra latina *interjecto*, que significa *arrojado entre*, y describe con propiedad el puesto y papel que esta partícula desempeña en la oración, pues simboliza a un sentimiento que surge repentina y fuertemente en el espíritu. Es *arrojada* en el discurso, y como no está ligada a las restantes partes de la oración viene casi a romper el discurso y se halla *entre* los demás vocablos. Por lo general, constan de una o dos sílabas, habiéndolas de tres. Las interjecciones aceptadas por la Real Academia de la Lengua Española como tales por no desempeñar más que ese oficio son: iah!, iay!, ibah!, ica!, icáspita!, iea!, ieh!, ihola!, ioh!, iojalá!, ipuf!, iquiá!, isus!, itate!, iuf! y alguna otra. Sin embargo, se utilizan también como interjecciones otras palabras que por lo común desempeñan el oficio de sustantivos, verbos, adverbios, etcétera. Muchos filólogos sostienen que la interjección constituyó la primera y más rudimentaria forma del lenguaje humano. En apoyo de esta teoría se hace siempre mención del balbuceo de los niños, en quienes los sonidos inarticulados que constituyen un rudimento de las interjecciones representan una manera de expresarse, fundamento de la lengua articulada que hablarán con el tiempo.

intermedio. Composición musical que por lo general se ejecuta en los entreactos de las óperas y de las obras teatrales. Uno de los más famosos es el de Bartholdy Felix Mendelssohn para *El sueño de una noche de verano*, de William Shakespeare. También son célebres el de Hector Berlioz para *El rey Lear*, del mismo autor, y el de Ludwing Van Beethoven para *Egmont,* de Johann Wolfgang Goethe.

internacional. Se emplea este término para designar lo relativo a dos o más naciones. Se ha dado asimismo este nombre a las asociaciones internacionales constituidas por uniones obreras de diversos países. La primera de ellas se fundó en Londres en 1864 con el nombre de Asociación Internacional de Trabajadores y fue posteriormente conocida con el nombre de *Primera Internacional*; sus principios fueron redactados por Carlos Marx; la asociación fue debilitándose hasta desaparecer unos 10 años después de su creación. La segunda fue fundada en París en 1889, y se le llama *Segunda Internacional o Internacional Socialista*. La tercera, denominada *Tercera Internacional, Internacional Comunista o Comintern*, fue creada en Moscú en mayo de 1919, era la asociación de partidos comunistas de las diversas naciones. Desde sus comienzos ha sido un movimiento opositor a la *Internacional Socialista*. Aparte de la diferencia en el radicalismo político de los partidos y uniones que la integraban, existía una orientación completamente distinta que estribaba principalmente en que los partidos socialistas de la *Internacional Socialista* eran autónomos nacionalmente, en tanto que los partidos comunistas de la *Internacional Comunista* actuaban de acuerdo con la política y los intereses de la Unión Soviética. En 1943 la *Internacional Comunista* fue disuelta; pero en 1947 se creó un organismo similar, con los mismos fines, que se denominó *Cominform*, al cual pertenecieron varios partidos comunistas; el yugoslavo estuvo en disidencia con sus principios; se disolvió en

1956. También se fundó la *Cuarta Internacional*, inspirada por Lev Davidovich Bronstein Trotsky, integrada por los partidos que siguen su doctrina, de escasa importancia y pocos adeptos. Existe una canción marxista escrita en 1871, también llamada *La Internacional,* que fue el himno oficial de la Unión Soviética hasta 1944. *Véanse* MARX, CARLOS.

International News Service (Ins). Agencia estadounidense distribuidora de noticias, filial de *The Hearst Corporation* y fundada por ésta en 1909 para el servicio de sus propios periódicos, extendida luego por el mundo. Sus corresponsales, que llegan a un millar, estaban repartidos en los cinco continentes. Tenía servicios propios de teletipos y radiotelegráficos. En 1958 se fusionó con la *United Press* (creada en 1907 por E. W. Scripps), fundando así la UPI (*United Press International*).

Internet. Red internacional de interconexiones entre entidades gubernamentales, educativas y de negocios con sistemas computacionales. Una persona en una terminal de computadora o en una computadora personal, con el programa adecuado, se comunica a través de Internet colocando información en el *navegador* de Protocolo de Internet (IP) –un *sobre electrónico*– y *dirigiendo* el navegador a un destino de Internet en particular. Los programas de comunicación en las terminales relacionadas *leen* las direcciones en los navegadores que se desplazan por Internet y los conducen a sus destinos. De más o menos un millar de terminales existentes a mediados de la década de 1980, Internet ha aumentado a decenas de miles de terminales conectadas, y es accesible a millones de personas en todo el mundo.

Internet debe su inusual diseño y arquitectura a sus orígenes en el proyecto *Arpanet (Advanced Research Project Agency*, grupo de investigaciones dentro del Pentágono, responsable del proyecto) de la secretaría de Defensa de Estados Unidos en 1969. Se pensó en el diseño de una terminal que soportara la destrucción parcial y siguiera funcionando, calculando que el control centralizado de información corría a través de una o de pocas computadoras *eje* que dejarían el sistema demasiado expuesto ante una interrupción. Cada computadora en el sistema debe poder comunicarse, como un igual, con cualquier otra computadora. De modo que, si parte del sistema se destruye, las otras partes puedan restablecer automáticamente la comunicación a través de diferentes canales. Debido a muchos factores –fallas en la energía eléctrica, sobrecarga en líneas de telecomunicación y fallas del equipo en general– que pueden afectar el rendimiento de la terminal, la solución Arpanet fue la

Corel Stock Photo Library

El uso de internet en las empresas se ha vuelto muy común.

elegida para aplicarse en la mayoría de las terminales fabricadas posteriormente.

Las terminales de áreas locales (terminales de computadoras de un solo lugar) proliferaron en la década de 1980 en universidades y, cada vez más, en empresas y corporaciones. La mayor parte de estas terminales usaban los mismos protocolos de comunicación que Arpanet. La utilidad del trabajo intercomunicado y el intercambio de información se hizo evidente a los usuarios de estas nuevas terminales y muchos de ellos se conectaron con otras.

A finales de la decada de 1980 la *National Science Fundation* (NSF) construyó cinco centros de supercómputo para permitir a todos los investigadores el acceso a computadoras de alto poder. La NSF construyó su propia terminal basada en tecnología IP, para conectar los cinco centros, y las terminales universitarias individuales se encadenaron entre sí y se conectaron a la más cercana. Muy pronto las conexiones de terminales eran usadas para propósitos no relacionados con los centros, como lo es el correo electrónico (*e-mail*). En 1995, esta *columna vertebral* de la NSF volvió a la investigación, y ahora el tráfico se encauza a través de un consorcio independiente de proveedores de terminales.

Internet es también un banco de información para negocios y un conducto para compartir datos para miles de grupos de discusión con intereses especializados. El gobierno de Estados Unidos coloca cada vez más información en Internet, como información de la secretaría de Comercio y nuevas patentes, y muchas universidades están adaptando grandes bibliotecas al medio electrónico.

Internet

La publicidad y el mercado están en Internet. Catálogos por computación y publicidad difundida con un directorio que ofrece lo más reciente. El pedido de productos por computadora se hace más popular. Aunque la protección de los derechos de autor es un problema, pues cualquiera puede *bajar* (copiado electrónico) información de Internet, éste proporciona claves en código sólo a los compradores de información, pero esto no evita que los compradores la copien y la vuelvan a vender.

El crecimiento de Internet se ha ido nutriendo por los usuarios individuales con computadoras con *módem* integrado. La mayoría se suscriben a terminales locales que ofrecen una conexión a Internet. Dichos usuarios, al igual que negocios, crean sus propias *páginas* que son puntos de acceso que permiten a cualquiera en Internet ver y bajar información. Internet también se ha enriquecido por el desarrollo de la Red Mundial (*World Wide Web*): un conjunto de miles de propietarios independientes de computadoras, llamados *servidores Web*, que tienen conexión mundial. Utilizando programas como *Netscape*, se puede entrar al *Web* por medio de *proveedores* locales o por la larga lista de servicios por computadora y *buscar* o *navegar* por Internet con gran comodidad y rapidez a través de sistema de cadenas de *hipertexto*.

Las empresas están creando *intranets* o su propia terminal servidora. Internet puede conectar fácilmente bodegas, lugares de manufactura, almacenes y clientes, por medio de simples muestras incluidas en casi todas las computadoras en el mercado. Sin embargo, debido al crecimiento explosivo de Internet, las compañías de telecomunicación están luchando por mantener el servicio. Los investigadores esperan incrementar la capacidad agregando fibra óptica e introduciendo nuevos protocolos para la conexión de terminales a la Internet *medular*, el conducto electrónico de información entre centros de comunicación. *Véanse* BASE DE DATOS; PUBLICIDAD ELECTRÓNICA; SERVICIOS POR COMPUTADORA.

interruptor eléctrico.

Aparato destinado a interceptar la corriente eléctrica de un circuito; puede ser uní, bi, tri o tetrapolar, según el número de conductores conectados. El interruptor comúnmente utilizado en las instalaciones domésticas es unipolar y consiste en una palanca de resorte montada sobre un zócalo de materia aislante que lleva los contactos –porcelana, ebonita, galalita, etcétera–, que se maneja por medio de un botón o saliente.

intervención francesa en México.

Un decreto de Benito Juárez, presidente de México, que suspendía los pagos de deudas al extranjero, provocó en 1861, la inter-

vención de tres potencias: España, Francia e Inglaterra.

Estimulados por Napoleón III, España e Inglaterra se dispusieron junto con Francia invadir México, y una escuadra internacional apareció en aguas de Veracruz en1862. El gobierno de Juárez quiso negociar, pero los franceses no deseaban sólo compensaciones económicas sino establecer en México una monarquía bajo su influencia. Españoles e ingleses desistieron, pero las fuerzas francesas se dirigieron a la capital. El 5 de mayo, en Puebla, un ejército de 4,000 mexicanos derrotó a los invasores pese a la superioridad numérica. Los franceses se retiraron, pero regresaron y pusieron sitio a Puebla, la que al cabo de dos meses se rindió. Caída Puebla, los invasores entraron a la capital de la república y, el 10 de julio, un consejo de notables conservadores ofreció la corona de México al archiduque Maximiliano de Austria. Éste aceptó, empezando a gobernar lleno de buenas intenciones, pero sin lograr el apoyo de sus súbditos. A pesar de las ideas liberales que intentó aplicar Juárez, Maximiliano continuó luchando contra él.

Mientras tanto, Napoleón tuvo que retirar muchas de sus fuerzas en México debido a la situación política europea. Falto de apoyo, el imperio mexicano se derrumbó. Maximiliano fue vencido y fusilado el 19 de Junio de 1867 en el cerro de las Campanas de Querétaro.

intervencionismo.

Ingerencia en asuntos internacionales, o en la vida económica del país, o en los conflictos sociales que suscitan el capital y el trabajo. Los economistas Adam Smith y Jean Baptiste Say, al señalar una línea divisoria entre la vida económica y la política, declararon al Estado fuera del ámbito de la primera; este principio fue contrarrestado y dio lugar a la creación de dos corrientes opuestas: la del individualismo, según el cual los ciudadanos se bastan a sí solos para suplir todas las necesidades de orden económico, y la del intervencionismo, que preconiza la necesidad de la intervención del Estado para restablecer la armonía de la vida colectiva. En la actualidad parece generalizarse esta opinión, cuyas fórmulas pueden revestir formas atenuadas –monopolios del taba-

Porción del intestino delgado en la que se han practicado varios cortes para observar mejor su estructura.

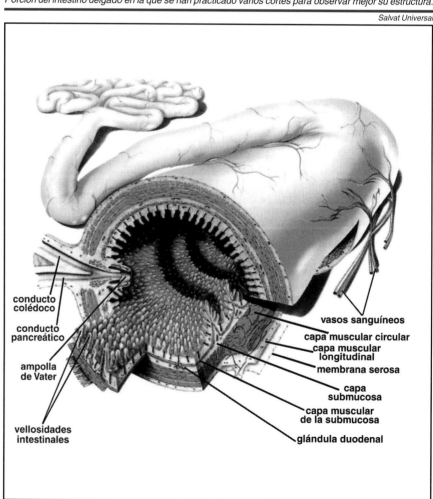

conducto colédoco

conducto pancreático

ampolla de Vater

vellosidades intestinales

vasos sanguíneos

capa muscular circular

capa muscular longitudinal

membrana serosa

capa submucosa

capa muscular de la submucosa

glándula duodenal

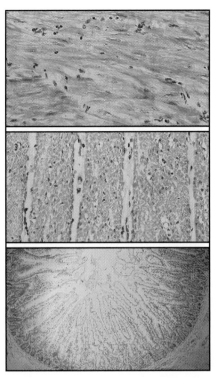

(de arriba abajo). Corte longitudinal de un intestino, corte transversal de un intestino y vista de un intestino pequeño.

co, petróleo, transportes, gas y electricidad, seguros sociales, etcétera– o intensas, tendientes a apoderarse del control económico de todo el país, que es una forma de totalitarismo.

En general, el Estado no se ha revelado como buen administrador en materia económica, por lo que la experiencia aconseja mantener un justo equilibrio, no coartando la iniciativa privada.

intestino. Parte del tubo digestivo que arranca del estómago y termina en el ano; se pliega en numerosas circunvoluciones en el interior del abdomen, donde se halla protegido por una membrana llamada peritoneo, excepto en una porción del recto. Es membranoso y muscular, posee su sistema arterial, venoso, glandular y nervioso propio y recibe las excreciones de los canales pancreáticos y hepáticos. Se divide en dos segmentos: delgado –subdividido en duodeno, yeyuno e íleon– y grueso –dividido en ciego, colon (ascendente, transverso y descendente) y recto. Puede ser zona de diversas enfermedades infecciosas –colitis, disentería, etcétera–, cancerosas –úlceras tumorales, fibromas, etcétera–, de parásitos –tenia o solitaria, lombrices, entre otras– y cuerpos extraños como cálculos. La salida de una porción del tubo intestinal por alguno de los orificios abdominales –accidente que se produce por diversas causas, casi siempre externas (esfuerzos

intensos con el cuerpo mal situado)– produce las hernias. La buena salud se debe en gran parte al buen funcionamiento del intestino; la retención prolongada de los excrementos –estreñimiento– puede provocar peligrosas intoxicaciones por la reabsorción de las toxinas que son vertidas a la sangre, en lugar de ser expulsadas al exterior. Los movimientos nerviosos que hace el intestino para provocar la defecación son ondulatorios y se llaman vermiculares.

Intibucá. Departamento de Honduras, separado de El Salvador por los ríos Lempa y Torola. Tiene 3,072 km^2 y 78,500 habitantes. Surcado por la cordillera de Opalaca, recibe el riego fértil de varios ríos y arroyos, y produce cereales, maderas, ganado, café y azúcar. Su capital es la ciudad de La Esperanza.

intuición. Conocimiento inmediato de algo sin intervención de la memoria o de la razón. Generalmente se conoce mediante un esfuerzo progresivo: observando o analizando cuidadosamente una larga serie de hechos o pensamientos. En la intuición, en cambio, la verdad se nos aparece de pronto, casi inesperadamente. Esta clase de conocimientos se da a menudo en las ciencias matemáticas (cuando descubrimos repentinamente la solución de un problema o comprendemos un axioma geométrico), en nuestra relación con los valores éticos y estéticos (intuímos que tal persona es sincera o que tal cuadro es hermoso) y aun en la percepción de los objetos sensibles. Es error bastante común confundir la intuición con la adivinación o con la simple sospecha.

inundación. Extensión de agua que cubre los campos y a veces las poblaciones, por haberse salido del cauce los ríos o el mar. Son incalculables los desastres que ocasionan las grandes inundaciones. Destruyen propiedades, arrasan viviendas, dejan aisladas a miles de personas por espacio de meses, e inclusive arrastran la rica capa superior del suelo dejándolo estéril. Los ríos, atendiendo a las inundaciones que pueden causar, se dividen en ríos de inundación eventual y de inundación periódica. Las causas más constantes de las inundaciones son las lluvias persistentes y abundantes, que aumentan el caudal, la fusión de las nieves y del hielo en las regiones montañosas, la simultaneidad de crecidas de varios afluentes del mismo río principal. Las inundaciones originadas por este motivo son muy peligrosas y difíciles de contener. Entre las causas locales, citaremos: la impermeabilidad de los terrenos atravesados por los ríos, que no absorben las aguas torrenciales; la pendiente fuerte en la región superior de los ríos; la existencia de recodos bruscos en la corriente, que producen remolinos a veces enormes.

El río Amarillo, el *azote de China*, ofrece el ejemplo más pavoroso de crecidas eventuales, pues se desborda con mucha frecuencia, y a veces cambia de cauce. En 1887 este fenómeno produjo el aniquilamiento de centenares de aldeas y 5 millones de muertos. En Estados Unidos se produjo en 1936 una gran inundación, el Mississippi, se salió del cauce junto con su afluente el Ohio, y los valles de ambos ríos quedaron completamente inundados. Un millón de personas se encontraron sin vivienda y las pérdidas ocasionadas alcanza-

Vecindario inundado en EE.UU.

inundación

Invasión. Grabado que representa la ciudad de Moscú en llamas tras su asedio y ocupación por tropas napoleónicas que invadieron Rusia (1812).

ron a millones de dólares. En noviembre de 1951 se produjo en Italia una gran inundación. Se inundó el valle del Po, en Italia septentrional, y 200,000 personas quedaron aisladas y sin vivienda en la zona de la costa del Adriático comprendida entre Venecia y Rímini. Las aguas no bajaron hasta después de mes y medio, los daños fueron de tal magnitud, que excedían a los provocados por la Segunda Guerra Mundial en la Península Italiana.

Las inundaciones periódicas son, por lo general, beneficiosas. El hombre, que las prevé, está adiestrado para utilizarlas. El ejemplo más conocido y típico es el Nilo, que en mayo es un hilo de agua que va creciendo hasta septiembre, e inunda los campos hasta finales de noviembre, para aportar anualmente millones de metros cúbicos de limo a los campos de Egipto.

Las inundaciones no sólo se producen por crecidas de ríos o lagos, sino también en las costas. Habitualmente son provocadas por fuertes vientos que empujan las aguas contra el litoral y arrastran las olas hasta la tierra. Holanda, parte de cuyo litoral se encuentra bajo el nivel del mar, se halla en constante peligro de inundación, a pesar de los sólidos diques y murallas que la protegen.

También en la costa de Portugal, en la de Mesina (Sicilia) y en la de Japón existen peligros de inundaciones provocadas por erupciones volcánicas y temblores (maremotos). El litoral japonés muchas veces se ha visto inundado por olas de este origen, que pueden alcanzar hasta una altura de 30 m. En la costa mexicana del Pacífico se han registrado fenómenos del mismo origen.

La construcción de diques es el más sencillo de los medios empleados desde tiempos inmemoriales para prevenir y contener eficazmente las crecidas de los ríos.

La plantación de árboles es reconocida como eficaz. En el Rin y el Danubio se construyeron defensas de diques y plantaciones de árboles combinados, con buenos resultados. Por su parte, la ingeniería holandesa goza de merecido prestigio por sus obras de defensa contra las aguas.

Inurria, Mateo (1867-1924). Escultor español, originario de la ciudad de Córdoba. Tras estudiar con diversos maestros, cuyas influencias sufrió, logró formarse un estilo personal, que se caracterizó por un naturalismo sobrio y de cierta rudeza.Son consideradas obras maestras la estatua ecuestre del gran capitán Gonzalo de Córdoba, que se halla en la ciudad natal del artista, un *Cristo atado a la columna* y la estatua de Lope de Vega.

inválido. *Véase* IMPEDIDOS E INVÁLIDOS.

invasión. Acto de penetrar sin derecho y contra la voluntad de su dueño en un lugar cualquiera. El caso más característico de invasión es el de la irrupción de un país en otro a mano armada, fenómeno histórico frecuente y complejo. La Historia está llena de invasiones de todo tipo, que influyeron muchas veces de manera decisiva en la marcha de la humanidad. No siempre tomaron el carácter de guerra o de conquista violenta. Las ha habido pacíficas, de penetración lenta y hasta de ideas. Así, durante 200 años (s. III - V) los bárbaros fueron penetrando en el decadente imperio romano. El ejército toleraba estas incursiones y hasta se reclutaron soldados entre los invasores y se les cedieron tierras de cultivo. Esta infiltración pacífica alcanzó tal volumen, que llegó un momento en que no había familia romana que no tuviera algún bárbaro a su servicio. En la decadencia del

imperio casi no había más tropas que las reclutadas entre bárbaros y eran también bárbaros los jefes de milicias.

Las invasiones son provocadas por causas diversas: la superpoblación y la consiguiente falta de medios de vida que impulsa a un pueblo a buscar éstos fuera de sus límites; la presión y amenaza que sobre un territorio ejercen otros pueblos y que obligan a los habitantes de aquél a buscar otro más seguro; la atracción que un pueblo avanzado o una tierra fértil y acogedora ejercen sobre los hombres atrasados o primitivos.

Durante los siglos XX, XIX y XVIII a. C. hubo en el occidente del Viejo Mundo grandes movimientos de pueblos. Entre las invasiones que influyeron en la marcha de la civilización figuran las de los aqueos, indoeuropeos, que hacia el año 2000 a. C. se establecieron en Asia Menor de donde pasaron a las islas del Mar Egeo y Grecia y penetraron en los Balcanes. Los aqueos sufrieron a su vez la violenta invasión de los dorios, también indoeuropeos, que se establecieron en Grecia central y en el Peloponeso. Bajo la presión de iranios y anatolios, que varias veces invadieron Mesopotamia, se vieron obligados los semitas a emigrar hacia el sur y a través de Siria y Canaán llegó la ola humana hasta Egipto. En la primera mitad del siglo XVII a. C., una amalgama de pueblos a quienes se denomina hicsos o *reyes pastores* penetraron en el delta del Nilo y se adueñaron de la región hasta Menfis, que dominaron durante 100 años.

En la Europa occidental los celtas, que ya en el siglo X a. C. ocupaban el país situado entre el Rin, el Elba y el Danubio, invadieron, entre los siglos IX y III a. C., en oleadas sucesivas, Francia y gran parte de las Islas Británicas, España, Italia, Tracia, Macedonia, y fundaron en Asia Menor el imperio de Galacia.

Los persas realizaron extensas invasiones que les permitieron ocupar más de 5 millones de km² desde el Danubio al Indo y desde el Cáucaso al Sahara. Los griegos (guerras Médicas) los contuvieron en la invasión de su país y los rechazaron de Europa. Más tarde Alejandro Magno emprendió la invasión dominadora en sentido contrario, y Roma subyugó el mundo conocido invadiéndolo con sus legiones. Las invasiones germánicas, iniciadas en tiempos de la República Romana por los cimbrios y teutones, consiguieron finalmente destruir el imperio romano en 476. Atila, *el azote de Dios*, al frente de los hunos −oriundos de Asia− cumple su feroz invasión asolando Europa, hasta que lo paraliza la derrota que sufrió en los Campos Cataláunicos (451). A partir del siglo VII se abre un nuevo periodo de invasiones. El Islam invade desde el Asia hasta España. Gengis Kan (1154-1227), el fundador del imperio Mongol, in-

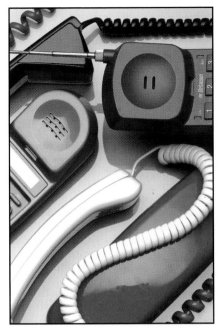

Invenciones: teléfonos.

El este europeo fue teatro también durante el medievo de las sucesivas invasiones de ávaros, húngaros, tártaros y turcos. Estos últimos tomaron Constantinopla en 1453.

En la Edad Moderna, se destacan las invasiones realizadas por Napoleón Bonaparte en Italia, Egipto, España y Rusia y las que trajeron consigo las guerras mundiales: ocupación por los alemanes de gran parte de Europa y desembarco en la Bretaña francesa e invasión de Europa occidental por las tropas aliadas al mando del general Dwight David Eisenhower. En Sudamérica merecen señalarse las invasiones llevadas a cabo por los ingleses en el Río de la Plata, en 1806 y 1807. En Asia, la invasión de Corea del sur por las fuerzas de Corea del norte en junio de 1950 que inició la guerra de Corea.

Cualesquiera que sean las modalidades de la invasión –sin olvidar su aspecto frecuentemente terrible y desolador–, ésta contribuye a la mezcla de razas, al intercambio cultural y a la transformación más o menos profunda de las condiciones de vida. El derecho internacional estipula que el territorio invadido y sus habitantes siguen jurídicamente en el mismo estado de antes, salvo en lo que se refiere a la autoridad militar transitoria y efectiva. En caso de asumir el invasor la dirección administrativa, debe evitar todo atropello a las leyes y costumbres del país.

invenciones y descubrimientos.

Inventar es crear algo nuevo, aunque con materiales ya conocidos. La lámpara eléctrica, por ejemplo, es un objeto de complicada elaboración que no se da naturalmente en el mundo; pero los principios científicos en que está basada y los materiales con que se fabrica son anteriores a su invención. En cambio, descubrir es hallar algo que ya existía pero que estaba oculto o que era desconocido. Así se dice, por ejemplo, que Smithson Tennant descubrió el iridio o que Isaac Newton descubrió la ley de la gravitación universal. Tanto el metal iridio como la ley de gravitación existían antes de que esos sabios los hubieran descubierto.

Para llegar a hacer un descubrimiento, además de la observación continuada, casi siempre es necesario recurrir al experimento, es decir, producir deliberadamente los fenómenos. El físico italiano Galileo Galilei pudo descubrir que dos cuerpos de distinto peso caen en el vacío a la misma velocidad, subiendo a la torre de Pisa y realizando una experiencia que hasta entonces nadie había intentado. No inventó nada nuevo, pero su comprobación experimental fue un verdadero descubrimiento científico, ya que trajo a la luz una ley ignorada. Anteriormente se creía que los cuerpos de distinto peso caían con distinta velocidad, los más pesados con mayor rapidez. Así estaba escrito en los libros del filósofo griego Aristóteles y nadie se había atrevido a pensar que el famoso sabio podía haberse equivocado.

El hombre de ciencia, el investigador, debe atreverse a afrontar lo nuevo, a desconfiar de las opiniones ajenas que no están comprobadas científicamente y a dar, sin embargo, una verdadera importancia a la imaginación. No obstante, el descubridor y el inventor no hacen a veces más que observar, con un interés y un método nue-

Invenciones: globos de aire caliente.

vadió territorios que llegaban de la India a Siberia y del Danubio a Corea. Los eslavos se infiltraron en Germania y la Península de los Balcanes, y los normandos inician sus piraterías en el siglo IX, que a mediados de la misma centuria se hicieron más frecuentes. El escenario de las invasiones normandas fue todo el occidente de Europa y la Sicilia sarracena, pero sus episodios de mayor trascendencia fueron la ocupación de la región francesa que por ellos se llama Normandía y la conquista de Inglaterra.

Invenciones: controlador de tráfico aéreo.

Invenciones: la luz eléctrica y sus derivados.

vos, objetos y sucesos comunes. Un descubrimiento de incalculables consecuencias fue el uso del vapor como fuerza motriz. Nació sin embargo de algo muy simple: la observación del humo que surgía de una tetera. Nadie hasta entonces parecía haberse detenido a contemplar la fuerza notable con que se levanta el vapor, lo que ocurría, sin embargo, diariamente a la vista de todos.

En nuestros días, el creciente progreso y complejidad de la ciencia han hecho imposible inventar o descubrir algo importante con sólo la ayuda de la observación. Newton pudo sospechar la existencia de la ley de gravitación cuando vio cómo una manzana caía desde lo alto de un árbol: pero ese hecho no le bastaba para fundamentar su teoría; sólo después de largos análisis matemáticos, mediciones precisas y minuciosas de las órbitas de los astros, sus masas y sus respectivas distancias pudo asegurar que su intuición había sido realmente exacta. En nuestros días la matemática predomina en casi todas las ciencias; con sólo una fórmula es a veces posible anunciar un descubrimiento antes de comprobar su existencia real. Así ocurrió con partes de la teoría de la relatividad de Albert Einstein, sólo años después de ser enunciada pudo demostrarse (durante el estudio de un eclipse de sol) su exactitud.

A medida que la ciencia va complicándose, los inventos comienzan a ser obra del esfuerzo conjunto de un mayor número de hombres. La bomba atómica no tiene un único inventor o descubridor. Es el resultado de la labor de un grupo de físicos y un ejército de técnicos que a su vez han aprovechado las investigaciones parciales de

muchos otros sabios. Las investigaciones científicas modernas necesitan de la colaboración de una técnica tan compleja que un solo hombre no puede acometer esa tarea; sin un estudio lento y progresivo de los métodos y leyes científicas, ningún adelanto es posible. Sólo en las aplicaciones técnicas más simples continúan los inventos produciéndose como en el pasado. El inventor parte generalmente de la idea de que algo falta, de que algo es necesario aún, que todavía no ha sido encontrado.

Así, hombres de muchas profesiones ajenas a la ciencia, sin ninguna o escasa relación con la técnica, han podido descubrir o inventar, gracias sólo a su imaginación y a su empeño. algo necesario e irreemplazable. Samuel Finley Breese Morse, el inventor del telégrafo, era un pintor y escultor profesional. Caso notable fue también el de Leonardo da Vinci, que por exceso de imaginación científica diseñó máquinas de volar cuando aún no había ninguna posibilidad de fabricarlas. Hoy sabemos que el invento de este célebre artista del Renacimiento hubiera fracasado de haberse llevado a la práctica, ya que nació de su pretensión de imitar el vuelo de las aves, y los inventos se apartan muchas veces de los ejemplos que ofrece la naturaleza. La idea simple y genial de los que llevaron a la práctica las oscuras tentativas de Leonardo (los hermanos Wilbur y Orville Wright, aficionados estadounidenses) fue la de añadir al aparato de alas fijas, entonces conocido como planeador, un motor de automóvil provisto de una hélice. Las alas del avión de los hermanos Wilbur y Orville Wright se parecían muy poco a las de un pájaro, aunque en sus extremos te-

nían unas prolongaciones que podían subirse o bajarse a voluntad y que servían para dar estabilidad al aparato. En 1903 se realizó el primer vuelo; no duró más de 12 segundos, con una velocidad media de 35 kilómetros por hora.

Desde entonces los aeroplanos fueron perfeccionados rápidamente hasta llegar al tipo actual. La historia de estos sucesivos perfeccionamientos debe de ser atribuida al progreso de la ciencia en general y no a un pequeño grupo de hombres. Muchas de las mejoras introducidas posteriormente no son, como casi todos los inventos actuales, más que la aplicación práctica de principios científicos ya conocidos. El radar, por ejemplo, que tanto ha contribuido a dar mayor seguridad a los vuelos, nació de los primeros experimentos eléctricos, pues consiste esencialmente en un simple rayo de ondas electrónicas que al encontrarse con un obstáculo vuelve al punto de partida. Los primeros experimentos de Guglielmo Marconi con trasmisiones inalámbricas tampoco surgieron de la nada. Las teorías de James Clerk Maxwell acerca de la probable existencia de unas ondas llamadas electromagnéticas y su descubrimiento por el físico alemán Henry Rudolph Hertz, fueron antecedentes necesarios e imprescindibles de esos estudios de Marconi. Lo mismo debe decirse de inventos como la radio y la televisión, en los cuales el principio esencial es también la posibilidad de transmitir ondas electromagnéticas.

Descubrimientos e invenciones casuales. Casos más raros son los descubrimientos e invenciones debidos al azar. El papel secante nació un día casualmente, cuando un obrero pasó por alto uno de los procesos necesarios en la elaboración del papel común. La goma vulcanizada, que hoy se usa tanto en la fabricación de neumáticos de automóviles, aviones, etcétera, fue descubierta también casualmente por Goodyear. Este inventor había tratado durante años de descubrir un procedimiento para dar impermeabilidad y resistencia a la goma sin que perdiese elasticidad, hasta que un día echó, por error, en una estufa un poco de ese material mezclado con azufre. Los famosos inventos de Thomas Alva Edison, que llegó a sacar más de 1,200 patentes, nacieron también, en gran parte, del azar. Dotado de una extraordinaria paciencia ensayaba una y otra vez sus experimentos; miles de veces no obtenía ningún resultado; la solución aparecía inesperadamente. Es conocido el episodio que le valió ser despedido de uno de sus empleos. En una de esas desafortunadas experiencias provocó el incendio que destruyó el coche de ferrocarril donde trabajaba. Cuando alcanzó cierta fama pudo construir un verdadero laboratorio y organizar de un modo más perfecto sus investigaciones, pero su curiosidad e imaginación, ayudadas por la casualidad, fueron en un principio su único sistema.

Los rayos X fueron también descubiertos casualmente por el alemán Wilhelm Conrad Roentgen. Este físico observó un día que unas placas fotográficas que había guardado en un cajón estaban manchadas como si hubieran sido expuestas a la luz. Examinó entonces cuidadosamente su laboratorio y descubrió que la única causa posible del fenómeno era una lámpara de rayos catódicos que se hallaba no muy lejos de las placas. Sólo más tarde se supo que dentro de los mismos rayos catódicos había otros de muy pequeña longitud de onda capaces de atravesar superficies opacas. Descubrimiento también casual fue el del radio. El físico Antoine-Henri Becquerel advirtió con sorpresa que en una caja donde había guardado unas placas fotográficas y un trozo de uranio, el mineral había impresionado la película sensible. Los esposos Pierre y Marie Curie descubrieron años más tarde que estas radiaciones no pertenecían realmente al uranio, sino a otra sustancia, dueña de una gran potencia radiactiva, el radio. Pero, las investigaciones de estos sabios fueron inspiradas por el descubrimiento casual de Becquerel. Este físico descubrió del mismo modo otra de las propiedades: la radiactividad. Llevaba un tubo de sustancias radiactivas en el bolsillo y experimentó quemaduras en la piel, causadas indudablemente por las radiaciones. Así nació la idea de utilizar este metal para destruir los tejidos enfermos. Otra de las más notables conquistas de la medicina actual, la penicilina, es también obra de la casualidad. Sir Alexander Fleming observó en una ocasión que en un tubo de estafilococos (gérmenes infeccio-

Corel Stock Photo Library

Invenciones: satélites espaciales.

sos) se estaba desarrollando una especie de moho. Este microorganismo, que se había introducido casualmente en el tubo, destruía los estafilococos. Debe advertirse, sin embargo, que los descubrimientos casuales son hechos por los mismos pacientes investigadores científicos, que no esperan, naturalmente, una solución de esa especie a sus problemas. Durante mucho tiempo el inventor del teléfono, Alexander Graham Bell, trató de obtener una corriente eléctrica que variase de intensidad, así como varían las vibraciones del aire con el sonido de la voz. Si se lograba construir un aparato que produjese esa corriente, podría transmitirse la voz humana. Bell, que trabajaba con un amigo de nombre Watson (quien pretendía perfeccionar el telégrafo), advirtió un día que el aparato telegráfico que usaban estaba transmitiendo, por un error de mecanismo según se descubrió más tarde, una serie de ruidos que indicaban claramente la presencia de una corriente variable. El principio del teléfono había sido descubierto; pero sólo Bell era entonces capaz de interpretar ese ruido casual correctamente y comprender su importancia y significación. Sólo los investigadores tenaces, provistos de todo el aparato técnico necesario y de los conocimientos más adelantados de la época, pueden interpretar y reconocer un fenómeno que para un lego en la materia pasaría seguramente inadvertido.

La investigación organizada. El mérito de estos investigadores es, pues, tan grande como el de aquéllos que alcanzan la meta después de largos años de trabajo organizado. Sólo con un estudio paciente y sistemático puede lograrse cierto éxito. Los investigadores observan generalmente que en determinadas circunstancias siempre se producen los mismos fenómenos y buscan entonces sistemáticamente las causas. Las vitaminas, por ejemplo, fueron descubiertas cuando se advirtió que ciertos alimentos no bastaban para que un individuo se desarrollase normalmente. Se pensó entonces que en las materias nutritivas existían ciertos elementos vitales de naturaleza desconocida y durante años se investigó pacientemente en busca de esa sustancia. Así se descubrió en los granos de arroz la vitamina B.

Invenciones: automóvil Ford Modelo T.

Corel Stock Photo Library

invenciones y descubrimientos

Actualmente en casi todos los países hay grandes laboratorios que se ocupan casi exclusivamente de hallar nuevas soluciones a problemas planteados por la industria o simplemente por las necesidades humanas. En ellos se investiga metódicamente, con ayuda de especialistas en la materia, lo que evita los experimentos innecesarios y que se caiga innumerables veces en el mismo error. Se reduce así el campo de la investigación y se gana tiempo, pues los adelantos de la ciencia permiten prever donde puede encontrarse la solución. Curiosamente se ha observado que la cantidad de nuevos descubrimientos e invenciones científicas es mucho mayor en las épocas de guerra. En efecto, la prisa de los gobiernos por adelantarse al enemigo en el desarrollo de los armamentos los impulsa a la creación de nuevos y grandes laboratorios, donde apenas se limitan los gastos. La historia y el progreso del hombre parecen adelantar, paradójicamente, durante los años en que la civilización está más amenazada.

Influencia de los descubrimientos e investigaciones en la sociedad. El progreso de la humanidad depende realmente, en gran parte, de la capacidad inventiva del hombre. Los primitivos que idearon la rueda (según algunos el invento de mayor utilidad de todas las épocas) dieron a la historia un impulso notable. El solo esfuerzo, aun el heroísmo, no hubieran bastado al hombre para hacerlo salir del estado salvaje en que entonces se encontraba. La rueda es un invento admirable y único, pues de ella casi no hay ningún ejemplo en la naturaleza. Sus creadores han sido probablemente los nómadas que vivían alternativamente en Europa y Asia. Como pasaban casi todo el año viajando, necesitaban de un vehículo que pudiera albergar

gran número de personas y ser arrastrado con facilidad por los animales de tiro. La rueda solucionó todas esas dificultades. Pueblos en cambio más sedentarios, no conocieron ese invento. Hoy apenas concebimos la idea de movimiento sin la rueda. Ella no sólo transformó los medios de locomoción, hizo también posible la complejidad de la máquina moderna. El engranaje, el torno, la polea, el tornillo de la mecánica actual, no son más que derivaciones de la misma.

Los inventos y descubrimientos importantes alteran siempre las costumbres del hombre y a veces también la organización de la sociedad. Algunos filósofos y economistas hacen depender casi toda la evolución de la historia de la aparición de los nuevos inventos. Ellos tienen indudablemente una gran importancia social, pues modifican la organización del trabajo, hacen aparecer y desaparecer las diferentes clases de trabajadores y propietarios y originan nuevos problemas económicos y políticos. Un caso singular fue el de la máquina desmotadora de algodón, cuya invención permitió separar mecánicamente la semilla de la envoltura fibrosa que constituye la materia textil. En el sur de Estados Unidos este trabajo era ejecutado por los esclavos negros, pero el costo de manutención de estos hombres casi sobrepasaba a las ganancias obtenidas por la venta del algodón. La invención de la máquina desmotadora transformó completamente la situación. La esclavitud, que parecía ser una institución económicamente poco provechosa, fue considerada entonces indispensable. Un esclavo que manejara una de esas máquinas podía obtener en pocas horas muchos kilos de algodón puro. El cultivo de esta planta se hizo así más intenso y aumentó por consiguiente el

número de esclavos. La compleja situación creada desembocó finalmente en la guerra de Secesión.

La Revolución Industrial ha tenido lugar principalmente al inventarse máquinas y procedimientos de fabricación que hacen posible el empleo de g ran número de obreros no especializados. El proceso social, económico y político, provocado por el empleo generalizado de las máquinas, es más o menos el mismo en todos los países y una de las características más singulares de la Edad Moderna. Los inventos hicieron aumentar extraordinariamente el número de asalariados, eliminaron la clase social de los pequeños artesanos (que no podían competir con la producción en serie de las grandes fábricas) e hicieron aparecer el capitalismo industrial, dueño de los medios de producción y preocupado en dar mayor impulso al desarrollo de las industrias y a la investigación de nuevas fuentes de energía. Sin embargo, la máquina debidamente utilizada no es enemiga sino servidora del hombre. Entre el antiguo esclavo egipcio que debía arrastrar, con la sola fuerza de su cuerpo, las enormes piedras con que se construían las pirámides y el obrero moderno que puede contar con el auxilio de elevadores mecánicos, grúas y camiones, hay indudablemente un progreso evidente.

Toda nuestra vida contemporánea está rodeada de inventos. Lo que más la distingue de la existencia del hombre primitivo es precisamente ese ambiente artificial que el hombre mismo ha creado con sus inventos, independizándose de las fuerzas y peligros de la naturaleza. El paso de una edad a otra en la historia de la humanidad está siempre señalado por alguna nueva invención o descubrimiento. El uso de la piedra como arma de defensa y ataque o instrumento doméstico, caracteriza la edad del mismo nombre. El descubrimiento y aplicación de los metales, las otras edades. Cada uno de estos descubrimientos estaba separado por centenares de años, pues el progreso era entonces lento. Los pueblos apenas se comunicaban entre sí, de modo que aunque alguno de ellos conociera algún adelanto notable, los otros, ignorándolo, seguían viviendo en el mismo estado durante muchos años. Era además casi imposible que tribus sumidas en las mayores supersticiones sintiesen la tentación de interrogar a la naturaleza o trataran de apropiarse científicamente de algunos de sus secretos. El mundo natural era para ellos la morada de los dioses y sus fuerzas (el fuego, el agua, los fenómenos atmosféricos), verdaderas divinidades a las que reverenciaban con temor y desde lejos. Sólo en casos de extrema necesidad se atrevía el hombre a tratar de inventar o descubrir algo que le permitiese mejorar su situación. Aun en el Renacimiento, cuando en Europa ya se habían desvanecido las más primi-

Invenciones: submarino nuclear.

tivas supersticiones, sufrió Galileo persecución por atreverse a proclamar el descubrimiento de que la Tierra giraba alrededor del Sol, pues esa teoría parecía destruir la idea del hombre como rey de la creación. No era ya la Tierra el centro del universo y las estrellas y planetas simples satélites alejados. El cambio mental a que obligó ese descubrimiento es difícil de imaginar ahora, pero significó indudablemente una verdadera revolución en todos los órdenes.

Los hombres temen en general todas las novedades que alteran de un modo notable el curso de sus vidas. Cuando en Europa comenzaron a circular los primeros trenes, se dijo seriamente que los pasajeros no podrían tolerar los efectos de la gran velocidad (unos 30 km/hr) y además morirían asfixiados por el humo y el hollín desprendidos de la locomotora. Cuando aparecieron en Inglaterra las primeras diligencias movidas por la fuerza del vapor, se les hizo viva oposición, y se promulgó una ley que limitaba la velocidad de las diligencias a menos de 10 km/hr en carretera. Además un hombre debía ir unos 50 m delante del vehículo llevando una bandera roja durante el día y una linterna del mismo color durante la noche, para advertir de ese modo a la gente la peligrosa cercanía del monstruo mecánico.

Los tranvías que aparecieron por primera vez en Estados Unidos fueron muy combatidos. Cualquier accidente que ocurriese en las calles era atribuido a la presencia de esos extraños vehículos. El inventor de la primera máquina de coser, el francés Thimmonier, fue también tenazmente perseguido por los sastres de entonces, y para ganarse la vida tuvo que exhibir su invento en las ferias y plazas públicas, junto a malabaristas y titiriteros, como si fuera una curiosidad inútil. Esta resistencia nace muchas veces de los que sienten peligrar sus intereses, pues son poseedores de máquinas o instrumentos que las nuevas invenciones tienden a reemplazar. En casos extremos estas gentes han comprado la patente del invento impidiendo de ese modo no sólo la competencia, sino también el progreso.

Inventos y descubrimientos alteran realmente la organización industrial y comercial de un país al solucionar de un modo más conveniente ciertas necesidades. El refrigerador eléctrico, por ejemplo, desplaza a los métodos de refrigeración que se usaban antes. Hace poco más de un siglo se empleaban todavía para transmitir mensajes a distancia unas torres llamadas semáforos que, visibles entre sí, se enviaban señales luminosas. Una larga cadena de estas torres permitía que las noticias recorriesen rápidamente grandes distancias.

En menos de un siglo, la vida del hombre ha sido alterada de un modo radical. Además de la notable rapidez lograda en

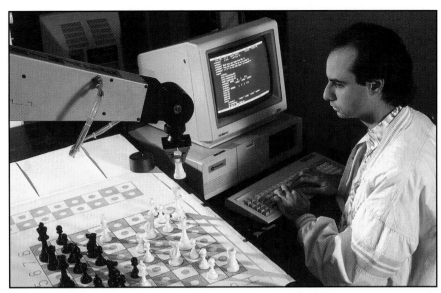

Invenciones: computadora jugando ajedrez.

la comunicaciones, el uso racional de otros inventos ha permitido disponer de muchas horas que pueden dedicarse al ocio, a las diversiones o a otros intereses. El mundo de las diversiones, por ejemplo, ha sido también notablemente aumentado con la invención de ciertos aparatos de reproducción, como la fotografía o el cinematógrafo o con la difusión instantánea de palabras, música o imágenes a través de grandes distancias, como en la radiotelefonía o la televisión. El descubrimiento de las drogas antibióticas ha alargado la duración media de la vida. La agricultura y la ganadería han sido mejoradas también gracias al descubrimiento de métodos biológicos y químicos que han hecho posible nuevos injertos y un mejor empleo de los fertilizantes del suelo y de los desinfectantes usados para combatir las plagas.

Por lo que respecta a la medicina, el uso del ultrasonido para obtener diagnósticos precisos, y el empleo del láser como sustituto del bisturí en las intervenciones quirúrgicas ha contribuido al adelanto de la microcirugía y la medicina nuclear, ya establecida en los centros médicos de todo el mundo.

Las patentes de invención. El temor de que las máquinas dieran a la sociedad una organización cuya novedad y complejidad es difícil imaginar, llevó a muchos economistas a defender la idea de que debían prohibirse los inventos demasiado revolucionarios, como las máquinas que pueden sustituir a los obreros. Sin embargo, nada puede detener el desarrollo de las invenciones. Casi todos los países del mundo han organizado unas oficinas, llamadas de patentes, que tratan de proteger los derechos del inventor y animarlo a crear otros nuevos inventos. Ciertas patentes prohiben el

uso y la comercialización del objeto nuevo sin permiso previo de su creador durante un determinado número de años. El inventor puede vender, si lo desea, sus derechos o exigir reparaciones legales si se infringen sus derechos. Todas las invenciones, aun aquéllas aparentemente inútiles y sólo curiosas, pueden ser registradas. Objetos muy simples, como bolsas de papel, tapas de botellas, horquillas, características gráficas de un libro o publicación, utensilios de uso doméstico, juguetes, etcétera, pasan por estas oficinas. Algunos enriquecen rápidamente a sus autores; otros caen rápidamente en el olvido, pues nadie descubre en ellos ninguna utilidad.

Aunque se ha pensado que con el correr de los años los inventos irían disminuyendo, agotada la capacidad de crear objetos enteramente nuevos, éstos son cada vez más numerosos y los inventos patentados en todo el mundo suman muchos millones. Algunos de ellos son seguramente irrealizables, otros insignificantes, unos pocos encierran los gérmenes de una nueva revolución en el progreso de la humanidad; casi todos demuestran el maravilloso e inagotable poder creador de la mente humana.

El origen de los inventos. Un nuevo invento no introduce a veces más que un pequeño cambio en otro anterior, pero esa modificación basta para dar un sentido práctico a objetos ingeniosamente ideados aunque completamente inútiles. En general, se reconoce que todo invento procede de otro o de algún antiguo descubrimiento ya reconocido como verdadero. La unión de inventos y descubrimientos del pasado ha dado origen a las complicadas maravillas de la técnica moderna. La primera utilización de la electricidad como

invenciones y descubrimientos

fuerza motriz no es más que la realización práctica de las investigaciones de Michael Faraday. Tanto el motor eléctrico como la dínamo fueron concebidos por él a mediados del siglo XIX. La electricidad se usó en un principio en la iluminación de casas y calles y en las comunicaciones telegráficas, y sólo más tarde se le dio un uso industrial. El horno eléctrico apareció a principios del siglo XX, mientras que la lámpara eléctrica ocupó la atención de los hombres de ciencia en el siglo XIX hasta que Edison inventó la primera lámpara eléctrica verdaderamente práctica en 1878.

Muchos hombres oscuros, que han sido casi olvidados, son a menudo los verdaderos autores de inventos cuya fama se atribuye a otros. A veces una simple demora en el registro de una patente basta para hacer olvidar los largos años de trabajo de un investigador que merecía tantos honores como el otro inventor, más afortunado.

El cinematógrafo, cuya invención se disputan varios países, no hubiera sido inventado si no se hubiese conocido la fotografía instantánea; ésta, si no hubiera existido ya el daguerrotipo. Casi todas las invenciones derivan así de otras, que perfeccionan o desarrollan. Los arados mecánicos no son más que un perfeccionamiento del primitivo de piedra o madera, sus principios son más o menos los mismos. Los inventos muy antiguos, como los que se atribuyen a los chinos: la brújula, el papel, la pólvora, existen aún casi en su forma original. Otros inventos vienen a añadirse a los primeros, a perfeccionarlos y a darles mayor exactitud, pero unos y otros se encadenan en un solo proceso de evolución. El descubrimiento del vapor, la electricidad y el petróleo como fuerzas motrices, hizo posible las locomotoras, los aviones y los transatlánticos. Es casi seguro que el acrecentamiento de los nuevos inventos, notable en estos últimos siglos, se debe en gran parte a una invención aparentemente sin relación con ellos: la imprenta. Gracias a ella se difundieron, con rapidez y por todo el mundo, los conocimientos científicos, con una precisión y exactitud casi desconocidas.

Entre las invenciones y descubrimientos más notables del siglo XX deben contarse indudablemente el radar, los materiales plásticos, los motores de propulsión a chorro y la energía atómica. El radar que permitió durante la Segunda Guerra Mundial localizar fácilmente al enemigo, es utilizado hoy en toda clase de investigaciones. La invención de materiales sintéticos ha venido a proporcionar al hombre nuevas fuentes de suministros que complementan las materias primas que le brinda la naturaleza.

La desintegración del átomo, que hizo su trágica aparición como arma de guerra, tiene en la paz valiosas aplicaciones. El genio inventivo del hombre ha conseguido desentrañar su secreto, y hombres de ciencia

e inventores se esfuerzan en descubrir nuevos usos y aplicaciones de la energía atómica, en todos los sectores de las ciencias y de la tecnología. El lanzamiento por la Unión Soviética (2 de noviembre de 1957) del primer satélite artificial que el genio científico del hombre ha hecho girar en torno del globo, seguido al mes siguiente por el de otro satélite mayor que llevaba una perra viva, marca una nueva y trascendental etapa en el progreso de la ciencia.

inventario. Relación detallada de los bienes y valores que constituyen el activo de una empresa mercantil o industrial. En compañías de gran importancia, cuyo activo está integrado por numerosas partidas de carácter diverso, el inventario general se divide en inventarios particulares, cuya denominación indica la clase de bienes que se registra en cada uno de ellos, como por ejemplo: inventario de maquinaria y herramientas, de primeras materias, de muebles y enseres, de valores, etcétera. Con el resultado de los inventarios particulares se hace el inventario general, que se asienta en el Libro de Inventarios y Balances Generales.

invernación. *Véase* HIBERNACIÓN.

invernadero. Sitio cubierto y guarecido de la intemperie para proteger las plantas contra el frío o proporcionarles una temperatura artificial. Los invernaderos suelen consistir en una armazón de madera o hierro recubierta de cristales. Se dividen en: fríos, que simplemente protegen las plantas y se construyen con techos a una y dos aguas; templados, que se destinan a vegetales que requieren entre 8 y 12 °C de temperatura en invierno, construidos como los anteriores y calentados por medio de estufas; y caldeados, que se emplean para el cultivo de plantas tropicales, cuya temperatura oscila alrededor de los 30 °C y nunca baja de los 15 grados centígrados.

Los primeros invernaderos fueron construidos en Gran Bretaña en 1731 para mejorar el cultivo de los parrales; su introducción en Estados Unidos se sitúa hacia 1764. Hay muchos tipos de invernaderos, distinguiéndose los que están destinados exclusivamente a la producción de plantas productivas y los de plantas ornamentales. Hoy día, los invernaderos se construyen con cubierta de planchas de material plástico o con cristales y con diferentes tipos de piso según las necesidades de cada caso.

invernadero, efecto de. Un invernadero permite el paso de la mayor parte de las radiaciones solares para que sean absorbidas por las plantas en su interior. Pero, el vidrio absorbe gran parte de la energía reirradiada por ellas. Como su temperatura es menor que la del Sol, emite radiaciones de mayor longitud de onda y el

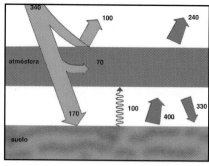

Salvat Universal

Distribución de la energía proporcionada a la atmósfera y al suelo por la radiación solar. Las flechas amarillas representan la radiación solar; las rojas, la infrarroja, y la flecha sinuosa la cesión de energía por convección. Las cifras están expresadas en watts por m².

invernadero envía de regreso parte de esta última. De este modo, su temperatura interna se mantiene más elevada que la del aire circundante.

Los gases de la atmósfera, especialmente el vapor de agua, desempeñan un papel similar al del vidrio del invernadero. Permite el paso de casi toda la radicación solar, pero absorben la mayor parte de la radiación terrestre y la devuelven a la Tierra. Así, la temperatura en la atmósfera es mayor que fuera de ella.

Si los gases de nuestra atmósfera permiten el paso de la radiación solar y retienen la mayor parte de la terrestre, parecería que su temperatura debería aumentar en forma continua. Como evidentemente esto no ocurre, la Tierra en conjunto debe irradiar al espacio tanta energía como la que absorbe. En efecto es así porque aunque el vapor de agua retiene buena parte de la radiación de nuestro planeta, sólo reirradia hacia él la restante desde la capa superior como para mantener el equilibrio térmico.

La Tierra, en conjunto, mantiene el equilibrio térmico continuo durante mucho tiempo, pero esto cambia si consideramos el planeta dividido en zonas porque ingresa un exceso de radiación solar en las latitudes bajas y un exceso de la terrestre en las altas. Según esto, las latitudes bajas tendrían que irse calentando cada vez más y las altas enfriándose continuamente. Esto no ocurre porque el calor se transporta de las latitudes bajas en las altas por medio de los movimientos atmosféricos. Justamente, los movimientos globales de aire dentro de la atmósfera (el sistema de vientos) se origina en este equilibrio. La cantidad de calor que se debe transportar es vasta. Es decir, que más de 100 trillones de grandes calorías se deben transportar al norte del paralelo 40 para mantener el equilibrio diario.

inversión. Se denomina así a la compra de un activo por un individuo o sociedad. Algunos economistas llaman *in-*

versión neta a la parte que resta de la inversión, después de deducir la cantidad necesaria para mantener intacto el capital; *inversión bruta*, a la totalidad de las cantidades invertidas en la producción total de bienes, sin deducir lo necesario para la conservación del capital; *inversión privada* a la que se realiza por empresas privadas o por los capitalistas individualmente; *inversión pública* a la que realizan el Estado y las corporaciones públicas y que contribuye a fomentar indirectamente las inversiones privadas; *inversión reproductiva* a la inversión pública que da origen a un aumento del dividendo nacional que excede al costo anual de la inversión.

inversión térmica.

Este fenómeno se debe a la menor capacidad de retención calorífica de la Tierra respecto al aire, resultando con frecuencia una inversión clara de las temperaturas en relación con las partes más elevadas. La inversión térmica es frecuente en invierno cuando dominan las masas de aire anticiclónico, con noches claras y estrelladas y gran irradiación. Tal fenómeno explica, por otra parte, que las aldeas y pueblos se sitúen generalmente en las laderas, a cierta distancia del fondo de los valles. La vegetación se adapta a esta situación anómala existiendo en las laderas medias un estrato más o menos termófilo, limitado por un estrato inferior y otro superior de plantas más resistentes a temperaturas bajas.

invertebrados.

Animales que carecen de una columna dorsal dividida en secciones o vértebras. El nombre de invertebrados fue ideado por el sabio francés Jean

Corel Stock Photo Library

Medusa invertebrada del Pacífico

Baptiste de Monet de Lamarck, quien en su obra *Historia natural de los animales sin vértebras* (1801) hizo un estudio de los organismos inferiores entonces conocidos. Los invertebrados son muy numerosos, a mediados del siglo XX se conocen más de un millón de especies; en cambio, los vertebrados no llegan a la décima parte de esa cifra. Las principales divisiones de los invertebrados son las siguientes: *Protozoarios*, animales unicelulares; *Espongiarios* o *Poríferos*, esponjas; *Celenterios* o *Celenterados*, animales de simetría radiada; *Platel-*

Esponja amarilla invertebrada en un coral.

Corel Stock Photo Library

mintos, gusanos de cuerpo plano; *Nematelmintos*, gusanos de cuerpo cilíndrico; *Anélidos*, gusanos de cuerpo anillado; *Artrópodos*, insectos, arácnidos, crustáceos, etcétera; *Equinodermos*, estrellas de mar, erizos de mar, etcétera, y *Moluscos*, cefalópodos, gasterópodos, entre otras. Hace más de un siglo y medio, cuando en la clasificación zoológica no existía una acumulación tan grande de especies distintas de animales, era útil establecer la gran división entre vertebrados e invertebrados; pero, los progresos de las ciencias biológicas y la gran diversidad de los invertebrados, ha reducido la importancia de esa distinción que carece de significación precisa. *Véanse* ANIMAL; ARTRÓPODO; CELENTERIO; EQUINODERMO; ESPONJA; GUSANO; MOLUSCO; PROTOZOARIO; VERTEBRADO; ZOOLOGÍA.

investiduras, querella de las.

Luchas que por la supremacía seglar o religiosa en la Edad Media se desarrollaron de 1045 a 1122, principalmente bajo los papas Gregorio VII, Urbano II y Pascual II contra los emperadores Enrique IV y Enrique V de Alemania. Al derecho de investidura (autorización para nombrar obispos y abades) adquirido por los reyes, se opuso la Iglesia, amenazando castigar con las mayores censuras eclesiásticas a quienes la recibieran. A ello se opuso Enrique IV, quien, deseando transmitir a sus hijos el derecho heredado de sus antepasados, depuso a Gregorio VII (1076). Replicó el papa excomulgando al rey y dispensando a sus vasallos del juramento de fidelidad. Puso fin al conflicto, siendo papa Calixto II, el concordato de Worms (1122), que reconoció a la Iglesia el derecho de elección y al rey el

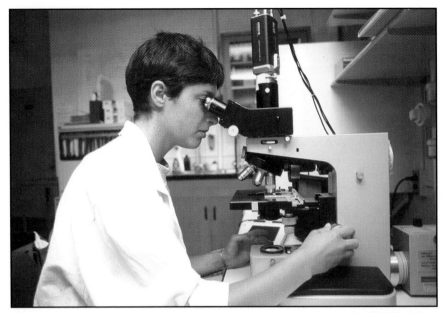

Investigadora biomédica en un laboratorio.

de presidir las elecciones, decidir los casos dudosos y dar su conformidad a los nombramientos.

investigación. Conjunto de estudios o experimentos con el fin de realizar descubrimientos científicos o resolver un problema práctico determinado. Planteada una cuestión, se recoge sobre la misma la mayor cantidad de material informativo que sea posible y se trata luego de buscarle una solución.

Hay dos tipos principales de investigación: la pura y la aplicada. La diferencia entre ambas depende de la naturaleza del problema planteado. Y en efecto, la primera, en general, busca las causas de los fenómenos, como cuando, por ejemplo, se trata de averiguar por qué la luz afecta el crecimiento de las plantas. La investigación aplicada o práctica, por su parte, también se basa en la experimentación y se realiza en laboratorios. Ramas importantes de esta clase de investigaciones son la investigación biológica y la investigación tecnológica. La primera efectúa pacientes estudios y experimentos con el fin de hacer progresar las ciencias biológicas, entre ellas la medicina y la farmacología, gracias al descubrimiento de nuevas medicinas, vacunas, el siglo XX. A la segunda se debe el alto grado de progreso técnico alcanzado en el siglo XX. Muchos de los hechos y fenómenos descubiertos por la investigación pura tienen una importancia decisiva en la investigación aplicada. Así, por ejemplo, los estudios físicomatemáticos puramente especulativos de Albert Einstein permitieron la liberación de la energía atómica y la consiguiente utilización práctica de ésta. Y de

hecho, la investigación pura es la que promueve e impulsa los progresos técnicos de una época. Al estudiar, en un plano de especulación abstracta, los principios fundamentales en que se apoyan las ciencias, se llega a establecer una renovación de esos principios. Los nuevos principios en que vienen a apoyarse entonces las ciencias abren horizontes antes insospechados y señalan el advenimiento de una nueva era y el punto de partida de nuevos perfeccionamientos técnicos.

Las investigaciones de carácter sociológico tratan de establecer las condiciones ambientales en que vive el hombre y elaboran luego estadísticas que muestran cuál es el nivel de vida, tanto desde el punto de vista material como moral, en determinado lugar.

Los institutos y laboratorios de investigación son sostenidos por donaciones o por el mismo Estado; muchos de ellos dependen de las universidades y academias. En Estados Unidos son muy numerosas las organizaciones de esta índole sostenidas por donaciones y fundaciones particulares. Una de las más importantes es el Instituto Rockefeller de Investigaciones Médicas. Institutos similares existen en todo el mundo. Son famosos el Laboratorio Cavendish, de Cambridge (Inglaterra), y el Instituto Káiser Guillermo, en Alemania, ambos dedicados a las ciencias físicas. El Instituto Pasteur, en Francia, fue fundado para combatir la rabia, pero hoy investiga todas las ramas de la medicina. El Instituto Internacional de Agricultura, de Roma (Italia), estudia lo concerniente a cultivos, abonos, plantas, cereales, etcétera. En Latinoamérica hay organizaciones de este tipo de se-

ñalado mérito. El antiguo Instituto Geográfico y Militar de Brasil y el Instituto Oswaldo Cruz, del mismo país, dedicado a las investigaciones médicas, son muy conocidos. Merecen también especial mención el Instituto de Medicina Experimental, de Buenos Aires (Argentina); la Sociedad Científica Argentina y la Sociedad Geográfica Americana, en el mismo país; la Sociedad de Historia Natural de Venezuela y la Fundación Miguel Lillo, de Tucumán (Argentina), han hecho importantes estudios sobre la flora y la fauna americanas. Son notables por la labor científica que realizan, las instituciones de investigación en México, sostenidas por el Estado, entre las que se cuentan los institutos de Enfermedades Tropicales, de Investigación del Cáncer, de Nutriología, de Higiene, de Antropología e Historia. La importancia de instituciones de esta clase ha sido comprendida por todos los países.

invierno. Una de las cuatro estaciones del año. Abarca desde el 21-22 de diciembre hasta el 20-22 de marzo en el Hemisferio Norte y desde el 21-22 de junio hasta el 22-23 de septiembre en el Hemisferio Sur.

Astronómicamente, comienza en el solsticio de invierno y termina en el equinoccio de primavera. El primero tiene lugar en el momento en que el Sol alcanza su máxima declinación sur, para el Hemisferio Norte, y norte para el Hemisferio Sur, cayendo entonces sus rayos con un ángulo de 23° 30'; el área abarcada resulta mayor que si cayeran a plomo, y por lo tanto, disminuye su intensidad, afectando la temperatura, el periodo vegetativo, etcétera. Hay invierno húmedo y seco, según corresponda a cada región. *Véase* ESTACIONES.

inyección. Acción de introducir bajo presión, por medio de una jeringa, un líquido en una parte, órgano o cavidad natural, con objeto de curar o mejorar el estado de salud del individuo. Pravaz, médico francés del siglo XIX, empleó la jeringa que lleva su nombre y fue el primero que aplicó la inyección hipodérmica (debajo de la piel). Las inyecciones de uso corriente son: subcutánea (bajo la piel) o hipodérmica, en la que los líquidos se absorben con rapidez; intramuscular, menos dolorosa, aunque los líquidos se difunden por el organismo con menor rapidez, al ser inyectados en pleno músculo; intravenosas, en la que los líquidos se inyectan en una vena, con preferencia en cualquiera de las flexuras de los codos, donde las venas adquieren más relieve. Por esta vía hay que inyectar con lentitud; hay casos en los que se hace gota a gota. Existen otras vías para las inyecciones, menos empleadas que las anteriores, intrarraquídeas, dentro del conducto raquídeo; intraarteriales en el interior de las arterias; intrapleurales, entre las dos hojas de la pleura; intracardiacas, en el corazón, donde la inyección de un estimulante salva a veces la vida. Las tres primeras inyecciones descritas las pueden aplicar las enfermeras y auxiliares del médico. Las cuatro últimas sólo los médicos especializados. Las inyecciones requieren una previa desinfección de la piel y conocer bien los lugares del cuerpo. Y observar el principio: "Cada aguja y cada jeringa, estéril para cada enfermo". No deberán aplicar inyecciones los no profesionales.

inyector. Aparato que sirve para introducir agua u otro líquido en una caldera o cilindro, venciendo una presión considerable. Los que se utilizan en las máquinas de vapor aprovechan la fuerza de éste para hacer entrar el agua; se componen esencialmente de tres toberas, que son orificios tubulares situados uno a continuación del otro. Por la parte superior, a través de una pequeña abertura, penetra el vapor, y debido a la forma cónica de la misma, adquiere gran velocidad y arrastra el agua fría que llega por un conducto lateral. En la segunda tobera, parte del vapor se enfría y se condensa, mezclándose con el agua arrastrada, a la cual, gracias al diseño del último tubo, imprime una fuerza tal que vence la resistencia de la válvula y penetra en la caldera. En este proceso el agua fría se ha calentado lo suficiente como para no influir sensiblemente en la temperatura de la que está dentro. El inyector de vapor fue inventado por el francés Giffard en 1858.

En ciertos motores de explosión se unen inyectores a presión para introducir el combustible en el cilindro, evitando así el carburador. Los motores Diesel dependen también de inyectores, mandados por bombas de presión y calibrados en forma extraordinariamente precisa, para que el petróleo, finamente pulverizado, pueda inflamarse sin necesidad de chispa eléctrica.

ión. Los átomos son estructuras complejas, construidas por un núcleo con carga electropositiva y una serie de electrones, cada uno de los cuales posee una carga negativa unitaria. La carga positiva del núcleo, cuando el átomo se halla en su estado normal, equilibra exactamente a la suma de cargas negativas que suponen los electrones. Si accidentalmente un átomo pierde electrones o los gana se convertirá en una estructura eléctricamente desequilibrada, que tendrá en consecuencia una carga resultante. En el primer caso, pérdida de electrones, la carga resultante será positiva, en el segundo negativa. A estas estructuras desequilibradas eléctricamente se les llama *iones*. Cuando su carga es positiva se les denomina *cationes*, cuando su carga es negativa *aniones*.

Cuando un cuerpo ionizado, o sea, aquel cuyos átomos o moléculas han sido frac-

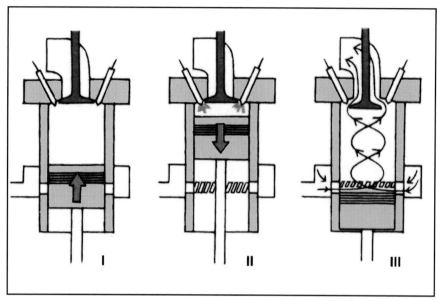

Del Ángel Diseño y Publicidad

Motor diesel de dos tiempos que muestra la inyección de combustible en la fase II.

turados constituyéndose estructuras eléctricamente desequilibradas e inestables, se encuentra en presencia de un campo eléctrico, se observa que las estructuras positivas se dirigen al cátodo o polo negativo del circuito y los aniones al ánodo que es el polo positivo.

Para que tal fenómeno se efectúe es necesario que los iones estén libres para moverse, lo cual no ocurre sino en las disoluciones líquidas o en el estado gaseoso de los cuerpos.

El grado de afinidad química de los cuerpos –*valencias*–, así como la velocidad con que éstos efectúan sus reacciones, tienen origen en la presencia de los iones; su movilidad depende de la mayor o menor intensidad del campo eléctrico a que se hallan sometidos. Robert Andrews Millikan comprobó que los *aniones* se desplazaban tanto por la acción de la gravedad como por la influencia antagónica de los campos eléctricos dentro de los que se hallaban.

En las fórmulas químicas se designa a los cationes con el signo + y los aniones con el signo - correspondiendo el número de signos al de las *valencias* respectivas. A los *iones* se debe asimismo que los *electrolitos*, esto es, los cuerpos susceptibles de ser descompuestos por electrólisis, conduzcan bien la electricidad y hasta que puedan producirla en condiciones apropiadas, siempre que los electrodos empleados –cobre, cinc, carbón, etcétera– neutralicen en todo momento la carga de los *iones* (pilas de Leclanché, por ejemplo).

También se ha observado que en los rayos positivos empleados para la producción de isótopos –tan útiles en la energía atómica– figura una importante cantidad de *iones*.

La conductibilidad de los gases, de ordinario refractarios a las corrientes eléctricas, depende de su grado de ionización; los gases que proceden de una llama, por ejemplo, se hallan siempre ionizados y cuando los rayos X actúan sobre un gas provocan asimismo la ionización. En los casos en que el campo eléctrico operante es de gran intensidad y el gas se halla enrarecido –tubos de Geissler, Crookes, etcétera–, éste adquiere la propiedad de ser un buen conductor de ondas hertzianas. Para explicar tales fenómenos se ha elaborado la teoría de que los gases poseen ya un pequeño número de *iones primarios* o elementales, los cuales, al dispersarse por la acción de la corriente eléctrica, chocan con las moléculas neutras y provocan nuevos *iones*, repitiéndose ese proceso hasta lo indefinido. Midiendo la conductividad eléctrica de los electrolitos se puede deducir cuál será su grado de ionización en distintas condiciones.

Sometiendo un metal a una temperatura elevada se producen corrientes llamadas *termoiónicas*; ello se debe a que el metal calentado provoca una ionización de la atmósfera que lo circunda juntamente con la de los cuerpos aislados que se hallan en su proximidad. En ese principio se halla basada precisamente la lámpara de electrodos empleada en los circuitos de radiotelefonía y televisión, cuyo filamento, al ser calentado por medio de una corriente local, provoca la consiguiente emisión de *iones*.

iones, intercambio de. Reacción química que comprende el reemplazo de un tipo de ion por otro en una solución. Este tipo de reacción tiene muchos usos industriales y científicos, incluyendo la purificación de sustancias tales como agua y azúcar, la extracción de oro y de otros metales valiosos de minerales y la separación de varias moléculas por medio de capas delgadas de cromatografía.

Las unidades suavizantes de agua, que eliminan tales minerales iónicos, como el calcio del agua dura, emplean una reacción de intercambio de iones. Estas unidades contienen por lo regular minerales de zeolita (mezclas naturales del barro de aluminiosilicatos de sodio), que reemplazan a los minerales iónicos con iones de sodio. Muchas de estas reacciones son reversibles. De manera que la zeolita en la que los iones de sodio se han usado pueden ser recargada sumergiéndola en una solución concentrada de cloruro de sodio. También se puede preparar agua desgonzada pasando primero agua con minerales iónicos a través de resina catódica, la cual intercambia iones de hidrógeno por iones de carga positiva, y luego se pasa por resina aniónica, la cual intercambia iones de hidróxido por iones de carga negativa.

Ionesco, Eugène (1912-1994).

Dramaturgo rumano. Pasó su infancia en territorio francés y a partir de 1938 fijó de nuevo su residencia en Francia, escribiendo desde entonces sus obras en lengua francesa. Es uno de los principales representantes del teatro del absurdo o *anfiteatro*, con piezas cuya acción carece de un nexo causal y se orienta en su contenido hacia una crítica radical de la sociedad a base de diálogos grotescos, con los que busca parodiar el vacío sin sentido de la conversación cotidiana. En 1970 ingresó a la Academia Francesa. Continuó escribiendo durante los años setenta, aunque su trabajo posterior fue menos ingenioso y más preocupado por la exploración del subconsciente. Ionesco también publicó ensayos, libros para niños, un diario personal y una novela.

ionización.

Fenómeno que ocurre cuando una sustancia que se halla en una solución acuosa se disocia en los iones de que está compuesta. A las sustancias que en una solución que contiene agua son conductoras del fluido eléctrico se les llama *electrolitos*. Las que carecen de esta propiedad se denominan *no electrolitos*.

La teoría de la ionización explica que los electrolitos, en el seno del disolvente, se disgregan en partículas cargadas de electricidad: son los iones, que llevan una existencia independiente en la solución. Los iones se dividen en dos clases por su modo especial de reaccionar ante el paso de la corriente eléctrica: cationes, cargados de electricidad positiva, que se dirigen hacia el cátodo o polo negativo, y aniones, cargados de electricidad negativa, que marchan hacia el ánodo o polo positivo.

Ocurre que el producto del número de cargas positivas de un catión por el número de cationes es igual al producto del número de cargas negativas del anión por el número de aniones. Los electrolitos se clasifican en fuertes y débiles, según su disposición para conducir la electricidad. Electrolitos fuertes son la mayor parte de los ácidos y bases inorgánicos y casi todas las sales.

Iowa.

En el corazón del medio oeste estadounidense, es un estado de transición. Su ubicación marca el cambio de los bosques en su zona noreste hacia las praderas que se extienden hacia el oeste de las montañas rocosas. Sus ciudades orientales se caracterizan por sus industrias agrícolas, particularmente Waterloo y Davenport, las cuales indican la transición entre la zona manufacturera del este de Estados Unidos y el menos industrializado oeste. Se encuentra actualmente en una etapa de cambio de una economía basada en la agricultura, tanto en términos de producción como en toda una gama de negocios relacionados, hacia una economía más diversificada. Iowa es la tierra entre dos ríos: el río Missouri y el Mississippi. Colinda con los estados de Minnesota, South Dakota, Nebraska, Missouri, Illinois y Wisconsin. Su capital y principal ciudad es Des Moines, con una población aproximada de 195,000 habitantes (1992). Su extensión es de 145,755 km^2 y cuenta con una población de 2.829,000 habitantes (1994).

Suelo y recursos. La base geológica de Iowa es de roca sedimentaria. La zona donde se ubica Des Moines es un área plana con escasa irrigación. Las elevaciones varían desde su punto más alto en el condado Osceola (509 m) al noroeste, hasta el más bajo en los márgenes del río Mississippi (146 m) en el sureste. El promedio de elevación estatal es de 335 m. Los suelos de las praderas son oscuros, profundos y con alto contenido orgánico; se encuentran en la mayor parte del estado tierras muy propicias para la agricultura. Hacia el sur y hacia el este la calidad de la tierra es menor y su coloración es más clara.

Además de los dos ríos principales en sus fronteras, existen otros que juegan un papel importante en la transportación y como fuentes de energía. Estas corrientes interiores varían en longitud, desde el río Des Moines con 692 km de extensión hasta otros con sólo unos cuantos kilómetros de largo. Los ríos Iowa, Cedar, Wapsipinicon, Maquoketa, Skunk, y el Des Moines tienen cuencas con amplio drenaje. Las reservas Coralville, Rathbun, Red Rock y Saylorville son administradas en su flujo con recursos hidráulicos y con zonas recreativas, siendo los mantos acuíferos más grandes en las zonas este, sur y central de Iowa. Sólo en la zona noroeste del estado se encuentran lagos naturales importantes, los cuales se utilizan para actividades de esparcimiento.

Clima. Iowa tiene un clima continental extremoso tanto en temperatura como en precipitación, además de una tendencia a tormentas violentas. Durante el verano las temperaturas más altas promedian los 20 °C, pero pueden llegar hasta los 30 °C acompañados de un alto nivel de humedad. La zona oeste tiende a presentar mayores temperaturas, mientras que la zona este tiene mayor humedad. En algunos periodos anuales de extremo calor y con condiciones de alta humedad se ven afectados tanto las cosechas como el ganado. Las temperaturas promedio durante el invierno varían de -10 °C a -4 °C, aun cuando suelen presentarse menores lecturas. La temporada templada promedio varía de los 140 días en el norte a los 170 días en el sur.

Las precipitaciones, que generalmente ocurren cuando el aire húmedo del Golfo de México se encuentra con el aire frío del Pacífico o del Ártico, varían en un promedio anual de 864 mm en el sureste, hasta 635 mm en el noroeste. Las precipitaciones pueden variar significativamente, con grandes cantidades de lluvia de una sola vez o con largos periodos entre una breve precipitación y otra. Es por esto que puede sufrir de inundaciones y de sequía. Es también una zona de fuertes vientos y tornados.

Vegetación y vida animal. Las praderas y bosques originales en su mayor parte se han transformado en tierras de labranza y ganadería, lo que permite que tenga el porcentaje más alto de tierras destinadas a la agricultura que cualquier otro estado. Actualmente, algunas praderas se mantienen como reservas de un tamaño limitado, y se han establecido programas públicos para restablecer extensiones mayores de praderas. A pesar de que el bisonte y el puma ya no se encuentran en libertad, la población de venados cola blanca es mayor que antes de la colonización europea. Los programas públicos han tenido éxito en la reintroducción de pavos salvajes, nutrias de río, y algunas razas peregrinas. El águila calva, alguna vez amenazada por el DDT, prospera a través del Mississippi; las aves de caza también son abundantes, así como una gran variedad de aves residentes y migratorias. Sus recursos naturales se relacionan con su productividad agrícola: la combinación de suelo, temporadas de cosecha y grado de humedad hacen de Iowa una zona muy productiva de agricultura de temporal.

Población. De 1980 a 1990, Iowa experimentó un decremento substancial de población. Para 1990, Iowa tenía el porcentaje más alto de la nación de personas mayores de 75 años (7 %). La mayoría de la población en Iowa son naturales del estado, muchos de ellos de origen germano, por lo que todavía existen comunidades que hablan el alemán predominantemente como en las colonias Amana y Amish. Otros grupos étnicos europeos incluyen a holandeses, noruegos y checos. Los negros son minoría, siendo 1.7% de la población y habitan principalmente en Davenport, Waterloo y Des Moines. En el condado Tama se encuentra la reserva Mesquakie que alberga a indios americanos. El condado Muscatine tiene una alta concentración de hispanos, quienes trabajan principalmente en industrias empacadoras de carne. La población asiática se concentra en las ciudades universitarias de Iowa City, Ames y Cedar Falls. La religión predominante es la protestante, aún cuando los católicos constituyen la mayoría en Dubuque. La población judía se concentra en las grandes ciudades, mientras que Cedar Rapids tiene una importante congregación musulmana, siendo la más antigua en Estados Unidos.

Educación y cultura. El nivel general de educación es alto, y el estado mantiene el nivel nacional más bajo de analfabetismo en adultos. Dos de las tres universidades estatales y muchas instituciones privadas de educación superior funcionan desde mediados del siglo XIX. La principal universidad estatal es la de Iowa en Iowa City, donde su taller para escritores es muy reconocido. Varios museos, festivales artísticos y diversos programas de arte enriquecen la vida cultural del estado, particularmente durante el verano. Las principales ciudades organizan funciones teatrales y conciertos durante todo el año, existiendo varias orquestas sinfónicas. Debido a que cuenta con varios lugares históricos importantes, un movimiento preservasionista muy activo ha brindado mantenimiento a muchos edificios históricos. Iowa tiene alrededor de 30 periódicos, siendo el más grande el Des Moines Register. La estación de televisión pública completó su cobertura estatal a principios de la década de 1970.

Actividad económica. A pesar de los cambios ocurridos en el siglo XX, Iowa es principalmente un estado agrícola. En 1989 tenía 105,000 granjas, una por cada 27 habitantes, lo que lleva al estado al liderazgo nacional en ingresos agrícolas totales junto con California y Texas. Los cuatro índices de producción más importantes son maíz, soya, ganado porcino y ganado vacuno. Durante los últimos años del siglo XX muchos granjeros se preocuparon por limitar en lo posible el uso de químicos en sus cosechas, al considerar los efectos ambientales que ellos producen; asimismo, los productores de carne también se han movilizado para reducir la grasa en sus animales. Además, el negocio del empaque de carne se ha desarrollado ampliamente desde 1970; las empresas IBP y ConAgra se han transformado en los nue-

Corel Stock Photo Library

Ganaderos en un rancho de Iowa.

vos gigantes de la industria, revolucionando su producción con plantas altamente eficientes, una mercadotecnia orientada hacia restaurantes y costos laborales muy bajos.

La edición de publicaciones es una actividad de crecimiento importante en el estado, así como la producción de aparatos eléctricos y de equipo pesado de producción.

Almacenamiento de granos en Iowa.

Corel Stock Photo Library

El sector de servicios, que mostró gran desarrollo durante la década de 1980, actualmente emplea a más gente de la que trabaja en los sectores agrícola y manufacturero. La mayor parte del área de servicios ha crecido en los sectores de seguros y finanzas, especialmente en Des Moines que es el segundo sector de seguros más importante del país. Sólo hasta años recientes Iowa ha desarrollado un sector importante de turismo, y las ciudades que ofrecen más atracciones turísticas son Des Moines e Iowa City; un atractivo importante para los turistas son los juegos de apuestas realizados en barcos sobre el Mississippi.

Energía. En años recientes, la política energética se ha orientado hacia la producción de etanol con un aditivo a la gasolina para reducir la cantidad del consumo de petróleo; los resultados todavía son limitados. La electricidad en el estado se genera por varias fuentes como plantas nucleares de energía, gas natural, carbón y petróleo, así como plantas hidroeléctricas y otras plantas de poder generadas por el viento.

Iparraguirre, José María (1820-1881). Músico español, originario de Guipuzcoa, que compuso el famoso himno vasco *Guerni kako Arbola*. Fue también poeta. Combatió del lado carlista en su juventud y emigró luego a Francia. Tuvo una existencia errante y vivía de lo que ganaba improvisando la letra y la música de bellas canciones. En 1855 partió para América y regresó a su patria en 1878.

Ipatiev, Vladimir Nikolaevich (1867-1952). Catedrático de la Universidad de

San Petersburgo. Dirigió en Rusia las industrias químicas de guerra durante la Primera Guerra Mundial. Posteriormente se trasladó a Estados Unidos donde realizó importantes investigaciones sobre reacciones catalíticas a alta presión, que tienen diversas aplicaciones industriales, sobre todo en la refinación de petróleo; descubrió varios catalizadores y un procedimiento de polimerización para producir gasolina de alto octanaje.

ipecacuana. Planta rubiácea originaria de América, de unos 25 cm de alto, hojas largas y flores blancas, cuyas raíces son utilizadas en la farmacopea como eméticas y purgantes. En dosis moderadas provoca vómitos. Se usó a partir del siglo XVII para combatir la disentería, aunque fue sustituida por otros medicamentos.

iperita. Sulfuro de dicloroetilo o *gas mostaza*, llamado así por su olor. Fue empleado como gas de guerra por primera vez en Iprés (Bélgica), en 1917. De ahí deriva su nombre vulgar. En estado puro es un líquido oleoso, incoloro, de sabor dulce y astringente, insoluble en el agua. Hierve a 217 °C y actúa como lacrimógeno sofocante y, sobre todo, como vesicante. Se emplea en granadas y bombas, y envenena lentamente los lugares en que ha sido rociado. Ejerce una acción corrosiva sobre las mucosas internas.

Iqbal, Muhammad (1876-1938). Poeta y pedagogo árabe de la India. Estudió en universidades europeas, donde terminó el doctorado en leyes y filosofía. Durante su estancia en Europa investigó las corrientes políticas y nacionalistas que le servirían de experiencia para su patria. En 1908 volvió a la India y se dedicó al ejercicio de la abogacía, alternando con sus escritos poéticos y filosóficos.

En 1930 fue presidente de la Liga Árabe-India y su tesón nacionalista contribuyó a la creación posterior de Pakistán independiente. Planeando el *Libro de un profeta olvidado*, le sorprendió la muerte.

Iquique. Capital de la región chilena de Tarapacá o primera Región, en la costa norte del país. Es un puerto minero de primera importancia y el principal centro pesquero de aquella zona. Sede universitaria. Tiene 152,592 habitantes (1995) y es ciudad de anchas calles, hermosos jardines y bellos alrededores.

Iquitos. Ciudad de Perú sobre el río Amazonas y capital del departamento de Loreto y de la provincia de Maynas, que comprende esa región. Población: 274,759 habitantes (1993). Clima caluroso y húmedo. Zona agrícola y comercial, que ha tenido épocas de movimiento y progreso ex-

traordinarios, es el centro del comercio del caucho en una vasta región y su desarrollo ha ido a la par con la necesidad de ese producto. A comienzos del siglo XX, cuando empezaba la gran demanda de la industria automovilística y aún no había entrado en el mercado el caucho de plantaciones, los altos precios del que se obtenía de los árboles silvestres promovieron la actividad de los *caucheros*, los cuales formaban contingentes de numerosa población flotante en Iquitos, que entonces construyó buenos edificios y hermosos paseos e instaló servicios públicos modernos y centros culturales. Se comunica por la vía fluvial del Amazonas mediante embarcaciones de regular tonelaje con Manaos y Belem, en Brasil. Posee aeródromo para su enlace con Lima. Iquitos es, después de Manaos, la ciudad de mayor importancia de América ubicada en plena selva amazónica y la más alejada de los grandes centros del continente.

Irala, Domingo Martínez de (1506?-1556?). Conquistador español, apodado el *capitán Vergara*. Se trasladó a América con la expedición de Pedro de Mendoza (1535) y asistió a la fundación de Buenos Aires. Su figura empezó a destacarse cuando Mendoza envió a Juan de Ayolas a descubrir la Sierra de la Plata por el río Paraná. Irala remontó con Ayolas el Paraná y el Paraguay hasta el lugar donde fundaron el puerto de Candelaria. Luego, Ayolas, con parte de su tropa, se internó en el Chaco dejando a Irala en el puerto citado como gobernador interino y con orden de esperar allí su regreso, cosa que Irala no cumplió pues realizó algunos recorridos por el río y llegó a Asunción. Cuando Ayolas regresó, no encontró apoyo en Candelaria y él y su ejército fueron exterminados por los payaguaes. Como no se sabía nada de Ayolas, la designación que había hecho fue considerada legal y la gobernación del Río de la Plata recayó sobre Irala. Éste realizó una expedición contra los indios agaces, y, en busca de Ayolas, se internó penosamente en el Chaco enterándose en 1540 de la muerte de aquél. Convertido en autoridad máxima, decidió abandonar Buenos Aires y concentrar a todos los españoles en Asunción, cuyo primer ayuntamiento creó el 16 de septiembre de 1541. El nuevo gobernador, Alvar Núñez Cabeza de Vaca, nombrado por la Corona, llegó a Asunción en 1542, con el consiguiente disgusto de Irala, que no sólo perdía su poder sino que se veía obligado a retrasar su proyectada expedición a Perú. Por orden del gobernador, Irala partió río arriba y, a principios de 1543, fundó el Puerto de los Reyes, como base para las futuras expediciones hacia el oeste. Sin embargo en vez de preparar aquéllas, se preocupó de intrigar contra Cabeza de Vaca, conspirando y minando el

terreno a éste, hasta que estalló el motín de los *comuneros*. Cabeza de Vaca fue encerrado en prisión y procesado, e Irala fue nombrado teniente gobernador.

Irala no cejaba en su empeño de llegar a la imaginaria Sierra de la Plata. En noviembre de 1547 partió desde el Puerto de San Fernando a través del Chaco, sin darse cuenta llegó a Perú. Las fuerzas molestas por las arbitrariedades de Irala, le obligaron a dimitir y confiaron el mando para el regreso a Gonzalo de Mendoza. De vuelta en Asunción, Irala destituyó a Diego de Abreu, que ocupaba el cargo de teniente gobernador.

En 1553, intentó una expedición a las tierras ricas y al Dorado, por el norte, que fracasó. Encargó la fundación de ciudades en los Xarayas (Chaco) y en el Guaira, donde ya había hecho fundar la villa de Ontiveros. Irala es considerado como uno de los personajes más sorprendentes de la conquista. Llevó a cabo grandes empresas y gobernó Paraguay arbitraria y particularmente. Su alianza con los indios fue duradera y fructuosa. Se le considera como el forjador de los elementos que siglos después habrían de servir de base para la creación de la nacionalidad paraguaya y, a pesar de sus arbitrariedades, goza de aprecio como tal.

Irán e Iraq, guerra de. Guerra iniciada el 22 de septiembre de 1980, cuando Iraq invadió Irán. El conflicto tiene profundas raíces de tipo territorial, cultural, étnico e ideológico y refleja una rivalidad histórica entre ambas naciones por la supremacía en el área del Golfo Pérsico.

La meta establecida de Iraq era obtener el control total sobre el canal que divide a los dos países. Sin embargo, el gobierno sunnita de Iraq también temía el impacto de la revolución islámica de 1979 en Irán sobre los chiítas de Iraq y esperaba que la debilidad militar y el caos interno le permitieran reafirmar su reclamo a Irán por la provincia de Khuzistán y volverse el poder regional dominante. En junio de 1982, se enfrentó con una fuerte resistencia Iraní. Iraq retiró sus topas de la mayor parte de Irán. A pesar de esto, más tarde Irán envió numerosos ataques de infantería masiva, lo que se convirtió en una guerra sangrienta que costó más de un millón de vidas. En 1984, Iraq inició ataques contra embarcaciones en el golfo como parte de su contienda económica contra Irán. Esta estrategia arrastró a otros países a intervenir en el conflicto, aumentando la presión sobre Irán para que aceptara un acuerdo negociado. En respuesta Irán atacó los barcos con cargamento militar para Iraq y aquellos que pertenecían a los países que ayudaban a éste.

Desde el principio existió el temor de que la guerra se expandiera e hiciera detonar una confrontación entre las superpotencias. Iraq compraba armas principalmente a Francia y a la URSS y recibía créditos occidentales y ayuda financiera masiva de otros estados árabes del golfo. Irán, apoyado por Siria y Libia, compraba la mayoría de su armamento en el mercado negro. Estados Unidos, oficialmente neutral, dio ayuda no militar e información de inteligencia a Iraq, pero también, en 1985 y 1986, proporcionó armas a Irán. En mayo de 1987, después de que la fragata estadounidense *Stark*, fuera golpeada por un misil iraquí, aparentemente por accidente, Estados Unidos incrementó su presencia naval en el golfo y permitió que 11 tanques kuwaitíes ondearan la bandera estadounidense. Luego otras naciones se unieron a las patrullas. En julio de 1987, Iraq aceptó la resolución designada por la ONU de poner fin a la guerra. En julio de 1988, después de ataques iraquíes sobre ciudades de Irán, varias victorias en tierra y el derribo accidental del avión comercial iraní por el crucero estadounidense *Vincennes,* también Irán aceptó la resolución de la ONU. El alto al fuego tuvo efecto el 20 de agosto de 1988. En agosto de 1990, en busca de apoyo para su invasión a Kuwait, Iraq regresó a Irán todos los territorios ocupados y los prisioneros de guerra. Los lazos diplomáticos fueron restaurados en septiembre. En la guerra del Golfo de 1991, Irán dio refugio a naves iraquíes pero las confiscó.

Irán o Persia. Estado de Asia Anterior, que ocupa la mayor parte de la meseta de Irán. Sus límites terrestres lo ponen en contacto con las repúblicas de Turkmenistán, Azerbaiján, Armenia, Turquía, Iraq, Pakistán y el Estado islámico de Afganistán. El Mar Caspio lo baña por el norte y el Golfo Pérsico forma la zona costera meridional. Cubre un área de 1.643,000 kilómetros cuadrados.

Relieve. Es bastante complicado y su estructura fisiográfica está constituida por las partes occidentales y centrales de la meseta de Irán, por las zonas litorales de Ghilán y del Mazanderán, al norte, y las de Arabistán, de Fars, de Laristán y de Mekrán, al sur; y los países de terrazas y montañas que delimitan la citada meseta por el norte, oeste y sur. Del nudo de Ararat y de las altas tierras volcánicas de la Armenia persa se desprenden los montes de Elbruz y del Korassán que delimitan la meseta por el norte y que por los Paropamisos (Afganistán) enlazan con Pamir. En los montes Elbruz se yergue el pico más alto de Persia, el Demavend (5,671 m) que la leyenda señala como la cuna de la humanidad. En el oeste, suroeste y sur, los montes de Zagros, Luristán, Fars, Schibqu y Beluchistán constituyen una serie de terrazas sucesivas por las que se asciende desde Mesopotomia y desde el Golfo Pérsico

Corel Stock Photo Library

Esculturas de piedra en Persépolis, Irán.

hasta la meseta interior, que, extraordinariamente accidentada, presenta altas planicies (1,000 a 1,300 m), profundas depresiones (300 m), valles montañosos, que alcanzan los 2,500 m, y plegamientos con más de 4,000 m, que culminan en el Koh-i-Dena (5,200 m). Las extensas áreas desérticas de la meseta (desierto Salado, de Lut, de Kirman) corresponden al cinturón de desiertos que se extienden desde el Sahara hasta Garjanah. Las partes más bajas de estos desiertos forman las cuencas cerradas pantanosas y salinas denominadas *kervir.*

Geología. La historia geológica del Irán es en extremo compleja. Muchas de sus características datan del periodo jurásico, en el que hubo intensa actividad volcánica. Durante el cretáceo se produjo el vasto plegamiento que levantó la meseta irania e hizo erguirse las grandes cadenas montañosas. Los estratos petrolíferos de la región del Golfo Pérsico fueron depositados en el mioceno, ya en el periodo terciario, durante el cual las viejas estructuras fueron afectadas por violentos terremotos. La superficie de las llanuras que abarcan gran parte del país es una marga aluvial o un suelo de arena fina o gruesa que desciende de las lomas vecinas.

Hidrografía. Las condiciones climáticas no favorecen la formación más que de cursos de agua escasos y poco caudalosos. Además, muchos de ellos, encerrados en la meseta, no llegan al mar y se pierden en los lagos o en las arenas. Sólo el Sefid-Rud, que nace en el lago Urmia, con el nombre de Kizil-Uzen, atraviesa los montes Ghilán y desemboca en el Caspio. Los demás ríos que van a desaguar en este mismo mar (Atrek), así como los que se vierten en el río Tigris (los de Zab, el Diyala), en el Chat-el Arab (Karum, navegable en unos 200 km) y directamente en el Golfo Pérsico, son externos a la meseta. Los ríos, que de la cordillera meridional descienden al golfo son torrenciales y pueden llegar a constituir una buena fuente de energía hidroeléctrica. Entre los ríos interiores a la meseta figuran: el Qara Cal, el Rud-i-Chur, el Rud-i-Chari y el Rud-i-Tahurd. El más importante de los cursos de agua, el Aras o Araxes,

Mausoleo del ayatollah Khomeini en Irán.

Corel Stock Photo Library

Irán o Persia

se halla en el límite con Rusia. El mayor de los lagos es el Úrmia, emplazado en el Azerbaiján; el Hamun se halla en la frontera afgana y el Niris, alimentado por el río Kur, con otros menos importantes, en el interior de la meseta.

Las costas meridionales de Persia están bañadas por el Mar de Omán (océano Índico), el Estrecho de Ormuz y el Golfo Pérsico. Este último, cuya riqueza la constituye la pesca de perlas, es una de las rutas marítimas más activas y antiguas de Asia. El Mar de Omán carece de buenos puertos. En el norte, el Mar Caspio es un inmenso lago salado, que facilita las comunicaciones con Rusia.

Clima. Predomina el continental extremado. Sin embargo, al norte de los montes Elbruz, en la zona influida por el Mar Caspio, el clima es subtropical, con temperaturas moderadas y lluvias abundantes (1,200 a 1,500 mm anuales). La vertiente del Golfo Pérsico goza de un clima de tipo tropical. La meseta presenta las características climáticas del desierto: cambios de temperatura estacionales y diarios, bruscos y muy acentuados, así como gran sequía debido a que las montañas que la circundan impiden el paso de los vientos moderadores y de las nubes cargadas de humedad. En cambio, en el verano, las fuertes corrientes de aire arrastran la sal amontonada en las lagunas desecadas y las esparcen en todas direcciones, provocando la esterilidad en sus alrededores.

Flora y fauna. Los contrastes físicos y climáticos, que dan lugar a una extrema variedad de flora, son expresados por los naturales de Fars al distinguir en su país las tierras calientes (litoral), los desfiladeros (graderías de las montañas) y las tierras frías (meseta) con su flora y vegetación peculiares. La región noroeste es la única verdaderamente fértil y de exuberante vegetación. Fuera de Azerbaiján, de Gilán y de algunas comarcas de Fars, domina la estepa y aun el desierto. Iran tiene, pues, una flora mediterránea y a veces tropical, contrastando con la vegetación de los bosques boreales de las faldas de los montes del oeste, mientras al este aparecen las plantas xerófilas de los desiertos salados y ardientes que llegan hasta las orillas del Omán. En las comarcas caldeadas del Golfo Pérsico y en algunas interiores del Fars se da la palma datilera. La fauna es paleártica en unas regiones y desérticas en otras. Leones, lobos, osos, tigres, etcétera, viven en las montañas escabrosas y en las estepas.

Minerales. La mayor riqueza de Persia son los yacimientos de petróleo y la economía del país depende fundamentalmente de este producto, quedando relegados los demás a un plano secundario. La explotación empezó a principios del siglo XX, cuando el explorador D'Arcy obtuvo una concesión y comenzó a extraer el petróleo de Masgid-i-Sulaiman. Más tarde se descubrieron los depósitos de Haft-Khal, Naft-i-Shah, Agha-Jari-Pezanum y Gach-Saran, para cuya explotación se había constituido la compañía británica *Persian Oil Company*. En 1933 se modificaron las condiciones de la concesión para dar mas intervención al gobierno persa *(Anglo-Iranian Oil Co.)* y precisar la zona a explotar en 250,000 km². La empresa americana *American Iranian Oil Co.* consiguió una concesión (1935) para explotar los yacimientos de Khurassan y Mazanderán. En 1951, el gobierno persa nacionalizó la explotación del petróleo y expropió las instalaciones y demás propiedades de la *Anglo Iranian*. Esta medida provocó una crisis internacional que fue solucionada en 1954 al llegarse a un acuerdo por el cual el gobierno iranio concedió la explotación petrolera de las propiedades nacionalizadas a un consorcio internacional. Éste fue nacionalizado junto con numerosas otras industrias en 1979. Los pozos iranios produjeron en 1993 166.024,000 ton. Para conducir el petróleo a las refinerías se han construido oleoductos. Por este medio se lleva el producto extraído en la zona de Maidan-i-Naftun a la refinería de Abadán, y el de los pozos de Naft-i-Shan a la de Kermanshah. Existen, también, depósitos de hierro, níquel, cobre, plomo (Azerbaiján), manganeso, potasa y sobre todo carbón (Elbruz), explotados algunos en pequeña proporción.

Agricultura y ganadería. La mayor parte del suelo se destina a pastos, pues la falta de agua reduce la explotación agrícola a una pequeña proporción del territorio, y aun en muchos terrenos de la superficie aprovechable sólo se hace posible el cultivo gracias a la irrigación. El trabajo de la tierra está a cargo de los hombres y se realiza de una manera rudimentaria, utilizando todavía toscos arados arrastrados por bueyes o empujados a mano. A este retraso contribuye el régimen de propiedad, pues la mayoría de las tierras agrícolas están en manos de grandes terratenientes que las arriendan a los campesinos en condiciones que casi hacen caer a éstos en la servidumbre. La preocupación del gobierno por el mejoramiento de esta fuente de riqueza se patentizó en el plan septenal de 1948, que preveía el desarrollo de los recursos agrícolas. Los cereales (trigo, cebada, maíz, arroz) se dan en las altas tierras periféricas. El tabaco y el té son cultivos tradicionales; el algodón encuentra condiciones favorables y se va extendiendo, también se cultivan la planta del opio, índigo, caña de azúcar y la vid, que alcanza la corpulencia de un árbol. Son muy famosos los vinos de Kasvin y Chiraz. En esta última llanura florecen espléndidas lilas y rosas. Los árboles frutales son de excelente calidad: el melocotonero es originario de Persia. Las condiciones del medio favorecen el desarrollo de la ganadería, que constituye la ocupación casi exclusiva de la población nómada. Las especies de ganado más abundantes son el caprino y el ovino, éste es apreciado por su lana, que sirve a las tradicionales industrias de alfombras y tapices. Sigue la bovina, representada en su casi totalidad por el búfalo doméstico. Se crían, también, camellos, asnos, mulas y caballos árabes, turcomanos y persas.

Industria. Las industrias petrolera, siderúrgica, de aluminio y de ensamblado de automóviles, buques y aviones, junto

Capilla de Hazrat Fatimeh, hermana del 8º Imán, en Irán.

con la minería, todas ellas nacionalizadas en 1979, son las equipadas y organizadas en forma moderna. Las industrias tradicionales (alfombras, tapices, chales, trabajos en metal, cuero y cerámica) conservan su carácter doméstico o de artesanía. Para mantener el prestigio y los mercados de estas artísticas labores, muchos jóvenes aprenden todos los años el arte de tejer alfombras y tapices y de trabajar y repujar metales y cueros. Para evitar la pérdida de la calidad que los modernos métodos de la industria textil y de la tintorería pueden hacer sufrir al trabajo tradicional, el gobierno controla las exportaciones e impide la salida de las mercancías de baja calidad. En Ispahán, Chiraz y Yezd se fabrican tejidos de seda, chales, algodones e indianas teñidas a mano. Son famosos los tapices de Tauris, Hamadan, Sultanabad, Kashan y Kerman. El gobierno impulsa la industrialización del país con la creación de fábricas de refinación de azúcar, textiles, de cemento, de cigarrillos, de fundición de cobre, de glicerina, de armas, de fósforos, de cerveza, de jabón, molinos de arroz y de aceite y astilleros para pequeñas naves. Teherán cuenta con manufacturas de vidrio, armas blancas y de fuego, municiones, productos químicos, etcétera. La industrialización, destinada al consumo local, tropieza, sin embargo, con el poco poder adquisitivo de la población.

Comercio. Persia exporta casi la totalidad de su producción de petróleo y gran parte de la de alfombras y tapices, así como también frutas, granos, seda cruda, algodón, opio. Importa artículos manufacturados y alimentos. Los principales países con los que se efectúa el comercio exterior son: Japón (13%), Corea del Sur (6%), Francia, Italia, Países Bajos (5%) y Grecia (4%). El comercio se realiza principalmente por los puertos de Buchir, Mohammera y Abadán en el Golfo Pérsico, y el de Pahlavi, en el Caspio. La unidad monetaria es el rial, que se divide en dinares (100). Cien riales equivalen a un pahlevi. Los medios de transporte son deficientes y, en algunos lugares, rudimentarios. Todavía los campesinos se ven obligados en muchos casos a servirse sólo de camellos, mulos, asnos y caballos. Sin embargo, y a pesar de los obstáculos que opone el terreno abrupto, se ha fomentado la construcción de carreteras y ferrocarriles. Las antiguas rutas de las caravanas han sido transformadas en buenas carreteras por las que circulan automóviles y camiones. La red de carreteras de Irán comprende 151,488 km (1991), 34% de ellas pavimentadas; forman seis grandes itinerarios, entre ellos el que va de Teherán a Ispahán y Chiraz y de aquí a Buschir y Bender Abbas. En lo que se refiere a los ferrocarriles, hasta que el shah Reza (1925) empezó su impulsión, no existían más que dos líneas, una construida por los ingleses

y otra por los rusos. En 1938 se terminó un ferrocarril transiranio (1,392 km), del que salen varios ramales, va de Bandar Shahpur a Bandar Shah, uniendo el Golfo Pérsico con el Mar Caspio. La longitud total de los ferrocarriles es de 5,091 km (1993). Las compañías petroleras contaban con medios propios de transporte. Se han edificado varios aeródromos y se han creado líneas aéreas, con servicios periódicos, que unen la capital con las ciudades más alejadas. Varias líneas internacionales hacen escala en Teherán.

Población. Se eleva a 67.5 millones de habitantes (1995), es decir, unos 41 habitantes por km^2. Los persas son una mezcla de un grupo de los indogermanos orientales o arios, con los primitivos habitantes del país, que eran de raza caucásica, y otra raza pequeña y oscura, más antigua, que se relaciona con los drávidas. Posteriormente, se incorporaron mongoles, turcos, árabes y otros pueblos, que en diversas épocas invadieron Irán. A todo esto hay que añadir israelitas, armenios, europeos. Los persas (iraníes) son dolicocéfalos, de cutis blanco muy mate, cabellos y ojos castaños, barba poblada, frente regular y nariz recta y prominente. Al lado de los iraníes propiamente dichos, viven los iraníes del oeste (kurdos) y del este (afganes, beluches). No obstante los esfuerzos que hace el gobierno para fijarlos, quedan en Persia muchos miles de nómadas y seminómadas, que viven de la caza y del pastoreo. Los labradores sedentarios tienen como primordial preocupación la lucha contra la falta de agua y el mejor aprovechamiento de ésta. Hasta el principio del siglo XX, la sociedad

Tumba del imán Reza en Mashhad, Irán.

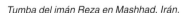

Corel Stock Photo Library

Corel Stock Photo Library

Monumento al shah Pahlevi I, en Tehran, Irán.

iraní comprendía tres clases sociales, pero la revolución de 1925 modificó tal estado de cosas y muchos de los antiguos usos. Aunque el régimen matrimonial es el mismo que el de los demás países musulmanes, los harenes guardados por eunucos han desaparecido y el uso del velo y del gorro de astrakán han sido prohibidos. La indumentaria es sumamente artística. Las mujeres son muy aficionadas a las joyas. La adaptación a las costumbres europeas se va realizando poco a poco. En el campo predominan las casas de adobe con azotea o cúpula de ramaje. Las ciudades tienen un aspecto característico y un sello típicamente oriental. Cada gremio u oficio tiene su calle. Lo bazares abigarrados, las mezquitas y los baños dan tono pintoresco al conjunto. Hasta 1942, fecha en que fue organizado el sindicalismo obrero, existían gremios similares a los de la Europa medieval. En general, las clases trabajadoras viven en condiciones muy precarias en todos los aspectos, pues los beneficios de la técnica occidental sólo alcanzan a un reducido número de privilegiados.

Religión. La mayoría de los persas profesan la musulmana. A la secta *shia* pertenece 93.4% de la población (1994) y a la *sunnita* 5.7% (1994). El resto son cristianos armenios, judíos, nestorianos, guebros. El idioma es el persa moderno derivado del zendo. Se hablan también el afgano, el beluchi, el kurdo y el oseta. La instrucción pública ha hecho grandes progresos durante todo el siglo XX. Antes, la enseñanza era libre e independiente del Estado y en las escuelas primarias no se enseñaba más que el Corán y la escritura, las *medersas* da-

Irán o Persia

Corel Stock Photo Library

Mezquita en Irán central.

ban una enseñanza superior, sobre todo teológica. Después de la Primera Guerra Mundial, se reorganizó la enseñanza, tomando como modelo a la francesa y, al lado de las escuelas religiosas, se crearon otras inspiradas en las ideas pedagógicas y programas occidentales. Hay más de 61,683 escuelas primarias y cerca de 700 secundarias (1993-1994). Las ciudades universitarias son Teherán y Tabriz.

Gobierno. Irán, *tierra de los arios*, es una república islámica. La revolución de 1979 derrocó a la monarquía de Reza Pahlavi y aprobó en plebiscito la nueva Constitución, misma que fue enmendada en 1989, y que es la que rige actualmente al país.

El poder Ejecutivo lo ejerce el presidente electo por sufragio para un periodo de cuatro años, tres vicepresidentes y un Consejo de Ministros. Tanto el poder Ejecutivo como los otros poderes están sujetos a la autoridad del líder religioso islámico. El poder Legislativo lo representa la Asamblea Nacional (270 miembros electos por sufragio para un término de cuatro años). El Consejo para la Protección de la Constitución (12 miembros) comprueba si las leyes están acordes con la Constitución y la religión islámica.

Ciudades. La capital es Teherán con una población de 6.750,043 habitantes en 1994. Fundada en el siglo XII en una estribación del Elbruz, es antiguo e importante centro de comunicaciones, que conserva su carácter tradicional a pesar de su parte moderna a la europea; entre sus monumentos destacan el palacio Real y el museo principal. Otras poblaciones importantes son: Meshed (1.759,155 h), ciudad sagrada de la secta musulmana que domina en el país.

Millares de peregrinos visitan todos los años la tumba del descendiente de Mahoma, Imán Reza: gran actividad comercial. Tabriz (1.088,985 h), antigua Tauris, destruida varias veces por terremotos e invasiones, es capital de Azerbaiján y mantiene relaciones comerciales con Turquía y la Comunidad de Estados Independientes y Repúblicas Bálticas. Abadán (295,000 h) gran centro de refinerías de petróleo. Isfahán (1.127,030 h) es la *Aspadana* de los medos. Como capital de Persia (s. XVI y XVII) alcanzó gran esplendor y albergó más de un millón de habitantes. Fabrica tejidos, tapices y cigarrillos. Otras ciudades con población importante son: Shiraz (965,117 h), capital de Fars; Rasht (340,637 h), capital de Gilán, y Hamadán (349,653 h), la antigua *Ecbatana*. Existen además siete ciudades con más de 150,000 habitantes.

Historia. Desde los tiempos más remotos Irán fue lugar de paso de las tribus nómadas que, procedentes de Asia central, emigraban hacia Occidente. En la meseta iraní se establecieron dos pueblos indoeuropeos: los *medos* en el noroeste, alrededor de Ecbatana y Susa, y los *persas* al sur, hacia Pasagarda y Persépolis. Los medos (700 a. C.) se enfrentaron con sus vecinos los asirios y ocuparon su territorio. Pero, la vida de Mesopotamia les hizo perder su poderío.

Dueños de sí mismos, los persas prosiguieron las conquistas de sus antiguos dominadores, dirigidos por Ciro el Grande, quien, tenaz, reflexivo y generoso con los vencidos, se nos presenta como un héroe legendario. Dio a Persia las regiones más ricas de Asia anterior y protegió sus fronteras contra los vecinos peligrosos. Derrotó

a Creso, rey de Lidia; conquistó la Bactriana y la Sogdiana, penetró en Afganistán y no se detuvo sino al pie de los grandes macizos de Asia central. Se apoderó de Babilonia y se anexionó Palestina y Siria. Su hijo Cambises conquistó Egipto. El vasto y heterogéneo imperio así formado necesitaba un hombre capaz de mantenerlo unido. Fue Darío –cuya victoria contra los que le disputaban el trono perdura en un bajorrelieve en la roca de Behistun– quien supo dar al imperio una organización regular, dividiéndolo en *satrapías*, gobernadas por *sátrapas*, a quienes vigilaban unos inspectores, *los ojos y los oídos del rey*; y se preocupó de fomentar la riqueza, interesándose por el comercio, reparando el Canal del Nilo al Mar Rojo, acuñando moneda, etcétera.

La civilización del imperio Aqueménida es poco original, salvo en lo que se refiere a la religión. Ésta fue predicada por Zoroastro, contemporáneo de Ciro, y resumida más tarde en un libro sagrado, el *Avesta* (*la revelación*).

La gloria de Darío se oscureció a fines de su reinado, a causa de la resistencia a su política de expansión del pueblo griego, que derrotó al ejército persa en Maratón. Con los sucesores de Darío el imperio Aqueménida fue perdiendo fuerza y territorios, hasta que la conquista de Oriente por Alejandro Magno lo arruinó (331 a. C.), difundiéndose en él la civilización griega. A la muerte de Alejandro, Persia cayó bajo la autoridad de los Seléucidas y más tarde quedó incorporada en el reino *oriental* de los partos (250 a. C.). El imperio Persa resurgió en los primeros siglos de nuestra era con la dinastía de los Sasánidas, descendientes de Sasan, sacerdote de la antigua Persépolis. El príncipe sasánida Ardashir se levantó en armas contra los partos e hizo reconocer su poder en casi todo Irán, restableciendo las tradiciones de los aqueménidas y el mazdeísmo. Los Sasánidas gobernaron desde el año 224 hasta la segunda mitad del siglo VII. Su soberano más ilustre fue Coroes Anoquivar, que terminó con las luchas interiores, firmó una paz de 50 años con Roma y llevó las fronteras de su imperio hasta el Oxus. El último rey sasánida, Yezdererd III, sufrió la primera incursión de los árabes, que en el año 650 dominaban ya todo Irán. Durante medio siglo, Persia dejó de existir como unidad política y sus territorios fueron gobernados desde Medina o Bagdad. Pero, los persas no dejaron de ejercer, a su vez, influencia sobre los árabes. Ellos favorecieron el advenimiento de la dinastía de los califas Abasidas que se rodearon de dignatarios iraníes. A la caída de los Abasidas, reaparecen las grandes familias iraníes y se forman pequeños estados regidos por dinastías de gobernadores persas (Taharidas, Safaridas, Samenidas, Buyidas). Estas dinastías cayeron bajo el poder de un reino independiente fundado en Ghazna (Ghaznévida), que dominó toda Persia, pero que a su vez fue abatido por los turcos seldyúcidas. Al imperio de éstos siguió el de los Karismios, dominadores de toda Persia. En el siglo XIII, Irán pasa a poder de los mongoles, que mandaba Gengis Khan.

A la muerte del gran conductor de pueblos, Persia corresponde a la Horda de Oro y con el kan mongol Hulagu recobra de nuevo su unidad nacional; pero, islamizado el reino mongol, volvió a dividirse en dinastías locales, que desaparecieron cuando Tamerlán (1395-1405) subyugó al país. A esta invasión siguió la de la Horda turcomana del *Carnero Negro*, derribada años después por la del *Carnero Blanco*. Al cabo de cuatro siglos de obediencia a las dinastías turcomogolas, la dinastía de los Safevidas o Sufitas provocó, impulsada por un gran sentimiento patriótico y religioso iraní, una revolución, cuando Ismail expulsa a la Horda del *Carnero Blanco* y restaura la unidad nacional, proclamándose rey de Persia. Los Sufitas fueron destronados (1736) por un aventurero del clan turco, Nadir Kali, que reinó con éxito hasta 1747. Asesinado Nadir por un capitán de su guardia, Persia quedó sumida de nuevo en la anarquía, lo que precipitó la entronización de la dinastía de Kadjars, que vio su gobierno perturbado por el movimiento babista y la lucha de Inglaterra y Rusia por la tutela de Irán. Durante la Primera Guerra Mundial fue campo de batalla de los anglorusos y turcos. Los Kadjars fueron derribados en 1925 por el movimiento revolucionario de los jóvenes persas acaudillados por Reza Khan, que fue proclamado shah con el nombre de Pahlavi I. Una vez en el poder, Reza se propuso realizar grandes reformas para modernizar Persia y liberarla de la tutela de la Unión Soviética y de Inglaterra. La Segunda Guerra Mundial puso en peligro la obra de Reza. El apoyo prestado por éste a los alemanes provocó la invasión de Irán por fuerzas rusas e inglesas y la caída del shah Reza, a quien sucedió su hijo Mohammed Reza Pahlavi, que declaró la guerra a Alemania. Después de la guerra, Persia se vio turbada por las actividades del Partido Tudeh, apoyado por la Unión Soviética, la agitación sindical, la actuación del clero chiíta y la tensión de las relaciones con Rusia. El malestar así creado llevó, después de un atentado contra la vida del shah, a la disolución del Partido Tudeh y a la reforma de la Constitución. El nacionalismo persa se manifestó bajo el primer ministro Mossadegh por la evicción de los ingleses de sus concesiones petroleras. Mossadegh se enfrentó al soberano y no vaciló en utilizar a sus partidarios para promover disturbios. En 1953, amenazado el primer ministro por un golpe de Estado, respondió obligando al shah a abandonar el país, pero el general Zahedi derribó a Mossadegh y el so-

berano regresó inmediatamente. Mossadegh fue detenido y condenado.

En enero de 1979, un violento movimiento de oposición obligó al shah Reza a salir del país, la monarquía fue derrocada y se proclamó la República Islámica de Irán, con Abolhassan Bani-Sadr como presidente y el *ayatollah* Ruhollah Jomeini como dirigente supremo de por vida. Durante su liderazgo, Iraq debió enfrentar a Estados Unidos por la captura de los rehenes de la embajada estadounidense en Teherán (1979) y el escándalo de la venta de armas en el caso Irán Contras (1985-1986). Además, la larga guerra del Golfo Pérsico contra Iraq, iniciada en 1975 cuando este país rompió el acuerdo firmado con Irán sobre la cesión del estuario de Shatt el-Arab, sólo llegó a su fin al aceptar Irán la resolución tomada por la ONU de un cese incondicional del fuego, acatada por este último país en 1988. En las elecciones parlamentarias (abril-mayo de 1988) triunfaron los moderados y su líder, Alí Akbar Hachemi Rafsanyani, fue elegido presidente del Parlamento. Bajo la presión de los moderados, Jomeini aceptó una tregua con Iraq (18 de julio de 1988), que señaló el fracaso definitivo de la estrategia de exportación de la revolución y el comienzo de una política más realista y tradicional. Aprovechando las divergencias sobre la actuación frente a los Muyahidin (grupo guerrillero exiliado en Iraq, Jomeini destituyó a Montazeri (marzo de 1989), partidario de una transacción. La apertura quedó bloqueada cuando Jomeini pronunció la sentencia de muerte contra el escritor Salman Rushdie, por considerar blasfema su novela *Los versículos satánicos*, e incitó a su persecución y muerte (febrero de 1989). Tras la muerte de Jomeini (3 de junio de 1989), Alí Jamenei fue designado guía espiritual de la revolución, y Rafsanyani fue elegido presidente de la República en un plebiscito que reforzó los poderes presidenciales y suprimió el cargo de primer ministro (julio de 1989). La revolución islámica entró en una nueva fase cuando los grandes dignatarios eligieron al ayatola Mohamed Alí Araki como *fuente de emulación* (*Marja e Taqlid*) la más alta autoridad religiosa chiíta, que por primera vez quedó disociada de los asuntos políticos. Tras la invasión iraquí de Kuwait, Bagdad aceptó las condiciones de paz de Teherán y ambos países reanudaron las relaciones diplomáticas (octubre de 1990). Los más radicales siguieron exportando el terror, como lo prueba el asesinato de Shapur Bajtiar en Francia (6 de agosto de 1991), la actuación de los extremistas islámicos en el Líbano y el asesinato de cuatro dirigentes kurdos del PDKI en Berlín (17 de septiembre de 1992). En abril-mayo de 1992 se produjeron graves disturbios en algunas ciudades. En junio de 1993 Rafsanyani fue reelegido presidente con

63% de los votos. Alí Jamenei fue proclamado *fuente de emulación* (diciembre de 1994) como sucesor de M. A. Araki, fallecido un mes antes. En 1995 se reprodujeron las protestas populares internas en varias ciudades, debido sobre todo a las subidas de precios y a la reducción de los subsidios sobre productos básicos. En las elecciones a la Asamblea (marzo-abril de 1996), la Asociación del Clero Militante obtuvo la mayoría de los escaños.

Letras y artes. La producción literaria empieza con Darío y sus primeras manifestaciones son las inscripciones escritas en persa primitivo o iraní. El persa avéstico, que guarda gran afinidad con el sánscrito, es la lengua del *Avesta*, libro sagrado de la religión de Zoroastro y de los *Gahtas* o himnos. La literatura pelvi comprende el *Nirangistan*, el *Bundaichn*, recopilación de tradiciones, y el *Arta-Viraf-Namak*, descripción del cielo y de la tierra. Después de la conquista árabe surge el persa moderno. El primer poeta nacional es Rudagui (s. X). Inimitable es la obra del genio de Irán, Ferdusi (940-1020), autor del *Libro de los Reyes*. En el siglo XI, la poesía mística cuenta con figuras como Abu-Said de Mehne; a esta época corresponde la otra figura de la poesía persa, Omar Kahyyam, autor de *Rubaiyat*; brillan también el poeta Sanai de Ghazna y Nizam de Ganga, autor de epopeyas novelescas. En el siglo XIV, la historia se separa de la leyenda y aparecen las crónicas de Hamd-Allah-Mustofi, de Tebrizi, y, más tarde, las de Hatifi. El *Jardín de la pureza de Mirjond* (s. XV) es una historia que abarca desde la creación del mundo hasta Tamerlán. Ferdusi, Nizhami y Sadveji cultivaron la poesía romántica. Los poetas más populares de Persia son: Saadi de Chiraz (s. XIII), autor de *Gulistan* y de *Bustan*; y Hafiz (s. XIV), cuyas obras revelan un profundo sentimiento de la naturaleza. En el renacimiento que se inicia en el siglo XV destaca la figura del poeta clásico Gami. Fighani se distingue entre los mejores poetas del siglo XVI; en el XVII, Saib de Tabriz, poeta de talento, destaca al lado del historiador Kelami. Los grandes poetas del siglo XVIII son Ahmed Hatif-lafahani y Saba; y en el XIX, descolló Kaani. A mediados de este mismo siglo surge el babaismo, que originó una copiosa literatura polémica. Figuras literarias contemporáneas son: Haggi Zaina-i-Abidin, Behar, Asiv Asrav y el erudito Hadji Mirza Yahya Dolatabi.

Los monumentos arquitectónicos más antiguos de Persia remontan a los tiempos de Ciro y se caracterizan por su originalidad. Las construcciones de Pasargada se inspiran en la arquitectura babilónica y helénica. El palacio de Darío en Persépolis es, por su estructura, una copia de los asirios, sus grandes salas con numerosas columnas imitan a los egipcios, y en su decoración escultórica se observa la influencia del arte griego. La originalidad de los iraníes se limita a la forma típica de algunos capiteles (doble cabeza de toro) y a la altura de las columnas. A finales del siglo XVI, la arquitectura tomó las características de la India musulmana. La escultura es casi exclusivamente decorativa y asimila también las influencias señaladas. Consiste en figuras de perfil –Darío seguido por sus servidores en el palacio de Susa– para revestimiento de los muros, y en los toros alados y barbudos que decoran los pórticos.

Iraq. Estado árabe de Asia al noroeste del Golfo Pérsico, con una superficie de 437,370 km². Limita al norte con Turquía, al sur con Arabia Saudita y Kuwait, al este con Irán, al sudeste con el Golfo Pérsico y al oeste con Siria y Jordania. Su población se calcula en 21.2 millones de habitantes (1997), con mayoría árabe-musulmana en proporción de 80%. Junto a su frontera viven aproximadamente 1.500,000 kurdos y unos 500,000 turcos y persas.

Geografía física. Es poco importante el sistema montañoso de Iraq, nombre que en árabe significa *tierra baja*, y, en efecto, en su mayor parte ocupa una depresión colmada por aluviones fluviales que corresponde a la antigua Mesopotamia (*País entre ríos*), o sea, el valle que forman el Tigris y el Éufrates. Las mayores alturas son la de Boz-Dagh, que se encuentran al este y corresponden más propiamente a Irán, aunque de ellas descienden estribaciones que dominan la llanura mesopotámica. Al norte, en la provincia (lwa) de Mosul, hay cordilleras hasta de 3,200 m, que son parte del Kurdistán y por las que bajan numerosas corrientes que se reúnen en el Tigris. La hidrografía está representada por dos grandes e históricos ríos, Éufrates (2,775 km) y Tigris (1,950 km), que en tierras iraquíes corren casi paralelamente de norte a sureste, y que 100 km antes de desembocar en el Golfo Pérsico forman, al norte de Basora, el caudaloso e imponente Chat-el-Arab. El valle que abrazan ambas corrientes se denomina Baja Mesopotamia y ha sido cuna de antiguas civilizaciones y fuente de riqueza y prosperidad del país. Al Tigris descienden los ríos Gran Zab Adahim y Diyala, que no son caudalosos. La zona oeste, que es la situada a la margen derecho del Éufrates, está próxima a los desiertos arábigos, y los arenales absorben las corrientes que pudiera recibir. En esta región hay diversos lagos, entre los que merece citarse el Habbaniya. La costa de Iraq es muy corta: no ocupa mucho más que el espacio de la desembocadura del Chat-el-Arab en el Golfo Pérsico. Allí está el importante puerto fluvial de Basora.

Geología. La mayor parte del país es llano y bajo, con terrenos de aluvión muy fértiles, predominando los de la época terciaria en la Mesopotamia. Hasta el presente no se han verificado estudios satisfactorios respecto de la geología de este territorio y sus proximidades, aunque se han hecho reconocimientos a cargo de los geólogos al servicio de las compañías petroleras, pero con resultados poco conocidos.

Clima. El de la llanura de Iraq es de tipo desértico cálido, aunque el régimen de temperaturas altas que reina generalmente no excluye cierto rigor de los inviernos. En Bagdad se registra una temperatura media anual de 22 °C y desde comienzos de junio hasta entrado septiembre el termómetro suele subir hacia mediodía a más de 40 °C. En el invierno no son raras las heladas en las mañanas y a veces son bastante fuertes. El promedio de lluvias anuales no pasa de 225 mm en Bagdad, disminuye en la región a la derecha del Éufrates y acusa gran irregularidad de unos años a otros. Propiamente, la llanura iraquí es al este y sur una continuación del desierto de Siria y norte de Arabia, aunque el clima desértico se atenúa algo en la zona septentrional de Mesopotamia, que es más bien una etapa árida, donde los años en que las lluvias de invierno son oportunas y suficientes es posible la producción de cereales. Sin embargo en todo caso no hay cultivos regulares sin riego y precisamente esta circunstancia fue el motivo por el cual se organizaron en el país mesopotámico, por otra parte bien dotado de suelos ricos como son los aluviales, estados de aparición precoz en la historia, igual que ocurrió en Egipto. Pero, los caudales del Éufrates y del Tigris no resultan de tan fácil manejo como el del Nilo, cuyas crecidas periódicas de proceso lento y sostenido constituyen una ventaja excepcional. El Éufrates y el Tigris tienen crecidas violentas en primavera, cuando se produce el deshielo en las montañas nevadas de las cabeceras, y luego resienten mucho el estiaje, lo cual requiere tanto obras de defensa contra inundaciones como embalses para proveer de agua cuando hace más falta a causa de la ausencia de lluvias y de la alta evaporación. Por eso se anticiparon los caldeos en la construcción de grandes obras hidráulicas, lo que requería un grado de civilización adelantada, así como un poder político fuerte para la vigilancia de diques y canales. Esta reglamentación de los riegos se halla tratada en el famoso código de Hammurabi, que data de hace casi 4,000 años, y la buena conservación de las obras ha sido desde entonces la base esencial en la prosperidad del país, floreciente bajo los gobiernos que se sucedieron con caldeos, persas y árabes, pero arruinado con la administración negligente, rapaz y despótica de los turcos. Al pie de las montañas que se alzan en el borde de Irán mejora la cuantía de las lluvias y, sobre todo, brotan numerosas fuentes que son la providencia de la agricultura y del pastoreo. La región septentrional tiene un clima de montaña y en ella no sólo son fríos los inviernos, sino que en plena primavera se desatan fuertes tempestades y nevadas que provocan bruscos descensos de la temperatura, con efectos en las poblaciones cercanas.

Recursos naturales, industria y comercio. La agricultura es importante. Se produce trigo, cebada, tabaco, algodón y diversas clases de frutas. Pero, el cultivo más importante es el de la palma datilera, árbol que se da en las tierras del delta. En total se cuentan en Iraq unos 30 millones de palmas datileras que producen alrededor de 600,000 ton de dátiles de excelente ca-

Flamas de gas natural en Iraq.

lidad, casi un tercio de la producción mundial (1995). El dátil es el principal artículo de exportación de la agricultura de Iraq. Hay yacimientos de petróleo que atrajeron el interés de las grandes potencias y sobre los cuales Inglaterra adquirió derechos que influyeron en la política interna y externa del Estado. Entre 1972 y 1975 los yacimientos y las instalaciones de las compañías petroleras extranjeras fueron nacionalizados. El petróleo representa la principal riqueza del país y los ingresos del Estado por este concepto se elevaron en 1980 a 10,849 millones de dólares. El petróleo se extiende desde Mosul al Golfo Pérsico, siguiendo las márgenes del Tigris. Al norte de Bagdad, en Kirkuk, están los pozos más importantes y su producción se envía por oleoducto hasta Hadita, puerto sobre el Éufrates, en donde el tubo conductor se divide en dos direcciones: a Trípoli y a Huifa.

Gobierno. Hasta 1958, Iraq fue una monarquía limitada que se regía por la ley orgánica de 1924, modificada en 1944. Los órganos de gobierno estaban constituidos de un cuerpo legislativo integrado por un Senado *(Majlis al A'ayan)*, una Cámara de Diputados *(Majlis al Nawab)* y el monarca, que delegaba el poder Ejecutivo en un Consejo de Ministros responsable ante el Parlamento. A partir de la revolución de julio de 1958, fue abolida la monarquía y proclamada la república.

Ciudades y transportes. Tres son las ciudades de mayor importancia: Bagdad, la capital con 4.478,000 habitantes (1995); Mosul, con 664,221 y Basora o Al-Basrah, con 616,700 habitantes (1997). El resto de

Corel Stock Photo Library

Templo de uno de los 12 imanes en Samarra, Iraq.

la población se divide en multitud de aldeas que se agrupan en el valle de Mesopotamia, mientras que las tribus nómadas de kurdos y beduinos, que viven de la ganadería, recorren diversas regiones con sus hatos, según el clima de las diferentes estaciones del año.

A Basora llega un ferrocarril de 670 km que parte de Bagdad y que en dicha capital empalma con ramales a Irán, Siria y Turquía. La red ferroviaria tiene un total de 2,032 km (1993). Las carreteras sumaban en 1989 47,214 km, pero el conflicto bélico de 1991 ocasionó importantes daños en la infraestructura. La navegación fluvial es intensa a lo largo del Tigris desde Basora a Bagdad, no así en el Éufrates, que surcan solamente embarcaciones muy ligeras, debido a su poca profundidad. En las zonas desérticas, se usa el camello como medio de transporte, así como el asno en el resto del país y en las regiones montañosas. Frente a medios tan primitivos, cada día llegan y salen de Bagdad los más modernos aviones de las más importantes compañías aéreas internacionales que han hecho de la capital de Iraq punto obligado de escala en su ruta al Medio Oriente.

Historia. La región que ocupa Iraq fue cuna de importantes y antiguas civilizaciones. Su pueblo ya vivía políticamente constituido y usaba formas de escritura, herramientas de progreso, la rueda y elementos de construcción, cuando aún Europa Occidental estaba poblada de tribus primitivas. Iraq hoy es el territorio donde, muchos siglos antes de Cristo, se levantaron los imperios de Babilonia, Asiria y Caldea. Sus sabios fueron los primeros en dividir el día en 24 horas, cada una de éstas en 60 mi-

nutos y cada minuto en 60 segundos; también establecieron la división de la circunferencia en 360° y otros principios de la geometría, así como las bases de la ciencia astronómica. Los hallazgos de los arqueólogos acreditan un temprano y sorprendente desarrollo de la civilización sumeria en tierras meridionales del actual Iraq, la antigua Caldea o Sumer, Shinar en la Biblia. Allí florecieron hacia la primera mitad del III milenio antes de nuestra Era, varias ciudades gobernadas por reyes sacerdotes, una de ellas Ur, cuna del patriarca Abraham y considerada la más antigua del mundo, y otra la célebre Babilonia, luego capital del poderoso imperio. Al norte de Sumer se hallaba Akkad, y más arriba todavía el país de Asar, donde excavaciones hechas en 1944 a orillas del alto Tigris, en Tell Hashuna, han desenterrado restos de una cultura que parece remontarse a 5,000 años a. C. Las ruinas de la famosa Nínive, que ya en tiempos posteriores fue una de las capitales asirias, se encuentran cerca del centro petrolero de Mosul. Todo lo que se llama ahora Iraq entró a formar parte del imperio persa, cayó con él en manos de Alejandro Magno, pasó a la muerte de este héroe al reino de los Seleúcidas, luego al de los Partos y a continuación al de los Sasánidas. A mediados del siglo VII se consumó la conquista árabe, cuando fue asesinado Alí, el cuarto califa, los partidarios de su hijo Hasan se hicieron fuertes en tierras de Iraq; aunque terminaron por ser derrotados, la llama de la rebelión prendió varias veces en este país, asimilado por los árabes a su religión y lengua, pero con un gran arraigo de la secta *chiíta*, que proclamaba como única legítima *casa del Profeta* a la

Iraq. Tumba de Alí en Najaf, Iraq.

Corel Stock Photo Library

Iraq

Corel Stock Photo Library

Tumba de Hussein en Karbala, Iraq.

descendencia de Alí y de su esposa Fátima, hija de Mahoma. Con la dinastía de los Abasidas se realzó la importancia de Iraq, sobre todo cuando Al-Mamún trasladó a Bagdad la capital del califato y con ella la función directiva del mundo musulmán. Constituía de este modo un país rico y codiciado, que conquistaron sucesivamente, los tártaros, los mongoles de Gengis Kan, los persas y los turcos otomanos. Éstos permanecieron allí desde 1534 hasta ser conquistados por Inglaterra durante la Primera Guerra Mundial (1917). En 1921 la Sociedad de las Naciones, en Ginebra, proclamó la Independencia de Iraq, bajo la protección inglesa, con la monarquía hereditaria del rey Faisal I, elegido en plebiscito. Iraq recibió su plena soberanía en 1932 y un año más tarde moría Faisal I. Le sucedió su hijo Ghazi I, quien falleció víctima de un accidente en 1939. Como su hijo y sucesor, Faisal II, sólo tenía cuatro años de edad, pasó el gobierno a un consejo de regencia presidido por el emir Abdul Illah. En 1953 terminó la regencia, Faisal II declarado mayor de edad ascendió al trono y asumió las funciones de gobierno. En febrero de 1958, Iraq y Jordania formaron una federación, que recibió el nombre de Unión Árabe, con el propósito de contrarrestar la influencia de la República Árabe Unida establecida poco antes por Egipto y Siria. Surgió una tendencia contraria a la política del gobierno y el 14 de julio de 1958 estalló una revolución dirigida por el general Karim Kassem. Los revolucionarios mataron al rey Faisal y a varios miembros de su familia. Se abolió la monarquía,

la Unión Árabe fue disuelta y se proclamó la república con el general Karim Kassem como primer ministro. El 8 de febrero de 1963 un golpe militar derrocó a Kassem, que fue fusilado, y Abdul Salam Aref asumió la presidencia. Aref pereció en un accidente de aviación (14 de abril de 1966) y le sucedió en el cargo su hermano Abdul Rahman Aref, que fue derrocado en 1968 por un golpe militar que encabezaron varios oficiales del Partido Baas. Asumió el poder un Consejo del Mando Revolucionario presidido por Ahmed Hassan al-Bakr, quien en 1979 renunció al cargo y fue sustituido por el general Saddam Hussein. Durante su mandato, Iraq canceló el acuerdo tomado con Irán sobre la cesión del estuario de Shatt el-Arab, desatándose entre ambas naciones la llamada guerra del Golfo Pérsico (1980-1988) que terminó con la aceptación incondicional por parte de Irán, del cese del fuego, recomendado por el Consejo de Seguridad de las Naciones Unidas. Sin embargo, dos años después, en 1990, Iraq invadió Kuwait reanudando de esta manera la crisis del Golfo Pérsico. Estados Unidos y sus aliados concentran en Arabia Saudita una fuerza de 400,000 hombres y el Consejo de Seguridad de las Naciones Unidas autorizó el empleo de la fuerza contra Iraq si no se retiraba de Kuwait antes del 15 de enero de 1991. Al día siguiente de haberse vencido este plazo, la fuerza internacional dirigida por Estados Unidos lanza el ataque contra las fuerzas iraquíes situadas en Kuwait.

Iraq anuncia el 27 de febrero el cese al fuego, acepta la reunión de los comandantes militares y comunica a la ONU que acata las resoluciones del Consejo de Seguridad. Este organismo establece el cese al fuego en el Golfo Pérsico y aplica sanciones internacionales a Iraq, como el desmantelamiento de todas sus instalaciones nucleares incluyendo las que tienen fines civiles.

Irauadi. Río de Birmania que se forma por la confluencia del Mali con el Mmai. Es el río más importante del país pues baña la parte central, una de las grandes regiones arroceras del mundo y después de un recorrido de 2,172 km desemboca en el Golfo de Bengala a través de una extensa delta de 51,800 kilómetros cuadrados.

Irazú. Volcán activo de Costa Rica punto culminante de la Cordillera Central al noreste de la ciudad de Cartago. Contiene tres cráteres, dos de ellos apagados. Sus últimas erupciones tuvieron lugar en 1841 y en 1911.

Irian Occidental. *Véase* NUEVA GUINEA.

irbis. *Véase* LEOPARDO.

Iriarte, Tomás de (1750-1791). Escritor español. Hombre de vasta cultura, se inició en las letras con una traducción del *Arte Poética* de Flaco Quinto Horacio. Tradujo del francés algunas obras teatrales de Francois Marie Arouet Voltaire, Jean Baptiste Poquelin llamado Molière y Destouches, y escribió también algunas otras originales del mismo género, como *El don de gentes, El señorito mimado, La señorita mal criada, Guzmán el Bueno* y *La librería.* Se las define como frías, correctas y de una suave crítica moralizadora. Un poema a *La música,* y un opúsculo satírico, *Los literatos en cuaresma,* constituyen el resto de su obra, muerta y olvidada a no ser por la gran popularidad y acierto de sus famosas *Fábulas literarias,* completo muestrario de formas poéticas; expone en ellas la totalidad de la doctrina clasicista, de la que el autor era convencido partidario. Semejante tratado de preceptiva literaria en 76 fábulas, ha pasado a pertenecer al acervo común de la conversación. Entre sus fábulas más famosas se destacan *El mono y el titiritero, El burro flautista, Los dos conejos, El caballo y la ardilla* y *El pedernal y el eslabón.*

iridio. Metal raro, del grupo del platino, descubierto en 1803 por Smithson Tennant, cuyo nombre es debido a que al ser disuelto en ácido clorhídrico toma los colores del arco iris. Es un elemento químico, de símbolo Ir y peso atómico 193 uma. En estado puro es de un color plateado grisáceo, brillante. Se halla en combinación con el osmio y el platino. El iridio es más refractario al calor que el platino y algo menos que el osmio. Los ácidos no ejercen su acción sobre él. El precio del iridio es mayor que el del platino. Se utiliza para la fabricación de ciertas partes de instrumentos quirúrgicos, químicos y eléctricos. También es empleado en la producción de joyas y en fotografía. Los países que tienen la mayor producción de este metal son la Unión Soviética, Brasil, Sudáfrica y Estados Unidos.

Irigoyen, Bernardo de (1822-1906). Estadista argentino que, tras graduarse en derecho, sirvió en la diplomacia como funcionario de la legación de su país en Chile. Posteriormente, por decisión de su gobierno, actuó en el ministerio de Gobierno de la provincia de Mendoza. A partir de entonces su participación en la política interna del país fue cada vez más intensa, desempeñando cargos públicos de gran importancia.

Irisarri, Antonio José (1786-1868). Político y escritor guatemalteco. En 1806 fue a México, en 1808 a Perú y en 1809 en Chile, donde tomó parte activa en el movimiento revolucionario de 1810 y fue, sucesivamente, comandante de la guardia cívica, intendente de Santiago, director supremo del Estado (1814), ministro del Interior y de Relaciones Exteriores (1818), ministro diplomático de Chile en Buenos Aires, en París, en Londres, en Perú, y de Guatemala en Estados Unidos (1855).

iris. Membrana opaca, muscular y contráctil en cuyo centro está la pupila del ojo. El iris da su color particular a los ojos de cada individuo. Es circular y se halla entre la córnea y el cristalino. Está pigmentado y excluye la entrada de la luz, excepto a través de la pupila y según la medida que determinan las contracciones del iris. Por esta contracción de las fibras circulares la pupila se cierra o se dilata como un diafragma. La superficie anterior del iris determina el color de los ojos según la pigmentación del individuo: son oscuros si el cabello es negro, azul claro si el cabello es claro. Los albinos carecen de pigmento y en ese caso el color del iris es rojo. Hay excepciones, pero no son comunes. Tampoco los colores corresponden a un solo tono y es variable cada uno de ellos: el iris tiene una zona concéntrica mayor y otra menor, y ésta, también llamada *anillo coloreado interno*, resulta al revés de lo que pudiera creerse: más clara en los ojos oscuros, y más oscura en los claros. El iris está perforado por la pupila y su circunferencia se encuentra unida al cuerpo ciliar.

Irlanda (Eire). República europea, ocupa una superficie de 70,550 km², es decir, 83% de la isla de Irlanda en la cual se encuentra. Limita al norte con Irlanda del Norte y el océano Atlántico, al sur y

Corel Stock Photo Library

Edificios Gubernamentales en Dublín, Irlanda.

al oeste con el Atlántico y al este con el Mar de Irlanda, que también baña las costas inglesas. El Eire, nombre oficial del país en su idioma gaélico, está separado de Inglaterra por el Canal de San Jorge, de 75 km de ancho. Población: 3.6 millones de habitantes.

Orografía, hidrografía y costas. Este país no tiene un sistema orográfico especial, pues se trata de un viejo macizo muy gastado por la erosión y convertido en un extenso valle rodeado en parte por montañas de escasa altura. Por el aspecto permanen-

te de sus campos se llama a esta tierra *la verde Erín* o *Isla de esmeralda*. Erín es el nombre poético de Irlanda. Su llanura central mantiene una altura media de 120 a 160 m, modificándose en sus extremos laterales, en la costa occidental asciende hasta 400 m y en la oriental desciende hasta confundirse con las playas. Las montañas de mayor altitud son: Donegal (790 m), Wicklow (925 m), Galty (900 m) y los montes Macgillycuddy, en el extremo occidental. Éstos poseen la más alta cima del país, 1,100 m y tienen a sus pies los lagos de Killarney. El mayor río de Irlanda por su longitud, y que lo es también de las Islas Británicas, es el Shanon. Corre de norte a suroeste, atraviesa los lagos Allen, Ree y Derg y desemboca en el Atlántico, con un recorrido de 384 km y formación final de un amplio estuario. Ríos menores son: Suir, Nore, Black Water y Barrow. El sistema hidrográfico se complementa con hermosos lagos, siendo los principales, además de los ya mencionados, el Corrib y el Mask. La costa atlántica del Eire es muy desigual. El litoral del Mar de Irlanda es más regular y en él están las bahías de Dundalk y de Dublín, correspondiendo esta última a la ciudad capital.

Geología. Gran parte de la superficie del valle Central, desde la bahía de Dublín a la de Galway, está cubierta por restos de caliza carbonífera. Algunas superficies del valle Central están cubiertas con capas de arcilla como resultado de una acción glacial, señalando, por su conformación, que el lugar estuvo ocupado por un mar poco profundo o pantanos turbosos. Los lechos carboníferos debieron extenderse mucho más allá de sus actuales límites y formado

Trinity College en Dublín, Irlanda.

Corel Stock Photo Library

Irlanda (Eire)

Puerto Bradden en la costa de Causeway, *Irlanda.*

una superficie caliza aun en las tierras altas del noroeste y del sureste.

Clima y vegetación. El clima es húmedo, pero suave. En invierno la temperatura se mantiene sobre cero y en verano alrededor de los 20 °C. Llueve con frecuencia y entonces refresca la temperatura o, por lo menos, resulta el frío menos soportable. Esas condiciones climáticas y la calidad del suelo son las circunstancias que favorecen la agricultura, pero mucho más los prados, que cubren dos tercios del territorio nacional. En cambio, hay extraordinaria pobreza de bosques, que apenas ocupan 1.5% de la superficie.

Recursos naturales. Industrias. La elevada proporción de campos de pastoreo y la facilidad de abrir praderas artificiales y cultivar plantas forrajeras, deciden la orientación de la economía rural hacia la ganadería. También hay tierras de labor y se cosecha principalmente avena, trigo, cebada, centeno, lino, patata, hortalizas y remolacha azucarera. La rica y amplia ganadería impulsa prósperas industrias de mantecas y derivados de la leche, grasas animales y conservas de carne, embutidos y jamones. Merece destacarse la crianza de caballos de fina sangre. La raza procedente de Irlanda se considera insuperable y sus ejemplares obtienen precios altísimos en las ventas anuales de la feria de Dublín, que dura cinco días y a la que asisten compradores de muchos países. Ante el éxito de las carreras de caballos irlandeses, en Eire se inventó el juego denominado *sweepstake*, que es una combinación de carreras y lotería. Hay un *sweepstake* anual cuyo premio mayor es de un millón de libras esterlinas. Sin embargo, la especie más valiosa es la

vacuna, con 6.410,000 cabezas (1995). También se halla muy desarrollada la avicultura, cuyos productos representan el segundo renglón de las exportaciones. Hay importantes fábricas de cerveza. En cambio, es escasa la explotación de la riqueza minera limitada a algunos yacimientos de cobre; hierro en la zona del lago Allen; mármoles en Donegal y Galway, y en varios puntos manganeso, antimonio y pequeñas vetas de oro y plata.

Gobierno. La nación se rige por la Constitución de 1937, que fue aprobada por el

Parlamento y puesta en vigor mediante un plebiscito. El Parlamento Nacional *(Oireachtas)* está integrado por el presidente de la República y dos cuerpos legislativos: la Cámara de Representantes *(Dail Eireann)* con 166 miembros elegidos por sufragio, y el Senado *(Seanad Eireann)* con 60 miembros elegidos por designación diversa. El presidente de la República es elegido por sufragio directo para un periodo de siete años. Entre sus funciones figuran las de poder convocar o disolver el *Dail Eireann*, firmar y promulgar las leyes y designar el primer ministro y los miembros del gabinete, con aprobación previa del *Dail Eireann*. La capital de la nación es la ciudad de Dublín. Irlanda se divide en 27 condados administrativos y cuatro provincias, las que se rigen por consejos cuyos miembros son elegidos cada cinco años. El nombre oficial de la nación es el de *Poblacht na h'Éireann* (República de Irlanda).

Ciudades, religión, idioma. La principal ciudad es Dublín, capital del Estado, en la costa este y sobre el río Liffey. Población: 533,929 habitantes (1991). La segunda ciudad es Cork (127,253 h), en el sur, con su puerto exterior de Cobh. En la costa este, se halla Limerick. El 91.6% (1991) del país profesa la religión católica romana, y aunque la población tiene diversos orígenes europeos, predomina la raza celta, fundadora de la nación irlandesa. A partir de 1922 se propugnó la enseñanza del irlandés (gaélico) en las escuelas sostenidas por el estado y se habilitaron profesores que pudieran enseñar esa lengua. Aunque sólo una parte de la población adulta sabe hablar irlandés con la fluidez de la lengua materna, se estableció que fuese el primer

Puente sobre el río Cam en Dublín, Irlanda.

idioma oficial de la nación y el inglés pasó a ser idioma oficial en segundo término.

Instrucción pública. La educación primaria es libre y obligatoria, hasta los 14 años, y existen unas 3,317 escuelas nacionales (1993-1994). Se ofrece enseñanza secundaria de especializaciones en escuelas del Estado y privadas, muchas de éstas de carácter religioso. Hay cursos gratuitos sobre agricultura, horticultura, avicultura, ganadería y otras ocupaciones rurales. La principal universidad es la de Dublín, el Trinity College, con facultades anexas en el propio Dublín (Universidad Nacional), Cork y Galway.

Historia. Varias invasiones sufrió Irlanda desde antes de la era cristiana, pero ningún conquistador pagano pudo someter al país. Se sabe que celtas procedentes de la Península Ibérica penetraron en Irlanda, pero los romanos se detuvieron como invasores ante el Mar de Irlanda y ningún agresor impuso su predominio. San Patricio (389-460) es el personaje de más relieve de los siglos V y VI, cuando Eire sirvió de refugio a los perseguidos cristianos de Inglaterra y atrajo la atención por su alto grado de civilización. Más tarde invadieron la isla los noruegos y daneses, y los irlandeses tuvieron que entrar en guerra para derrotar al enemigo. Cuando, cerca de medio siglo después, quedaron dueños de su país, las luchas siguieron entre ellos para decidir cuál de sus cinco reyes se convertía en la única autoridad. En 1170 corresponde a Enrique II de Inglaterra iniciar las divergencias de su patria con Irlanda, invadió Eire y abrió una época de persecución y crueldad que llegó al máximo con Enrique VIII. Irlanda no perdonaría jamás esta agresión, que significó un periodo de lucha que, en realidad, no terminaría sino hasta 1922. Durante los siglos XVI y XVII, España y Francia ayudaron positivamente a Eire en ese conflicto caracterizado por prisiones, destierros, confiscación de bienes y hasta la muerte. En 1688 se produjo la división con Irlanda del Norte, que apoyó a Guillermo I de Orange-Nassau al derrocar a Jacobo II, católico, quien ocupaba el trono inglés y al que Eire brindó su refugio en una expresión de su invariable lealtad a la casa de Estuardo. En 1800 consiguió Inglaterra, mediante soborno, que el parlamento de Irlanda le declarase su adhesión y proclamara al país dentro de la Corona británica. Tal medida no hizo sino reavivar el anhelo de independencia y se planteó la lucha en forma que dividió a los propios ingleses. Hubo un político de Londres que defendió la autonomía de Irlanda, Gladstone, auspiciando la ley conocida como el *Home Rule*, que el Parlamento británico rechazó en dos memorables ocasiones: 1886 y 1893.

En 1905 la Liga Gaélica de Irlanda dio vida a su primer partido político histórico: el *Sinn Fein* (Nosotros Solos), que proclamaba la independencia absoluta y que des-

Corel Stock Photo Library
Catedral de San Finbar en Cork, Irlanda.

pués de diversas alternativas triunfó en las elecciones de 1918. Inglaterra había comenzado a contemporizar con los irlandeses, pero dilataba la solución definitiva tratando de ganar tiempo. Su primera derrota cierta la sufrió al tener que admitir la beligerancia de Dublín con la firma del tratado de paz en 1921. Por sus términos se daba a Irlanda del Sur límites propios y se le concedía la autonomía correspondiente a su nueva condición de Dominio Británico. Ya desde mucho antes, el movimiento de independencia de Eire lo encabezaba Eamon de Valera, continuador de la obra de los iniciadores de la República, quien combatió entonces el juramento de fidelidad que exigía la Corona de Gran Bretaña y el pago de 5 millones de libras esterlinas reclamado por terratenientes ingleses en Irlanda a título de indemnización por daños recibidos. En las elecciones de 1933, De Valera ganó la mayoría del Parlamento irlandés contra los moderados, que seguían las líneas de Griffiths y Collins, ya desaparecidos. La primera decisión del nuevo Congreso, fue la anulación del juramento de fidelidad a la Corona y la declaración de que los irlandeses no eran súbditos del rey de Inglaterra, suspendiendo de inmediato el envío de una delegación a una ceremonia real en Londres.

Eamon de Valera, primer ministro del primer presidente de Eire, Douglas Hyde (1938-1945), dio en 1939 el paso más trascendental en el terreno de las realidades políticas: declaró la neutralidad de la nación frente a la guerra europea iniciada ese año, agregando que los irlandeses harían respetar con las armas su derecho

a la autodeterminación. Inglaterra respetó esa decisión.

En 1937 se promulgó una nueva constitución para sustituir a la que se había adoptado en 1922, la que durante su vigencia había sido objeto de numerosas modificaciones. En 1948, Irlanda cesó en su condición de dominio británico, se separó de la Comunidad Británica de Naciones, se desligó totalmente de Gran Bretaña y adquirió la plena condición de estado soberano e independiente. En las elecciones de 1945 fue elegido presidente de la república Sean Thomas O'Kelly, notable escritor y uno de los patriotas fundadores del Sinn Fein, quien al finalizar su periodo fue elegido nuevamente, en 1952, para seguir desempeñando el cargo de jefe de Estado. Eamon de Valera, que había sido primer ministro durante la presidencia de Douglas Hyde, fue sustituido en 1948 por J. A. Costello; pero De Valera fue reelecto para ese cargo en 1952 y, en 1959, De Valera fue elegido presidente de la República.

En 1973, el triunfo electoral del partido Irlanda Unida y de los laboristas puso fin a 40 años de gobierno del Partido Republicano y Erskine Childers fue electo presidente. En 1983, los gobiernos de Londres y Dublín establecieron una organización para discutir los problemas comunes de tipo social, económico y cultural. En 1985, el Partido Sinn Fein obtuvo la victoria en su primera participación al ganar la representación municipal de 17 de los 26 distritos de Irlanda y, en 1987, el Parlamento aprobó la formación de un gobierno encabezado por Charles Haughey, líder del Partido Republicano. En 1988, las relaciones con el gobierno británico se tensaron debido al proyecto de ley destinado a combatir el terrorismo.

En 1989, el Parlamento elige a Charles Haughey para un nuevo periodo como primer ministro. En 1990 se reúne por primera vez la asamblea consultiva conjunta, organismo establecido en 1989 e integrado por 25 representantes británicos y otros tantos irlandeses. En las elecciones presidenciales de noviembre de 1990 triunfó Mary Robinson, independiente, liberal presentada bajo los auspicios del Partido Laborista. Mary Robinson, favorable a una ley del divorcio, partidaria del control de natalidad y hostil a la emigración que sangra al país, obtuvo 52% de los votos. Implicado en un escándalo de escuchas telefónicas, Charles Haughey tuvo que dimitir (enero de 1992) y fue sustituido por A. Reynolds. Las elecciones generales (25 de noviembre) fueron un desastre para el Fianna Fáil y el Fine Gael, que perdieron 9 y 10 escaños, respectivamente, y un gran triunfo para el Partido Laborista. A. Reynolds formó un gobierno de coalición sin precedentes con los laboristas. El tratado de Maastricht fue ratificado en referéndum (junio). En medio

Irlanda (Eire)

Corel Stock Photo Library

Castillo Dunluce *en el condado Antrim, Irlanda.*

de una gran controversia nacional, mediante referéndum, los electores autorizaron a las mujeres a recibir información sobre el aborto y viajar al extranjero para abortar, pero rechazaron el aborto terapéutico (25 de noviembre). Por la declaración de Downing Street (15 de diciembre de 1993), firmada por John Major y A. Reynolds, Gran Bretaña e Irlanda aceptaron la autodeterminación del Ulster y la apertura de un diálogo con todas las partes interesadas, incluido el Sinn Féin, preludio del cese de las actividades terroristas anunciando por el IRA (31 de agosto de 1994) y los paramilitares protestantes, paso previo para restablecer la paz y negociar la solución del problema irlandés. En noviembre de 1994 el Partido Laborista retiró su apoyo al gobierno de A. Reynolds y éste presentó la dimisión. John Bruton, líder del Fine Gael, fue nombrado primer ministro con el apoyo del Partido Laborista y de Izquierda Democrática (diciembre de 1994). En el referéndum celebrado en noviembre de

1995 se aprobó, por un margen mínimo (50.2%), una reforma de la Constitución para legalizar el divorcio.

Irlanda vive un año de relativa estabilidad política y económica en 1995, bajo el gobierno del nuevo primer ministro John Bruton, que mantiene el paso en el proceso de paz del Ulster. En 1996 la violencia toma nuevo curso en el país tras la interrupción unilateral del cese del fuego por parte del Ejército Republicano Irlandés (IRA) al detonar un artefacto explosivo en Canary Wharf, Londres. En 1998 en un referéndum sobre los acuerdos del Ulster el 94.3% de los votantes aprueban el "si", lo que significa la creación de una Asamblea para Irlanda del Norte, de un Consejo Ministerial que regulará las relaciones entre el Norte y el Sur de Irlanda y la modificación de las disposiciones constitucionales del Reino Unido y la República de Irlanda respecto al Ulster.

Literatura y arte. La primera obra de la literatura gaélica fue *Tain*, que se describe como la *Iliada irlandesa* y cuyo protagonista es un sacerdote de sencilla existencia. Entre sus artistas y escritores más destacados se encuentran nombres famosos en la literatura universal: Jonathan Swift, Richard Brinsley Sheridan, Oliver Goldsmith, el célebre George Bernard Shaw, fallecido en 1951, y James Joyce, si bien todos ellos escribieron en inglés. *Véase* GRAN BRETAÑA.

Irlanda del Norte. *Véanse* GRAN BRETAÑA; IRLANDA.

ironía. Fina burla, que con gracia da a entender lo contrario de lo que afirma. Al aparentar reconocer incondicionalmente méritos y virtudes, los pone en ridículo, llamando la atención sobre sus deficiencias. Puede empleársela con fines didácticos, como lo hacía la escuela socrática; para corregir vicios, o simplemente como esgrima intelectual, a fin de dar agilidad y brillo a las pláticas. En el teatro y la novela

ha producido obras maestras. Se diferencia del humorismo en que éste no persigue otro fin que provocar la sonrisa, mientras la ironía, forma sutil del humor satírico, puede convertirse en arma formidable.

irrigación. Método que permite proveer a las plantas que viven en regiones secas del agua necesaria para su desarrollo. La irrigación tiene el poder de transformar los desiertos en fértiles campos. Los pueblos antiguos conocían ya los beneficios del riego artificial. La historia del desarrollo de la agricultura y la prosperidad nacional coinciden siempre con la del perfeccionamiento de las técnicas de irrigación. En Egipto, en el tiempo de los faraones se inició la regulación del curso del Nilo y se construyó el gran lago artificial de Meris. Los babilonios trazaron, en Mesopotamia, numerosos canales de riego. Las culturas precortesianas en México, y los incas, en Perú, planificaron y ejecutaron obras de riego, cuyos restos pueden verse aún. En las provincias del norte argentino y en los valles calchaquíes de Salta, se encuentran antiguas obras de regadío que demuestran el gran adelanto técnico de los incas.

En la actualidad las obras de riego son planificadas y dirigidas por ingenieros agrónomos. La irrigación aprovecha para su consumo el agua que proviene de tres fuentes naturales: *a)* las aguas pluviales, que son recogidas en cisternas y represas; *b)* las aguas corrientes superficiales (ríos, arroyos, etcétera.), que se obtienen por medio de tomas directas, diques niveladores y presas de embalse, según los casos y *c)* las aguas subterráneas, a las que se llega en pozos y perforaciones y se extraen con máquinas elevadoras. Desde las fuentes, el agua es conducida por canales adecuados y medida con dispositivos especiales, luego es distribuida y entregada a los usuarios.

La cantidad de agua necesaria para el desarrollo normal de las plantas cultivadas depende especialmente de tres factores: 1) el suelo, por su constitución fisicoquímica; 2) el mismo vegetal, por sus características especiales y 3) el clima, por sus condiciones de humedad, vientos y calor solar.

Las plantas cultivadas pueden recibir el agua en cantidad suficiente: *a)* naturalmente, por las lluvias; *b)* artificialmente, por el riego y *c)* por ambos medios a la vez. En el segundo caso el riego es integral, en el tercero es compensador de la falta de agua de lluvia. En cualquiera de ambos casos corresponde determinar la cantidad de agua que debe entregarse a las plantas y los periodos de riego.

Recibida el agua en los límites del campo, debe distribuirse sobre la superficie del suelo a fin de que, a través del mismo, llegue a ponerse en contacto con las raíces del vegetal. Los distintos procedimientos que se adoptarán para obtener la mencio-

Restaurante Rotunda *en Glasgow, Irlanda.*

Corel Stock Photo Library

nada distribución constituyen los sistemas de riego, cuya elección depende de factores muy diversos, tales como: la configuración de la superficie del terreno (regular, irregular), su pendiente (suave, pronunciada), la clase de cultivo (trigo, maíz, frutales, etcétera.) y, especialmente, la cantidad de agua disponible.

Cuando en el terreno la pendiente es suficientemente pronunciada y su superficie bastante uniforme, el riego se produce naturalmente, en forma regular. En caso contrario, se utiliza el riego artificial. Esta forma de riego requiere obras preparatorias del suelo, bastante importantes. Además del trazado de los conductos, es necesario formar la pendiente y uniformar la superficie. Cuando se trata de extensiones de campo relativamente reducidas, un hombre avezado en las tareas agrícolas puede, a simple vista y sin ayuda de instrumentos topográficos, saber qué trabajos de adaptación del terreno serían más convenientes para el riego. Pero, cuando la extensión de los cultivos es grande, las obras requeridas son de mayor envergadura. Entonces es necesario confeccionar un plano del lugar, con indicación de detalles, especialmente caminos, alambrados, poblaciones y plantaciones estables, si existiesen. Luego, sobre el plano se estudia y proyecta la ejecución de las obras de irrigación más apropiadas. Más tarde, bajo la experta dirección del ingeniero agrónomo, se realizarán en el campo las obras planeadas. Los riegos están en íntima relación no sólo con la naturaleza de cada planta, sino también con las épocas de su desarrollo. En ciertos periodos las plantas sufren transformaciones profundas. Algunas de estas fases del desarrollo, como la germinación y la floración, requieren abundante provisión de agua. En cambio, para otras, como la maduración, que se produce a expensas de los jugos que contiene el vegetal, el riego, no sólo no es necesario, sino que puede perjudicar la calidad del producto. La época más propicia para el riego depende así del vegetal que se cultive. Si se trata de un sembrado de trigo, la primavera, que corresponde a la formación de la espiga, es la estación de mayor actividad orgánica en este cereal; durante su transcurso es necesario aumentar la frecuencia de los riegos. En cambio, los cultivos arbóreos permanentes, por lo general no requieren riego en primavera.

Las horas más oportunas para el regadío son las nocturnas o las anteriores a la salida del sol. El suelo, bajo la acción de rayos solares, se calienta más pronto que el agua, que mantiene su temperatura más o menos constante durante las 24 horas del día. Regando por la noche, cuando el suelo se ha enfriado, se evitan diferencias bruscas de temperatura que son perjudiciales para los sembrados.

Corel Stock Photo Library

Canal de irrigación Welton-Mohawk en Arizona.

irrigación sanguinea. *Véase* SANGRE.

Irving, Henry (1838-1905). Actor inglés que se hizo célebre interpretando con fidelidad y carácter los dramas de William Shakespeare. En 1856 inició su carrera teatral. Obtuvo un gran éxito en 1874, al encarnar el protagonista de *Hamlet*. En 1878 era director del Teatro Liceo de Londres. En colaboración con la actriz Helen Terry ofreció unas representaciones de las obras de Shakespeare que admiraron al pueblo londinense. Interpretaba con gran acierto el papel Napoleón, en *Madame Sans Gêne*, y el *Robespierre* de Sardou. En 1895, la reina Victoria le otorgó el título de caballero, siendo la primera vez en Gran Bretaña que se concedía la nobleza a un artista teatral.

Irving, Washington (1783-1859). Historiador y cuentista estadounidense. Fue hijo de una rica familia de comerciantes neoyorquinos de origen escocés. Estudió leyes, pero sus aficiones lo llevaron a cultivar la literatura. Se reveló muy pronto en pintorescas epístolas sobre algunos de sus contemporáneos, que expresaban un temperamento de excepción, observador y romántico a la vez. Pasó luego a Europa en busca de cura para su delicada salud, y viajó por Francia, Suiza, Italia, Holanda e Inglaterra. Recobrada la salud regresó a New York, donde comenzó a publicar una crónica periódica, *Salmagundi*, que hubo de suspender por las protestas que levantaron sus críticas. Siguió a aquella obra, otra maestra, *Historia de Nueva York por Diedrich Knickerbocker*, pintura humorística

de la vida y costumbres de la colonia holandesa neoyorquina. El éxito de este libro fue inmenso y popularizó su seudónimo y su fama de humorista condescendiente y benévolo ante las pequeñas miserias o manías del mundo. Mientras viajaba otra vez por Europa, le sorprendió la ruina de la casa comercial familiar donde tenía depositada la totalidad de sus intereses, y se vio obligado a buscar en la escritura los recursos necesarios para su existencia. Publicó entonces *Bocetos de viaje*, *Los humoristas* y *Cuentos de un viajero*, tres obras que consolidaron su fama. En 1826, fue designado para formar parte de la legación de Estados Unidos en España y de esa época datan *Vida y viajes de Cristóbal Colón*, *Crónica de la conquista de Granada*, *Viajes y descubrimientos de los compañeros de Colón* y la mejor de todas sus obras, sus inmortales *Cuentos de la Alhambra*, índice de su completa compenetración con el ambiente granadino y de su profundo conocimiento de la historia y las leyendas de la cultura tradicional hispano-arábiga. Escribió, además una *Vida de Mahoma* y magníficas biografías de George Washington y Oliverio Goldsmith. En 1842, fue nombrado ministro de Estados Unidos en la corte de España, cargo que desempeñó durante cuatro años; regresó después a New York, donde siguió cultivando las letras hasta el fin de sus días.

Isaac. Patriarca hebreo, hijo de Abraham y de Sara. Refiere la Biblia que, al no tener hijos Abraham y Sara, aquél tomó a su esclava Agar, la cual dio a luz a Ismael. A los dos años del nacimiento de Ismael, empero, Sara, mujer legítima de Abraham, dio tardíamente a luz a Isaac. Isaac e Ismael son considerados los antepasados tradicionales de los hebreos y los árabes, respectivamente. Las disputas entre los hermanos provocaron la expulsión de Ismael de la casa paterna. Cuando Isaac tenía 20 años, cuenta la leyenda bíblica, el Señor quiso probar a Abraham y le ordenó que sacrificara su hijo. Cuando Isaac, ya atado a un poste, iba a recibir la puñalada con que su padre le daría muerte, el Señor detuvo a éste y fue sacrificado un cordero. Otro incidente referido en la Biblia relata cómo Abraham casó a Isaac. Envió a Mesopotamia a un viejo criado para que eligiera mujer para su hijo. El sirviente eligió a Rebeca, por haber sido la muchacha que más compasiva se mostró con los camellos, a quienes dio de beber. Isaac, ya viejo, tuvo dos hijos: Esaú y Jacob. Consigna también la Biblia cómo el primero vendió su primogenitura al segundo por un plato de lentejas. Cuando Isaac ciego se sintió morir, dijo a su hijo predilecto –Esaú– que saliera de caza y le preparara con la presa un guisado, añadiendo que luego le daría su última bendición paternal. Sin embargo Jacob, que había oído esto, mató un cabrito y, aprovechándose de la ceguera del padre, se lo presentó aderezado, haciéndose pasar por Esaú y obteniendo así la ansiada bendición paternal.

Isaacs, Jorge (1837-1895). Notable literato colombiano, considerado como la más alta muestra del Romanticismo latinoamericano. Sus géneros predilectos fueron la poesía y la novela. Como poeta, sus mejores obras son *El canto al río Moro* y su elegía a la muerte de Elvira Silva. La primera edición de sus versos se editó en Bogotá en 1864, pero fue su novela *María*, publicada en 1867, la que le habría de dar la gloria. Esta obra, aunque se le han señalado influencias de François René de Chateaubriand y Jacques Henri Bernardin de Saint Pierre, tiene virtudes propias que la acreditan de original, por lo que la crítica la ha considerado con razón como la más representativa en la novelística romántica americana. En *María* hay menos ficción de lo que se imagina, porque Isaacs vivió la mejor parte de la historia, y de ello nace la sinceridad de sentimientos, la justeza de la descripción de los paisajes y la exactitud de los caracteres presentados. Cerca de Cali, la tierra nativa del poeta, aún se conserva la casa de la hacienda que describe la novela. Isaacs intervino en política, fue parlamentario, secretario de la Cámara de Representantes y cónsul general de Colombia en Chile. En una plaza de Cali, rodeado de flores y jardines, se alza el busto del poeta y novelista.

Isabel, santa (1207-1231). Reina de Hungría canonizada por Gregorio IX, cuatro años después de su muerte. A los 14 años se casó con el landgrave de Turingia, Luis IV, y al llegar a reina se reveló como una mujer extremadamente caritativa que daba a los pobres sus bienes y los del Estado en todo lo que podía. Por eso, al quedar viuda fue acusada de disipar los bienes nacionales e infamemente arrojada de palacio y separada de sus hijos. Tomó el hábito de terciaria franciscana y pasó el resto de sus días pidiendo limosna y haciendo el bien. Al morir, su cadáver quedó expuesto cuatro días a la veneración pública y luego enterrado en la capilla del hospital de Marburgo, de donde 20 años después fue trasladado a la iglesia de las Carmelitas en Bruselas.

Isabel I (1533-1603). Reina de Inglaterra. Ejerció, durante casi medio siglo, un poder absoluto y elevó a su país a un lugar preeminente en su época. Nació en Greenwich del matrimonio de Enrique VIII con Ana Bolena. Ésta, repudiada tres años después, fue decapitada en el patíbulo e Isabel fue declarada ilegítima. Anulada, posteriormente, esta declaración, el Parla-mento estableció que le correspondería la Corona si faltaran el príncipe Eduardo y su hermana María. Mientras reinó su hermano Eduardo VI, se dedicó al estudio y llegó a adquirir una sólida cultura humanística. Durante el reinado de María, se mostró muy hábil para esquivar los peligros, aunque estuvo varios meses encerrada en la Torre de Londres. A raíz de la conspiración de Wyatt estuvo a punto de ser ajusticiada; pero, libró con suerte, e incluso aprovechó la circunstancia para eludir la propuesta matrimonial del duque de Saboya.

A la muerte de María Tudor (1558), fue proclamada reina. La contestación que dio al embajador de España, al ofrecerle éste el apoyo de su rey, refleja su carácter y sus intenciones: Mi posición actual la debo a mi pueblo y no tengo ni quiero otro apoyo fuera del suyo". En su manera de ser había mucho de turbio, complicado y contradictorio; colérica, juraba ante los obispos, arrojaba sus zapatos a los diplomáticos y abofeteaba a sus favoritos; cauta, danzaba toda la noche para evitar una conversación con el embajador español; pérfida, urdía una doblez o una conspiración; cruel, vio morir en el cadalso, sin un sentimiento de piedad, a su favorito el conde de Essex y a María Estuardo. Tuvo los caprichos de una mujer coqueta y los elevados ideales y la intuición de un buen rey. Con objetivos grandes y precisos, sus virtudes y defectos los aprovechó en beneficio de su país. Se dijo de ella: "Vive y miente para Inglaterra".

Escéptica en religión, tuvo como consejero a Matías Parker, que la incitó a seguir la *vía media*. Implantó definitivamente el anglicanismo en Inglaterra y reclamó para su persona los derechos de cabeza suprema de la Iglesia. Defensora del protestantismo en el exterior, luchó contra Felipe II, ayudó a los hugonotes franceses e incitó contra María Estuardo a los reformadores de Escocia. No obstante, en el interior, persiguió a los puritanos.

La política internacional de Isabel se inspiró en la idea de arrebatar a España la hegemonía en Europa y en el mundo colonial. Felipe II empleó contra esa pretensión todas sus fuerzas, excitado por motivos religiosos, por los ataques de sir Francis Drake y de Robert Devereux, segundo conde de Essex a las costas españolas y de John Hawkins y otros corsarios a las de América y por la ayuda prestada por Inglaterra a Holanda y a Enrique IV de Francia. La lucha culminó en la destrucción de la *Armada Invencible*, la flota más poderosa que había aprestado España.

Las intrigas sembradas en Escocia ocasionaron la revolución de 1567 y María Estuardo se vio obligada a refugiarse en Inglaterra, donde no halló sino prisiones más o menos duras, pues Isabel la odiaba por motivos religiosos y rivalidades personales, hasta que, acusada de complicidad en un atentado contra la soberana, fue condenada a muerte y ejecutada.

Isabel implantó una monarquía hereditaria con un Parlamento y una Iglesia incondicionales. Aceptaba las opiniones de los consejeros cuando beneficiaban al país. William Cecil fue su ministro más oído y, durante 40 años, contó con la confianza real. La reina desbarató todas las conspiraciones y, cuando las Cámaras intentaron liberarse, instituyó tribunales de excepción. El periodo isabelino es culturalmente de los más importantes de Inglaterra, pues en él brillaron William Shakespeare, Herbert Spencer, Christopher Marlowe y Francis Bacon. La reina impulsó, también, la industria, el comercio y la navegación, fomentó los descubrimientos y las conquistas de sir Walter Drake y sir Francis Raleigh, e impulsó a Inglaterra a dar el paso de país medieval a país moderno.

En las postrimerías de su vida, su entereza declinó y, para evitar efusión de sangre, cedió ante las criticas del Parlamento contra los monopolios. "Yo hubiera deseado –dijo– la obediencia de mis súbditos por amor y no por la fuerza". Murió en Richmond y su obstinado celibato dejó el trono sin heredero directo. Jacobo, hijo de María Estuardo, la sucedió. *Véanse* ENRIQUE VIII DE INGLATERRA; ESTUARDO, FAMILIA.

Isabel II (1926-). Reina de Gran Bretaña. Hija primogénita de Jorge VI e Isabel. Se unió en matrimonio en 1947 con el príncipe Felipe de Mountbatten y desde entonces dichos cónyuges tomaron el título de duques de Edimburgo. En 1943 entró a formar parte del Consejo Real. En 1952, a la muerte de su padre, pasó a ocupar el trono de Reino Unido de Gran Bretaña e Irlanda del Norte y a ostentar el título de cabeza de la Comunidad Británica de Naciones, siendo coronada el 2 de junio de 1953. Su hijo primogénito, el príncipe Carlos, que nació en 1948, es el heredero aparente del trono. Los nombres y años de nacimiento de sus otros hijos son: Ana (1950), Andrés (1960) y Eduardo (1964). Desde su ascensión al trono Isabel II se ha distinguido como reina constitucional, discreta, firme y compenetrada con los intereses fundamentales de su pueblo.

Isabel *la Católica* (1451-1504). Reina de Castilla. Nació en Madrigal de las Altas Torres (Ávila), el 22 de abril. Isabel pasó los primeros años de su vida junto a su hermano Alfonso, hijo como ella de don Juan II de Castilla y de doña Isabel de Portugal. El hermanastro de Isabel y Alfonso era el rey de Castilla, como hijo mayor de don Juan II y de su anterior esposa doña María de Aragón, con el nombre de Enrique IV. Nada ejemplares eran las costumbres cortesanas de la época. Los reyes y sus favoritos conculcaban diariamente las normas legales al extremo de que muchos pueblos se organizaron en hermandades para defenderse del bandidaje de los señores.

Enrique IV vio tambalearse el trono que ocupaba. Con su apatía y su negligente proceder alimentó la discordia. Alonso de Palencia dijo que abandonaba sus funciones de gobernante a los privados. Uno de éstos fue Beltrán de la Cueva, a quien se achacó la paternidad de la infanta doña Juana, a la que por tal motivo llamaron la *Beltraneja*.

Temeroso de que los nobles lo depusieran, colocando en el trono a su hermano Alfonso o a la princesa Isabel, Enrique IV dispuso que ambos fueran trasladados a su lado. Entre los nobles crecía el disgusto y la mayor descomposición política se apoderaba del reino. Prelados y magnates se enfrentaron entre sí y contra el rey, al que hicieron objeto de burlas y sátiras. Las banderías cuajaron. Don Alfonso sería el rey; pero, la muerte le llegaría antes de serlo. Doña Isabel habría de sucederle. Virtualmente reina, no quiso levantarse en armas contra su hermano mayor. Sin embargo no permitiría que éste fuera en lo sucesivo quien dispusiera a su antojo de ella, e Isabel se aparta de la Corte.

Cuando fue necesario que eligiera esposo pasó por trances difíciles. La pretendían, por razón de Estado o por ambición, nobles poderosos y príncipes de casas reinantes, entre ellos Fernando, hijo del monarca aragonés don Juan II. Fernando, un año más joven que ella, es el elegido y el enlace se celebró en Valladolid, en 1469. La boda de Isabel y Fernando era presagio de la unión que en breve sellarían los reinos de Castilla y Aragón. Arrecia la lucha por la sucesión del trono. Isabel no desoye la apelación de sus partidarios. Exige ser reconocida como heredera, frente a muy poderosos señores. Maestres, prelados, nobles y gentes de armas se dividen en dos bandos: unos por doña Isabel, y otros por doña Juana, la hija del rey. A la muerte de Enrique IV, en diciembre de 1474, doña Isabel y Juana se enfrentaron abiertamente por la posesión del trono castellano.

Isabel es proclamada reina de Castilla, pocos días después, en Segovia. Muchos nobles, cortesanos y el pueblo acatan su soberanía. Don Fernando vuelve de Aragón, donde secundaba a su padre, ya octogenario, en la campaña contra el monarca francés. Lo primero que hacen los soberanos es afirmar su trono, amenazado por los partidarios de doña Juana *la Beltraneja*, a quien apoyaba el rey de Portugal. La batalla final de la contienda tiene lugar en Toro (1476), que fue una victoria decisiva para Isabel.

De muy poco o de nada habría servido todo lo conseguido con tanto esfuerzo si Fernando e Isabel no hubiesen afrontado con decidido empeño y desde el comien-

Catedral de Granada

Bajorrelieve en la catedral Real de Granada que muestra a Isabel la Católica.

zo de su reinado la tarea de pacificar sus dominios. Nada ni nadie estaba seguro en Castilla al iniciar su reinado. Secundada diligentemente y con energía por su esposo, la reina despliega una actividad y una política tan eficientes que desbarata los planes de Luis XI de Francia, quien pretendió invadir el norte de España. Tenía el monarca francés el mismo problema que Isabel en sus estados: acabar con la ambición de la nobleza feudal, sobre todo con el duque de Borgoña, Carlos *el Temerario*, que era casi tan poderoso como su rey. Doña Isabel (de "mediana estatura, bien compuesta en su persona y en la proporción de sus miembros, muy blanca y rubia, los ojos entre azules y verdes", según Hernando del Pulgar) se encontró con un reino donde todo se hallaba subvertido. Era aquél un mal que exigía remedios heroicos. De ahí que Isabel procediera con rigor en el gobierno. Fueron ajusticiados cientos de malhechores y se aquietaron las rencillas entre los nobles rivales. En las hermandades que los pueblos organizaran para terminar con las tropelías de los señores, Isabel y Fernando encontraron la base para establecer la Santa Hermandad, con la que desaparecen los salteadores y vuelve la paz a los caminos y a las zonas rurales.

Por mandato de la Reina Católica, Alfonso Díez de Montalvo ajusta las Ordenanzas Reales de Castilla, basándose en el Ordenamiento de Alcalá, promulgado por Alfonso XI. Isabel reforma los juros y las mercedes e incorpora los maestrazgos a la Corona. Rescata lo que corresponde al patrimonio real, y que la Corona había perdido durante los reinados anteriores. Isabel y Fernando oían

el parecer de las Cortes y pedían venia para sus sustanciales reformas, arbitrar recaudos, frenar el apetito de los aristócratas, hacer levas, establecer una marina mercante y una escuadra de guerra u organizar una infantería que Europa entera habría de juzgar ejemplar durante siglo y medio. Se activó la justicia, se dispuso un sistema económico más simple de monedas, pesas y medidas; se desarrolló la industria, se protegió al comercio y se hicieron reformas eclesiásticas en los claustros y monasterios.

A los cinco años de coronada Isabel como reina de Castilla, lo es Fernando como rey de Aragón. La integración política de España estaba lograda. España era un reino fuerte por dentro, con sus instituciones seguras. Firme la monarquía, sin peligro de guerras internas y aseguradas las fronteras, los Reyes Católicos se dieron a otro de sus grandes empeños: terminar la Reconquista.

Hacía casi ocho siglos que España era teatro de una lucha que tenía dos términos: la Cruz y la Media Luna, Occidente y Oriente. Durante la Reconquista, España se hizo recipendiaria y crisol de magníficos exponentes culturales (ciencias, poesías y artes, bibliotecas, maravillas arquitectónicas, obras públicas notables). La Reconquista no se concretó a lides militares, aparte de las campañas bélicas que se registran en esos siglos épicos, la Reconquista marca la fusión de aquellos dos términos: Oriente y Occidente. Lo árabe y lo cristiano conviven con frecuencia. Hay reyes árabes que pactan con los cristianos o son sus vecinos, sus amigos y hasta sus aliados frente a alguna nueva invasión africana. La Reconquista culmina con los Reyes Católicos.

El reino de Granada era el único baluarte de cuenta que la Media Luna conservaba en España desde que Fernando III conquistara Sevilla. Los Reyes Católicos quisieron consumar definitivamente la unión territorial de España. Para ello tenían que poner término a la soberanía de Boabdil, el rey granadino, muchas veces tributario de Castilla. La lucha interna que dentro de la ciudad sitiada se plantea entre zegríes y abencerrajes, alentada por la celosa madre de Boabdil *el Chico*, favoreció los designios de los Reyes Católicos. La campaña fue dura, sin embargo, y finalmente, el 2 de enero de 1492 Granada se rinde y termina la epopeya de la Reconquista. Boabdil recibió de los Reyes Católicos varios señoríos en la Alpujarra, donde residió hasta que se trasladó a África. Los Reyes Católicos aspiraban todavía a otra unión: la religiosa. Al edicto de gracia que dieron en 1481, un año antes de comenzar la guerra de Granada, y por el cual más de 20 mil judíos se acogieron a la penitencia y a la conversión, siguió el edicto de expulsión, en 1492: o se convertían y bautizaban en tres meses de plazo o tenían que abandonar los reinos españoles. Muchos se convirtieron, pero la mayoría prefirió emigrar a Portugal, Francia y norte de África. La expulsión de los judíos causó graves quebrantos a la cultura y a la economía española.

Se implantó en Castilla el tribunal de la Inquisición para poner coto a los peligros que amenazaban la unidad religiosa y se procedió a regularizar las costumbres del clero y de las instituciones monásticas. Cuando el confesor de la reina Isabel, fray francisco Jiménez de Cisneros, fue obligado por el papa a aceptar el arzobispado de Toledo (1495), al ocupar la sede primada de España dio el más alto ejemplo de austeridad y de virtudes cristianas a toda la organización eclesiástica.

Cumplida con fortuna la parte principal de su obra en el interior de sus reinos, Isabel dirige su atención a la empresa del descubrimiento de América. Pasados tres meses de la conquista de Granada, en abril de 1492, se otorgan las llamadas *capitulaciones de Santa Fe*, que representan el pacto entre los Reyes Católicos y Cristóbal Colón, presentado en la Corte por el padre Antonio de Marchena y por fray Juan Pérez, del convento de la Rábida. A las juntas de sabios siguieron los preparativos de dinero, naves y hombres para el viaje del descubrimiento.

Si Fernando no confiaba mucho en el éxito de la empresa, su esposa Isabel no perdió la fe en ella. Menguados los tesoros del reino de Aragón, Isabel salió al paso de los reparos que los cortesanos del rey ponían a su empeño. "No expongáis los recursos de vuestro reino de Aragón –dijo a Fernando la reina–. Yo tomaré la empresa a cargo de mi Corona de Castilla y, cuando no alcanzare, acudiré a los gastos empeñando mis alhajas". De esta frase deriva probablemente el episodio de las joyas de la reina, cuya autenticidad es discutida por los eruditos.

Hechos los aprestos, la flotilla de Colón, compuesta de tres carabelas, salió del puerto de Palos de Moguer en la madrugada del 3 de agosto de 1492, y el 12 de octubre se descubrió la primera tierra del Nuevo Mundo.

Al regresar de su primer viaje, Cristóbal Colón fue recibido en Barcelona por los reyes, que le proveyeron de medios más poderosos para que emprendiera nuevas navegaciones.

De la política humanitaria que respecto a las tierras descubiertas (y que correspondían a España de acuerdo con la bula de Alejandro VI) siguió Isabel *la Católica*, hablan muchos testimonios. La reina condenó y se opuso a la esclavitud de los indios, creó y envió misiones que los amparasen religiosa y económicamente y frenó la ambición de los descubridores.

Obró con gran serenidad en los momentos más difíciles de su gobierno. Educada en la humildad, Isabel, que perdió a su padre a los tres años de edad, pasó su infancia en ambiente casi de pobreza, junto a su madre demente, dando pruebas de amor filial. También demostró afección singular de hermana en sus tratos con Alfonso, su compañero de juegos y aun frente a la conducta tortuosa de su hermanastro Enrique IV, sin dejarse doblegar por las intrigas de los palaciegos. Para don Fernando, su marido, fue una esposa ejemplar, compañera y colaboradora eficiente. Isabel *la Católica* sufrió intensamente como madre, pues sus cinco hijos tuvieron una suerte desgraciada. Vio morir a su hijo don Juan cuando tenía 20 años y era esperanza para la unión de toda la España (Castilla, Aragón, Portugal) bajo un solo cetro; perdió a su hija Isabel, reina de Portugal, que falleció a los 28 años, y otra de sus hijas, Juana *la Loca*, daba muestras de demencia. Tantos pesares habrían, sin duda, de precipitar el término de Isabel *la Católica*, mujer llana, comprensiva, justiciera, ingeniosa y ampliamente humana.

Mes y medio antes de su muerte otorgó testamento, que completó tres días antes de morir con un codicilo. En el testamento, Isabel se muestra prudente y sabia, disponiendo la suerte de sus estados y trazando su sueño sobre la unidad de España y su imperio cristiano sobre tierras africanas. En el codicilo tiene un pensamiento para el Nuevo Mundo; pensamiento que es base firme para una gran política: encarga a sus herederos que pongan toda diligencia en no consentir ni dar lugar a que los naturales y moradores de las Indias y Tierra Firme, ganadas o por ganar, recibiesen agravio alguno en sus personas y bienes, sino que fuesen bien y justamente tratados, y que remediasen y proveyesen si algún agravio hubieran ya recibido. Los hechos fueron por delante desde que reprobó el trato dado por Cristóbal Colón a los habitantes del Nuevo Mundo y su intento de considerarlos esclavos.

Isabel *la Católica* protegió ampliamente la cultura. Dio aliento al desarrollo económico de sus estados (campos, astilleros, industrias, navegación, comercio, oficios y artesanías) y fue siempre respetuosa con los acuerdos de las Cortes. Propició la enseñanza del latín para uso diplomático y cortesano, estimuló la difusión de la imprenta y protegió las bellas artes. En su reinado surgieron grandes capitanes con Gonzalo Fernández de Córdoba, Hernán Pérez del Pulgar, el conde de Tendilla y otros esforzados guerreros. Isabel la Católica murió el 26 de noviembre de 1504 en Medina del Campo; según unos autores, en el castillo de la Mota, y de acuerdo con otros, en el palacio que los reyes tenían en la mencionada ciudad castellana.

Isaías. Hijo de Amós y descendiente de la familia real de David, fue el primero de los cuatro grandes profetas hebreos. Alcanzó esa condición junto con Jeremías, Daniel y Ezequiel, de mayor importancia que los del grupo de 12 profetas menores. Predijo el nacimiento del Mesías y la instauración de la Iglesia. Vivió en Judea siete siglos antes de nuestra era y cumplió su misión bajo Joatán, Acaz, Ezequías y Manasés. El último de estos monarcas lo hizo sacrificar por haberle reprochado su impiedad. El *Libro de Isaías*, incluido en la Biblia y atri-

Vista aérea de la Isla Whitsunday *en Queensland, Australia.*

Corel Stock Photo Library

buido a este profeta, es también célebre por el vigor de su estilo.

Isidoro, san (560?-636).

Monje y prelado español, doctor de la Iglesia, figura máxima de la cultura de la España goda. Hermano de San Leandro, a quien sucedió como arzobispo de Sevilla, presidió el Cuarto Concilio de Toledo y el segundo hispalense. Fundador de la célebre escuela de Sevilla, debe su fama literaria a una obra trascendental para la cultura de Occidente, su famosa *De las etimologías*, monumental resumen y recopilación del saber humano de su tiempo, enciclopedia en la que el santo reseña las materias científicas conforme a la etimología de las palabras. Ordenó este inmenso tesoro de sabiduría, fuente de toda cultura posterior, san Braulio, quien lo dividió en 20 libros. Varón de inmenso saber y alta elocuencia, escribió otras obras: *De los sinónimos; Tratado de las sentencias; Cronicón*, que abarca desde Adán hasta Sisebuto; *De la naturaleza de las cosas; Historia de los godos, vándalos y suevos* y *De los varones ilustres*, biografías de las figuras más importantes de la España goda. Fue canonizado, y su fiesta se celebra el 4 de abril.

Isis.

Diosa egipcia, mujer y hermana de Osiris, a quien ayudó en su tarea de mejorar a la humanidad. Fue la diosa de la fertilidad, la maternidad y la agricultura. Cuando Osiris regresó de su viaje de conquista del universo, fue muerto por Set, espíritu del mal. Pero, Isis le devolvió la vida, haciéndolo resucitar en su hijo, Horus. Se suponía que había prestado al cadáver de Osiris los mismos cuidados que los egipcios daban a sus muertos.

isla.

Cualquier extensión de tierra rodeada de agua y de menor tamaño que un continente. Desde el punto de vista humano, las islas son centros de concentración activa de población y físicamente pueden ser continentales, oceánicas o interiores. Las continentales son las que se encuentran cerca de un continente: casi todos los geólogos coinciden en que las islas continentales dependen y forman parte de éstos, habiéndose separado por hundimiento en tiempos remotos. Lo demuestra, por ejemplo, Gran Bretaña, cuya flora y fauna son similares a la continental. Las islas oceánicas son las que se encuentran en el océano abierto, distantes frecuentemente de las zonas continentales; se han formado por masas de lava y tierra arrojadas por volcanes submarinos, y en este caso se encuentran en cualquier región del globo. Otras veces están constituidas por arrecifes de coral o polípteros y se encuentran en las zonas cálidas. Las islas interiores se forman por la acción de las corrientes fluviales; entre ellas cabe contar las que se forman en el curso o en la desembocadura de algunos ríos; a éstas se les da el nombre de delta. Son famosos los del Nilo, del Ganges, del Amazonas y del Orinoco.

En ciertas condiciones, los troncos de árboles y otros detritos acumulados en lagos o ríos forman especies de islas organogénicas relativamente fijas, sobre las que se acumula tierra y cieno; generalmente son de poca duración, pero a veces son bastante grandes y durables, como algunas que existen en México y que son famosas por su belleza.

Así como se forman algunas islas, otras desaparecen, bien por movimientos sísmicos, bien por acción de las aguas. La isla de Heligoland, en el Mar del Norte, estaba unida en el siglo XVI a otra isla, que ha desaparecido, por medio de un istmo.

Isla, José Francisco de (1703-1781).

Jesuita, literato y crítico español. Notable celebridad alcanzó su *obra Historia del famoso predicador fray Gerundio de Campazas*, sátira escrita contra los malos predicadores. También escribió: *La juventud triunfante, Cartas familiares, Colirio para los cortos de vista* y otras.

Islam e Islamismo.

Islam es una voz árabe que significa *abandono de sí mismo en Dios*, y es también el nombre con que el Corán se refiere a la religión, fundada por Mahoma en Arabia a principios del siglo VII de nuestra era, religión en la cual se rastrean claramente primitivas creencias monoteístas de la Arabia antigua en un Dios creador o Ser Supremo. Dicho Dios (Alá), para los pueblos del desierto, era el guardián de sus rebaños, el protector de sus vidas, el dispensador de la lluvia y el defensor contra las asechanzas del destino. Mahoma desarrolló su pensamiento dogmático inspirándose principalmente en la Biblia, el Talmud y los Evangelios apócrifos. El libro sagrado del islamismo es el Corán, que se supone revelado a Mahoma, y su fe está condensada en la frase: "Hay un solo Dios, y Mahoma es su profeta". El Corán, además de un libro de dogma, es un código civil y religioso donde se establecen las prácticas del culto y las relaciones legales de los mahometanos entre ellos. Después del ingreso en el Islam por la circuncisión, el culto se basa en estas obligaciones fundamentales: recitar la profesión de fe, en voz alta, por lo menos una vez en la vida; la oración, cinco veces diarias; el ayuno en el mes de Ramadán; la limosna y la peregrinación a La Meca. Las mujeres, según Mahoma, son inferiores a los hombres y deben cubrirse el rostro, excepto ante sus padres, sus hijos, sus sobrinos y sus esclavos. El Islam cree en la unidad abluta de Dios, en que el arcángel Gabriel es el Espíritu Santo y los ángeles, mensajeros de Dios. El Paraíso mahometano está formado por un inmenso huerto, con árboles cargados de frutos, tierras fértiles, arroyos de miel, leche y vino, tronos con adornos de piedras preciosas y vírgenes para recreo de los moradores.

La religión del Islam ha representado un papel muy importante en la historia del mundo a partir del siglo VII. La doctrina predicada por Mahoma no tardó en propagarse por Arabia y el Cercano Oriente. Muy pronto el Islam se convirtió en una poderosa teocracia, enemiga de las instituciones cristianas del mundo occidental. Cuando los países de la cristiandad atravesaban una época de relativa oscuridad, hubo un periodo de intensa actividad intelectual en Bagdad, Damasco, El Cairo, Sevilla, Toledo y Córdoba. Entre el siglo IX y el XI, la civilización islámica estuvo animada por gran actividad y dio al mundo notables filósofos, poetas, astrónomos, matemáticos, místicos e historiadores.

En los primeros tiempos, el califa aglutinaba a los pueblos del Islam. A la muerte de Mahoma algunos allegados suyos lucharon por el califato. La elección recayó en Abu Bekr, suegro de Mahoma, a quien sucedió Omar, que fue el creador del primer Estado islámico, un gran gobernante y guardador estricto de los preceptos del Profeta. Con el asesinato de Omar en el año 664, cesó prácticamente el califato y empezó la dinastía de los Omeyas. Durante los primeros califatos, el islamismo no sólo conquistó Arabia, sino que se extendió por Siria, Palestina, Mesopotamia, Babilonia, Egipto y Persia. Durante el periodo de los Omeyas (661-750), los musulmanes conquistaron África del Norte, penetraron en la Península Ibérica, atravesaron los Pirineos y llegaron hasta la Galia. Su expansión terminó en la batalla de Poitiers, donde fueron derrotados por Carlos Martel. En Asia, el islamismo se extendió hasta las puertas de China. El imperio de los Omeyas fue vencido por la dinastía de los Abasidas, pero un miembro Omeya, Abderramán, logró huir y fundó en España un emirato independiente. El poder y el esplendor del islamismo culmina en los Abasidas, que establecieron su capital en Cufa y en Bagdad pero al final la dinastía inicia su decadencia y empieza a desmembrarse en sectas que entran en colisión. Cuando Bagdad fue conquistada por los mongoles en el año 1258, los Abasidas fueron definitivamente eliminados. Las disputas por el califato originaron la formación de tres grandes sectas (sunnitas, chiitas y khawarij), la más importante de las cuales es la primera, que se caracteriza por una ortodoxia que ha ido derivando hacia la adopción de un camino medio entre el materialismo grosero y las ideas de una filosofía puramente especulativa. Según una tradición de los primeros tiempos del islamismo,

Islam e islamismo

Mahoma afirmó una vez que su religión se dividiría en 73 sectas, todas las cuales perecerían, menos una. Sin embargo, el caso es que ascienden a varios centenares.

En nuestra época ha habido una gran actividad teológica en el mundo musulmán. Esto se ha evidenciado de una manera particular, en la literatura apologética, la cual presenta al Islam bajo un aspecto que tiende a descartar las características que han hecho al islamismo objeto de una crítica hostil. Así, la poligamia, la esclavitud y la intolerancia han sido desechadas como contrarias a una interpretación justa del espíritu del Corán. Las antiguas sectas siguen existiendo, pero oponen su ortodoxia conservadora a las nuevas tendencias que tratan de conciliar la religión con la ciencia y las condiciones de la vida moderna. En el siglo XX, Turquía es un buen ejemplo del reformismo radical en materia religiosa que anima a los movimientos de tipo nacionalista que se producen en el mundo islámico. El gobierno turco abolió el califato en 1924, confiscó los bienes de las órdenes religiosas, se tendió a la supresión de la poligamia y la fecha del Ramadán se fijó de acuerdo con la ciencia astronómica.

Ahora bien, contra lo que pueda parecerle a un occidental, el Islam no es una religión exclusivista, puesto que reconoce que Dios (Alá) ha enviado, aparte de Mahoma, otros profetas a todos los pueblos, entre quienes figuran primordialmente Abraham, Moisés, David y Jesucristo. Por tanto, reconoce también la verdad del mensaje divino contenido en las Escrituras judeocristianas, en especial la Torah, los Salmos y los Evangelios, incluidos los apócrifos. Sólo que, junto a este reconocimiento (que forma un

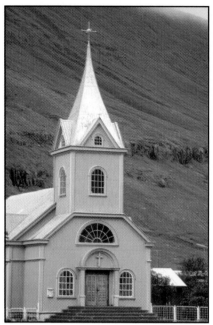
Corel Stock Photo Library

Iglesia principal de Seydisfjordur, Islandia.

vínculo entre los musulmanes, judíos y cristianos), el Islam sostiene asimismo la firme convicción de que Mahoma tiene la preeminencia entre todos los profetas y de que la forma más perfecta de la Fe está en el mensaje del Corán, cuya aceptación o rechazo por parte del individuo determina si éste es un verdadero creyente, o un infiel.

El despertar político del mundo islámico, representado principalmente por la Liga Árabe, trata de volver a crear la gran comunidad árabe que, al margen del imperio otomano, conservó su identidad como un separado grupo nacional por recuerdos de un pasado común, una misma religión y un mismo idioma. Los líderes del movimiento panárabe del siglo XIX y la rebelión árabe contra Turquía en la Primera Guerra Mundial persiguieron dicha finalidad a base de separarse del imperio otomano. Sin embargo, la organización de la paz hecha en 1919 dividió al mundo árabe en Asia (excepto Arabia Saudita y el Yemen) en esferas de influencia inglesa y francesa. Siria, Líbano, Iraq, Jordania y Palestina formaron Estados separados, bajo control y administración extranjeros. Pero, en 1941 dichos países habían obtenido prácticamente su independencia. En marzo de 1945 se fundó la Liga Árabe, que para 1976 tenía los siguientes miembros: Argelia, Bahrein, Djibouti, Egipto, Iraq, Jordania, Kuwait, Líbano, Libia, Mauritania, Marruecos, Omán, Palestina, Katar, Arabia Saudita, Somalia, Sudán, Siria, Túnez, Emiratos Árabes Unidos y República Árabe del Yemen. El islamismo ha inspirado importantes movimientos políticos en diversas épocas.

Islandia. El *País del hielo*, llamado también del *hielo y del fuego* por presentar, en contraste con las masas heladas, volcanes y géiseres, es una isla de 102,850 km², estratégicamente situada en la ruta del Atlántico Norte entre Noruega y Groenlandia, de las que dista 980 y 260 km, respectivamente. Su extremo norte –Península de Rifstangi– toca el Círculo Polar Ártico. Población: 300,000 habitantes (1997).

Geología y orografía. El macizo basáltico de Islandia forma parte de los restos de una elevación intercontinental rota en la época terciaria a causa de una serie de erupciones. Otras más recientes cubrieron aquél de nuevas rocas de lava y toba. El retroceso posterior del hielo dio lugar a llanuras aluviales. En algunos lugares el basalto ha sido erosionado tomando fantásticas formas. Hay en la isla más de 100 picos volcánicos, entre los que destaca el Hecla (1,557 m). Son características de estos volcanes las erupciones en *grieta*, que ocasionan terribles catástrofes. La de 1873 costó la vida a la quinta parte de la población. La combinación del hielo y el fuego explican la devastación producida por estos fenómenos, pues van acompañados de torrentes de agua y lodo. Los geisers y las fuentes calientes son el atractivo del vulcanismo islandés. El *Gran Geiser*, cerca de Reykjavik, eleva su chorro a más de 60 m. Las aguas de las fuentes calientes, cuya temperatura oscila entre 30 °C y 80 °C, se emplean para el lavado y baños. Abundan también las fumarolas y las solfataras. La zona más accidentada de esta isla de aspecto quebrado, ocupa el centro y forma una especie de espinazo de cierta elevación que la divide en dos mitades y es la diviso-

Vik, la roca tallada por el mar en la costa de Islandia.

Corel Stock Photo Library

ria de las aguas superficiales. Desde esta región, el terreno desciende en todas direcciones, salvo por el este, donde los montes alcanzan el litoral. Aquí se encuentra el Oraefa-Jokull (2,119 m), pico culminante de Islandia, al norte del cual se halla el más extenso de los glaciares, el Klofa-Jokull (8,500 km²). A pesar de llamarse el *país del hielo*, no existen más que seis glaciares grandes y varios pequeños que no cubren en total más de unos 13,000 kilómetros cuadrados.

Hidrografía. Los numerosos ríos, cortos y caudalosos, sobre todo en primavera, corren hacia el norte, oeste y sur. Esta última dirección es la que sigue el Thjorsa, que con sus 240 km de curso es el más largo del país. Son también importantes el Hvita, que se dirige al oeste, y el Blanda y el Skajlfandafljot, que desembocan por la costa norte. Hay numerosos lagos, algunos de origen volcánico.

La costa presenta un aspecto parecido a las de Noruega y Escocia, con excepción de la del sureste, donde las montañas llegan hasta el mar formando algunos *haffs*, y la meridional que se presenta bastante regular, baja y arenosa, con estuarios y lagunas separadas del mar por lenguas de tierra. El resto, especialmente el noroeste, ofrece, como aquéllas, ensenadas, bahías y fiordos –Faxa, Breidha y Huna–, separados por penínsulas profusamente recortadas, que avanzan varios kilómetros en el mar.

El clima, húmedo, nebuloso y desagradable, es suave en la mayor parte de la isla, si se tiene en cuenta la latitud de la misma, a causa de las corrientes marítimas (Gulf-Stream). En el centro es típicamente continental, con inviernos rigurosos y frecuentes tempestades. En el sureste, los glaciares recrudecen la temperatura y los bloques de hielo bordean la costa. Las lluvias no son excesivas y la nieve sólo excepcionalmente cubre las llanuras. Algunos años las irregularidades climáticas, con descensos excesivos de temperatura, ocasionan situaciones difíciles y hasta trágicas para los isleños.

Recursos naturales, productos e industrias. Excluidas las regiones del este, que son verdaderos desiertos de hielo, sorprende a los especialistas de regiones frías la vegetación de Islandia, cuya flora es de tipo intermedio entre la de Groenlandia, la ártica y la báltica. Los árboles son raros y no pasan de 6 a 7 m de altura. De la superficie apta para la agricultura, que alcanza 15% del área total (1994), sólo 0.05% está dedicada al cultivo, que no puede realizarse más que de mayo a septiembre. Durante los cortos y frescos veranos, los prados cubren grandes extensiones. La producción agrícola, que consiste principalmente en patatas, nabos y forrajes, no basta para cubrir las necesidades de la población.

Corel Stock Photo Library

Redes para capturar salmón en Islandia.

La fauna, afín a la de Groenlandia, cuenta con algunas especies de Europa septentrional. Las aves, de las que se cuentan más de 100 especies, son la base económica de algunas regiones costeras. Los famosos patos de *eider* son muy apreciados por su pluma y plumón. Los prados alimentan numerosos rebaños de ovejas (470,000 cabezas) y caballos, vacas, cabras y renos (1995). La *pesca* es el primordial recurso de Islandia, cuya flota pesquera –muy importante– consigue un promedio de 700,000 ton de pescado anuales, parte de las cuales son industrializadas antes de ser exportadas. Se pesca bacalao, arenque, platija, merluza, ballena, focas, etcétera.

La minería no tiene importancia. Los yacimientos de plomo, azufre, lignito, cobre y otros minerales están sin explotar. Los depósitos del famoso espato de Islandia están casi agotados. La industria, que empezó a desarrollarse con el aprovechamiento de la fuerza hidroeléctrica de algunos saltos de agua (la potencia de los saltos islandeses se calcula en unos 4 millones de caballos), consiste en la refrigeración, conserva y salazón del pescado y la carne con los procedimientos más modernos, y en la elaboración de harinas, aceites de pescado, lanas, margarina, etcétera.

El comercio exterior comprende la importación de petróleo, maquinaria, metales, madera, carbón, cereales, sal, azúcar, tabaco, papel y caucho, y la exportación de pescado fresco y en conserva, pieles, lanas y espato. Los transportes interiores se realizan por los 12,340 km de carreteras (1995) y algunos caminos, pues no existen ferrocarriles. La marina mercante tenía 114,851 ton en 1992. En Keflavik existe un

aeropuerto de servicio internacional. La unidad monetaria es la corona.

La población es casi totalmente de raza nórdica, ocupa las regiones costeras más abrigadas quedando el centro y el oeste desiertos. Descienden de los invasores normandos y anglosajones y hablan el islandés, lengua del grupo nórdico de la rama germánica septentrional, que ha evolucionado muy poco desde los tiempos de los *Eddas* y *Sagas*. Muchos se sirven, además, del danés. La religión nacional es la luterana evangélica, pero existe completa libertad religiosa. Sus costumbres y arte popular se asemejan a los de los escandinavos. Socialmente, hay pocos ricos y la dureza del clima hace la vida bastante difícil. Hasta mediados del siglo XIX, las habitaciones casi siempre de madera, eran muy primitivas y en parte hundidas, en el suelo para protegerse del rigor del frío, y la indumentaria de un tosco tejido de lana de color natural, *vadmal*. El pueblo islandés es amante de la lectura, la música y los deportes, especialmente de los de invierno.

Gobierno. Desde 1944 Islandia es una República independiente con un presidente, que ejerce el poder Ejecutivo, y un Parlamento *(Althing)*, constituido por 60 diputados agrupados en dos Cámaras, una alta y otra baja. Este Parlamento tiene precedente ilustre, que se remonta a la época, finales del siglo IX, en que los colonizadores noruegos llegaron a la isla y crearon un gobierno representativo. El territorio se divide en siete distritos.

La instrucción pública está atendida perfectamente, y el analfabetismo ha desaparecido, incluso en los lugares más apartados, pues un cuerpo de maestros ambulantes hace eficaz la ley de la enseñanza obligatoria entre los 7 y 15 años. Desde 1911 funciona una universidad en la capital. Se han creado varias escuelas de comercio, navegación, agricultura, etcétera. Se publican, relativamente, más libros, revistas y periódicos que en cualquier otro país del mundo. Es digno de consignarse, el fenómeno moral de la ausencia de delitos contra las personas y la propiedad que reduce a la inactividad a la escasa policía islandesa. La única ciudad importante es la capital, Reykiavik (104,276 h), situada al sur del fiordo Faxa. Dotada de un buen puerto libre de hielos, es el centro económico y cultural del país.

Historia. Las noticias que se tienen de Islandia, que algunos autores identifican con la *Thule* de las antiguas geografías, se remontan a principios del siglo IX. Se dice que fue descubierta por el noruego Naddo –aunque se sabe que con anterioridad había sido visitada por monjes irlandeses– y colonizada por otros fugitivos del mismo origen, que fundaron una república aristocrática. Esta duró hasta 1264, fecha en que el rey de Noruega la convirtió en una provincia de su reino. Ambos fueron incorporados a Dinamarca por la Unión de Calmar (1397). Los daneses impusieron a Islandia su dominación y la Reforma, pero no pudieron impedir que, de vez en cuando, se manifestara el espíritu de independencia que persistía en los isleños, como ocurrió en el momento de la guerra entre Inglaterra y Dinamarca. Ese espíritu de libertad se agudizó después de la caída de Napoleón y en el periodo revolucionario de 1848, lo que obligó al rey de Dinamarca a conceder a la isla legislación y hacienda propias (1874), concesiones que se colmaron por el Acta de Unión (1918), que declaró a Islandia reino soberano e independiente, unido a Dinamarca en la persona del rey. A raíz de la ocupación alemana de Dinamarca (1940) en la Segunda Guerra Mundial, el gobierno islandés, al ver a su rey imposibilitado de ejercer su poder, se consideró desligado de Dinamarca, y entonces el Parlamento eligió un regente que proclamó la independencia (1941). Tres años más tarde, como resultado de un plebiscito, se proclamó la República de Islandia (17 de mayo de 1944). En 1951 firmó un pacto de defensa mutua con Estados Unidos. Islandia sostuvo en 1958 un serio conflicto con Gran Bretaña, denominado la *guerra del bacalao*, que se renovó en 1975, cuando extendió a 200 millas sus limites de pesca, conflicto que terminó un año después al firmarse un acuerdo interino. En 1987, la coalición gobernante perdió las elecciones y resultó vencedor el partido de Steingrimur Hermannsson.

En 1989 se intensifica la presión internacional y el gobierno suspende por dos años su programa de caza de ballenas para investigaciones científicas. Al año siguiente, la reina Isabel II hace la primera visita de un jefe de Estado británico a Islandia.

Islas de la Bahía. Departamento de Honduras constituido por un archipiélago de 8 islas (Roatán, Guanaja, Utila, Barbareta, Santa Elena, Morat y Hog) y más de 50 islotes. Superficie: 261 km², con unos 24,000 habitantes.

isobara. Voz formada por los vocablos griegos *iso*, igual, y *baros*, pesadez. Líneas que en las cartas meteorológicas unen los lugares que registran iguales presiones atmosféricas. Como los vientos generalmente soplan en dirección de las isobaras, éstas permiten predecir el curso de las tormentas que se avecinan. La presión se marca en las cartas en milímetros; donde rige el sistema inglés, en pulgadas y sus divisiones. Se usa la unidad denominada milibar en meteorología internacional. Estas cartas las editan periódicamente las oficinas meteorológicas.

Isócrates (436-338). Orador griego. Tímido y de voz débil, no hablaba casi nunca en público, pero daba lecciones sobre el arte de la oratoria y componía discursos para otros. Con estos trabajos logró rehacer la fortuna que su familia había perdido durante las guerras del Peloponeso. La preparación de sus discursos, de una armonía casi geométrica, le llevaba tanto tiempo que apenas pudo escribir unos 60. Se dice que su famoso *Panegírico*, donde preconizaba la unión entre Atenas y Esparta y el cese de las guerras internas, le costó cerca de 15 años de trabajo. En todas sus obras emplea razonamientos basados en la moral tradicional, opuesta a la de los sofistas. Murió a los 98 años, se cuenta que de pena por la derrota de Queronea.

isómero. Cuerpo que a pesar de poseer análoga composición química que otro –peso, fórmula, densidad, etcétera–, ofrece distintas propiedades físicas. Se trata, por lo general, de compuestos orgánicos o pertenecientes a las series cíclicas en las que figura siempre el carbono. Se considera que tal fenómeno se debe a la diversa forma de acoplarse los grupos de átomos que constituyen las respectivas moléculas. Para citar un solo ejemplo de isómeros, cabe mencionar la isomorfina ($C_{17}H_{19}NO_3$), isómero del conocido alcaloide que constituye la esencia del opio, que se caracteriza por carecer de propiedades narcóticas.

isoterma. Vocablo formado por las voces griegas *iso*, igual, y *termos*, calor, aplicable a los cambios físicos que ocurren a temperatura constante. En meteorología se llama *isoterma* a la línea que en las cartas del tiempo une los puntos que tienen igual temperatura, la cual se registra en grados centígrados; los países que se rigen por el sistema inglés la consignan en grados Fahrenheit. No hay relación entre el paralelo de un lugar y su temperatura, pues además de la latitud ha de tenerse en cuenta la altitud, disposición del relieve, poder de absorción calórica de las rocas, situación oceánica o continental, naturaleza de las corrientes marinas, dirección de los vientos, etcétera. En el hemisferio septentrional hay grandes diferencias de temperatura entre la tierra firme y sus aguas continentales, debido a las grandes masas de agua que separan sus costas; en tanto que en el austral las isotermas se ajustan más a la latitud, es decir, que se registran tem-

Teleférico a Massada, fortaleza de los heróicos mártires Zelotes, en Judea.

peraturas más bajas a medida que se avanza hacia el sur, como consecuencia de la mayor extensión de los océanos y la menor superficie territorial.

isótopos. Reciben este nombre los átomos de un mismo elemento químico de distinto peso atómico. Desde un punto de vista químico, los diversos isótopos de un elemento son iguales. El número de partículas positivas (protones) y negativas (electrones) es también idéntico, sólo difieren en la cantidad de partículas neutras o neutrones. Los isótopos pueden ser estables o radiactivos. Los estables son percibidos mediante el espectrógrafo de masas, que registra sus diferencias de peso. Los radiactivos emiten radiaciones peculiares, tales como rayos gamma, partículas alfa y electrones, que hacen a los gases conductores de la electricidad. No es fácil separar los isótopos. Uno de los elementos que ofrecen más posibilidades en este sentido es el hidrógeno con sus tres isótopos: protio (un protón y un electrón), deuterio (un protón, un electrón y un neutrón) y tritio (un protón, un electrón y dos neutrones). Otro caso especial lo constituye el uranio. Los isótopos de peso más elevado de este metal son muy inestables debido a lo cual se utilizan en la liberación de la energía atómica. Los isótopos radiactivos son sumamente útiles para la resolución de problemas químicos, físicos y biológicos tales como la solubilidad de compuestos relativamente insolubles, la localización de elementos extraños en tejidos y cristales y la cantidad de calcio que hay en un cuerpo animal o en una planta. *Véase* ÁTOMO.

Israel. República creada en 1948 que ocupa la mayor parte de Palestina, la Tierra Santa. Está situada sobre el borde occidental del continente asiático, junto a las aguas del Mar Mediterráneo. Limita al norte con el Líbano y Siria, al este con Jordania y al sur con Egipto, del que la separa la península de Sinaí, límite natural entre África y Asia. Tiene una superficie aproximada de 20,700 km^2 (aunque la extensión definitiva se halla sujeta al resultado de varios pleitos limítrofes) y su población ascendía a 5.8 millones de habitantes en 1997, en su gran mayoría de origen hebreo.

Aspecto físico. El norte de Israel es una planicie atravesada de norte a sur por cadenas montañosas e interrumpida por grandes depresiones que se extienden en la misma dirección. La llanura marítima, que se halla al este, en los 25 km próximos al Mar Mediterráneo, se extiende de norte a sur con una longitud total de 200 km. Es una zona fértil y bien irrigada, en cuyo centro se halla la planicie de Judea. Una región semidesértica de forma triangular, llamada Negeb, se extiende desde el sur de Beersheba hasta el vértice imaginario situado

Línea costera del mediterráneo en Israel.

junto al Golfo de Elath (Aqaba). El límite oriental desciende abruptamente hasta el valle deprimido del río Jordán y tiene su sitio más bajo en la cuenca del Mar Muerto, de unos 75 km de longitud y una anchura de 16 km, que se halla a 394 m bajo el nivel del mar.

El único río importante es el Jordán, que nace en Siria y avanza formando la frontera con Jordania a través de los pantanos de Hule y el lago de Tiberíades o Mar de Galilea, para desembocar finalmente en el Mar Muerto. Los veranos son sumamente cálidos y secos, y las temperaturas suelen pasar los 40 °C. Las lluvias se acumulan en otoño y primavera; su promedio anual es de 700 mm en las zonas del litoral mediterráneo y de 650 mm en la región de Jerusalén; en el sur disminuye considerablemente el índice pluvial, hasta no pasar de 200 milímetros.

Recursos e industrias. Israel es un país agrícola que tiene su actividad más lucrativa en la explotación de frutas cítricas y en

Vista general de Tel-Aviv, capital de Israel.

Israel

Corel Stock Photo Library

Domo de la mesquita de la Roca en Jerusalén, Israel.

el cultivo de trigo, avena, cebada, sorgo, olivos, melones, viñedos, higos, tomates, tabaco, bananos y palmas datileras, todo ello con aplicación de adelantada técnica agrícola. También se han efectuado muchas obras de riego y están pendientes de ejecución importantes proyectos. Entre los minerales que contiene el subsuelo figuran petróleo, yeso, azufre y potasio. Las principales áreas agrícolas se hallan en el litoral marítimo, la llanura de Esdraelon y el valle del Jordán Septentrional. En los últimos años se ha desarrollado un importante comercio interno y externo. Aunque existen algunas industrias de artesanía, las fábricas y manufacturas se desarrollan con rapidez. Las más importantes son las de productos alimenticios, textiles, metalúrgicos y químicos. Existen refinerías de petróleo en Huifa.

Pueblo y gobierno. De cada cien habitantes de Israel, 88,4% son judíos. Hay, además, 770,000 musulmanes, 160,000 de cristianos y 66,000 drusos (1996). La legislación constitucional de la nación define a Israel como el hogar nacional del pueblo judío y estatuye que todo judío deseoso de establecerse dentro de sus fronteras tiene derecho a ser admitido. Alrededor de 800,000 inmigrantes judíos se acogieron a este beneficio en los primeros cinco años de existencia del nuevo Estado de Israel.

El *Vaad Leumi* o Consejo Nacional Judío formuló, el 14 de mayo de 1948, la declaración de independencia del país. Este documento afirma que Israel "se basa en los preceptos de libertad, justicia y paz enseñados por los Profetas hebreos". En 1949 la Asamblea Constituyente estableció un gobierno republicano encabezado por un presidente que es elegido cada cinco años

por el *Knesset* o Cámara de Diputados. Este cuerpo posee la facultad legislativa; sus miembros son elegidos por el voto directo de todos los ciudadanos mayores de 21 años. Las tareas administrativas están a cargo del Gabinete, encabezado por el primer ministro, responsable ante la Cámara de Diputados. Los principales partidos políticos son el Partido Laborista, el Nacional Religioso, el Liberal de Israel y el Mapam.

La educación se halla sujeta a las directivas del ministerio de Instrucción Pública. La enseñanza primaria es gratuita y obliga-

Centro mundial de la Fe Bahai en Haifa, Israel.

Corel Stock Photo Library

toria para niños de 5 a 14 años de edad. Para la enseñanza secundaria hay escuelas e institutos públicos y privados, y para la superior existen instituciones, escuelas técnicas y facultades especiales. En 1925 se fundó en el Monte Scopus de Jerusalén la Universidad Hebrea, que tiene más de 1,900 profesores y 16,000 alumnos. La Universidad de Tel Aviv funciona en la ciudad de su nombre y cuenta con más de 2,000 profesores y 17,000 alumnos.

Existe una buena red caminera que abarca más de 14,700 km (1995) y las líneas férreas tienen 610 km (1995). El excelente aeropuerto de Lydda, próximo a Tel Aviv, posee servicio de las principales líneas internacionales y de la empresa El Al, línea oficial del Estado israelí. La marina mercante tiene 82 buques con capacidad conjunta de 723,418 toneladas (1992).

La ciudad de Tel Aviv, construida con criterio moderno, tiene 355,900 habitantes (1996) y es el principal centro industrial. Otras ciudades de importancia son Haifa (252,300 h), primer puerto del país, y Jerusalén (591,400 h), con inclusión de la parte árabe, la antigua ciudad bíblica que ha sido elegida como capital del país. La unidad monetaria es la libra israelí. La bandera del país posee dos bandas horizontales de color azul sobre fondo blanco; en el centro se halla la estrella de David.

Historia. La breve historia del Estado de Israel se halla precedida por el milenario pasado de Palestina, cuna de dos de las grandes religiones del mundo. Los antiguos pobladores del territorio daban a éste el nombre de *Tierra de Canaán*, la denominación de Palestina se aplicó originariamente a la zona habitada por los filisteos. 10 siglos a. C, las diversas tribus hebreas se unificaron bajo el cetro de una sola monarquía absoluta, que más tarde se dividió en dos reinos: el de Judá y el de Israel. Los siglos posteriores presentan una abigarrada sucesión de invasiones, conquistas y divisiones territoriales. Entre los numerosos invasores del territorio se hallaron los asirios, babilonios, egipcios, persas, macedonios, romanos y bizantinos.

Entre los años 634 y 636 de nuestra era, Palestina fue conquistada por los árabes, que la arrebataron de manos del decadente imperio bizantino. Cuatro siglos y medio más tarde los Cruzados capturaron Jerusalén y establecieron en la Tierra Santa un reino feudal que subsistió hasta que los francos, detentadores del poder, fueron derrotados por el sultán Saladino, que restauró la primacía musulmana. A comienzos del siglo XVI los turcos arrebataron el poder a los mamelucos y conservaron el dominio de Palestina durante cuatro siglos.

En 1917, en el curso de la Primera Guerra Mundial, las tropas británicas dirigidas por el general Allenby derrotaron a las del imperio otomano y capturaron Jerusalén.

Concluida la guerra, la Sociedad de las Naciones otorgó el territorio a Gran Bretaña bajo la forma de un mandato. Entretanto, grandes números de inmigrantes judíos habían estado penetrando en el país, impulsados por el renacimiento sionista iniciado por el doctor Teodoro Herzl. El 2 de noviembre de 1917 el gabinete de Gran Bretaña emitió la famosa Declaración Balfour, según la cual el gobierno británico propiciaba "la instauración de un hogar nacional para el pueblo judío" en Palestina. Este documento provocó la enérgica reacción del mundo árabe y engendró sucesivos estallidos de violencia entre judíos y musulmanes.

Producido el advenimiento del nazismo alemán y de su política antisemita, la inmigración judía fue aumentando en forma considerable. Una comisión británica recomendó en 1937 que Palestina fuera dividida en un Estado árabe y otro judío, a más de un área internacionalizada que abarcara Jerusalén y Nazaret. Los árabes se opusieron a la propuesta y pidieron la creación de un Estado arábigo independiente, con derechos para la minoría hebrea. La Segunda Guerra Mundial interrumpió la querella, y hubo un periodo de relativa calma, pero una vez terminado el conflicto los estados musulmanes formaron la Liga Árabe opuesta a las pretensiones sionistas.

En 1947 llegaron varios buques de refugiados judíos, pero los británicos les impidieron desembarcar, para mantener el *status quo* en la región. Llevado el asunto a la ONU, ésta recomendó que Palestina fuese dividida en un Estado árabe y otro hebreo, políticamente autónomos, pero económicamente unidos, y que el área de Jerusalén quedase sometida a un fideicomiso internacional.

Inmediatamente se produjeron serios disturbios. La Liga Árabe anunció que resistiría la división con las armas, si fuese necesario. Entonces las Naciones Unidas decidieron enviar un mediador a Palestina, en un último esfuerzo por conservar la paz. El conde Folke Bernadotte, de Suecia, elegido por unanimidad, realizó sus primeras tareas con celeridad y eficacia. Gran Bretaña abandonó su mandato y retiró sus fuerzas, y de inmediato el Consejo Nacional Judío proclamó el nacimiento del Estado independiente de Israel.

Las fuerzas árabes, encabezadas por la Legión Árabe del rey Abdullah de Jordania, convergieron sobre Palestina desde tres direcciones. Las hostilidades llegaron a su punto culminante y el conde Folke Bernadotte no logró establecer una tregua. Las Naciones Unidas declararon que la situación era una amenaza para la paz mundial y que emplearían la fuerza o aplicarían toda clase de sanciones para poner término al conflicto. El conde Folke Bernadotte fue asesinado por un grupo de disidentes ju-

Corel Stock Photo Library

El Muro de las Lamentaciones y el Domo de la Roca en Jerusalén, Israel.

díos en el área hebrea de Jerusalén y sus funciones fueron asumidas por un abogado estadounidense, el doctor Ralph Bunche. Las hostilidades prosiguieron con violencia a fines de 1948, cuando las tropas israelíes avasallaron a los egipcios en el Negeb. El 24 de febrero de 1949 se firmó el armisticio entre Israel y Egipto, y luego otro similar con Jordania. En la Asamblea Constituyente de 1949 fue elegido presidente de la República el doctor Chaim Weizmann, que designó primer ministro a David Ben-Gurion. En mayo el nuevo Estado fue admitido en las Naciones Unidas. Tras la muerte de Weizmann, en noviembre de 1972, los sucesivos presidentes fueron Itzhak Ben-Zvi (1952-1963), Schneor Zalman Shazar (1963-1973) y Efraín Katchalski (elegido para el quinquenio 1973-1978). Ben-Gurion, en 1963, presentó su inesperada renuncia a la jefatura del gobierno y ministerio de Defensa. Lo sustituyó Levi Eshkol, que en 1967 renunció a la cartera de Defensa en favor de Moshe Dayan, pero siguió como primer ministro hasta su muerte en 1969. Tras la breve interinidad de Yigal Allon, fue designada la señora Golda Meir en marzo de 1969.

Inesperadamente, el 5 de junio de 1967, Israel inició la *Guerra de los seis días* con la destrucción de la fuerza aérea egipcia, a la que siguió la total ocupación de la Península del Sinaí y la faja de Gaza, de la ciudad antigua de Jerusalén y la ribera occidental del Jordán y, en parte, de las Alturas de Golán. El Consejo de Seguridad de las Naciones Unidas logró un armisticio inmediato. Todas las resoluciones posteriores en busca de la paz fueron inoperantes. No se pudieron siquiera evitar los constantes ataques y contraataques mutuos. Final-

mente el 6 de octubre de 1973, festividad judía del Yom Kippur, fuerzas egipcias cruzaron el Canal de Suez y se infiltraron por la Península del Sinaí mientras los sirios luchaban en las Alturas de Golán. En la segunda semana reaccionaron las fuerzas israelíes, que informaron hallarse a 35 km de Damasco, y cercaron, en dos grupos, tropas del tercer cuerpo egipcio. Los países árabes prohibieron el embarque de petróleo a Estados Unidos para obligarlo a cambiar su política. Las Naciones Unidas no adoptaron ninguna resolución hasta que, el 25 de octubre, el Consejo de Seguridad aprobó un plan de armisticio elaborado en Moscú por Henry Kissinger y Leonid Brezhnev. Se llegó a un intercambio de prisioneros y a una separación de fuerzas.

El 31 de diciembre de 1973 Israel celebró elecciones legislativas en las cuales el Partido Laborista de Golda Meir perdió varios asientos. Se intentaron distintas formaciones ministeriales, manteniendo la jefatura de ésta, pero el 10 de abril de 1974, después de una reunión a puerta cerrada de los parlamentarios laboristas, en que se enjuició la dirección bélica de Moshe Dayan, la señora Meir anunció su renuncia irrevocable. El 22 de abril el ministro del Trabajo Itzhak Rabin fue designado por el presidente para formar un nuevo gabinete de coalición y, efectivamente, el 3 de junio recibió la aprobación parlamentaria. En diciembre de 1976 dimitió y fue sucedido al año siguiente por el líder de la oposición Menahem Begin. El presidente egipcio Anuar Sadat realizó una visita a Jerusalén de tres días, en noviembre de 1977, en respuesta a una invitación del dirigente israelí. Sus conversaciones de paz, iniciadas entonces, continuaron los años siguientes, y

Israel

culminaron en marzo de 1979 en Washington, con la firma por Begin y Sadat de un tratado de paz (llamado de Camp David), el primero que suscribe Israel con un Estado árabe.

En 1980, Israel se retiró de los campos petroleros del Sinaí y abrió las fronteras con Egipto. En 1982, completó la evacuación del Sinaí de acuerdo con los términos del Tratado de Paz. En este mismo año, las fuerzas israelíes invadieron Líbano y pusieron sitio a la ciudad de Beirut neutralizando así a los guerrilleros palestinos. En 1983, Menahem Begin renunció a su cargo, sustituyéndolo Yitzhak Shamir. En 1987, Shimon Peres, ministro del exterior, discutió con Mahommed Hosni Mubarak, el presidente egipcio, *nuevas ideas* sobre la paz en el Medio Oriente y dos años más tarde, en 1989, Israel devolvió a Egipto el enclave de Taba, en el Sinaí, para poner fin a la disputa territorial entre ambos países.

En 1990, Polonia restablece las relaciones diplomáticas con Israel, rotas desde 1967 y en ese mismo año Shimon Peres, líder del Partido Laborista, fracasa en la formación de un gobierno de centro izquierda, y el Knesset aprueba el nuevo gobierno derechista formado por Yitzhak Shamir. En 1991, Estados Unidos pide a Israel que aunque sea atacado por Iraq se mantenga al margen del conflicto del Golfo Pérsico y, el 9 de abril, Israel acepta por primera vez concurrir a una conferencia de paz con los países árabes y los delegados palestinos de los territorios ocupados y, el 9 de junio, Shamir demanda el derecho de aprobar los nombres de los palestinos de la delegación jordano-palestina a la conferencia de paz.

En las elecciones legislativas (23 de junio de 1992), el Likud fue ampliamente derrotado y venció el Partido Laborista, cuyo líder, Isaac Rabin, formó un gobierno de coalición con otros grupos favorables al diálogo con los palestinos. Ezer Weizman fue elegido presidente de la República (13 de mayo de 1993). Tras una negociación secreta en Oslo, el gobierno israelí y la OLP llegaron a un acuerdo de paz firmado en Washington (13 de septiembre de 1993), que estableció un régimen de autonomía para Gaza y la zona de Jericó, y que se amplió a toda Cisjordania en septiembre de 1995. Este régimen autonómico empezó a aplicarse en mayo de 1994, pese a la oposición violenta de los colonos extremistas judíos y de los palestinos de Hamas. En el terreno exterior, Israel inició relaciones diplomáticas con el Vaticano (diciembre de 1993), normalizó relaciones con Marruecos (septiembre de 1994) y, después de 46 años de estado de guerra, firmó un acuerdo de paz histórico con Jordania (26 de octubre). El proceso de paz se vio amenazado en 1995 tras el asesinato de Isaac Rabin (4 de noviembre) a manos de un extremista judío (tras lo cual Shimon Peres asumió la jefatura del Gobierno), y, en 1996, tras la cadena de atentados (febrero y marzo) protagonizados por Hamas en varias ciudades, con el resultado de una treintena de muertos.

En 1996, tras la victoria, por escaso margen, del Likud en las elecciones generales (29 de mayo), Benjamin Netanyahu fue nombrado primer ministro. El gobierno del líder conservador continuó, aunque desaceleró, el proceso de paz.

Istar. Divinidad mitológica del panteón asirio babilónico. Fue conocida como Astarté por los fenicios, y los griegos tomaron algunas de sus características para su Afrodita. Como reina del mundo por la omnipotencia del amor, era la diosa más importante y popular de Asiria y Babilonia, y simbolizaba al planeta Venus. Como divinidad solar fue adorada en Sidón, Babilonia, Fenicia, Asiria y Siria, y su culto se relacionaba con el fuego y los astros.

istmo. Estrecha faja de tierra que une dos continentes o una península al continente. En América se encuentran el de Tehuantepec, donde geográficamente termina América del Norte y empieza Centroamérica, y el de Panamá, que une los dos grandes continentes americanos. También pueden citarse los de Corinto, entre Grecia y el Peloponeso, y el de Kar, entre la Península de Malaya y el continente asiático.

Istolacio. Guerrero hispano, jefe de los celtas. Murió hacia 237 a. C. Era caudillo de los celtas cuando el cartaginés Amílcar Barca penetró en la parte meridional de la península. Los iberos de la Bética, los tartesios y los turdetanos, acaudillados por Istolacio y su hermano, se opusieron al avance de los cartagineses, pero fueron vencidos por Amílcar, sus tierras asoladas y la nación dispersada.

Istrati, Panaït (1884-1935). Novelista rumano que llevó una vida vagabunda y escribió indistintamente en francés y en su lengua nativa. Viajó por Europa, Asia y África. En su juventud fue defensor de la experiencia comunista rusa, pero posteriormente atacó ese régimen en un libro titulado *Rusia al desnudo*, que causó gran conmoción.

Italia. República de Europa meridional, con 301,224 km². de extensión (49,800 corresponden a las islas) y 57.4 millones de habitantes de población residente, además de varios millones más de italianos de nacimiento radicados en ultramar. La vieja Península Italiana, madre de civilizaciones y culturas, es al mismo tiempo la cuna de un pueblo industrioso y artista, cuyas cualidades de trabajo le han hecho superar terribles reveses históricos y la aridez y falta de recursos naturales con que abastecer a sus prolíficos hijos. Formada por una prolongada península, sus costas dibujan una bota de montar que se adentra en el Mar Mediterráneo y tiene ante su punta, separada por el estrecho de Mesina, la isla de Sicilia. Sus límites políticos se hallan formados geográficamente, al norte, por la cordillera de los Alpes, que la separa de Francia, Suiza y Austria; el resto de su extensión limita al este con Yugoslavia y el Mar Adriático, el Canal de Otranto y el Mar Jónico; al sur con el Mar Jónico, y al oeste con los mares Tirreno y de Liguria.

Geología. El relieve del suelo italiano es muy variado en su composición geológica y en sus aspectos. En la zona alpina con-

Catedral de Milán en Italia.

Corel Stock Photo Library

58

tribuyó no poco a modelarlo la acción glaciar, muy intensa en épocas geológicas pasadas. A esta acción se debe el que en la región continental predominen los terrenos de aluvión, que forman la llanura cuaternaria del Po, envuelta al norte, oeste y sur por terrenos jurásicos, graníticos y terciarios. Las llanuras litorales, comprendidas entre los Apeninos y el mar, son de formación reciente, debido a los ríos que descienden de la cordillera. Así, por ejemplo, la campiña romana, las llanuras Pontinas y la *Campiña* han sido creadas por las acciones de los ríos, cuyos sedimentos han modelado la costa. Los Alpes pertenecen al plegamiento alpino, que data de la época terciaria. En los Apeninos predominan los terrenos secundarios y terciarios, en el norte y centro, y los graníticos y volcánicos en el sur. En Sicilia el granito aparece cubierto por capas terciarias y asoma principalmente al noreste y este; en el centro y noroeste se ven formaciones cuaternarias. En Cerdeña predomina el granito.

Orografía. Esquemáticamente sencilla, está constituida por los Alpes, arco montañoso semicircular que se extiende por todo el norte del país, y los Apeninos, especie de columna vertebral que la recorre en toda su extensión. Los primeros reciben distintos nombres; en el límite con Francia se denominan Alpes Occidentales (Marítimos, Cotios, Grajos, etcétera), que culminan en el Monte Visso, Monte Cenís y Gran Paradiso (4,061 m). La cúspide del sistema es el Mont Blanc (4,810 m) donde comienzan los Alpes Centrales. Al este de éstos se extienden los Alpes de Bergamasco, Cadóricos, Cárnicos y Julianos, los últimos formando la frontera con Yugoslavia. Son italianas las montañosas regiones de Trentino y Tirol meridional, que comprenden los Alpes Dolomíticos y el Macizo de Otler, hasta los Alpes del Tirol y la puerta de Brenner, limítrofes con Austria. Los Apeninos enlazan con los Alpes al oeste de Génova y se extienden, por anchura variable, desde el collado de San Bernardo hasta el extremo sur de la Península de Calabria, recibiendo en su recorrido los nombres de Apeninos, Ligures, Etruscos, Toscanos, Romanos, de los Abruzos, Napolitanos y Calabreses. La cordillera culmina con el Gran Sasso de Italia (Abruzos), con 2,914 m. La cordillera apenina se prolonga por Sicilia, que, como Cerdeña y las otras islas metropolitanas, es predominantemente montañosa.

En contraste con las regiones accidentadas por las citadas montañas, muchas veces imponentes, se presentan, apacibles y majestuosas, algunas llanuras, como la Toscana, salpicada de colinas, que terminan en una región de marismas malsanas; la Campania, rica en aguas termales y de fertilidad proverbial; la Romana, dominada por suaves alturas y la Apulia, en la vertiente oriental de los Apeninos.

Corel Stock Photo Library

Ruinas del Coliseo en Roma, Italia.

Tres famosos volcanes se mantienen activos en este sistema montañoso: el Vesubio, el Etna y el Stromboli. El primero de ellos y más famoso, por los recuerdos históricos unidos a él y el haber sido cantado por innumerables poetas desde la antigüedad clásica, se encuentra al sur de Nápoles y ofrece una altura de 1,200 m, se puede ascender hasta su cima mediante un funicular que permite acercarse a las solfataras del cráter principal. Entre erupcio-

Fuente del Palacio Pitti en Florencia, Italia.

Corel Stock Photo Library

nes de terrible recuerdo que le han dado trágica fama a través de los tiempos, es la más famosa la del año 79 de nuestra era, en la que sepultó bajo lava y ceniza las prósperas ciudades romanas de Herculano y Pompeya, muchos siglos más tarde desenterradas y que hoy constituyen atracción principal para los turistas. Le sigue en celebridad el Etna con 3,279 m de altura, situado en las cercanías de Catania, de terrible y continua actividad, registrada por violentas erupciones desde los tiempos mitológicos, en los que se colocó en su interior las fraguas de Vulcano y Tifón y la residencia de los Cíclopes, hasta nuestros días, en que su continuo alentar de lava ha provocado la sucesiva desaparición de numerosos poblados y hasta de los suburbios de Catania. Finalmente, el Estrómboli, con 962 m de altura, llamado también *Faro o Fanal del Mediterráneo*, por su actividad perenne, aunque moderada, sobre la isla de su nombre, la más septentrional del grupo de las Lípari, y guía de los marinos desde la antigüedad clásica.

Hidrografía. Los ríos principales de Italia son el Po, el Adigio, el Arno y el Tíber. Nace el primero de ellos en Monviso y desemboca en el Adriático, tras un recorrido de 652 km, a lo largo de los que riega las llanuras de Lombardía y Emilia. Nutrido por afluentes torrenciales, sufre dos crecidas anuales, en otoño y primavera, en las que no es raro registrar inundaciones desastrosas, cuya variabilidad imprevisible ha intentado regularse con obras de canalización y represas desde los tiempos de Leonardo da Vinci. Transformado el río en fuerza eléctrica y canalizado para el regadío racional, el valle del Po constituye un factor esencial de

Italia

la riqueza de la región y principal de la economía del país. El Adigio, nacido en los Alpes Réticos, corre hasta el Adriático paralelo al Po, con el que forma un delta en su desembocadura, y sus características son gemelas, aunque menos importantes que las de aquél. El Arno y el Tíber nacen en los Apeninos y desembocan en el Tirreno, el primero tras de regar y cruzar la región y ciudad de Florencia, y el segundo luego de regar la campiña romana y cruzar la *ciudad eterna*. El curso de ambos va ligado a todo un tesoro de recuerdos históricos y literarios de la cultura latina y renacentista de Europa entera.

Famosa es también en el mundo civilizado la belleza de los lagos italianos, especialmente los originados por la acción del glaciarismo cuaternario en la región subalpina: Garda, Mayor, Como, Iseo y Lugano. Entre los lagos de otro origen son notables los de Trasimeno y Bolsena, el primero muy poco profundo, el segundo alojado en una honda cavidad en la zona volcánica de Viterbo, al sur de la cual se abre el lago Bracciano.

Litorales. Las costas italianas, cuyo perímetro alcanza 7,300 km (de los cuales 3,600 corresponden a la parte peninsular y el resto a las islas), representa por su configuración la transición entre las muy recortadas y placenteras de Grecia y las cerradas y macizas de Iberia. Bañadas por cuatro mares secundarios, el de Liguria, el Tirreno, el Jónico y el Adriático, presentan características diferentes. La costa occidental, alta y escarpada, forma a partir del límite con Francia un amplio arco (Mar de Liguria) en cuyo fondo se dibuja el Golfo de Génova. En la costa ligúrica se encuentra la *Riviera*, famosa por la dulzura de su clima y sus concurridas estaciones invernales. Pasado el Golfo de Spezia, las costas toscana –no lejos de la cual se hallan las islas de Elba, Pianosa, Monte Cristo, Giglio, etcétera– y romana, ya en pleno Mar Tirreno, son de origen aluvial y bajas y están sembradas de marismas y pantanos que un tenaz esfuerzo va desecando. El cabo Circeo inicia la costa napolitana, más recortada por los golfos de Gaeta, Nápoles y Salerno. Frente al primero se hallan las islas Pónticas. Al sur del estrecho de Mesina, entre Sicilia y Calabria, se extiende el Mar Jónico, que baña el mediodía de Italia. Una entrante de este mar forma el Golfo de Esquilache y otra más al norte, el de Tarento, entre las penínsulas de Calabria y Salentina. El Canal de Otranto une los mares Jónico y Adriático. La costa de este último se presenta baja y monótona, cuyos accidentes más notables son el espolón del monte Gargano y el delta del Po. En su extremo septentrional, especie de fondo de saco, se despliegan los golfos de Venecia y Trieste. En la *isla de las tres puntas*, Sicilia, predomina la costa acantilada, en la

Corel Stock Photo Library
Calle Bellagio en Murano, Italia.

que se destacan los cabos de Faro, Passero y Boco y los golfos de Catania, Castellamare y Palermo. Al norte de Sicilia se hallan las islas de Lípari, Vulcano, Estrómboli, Salina y otras. La costa oriental de Cerdeña es en ciertas partes rectilínea, baja y pantanosa; en el resto de la isla, el litoral se presenta más articulado. Al norte se abre el Golfo de Asinara, al oeste el de Oristana y al sur el de Cagliari.

Clima. La forma alargada de la península itálica y la diferencia de latitud (11°) entre sus extremos meridional y septentrional, explican las diferencias climáticas entre la parte continental y la peninsular e insular. Sin embargo, no puede establecerse una escala de climas atendiendo sólo a dicho factor, sino en función, de otras causas modificantes (montañas, proximidad o alejamiento del mar, vientos, etcétera). Se pueden establecer diferentes zonas clim'aticas. La región alpina, es caracterizada por inviernos fríos, lluvias copiosas, frecuentes nieblas y abundantes nieves, pero en las orillas de los lagos resguardados de los vientos del norte, el clima es tan benigno que crecen el naranjo y la palmera. La región de la llanura del Po, tiene un clima continental atenuado a causa de la muralla de los Alpes, que la protegen de las corrientes norteñas; inviernos fríos, veranos cálidos y secos, escasapluviosidad. En la región ligurtoscana y vertiente occidental de los Apeninos, el clima es acusadamente mediterráneo, con pluviosidad variable, según la distancia al mar. En esta región se deja sentir la influencia reguladora del Mar Tirreno, cuyos vientos suavizan el invierno y refrescan la atmósfera en verano. En la re-

gión adriática, donde a causa de la poca acción climática del Adriático, la temperatura media invernal oscila entre los 3 °C y 8 °C y la estival entre los 21 y 26 °C, la pluviosidad varía según la altura. En la región peninsular interior las temperaturas medias son muy variables en relación con la altitud, intensos fríos invernales y veranos calurosos en las cuencas cerradas; pluviosidad variable que alcanza hasta 2 m en las zonas elevadas, donde son frecuentes las nieves. En la región insular, el clima es suave y uniforme, la temperatura media anual es de 15 °C a 18 °C, con máximas estivales que exceden de 40 °C; la pluviosidad oscila entre 500 y 800 mm, con persistente sequía en verano.

De un modo general, el clima medio de Italia es esencialmente mediterráneo; cielo azul, sol radiante, lluvias en otoño, inviernos tibios y lluviosos y veranos cálidos y secos. Las regiones meridionales sufren con frecuencia el soplo abrasador del viento africano denominado siroco.

Recursos naturales. Fuera de la agricultura, de la ganadería y de la pesca, son muy escasos en esta tierra volcánica, que posee poca riqueza de minerales, a excepción del mercurio, del cual es uno de los principales productores, de la bauxita y del azufre. Son también importantes las canteras de mármol de Carrara. Existe mineral de hierro en Toscana, Piamonte, Cerdeña y Elba, pero su producción es insuficiente. Cerdeña posee también cobre, cinc, estaño, plata y mercurio. La más grave deficiencia es la del carbón, del cual se produjeron 40.046,000 ton en 1992, lo que obliga a voluminosas importaciones de combustibles minerales sólidos e igualmente de petróleo, cuya producción doméstica no alcanza a satisfacer las necesidades industriales, a pesar del interés en localizar campos petrolíferos. La extracción anual de petróleo no suele sobrepasar los 5 millones de ton y se obtiene principalmente de los distritos petrolíferos de Ragusa, Gela y Fontanarrosa en la isla de Sicilia. Con tan limitadas bases para ser un país industrial, las actividades de este orden en Italia se deben en su mayor parte al trabajo y al ingenio de sus habitantes, que han sabido transformar muchos de sus productos o elaborar materias primas importadas en mercancías de toda índole, famosas en el mundo entero. El sector de agricultura ocupa a 6.9% de la Población Económicamente Activa (1995); labrado el suelo en 37.8% (1994), se produce principalmente: trigo, uva, remolacha, patatas, maíz, oliva, arroz, avena, centeno, cebada, legumbres, apios, etcétera. Capítulo importante de la agricultura italiana es el cultivo de frutales, sobre todo de limoneros y naranjos cuyos productos de calidad representan, con vinos y aceites, los mejores renglones de exportación. La abundancia de ganados bovino, caprino, equino y de cerdo, índice de la riqueza agropecuaria, habla claramente de la condición de los pastos que alimentan a esos ganados. Del vacuno – 7.164,000 cabezas– corresponde la mayor y mejor parte a la región del norte, predominando en el resto del país los rebaños de ovejas y cabras (en total 12.130,000 cabezas, 1995). Entre los productos ganaderos figuran quesos que gozan de celebridad en el mundo entero.

Falta de carbón y materias primas, Italia se ha destacado especialmente en la industria dependiente principalmente de la excelencia de la mano de obra. Gozan de fama mundial entre estos productos de artesanía sus estatuillas y objetos de arte en mármol y alabastro; los mosaicos, esmaltes, alhajas y labores de filigrana; la cerámica, cristalería, marquetería y tallas; la encajería, bordados y tejidos de paja; las encuadernaciones; la cuchillería y espadería y los trabajos en fieltro y paño de reposteros. La industria de la seda, excelente y muy extendida a lo largo de toda la península, tiene su máximo desarrollo en el norte, donde se verifica el proceso completo, desde la cría del gusano de seda hasta el hilado y tejido de los productos. Existen, asimismo, hilanderías y tejedurías de lana y algodón, habiendo progresado notablemente la industria del rayón. Las industrias alimentarias que más alto grado de desarrollo han logrado son: la del azúcar y las de las pastas base de la alimentación nacional. La industria pesada, cohibida en su expansión por la carencia de materias primas y combustible, ha conducido al máximo aprovechamiento de la energía natural hidráulica; existe un gran número de plantas hidroeléctricas que se benefician de las grandes posibilidades que ofrece la geografía del país en este terreno. De un total de 231.783,000 kW/hr de producción anual de energía eléctrica, corresponden 43,000 millones a la que se genera en las plantas hidroeléctricas (1994).

Imposibilitada de aumento la industria metalúrgica por las razones expuestas, la industria mecánica ha alcanzado, en cambio, un alto grado de perfeccionamiento, destacándose en ella la industria automovilística y de aviación; los astilleros navales; los talleres de material ferroviario, bicicletas y motocicletas, maquinaria y material eléctrico y radiofónico, maquinaria agrícola, máquinas de coser, escribir y calcular, maquinaria para imprenta, instrumental de precisión, sombrerería, cristalería y cerámica, de tradición secular en Milán, Murano y Capodimonte.

Transportes. Italia tiene una red ferroviaria excelente, electrificada en su mayor parte y que entre las empresas nacionales y privadas cuenta 19,563 km de extensión. La red de carreteras abarca un total de 303,518 km, de los cuales 45,460 corres-

Corel Stock Photo Library

Lago Di Carezza en Dolomite, Murano Italia.

ponden a grandes carreteras nacionales, 104,670 a carreteras provinciales y el resto a caminos municipales. Los servicios aéreos comprenden las líneas de enlace interior y las internacionales a todos los continentes.

Comercio. Realizado en su mayor parte con Inglaterra, Francia, Alemania, Suiza, Argentina y Estados Unidos, es por lo general ligeramente desfavorable al país en su balanza de importación-exportación, compensándose este pequeño desequilibrio con los beneficios que produce un bien organizado turismo internacional y apenas necesitado de propaganda, dado lo benigno del clima, las bellezas naturales de sus costas y montañas y, sobre todo, el inagotable tesoro de bellezas artísticas y de recuerdos históricos que se ofrecen a la contemplación del viajero y a la información y admiración del estudioso.

Moneda. La unidad monetaria es la lira, dividida en 100 centésimos. Su valor fue afectado adversamente por las distintas guerras en las que Italia se vio envuelta. Antes de la Segunda Guerra Mundial, se cotizaba a razón de 20 liras por un dólar. En 1946, el tipo oficial de cambio era $1 = 100 liras, pero su cotización en el mercado libre fluctuaba de 550 a 850 por dólar. Cuarenta y cuatro años después, en 1990, el tipo de cambio era de 1,253 liras por dólar.

Ciudades. Son famosas en el mundo entero por su historia, bellezas arquitectónicas, tesoros de arte y referencias literarias de los más grandes genios, y constituyen el principal atractivo de quienes, luego de visitarlas, conservan gracias a ellas eterno afecto y gratitud a la tierra que las ha sabido conservar.

Roma (2.687,383 h, 1994), cabeza de la cristiandad y capital del Estado, reúne en sus iglesias, museos y ruinas, así como en sus bibliotecas y centros culturales, motivos de interés suficiente para dejar recuerdo perdurable en quien la visita; Florencia (392,800 h, 1994), escenario de las luchas renacentistas en lo político y lo intelectual, posee algunos de los museos más importantes del mundo, como cuna de artistas inmortales, cuyas obras pueden admirarse todavía en el mismo lugar donde se ejecutaron y para el que fueron creadas; Génova (659,754 h,1994), capital que fue de la república marítima de su nombre y cuna de Cristobal Colón; Nápoles (1.061,583 h,1994) es el segundo puerto del país y la ciudad más importante del sur, en el golfo de su nombre y al pie del Vesubio, cercanas al cual se encuentran Herculano y Pompeya, ciudades resucitadas del pasado clásico; Milán (1.334,171h,1994) es la segunda ciudad de Italia y su primer foco industrial, sin dejar de tener gran interés como uno de los principales hogares del arte y centro del *bel canto* universal; Venecia (306,439 h,1994), la ciudad de los canales, milagrosamente nacida del fondo del Adriático, capital de una república comercial milenaria, puerta del Oriente y cuna de insignes artistas y navegantes; Turín (945,551 h,1994), segundo centro fabril y de cultura muy dinámica, raíz de la unidad nacional; Bolonia (394,969 h,1994) doctoral como decana de las universidades y cátedra de legistas inmortales; Cassino, sede del famoso monasterio de Montecassino, destruido en la Segunda Guerra Mundial y después restaurado; Livorno, histórico puerto de la Toscana; Amalfi, en el ca-

Italia

mino al sur de Nápoles por Sorrento, sobre los más bellos paisajes de la península; Pisa, patria de Galileo Galilei y famosa por su torre inclinada, campanario de la famosa catedral; Salerno, puerto con ilustre Escuela de Medicina que hizo famoso el lema de *Mens sana in corpore sano;* San Remo, playa de veraneo sobre la Riviera italiana; Verona (256,756 h,1994) escenario medieval de los amores de los dos desdichados amantes Romeo y Julieta; Padua, donde yacen los restos del milagroso san Antonio; Mesina (233, 845h, 1994) y Palermo (697,162 h,1994) en Sicilia, y Cagliari en Cerdeña. En 1954, se incorporó a Italia el puerto adriático de Trieste, en territorio que disputaba Yugoslavia.

Pueblo. Es, tanto por las características de su raza latina, mezclada con la de sucesivos invasores de la península, esencialmente apasionado, vehemente artista, generoso y trabajador. De ingenio despierto, la hostilidad y aridez del medio le han hecho ingeniarse para arrancarle el diario sustento, quedándole siempre tiempo suficiente para recreos en los que la música y la danza ocupan un lugar destacado. Amante de la música y de las artes plásticas, no es raro ver en los grandes museos de este país de arte a multitud de personas de distintos niveles sociales que recorren con interés auténtico las largas galerías, o que, apiñados en los teatros líricos y dramáticos, gustan como expertos las bellezas del *bel canto* o las expresiones más altas del arte en todas sus manifestaciones.

País densamente poblado en sus zonas más ricas, en forma que en el valle del Po y las Campiñas ofrece índices comparables a los de los países más poblados del mundo, presenta también como bruscos contrastes casos como el de la yerma Calabria, con zonas casi desiertas. Es de notar, asimismo, que la gran densidad demográfica se ve aliviada por la emigración natural de un país marítimo, cuyos habitantes se ausentan esperanzados de poder hacer en el extranjero, principalmente América, la fortuna muy difícil de lograr en su propia patria.

Gobierno. Italia es una república constitucional parlamentaria, instaurada en 1947, como consecuencia del plebiscito de 1946 que siguió a la derrota del fascismo en la Segunda Guerra Mundial. Según la Constitución de 1947, el poder Legislativo lo integra un Parlamento, compuesto por la Cámara de Diputados (630 miembros) elegidos para un periodo de cinco años, por sufragio universal directo, y el Senado (315 miembros) elegido sobre base regional para un periodo de cinco años.

El presidente de la República es elegido en sesión conjunta de la Cámara de Diputados y el Senado, para un periodo de siete años. El Consejo de Ministros se compone de 23 miembros presididos por un primer ministro. Italia está dividida en 20 regiones que comprenden 92 provincias subdivididas en comunas.

Religión. Es la católica, profesada por casi la totalidad de la población (83.2%).

Instrucción pública. La enseñanza preescolar es opcional para niños de 3 a 5 años, en 28,400 escuelas de párvulos y kindergardens, a los que asisten 1.600,000 niños. La enseñanza es de asistencia obligatoria para niños de 6 a 14 años, y comprende la primaria o elemental (de 6 a 11 años), y la secundaria preliminar y vocacional (de 12 a 14 años), ambas con un total de 43,000 escuelas y 9 millones de alumnos. La enseñanza secundaria, general y especializada, se imparte en las ramas de letras, ciencias, tecnología y magisterio, en más de 4,500 institutos, liceos, escuelas y centros de especialización a los que asisten 1.300,000 estudiantes. La educación superior universitaria tiene instituciones de fama mundial, entre ellas 28 universidades que, encabezadas por la de Bolonia, fundada en 1088, se cuentan entre las más antiguas y modernas del mundo, como la de Padua, 1222; Nápoles, 1224; Génova, 1243; Roma, 1303; Turín, 1404; Mesina, 1549; Palermo, 1805; Milán y Florencia, fundadas en 1924.

Lengua. El idioma oficial es el italiano, que entre las lenguas latinas es la que menos se ha separado del tronco originario y conserva la musicalidad, fluencia y grandeza del latín. Poseedora de un equilibrio perfecto entre vocales y consonantes, la locución y vocalización no ofrece dificultad alguna y de ahí su prodigiosa y natural adaptación al canto, ya sea popular o artístico. Junto al antiguo toscano, que ha evolucionado hacia el italiano actual, son muchos los dialectos que se hablan y todavía se cultivan literariamente, siendo los más importantes el veneciano, el siciliano, el napolitano, el genovés y el romano, por más que la sola lengua oficial sea el italiano y todos los ciudadanos no analfabetos lo hablen y escriban con idéntica corrección que la lengua vernácula.

Cultura. Representada por el inmenso tesoro de colecciones de arte, academias literarias y científicas, instituciones musicales, escuelas de bellas artes, artes industriales, y archivos y bibliotecas.

Historia. En líneas generales, la historia antigua de Italia coincide con la de Roma hasta que Odoacro destronó, en el año 476, a Rómulo Augustulo, último titular del imperio romano de Occidente, sobre cuyas ruinas quiso fundar aquel caudillo un reino que ya se reducía a Italia y que no llegó a consolidarse. Contra él y a instigación de Zenón, emperador de Oriente, se lanzó Teodorico *el Grande*, asentado en la península en el año 489 con sus ostrogodos. Reconquistada en parte por los generales de Justiniano, Belisario y Narses (535-554), se constituyó bajo la soberanía del imperio bizantino el Exarcado que instaló su capital en Ravena, hasta que en el año 568, con la invasión longobarda, se establece un nuevo dominio bárbaro en la península, que queda dividida en dos zonas: Romania, la dependiente de Bizancio, y Longobardia –y de aquí Lombardía–. Pero, muy pronto quedó anulada la autoridad bizantina, salvo en el sur, donde perduró hasta las invasiones musulmanas. El pontífice requirió la ayuda de Pipino, rey de los francos, quien cortó el avance de los lombardos. Su hijo

Vista del pueblo de Murano en Italia.

Carlomagno terminó de someter a los lombardos, para luego ceñirse él mismo la famosa corona de hierro de aquellos y confirmarle al pontífice la donación del territorio que su padre le entregó. A su vez el papa León III coronó solemnemente a Carlomagno, en la Navidad del año 800, como *Emperador de Romanos*, que significaba la soberanía de Italia. Tras la desmembración del imperio de Carlomagno, reyes y emperadores lucharon sin descanso por el dominio de Italia, desde el año 843 hasta la coronación de Otón *el Grande* como emperador del sacro romano imperio, en el año 962, poniendo así fin a este primer periodo de turbulencia. Durante toda la Edad Media, los emperadores germánicos sucesores de Otón *el Grande* se consideraban gobernantes de Italia, aunque los italianos, rebeldes a aquel yugo, se sublevaban continuamente, viéndose obligados los emperadores a luchas continuas para mantener una autoridad precaria y de la que eran principales adversarios los papas. A finales del siglo X, los emperadores alemanes dominaban en Lombardía; la Iglesia imperaba en Italia central; la región meridional estaba en poder de los bizantinos, y Sicilia, Córcega y Cerdeña en el de los sarracenos. Entre tanto, los gobiernos comunales o de las ciudades inauguran un nuevo tipo de gobierno en la historia italiana. Asti, Chieri, Pavía, Milán, Bolonia, Piacenza, Pisa, Luca, Florencia y Roma –esta última bajo el gobierno de Arnaldo de Brescia– se erigen en ciudades independientes, al mismo tiempo que la intensificación del comercio hace nacer las repúblicas marítimas de Amalfi, Génova, Pisa y Venecia, comunidades todas ellas que crecen tan poderosas que pueden enfrentar con éxito el poderío de los señores feudales y liberarse de su dominio, aunque no faltaron luchas entre las clases sociales, los nobles contra los burgueses y éstos contra aquellos y el pueblo bajo. La recién nacida fuerza política de las pequeñas repúblicas y ciudades libres, llega hasta desafiar el mandato imperial y del papa, naciendo así una política de inclinación a uno u otro de los grandes poderes, en los que se han de apoyar alternativamente los pequeños estados para subsistir, dándose el caso de ciudades poderosas que sojuzgan a otras más débiles. Una poderosa vida material e intelectual caracteriza la prosperidad de las ciudades libres italianas, alcanzándose en estos momentos el ápice de su gloria artística y política, enturbiada por la lucha de güelfos partidarios del papa, y gibelinos, que lo eran del emperador, grupos rivales cuyas luchas agostaron las energías y recursos peninsulares en continuas guerras fratricidas que terminaron por poner las repúblicas libres bajo el gobierno de príncipes extranjeros o de tiranos locales. Pese a esta desventura política, las artes y las letras, protegidas por los

Puente cruzando el río Tiber, con el castillo de Sant Angelo a la derecha, en Roma, Italia.

mismos tiranos y reyezuelos y expresión irrefrenable del genio italiano, florecen y dan lugar a uno de los momentos cumbres de la historia intelectual de la humanidad: el Renacimiento. Este largo periodo histórico, que se prolonga de 1350 a 1570, ofrece como ciudades modelo de actividad política e intelectual la Florencia de los Médici y la Venecia de los Dux. A fines de la Edad Media existían en la Península Itálica seis estados principales: los ducados de Saboya y de Milán, las repúblicas de Florencia y Venecia, los Estados Pontificios y el Reino de Nápoles, que a comienzos del siglo XVI pasó a poder de España, ya dueña de Sicilia y Cerdeña.

Coincidiendo con la fecha del descubrimiento de América, habían comenzado las invasiones extranjeras en Italia, convertida así en campo de batalla de la expansión imperialista de españoles y franceses, cuyas luchas llenan la historia de Italia a finales del siglo XV y casi todo el XVI. Derrotados los franceses por los españoles en varias ocasiones –campañas del Gran Capitán, batalla de Pavía– el tratado de Catean Cambresis (1559) dejó a los últimos dueños del campo durante más de un siglo, sin que Italia pudiera conseguir la anhelada unidad nacional intentada por sus diplomáticos con motivo de los arreglos del mapa de Europa por los tratados de Utrecht, Rastadt y Viena. Pese a todos los inconvenientes, la Casa de Saboya fue afianzando su dominio, que pronto extendió a Piamonte, Lombardía y Cerdeña. En 1797, como consecuencia de la victoria de los ejércitos de la Revolución Francesa, conducidos por Bonaparte, en tierra italiana se establece la República Cisalpina, luego Reino de Italia,

vuelto a desmembrar a la caída del emperador por los tratados de Viena (1815). La intervención armada francesa en 1859, obra del genio político de Camilo Benso conde de Cavour, y la acción generosa de Giuseppe Garibaldi –conquistador del Reino de Nápoles y de los Estados Pontificios– dan lugar a la unidad nacional, cumplida en 1870 por Víctor Manuel II, soberano de Italia. A partir de esta fecha, Italia avanza rápidamente, gracias a la laboriosidad y cultura de sus habitantes, hasta formar parte de las primeras potencias europeas. Intenta crear un imperio colonial donde pueda establecerse en beneficio propio el flujo emigratorio continuamente perdido para la patria y, tras el fracaso de colonización en Abisinia, se establece en Eritrea y ocupa Tripolitania después de la guerra con Turquía (1911-1912). Vuelta contra los imperios centrales –sus socios en la Triple Alianza– durante la Primera Guerra Mundial, lucha junto a los aliados con poca fortuna, y participa en la victoria con ganancias que no satisfacían sus reivindicaciones. Este desencanto, unido a la depresión económica de la posguerra, motivo de sangrienta agitación social, abren la puerta a la entronización del fascismo, doctrina social nacionalista de Benito Mussolini, quien mediante una espectacular *marcha sobre Roma*, tolerada por el rey y el ejército, se posesiona del poder en 1922. Sofocada la primera oposición con la supresión de los más destacados enemigos –Matteotti, Améndola–, amordaza la expresión liberal sin llegar jamás a ahogar el sentimiento. Una política de propaganda y obras públicas espectaculares en lo interno y de aventuras militares en lo externo –guerra de

Italia

Corel Stock Photo Library

Puente del Rialto *en Venecia, Italia.*

Abisinia, intervención en la guerra civil de España– lo mantienen en el poder. Unido íntimamente a la política del nacional socialismo alemán, al comienzo de la Segunda Guerra Mundial, mediante el pacto denominado *Eje Roma-Berlín*, se une al carro de la presunta victoria, participando en la invasión de Francia cuando ésta se hallaba en plena derrota, intentando la invasión de Grecia, que terminó en estruendoso fracaso militar, y contribuyendo con hombres y sin beneficios efectivos en la contienda a cuyo desastroso fin se vio ligado, siendo la isla de Sicilia y a continuación la península asoladas por el desembarco de las fuerzas aliadas, que la convirtieron en campo de batalla. Derribado el fascismo por el gabinete del mariscal Pietro Badoglio, la muerte de Mussolini y la sublevación armada contra el régimen caído dan lugar a la abdicación del rey en el príncipe heredero, bajo cuyo gobierno se celebra una consulta nacional de la que ha de surgir la República italiana, que, presidida por Luigi Einaudi (1948-1955), supera las dificultades de agitación política consiguiendo, paulatinamente y mediante el apoyo externo, singularmente de Estados Unidos, la recuperación económica, el apaciguamiento y la normalización política y social del país. Sucesores de Luigi Einaudi en la presidencia fueron Giovanni Gronchi (1955-1962) y Antonio Segni (1962-1964), quien renunció en diciembre de 1964 por enfermedad, y para sucederle fue elegido Giuseppe Saragat para el periodo 1964-1971, a quien siguió Giovanni Leone (1971-1978). En este lapso se sucedieron una serie de gobiernos de centroizquierda, cristianodemócratas y socialistas, pero los problemas económicos, la corrupción y el aumento de la criminalidad provocaron cierto desagrado del electorado hacia los partidos gobernantes. Los progresos de los comunistas plantearon a los cristiano demócratas la necesidad de obtener el consentimiento de aquellos para gobernar, en lo que se denominó el *compromiso histórico*. Extremistas de izquierda y derecha, descontentos con esa política, recurrieron a un generalizado terrorismo que culminó en 1978 con el secuestro y asesinato del ex primer ministro Aldo Moro, y continuó en los años posteriores junto con la inestabilidad política y los escándalos por corrupción, como el que costó el cargo al propio presidente de la república, Giovanni Leone, que fue reemplazado por el socialista Sandro Pertini. Las elecciones legislativas de 1979 y 1983 no hicieron variar la situación, pese al avance del Partido Socialista y el retroceso de la Democracia Cristiana. Tras varios gobiernos de coalición presididos por democristianos, en junio de 1983 formó nuevo gabinete el líder socialista Bettino Craxi. En junio de 1985 fue elegido presidente de la república el democristiano Francesco Cossiga. La crisis de coalición del gobierno provocó la dimisión de Craxi en marzo de 1987. En las elecciones de junio de ese año democristianos y socialistas registraron un avance, en detrimento de sus socios de coalición (democristianos, social demócratas y liberales) y de los comunistas. Se formó un gobierno de coalición, encabezado por Giovanni Goria (1987-1988), al que sucedieron gobiernos del mismo signo presididos por Ciriaco De Mita (1988-1989) y Giulio Andreotti (1989).

En 1991, rotas las hostilidades en el Golfo Pérsico, las fuerzas italianas entran en acción y, el 17 de abril, Andreotti, el primer ministro, forma un nuevo gobierno de coalición integrado por cuatro partidos. La extensión y profundidad de la corrupción como un mal endémico de los partidos y gobierno italianos, propició la desintegración y cambio de nombre, símbolos y fórmulas políticas de los propios partidos y la emergencia, en 1993, de un nuevo gobierno de concentración nacional, encabezado por C. A. Ciampi; el cual aprobó una ley de reforma política. Sin embargo, dicha reforma política no se pudo concretar por ese gobierno ni por los siguientes de Silvio Berlusconi (1994) y Lamberto Dini (1995).

En las elecciones generales de abril de 1996, venció la coalición de centro izquierda El Olivo, que obtuvo 284 votos por 246 del Polo de la Libertad, 59 de la Liga Norte y 35 de Refundación Comunista. La Liga Norte amenazó con la secesión y organizó un Parlamento y un gobierno en la sombra para la Padania, nombre de las regiones del Po, a fin de presionar en pro de la federalización (12 de mayo). Romano Prodi (independiente) formó un gobierno de coalición de centroizquierda el 18 de mayo de 1996.

Literatura. Los primeros documentos de la literatura italiana escritos en esta lengua –volgare o vulgar– aparecen a finales del siglo XI y son documentales: se destacan las inscripciones de la iglesia de San Clemente de Roma. Con el siglo siguiente aparecen los primeros testimonios de cultura laica, despertándose el afán por los estudios históricos.

Con el siglo XIII se inician las imitaciones de la épica francesa –poemas franco vénetos–, y la literatura didáctico-moralizadora –Bovesin della Riva, Uguccione da Lodi– en Italia septentrional; religiosa en Italia central, con los inmortales *Laudi*, de Jacopone da Todi, y *Cántico de las criaturas* y las famosas *Florecillas*, de san Francisco de Asís. En tanto, en la corte de Federico II de Sicilia se forma una influyente escuela poética de la que ha de surgir una fórmula transcendental del verso, el soneto, debido a Pedro de la Viña. Esta escuela, de imitación provenzal en su exaltación ideal y lírica de la mujer –la dama de los trovadores–, imprime su orientación a los poetas Bonaggiunta, Urbiciani y Guittone d'Arezzo, naciendo de ella la nueva escuela, origen de la plena lírica italiana: el *Dolce sil nuovo*, iniciado por Guido Guinizelli y seguido por Guido Cavalcanti, Lapo Gianni y Dante Alighieri en su *Vita nuova*.

El siglo XIV ofrece el monumento máximo de la literatura italiana y uno de los más grandes poemas de todos los tiempos, resumen de la poesía de la Edad Media y pórtico magnífico de la siguiente edad: la *Comedia*, llamada muy pronto *Divina*, de Dante Alighieri, poema alegórico místico, rebosante de alusiones contemporáneas, convertidas, por milagro del arte del poeta, en características eternas del íntimo sentir del hombre moderno. Mérito paralelo de esta creación inmortal es el haber fijado definitivamente la lengua italiana como lenguaje poético. Paralelamente a esta gran poesía, aún de inspiración medieval, surge, con el *Cancionero* de Francesco Petrarca, el lirismo íntimo, descubrimiento del Renacimiento y umbral del mismo, al ofrecer, por primera vez en la poesía de Occidente, el subjetivismo del poeta como ejemplificación universalizadora del sentir del hombre como tal, creando el lenguaje poético del Renacimiento, de influencia inmensa en toda la Europa culta, donde el poeta deja ya de cantar impersonalmente para hacerlo con su voz propia.

Nacida la lengua poética italiana por obra de estos dos inmensos poetas y humanistas, impares a la vez, ya que se tiene a Petrarca como el primero de ellos, aparece con Giovanni Boccaccio la prosa literaria italiana, plasmada en los cien inmortales cuentos de su *Decamerón*, obra maestra de la narración de todos los tiempos, nutrida de mil fuentes diversas, sintetizadas por obra de este espíritu desenfadado y preciso, auténtico genio del relato. La historia representada por la *Crónica* de Villani y el misticismo por las *Cartas* de Santa Catalina de Siena, cierran este siglo glorioso para la literatura italiana.

El siglo XV es el del humanismo, iniciado ya por Petrarca y Boccaccio, pero impulsado con nuevos poetas –Pontano y Angelo Poliziano– y sus academias, al amparo de las que surge la poesía caballeresca-burlesca de Pulci, *Morgante*, y Matteo María Boiardo, *Orlando enamorado*; y lírica de Lorenzo de Médici, *Selva de amor*, y Sannazaro, *Arcadia* y la prosa didáctica en sus máximas expresiones de León Bautista Alberti, Leonardo da Vinci, apareciendo también la primera muestra de literatura teatral de valor con la *Fábula de Orfeo*, de Poliziano, escrita sobre el patrón de las sacras representaciones medievales.

El siglo XVI es el del Renacimiento, producto culto del humanismo y ejemplo típico de literatura, obra en su totalidad de literatos desvinculados completamente del sentir popular y entregados a la creación de obras artísticas, redactadas conforme a las reglas y para el consumo y deleite de las minorías. Nicolas Maquiavelo crea la prosa política en *El príncipe*; Guicciardini, el género histórico en su *Historia de Italia*; y Tommaso Campanella ofrece la primera utopía política en su *Ciudad del Sol*; la novela a la Boccaccio tiene un continuador afortunado en Mateo Bandello, y el nuevo sentir social del momento queda plasmado en el tratado *El cortesano*, de Baltasar de Castiglione. En la poesía, el petrarquismo cuenta con seguidores de la talla de Membo, Stampa, Vittoria Colonna, Gambara, Miguel Ángel y Tansillo; la fantasía de Boiardo se supera hasta lo increíble en la

obra maestra del género, el *Orlando furioso*, de Ludovico Ariosto, y el género burlesco encuentra un maestro en Berni, a la par que, ya vencido el siglo, la contrarreforma alienta el espíritu del último gran poema italiano: *La Jerusalén libertada*, de Torquato Tasso.

La decadencia de los dos siglos siguientes, apenas si ofrece los nombres de Marino, maestro y apóstol del barroco, y Chiabrera y Testi. Más importante es la prosa científica de Galileo y la filosófica de Juan Bautista Vito, creador de la filosofía de la historia. El teatro cuenta con un maestro de la comedia, Carlos Goldoni, que escribe en veneciano, italiano y francés, y un trágico, Vittorio Alfieri, que con Ugo Foscolo aparece como precedente irrefutable del Romanticismo.

En el siglo XIX dos grandes figuras abren Italia al Romanticismo: Alessandro Manzoni, poeta y prosista extraordinario, cuya obra maestra es la novela *Los novios*, y el gran poeta Leopardi, cuyos *Canti*, henchidos de melancolía y patriotismo, cuentan entre las obras maestras de la lírica universal. Silvio Pellico y Berchet, entre los poetas y D'zeglio y Guerrazi entre los novelistas, cumplen la primera fase de este romanticismo, cuya segunda etapa de orientación política tendiente a la unidad nacional toma el nombre de *Risorgimento*, y cuenta entre sus apóstoles a Giuseppe Mazzini, Gioberti y el gran crítico De Sanctis. Giosué Carducci, poeta patriótico de reacción pacifista –*Odas bárbaras y Rimas*–, se forma entre los primeros cantores de la nueva Italia. La escuela verista y naturalista ofrece un narrador de genio en Giovanni Verga –*Cavalleria rusticana*–

y un novelista auténtico en Antonio Fogazzaro. Tras de ellos se cierra el siglo con dos grandes poetas, representantes del llamado decadentismo, Giovanni Pascoli –*Myricae*– y Gabriele D'Annunzio –*Laudi*–, que es trágico en *La hija de Iorio* y novelista en *El fuego* y *Nocturno*.

Con el siglo XX, hasta el advenimiento del fascismo, triunfa una escuela, el futurismo, de Filippo Tommaso Marinetti y Palazzeschi, ilustrándose el teatro con una figura de trascendencia universal, Luigi Pirandello, autor de *Seis personajes en busca de autor*, *Enrique IV*, *Como tú me deseas*, etcétera, y centenares de cuentos maestros. En la crítica literaria y la filosofía se destacan los nombres de Benedicto Croce y Francisco Flora; en la novela, Gracia Deledda, Matilde de Searo, Ignazio Silone, Alberto Moravia y Curzio Malaparte; en el ensayo, Giovanni Papini, y en el teatro más moderno, Nicodemi, López, San Secondo, Terron, De Filippo, Ugo Betti y Ferrero.

Artes plásticas. Italia, denominada durante muchos siglos cuna del arte, debe este nombre tanto a los tesoros acumulados en la península a lo largo de muchos siglos de dominio romano –influido por el clasicismo griego– como a las obras de sus hijos, inclinados por herencia y propio sentir al cultivo de las expresiones del espíritu. Influidas por Roma y Bizancio, las primeras grandes muestras de la arquitectura italiana son posteriores al románico y aun al gótico medieval. Artistas completos, sus arquitectos suelen ser, a la par, pintores y escultores. Arnolfo de Cambio, Filippo Brunelleschi, Donato de Pascuacio Bramante, Michelozzi Michelozzo, León Bautista Alberti, Benedicto de Majano, Lucia Lau-

Góndolas en el Gran Canal de Venecia, Italia.

Italia

rana, Maderno, Gian Lorenzo Bernini, Palladlo, Sachetti y Filippo Juvara, destacan entre los arquitectos más famosos que han colmado de creaciones portentosas a Florencia, Venecia, Pisa, Milán, y Roma, por citar sólo las ciudades más célebres, cuyos monumentos es imposible enumerar. En la pintura, Cimabue, todavía impregnado de bizantinismo, se ve sucedido por el genio de Giotto, pintor y arquitecto; ya en el siglo XV, Fra Angelico, Fra Filippo Lippi y Alessandro Botticelli abren paso a la gran trilogía formada por Leonardo da Vinci, pintor, escultor, arquitecto e ingeniero; Miguel Ángel, pintor, escultor y arquitecto y Rafael, pintor y arquitecto, cuyas obras revolucionan el arte universal creando el clasicismo italiano.

Bellini y Andrea Mantegna fundan en el siglo XV la escuela veneciana, que en el siglo XVI ofrecerá el arte de pintores, poderosos coloristas y espléndidos decoradores: Zorzi da Castelfranco Giorgione, Vecellio Tiziano, Jacopo Robusti Tintoretto y Pablo Caliari Veronese, cerrándose con el arte espléndido de Giambattista Tiépolo. En el resto de Italia, Antonio Allegri Correggio simboliza la dulzura, preludio del manierismo, en contraste con el arte violento de Michel Angelo Mensi Caravaggio, que mantiene en alto la bandera de escuelas llamadas aquí *menores*, pero que en cualquier otro país bastarían para su gloria al presentar nombres como los de Andrea di Cione Orcagna, Gozzoli, Della Porta, Del Surto, Giulio Romano, Morone, Moretto, Albano y 100 más, hasta Guido Reni y Dolci.

La escultura presenta, asimismo, genios de la talla de Donato di Betto Bardi Dona-

Corel Stock Photo Library

Teleférico en Cortina, Italia.

tello, Pisan, Lorazo Ghiberti, Andrea di Cione Verrochio, Della Robbia, Miguel Ángel, Juan de Bolonia, Della Quercia, Cellini, Benuenuto Bernini y Antonio Canova, que cumplen un ciclo de más de 500 años de preponderancia sobre el arte de Occidente, creando tres movimientos en las artes plásticas –Renacimiento, Barroco y Neoclásico–, de los que fueron apóstoles y ejemplo.

Música. Desde el siglo X, en que Guido d'Arezzo inicia la notación musical, ofrece Italia una espléndida floración, en la que destacan los nombres de Palestrina, para la música sacra; Frescobaldi, Arcangelo Corelli, Vitalli, Antonio Vivaldi y Giovanni Battista Pergolese, para la música de cámara, y Pizzetti, Otorino Respighi y Gian Francesco Malipiero para la música instrumental y sinfónica. Párrafo aparte dentro de la historia de la música universal merece una creación puramente italiana, la ópera, en la que los compositores italianos alcanzan merecido renombre, y en la que destacan los nombres de Peri, Claudio Monteverdi, Pergolesi, Rossini, Vicenzo Bellini, Gadano Donizetti, Giuseppe Verdi, Petro Mascagni, Leoncavallo, Giardano y Giacomo Puccini, con creaciones que se representan actualmente en todos los teatros del mundo.

Ciencia. Cuenta, desde Galileo y Leonardo hasta Guglielmo Marconi y Enrico Fermi, con nombres que la ilustran en la historia del progreso humano: Vesalio, Falapio, Narcelo Malpighi, Evangelista Torricelli, Luigi Galvani, Alessandro Volta, Pacinotti, Camilo Golgi y 100 más, que la sitúan entre las que más han contribuido al progreso de la humanidad. *Véanse* CARLOMAGNO; DANTE ALIGHIERI; GÉNOVA; GÜELFOS Y GIBELINOS; IMPERIO ROMANO; MUSSOLINI, BENITO; ROMA; RÓMULO Y REMO; SACRO IMPERIO ROMANO; SICILIA; VATICANO.

italiano, idioma. Lengua oficial de la República Italiana, hablada por los habitantes de la Península Itálica, Malta, Córcega y el cantón Ticino, en Suiza. Se calcula que 58 millones de personas hablan italiano. Esta lengua moderna procede del latín y pertenece, por lo tanto, al grupo de lenguas romances entre las que figuran el español, el francés, el portugués y el rumano. En la Edad Media se hablaba en Italia el latín y dialectos diferentes de ascendencia latina, uno de ellos el toscano, en el que escribieron Dante Alighieri, Francesco Petrarca, Giovanni Bocaccio y otros escritores y poetas, por lo que, puliéndose y perfeccionándose, adquirió categoría de lengua literaria y prevaleció sobre los demás dialectos hasta llegar a ser la lengua oficial de Italia. Si se compara al italiano con otras lenguas romances, presenta características singulares: todas las palabras, con excepción de los artículos, las preposiciones y otros vocablos semejantes, terminan en vocal; muchas palabras que en latín comenzaban por vocal comienzan en italiano por consonante; no existen consonantes muy fuertes. Estas características dan a la lengua italiana un sonido dulce y peculiar. Deben distinguirse, sin embargo, del italiano puro los numerosos dialectos en los cuales esas mismas características no son tan notables. En las provincias del norte se hablan

Catedral de San Marcos en Venecia.

Corel Stock Photo Library

el lombardo y el piamontés, influidos por el francés y el provenzal. En el centro de la península el toscano conserva aún gran semejanza con el latín. Entre los otros dialectos son también importantes el napolitano, el calabrés y el siciliano. La lengua italiana ha influido desde el Renacimiento en casi todas las otras lenguas europeas. Muchas palabras francesas, inglesas, alemanas y españolas que se refieren al arte, la música o la literatura son comúnmente de origen italiano.

itálica, letra. Como su nombre indica, es un tipo de letra de origen italiano y supuestamente imitación de la caligrafía de Francesco Petrarca. Fue fundida por primera vez en 1501 por el impresor y humanista veneciano Aldo Manucio, quien realizó con ella, en la misma fecha, una bella edición de las obras de Marón Publio Virgilio y, posteriormente, de otras obras clásicas.

El uso del tipo itálico se fue restringiendo poco a poco hasta limitarse a ciertos textos, como notas, introducciones, citas, índices. Hoy se emplea para vocablos extranjeros, títulos de obras, palabras que por algún motivo deben destacarse del texto, etcétera. Los caracteres, que al principio estaban enlazados, aparecen actualmente separados por completo. A este tipo de letra también se le llama *cursiva*.

Itapúa. Departamento de Paraguay, separado de Argentina por el río Paraná. El oeste se halla cruzado por varias estribaciones que provienen de la sierra de Caaguazú y su suelo está regado por afluentes del Paraná. Superficie: 16,525 km². Población: 377,536 habitantes (1992). Capital: Encarnación, importante puerto fluvial. La agricultura y la explotación forestal constituyen la riqueza de la región.

Itard, Jean-Marc-Gaspard (1775-1838). Cirujano militar francés. A partir de 1800 fue médico del Instituto de Sordomudos de París, convirtiéndose en un famoso especialista en enfermedades y disfunciones del oído. Su *Tratado de enfermedades del oído y la audición* (1821) fue el primero en su género. Pionero en el tratamiento científico de los problemas educativos planteados por los niños retrasados, sus métodos influyeron indirectamente sobre los planteamientos de María Montessori.

Itata. Río del centro de Chile, en la región del Bío-Bío, de 230 km de longitud. Nace en los Andes, en el collado Negro, y antes de penetrar en el Valle Longitudinal recibe al Ñuble. Su valle medio es predominantemente agrícola (vides y huertas); recibe al Lonquén (derecha) y al Coelemu (izquierda) y, tras dirigirse al noroeste, desemboca en el Pacífico por Vegas de Itata. Su régimen es pluvionaval, con un mínimo en el mes de enero, tiene 11,480 km² de cuenca y un caudal de 60 m³/min en su desembocadura.

iterbio. Cuerpo metálico simple, de dos y tres valencias, que pertenece al grupo de tierras raras del itrio. A pesar de ser un elemento muy raro, se conocen de él un buen número de compuestos salinos y siete isótopos. En 1909 el barón Carl Aver von Welsbach y Georges Urbain lo extrajeron de la iterbia, separando el lutecio. Su símbolo es Yb, su peso atómico, 177,04; su número atómico, 70, y su punto de fusión, unos 824 °C. Se obtiene por extracción de la monasita y otros minerales. No tiene aplicaciones de gran importancia y es poco conocido.

Ito, Irobumi (1841-1909). Líder político japonés, reformador de la constitución. Nació en la provincia de Choshu (actualmente prefectura de Yamaguchi). Descendiente de samurais, entró al servicio del grupo choshu, uno de los más poderosos oponentes del *shogunado* (el *shogun* era una especie de lugarteniente del emperador, que dirigía el gobierno).

En 1868, durante el régimen del emperador Meiji, desempeñó el puesto de gobernador de la prefectura de Hyogo y el de viceministro de Hacienda, cargo este último que le permitió establecer en Japón el sistema monetario decimal. Posteriormente, en 1872, fue ministro de obras públicas.

Después del asesinato de Toshimichi Okubo en 1878, Ito se convirtió en ministro de Asuntos Interiores y en el hombre fuerte del gobierno de Meiji, y, más adelante, en el año 1885, ascendió a primer ministro de Japón. Fue el principal artífice de la nueva Constitución, que, promulgada en 1889, constituyó las bases del moderno Estado japonés. Volvió a encabezar como primer ministro los gabinetes de 1892, 1898 y 1900.

Terminada al guerra chino-japonesa, Ito negoció el tratado de paz de Shimonoseki en 1895. Fundó el Partido Seiyukai, del que fue su primer presidente. Previendo la guerra con Rusia, pactó la alianza con Inglaterra y, después de la paz con aquélla, fue nombrado residente general de Corea hasta poco antes de su muerte en 1909, asesinado por un coreano en Harbin, Manchuria.

itrio. Elemento metálico que pertenece al grupo de las tierras raras. Tiene tres valencias, su número atómico es 39 y su símbolo, Y. Fue descubierto en 1794 por Johan Gadolin en Itterby, Suecia, por lo cual se llamó primero iterbita.

El itrio tiene un peso atómico de 88,92, una densidad de 4,478 gr/cm³ y su punto de fusión es de unos 1509 °C. Entre los minerales que contienen itrio están la monacita, gadolinita, euxenita, xenotima, etcétera. El óxido de itrio se obtiene de las tierras de itrio, cristalizando fraccionadamente los nitratos, y el elemento puro, por electrólisis del cloruro de itrio fundido.

El metal, de color grisáceo, es muy oxidable en contacto con el aire.

Los isótopos radiactivos del itrio se emplean para tratar el cáncer.

Itten, Johannes (1888-1967). Pintor suizo, uno de los pioneros del arte en el siglo XX. Comenzó sus primeras composiciones abstractas bajo la influencia de Hölzel en la Academia de Stuttgart, a las que sucedieron creaciones de inspiración cubista. Su estilo se caracteriza por la búsqueda de un expresionismo colorista, para llegar a una pintura concreta, racionalista y sensual a la vez. Asimismo compaginó la labor de creación con la pedagogía; dirigió una escuela de dibujo en Viena, fue profesor del Bauhaus en Weimar, y de 1938 a 1953 dirigió la Escuela de Artes y Oficios de Zurich.

Iturbi, José (1895-1980). Pianista y director de orquesta español. Comenzó sus estudios de piano en Valencia, su ciudad natal, para continuarlos en París; luego de terminados, durante los años 1919-1923, desempeñó la cátedra de piano en el Conservatorio de Ginebra. Desde entonces dio numerosos conciertos y dirigió las grandes orquestas de Europa y América.

Iturbide, Agustín (1783-1824). Emperador de México. Nació en Valladolid (hoy Morelia). Dedicado desde muy joven a la milicia, ingresó en el Ejército realista con el grado de alférez y fue ascendido por méritos de guerra. Al iniciarse la guerra de independencia combatió a los insurgentes y fue implacable con ellos. A principios de 1820 participó en la conspiración llamada *de La Profesa*, a la que no era ajeno el virrey Apodaca, para lograr la independencia de México e implantar un régimen absolutista de gobierno, y en noviembre de ese año Iturbide fue designado jefe del Ejército del Sur para combatir al general insurgente Vicente Guerrero, con cuyas tropas sostuvo varios combates y experimentó reveses parciales. Iturbide, obrando por su cuenta, se puso en comunicación con Guerrero (enero de 1821), instándolo a que se uniera a él para llevar a cabo entre ambos la independencia de México. Vencido el natural recelo, Guerrero llegó a convencerse de la sinceridad de Iturbide y se adhirió a los proyectos de éste.

El 24 de febrero de 1821 publicó el *Plan de Iguala*, que proclamaba la independencia de México, con una monarquía sobre bases constitucionales y que difería del régimen absolutista acordado en la conspiración *de La Profesa*. Los dos jefes, Guerrero e Iturbide, se entrevistaron en Telo-

Museo Nacional de Historia

Don Agustín de Iturbide.

loapan (10 de marzo), y Guerrero, con admirable espíritu patriótico, se puso con sus tropas a las órdenes de Iturbide. Otros núcleos de tropas insurgentes y realistas se adhirieron al *Plan de Iguala*, y el ejército así formado recibió el nombre de *Ejército de las Tres Garantías*, bajo el mando de Iturbide. Sobrevino la lucha contra los absolutistas y el 24 de agosto de 1821 Iturbide celebró en Córdoba (Veracruz) una entrevista con Juan O'Donojú, designado capitán general (virrey) de Nueva España, que acababa de llegar de la península, quien en vista de los hechos consumados aceptó el *Plan de Iguala* y firmó con Iturbide el *Tratado de Córdoba*, por medio del cual terminaba la lucha y México alcanzaba su independencia.

Iturbide entró triunfador en la capital de México (27 de septiembre) a la cabeza del Ejército Trigarante. Se nombró una Junta Provisional Gubernativa, que el 28 de septiembre promulgó el *Acta de Independencia del Imperio Mexicano*, y se constituyó la Regencia. Iturbide fue elegido presidente de la Junta y de la Regencia, y continuó con el mando del Ejército. El 24 de febrero de 1822 inició sus labores el Congreso Constituyente, cuyos miembros se dividieron en *borbonistas*, partidarios de elegir un monarca de la dinastía de Borbón; *iturbidistas*, a favor de Iturbide emperador, y *republica-*

nos, que propugnaban formas democráticas de gobierno.

El 18 de mayo un pronunciamiento militar proclamó a Itubide emperador, que con el título de Agustín I fue coronado el 21 de julio de 1822, y disolvió el Congreso por serle hostil. Estallaron contra él varias sublevaciones militares y tuvo que restablecer el Congreso (7 de marzo de 1823) y presentar su abdicación (20 de marzo). El Congreso declaró nulos la coronación de Iturbide y todos sus actos como emperador y lo condenó al destierro, Iturbide se dirigió a Italia. En febrero de 1824, anunció desde Londres su intención de regresar a México. A finales de abril, el Congreso lo declaró traidor y fuera de la ley si regresaba, lo que no llegó a conocimiento de Iturbide, que a principios de mayo embarcó para México. Desembarcó en Soto la Marina el 15 de julio, fue detenido al día siguiente y fusilado el 19 de julio de 1824.

Iturriaga, José de (1699-1767). Administrador colonial español. Gerente de la Compañía Guipuzcoana de Caracas, se le considera autor del *Manifiesto* que lanzó la compañía en su defensa a raíz de la insurrección de Juan Francisco de León (1749). Fue jefe de la expedición que verificó las fronteras portuguesas en Brasil. Fue fundador de diversas poblaciones: Ciu-

dad Real y Real Corona (1754-1761). En 1762 fue nombrado comandante general del Orinoco y Río Negro, cargo que ejerció hasta 1765.

Iturrigaray y Aróstegui, José Joaquín de (1742-1815). Administrador colonial español. Ingresado en el ejército, intervino en diversas campañas y, en 1801, desempeñó el cargo de comandante en jefe del ejército de Andalucía. Su amistad con Godoy le valió el cargo de virrey de Nueva España (1803-1808). Ante la nueva guerra contra Gran Bretaña, dispuso la creación de un ejército criollo (1805-1806) y con ello supo atraerse la confianza de la aristrocracia criolla, pero en cambio ganó los odios de los peninsulares y del pueblo, perjudicados con la carga de los impuestos. Debido a la caída de Godoy y los acontecimientos de 1808 en la península, Iturrigaray optó por apoyar al pueblo criollo que, desde el cabildo, había constituido una junta gubernativa independiente respecto a las autoridades de la península, al frente de la cual se puso el propio virrey (19 de julio), pero que fue desautorizada por la Audiencia, foco del Partido Peninsular. Al agravarse las tensiones, en la noche del 15 de septiembre de 1808 un grupo de españoles, acaudillados por Gabriel de Yermo, prendieron y destituyeron a Iturrigaray, al que enviaron después a la península, donde hubo de responder en un largo juicio de residencia por su gestión virreinal.

Ituzaingó, batalla de. La que se llevó a cabo en los llanos del mismo nombre entre uruguayos y argentinos contra brasileños el 20 de febrero de 1827; ganaron los primeros al mando de Carlos de Alvear, y la victoria tuvo como consecuencia la independencia definitiva de Uruguay, proclamada en julio de 1830.

itzá. Recibe este nombre la tribu del grupo maya que en el siglo XV radicó en Petén (norte de Guatemala) y en Honduras Británica proveniente de Yucatán.

Los itzáes, que se habían establecido en Chichén Itzá en el año 495, la abandonaron en el año 692 y residieron durante más de dos siglos en Campeche. Del año 928 al 948 se dirigieron hacia el noreste conducidos por Quetzalcóatl-Kukulcán, y volvieron a ocupar Chichén Itzá del año 968 al 987. Al desintegrarse la Liga de Mayapán (1441), las grandes ciudades mayas fueron abandonadas y los itzá emigraron al Petén, donde fundaron Tayasal, al oeste del lago de Petén Itzá (Guatemala). La conquista de la nación itzá fue difícil, y en 1697 el español Martín de Ursúa se apoderó de Tayasal. En la actualidad se desconoce su paradero, conjeturándose que alrededor de 1960 abandonaron el lago de Petén Itzá y emigraron hacia el norte, como los lacandones, perdiéndose en la impenetrable selva del Petén.

itzamná. *Véase* MAYAS.

Itzcóatl (1381-1440). Cuarto rey de México. Se cree que su nombre significa *serpiente de obsidiana*. Era hijo de Acamapichtli, el primer rey y sucedió a Chimalpopoca, tercer rey. Subió al trono cuando tenía 46 años de edad, y reinó de 1427 a 1440, fecha de su muerte. Al principio de su reinado, México era tributario de los tecpanecas de Azcapotzalco, que oprimían a los aztecas con pesados tributos, Itzcóatl les hizo la guerra, los derrotó y, a su vez, los redujo a la condición de vasallos, realizando así la independencia de México, cuyo poderío aumentó con guerras victoriosas y conquistas. Formó la llamada *Alianza del Anáhuac*, entre México, Texcoco y Tlacopan, en la que México ejercía la supremacía militar. Se le da el título de primer emperador azteca, porque consumó la independencia y forjó la grandeza de su patria. A sus sucesores se les designa, también, indistintamente con los títulos de reyes o emperadores.

Iván III (1440-1505). Soberano de Rusia, llamado el *Grande*, fue uno de los fundadores del imperio, que gobernó desde 1462 a 1505, liberando gran parte del territorio de manos de los tártaros. Inició relaciones con las naciones occidentales y dio impulso a la civilización, llamando a ingenieros y artistas extranjeros. Una de las obras de arquitectura más notables de su reinado es el Kremlin. Contrajo matrimonio con Sofía, sobrina del último emperador bizantino y princesa de la familia de los Paleólogos. La ceremonia matrimonial se realizó en San Pedro de Roma, ante el papa Sixto IV, lo cual hizo concebir la esperanza de que se llegara a realizar una fusión de la Iglesia ortodoxa con la católica, que luego no prosperó.

Iván IV (1530-1584). Soberano de Rusia, llamado *el Terrible*. Adoptó el título de zar al ser coronado en 1547. Príncipe humano y progresista al comienzo de su reinado, luego se transformó en despótico y atrabiliario. Hizo varias guerras para extender sus dominios a Kazán, Astracán y Siberia; se casó siete veces y en un ataque de cólera asesinó a su hijo Iván (1581). Inició con las reformas institucionales de 1566, el régimen autocrático que imperó en Rusia durante 350 años. Inició el intercambio comercial con Inglaterra.

Ivens, Joris (1898-1981). Conocido director cinematográfico holandés, el mayor y más fecundo documentalista contemporáneo. Entre los años 1927 y 1928 da a conocer sus primeros documentales:

De Brug (El puente), *Branding* (Resaca), *Regen* (Lluvia), realizados con excelente fotografía. Pronto, en el año 1930, empieza a filmar un documental de grandes proporciones en torno al hombre capaz de dominar la naturaleza, llamado *Zuirdezee* porque versa sobre las obras emprendidas por el gobierno holandés para sanear el lago interior del mismo nombre (antiguo mar del Sur); en todas sus versiones queda terminado en 1934. Mientras, viaja a Rusia en 1932 donde rueda *Konsomol* (El canto de los héroes). Al año siguiente de terminar la última versión de *Zuirdezee*, y en colaboración con Henri Stork filma Borinage cuyo tema es la vida miserable de los mineros belgas. Durante sus viajes a España, Estados Unidos, Bulgaria, Checoslovaquia, Polonia y Yugoslavia realiza *Tierra de España*, sobre la guerra Civil Española; *El país del poder*, sobre Estados Unidos; *Los primeros años*, que trata de las nuevas democracias populares en Europa. En 1957 filma *El Sena ha encontrado a París* y, en 1959, rueda en África *Mañana en Nanguila*. Después Ivens viaja a Cuba donde realiza *Carnet de viaje*, en 1960.

El principal objetivo de la obra de Ivens es el conocimiento profundo del hombre y la denuncia de los obstáculos que impiden su bienestar, colectivo o individual.

Ives, Charles Edward (1874-1950). Compositor estadounidense quien, junto con Claude Debussy, Arnold Schönberg e Igor Stravinsky, fue uno de los principales innovadores de la música del siglo XX. Nació en Danbury y su padre, que tocaba en la banda municipal de un pueblo, le fomentó su inclinación por la música. Durante cuatro años fue un rebelde estudiante de composición en la Universidad de Yale; después dedicó la mitad de su tiempo al lucrativo negocio de los seguros y la otra mitad a componer. El intenso trabajo quebrantó seriamente su salud y tuvo que abandonar ambas actividades en 1930.

Ives, en su música, fue más lejos aún que sus contemporáneos y realizó innovaciones en todos los géneros musicales, practicando la atonalidad en obras compuestas unos 10 años antes que las de Schönberg de la misma clase. Experimentó también con el ritmo libre, la armonía del cuarto de tono, la música estereofónica y la técnica de emplear en forma simultánea pasajes musicales de diferentes ritmos, modos y calidades sonoras. En su obra hay claros antecedentes de la música aleatoria y espacial. Escribió seis sinfonías, de las que sobresale *Three Places in New England*, 114 canciones y muchas otras obras. Con su tercera sinfonía ganó el premio Pulitzer de 1947.

Ives, Frederic Eugene (1856-1937). Inventor estadounidense conocido princi-

palmente por sus estudios y contribuciones a la técnica del fotograbado. Desde muy joven fue un excelente fotógrafo y estuvo encargado del laboratorio fotográfico de la Universidad de Cornell. En 1878 inventó el primer proceso llamado *medio tono*, diferente del que se emplea actualmente pero de idénticos resultados, y, entre 1885 y 1886, inventó el método de *medio tono* que ahora se usa en todas partes. Otros de sus inventos importantes son el fotograbado en medio tono, precursor del rotograbado y el moderno microscopio binocular de un solo objetivo de tubo corto.

Iwo Jima. *Véase* GUERRA MUNDIAL, SEGUNDA.

Ixtlán del río. Sitio arqueológico mesoamericano en el estado mexicano de Nayarit, perteneciente a la cultura de Occidente, con influencia tolteca.

En la sección sur hay una plataforma de poca altura que forma una escuadra de brazos de 40 m, sobre la que aparecen los restos de los pilares de una galería. El llamado *Templo de Quetzalcóatl* está formado por un cuerpo cónico truncado por cuatro escalinatas de acceso. Sobre esta plataforma se encuentran dos pequeños adoratorios de planta rectangular.

Ixtlilxóchitl I, Ometochtli (?-1418). Sexto soberano de Texcoco (1409-1418). Hijo de Techotlalla y de Tozquentzin, sucedió a su padre en el gobierno de Acolhuacan, con capital en Texcoco. Este Estado, aunque poderoso, se hallaba amenazado por Azcapotzalco, y en los primeros años de su reinado Ixtlilxóchitl debió pagar tributo a Tezozómoc de Azcapotzalco, pero posteriormente, al negarse, estalló la guerra que enfrentó a Ixtlilxóchitl contra Tezozómoc.

Ixtlilxóchitl pereció en una emboscada, y su desaparición significó el predominio de Azcapotzalco en el valle de México hasta 1430.

Ixtlilxóchitl II (1500-1550). Undécimo soberano de Texcoco. En 1516, a la muerte de su padre (Nezahualpilli), se enfrentó a su hermanastro Cacamatzin, elegido soberano de Texcoco. Refugiado en Mettitlán y con el apoyo de totonacas y tlaxcaltecas, obtuvo los territorios septentrionales de Acolhuacan, estableciendo la capital de Otumba (1518). Apoyó a Hernán Cortés en su conquista del imperio azteca, y a la muerte de Cacamatzin por los españoles (1520) prosiguió la lucha contra el sucesor de Texcoco, su hermano Coanacochtzin, hasta conseguir apoderarse del gobierno de Texcoco, el cual no obtuvo ninguna efectividad, pues quedó sometido al dominio español.

Izabal

Art Today

La silueta de una mujer dormida que caracteriza al volcán Iztaccíhuatl, en una foto de 1911.

Izabal. Departamento de Guatemala situado en el este del país, en la costa del Caribe. Tiene una superficie de 9,038 km² y una población de 253,153 habitantes (1994). Su sistema orográfico se halla formado por las sierras de Santa Cruz y de las Minas. Entre los ríos principales figuran el Polochic y el Motagua. Es notable el lago de Izabal, que por mediación del río Dulce y el Golfete desagua en la bahía de Amatique. Produce cacao, plátanos, café, arroz, azúcar, quina y maderas tintóreas. Su capital, Puerto Barrios, tiene 39,494 habitantes.

Izabal. Lago de Guatemala, el mayor del país; 589.6 km². Ocupa una depresión tectónica orientada de sureste a noreste, bordeado al norte por la Sierra de Santa Cruz y al sur por la de Minas. Profundidad: de 11 a 14 m. Su prolongación este, el Golfete, desagua en la bahía de Amatique (Mar Caribe) por su emisario, el río Dulce. Recibe, entre otros ríos, el Polochic y el San Marcos.

Izalco. Volcán activo que se encuentra en la parte occidental de El Salvador. Está situado a unos 16 km al noreste de la ciudad de Sonsonate, en el departamento del mismo nombre, y casi a 40 km de distancia del océano Pacífico. Es el más reciente de los numerosos volcanes que existen en la república, pues, aunque había en ese lugar ausoles y fumarolas desde 1576, el volcán propiamente dicho se formó en 1770 con una erupción repentina. Durante los periodos de intensa actividad se ven desde el mar las lenguas de fuego que salen de su cráter, por lo que se le denomina *faro del Pacífico.* Su cumbre alcanza unos 1,900 m sobre el nivel del mar. Cerca del

volcán, en el Cerro Verde, hay un centro turístico desde donde puede admirarse.

Izamal. Sitio arqueológico en Yucatán. El edificio principal es una plataforma de planta rectangular de 12 m de altura y unos 200 m por lado, en cuya parte posterior se levanta una pirámide. Ésta fue construida para erigir un convento cristiano.

Izquierdo, María (1908-1955). Pintora mexicana. Influida primero por el vanguardismo europeo, derivó hacia un folclorismo de raíz mexicanista con el que afirmó una personalidad singular. En diversas etapas de su labor se aproximó tanto al Surrealismo como al Romanticismo y a un primitivismo intelectualizado.

Iztaccíhuatl. Montaña volcánica de México. Tiene 5,286 m de altitud. Su nombre significa mujer dormida, en náhuatl. Está situada en la Sierra Nevada, cercana al volcán Popocatépetl en el Estado de México, en el límite con el estado de Puebla. Es de configuración alargada y comprende varios volcanes extinguidos, de cráteres desintegrados, cuyas tres protuberancias principales se asemejan, respectivamente, a la cabeza, el pecho y los pies de una mujer acostada y cubierta por una capa de nieve resplandeciente, a la que debe su poético nombre. Su deslumbrante belleza, unida a la del Popocatépetl, sobresale al este sobre el grandioso panorama de montañas que circunda a la ciudad de México. Es muy frecuentada por alpinistas.

Iztapalapa. Delegación de México, Distrito Federal; 1.696,609 habitantes (1995). Antigua población náhuatl, en la península que formaban los lagos Texcoco y Xochimilco, al sur de México-Tenochtitlán, unida a ésta por una calzada sobre el primero de los lagos. Formó una confederación con Culhuacán, Huitzilopochco y Mexicalcingo. Itzcóatl, rey de México-Tenochtitlán, al vencer al soberano Maxtl de Azcapotzalco (1430), impuso como señor de Iztapalapa a su hijo Cuitláhuac. A la llegada de los españoles (1519) gobernaba la ciudad el hermano de Moctezuma Xocoyotzin, Cuitláhuac, que posteriormente fue rey de México-Tenochtitlán (1520).

La conmemoración de La Pasión de Cristo en Iztapalapa, México. El voluntario para representar a Jesús es clavado realmente a la cruz.

JGH Editores

J. Décima letra del abecedario español y séptima de sus consonantes. De articulación velar, fricativa y sorda, su sonido es idéntico al de la *g* fuerte, como en *general, genio*. La *j* es en realidad la iota latina (o sea, la *i*) considerada como consonante, es decir, antes de vocal. Por ejemplo, *iustum*, o *justo* en castellano. Los hispanoárabes pronunciaban casi siempre la *s* latina como *j*, y así se explica que de la palabra latina *sapone* haya nacido la castellana *jabón*. Otras sustituciones fonéticas comprenden casos como el de *ceja*, que proviene del latín *cilia*. La letra *j* se usa poco como símbolo; la *j* minúscula suele designar a la medida eléctrica julio.

jabalí. Mamífero de la familia de los súidos, que se cría en Europa y regiones templadas de Asia, África y América. Es el antecesor del cerdo común europeo, del cual se diferencia por las siguientes particularidades: aunque más alto, no alcanza nunca el peso ni gordura de éste, la cabeza es más alargada y la cara más puntiaguda; en los machos, de las mandíbulas emergen fuertes y largos colmillos, armas temibles mientras el animal es joven, pues al llegar a la vejez se inutilizan por un crecimiento desmesurado y cierta deformación. Los dos de la mandíbula inferior se dirigen hacia arriba, en tanto que los dos de la superior, aunque sólo alcanzan la mitad del desarrollo de los primeros, se incurvan hacia abajo. Su pelaje, recio y espeso, es de un gris negruzco uniforme. Es un animal de bosque e intrépido, que se alimenta de raíces, granos, pequeños animales y huevos de ave, que se procura en sus correrías nocturnas. La caza del jabalí constituía el deporte favorito de los reyes y nobles medievales. Hoy se practica todavía este deporte en muchos países, acosando jinetes y perros al animal hasta darle muerte. Por su carne, que adobada es excelente, se le cría en cautividad, método que originó por sucesivas multiplicaciones, el porcino doméstico actual, con todas sus razas y variedades. *Véanse* BABIRUSA; CAZA; CERDO; PECARÍ.

jabalí verrugoso. Jabalí de gran talla, con la cabeza voluminosa armada de cuatro grandes colmillos; los superiores, arqueados en forma de astas, llegan a tener 60 cm. Entre los colmillos y los pequeños ojos presenta tres pares de verrugas que acentúan su fealdad. El cuerpo es de color gris, sembrado de cerdas ralas en la parte superior y cabeza. Vive en pequeñas manadas en las regiones boscosas del sur de África, alimentándose de raíces y tallos de toda clase, a más de los animales que puede atrapar. Es tímido, huye a la menor alarma y en días calurosos se protege enterrando su parte trasera en guaridas hechas por otros animales, dejando fuera su cabeza para defenderse contra cualquier ataque.

jabalina. Arma de forma de lanza que se utilizaba en la caza mayor, como la del jabalí. En las competencias atléticas mo-

Lanzamiento olímpico de Jabalina.

Corel Stock Photo Library

dernas se utilizan jabalinas de madera de 2.60 m de longitud y 800 gr de peso, con punta acerada y una cuerda arrollada en espiras, en la parte central, para empuñarla fácilmente. Para tomar impulso, el atleta corre unos metros antes de lanzar la jabalina, que debe caer de punta en el suelo para que el tiro sea válido. Entre los principales récords mundiales figuran el establecido por el finlandés Jaaristo, en 1912, para el lanzamiento a dos manos, de 109,42 m, y el del estadounidense Bud Held, en 1953, que alcanzó 80,41 m, para el lanzamiento con una mano.

jabirú. Ave zancuda muy semejante a la cigüeña, que habita en las regiones pantanosas de la América del Sur. Mide 1.40 m de altura; el pico se encorva hacia arriba; su plumaje es blanco; el pico, las patas, la cabeza y el cuello son negros, si bien en esta última región presenta un anillo rojizo que se hincha cuando el animal está irritado. Se alimenta de peces, reptiles y otros animalitos acuáticos.

jabón. Pasta que resulta de la combinación de un álcali con los ácidos del aceite u otro cuerpo graso; es soluble en el agua y sirve comúnmente para lavar. Se cree que en la antigüedad, el jabón era conocido por celtas y galos. En Roma antigua se atribuía su descubrimiento a la casualidad. Según una leyenda el sebo de unas velas que ardían en una de las colinas sagradas de la antigua Roma se mezcló en cierta ocasión con cenizas de madera y derramándose por las faldas de la colina fue a quedar retenido en las orillas del Tíber. Los esclavos, que lavaban las túnicas de sus amos en ese lugar, descubrieron con sorpresa que las aguas limpiaban las ropas con notable celeridad. Hallada la causa del fenómeno, no tardaron los industriosos mercaderes de la ciudad en fabricar una sustancia con los mismos ingredientes. Se hallaba difundida entre la aristocracia la costumbre de lavarse con aceite de olivas, leche de cabras o diversas sustancias aromáticas, el uso del jabón sólo se generalizó a partir del siglo III de nuestra era, cuando los pobladores del

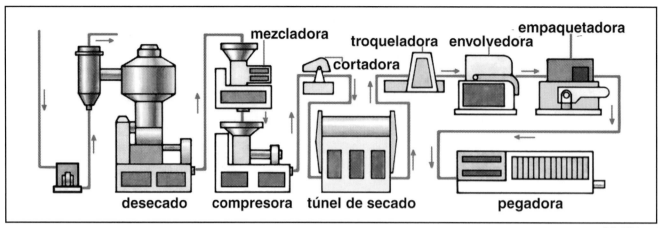

mezcladora

troqueladora envolvedora

empaquetadora

cortadora

desecado compresora túnel de secado pegadora

Jabón. Esquemas del proceso de manufactura y, a la derecha, del proceso de hidrólisis.

sur de Francia decidieron adoptarlo. Si bien los españoles fabricaron excelente jabón durante muchos siglos, la fabricación en grande escala y su consiguiente abaratamiento sólo fue posible a partir de principios del siglo XIX, gracias a las investigaciones de los químicos franceses Chevreul y Lettane.

Obtención y usos. Las materias primas utilizadas para preparar jabón son las siguientes: materias grasas, sebos, aceites hidrogenados o vegetales; álcalis, sosa cáustica o potasa cáustica, sal común, y diversas sustancias colorantes, perfumes, compuestos medicinales, etcétera. La primera operación del proceso consiste en combinar las materias grasas con los álcalis sometiéndolos a la acción del calor en grandes calderas, después de esta etapa que constituye la saponificación, tiene lugar la saladura que consiste en agregar una disolución concentrada de sal común. La sustancia obtenida se somete a cocción y es enviada a recipientes donde se le agregan los productos colorantes o medicinales, así como las sustancias odorantes que sirven para disimular el olor a sebo de los jabones ordinarios. El jabón fundido se vierte en moldes de diversas formas y tamaños y es empaquetado una vez bien seco.

El jabón recibe cuatro usos principales. Las variedades usadas para lavar son de varias clases; la más vulgar es el jabón amarillo, que tiene gran cantidad de sebo; pero, también se emplean jabones en escamas, obtenidos gracias a un complejo procedimiento mecánico. Los jabones de tocador, que integran la segunda categoría, se preparan en tres formas: en pastillas, en polvo o líquidos; todas ellas reciben el agregado de diversas sustancias colorantes y odorantes. El tercer grupo comprende los jabones medicinales que poseen azufre, alquitrán, ácido fénico u otras sustancias recomendadas para diversas enfermedades cutáneas. Por último, los jabones

industriales, de alto poder detergente, son de gran utilidad para la industria textil. Durante el siglo XIX se solía fabricar jabón en los hogares utilizando moldes y métodos bastante primitivos. Esta fabricación doméstica tiende a desaparecer, pues existen máquinas que elaboran hasta 100,000 pastillas de jabón en un día.

jacaranda. Árbol bignoniáceo originario de América meridional, del que se conocen unas 30 especies; da flores violetas, rojas o azules; su madera, blanca en unas variedades y negra en otras, se asemeja al mármol. Es una planta ornamental, muy difundida en plazas y jardines públicos de muchas ciudades europeas y americanas;

Jacinto morado.

las especies enanas se prestan admirablemente para formar cercados.

jacinto. Planta de hojas largas, estrechas, brillantes; produce flor del mismo nombre, de color variable, pues las hay blancas, azules, rosáceas o amarillentas, siempre agrupadas en espiga sobre un tallo central cilíndrico. Es una de las flores predilectas de la primavera y una de las más bellas entre las pertenecientes a la familia de las liliáceas. Procede de los continentes africano y asiático, y fue llevada a Europa en el siglo XVI. Se produce tanto en prados como en jardines, si bien debe contar siempre con tierras permeables, donde se siembran los bulbos, que brotan en primavera.

Los holandeses fueron los primeros en obtener, por hibridación, las variedades dobles que hoy se conocen, pues el jacinto llevado a los Países Bajos desde Asia era sencillo. Tan notable ha sido la transformación merced a los trabajos de los floricultores, que apenas puede reconocerse en las nuevas variedades al ascendente de una sola espícula. Con el andar del tiempo se ha logrado que las flores sean más grandes y sus colores más vivos y variados. La pericia de sus cultivadores ha creado en Holanda una especialización en el cultivo de estas y otras plantas que se reproducen por bulbos. La esencia de jacinto es muy apreciada en perfumería.

Jackson, Andrew (1767-1845). Político y militar estadounidense. General de milicias, su victoria sobre los ingleses en New Orleans (1815) lo convirtió en héroe nacional. En 1818 derrotó a los semínolas y los persiguió dentro del territorio español de la Florida; adquirida ésta por Estados Unidos fue gobernador de la misma en 1821. Triunfó rotundamente en las elecciones presidenciales de 1828 como candidato demócrata y fue reelegido en las de

1833. Fue el séptimo presidente de Estados Unidos (1829-1837). Con él, se inició en la política estadounidense una nueva etapa: la democracia popular.

Jackson, Helen Fiske Hunt (1830-1885). Novelista y poetisa estadounidense. Iniciada en las letras como cuentista y poetisa para niños, su permanencia en Colorado la puso en contacto con la tenebrosa realidad que suponía el abandono y maltrato de la población indígena estadounidense. Deseosa de corregir tal estado de cosas publicó el libro *Un siglo de deshonor*, envió un ejemplar a cada diputado del Congreso y fue nombrada comisario especial de Asuntos Indios. Al mismo tipo de literatura social, cuyo precedente fue *La cabaña del tío Tom*, pertenece su obra maestra *Ramona*, pintura sentimental de las vicisitudes de una joven india.

Jackson, Jesse (1941-). Ministro bautista estadounidense, activista en pro de los derechos civiles. Desde 1960 se ha dedicado a mejorar las condiciones sociales y económicas de los afroestadounidenses así como de otros grupos minoritarios. Durante sus años de estudiante inició su trabajo en pro de los derechos civiles, participando en el movimiento encabezado por Martin Luther King. Se graduó en sociología en 1963 de la North Carolina Agricultural and Technical University. En 1968 se ordenó como ministro bautista del Seminario Teológico de Chicago. Fue nominado en dos ocasiones para la candidatura a la presidencia de Estados Unidos por el Partido Demócrata (1983 y 1987), y fue el primer afroestadounidense en lograr un apoyo importante. Además, en la segunda ocasión obtuvo el doble de votos de la ciudadanía que en la primera, y el apoyo de tres veces más delegados. Jesse Jackson continúa siendo una persona influyente en la política y una importante figura de la lucha en pro de los derechos civiles, tanto en su país como en el resto del mundo.

Jacob, Françoise (1920-). Biólogo francés que contribuyó al conocimiento sobre la función de los genes y obtuvo, junto con los biólogos franceses Jaques Monod y André Lwoff, el Premio Nobel de Medicina o Fisiología en 1965. En el Instituto Pasteur en 1958, Jacob y Monod propusieron que las moléculas de ácido ribonucleico (ARN) llevaban el mensaje genético del ácido desoxirribonucleico (ADN) del núcleo a los ribosomas, o lugares de síntesis proteica en las células. También encontraron que algunos genes, que llamaron *genes operadores*, regulan la actividad de otros genes sintetizadores de proteína.

Jacobi, Karl Gustav Jacob (1804-1851). Matemático alemán. Se doctoró en la Universidad de Berlín (1825) con una tesis sobre fracciones parciales y en 1827 fue nombrado profesor extraordinario de matemáticas en la Universidad de Königsberg. Hizo investigaciones sobre las funciones elípticas, estudiando su doble periodicidad, descubrimiento que compartió Niels Henrik Abel. También tuvo importancia su labor innovadora al aplicar la teoría de funciones a la teoría de los números, utilizando las funciones elípticas para demostrar la conjetura de Pierre de Fermat de que todo número entero puede expresarse como suma de los cuadrados de, a lo sumo, cuatro enteros.

Fueron también importantes sus trabajos sobre dinámica y, en particular, sus investigaciones sobre las ecuaciones diferenciales de primer orden.

jacobinos. Miembros de un club que durante la Revolución Francesa tuvo participación muy principal en el desarrollo de la misma. Algunos historiadores opinan que proviene de que aquellos eran entusiastas de Rousseau, llamado en Francia simplemente Jean Jacques; mientras que otros dicen que tiene por origen el haberse instalado la Sociedad de Amigos de la Constitución en el ex convento de los frailes carmelitas de la calle de San Jacobo. Los jacobinos no formaban un partido, pero influían decisivamente en la marcha de la revolución. Republicanos de izquierda un tanto exaltados y demagógicos, tomaron por asalto la Comuna parisiense la noche del 9 de agosto de 1792, asegurando el triunfo de la Revolución; ellos obligaron a la Asamblea Nacional Legislativa a disolverse para dar paso a la Convención. Capitaneados por Robespierre y Danton y apoyando a la fracción más apasionada de la Convención, la Montaña, condenaron a muerte a los reyes y desencadenaron el terror. El golpe de Termidor fue fatal para ellos, y el club fue disuelto en noviembre de 1794. *Véase* REVOLUCIÓN FRANCESA.

Jacquard, Joseph Marie (1752-1834). Inventor francés del primer telar mecánico, que revolucionó la industria textil. Hijo de un contramaestre, hizo famoso su nombre cuando, en 1801, construyó en Lyon una máquina para fabricar telas con dibujos hechos a base de hilados de distintos colores; haciendo evolucionar cada hilo de urdimbre independiente uno de otro obtuvo grandes efectos labrados, sin repetición alguna en todo el ancho del tejido. Este invento interesó al gobierno francés, que llamó a Jacquard a París, en cuyo Conservatorio de Artes e Industrias trabajó para perfeccionar su obra. La nueva máquina modificó fundamentalmente los antiguos telares y dio origen a la moderna industria textil, que fue desarrollándose y evolucionando en el periodo siguiente. Cuando se

Pieza de Jade en bruto.

trató de introducirla en los talleres de Lyon, los obreros se amotinaron contra Jacquard, quien, después de presenciar la destrucción de su aparato, estuvo a punto de perder la vida. Pero, el gobierno compró el invento, venció la resistencia de los trabajadores y Lyon entró en una fase de gran prosperidad merced a la máquina del antiguo obrero, la cual se convitió en uno de los factores más importantes de la llamada *Revolución Industrial*. Jacquard tiene hoy erigida una estatua en el mismo sitio donde fue destruido su telar.

jade. Silicato de magnesia y cal, con reducidas proporciones de alúmina, óxido de hierro y de magnesio, es decir, de composición semejante a la del feldespato. Es raro obtenerlo en forma cristalizable, y se presenta en diversidad de colores. Algunas variedades se caracterizan por sus tonalidades verdes en tanto que otras son amarillentas, grisáceas o blancas. Los chinos desde hace miles de años conocen el jade. Se conservan objetos tallados en jade de dinastías hacia 1,400 años a. C., encontrados en las ruinas de An-Yang. Actualmente lo emplean para fabricar amuletos contra el mal de piedra, teteras, incensarios y muchos otros objetos de adorno y utilidad.

El verdadero jade o nefrita no abunda en Europa, aunque se obtiene alguno en Liguria (Italia) y cerca de Berlín; se halla también en el Turquestán. El jade fue introducido en Europa por los conquistadores del Nuevo Continente. Se dice que su nombre no es más que la corrupción de la voz castellana *hijada*, pues en manuscritos de 1565 se habla de *la piedra de la yjada*, es decir, de la destinada a curar las enfermedades de los riñones, de donde el mineral recibe el nombre de *nefrita* (*nefros*, en griego, significa riñón). Los españoles, durante la conquista de México, América Central y Perú, encontraron amuletos tallados en jade que usaban los naturales de esas regiones. Los aztecas llamaban a ese mineral *chalchihuitl*.

Existen jades cuya composición química es semejante, pero no análoga al verdadero o nefrita, por lo cual se le da el nombre de *jadeitas* (silicatos de alúmina y so-

La torre de David, *cerca de la puerta de Jaffa.*

dio). Sus colores suelen ser más vivos que los de la nefrita, y las variedades más pálidas presentan vetas verdes. La mayor parte del jade chino es jadeíta, que abunda en el sur de China. En realidad, se trata de un jade más vistoso que el verdadero.

Jaén. Capital de la provincia española de su nombre. Los romanos la llamaron Flavia, y fue capital de un valiato durante la dominación musulmana. Es sede episcopal. Situada en la falda del cerro del Castillo, tiene hermosos paseos, como el de la Alameda, famoso ya en el siglo XVII. Edificios notables son: la catedral, construida sobre la antigua mezquita; las iglesias de San Juan, la Magdalena y San Ildefonso; el palacio Provincial y el Gobierno Civil. Tiene 113,141 habitantes (1995) y es centro de una zona de importante producción de aceite, cereales y vino.

Jaén. Provincia española perteneciente a la región de Andalucía. Limita con Ciudad Real, Albacete, Granada y Córdoba. Por su parte norte se extiende Sierra Morena, que toma diferentes nombres en su transcurso, sin formar cordilleras continuas ni altas montañas, pero sí una región de gran aspereza, abriéndose hacia el centro el famoso puerto de Despeñaperros. Su superficie es de 13,498 km^2 y su población asciende a 666,767 habitantes (1995). Aparte de la capital, sus poblaciones más importantes son: Andújar, Linares, Martos, Úbeda, Baeza, Alcalá la Real, La Carolina y Cazorla. Posee fábricas de cemento, materiales de construcción, jabones, pinturas, alfarería, y cultiva intensamente los cereales. El aceite constituye su principal fuente de riqueza, siendo la provincia de Jaén la que contiene el mayor olivar de España y de todo el mundo. En la región de Sierra Morena es clásica la minería del plomo.

Jaffa. Ciudad y puerto de Israel al sur de Tel-Aviv. Dista 55 km de Jerusalén. Tiene activo comercio de exportación: frutas (principalmente naranjas) aceite, granos, pieles, algodón, lana y cigarrillos. Es ciudad antigua, que con el nombre de Joppa, se conoce desde los tiempos bíblicos. Por su puerto se recibían las maderas preciosas para la construcción del templo de Jerusalén. Perteneció a Turquía hasta 1917, en que la capturaron los ingleses durante la Primera Guerra Mundial. Pasó a formar parte del Estado de Israel en 1948 y poco después fue incorporada a Tel-Aviv. Las dos ciudades unidas tienen 223,600 habitantes.

jaguar. Llamado también tigre americano, es un carnívoro de la familia de los félidos. Mide casi 2 m de longitud, desde el hocico a la punta de la cola. Habita en el Nuevo Mundo, en el sur de Estados Unidos, en México, en América Central y en América del Sur, hasta la Patagonia. Vive en terrenos pantanosos, a orillas de los ríos, en las sabanas y espesuras y en los linderos de las selvas. El color de su piel varía en los individuos, pues va desde el blancuzco hasta el rojizo, coloración esta última que se hace más visible en la cabeza, cuello y parte exterior de las extremidades. La parte superior de la cabeza y los costados de la cara presentan manchas oscuras y el resto del cuerpo está cubierto por anillos abiertos de color negro y franjas oscuras irregulares en las ancas. En las Guayanas se encuentran ejemplares casi negros.

Se alimenta de aves, ciervos, tapires y otros animales. En sus incursiones por los centros poblados, causa destrozos en las vacas y caballos. Aunque raras veces ataca al hombre, no deja de hacerlo si lo encuentra desprevenido. Su ferocidad corre pareja con su enorme fuerza y su rugido posee un tono bajo y profundo. Tiene gran habilidad para apoderarse de los peces que pasan a su alcance, a los cuales atrapa con un movimiento rápido de sus garras. En la época de celo y de la cría se torna aún más feroz y peligroso.

El jaguar se encuentra generalmente solo, si bien a veces en parejas. Por lo general, mata una sola presa cada vez, y si le sobra carne la arrastra hasta el interior de los bosques. Su manera de atacar a las víctimas consiste en saltar sobre ellas y arrojarlas al suelo mediante un vigoroso zarpazo. Cuando ha probado carne humana, suele volver a los poblados o atacar al hombre en la espesura. El jaguar, así enviciado, recibe en la Argentina el nombre de *tigre cebado.* La hembra tiene tres o cuatro cachorros al año, y apenas cuentan 15 días cuando ya pueden seguir a su madre.

Jaime I, *el conquistador* (1208-1276). Rey de Aragón que empuñó el cetro a los 16 años y se distinguió por su firmeza de carácter, su visión política y sus dotes militares, merced a las cuales logró el sobrenombre con que figura en la historia. Con 15,000 infantes y 1,500 jinetes emprendió la conquista de Mallorca, que consumó en 1229. El suceso más impor-

Antiguo puerto de Jaffa en la costa mediterránea de Israel.

tante de su reinado fue la conquista de Valencia (1238). Participó en las Cruzadas con el envío de una expedición al mando de su hijo Pedro, la cual llegó a San Juan de Acre. Iniciador de la política mediterránea, dio a Aragón días de gloria, prosperidad comercial y preponderancia política.

Jaimes Freyre, Ricardo (1868-1933).

Literato, poeta, diplomático e historiador boliviano. En su libro *Castalia Bárbara*, se revela como un poeta vigoroso. Fue representante calificado de la escuela Modernista en América. En su tratado *Leyes de la versificación castellana*, expuso una nueva teoría métrica que ha contribuido a enriquecer el acervo de la literatura.

Jaimes Sánchez, Humberto (1930-).

Pintor y grabador venezolano. Estudió en la Escuela de Artes Plásticas de Caracas. En 1945 recibió una beca para perfeccionar sus estudios en Roma y París, donde permaneció tres años. Realizó exposiciones en Venezuela, Estados Unidos, Brasil, Francia, Fue Premio Nacional de Pintura en el Salón Oficial de 1962. Desde una primera etapa figurativa, su obra ha evolucionado hacia un abstractismo de intensión lírica.

jainismo. Secta religiosa de la India, que se desarrolló, como el budismo, en oposición al brahamanismo tradicional. Fundada en el siglo VI a. C., tuvo como jefe principal a un contemporáneo de Buda llamado Nataputta o Vardhamana Mahavira. Los jainistas rinden culto, en magníficos templos, a sus *santos* o jefes de escuela que

*Símbolo jainista que representa al alma (*jiva*) rodeada de materia inerte.*

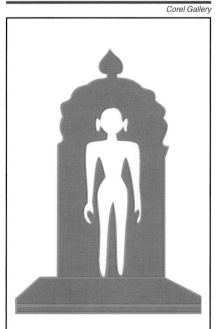

Jaguares negro y moteado en un zoológico.

llevan el título honorífico de *jina* (victorioso). Para ellos sólo existen dos sustancias: una inerte, que integra todo lo inanimado, y otra animada *(jiva)*, que constituye las almas. El verdadero mal está en la unión del alma con la materia, que la degrada y esclaviza.

Jalapa. Ciudad de México, capital del estado de Veracruz. Su nombre oficial es Jalapa Enríquez. Tiene 336,632 habitantes (1995). Está situada al pie del cerro Macuiltépetl, a 1,427 m sobre el nivel del mar, en una región de clima agradable, algo húmedo y de notable fertilidad y belleza, rodeada de altas montañas a corta distancia del Cofre de Perote (4,281 m). La ciudad es bella, muy pintoresca, y se le da el sobrenombre de *ciudad de las flores*, por la abundancia de ellas que existen en la ciudad y sus alrededores. Además de residir en ella el gobierno del estado y ser la sede de la Universidad de Veracruz, es importante centro agrícola y comercial, con fábricas de hilados y tejidos, de chocolate, extractos y conservas de frutas, tabacos, etcétera. Tiene comunicaciones de carretera y ferrocarril, que la unen con Veracruz, México y otras ciudades.

Historia. Poco después de la conquista de México por los españoles se estableció un poblado al que, en 1791, se le concedió el título de villa y el de ciudad en 1830. La capital del estado que residía en la ciudad de Veracruz, se trasladó a Jalapa en 1885.

Jalapa. Departamento de Guatemala, en el centro sureste del país, cruzado por la Sierra Madre de Dios. Superficie: 2,063 km². Población: 196,940 habitantes (1994). Capital: Jalapa (54,539 h). Actividades ganaderas y agrícolas. Muy variadas estas últimas, debido a la diversidad de climas de que goza la región.

jalapa. Planta convolvulácea que crece en México, principalmente en la región de Jalapa, de donde deriva su nombre. Tiene raíz tuberosa, parecida a una zanahoria, negruzca por fuera y blanca en el interior que contiene un jugo lechoso y resinoso. De la raíz se extrae la resina o se hacen polvos llamados *de raíz de Jalapa* que se usan en farmacia y entran en la preparación de purgantes y colagogos.

jaleas y mermeladas. Conservas resultantes del cocimiento de frutas de cualquier variedad, con la suficiente cantidad de azúcar para darles consistencia y para poder conservarlas ilimitadamente en recipientes esterilizados. En ese arte casero fueron maestras nuestras abuelas, quienes, en cuanto empezaban a madurar peras, manzanas y otras frutas aprestaban ollas y frascos para conservar las que no se alcanzaban a consumir crudas. Luego la industria, al fabricar en gran escala y ofrecer a precios módicos estos productos, hizo menos necesaria la confección casera de conservas, aunque no ha sido olvidada por las amas de casa.

Para la confección de la jalea se comenzará por cortar la fruta en pedazos, con cáscara y semillas. Luego, en una cacerola, con poca agua, se hierve lentamente hasta que se pone tierna. Si se trata de frutas de pulpa blanca, bastará con machacarlas, agregarles una parte de agua por

jaleas y mermeladas

Puesto de jalea casera en Italia.

cada cuatro de pulpa y hervirlas sólo hasta que se separe de ésta el jugo que, después se cuela con un tamiz de género, se mide y se le agrega la cantidad de azúcar que corresponda, de acuerdo con la acidez y riqueza en pectina de la fruta empleada. La uva y la manzana, que tienen mucha pectina, permiten gran cantidad de azúcar, lo que aumenta el rendimiento. La proporción es en general de $^3/_4$ de kilo de azúcar por cada kilo de pulpa. El jugo así preparado se hará hervir en una olla de boca ancha para facilitar la evaporación hasta que esté a punto, lo que se logra cuando, al probar la masa con la cuchara, la jalea escurre en grumos. Mientras el producto está caliente se echa en frascos esterilizados, que se tapan herméticamente.

Para hacer jaleas con las frutas que no tienen la suficiente cantidad de pectina, puede agregárseles este producto o bien combinadas con otras ricas en él. Así, las manzanas pueden mezclarse con uvas, fresas o duraznos.

En cuanto a las mermeladas, el proceso es análogo, pero al cortar la fruta se le debe quitar cáscara, semillas y carozos. Luego se le agrega aproximadamente su peso de azúcar, proporción que aumenta o disminuye de acuerdo con la clase de fruta. Si es poco jugosa, se le agregará agua. Se calentará primero lentamente hasta que el azúcar se disuelva, y después se aumentará el calor y se hará hervir hasta que la consistencia se vuelva algo espesa. Entonces ya estará lista para ser envasada en frascos esterilizados.

El poder alimenticio de jaleas y mermeladas se debe ante todo a la gran proporción de azúcar que contienen. En cuanto a las frutas, se prestan particularmente para ser preparadas las naranjas, manzanas, uvas, membrillos, fresas, frambuesas, ciruelas y duraznos.

Jalisco. Estado de México. Tiene 80,137 km^2 y 5.991,176 habitantes (1995). Limita con los estados de Durango, Zacatecas, Aguascalientes, San Luis Potosí, Guanajuato, Michoacán, Colima, Nayarit y el océano Pacífico. Sus principales centros de población son Guadalajara, capital del estado con 1.633,216 habitantes, Ciudad Guzmán, Tlaquepaque, Ocotlán, Tepatitlán, La Barca, Ameca, Lagos de Moreno, Autlán, Atotonilco, Sayula, Arandas, Tala, Teocaltiche, San Juan de los Lagos, Cocula, Atoyac, Chapala y Puerto Vallarta.

La Sierra Madre Occidental y numerosas estribaciones surcan el sur y el oeste del estado, que está cubierto de cordilleras y serranías, entre ellas las de Tepatitlán, Bolaños, Tapalpa, Arandas y Perote, con fértiles valles, profundas barrancas y elevadas montañas, entre las que se destacan el Nevado de Colima (4,330 m) y el Volcán de Colima (3,860 m). Al noreste, en la cuenca del río Grande de Santiago, el estado comprende un sector de la elevada Mesa del Anáhuac, por lo que la mayor parte del territorio de Jalisco tiene una altitud de 1,500 a 2,300 m. Al oeste, el terreno va descendiendo hasta el litoral del Pacífico, con zonas costeras de grandes acantilados.

En el centro del estado abundan los lagos, siendo el mayor el de Chapala (1,100 km^2), al que siguen otros varios, entre ellos los de Magdalena, San Marcos, Cajititlán, Atoyac, Zacoalco y Zapotlán. Entre los ríos principales figuran los del sistema fluvial del Lerma y el Grande de Santiago, el primero de los cuales desagua en el lago de Chapala y el segundo nace en dicho lago y desemboca en el Pacífico por el estado de Nayarit. El clima es variado, cálido en el litoral del Pacífico, templado en el centro y frío hacia el noreste y en las mayores elevaciones de las sierras.

Hay yacimientos de oro, plata, cobre, plomo y otros minerales, siendo la plata su principal explotación minera. La fertilidad natural del suelo y las grandes obras de riego hacen que la agricultura sea la actividad

Playa Los Muertos *en Puerto Vallarta Jalisco, México.*

más importante del estado. Se recogen grandes cosechas de maíz, arroz, trigo, garbanzo, frijol y muchos otros cereales y leguminosas, así como de caña de azúcar, algodón, tabaco y frutas diversas. Se cría ganado mayor y menor. En los bosques se explotan maderas finas, tintóreas y de construcción. La pesca, fluvial y en el lago de Chapala, es abundante, y la pesca marítima tiene gran importancia.

Es uno de los estados mexicanos de mayor actividad industrial y mercantil. Tiene fábricas de hilados y tejidos de lana y algodón, azúcar, harina, productos lácteos, pastas alimenticias, chocolate, conservas de frutas, alcoholes y aguardientes, cigarros, cerámica, papel, vidrio, etcétera. El comercio es activo entre las zonas de producción y los centros de consumo. Guadalajara es el centro comercial e industrial más importante del estado.

La red de comunicaciones es excelente y comprende tres importantes líneas de ferrocarril, numerosas y buenas carreteras y servicios aéreos que unen al estado con el resto de la nación. La costa carece de buenos puertos y sólo tiene algunos fondeaderos dedicados al comercio de cabotaje.

Historia. En épocas prehispánicas ocuparon la región los toltecas y, posteriormente, los chichimecas y nahuatlacas. Hacia 1522 penetraron en Jalisco las primeras expediciones españolas. De 1529 a 1541 efectuó su conquista Nuño de Guzmán, secundado por Cristóbal de Oñate, y el actual territorio de Jalisco formó parte del reino de Nueva Galicia. En 1824, ya consumada la Independencia de México, fue erigido en estado de la Federación.

Jamaica. Isla de las Antillas Mayores, al norte de Panamá, sur de Cuba y oeste de Haití. Superficie: 10,991 km²; población, 2.6 millones de habitantes (1997), de los que 65% son negros, el resto mestizos, blancos, chinos, hindúes y malayos.

Orografía e hidrografía. El interior del país es montañoso. Hacia el norte los montes del Diablo y Dry Harbour limitan una meseta caliza que avanza hacia la costa septentrional. Hacia el este están los montes Azules, cuyas cimas más elevadas son el Cold Ridge (2,488 m) y el Gran Cascada (2,365 m). Las montañas del norte y del este dividen el territorio en dos vertientes y favorecen la producción. Los ríos más importantes son: el Black, que desemboca en la costa suroeste, a la altura de la localidad de su nombre (Black River); el Minho, en el sur, y el Great (Río Grande), en el norte, cerca de la bahía de Hopewell. Todos ellos son cortos y poco caudalosos, sólo navegables por lanchones en trayectos pequeños.

Clima, producción y recursos. El clima varía según la altitud, tropical al nivel del mar y templado en las zonas montañosas.

Corel Stock Photo Library

Zona hotelera de Ocho Ríos en Jamaica.

La ganadería tiene cierta importancia, pero predomina la agricultura y su producción principal es la caña de azúcar; se exporta buena cantidad de azúcar, así como café, bananas, cocos y frutas cítricas. En la industria sobresale un aguardiente de caña llamado *ron de Jamaica*, de fama extendida. En el país hay yacimientos de hierro, plomo, cobalto, mármol y granito, pero la explotación minera más importante es la bauxita, de la que Jamaica es el mayor exportador del mundo. El turismo es también una notable fuente de ingresos que se traducen en divisas para el país.

Educación, religión y comunicaciones. Las escuelas elementales llegan al millar. Existen escuelas comerciales y de especialización industrial, así como vocacionales. En 1948 se inauguró una filial de la Universidad de Londres; en ese mismo año se abrió la facultad de medicina y poco después las de Ciencias y Artes. Se practican las religiones católica, bautista, presbiteriana, metodista, adventista y judía. Las líneas férreas tienen 340 km, hay más de 16,435 km de carreteras, 29% de ellas pavimentadas, y pasan por Kingston líneas aéreas internacionales (1992).

Historia. Cristóbal Colón descubrió esta isla el 3 de mayo de 1494 y le dio el nombre de Santiago. Los españoles iniciaron su colonización en el año 1509 y Diego Colón fundó la primera ciudad en 1525, que hoy se denomina Spanish Town (Ciudad Española). Los ingleses se apoderaron de la isla en 1655 y España se la cedió a Inglaterra por el Tratado de Madrid (1670). Entre otros mandatarios, Inglaterra nombró gobernador al ex pirata Henry Morgan, quien, hecho caballero por Carlos II, se casó allí

con una rica heredera. Durante el siglo XVIII los ingleses trajeron más de 600,000 negros de África para que trabajaran en las plantaciones de caña de la isla, y Jamaica fue el primer mercado de esclavos de América. Una rebelión ocurrida en 1831 y repetida en 1865 obligó a abolir la esclavitud insular. En 1872 se erigió a Kingston como capital (hasta entonces lo había sido Spanish Town). En 1958 Jamaica ingresó en la Federación de las Indias Occidentales de la que se separó en 1961; la Federación se disolvió al año siguiente. En 1962 se constituyó en Estado independiente por acuerdo con Reino Unido, firmado en Londres en agosto del mismo año. Jamaica es miembro de la Comunidad Británica de Naciones y de la Organización de Estados Americanos. Fue gobernada por William Alexander Bustamante, líder del Partido Laborista, vencedor de las elecciones de 1962 y 1967. En los comicios de 1972 y 1976 venció el Partido Nacional del Pueblo, de Michael N. Manley, pero en los de octubre de 1980 obtuvo una gran victoria el Partido Laborista y su líder, Edward Seaga, reemplazó a Manley como primer ministro. En las elecciones de 1983, boicoteadas por el Partido Nacional del Pueblo, los laboristas obtuvieron todos los escaños y Seaga fue confirmado en su cargo. Tras las elecciones de 1989, Michael Manley recupera la presidencia de Jamaica y en 1990 visita Estados Unidos. En el mes de julio, el gobierno reanuda las relaciones diplomáticas con Cuba, rotas desde 1981. En 1983 el papa Juan Pablo II visita el país.

Gobierno. Según la Constitución que entró en vigor en 1962, es un Estado independiente miembro de la Comunidad (Bri-

Jamaica

Edificio de Gobierno en Lucea, Jamaica.

tánica) de Naciones. El jefe del Estado es la reina de Gran Bretaña, quien designa al gobernador general. Los órganos de gobierno comprenden el Consejo Privado, de seis miembros; el Consejo de Ministros, de 11 miembros y un primer ministro; y la legislatura bicameral con un Senado de 21 miembros y una Cámara de Representantes de 60 miembros.

James, Henry (1843-1916).
Novelista estadounidense. Residió en Inglaterra y sus obras tienen a menudo como tema principal el conflicto entre las culturas europea y estadounidense. En las obras de su última época llevó al límite el análisis psicológico de sus personajes. Su obra ejerció considerable influencia en la literatura de habla inglesa de principios de siglo. Entre sus numerosos obras destacan: *El americano, Las alas de la paloma, Los papeles de Aspern, Retrato de una dama, Los embajadores* y *El sentido del pasado,* obra póstuma.

James, William (1842-1910).
Filósofo y psicólogo estadounidense. Educado en un ambiente favorable a cualquier vocación intelectual (su padre era un hombre muy culto y uno de sus hermanos, el famoso novelista Henry James), obtuvo con rapidez, a pesar de una vista débil y de sufrir periódicamente diversas enfermedades, un título universitario. Su erudición era muy vasta y estaba basada en sus extensas lecturas en diversos idiomas y en su copiosa correspondencia con destacados intelectuales. Fue profesor en la Universidad de Harvard. Posteriormente comenzó a publicar sus obras de psicología y filosofía. En

ellas afirma que los conceptos no tienen otra significación que la conducta que está implicada en ellos, y que carecen de esa significación si no señalan una conducta determinada. Por tanto, para James, los procesos de pensar y conocer son instrumentos para la lucha por la vida, pero no la vida en abstracto, sino la vida forjada con aquellos ideales y necesidades que se hayan fijado como norma, y alcanzarlos a través de la actividad corporal y el ejercicio de la libertad. Así unía el pensamiento y la acción y concluía naturalmente afirmando que el conocimiento tiene siempre como fin solucionar los problemas prácticos, vitales. De ese modo su filosofía se opone a la de los idealistas alemanes para quienes existe un conocimiento puro, desligado de todo fin práctico.

jamón.
Carne curada de la pierna de cerdo. El jamón crudo se prepara ordinariamente en invierno, cubriendo enteramente la carne con sal gruesa, y al cabo de un mes se sazona con algo de pimienta, exponiéndolo a la acción deshidratadora del aire seco y se envuelve en un lienzo o bolsa que lo preserve de las moscas. Al transcurrir seis meses o un año puede ser consumido; en algunos países muy fríos se cura el jamón enterrándolo en la nieve. El jamón ahumado se prepara frotándolo con una mezcla de sal fina y salitre y se coloca después el un lugar fresco cubriéndolo de sal hasta eliminar la humedad. Después se vierte sobre el jamón un cocimiento de sal y salitre con tomillo, laurel, pimienta, enebro y clavo. Se hierve la salazón y ya fría, se vierte nuevamente cada tres días sobre el jamón.

Jano.
Divinidad romana de los orígenes y principio de cuanto existe; dios de las puertas y vías de acceso, por lo que se le representaba con las insignias del portero: una llave en la mano izquierda y un palo en la derecha. Asimismo, era el dios de la sagacidad que veía a un tiempo el pasado y el porvenir, debido a lo cual se le representó también con dos caras, mirando cada una en dirección opuesta. Se le invocaba al comenzar la jornada diaria y le estaban dedicados el primer día de cada mes y el primer mes del año (*Januaris*, enero, viene de *Janus*).

Jansen, Corneille (1585-1638).
Teólogo holandés. Fue profesor de estudios bíblicos en la Universidad de Lovaina y obispo de Iprés. Se dedicó al estudio de las obras completas de san Agustín e hizo de ellas una interpretación que se publicó, después de su muerte, en una obra en tres tomos con el título *Augustinus*. Las enseñanzas y la obra de Jansenio dieron origen a la doctrina del jansenismo, según la cual Cristo no murió por la salvación de todos, sino por la de los predestinados a ser salvados; la naturaleza del hombre, maculada por el pecado original, no es libre para resistir las tentaciones de la concupiscencia ni las solicitudes de la gracia divina, por lo que obra bien o mal irresistiblemente, aunque de manera voluntaria.

Japón.
Estado de Asia Oriental constituido por un archipiélago de más de 3,000 islas, entre las que figuran cuatro principales: Hokkaido (o Yeso), Honshu (u Hondo o Nippon), Shikoku y Kyushu. Limita al

Jamón de cerdo.

norte con el Mar de Ojotsk, formado por el océano Pacífico, y el Estrecho de La Pérouse, que separa a Hokkaido de la isla ahora rusa de Sajalín; al sur y al este, con el Pacífico y al oeste, con el Mar de Japón y el Mar Oriental de China, y entre ambos el Estrecho de Corea, que separa este país de las islas japonesas. Superficie: 377,484 km². Población: 126.1 millones de habitantes (1995).

Islas y costas. EL archipiélago japonés forma una especie de arco irregular que va del noreste al suroeste. Está situado en la zona noroeste del océano Pacífico, cercano a la costa occidental de Siberia, China y Corea. En su extremo norte se halla la gran isla de Hokkaido (o Yeso) en cuya punta superior se encuentra el Cabo Soya, bañado por el Estrecho de La Pérouse. La isla de Hokkaido desciende regularmente por su litoral oeste hasta la amplia bahía de Otaru, a cuyo fondo se halla el importante puerto del mismo nombre; allí la costa toma ligeramente hacia el noroeste y remata en el Cabo de Shakotan; luego se torna irregular y montuosa, con la cima máxima del Karibayama y termina junto al Estrecho de Tsugaru, que la separa de la mayor y más importante isla del archipiélago, la de Honshu (o Nippon). El litoral este de Hokkaido se extiende en esa misma dirección para formar un triángulo irregular cuyas puntas son los cabos Shiretoko al este y Erimo al sur; paralelo al primero corre el Estrecho Nemuro, al que forma muralla en el litoral japonés la montaña de Rausu Daka. En el corte sureste de Hokkaido se encuentra el importante puerto de Kushiro. Al oeste del Erimo, en seguida de los puertos de Urakawa, Tomakomai, Noboribetsu y Muroran, se halla la abrigada bahía de Uchiura con Oshamambe al fondo. El puerto de Hakodate, sobre el Estrecho de Tsugaru, es el más meridional de Hokkaido.

La isla de Honshu pudiera constituir por sí sola el imperio nipón por su extensión y desarrollo general, sin excluir el aspecto histórico. Desde el Estrecho de Tsugaru, en el norte, forma una marcada curva con su concavidad hacia el oeste y con acentuadas irregularidades en ambos litorales. Sobre su costa del Pacífico se halla el Mar de Sagami, que es la entrada a la bahía de Tokio, próxima a cuyas playas se encuentra la capital del imperio; al sur de dicha bahía está el importante puerto de Yokohama. Una amplia península, una de las muchas que poseen las diferentes islas niponas, avanza al sur, entre la bahía de Tokio y el océano Pacífico, cuya punta es el Cabo Nojima. Las salientes peninsulares se repiten en este trecho del litoral, individualizándose su topografía con las bahías que de este a oeste forman esas irregularidades: las de Suruga, Atsumi, Ise y el Estrecho de Kii, por el que se llega a la bahía de Osaka, que recibe su nombre del puerto de igual

Corel Stock Photo Library
Mujer japonesa tocando la Biwa de cinco cuerdas.

denominación. Allí la isla de Honshu deja de bañar su costa este en las aguas del Pacífico, pues este litoral queda cubierto por la isla de Shikoku, y al sur por la de Kyushu, separadas estas últimas por el Estrecho de Bungo. El extremo suroeste de la isla de Honshu fue escenario de los históricos bombardeos estadounidenses con las primeras bombas atómicas. El archipiélago japonés está al suroeste separado de la tierra firme de China por el Estrecho de Corea, que se divide en dos brazos por estar situadas en su centro las islas Tsu: el estrecho propiamente coreano es el que queda entre las islas y la Península de Corea, y el de Tsushima, entre las islas Tsu y Japón.

Grupos de decenas y centenares de islas menores se presentan en diferentes puntos, cercanos y más o menos próximos a las cuatro principales del archipiélago; particularmente en la zona sur, en donde el conjunto de las Tokara se alza entre las aguas del Mar de la China al oeste y del Pacífico al este, separadas por el Estrecho Tokara de la isla de Yaku. Al noreste de ésta se halla la Tanega, y al noroeste el grupo de las Osumi, en donde el estrecho de su nombre baña la costa sur de la Kyushu. En el estrecho de Corea son, además de las Tsu, islas de cierta importancia las de Nakadori, Goto e Iki; y en el Mar de Japón las Oki y Sado, en la zona central, y Rebun y Rishiri, en el extremo superior al noroeste de la isla de Hokkaido. Todas estas porciones del territorio japonés son centros activos de laboriosidad y esfuerzo que sirven para apreciar las condiciones características de sus habitantes. No sólo prospe-

ra la industria pesquera, sino que se cultiva cualquier zona de tierra que pueda aprovecharse, por exigirlo así su condición de país densamente poblado y sin reparar en los continuos fenómenos naturales que lo devastan: las conmociones volcánicas y los maremotos y tifones que vienen del mar.

Orografía. País de topografía excepcionalmente irregular y cuyas dos terceras partes están cubiertas por montañas que carecen de sistemas claramente definidos, a menudo las líneas de una se cortan repentinamente o bifurcan con otras, desaparecen, toman direcciones contrarias o se dividen en varios ramales que luego reanudan y repiten su caprichosa conformación. La que se considera principal cadena de cordillera se extiende de norte a sur, sobre la isla de Honshu, que constituye la mayor parte del país, y allí se encuentra la más alta cima, el monte Fuji o Fuji Yama (3,778 m), al que siguen los picos de Yarigatake (3,138 m), Mitake (3,025 m), Norikurayama (2,994 m), Tokatsidake (2,500 m) y Yakunosima (1,910 m). Las cordilleras se encuentran cortadas por hondonadas en las que se extienden valles bañados por ríos generalmente de escazo caudal. La mayor parte de estas planicies está ubicada al norte del Fuji Yama, en torno a Tokio, la ciudad capital, sirviendo la cima de aquel nombre para la división del país en zonas norte y meridional. Tres cordilleras paralelas corren más al sur: los montes Hida, Kido y Akaishi, a los que se llaman los Alpes Japoneses, por su aspecto y por estar cubiertos de nieve la mayor parte del año. La regularidad de esta cadena se ve cortada por las montañas de Suzuga, Kasagi-Hiei y Kongo. En la isla de Honshu el monte Izumi, y en la isla de Shikoku el de este mismo nombre, enlazan con la orientación del sistema orográfico de las islas Riu-Kiu. Las mayores cimas de las cordilleras del país corresponden a volcanes extinguidos y algunos otros en erupción.

Hidrografía. La configuración de ésta no es menos caprichosa que la orografía que la acompaña. Las aguas se dividen entre dos vertientes que caen en diferentes mares, y como el país es estrecho y de conformación irregular, las corrientes, cuando alcanzan alguna importancia, son torrentosas y breves. Hay ríos que cambian continuamente de nombre y de curso debido a que cruzan por desfiladeros que los arrojan en zonas diferentes a las que parecían pertenecer. Por tal razón no son extensos los trayectos navegables, pero sus caídas y rápidos, en cambio, han facilitado la instalación de las plantas hidroeléctricas que han hecho posible la extraordinaria evolución industrial del país, del mismo modo que al extenderse esas aguas en las partes bajas, benefician espontáneamente a la agricultura. Los principales ríos se hallan en la isla de Honshu y son: Shinano (370 km),

Japón

que desagua en el mar de Japón; Tone (325 km); Kitakame (245 km) y Kiso (299 km). En la isla de Hokkaido, corre el Ishikari (365 km), que es el segundo del imperio. Hay ciudades importantes, como Tokio y Osaka, que no están asentadas al lado de ríos, pero éstos han sido reemplazados con numerosos canales que cumplen con la labor de aquellos. Dichos canales representan un valor hidrográfico de suma relevancia en todo el territorio, pues sirven para el riego de amplias zonas de cultivo. Hay numerosos lagos; el más importante es el Biwa, en la isla de Honshu, cerca de Kioto, del que nace el río Yodo, cubre una superficie de 690 km², con su cuenca, y posee paisajes bellísimos. Otros lagos de la misma isla son los de Towada y Yukinaki, y el Saroma en la isla de Hokkaido.

Geología. El terreno es esencialmente volcánico. De las dos cordilleras principales de la isla de Hokkaido, la que aproximadamente sigue la dirección del meridiano es granítica y feldespática; pero la otra, plutónica o volcánica, está formada por basaltos y dioritas, y allí se encuentra una línea de volcanes que va de noreste a suroeste. Las más altas montañas de Honshu son volcanes extinguidos en su mayor parte. La cordillera del sur es de rocas esquistosas, sin volcanes. Al sur se encuentran las islas Lu-Cha, casi totalmente formadas por tierras calizas, esquistosas o graníticas, ceñidas de arrecifes de corales y madréporas. Al norte de la isla de Honshu hay abundancia de traquitas, basaltos y lavas. En la misma isla de Honshu hay varios géiseres y son numerosas las fuentes minerales y termales; entre las más famosas se cuentan Kusatsu, al norte del macizo del Anzaam, y las de Akoue, cerca de la capital.

Terremotos y volcanes. Se calcula que hay unos 200 volcanes, de los cuales unos 50 mantienen su actividad. Los frecuentes terremotos conmueven el interior del país y sus costas, originando enormes daños y numerosas víctimas. Desde el siglo XV hasta mediados del XX, han ocurrido no menos de un centenar de grandes terremotos y maremotos en las 10 cadenas que se extienden sobre la superficie del país y las zonas submarinas próximas; pero, ya en épocas anteriores se producían con gran frecuencia estos siniestros. En un terremoto que destruyó en gran parte la ciudad de Yedo en 1854, perecieron 7,000 personas; el de 1896, en el norte de Honshu, causó más de 30,000 muertos; y el de 1923 que abarcó la zona de Tokio y Yokohama, significó según el informe oficial de las autoridades "560,000 casas destruidas y 90,000 muertos". La parte más afectada ha sido casi siempre la llanura de Tokio, próxima a la cima del Fuji Yama. Los mayores fenómenos sísmicos son acompañados por inmediatas y violentas salidas de mar que aumentan perjuicios y víctimas. Hay

Sacerdote sintoísta en Japón.

volcanes apagados cuyo conocimiento es atracción constante de visitantes extranjeros de toda clase: simples turistas que por curiosidad desean ver de cerca, por ejemplo, el fenómeno de las fumarolas que hay en muchos de ellos, particularmente el famoso del cráter del Valle del infierno, en la isla de Hokkaido; también acuden hombres de ciencia y estudio que allí encuentran inapreciables fuentes de observación.

Clima. Éste varía en forma extraordinaria, no sólo por razón de la extensa zona a lo largo de la cual se extiende el país, sino debido también a los fenómenos que se producen por la topografía excepcionalmente montañosa, y gracias a la cual los vientos no influyen de modo parejo sobre ambos litorales. Asimismo, en las costas el clima está sujeto a las corrientes marítimas. La más importante de éstas es la denominada Kuro-Sivo (Corriente Negra) o corriente de Japón, uno de cuyos brazos penetra al Mar de Japón por el Estrecho de Corea, y luego pasa por el de La Pérouse para terminar en el Mar de Ojotsk; sus aguas son más templadas de las que allí predominan y su influencia atempera o exalta la región de los monzones: caliente el del suroeste, que se deja sentir con las lluvias de mayo a agosto; frío el del noreste, que sopla de octubre a febrero. Este último es el mes de mayor frío y el de agosto el de mayor calor. Algunas regiones de la costa oriental gozan de clima más benigno que las de la occidental, y en la zona central es, a veces, más suave que en ambos litorales. En el norte la temperatura es siempre más baja, mejorando a medida que se desciende: mientras en la zona sur

del archipiélago hay meses en que se vive en completo trópico, en el mismo periodo en la parte superior hay inviernos severos con abundancia de lluvias, tormentas y nevazones. Cuando termina el verano y en especial durante los meses de septiembre y octubre, se producen los tifones que azotan sobre todo la costa meridional. En el centro de las islas de Hokkaido y Honshu se acumula la nieve en los meses de invierno y hay temperaturas bajas; en ellos las lluvias suelen ser torrenciales y causan inundaciones importantes. La temperatura media anual de Tokio es de 14 °C con un promedio de 24 °C para el verano y de 4 °C para el invierno. Por este detalle puede juzgarse el clima del resto del país, según las indicaciones precedentes. La mejor y más suave estación del año es el otoño, comprendido allí de septiembre a diciembre.

Recursos naturales, productos e industrias. La riqueza minera es importante y posee una verdadera tradición que se remonta al siglo XVII, de cuando se dice que los portugueses exportaban del país 600 barriles de oro puro cada año, y que también los holandeses realizaban igual comercio. Pero, las valiosas minas de oro de Sado han quedado agotadas después de aquella intensa explotación que se prolongó durante centenares de años. La producción minera de mayor importancia es la del carbón, de unos 7.232,000 de TM por año (1993), aunque este volumen de producción resulta muy inferior al de los grandes países industriales y es una de las fallas de la economía japonesa. Siguen en valor dentro de la minería el hierro, cobre, cinc, piritas, plomo, azufre, estaño, plata y cromo. Pero, Japón resiente gran deficiencia de mineral de hierro y de los principales metales industriales, salvo cobre. Se han encontrado yacimientos petrolíferos, pero su explotación no cubre las necesidades nacionales, y llega solamente a unas 500,000 TM al año. País altamente industrializado, aprovecha sus recursos naturales para el desarrollo de su propia mecanización mediante la construcción de presas y centrales generadoras de fuerza hidroeléctrica, alcanzando progresos que nada tienen que envidiar al mundo occidental. La producción de energía eléctrica asciende a 906,705 millones de kW/hr al año (1993), de los cuales más de la mitad proceden de plantas hidroeléctricas.

Las condiciones topográficas no permiten un aprovechamiento mayor a 11.7% (1994) del territorio en las tareas agrícolas, y éstas constituyen la verdadera actividad nacional, a pesar de lo exiguo de la superficie disponible, para salvar de la amenaza del hambre a una población que no cesa de crecer. El terreno, por su origen volcánico y la abundancia de las lluvias, es de una fertilidad extraordinaria y devuelve con creces la atención que se le dedica. El principal cultivo es el del arroz (50% del área aprovechable), que es el alimento nacional. La producción en 1995 fue de 12.625,000 TM, gracias a los altos rendimientos (6,012 kg/ha), que figuran entre los mejores del mundo (1995), aunque sin llegar a los máximos de España e Italia. Pero, siempre se deben traer del exterior cantidades importantes para suplir el desequilibrio del mercado. La producción arrocera ha aumentado apreciablemente en los últimos años, igual que la de otros cereales, mediante el uso de fertilizantes y campañas contra las plagas, lo que antes no se realizaba. Otros cultivos intensos corresponden a trigo, soja, algodón, cáñamo, tabaco, patatas, remolacha, caña de azúcar, té y frutales cítricos, especialmente. La cría del gusano de seda es una de las principales ocupaciones agrícolas en la zona central, llegando la producción de seda natural a unas 18,500 toneladas por año.

En las últimas décadas Japón se ha caracterizado por tener uno de los ritmos más elevados de desarrollo industrial, hasta tal punto que, en la actualidad, sólo lo supera en este importante sector Estados Unidos y la Comunidad de Estados Independientes y Repúblicas Bálticas. La industria pesada química es la más importante del sector manufacturero, particularmente la petroquímica (principal productor mundial de rayón), la de automóviles (más de 9.753,000 automóviles y alrededor de 3.434,000 camiones), acero (108.914,000 ton), maquinaria y equipo eléctrico (1992). Es también muy importante la industria de tejidos de algodón, que junto con las ya citadas dejan excedentes para la exporta-

Corel Stock Photo Library

Árboles de cerezas junto a un río de Japón.

ción. La industria pesquera japonesa extrajo 10.353,000 TM en 1992, y Japón figura en uno de los primeros puestos mundiales por este concepto desde antes de la Segunda Guerra Mundial. Esta enorme cantidad de peces y mariscos representa un elemento vital en la dieta (60% de las proteínas consumidas tiene ese origen), ya que junto con el arroz son el producto de mayor consumo; una vez cubierto el mercado nacional, quedan excedentes exportables, en particular las clases finas (cangrejos, langostas y salmón) que se envían incluso

a Estados Unidos. Es renglón importante en la economía nipona la industria maderera, de la que se poseen grandes bosques de clases muy solicitadas. Después de la Segunda Guerra Mundial se produjo un descenso lógico en la actividad industrial, que en 1946 llegó sólo a 21% de la capacidad productiva anterior al conflicto, pero ya en 1949 se había recuperado en 80%, y al término de 1952 no sólo la vuelta a la normalidad de preguerra era completa, sino que se superaban muchos índices de 1939. A partir de 1945 se realizó el llamado *milagro económico japonés* que le permitió, en breve periodo, situarse para 1980 como tercera potencia industrial del mundo.

Transportes. Las vías ferroviarias cubren todos los centros importantes en donde ha sido posible aplicarlas, superando las enormes dificultades topográficas, y llegan a 21,000 km de recorrido, de los que 10,000, aproximadamente, se han electrificado. Su capacidad de transporte es de unos 215 millones de ton anuales. Para unir por ferrocarril las diferentes islas más importantes del país sin necesidad de transbordo, existen servicios de *ferry-boat* que transportan los trenes completos de una orilla a la otra. El mismo procedimiento se usa para que el ferrocarril de Tokio-Osaka-Kobe utilice *ferry-boat* al llegar al puerto de Shimonoseki, y pasar así a Corea. La red principal de caminos y carreteras tiene 1.136,346 km, de los que una buena proporción corresponde a rutas modernas (1994). La navegación fluvial es de escasa significación por la condición característica de los ríos, que son torrentosos y breves. En cambio, la marítima es importante y la marina mercante cuenta con 22 millones

Celebración del día de acción de gracias en Japón.

Corel Stock Photo Library

Japón

Corel Stock Photo Library

Actor del Teatro Kabuki en Japón.

al país se practican especialmente en el esplendor de la primavera (de marzo a junio), cuando florecen sus clásicos y perfumados cerezos, famosos en el mundo y que han inspirado a artistas propios y extraños. Las principales ciudades niponas, son: Tokio, la capital (8.163,573 h y 11.855,563 en el conglomerado urbano), que figura entre las mayores del mundo por su población, juntamente con New York y Londres, sede imperial, con sus palacios y templos antiguos, junto a los cuales se alzan obras que constituyen maravillas de la ingeniería moderna. La antigua Yedo, en cuya biblioteca se conserva el más antiguo manuscrito sánscrito que se conoce (año 609), y que posee el soberbio templo de Siva. Osaka (2.623,801 h), con sus canales que le han merecido el nombre de la *Venecia japonesa* y el imponente antiguo castillo de Siro; gran centro industrial, importantes arsenales y astilleros. Kyoto (1.463,601 h en 1995), capital durante más de 1,000 años, hasta 1868, y acaso la más vieja gran ciudad del país, con edificios históricos únicos en el continente; posee grandes industrias de seda y porcelana y su templo Kitano y su museo de arte clásico figuran entre los más destacados de su género. Nagoya (2.154,793 h) es nudo ferroviario y de comunicaciones y ciudad en la que se aprecian las características de la extraordinaria evolución japonesa en los últimos 60 años. Yokohama, con 3.331,000 habitantes, era una simple aldea marítima hasta 1854, transformada luego en uno de los primeros puertos de Oriente, con soberbia edificación y todos los adelantos modernos; sus institutos navales gozan de gran prestigio. Kobe (1.423,830

de ton (1994). Los servicios aéreos son excelentes, cubren todo el país y efectúan un intenso y amplio transporte de pasajeros, correspondencia y carga.

Lengua, educación y religión. La lengua oficial es la japonesa, de carácter aglutinante, que no tiene afinidad con lenguaje alguno, aunque se ha intentado relacionarla con el grupo de lenguas uraloaltaicas. Se emplea, también, el idioma inglés en la conversación con los extranjeros y en las relaciones comerciales.

La educación es obligatoria en el país desde el año 1872, en el sentido de que toda persona debe saber leer y escribir. Los estudios elementales cubren seis años y tres los secundarios. Hay 47 grandes universidades de las cuales, las de Tokio, Kyoto, Sendai, Fukuoka, Sapporo y Osaka tienen el título de *imperiales*. A más de éstas, cuenta la instrucción en general con 25,000 escuelas primarias, 1,600 institutos secundarios, 200 escuelas técnicas para diferentes especialidades, 100 escuelas normales, 30 instituciones de categoría universitaria y 35 institutos de perfeccionamiento. Las bibliotecas públicas representan un factor educativo de gran importancia, y pasan de 5,000 las que desarrollan una intensa tarea de divulgación.

La gran mayoría de los japoneses profesa la religión sintoísta, de la que hay distintas sectas, y que es absolutamente propia, pero existe la más absoluta libertad de credos y se la hace respetar ampliamente. El Estado no tiene religión oficial, aunque ayuda económicamente a ciertos antiguos templos. Otras religiones bastante difundidas son la católica romana, el budismo y el confucionismo.

Ciudades y turismo. Japón ha atraído en todo tiempo un turismo activo, a pesar de la distancia que lo separa del resto del mundo. A su interés histórico, comercial, artístico y a sus originales paisajes, se unen la tradicional atención que recibe el viajero, a quien todo se le facilita por su sola condición de tal, y las comodidades que encuentra, únicamente igualadas por las más grandes y civilizadas capitales. Además, sería objeto del repudio general a quien se sorprendiera abusando de la buena fe de un visitante. Las giras de turismo

Linterna de piedra y escultura con el signo O-tornji *en la Isla Miyajima de Hiroshima, Japón.*

Corel Stock Photo Library

h), gran puerto al oeste de Osaka, con suntuosas casas de té y gran comercio turístico, prósperas industrias de comercio exterior y con alrededores llenos de plantaciones de té y arrozales. Además, en las islas vecinas a la costa en varios puntos del país, los turistas acuden a presenciar la pesca de perlas y los detalles de esta curiosa y poco común actividad, que se ha desarrollado en forma que hoy es también una de las más prósperas industrias nacionales.

Gobierno. A raíz de la derrota sufrida por el país en la Segunda Guerra Mundial y bajo la presión de las naciones occidentales, principalmente de Estados Unidos, se ha modificado en muchos puntos fundamentales la antigua constitución imperial, democratizando las instituciones básicas. La nueva constitución, que entró en vigor en mayo de 1947, sancionada previamente por el Parlamento (Dieta), mantiene el carácter de la monarquía hereditaria, pero el emperador carece de la personalidad divina que antes se le admitía, aunque sigue constituyendo el símbolo del Estado y de la unidad nacional. El poder Legislativo corresponde a la Dieta que se compone de dos Cámaras: de consejeros (252 miembros, elegidos por mitad para periodos de 6 años), y de representantes o diputados elegidos por 4 años y cuyo número (unos 512) lo determina la población del país. Tienen derecho al voto todos los ciudadanos, hombres y mujeres, mayores de 20 años. El poder Ejecutivo lo ejerce el primer ministro y su gabinete. El primer ministro es designado por la Dieta, que lo elige entre uno de sus miembros. El gabinete está integrado por los ministros de Relaciones Exteriores, Justicia, Hacienda, Educación, Asistencia Social, Agricultura, Comercio e Industria, Transporte, Trabajo, Construcción y Correos y Telégrafos. Existen además, seis ministros fuera del gabinete. El poder Judicial es independiente y está presidido por la Corte Suprema de Justicia. Está garantizada la libertad de palabra, prensa, religión y pensamiento; del mismo modo que se reconoce la libertad de oportunidades y su igualdad, se prohibe el trabajo infantil y se garantiza el derecho de los trabajadores para organizarse libremente. Japón está dividido en nueve regiones administrativas, subdivididas a su vez en 44 prefecturas, en 2 prefecturas urbanas y la ciudad capital que es Tokio.

Historia. Los japoneses hacen remontar su historia a ocho mil años antes de nuestra era, aunque últimamente se ha modificado bastante este concepto. Sin embargo, puede admitirse que la actual dinastía imperial fue fundada por Jimmu Tenno unos 660 años a. C. Esto ya es un hecho histórico sin precedente pues no hay país que tenga tan largo historial político bajo un solo régimen. La unidad nacional no se produjo, sin embargo, hasta el siglo VI,

Pintura sobre madera en el templo Ten Shoji, en Takayama, Japón.

pues la autoridad de Jimmu Tenno y sus sucesores no era más que la de mayor prestigio e importancia en medio de un grupo de príncipes relativamente independientes. Se inició la organización política y administrativa del imperio, y en el siglo VIII se fijó a Kyoto como capital. Se produjeron luchas contra las tribus primitivas y guerras entre los principales señores feudales de las diversas islas y regiones, y hubo cambios en la sucesión dinástica; pero el país fue en ascenso. A fines del siglo XIII se supo en el resto del mundo de la existencia de este

país por las referencias de Marco Polo, a su vuelta a Europa del viaje que efectuara a China. Portugueses, españoles, holandeses e ingleses arribaron a Japón en el siglo XVI, pero las extralimitaciones de algunos extranjeros provocaron una reacción nacional contra cristianos y europeos; en 1624 se cerraron los puertos de Japón a buques españoles y pocos años después fueron expulsados los comerciantes portugueses. Sólo quedaron los holandeses, pero sujetos a condiciones humillantes y con una factoría única en un islote del puerto de

Tren bala en Tokio, Japón.

Japón

Nagasaki. El hecho más notable en la vida del imperio ocurrió en 1853, cuando las potencias occidentales le obligaron a abrir sus puertas al extranjero, pues durante más de dos siglos Japón había permanecido como un país cerrado a los extraños, a los que repudiaba aun por la fuerza y la violencia llegado el caso. En el mismo año llegó a su costa la escuadra estadounidense comandada por el almirante Matthew C. Perry e hizo la primera notificación para que se celebrara un tratado de intercambio, agregando que volvería por la respuesta. En efecto, regresó en 1854, con mayores fuerzas navales, desembarcó en Ugara (bahía de Tokio), y después de larga negociación se firmó un tratado que fue el término del aislamiento nipón. Los japoneses aceptaron la lección que se les daba y comenzaron su modernización política, económica e industrial: abolieron el sistema feudal y la superioridad de los samurai (señores de la guerra), iniciaron la formación de un verdadero Ejército y la construcción de una gran escuadra, hicieron obligatoria la instrucción elemental y fundaron bancos y empresas mineras, industriales y de transportes. En 1889 proclamaron la nueva constitución que un año después instaló la Dieta (Parlamento). Fortalecida rápidamente esta evolución, vigorizó su política exterior, y Japón tendió a la revisión de los tratados que a partir de 1854 había firmado con diversas potencias occidentales. Por esos tratados se abrían varios puertos japoneses al comercio exterior y se concedía extraterritorialidad a los extranjeros que residieran en ellos, por lo que quedaban fuera de la jurisdicción japonesa y sólo podían ser juzgados por las cortes consulares. En 1899 entraron en vigor nuevos tratados que abolían la extraterritorialidad. Mientras tanto, y como para dar prueba de su poderío, Japón fue a la guerra con China (1894-1895), y la derrotó. Esta victoria que valió a Japón la isla de Formosa, también lo fue diplomática, porque Inglaterra se apresuró a suscribir una alianza con Tokio (1902). En 1904 Japón fue nuevamente a la guerra, con Rusia esta vez, sobre la que triunfó, otra victoria que realzó el prestigio de la potencia japonesa, que en 1907 declaró como su protectorado a Corea, anexada tres años después al imperio. Combatió en el bando de los aliados occidentales y contra Alemania en la Primera Guerra Mundial (1914-1918), lo que le permitió ampliar sus posesiones en Asia y Oceanía (archipiélagos de Micronesia). En 1931 invadió Manchuria e instaló allí bajo su protección el imperio de Manchukuo, y en 1932 gobernaba también sobre el norte de China. El orgullo japonés se ofuscó con las anteriores victorias y, sin medir la superioridad de Estados Unidos, se atrevió a desafiar a esta gran potencia con el ataque por sorpresa a Pearl Harbor, la base naval estadounidense

Corel Stock Photo Library

Geisha japonesa.

se de Hawai, el 7 de diciembre de 1941, poniéndose al lado de Alemania e Italia (Eje Berlín-Roma-Tokio) en la Segunda Guerra Mundial. Ya estaban las fuerzas de tierra, mar y aire de Japón en franca derrota, cuando las primeras bombas atómicas fueron lanzadas sobre Hiroshima y Nagasaki. Japón tuvo que rendirse sin condiciones (15 de agosto de 1945) y perdió cuanto había obtenido fuera de su archipiélago, quedando reducido a su condición actual. La ocupación estadounidense duró hasta 1951, produciéndose una gran recuperación económica y una transformación democrática en sus instituciones. A la muerte del emperador Hirohito, ocurrida en 1989, le sucedió el príncipe Akihito, símbolo del Estado, pues el gobierno está en manos del primer ministro. Después de las reuniones sucesivas de Takeshita y Sosukeonu, Toshiki Kaifu resulta electo primer ministro. En 1990, Kaifu promete ayuda económica de 1,000 millones de dólares para Polonia y Hungría. En ese mismo año, Kaifu se reúne con el presidente George Bush para tratar de remediar el desbalance comercial entre los dos países. En 1991, Brian Mulroney, primer ministro de Canadá recibe disculpas de Kaifu por el trato dado a los prisioneros de guerra canadienses durante la Segunda Guerra Mundial, primera vez que Japón hace tal cosa. En noviembre del mismo año Kiichi Miyazawa sustituye a Kaifu como primer ministro, en un intento del Partido Liberal Democrático (PLD) por recuperar su credibilidad después de las crisis político financieras. Diversos escándalos financieros provocan

la división del PLD y la caída del gobierno de Miyazawa, crisis que desemboca en la pérdida de la mayoría absoluta del PLD en las elecciones de julio de 1993. Tras el triunfo del Partido de la Renovación y el Nuevo Partido de Japón (NPJ) Morihiro Hosokawa del NPJ crea un Gabinete de coalición que deja al PLD por primera vez fuera del gobierno. Debido a un escándalo de corrupción Hosokawa dimite y es sustituido por Tsutomu Hata (abril de 1994). En julio el Partido Socialista se unió a sus adversarios del PLD para formar un nuevo gobierno de coalición presidido por Tomiichi Murayama, el primer socialista en ocupar el cargo desde 1948. En enero de 1996 Murayama dimitió, y Ryutaro Hashimoto, del PLD, es elegido primer ministro.

Arte, literatura y ciencias. La pintura es la primera de las bellas artes japonesas y tiene características únicas, si se atiene a sus fundamentos clásicos y de los cuales obtiene su originalidad el empleo de la aguada con el color más o menos espeso, por lo que los cuadros son mucho más brillantes que los europeos, ya que no modelan con el color, sino con la línea, de modo que sus pinturas resultan en realidad dibujos iluminados. Como primer pintor del país se menciona a Inhiraga, que vivió a fines del siglo V, pero no han quedado obras suyas. El más antiguo pintor de quien se conservan obras maestras es el artista y poeta Kose Kanaoka (s. IX). Más tarde surgen Motomitsu, fundador de la escuela Yamato (luego Tosa), Toba Lojo, Itxio, Josetsu (artista de origen chino), Lexin, Yasanobú (gran paisajista), Genroju, Ganu y Yosai. Aparte de la pintura, los japoneses han hecho un verdadero arte de sus trabajos en laca, cerámica y porcelana, de los que hay valiosas colecciones en los principales museos.

Poemas religiosos, el *Norito* y el *Manyoshyu*, y las páginas históricas de *Kojili* y *Kihongi* son las más antiguas piezas literarias que se poseen. En sus manuscritos de los siglos VIII y IX, copiados en los conventos de bonzos, se encuentran composiciones de toda clase. En los siglos XII y XIII surgieron los trovadores ambulantes y fue organizándose el género teatral con la realización de las llamadas *Cortes de amor*, a las que luego sucedieron piezas de género guerrero y otras aventuras, que representaban los principales sucesos nacionales. De esta orientación surgió la novela *Tatheiki*, que coincide en mucho con obras de su clase que aparecían en otras partes del mundo en la misma época (s. XVI). Muzaemu, en la novela, y Bashyo, Basho y Ryoi, en la poesía, son las figuras más notables de los años siguientes, hasta el siglo XIX. La literatura japonesa es rica en las piezas breves y elocuentes, llegando a crear un estilo propio que aún mantiene su forma original. Figuras destacadas han sido Bakin Tamenaga y el famoso humorista Ikku. En la época contemporánea se distinguen, en la novela, Tokutavo, Intzu y el autor y traductor Ienko.

La ciencia japonesa cuenta con una figura mundial en la personalidad del médico y físico Hideyo Noguchi (1876-1928), que viajó por Europa y América y contribuyó a importantes descubrimientos en el campo de males endémicos. También un Noguchi, pero sin vinculación con el anterior, Yone Noguchi, fue notable poeta, escritor y hombre de ciencia, y a principios del siglo XX era profesor en la Universidad inglesa de Oxford. En geografía, geología y astronomía Japón ha tenido verdaderos sabios, casi desconocidos en los círculos occidentales, desgraciadamente, a excepción de Mogami Tokudui, los hermanos Simodani y Mamiya Rinzo, que resolvió problemas planteados por las expediciones efectuadas a su país por el conde de La Pérouse, Jean François de Galaup Bhoughton y el conde de Krusenstern. A todos ellos se les deben mapas, cartas geográficas y conocimientos básicos de la topografía y posición de su tierra en forma que ha sorprendido a los autores de estudios posteriores. En el científico nipón hay condiciones de paciencia y escrupulosidad que son producto de sus características raciales. *Véase* EJE ROMA-BERLÍN.

Japón, Mar de. Mar litoral del este de Asia, que corresponde al océano Pacífico. Está comprendido entre las costas orientales de Corea y la ex Unión Soviética en Asia y el arco formado por el archipiélago japonés y la isla Sajalín. Tiene la forma de un óvalo prolongado hacia el nordeste y mide de sudoeste a nordeste unos 2,000 km. Ocupa una superficie de 1.044,000 Km² y su profundidad media es de 1,530 m. A la entrada del Golfo oriental de Corea se halla la mayor profundidad, que alcanza unos 3,280 m. No abundan las islas y las mareas son poco acusadas. Una rama de la corriente cálida del Kuro-Sivo penetra por el Estrecho de Tsushima, pero el Canal de Tartaria se hiela en invierno. Las nieblas son espesas y frecuentes. La Manga de Tartaria y el Canal de la Pérouse o Soya lo ponen en comunicación con el mar de Ojotsk, el Estrecho de Tsugaru entre Honshu y Yeso, con el Pacífico, y los de Corea y Tsushima con el Mar Oriental de la China. Los puertos más importantes de este mar son: Vladivostok en Siberia, Pusan en Corea y los japoneses de Fukuoka, Shimonoseki, Wakamatsu y Niigata. El Mar interior de Japón, limitado por las islas de Kyushu, Shikoku y Honshu, es un pequeño Mediterráneo en comunicación con el Mar de Japón y el Pacífico.

japonés. Lengua oficial de Japón, hablada por más de 123.500,000 personas.

Ocupa el décimo lugar entre las lenguas más habladas del mundo. La mayoría de estos japoneses utilizan formas dialectales; el japonés, en su forma más pura, se habla en la región de Tokio. La lengua japonesa carece de acentos, pero la voz se eleva o desciende para pronunciar las diversas sílabas de una misma palabra. Una distinta entonación musical permite distinguir entre sí numerosos vocablos aparentemente idénticos. Los tiempos verbales, como el pretérito; los modos, como el imperativo; las voces, como la pasiva, se forman añadiendo ciertos sufijos al modelo del verbo. Inflexiones similares se utilizan también en los adjetivos, pero los sustantivos, los pronombres, las preposiciones y las conjunciones son invariables. La función que una palabra ejerce en la oración se indica con ciertas partículas, así por ejemplo el sustantivo seguido por la partícula *ga* es un sujeto gramatical.

El japonés consta de 5 vocales y 16 consonantes, y se escribe generalmente de arriba abajo y de derecha a izquierda. En los textos científicos, donde deben utilizarse fórmulas y signos de origen occidental, este último orden se altera, y las frases se escriben entonces de izquierda a derecha. Los signos son de dos tipos; en el primero de ellos, el *kanzi*, se usan los ideogramas de origen chino, de los cuales existen más de ocho mil. Para simplificar la escritura se inventó y se puso en práctica el silabario kana de 47 caracteres, que con las marcas diacríticas comprende 73 signos y se escribe en dos formas: la cuadrada o angular, *katakana*, y la curvada o cursiva, *hiragana*. Esta simplificación, aunque menospreciada por ciertos sectores intelectuales y de las clases elevadas, se ha extendido y es de uso común. A veces es necesario emplear mezclados caracteres *kanzi* y *kana*, y esta

clase de escritura se conoce con el nombre de *kanamaziri*.

jaqueca. Afección que se caracteriza por dolor en una región determinada de la cabeza, por lo general en un lado o en la frente. Es un mal con frecuencia hereditario. Raro en la edad infantil y más propio de los adultos. Las causas pueden ser numerosas y muchas veces son desconocidas. La jaqueca puede acompañarse de síntomas diversos y ser influida por el tiempo, un disgusto, exceso de trabajo o visión defectuosa. El dolor puede ser muy intenso y requerir la urgente llamada del médico. La duración del malestar puede ser de unos minutos o de varios días. Agua fría en la nuca y un baño caliente de pies hacen desaparecer muchas veces una jaqueca. El médico puede indicar un régimen que regularice la función intestinal o el empleo de tabletas y comprimidos analgésicos.

Jaques-Dalcroze, Émile (1865-1950). Compositor y pedagogo suizo. Profesor de armonía en el Conservatorio de Ginebra y en la Escuela Normal de Música de París, compuso óperas, operetas y piezas de cámara. Pero, lo que le hizo mundialmente famoso fue el método de gimnasia rítmica que lleva su nombre. Adoptado por la pedagogía moderna, ese método, al asociar el desarrollo físico con el sentido rítmico, infunde en el educando el instinto musical y el sentido auditivo y tonal. Escribió *La educación por el ritmo* y sus *Ritmos de Danza*, para piano, composiciones que, aparte de ser excelentes lecciones rítmicas, poseen gran atractivo musical.

jara. Arbusto que crece en las regiones templadas de Europa y América; mide unos 2 m de altura; presenta hojas largas

Rótulos en japonés en una calle de Tokio.

Corel Stock Photo Library

Jaula de monos en un parque zoológico.

y lanceoladas cuyo reverso posee una pelusa áspera; sus flores, en forma de roseta, son grandes, de color blanco y compuestas por cinco pétalos en cuya base se encuentra una mancha oscura, caracteristica esta última que no se observa en la variedad denominada jara cerval.

jarabe. En México, es un baile típico popular que procede de los bailes zapateados españoles. Los antecedentes mexicanos del baile actual, se remontan a mediados del siglo XVIII, durante el virreinato, en que se bailan variantes conocidas por *pan de jarabe* y *jarabe gatuno* que después cayeron en desuso. Actualmente, el más renombrado de los que se bailan en México es el famoso jarabe tapatío por ser Guadalajara, en el estado de Jalisco (a cuyos habitantes se les llama *tapatíos*), la tierra de los mejores bailadores. Los trajes de la pareja bailadora son vistosos. La mujer lleva el traje de *china*, bella indumentaria típica mexicana, de vivos colores, con ricos bordados de oro, plata y lentejuelas. El hombre, luce el varonil traje de charro. El punto culminante del baile lo forman los pases y movimientos en torno al gran sombrero jarano que el *charro* coloca en el suelo, y sobre el ala del cual los pies de la *china* hacen verdaderas filigranas. Los pasos de bailes se adornan con ágiles y complicados taconeos, y los giros y movimientos, al compás de la música, son varoniles en el hombre y gráciles en la mujer. Es uno de los bailes típicos más bellos y populares de México. *Véase* CHARRO.

jarabe. Solución de azúcar en un líquido medicamentoso poco fluidico que contiene al menos dos tercios de su peso total en agua. Se presenta como una disolución limpida y transparente que conserva el olor, el color y el sabor propios de las sustancias que la han formado. El jarabe es preservado para usar mejor las propiedades terapéuticas de los medicamentos, contenidos, para facilitar la dosificación o para permitir la mezcla del medicamento con mixturas.

La solución se realiza, a ser posible, en frío y se regula el concentrado para evitar la cristalización o la fermentación del azúcar por un exceso o defecto del mismo. El azúcar empleado debe ser incoloro, soluble y de reacción neutra; no debe contener glucosa, azúcares reductores, iones calcicos, sulfato ni cloruro.

Los jarabes se dividen simples y compuestos, según contengan una o varias sustancias medicinales. Los compuestos a su vez, pueden ser obtenidos por destilación o por digestión.

En repostería también se utilizan los jarabes como medio de conservación de zumos de frutas, aunque con serias limitaciones industriales por su facilidad de fermentación.

jaramago. Planta crucífera de unos 75 cm de altura, propia de las regiones templadas de los países europeos y americanos. Echa desde la raíz hojas lobuladas, por entre las cuales se eleva el tallo; de flores amarillas reunidas en espiga, su fruto está contenido en pequeñas vainas y posee infinidad de semillas. Se cría en estado silvestre, tanto en los campos como entre las ruinas y escombros.

jardín de niños. *Véase* ESCUELA JARDÍN.

jardín zoológico. Recinto en que se mantienen y cuidan diversas especies de fieras y otros tipos de animales, para la observación científica y exposición al público. El parque zoológico más antiguo del cual se tiene noticia es el llamado *parque de la inteligencia*, organizado en China bajo la dinastía Chou, 1,100 años a. C. Cuando los españoles conquistaron la ciudad de México, quedaron sorprendidos al encontrar, en las dependencias del palacio imperial de Moctezuma, jaulas, estanques e instalaciones diversas donde se mantenían y cuidaban fieras, reptiles, pájaros y peces, no sólo de la fauna de los estados que él gobernaba, sino también de lejanos países. Estas instalaciones del palacio de Moctezuma fueron el primer parque zoológico que existió en América. El primero que se organizó en Europa fue el de París, al trasladar las fieras que había en Versalles al Jardín de Plantas. Después se han ido creando en casi todas las grandes ciudades del mundo, siendo los más importantes los de Londres, New York, Berlín, Hamburgo, París y Chicago. Existen jardines zoológicos que

Hora del alimento de las focas en el zoológico de Hannover, Alemania.

Corel Stock Photo Library

pertenecen a sociedades, fundaciones filantrópicas o científicas privadas, pero la mayoría de ellos dependen de organismos oficiales, como municipios o gobiernos nacionales, pues son un eficaz medio de cultura para las grandes masas populares que los visitan, además de prestar grandes servicios para los estudios e investigaciones zoológicas. Son muchos los casos en que la posibilidad de observar de una manera continuada ciertas especies, ha permitido corregir datos e interpretaciones erróneas sobre costumbres, desarrollos, y aun morfologías que eran tenidas por exactas. Generalmente los parques zoológicos están situados en las afueras de las grandes ciudades y hasta a bastante distancia de ellas, eligiéndose para emplazarlos zonas con ríos o lagos donde puedan mantenerse animales acuáticos. En algunos, como en el de Londres, existen acuarios especiales de agua dulce y salada para poder observar ambas faunas. Los animales proceden generalmente de cacerías realizadas especialmente este fin y también de intercambios entre los distintos parques de los animales que en ellos se reproducen.

Los animales salvajes se suelen mantener encerrados en jaulas de fuertes barrotes, en comunicación con edificaciones acondicionadas al tipo de vida y necesidades de la especie. En los parques modernos y donde no está limitado el terreno, se colocan las fieras en instalaciones semejantes al medio en que viven en la naturaleza pudiendo desplazarse libremente dentro de una zona limitada por un foso o trinchera de seguridad, disimulada por arbustos, de suerte que se da al público la sensación completa de estar ante fieras en libertad. En este tipo de instalaciones los animales se mantienen más sanos y se reproducen con mayor facilidad, habiéndose obtenido ejemplares de mejor aspecto y mayor talla que los que proceden del estado salvaje.

En los parques más modernos se cuenta con instalaciones de calefacción para crear ambientes similares en temperatura a los climas en que normalmente viven los animales en la naturaleza, siendo objeto de especial estudio el tipo de alimentación que se requiere para cada especie. A este fin existen, anexos a los parques, almacenes de pasto y forrajes, así como criaderos de ratas, cobayas, conejos, insectos y otros tipos de animales que son necesarios para la alimentación específica de ciertas especies y que no se encuentran frecuentemente en la ciudad.

jardinería. Arte de cultivar los jardines. Por su naturaleza, la jardinería tiene contacto con diversas ramas del conocimiento. En sus relaciones con las ciencias, comprende conocimientos de botánica (ciencia que estudia el reino vegetal), agrología (tratado de los suelos), química, genética (reproducción) y muchas otras ramas auxiliares. Pertenecen a su faz artística el trazado de los jardines, la distribución de sus plantas, los efectos decorativos, la situación de los canteros y setos, el buen gusto en la elección de las variedades, los motivos ornamentales que en él se erigen como fuentes, surtidores, glorietas, bancos, pérgolas, habitación del jardinero, invernaderos y muchos otros detalles que lo completan y agracian.

Jardines de ayer y de hoy. Ya en la *Odisea* se habla de los mágicos jardines de Alcínoo y Laertes, rodeados por verdes y bien recortados setos, de abundante vegetación, nunca marchita por el sofocante calor del verano.

Salomón cultivaba con sus propias manos su jardín del Líbano. "He trazado por mí mismo –decía– jardines y vergeles, plantado toda clase de árboles, ahondado estanques y llenádolos de agua para regar el parque".

Ningunos, sin embargo, en la antigüedad, tan fastuosos y celebrados como los de Babilonia, considerados una de las maravillas del mundo. De ellos no se conoce vestigio alguno. Estaban dispuestos en terrazas escalonadas, apoyados en bóvedas de ladrillo, sostenidas por enormes pilares rellenos de tierra, en los cuales buscaban abrigo las raíces de sus múltiples plantas. Tenían forma cuadrangular y una longitud hasta de 124 m; la terraza superior distaba del suelo 30 m. Por estar suspendidos sobre el Éufrates se les denominó *jardines colgantes.*

En la antigua India, país de espléndidas flores y tórrido sol, abundaban preciosos jardines y espesas umbrías daban frescura tanto a la choza del labrador como al palacio de los reyes o al templo de los dio-

ses, y proyectaban sombra sobre el agua de los lagos sagrados; los poetas cantaban al mítico loto y al aromático jazmín; muchas escenas del gran poema hindú el *Rama-yana,* transcurren en risueños paisajes poblados de plantas, a cual más vistosa y fragante.

En Egipto, a pesar de sus bellas flores y abundantes aguas, el tipo de jardín se caracterizaba por la artificiosidad arquitectónica. Los pilones, obeliscos y elevadas columnas de sus templos estaban rodeados de simétricos canteros de cierta monotonía geométrica. Colindaban con el Nilo o uno de sus canales; estaban separados del agua por una empalizada y rodeados de una doble fila de gráciles palmeras.

Los chinos poseían jardines desde la más remota edad. Won-Ti, de la dinastía de los Han, hizo un parque de gran extensión, sembrado de flores, árboles y arbustos variados, provistos por sus súbditos, los cuales debían enviarle todos los años lo más raro de la flora. Quioscos, palacios, grutas, cascadas y cuanto de más artístico puede crear la imaginación, decoraban el real recinto.

Entre los jardines más hermosos de la antigua Roma, merece citarse el que poseía Plinio *el Joven,* quien lo describe con tantos detalles que podría reconstruirse exactamente. Se hallaba encuadrado en un anfiteatro inmenso, una vasta llanura circuida de montañas coronadas de árboles corpulentos. Lo rodeaban verdes setos, y era tal el cuidado que le dispensaba su propietario que, difícilmente, se podría encontrar un guijarro en toda la extensión de aquel maravilloso vergel.

Descollaron los árabes en la jardinería y se caracterizaron por sus notables conocimientos científicos y artísticos en la materia. Durante su dominación en España de-

Jardín en Levens Hall, Cumbria, Inglaterra.

Mujer realizando labores de jardinería (izq.) y Jardín del Chateau de Villandry *en Francia (der.).*

jaron imborrables recuerdos de su amor a las flores: el Alcázar de Sevilla tiene jardines del más puro estilo árabe. De origen musulman son también las famosas huertas de Valencia y Murcia. Cada casa de Granada tenía su patio con fuente rodeada de naranjos; en el Generalife, a pesar de las modificaciones introducidas y la acción del tiempo, todavía se conservan bellos jardines con surtidores y cascadas de los últimos abencerrajes, lo que se halla también en la Alhambra.

México tenía bellos jardines, con intrincados laberintos, fuentes monumentales e inmensos estanques en los que nadaban peces de colores y aves acuáticas. Al pie de la colina real de Chapultepec, residencia de Moctezuma, estaban situados los jardines, que ocupaban inmensas extensiones; pero, los más notables eran los que construían sobre balsas que cubrían de tierra, en los cuales cultivaban flores y hortalizas.

En Italia fueron los Médici quienes devolvieron su importancia al olvidado arte de la jardinería, y el Renacimiento italiano creó magníficos jardines , denominados clásicos, en los cuales no se concedía nada a la naturaleza y sí todo al arte, pero majestuoso y exento de simbolismos. En ellos predominaba la recta y el círculo, alargándose éste para formar la elipse, disponiéndose él a todo lo largo del eje mayor. De este estilo es uno de los mejores jardines de las cercanías de Roma, el denominado quinta Borghese. Su trazado es clásico puro, italiano, sin las variantes que distinguen al estilo francés. El terreno es ondulado; peristilos, templetes, balaustradas,

estatuas, grandes ánforas, magníficas fuentes, surtidores y estanques, constituyen el ornamento arquitectónico.

El jardín de estilo francés es posterior al clásico. También se caracteriza por su trazado geométrico, pero predominan la elipse, los polígonos estrellados y grandes líneas complicadas, innovación que se observa ya en el parque de Fouquet, construido en tiempos de Luis XIV de Francia por el arquitecto André Le Notre. Los jardines de Versalles son los que mejor revelan el género del citado maestro; rodeada de estatuas y tejos piramidales se extiende de la verde alfombra de césped y la larga avenida, con su fuente de Apolo; el gran canal, que se divide en dos brazos, y la verde campiña a lo lejos, poblada de cabañas y casas. Fuentes, saltos de agua y torrentes pasan majestuosos por entre ninfas, silfos, náyades y tritones.

El jardín de estilo inglés nace como reacción al influjo de las escuelas ya mencionadas; por lo general presentan terrazas y avenidas cubiertas de árboles, cuyas ramas se entrelazan. Se levantan en ellos quintas, los adornan estatuas, glorietas y cenadores. Según los ingleses, la norma de sus jardines irregulares, pero siempre armoniosos, fue dada por lord Francis Bacon y John Milton; este último, en su *Paraíso perdido* se expresa así: "Jamás el arte sublime, el arte de la naturaleza, dispuso las flores en zonas rectangulares, ni en simétricos ramilletes, y así las vertió en la llanura y en la colina". Como modelo de jardines ingleses se cita a Green-Park y Hyde-Park, continuación el uno del otro, que se extiende en una

superficie de cerca de 200 ha, donde abundan las cañadas, valles, bosques, lagos (uno de ellos de 17 hectáreas), cascadas y arroyos.

La mayoría de los jardines españoles son de estilo francés, especialmente los de la granja de San Ildefonso (imitación de los de Versalles), mandados construir por Felipe V. Al fondo de un precioso parterre y frente al palacio, la cascada nueva se precipita por 10 gradas de mármoles policromos en un estanque en cuyo centro se alzan las Tres Gracias sostenidas por tritones.

Entre los muchos y hermosos jardines rusos se destaca el Tsarkoe-Selo (Jardines del Zar), rodeado por verdes praderas, de umbrosos boscajes surcados por numerosos canales, con amplias avenidas ornadas de estatuas y obeliscos, algunos de ellos sobre las tumbas de los perros favoritos de Catalina II.

En Alemania es notable el jardín de Sans-Souci, con magníficos palacios y jardines ingleses, franceses e italianos, con su obelisco de 31 m de altura a la entrada principal del parque y amplísimo estanque de mármol, sobre el cual se eleva un surtidor a mayor altura que el obelisco.

En Viena es admirado el Prater, magnífico paseo al cual sigue un bosque inmenso, que se extiende por las orillas del Danubio.

Los jardines de Palermo, en Buenos Aires, conducen al lago, sembrado de islas, donde crecen los ejemplares más variados de la flora argentina. Son también dignos de mención el parque y jardines de la Facultad de Agronomía.

En el cerro de Santa Lucía, barrio de la ciudad de Santiago de Chile, se halla un espléndido parque, notable por lo exuberante de su vegetación y la policromía y perfume de las variadas especies de flores que en él se cultivan, como asimismo por los motivos ornamentales que ostenta, entre los que se destaca el gran monumento a Valdivia.

Abundan en Paraguay bien cuidados jardines públicos, y hasta las plazas, como la de Constitución, en Asunción, poseen curiosos ejemplares de flores nativas, sin contar los naranjos llenos de frutos y un notable motivo ornamental representado por el monumento a la Independencia Nacional. El parque Caballero, que da hacia el río Paraguay, es para los habitantes de Asunción motivo de recreo y admiración, pues desde la amplia explanada se domina un bello panorama fluvial.

Montevideo posee, en su Paseo del Prado, uno de los lugares más atrayentes, que por su fácil acceso, por lo artístico de sus monumentos y por el encanto de sus colecciones es un dechado de belleza. En otro jardín público, el parque José Batlle y Ordóñez, se halla el monumento al vehículo de ayer: la carreta. Hay en ambos ricas colecciones que representan la flora del país, jardines de rosas, umbrosos paseos y avenidas e infinidad de estatuas.

La ciudad de México cuenta con bellos jardines y parques públicos, entre los que sobresale el bosque de Chapultepec, vasta extensión con miles de árboles, espléndidas avenidas, lagos, jardín zoológico y botánico, edificios para exposiciones, museos, invernaderos, y en todas partes profusión de flores, estatuas y monumentos, algunos de gran importancia histórica. Célebre por la belleza de sus flores, en las cercanías de la ciudad de México es Xochimilco, situado en un lugar de admirable paisaje, surcado de bellos canales, flanqueados por islas artificiales (chinampas) cubiertas de exuberante vegetación, donde se cultivan innumerables variedades de flores.

Todas las capitales de los países de Hispanoamérica han hecho un culto del jardín público. Enumerar las grandes bellezas que éstos encierran, sería tarea tan grata como extensa.

Plantas de jardín. Tres géneros de plantas se cultivan en los jardines modernos: árboles, arbustos y flores.

Entre los árboles elegidos para adorno de los jardines se prefieren aquellos de hoja perenne por su continuado verdor. Constituyen éstos las hileras que se alzan a los bordes de las avenidas, en tanto que algunos bosquecillos de árboles caducos, es decir, que renuevan sus hojas anualmente, suelen ser útiles para reparar el manto vegetal, procurando al suelo sustancias nutritivas que aprovecha la vegetación menor. Los arbustos entran a formar parte de los setos, cercos y plantaciones destinadas a defender los jardines del embate del viento o a prestarle simetría. Las flores, principal ornamento del jardín, al que le dan belleza y fragancia, pueden proceder de plantas vivaces o perennes, que viven varios años y florecen anualmente; o anuales y bienales, que necesitan uno o dos años, respectivamente, para florecer y después perecen.

Necesidades de las plantas de jardín. La mayoría de las plantas que habitan en los jardines exigen para su desarrollo la luz solar. Los árboles y arbustos se plantan en lugar que protejan a la vegetación menor de las heladas y vientos invernales. Los lados este y sur deben permanecer descubiertos y recibir los rayos directos del sol, tan necesarios a las flores, a menos que se trate de variedades que específicamente se cultiven en la sombra. La tierra debe ser suelta, permeable y retener fácilmente la humedad. Los terrenos muy arenosos o arcillosos necesitan el agregado de capas vegetales de tierra negra o, en su defecto, de abonos.

EL floricultor que suponga que las tierras del jardín carecen de buena aptitud para el cultivo, deberá proceder a analizarlas. Pue-

de ocurrir que el suelo sea demasiado ácido o muy alcalino, en cuyos casos el técnico recomendará el empleo de sulfato de alumina o el hidrato de cal, para corregir tales defectos. Es probable también que la tierra carezca de nitratos, fosfatos u otros elementos necesarios para la nutrición de las plantas, y en ese caso convendrá agregar nitrato de sosa, sulfato de amonio o fosfatos.

El suelo debe ventilarse periódicamente, operación que consiste en dar vuelta la tierra a profundidad de unos treinta a cincuenta centímetros. Esta operación conviene hacerla en otoño, pues si se espera la primavera la tierra no es tan fácil de trabajar. Por lo que respecta al riego, no se aconseja inundar las plantas. Es preferible dejar correr por las acequias cantidad suficiente de agua para empapar la tierra y permitir una penetración de 15 a 20 cm. Todavía mejor es regar con manguera, de modo que el agua caiga en forma de lluvia sobre los sembrados.

Se combatirán los insectos perjudiciales. Si se trata de masticadores, se empleará arseniato de plomo, rotenona o piretro, espolvoreado sobre las hojas. Si son chupadores, se usará con éxito rotenona o sulfato de nicotina. Los taladradores se combaten con arseniato de plomo o sulfato de cobre.

Las flores que se reproducen por bulbos, se siembran en otoño. Entre éstas se encuentran los narcisos, tulipanes y los bulbos menores, como la campanilla blanca y los jacintos. Se siembran en almácigos provistos de abonos completos. La mayoría de los bulbos se entierran a una profundidad equivalente a tres o cuatro veces su diámetro. Por lo general, el jardinero sigue las instrucciones que traen las bolsitas de semillas o se vale de los alma-

naques de jardinería, que consignan las épocas de siembra y los cuidados que exige cada variedad.

Herramientas y útiles de jardinería. Entre las herramientas más comunes, se encuentran las palas rectas y curvas, destinadas, juntamente con las horquillas, a dar vuelta a la tierra, abrir zanjas y deshacer terrones, el rastrillo con el que se esparce la tierra; las azadas, la regadera, el escardillo, con el que se sacan malezas; el escarificador y el extirpador, destinados a destruir las malezas que crecen entre las hileras y romper la capa endurecida del suelo, con lo que se conserva la humedad durante los días de tiempo seco y caluroso.

Para combatir las plagas se usan fumigadores, con los que se azufran las plantas atacadas. Son muy conocidos los pulverizadores compuestos por un depósito donde se introducen líquidos insecticidas o fungicidas, una bomba y un caño por donde sale el líquido en partículas que se proyectan sobre las plantas.

El riego de los jardines suele hacerse con mangueras provistas de picos fijos o giratorios; estos últimos, con su movimiento rotatorio, distribuyen el agua en círculo. Las segadoras de hierba accionadas a mano, más comunes en jardinería, se desplazan sobre dos ruedas, entre las cuales gira la cuchilla que va cortando el césped.

Por ser ratones y hormigas plagas temibles de la jardinería no debe faltar en ninguna casilla de herramientas un insuflador de sulfuro de carbono o una máquina destinada a llevar a las cuevas y hormigueros densa corriente de anhídrido sulfuroso, gas asfixiante que destruye esos enemigos del jardín. *Véanse* ÁRBOL; FLOR.

jarretera, orden de la. La orden de caballería más importante de Inglaterra,

Sir Edward Heath (izq.) y Lord Wilson (der.) durante la procesión de la Orden de la Jarretera en 1992.

(De izq. a der.) Jarrón de cemento con flores en Inglaterra, jarrón de vidrio tipo cameo y jarrón etrusco con figuras rojas de el Museo di Villa Giulia en Roma.

constituida hacia 1349. Según la leyenda, Eduardo III, rey de Inglaterra, bailaba en una fiesta de la corte con la condesa de Salisbury, cuando a ésta se le cayó una liga. El monarca se inclinó para recogerla y al erguirse halló las miradas maliciosas y sonrientes de quienes lo rodeaban. El rey exclamó: "¡Ay de aquél que piense mal! *(Honi soit qui mal y pense!)* Muy honrados se sentirán quienes la lleven en el futuro!" Ese fue, según unos, el origen de la *Orden de la Jarretera.* También se dice que fue instituida para celebrar la victoria de Crécy. La insignia consiste en una liga o cinta azul con franja dorada que los caballeros llevan bajo la rodilla izquierda. Tiene la imagen de san Jorge guarnecida de diamantes y la frase en oro: *Honi soit qui mal y pense.* Su jefe es el soberano británico y sólo cuenta 25 miembros. También se le llama orden de San Jorge. *Véase* CONDECORACIÓN.

jarrón. Pieza ornamental en forma de jarro, a veces de grandes proporciones. Principalmente durante los siglos XVII y XVIII, los jarrones fueron empleados como adornos arquitectónicos. A veces formaban parte de la construcción y otras se hallaban montados sobre pedestales o columnas. Los jarrones antiguos se fabricaban con los más variados materiales (metal, porcelana, barro cocido, mármol, alabastro y cristal) y solían estar esculpidos con figuras de animales o deidades mitológicas. Estas piezas, con las estatuas y juegos de agua, han sido uno de los atractivos de los jardines y parques renacentistas. Los jarrones de menor tamaño, labrados y cincelados por artífices como el italiano Benvenuto Cellini, son verdaderas obras de arte.

Jaruzelski, Wojciech Witold (1923-). Comandante militar polaco que, como primer secretario del Partido de los Trabajadores Unidos (Partido Comunista), dominó Polonia de 1981 a 1989. Jaruzelski inició su carrera militar en el ejército polaco organizado en la entonces Unión Soviética (URSS) durante la Segunda Guerra Mundial. Bajo el gobierno comunista obtuvo rápidos ascensos, desempeñándose como ministro de Defensa de 1968 a 1981, cuando fue primer ministro y jefe de partido. Subió al poder cuando se impusieron las reformas liberales inspiradas en el movimiento laboral Solidaridad, lo cual causó alarma en la URSS. En diciembre de 1981 declaró la ley marcial, prohibió Solidaridad y arrestó a sus líderes. En 1983 se suspendió la aplicación de la ley marcial, pero Jaruzelski mantuvo un fuerte control en el país hasta 1989, cuando por influencia de la política liberal *Glasnost* del líder soviético Mikhail Gorbachev, legalizó Solidaridad y se convirtió en el primer líder comunista de Europa del Este que permitió las elecciones libres. Asumió el nuevo puesto de presidente de julio de 1989, cuando se instaló un gobierno conducido por Solidaridad, hasta diciembre de 1990, cuando Lech Walesa le sucedió en el cargo.

Jasón. Personaje de la mitología griega. Era hijo del rey Esón, que había sido despojado del trono, y fue educado por el centauro Quirón. Cuando reclamó sus derechos se le dijo que antes debía conseguir el vellocino de oro. Se hizo entonces a la mar en el buque *Argos*, con 50 navegantes (los argonautas), y llegó a una isla donde Medea, hija del rey de la región, lo ayudó a salir airoso de todas las dificultades que se presentaron para conseguir el vellocino de oro. Jasón, unido a Medea, y ya en posesión del vellocino, regresó a su país natal. EL rey usurpador fue muerto, pero Jasón tuvo que huir a Corinto, donde halló la muerte debido a que la popa del navío *Argos* lo aplastó mientras dormía. *Véase* ARGONAUTA.

jaspe. Piedra compuesta de óxido de hierro y cuarzo, que presenta diversos colores: verde, amarillo, negro, rojo y rosa. Son muchas las variedades que existen. Se utiliza en la fabricación de artículos de adorno. Sus coloraciones suelen presentarse en capas. Es de gran dureza y raya el vidrio; pulido, produce hermosas gemas. Las variedades más bellas proceden de Esmirna, Silesia, Siberia y la India, caracterizándose el de Siberia, por su color verdoso. El jaspe negro, conocido también con el nombre de *piedra de toque,* se usa mucho en orfebrería, para el reconocimiento del oro. El sanguíneo ofrece manchas rojas sobre fondo verde, y se utiliza mucho en joyería; el egipcio, de color pardo y rojo, se presenta en trozos ovoideos arriñonados. Su uso en arquitectura data de muchos siglos. Los antiguos pueblos de Grecia y Roma le atribuían propiedades medicinales.

Jaspers, Karl (1883-1969). Filósofo y psiquiatra alemán nacido en Oldenburg. Fue profesor de filosofía en la Universidad de Heidelberg hasta 1937, año en que fue depuesto del cargo por los nazis. Se le repuso en él nuevamente, en 1945, al finalizar la Segunda Guerra Mundial. Posteriormente fue profesor de la Universidad de Basilea, ciudad donde pasó sus últimos años. Como psiquiatra su obra más famosa es *Psicopatología general.* Como filósofo se le considera el fundador de una de las formas del Existencialismo. Entre sus obras principales se pueden citar: *Psicología de las concepciones del mundo, Filosofía de la existencia, Razón y existencia, Razón y anti-razón en nuestro tiempo, Filosofía*, etcétera.

jaula. Caja cerrada por paredes hechas de enrejados de alambre, madera, mimbre, etcétera, que se utiliza para mantener en cautividad animales, como por ejemplo pájaros. De formas y tamaños diversos según los animales a que se destinan, suelen tener en su interior recipientes para la comida y bebederos para el agua.

Jáuregui y Aguilar, Juan de (1583-1641). Poeta, erudito y pintor español a quien se atribuye el único retrato auténtico que se conoce de Cervantes. De sus obras, la más famosa es la sátira dramática *El retraído,* contra Quevedo, jamás representada. Anticulterano en el *Antídoto contra las soledades,* su obra maestra en verso es la traducción de *Aminta,* de Torcuato Tasso. Son muy bellas también las *Rimas*, sacras y profanas. Traductor de Quinto Horacio Flaco y Marco Marcial, su versión de *La Farsalia* de Marco Anneo Lucano peca de los vicios gongoristas que tanto trató de combatir.

Jaurés, Jean Joseph Marie Auguste (1859-1914). Político orador y so-

Ruínas de Borobudur en Java, Indonesia.

ciólogo francés. Enseñó filosofía en la Universidad de Toulouse. Elegido al Parlamento en 1885, volvió a serlo en distintas ocasiones y alcanzó gran renombre entre las masas trabajadoras debido a su interés por las cuestiones sociales. Dirigente del Partido Socialista francés, figuró entre los defensores del capitán Alfred Dreyfus. En 1904 fundó en París el diario *L'Humanité* y viajó a Sudamérica. Se esforzó por impedir la Primera Guerra Mundial y fue asesinado por un fanático antipacifista. De entre sus obras destaca como más notable la *Historia socialista de la Revolución Francesa*, en varios volúmenes.

java, lenguaje.
Lenguaje de computación creado para apoyar el desarrollo de programas interactivos de la *World Wide Web* (o Internet) que fueran más poderosos que los existentes en el momento de su aparición. El Java permite que una página de Internet o *Web Site* baje los *applets* (programas pequeños y desechables que añaden flexibilidad) que contiene, al sistema local del visitante, de tal forma que éste los pueda ejecutar en su computadora. Dichos *applets* son ejecutados en el sistema del visitante por un programa intérprete de Java. El *Javascript*, un programa más simple utilizado de forma similar, es interpretado por la página misma.

Java.
Isla del Archipiélago Malayo en el grupo de islas de la Sonda, que forma parte de la República de Indonesia. Está situada entre las islas de Bali y de Sumatra; tiene al norte el Mar de Java y al sur el océano Índico. Mide 1,000 km de largo, y de ancho entre 100 y 300 km. Tiene una superficie de 125,790 km^2 y población 107.513,798 de habitantes, que se divide en unos 600,000 chinos, japoneses y árabes, 200,000 europeos y el resto nativos, bien javaneses o de las islas vecinas.

Orografía, hidrografía y clima. Acentuando la principal característica del terreno, la cordillera que cruza el país de este a oeste tiene unos 100 volcanes, pero no pasan de 18 o 20 los que se manifiestan en actividad

constante. Las alturas más importantes son: Slamet (3,450 m) y Lawoe (3,264 m). El único río de importancia es el Solo, con recorrido de 545 km. El clima es tropical, con temperatura media de 26 °C en los terrenos bajos y costas. Las lluvias son abundantes y la humedad media relativa del aire se mantiene entre 75 y 95%. La temperatura desciende, en los sitios altos, hasta 10 y 12 grados centígrados.

Erupciones volcánicas. La isla ha sufrido fenómenos naturales profundos que han modificado sus condiciones. En 1686, la erupción del volcán Ringghit causó la muerte de más de 15,000 personas y modificó la topografía en un radio de varios kilómetros. En 1883 surgió un nuevo volcán en erupción en la pequeña isla de Krakatoa, en el estrecho de la Sonda, entre las islas de Sumatra y Java, que arrasó cuanto existía en dicho lugar: personas, plantas y animales. En 1901 el volcán Kloet destruyó sembrados y poblaciones.

Producción y recursos. La principal actividad es la agrícola. Se obtienen todos los productos tropicales, exporta gran cantidad de azúcar de caña, suministra más de 90% de la quinina que consume el mundo, y con el cultivo de arroz, que cubre 3.500,000 ha, se satisfacen las necesidades alimenticias del país y parte de las de otras naciones. Otros artículos de intensa producción son: café, algodón, tabaco, té, y caucho. Hay grandes yacimientos de petróleo y algunos depósitos de azufre en las cercanías de ciertos volcanes, y salinas en las playas.

Templo hindú de Prambanan cerca de Yakarta en Java, Indonesia.

Amanecer en el monte Bromo en Java, Indonesia.

Ciudades y comunicaciones. La capital de la isla y de la República de Indonesia es Yakarta, la antigua Batavia (8.259,266 h), siguiéndole Surabaya (2.421,016 h), puerto importante, Semarang (1.005,316 h), puerto sobre el Mar de Java; Bandung (1.566,700 h), ciudad de montaña y balneario de turismo; Surakarta (504,176 h), gran centro de producción en pleno corazón de la isla. Al sur de Batavia se halla la pintoresca ciudad de Buitenzorg (70,000 h), en donde está uno de los más importantes jardines botánicos del mundo. En muchas ciudades y poblaciones menores se encuentran magníficos restos del arte propio de los javaneses, desarrollado bajo influencia religiosa. En Java existe el más importante conjunto de templos budistas del mundo, construidos durante los siglos VII y IX. Un buen servicio de ferrocarril corre a lo largo de la isla y tiene numerosos ramales transversales. En casi todas las ciudades hay buenos aeródromos y se han construido excelentes carreteras, estimuladas durante la Segunda Guerra Mundial.

Historia. Expulsando a los portugueses, que se habían establecido en 1511, los holandeses llegaron a Java en 1595 y allí quedaron, con excepción del breve periodo (1811-1816) en que Inglaterra trató de apoderarse del país. Los antiguos pobladores de Java fueron los malayos, establecidos hace por lo menos 3,000 años, y mil años después llegaron los hindúes, que gobernaron varios siglos e influyeron decisivamente en el carácter y costumbres, aún por sobre los musulmanes, que arribaron más tarde e impusieron su religión. Durante la Segunda Guerra Mundial ocuparon la isla los japoneses, en 1942, y un año después le dieron autonomía administrativa, estimulando un viejo anhelo de independencia de los nativos. En 1945 los nipones se retiraron tras su derrota y dos años después la zona occidental de Java proclamó su emancipación. En 1950 se estableció oficialmente en Java la República de Indonesia. El pueblo javanés se ha mostrado siempre ajeno a la violencia y su historia carece de inquietudes bélicas. Posee, en

Mural que representa a las estrellas de Jazz en Capitol City, EE.UU.

cambio, una innata y marcada afición artística, y son populares en el mundo sus danzas y melodías.

El Hombre de Java. En excavaciones que realizó entre 1891 y 1892 el naturalista holandés Eugene Dubois, halló en las márgenes de un río de Java huesos que se considera corresponden a un hombre que existió hace más de medio millón de años. Dubois bautizó su hallazgo con el nombre de *Pithecanthropus erectus*, pero hoy se hace referencia a todo lo relacionado con este hecho bajo la denominación de *el hombre de Java*. En nuevas excavaciones verificadas en las islas en los años 1937 y 1938 se hallaron huesos complementarios de los anteriores, y que establecen semejanzas acentuadas entre *el hombre de Java* y el ser humano actual, pero la apasionada controversia surgida no ha llegado a su fin y aún se ignora si en realidad se trata del

Planta de jazmín.

supuesto eslabón perdido en la cadena de la evolución del hombre.

Mar de Java. Mar formado por brazos del océano Pacífico entre las islas de Borneo al norte, de Java y de Bali al sur, Célebes y archipiélago del Mar de Flores al este y Sumatra al oeste. Aguas poco profundas, entre 30 y 70 m, en la mayor parte de su extensión. Entre las numerosas islas de este mar la más importante es la de Madoera, al nordeste de Java. *Véanse* IN-DONESIA, REPÚBLICA DE; PREHISTORIA; SONDA, ISLAS DE LA.

jazmín. Arbusto de la familia de las oleáceas que produce hermosas flores blancas o amarillas, originario de Persia, donde se denomina *yáçemin*, voz que etimológicamente significa *perfume de violeta*, aun cuando el aroma no se asemeja al de esta última flor. Comprende más de 200 especies, bajo la denominación de *Jasminum*. El jazmín amarillo tiene flores de dicho color muy perfumadas, en grupos pequeños de pedúnculos cortos. El jazmín de España posee tallos derechos, hojas aladas o compuestas de muchos pares de hojuelas; sus flores son blancas por dentro y ligeramente coloreadas por fuera. El jazmín de Jujuy recibe en Argentina el nombre de azucena.

La esencia de jazmín se extrae por el procedimiento denominado de enfloraje, que consiste en la absorción del perfume por un cuerpo lipoide, como la grasa de cerdo purificada o el aceite de olivas. Para ello se recubren unas bandejas con algodón empapado en las sustancias grasas y encima se colocan jazmines que se renuevan todas las mañanas. Por calentamiento se derrite después el aceite o grasa, que se exprime en alcohol rectificado.

jazz. Música popular estadounidense que se inició a fines del siglo XIX, y se propagó en los Estados Unidos y el resto del mundo a partir de la terminación de la Primera Guerra Mundial. El origen de la pala-

bra *jazz* es desconocido; algunos suponen que es el apellido de un negro que interpretaba esa música, otros que se trata de un verbo usado antiguamente y que significaba *dar mayor rapidez a la música*. El *jazz* nació de la unión de los ritmos africanos, conservados por los negros llevados a Estados Unidos, y los instrumentos y las técnicas musicales europeas. En las primeras orquestas de *jazz*, aparecidas en la ciudad sureña de New Orleans, los músicos solían improvisar alrededor de un tema folklórico o culto. Esta ejecución improvisada, desconocida en la música occidental europea, es una de las características más notables del *jazz*; no tiene importancia en esta música lo que se toca, sino cómo se toca y el grado de inspiración y emoción que muestran los ejecutantes. En el estilo *New Orleans* todos los músicos improvisaban a la vez variaciones sobre el tema principal, y gracias al extraordinario sentido del ritmo que poseen los negros, la armonía entre los diversos instrumentos era siempre notable. Estas primeras orquestas fueron tan populares que pronto surgieron en las distintas regiones de Estados Unidos otras similares. En la ciudad de Chicago se distinguieron orquestas de *jazz* compuestas por músicos blancos, y surgió el estilo *Chicago*; en esta nueva forma de *jazz* la improvisación colectiva se redujo notablemente, dando lugar al nacimiento del solista: músico que improvisaba durante algunos compases mientras el resto de la orquesta tocaba el acompañamiento. Desde entonces el *jazz* ha evolucionado en distintos sentidos, aunque no todos del mismo mérito. En algunos conjuntos musicales, la improvisación está prohibida y el ejecutante debe seguir fielmente una partitura invariable. Estas orquestas, lo mismo que las llamadas de *jazz* sinfónico y en grado menor las de *swing*, que utilizan ritmos principalmente bailables, pero conservan del verdadero *jazz*. Posteriormente aparecieron dos nuevos estilos: el *boogie-woogie* y el *be-top*, notable este último por su curiosa semejanza con la música europea de vanguardia. El *jazz* ha interesado a músicos cultos, como Claude Debussy, Maurice Ravel, Dorius Milhaud y Igor Stravinsky. *La creación del mundo*, de Danius Milhaud, y el *Concierto de ébano*, de Igor Stravinsky, son dos curiosos experimentos que han intentado introducir los ritmos característicos del *jazz* en las corrientes tradicionales de la música europea.

Jeans, James Hopwood (1877-1946). Astrónomo y físico inglés. Estudió en el Trinity College de Londres, y graduado en matemáticas aplicadas, dictó cursos en Cambridge, Oxford y Princeton (Estados Unidos). En 1923 fue investigador asociado en el Observatorio de Monte Wilson. Pero, su mayor mérito reside en su talento expositor y en el arte con que supo desarrollar ante el lector común lo de nuevo que hay en las ciencias. Dejó obras tan importantes como: *Teórica dinámica de los gases, La radiación y la teoría de los Quanta, Astronomía y cosmogonía, El universo misterioso* y *La física y la filosofía.*

jeep. Vehículo automóvil creado durante la Segunda Guerra Mundial. Pequeño y resistente, se caracteriza por ser motrices sus cuatro ruedas y por tener caja de engranajes dotada de alta y baja velocidad, lo que le permite avanzar por terrenos fangosos y subir pendientes escarpadas. Indispensable en el ejército, se adapta con ligeras modificaciones para los trabajos de granja. Agregándole una polea proporciona fuerza motriz, y puede trabajar como tractor, arrastrando carros y hasta arados. Es particularmente apropiado para aquellas regiones donde los caminos faltan o son deficientes.

Jefferson, Thomas (1743-1826). Estadista y político estadounidense. Fue el tercer presidente de Estados Unidos (1801-1809). Como epitafio para su tumba escribió: "Autor de la Declaración de la Independencia estadounidense y del Estatuto de la Libertad religiosa en Virginia y *padre de la Universidad de Virginia*". Desempeñó también una misión diplomática en Europa y sucedió a Benjamín Franklin como embajador en París. Antes de ser elegido presidente fue secretario de Estado (1789-1794) y vicepresidente en 1797. Falto de recursos al dejar el poder, vendió su biblioteca al Congreso para reunir fondos. En Estados Unidos se conmemora la fecha de su nacimiento (13 de abril), que se conoce bajo la denominación de *día de Jefferson.*

Jengibre.

Corel Stock Photo Library

Corel Stock Photo Library

Estatua de Thomas Jefferson.

Jehová. Nombre de Dios en la lengua hebrea. La palabra significa: *El que fue, es y será.* Según la Biblia, Jehová solía manifestarse a los profetas para guiarlos en los acontecimientos importantes. Así se reveló a Abraham para anunciarle una descendencia tan numerosa como las estrellas y a Moisés bajo la forma de una zarza ardiente, que no se consumía, para consagrarlo y confiarle la misión de liberar a su pueblo del yugo egipcio. *Véase* JUDAÍSMO.

jején. Pequeño insecto de forma parecida a la del mosquito y de menor tamaño. Es común en todo el continente americano, y particularmente abundante en los pantanos y ríos de las regiones cálidas. La mayoría de las especies no tienen más de 2 mm de largo, con alas blanquecinas manchadas de negro, insertadas en un tórax gris. El aparato bucal está formado por una especie de trompa con la que atraviesan la piel de sus víctimas chupándoles la sangre de la que se alimentan. Ponen sus huevos en la superficie del agua; permanecen flotando hasta que se realiza la eclosión, naciendo de ellos pequeñas larvas acuáticas. En los ríos, lagos, bosques y terrenos pantanosos son muy molestos, tanto por el zumbido que producen al volar como por sus picaduras, dolorosas e irritantes. Atacan a toda clase de animales y al hombre, llegando a ser verdaderas pestes en algunas regiones, donde al caer la tarde los hay en tal cantidad, que se introducen en los ojos, boca y nariz, haciéndose insoportables. Algunas especies transmiten por sus picaduras enfermedades y parásitos como la filaria.

jengibre. Planta cingiberácea originaria de la India, de hojas lanceoladas casi rectas, flores espigadas y corolas purpúreas. Suele alcanzar unos 45 cm de altura.

Sus rizomas se aprovechan para preparar la esencia de jengibre, de sabor acre y picante, la cual se obtiene por destilación con vapor de agua. Se emplea en medicina como estimulante, entra en la elaboración de licores y éstos sirven a su vez, para comunicar su sabor particular a los productos de repostería. Ya los griegos y romanos lo importaban de la India, y en la Edad Media era tan apreciado como la pimienta. Fue una de las especias orientales que se cultivaron en el Nuevo Mundo y en el siglo XVI, Jamaica exportaba grandes cantidades a España. Se cultiva asimismo en la China, África y América Central.

El mejor jengibre es el de Jamaica. Se encuentra en el mercado en dos formas: en conserva y seco. China suministra casi por completo el primero, que se prepara con jarabe de caña de azúcar o con miel. El segundo se obtiene recogiendo la raíz antes de que se caigan las hojas. Si se le deja el tegumento que la recubre, se denomina *jengibre negro*, y si se le retira antes de sacarlo, recibe el nombre de *jengibre blanco*. El jengibre blanco se obtiene también sometiendo los rizomas a la acción de una lechada de cal, pero en este caso resulta un producto de calidad inferior, con mucho menos esencia. En Estados Unidos se elabora pan ajengibrado. En la antigüedad se fabricaba cerveza de jengibre, y se consumía mucho el té de su rizoma, que aún toman los chinos.

jenízaro. Soldado de infantería de la antigua guardia imperial turca, disuelta al organizarse el ejército regular, a principios del siglo XIX. Su nombre, formado por las palabras *yeni*, nueva, y *cheri*, milicia, fue dado por el sultán Orkhan en 1330 a la milicia mercenaria formada por hijos de cautivos cristianos a los que se instruía militarmente y en el mahometismo. De raza distinta y carentes de vínculos familiares, demostraron a menudo ser los mejores soldados de su tiempo. Su nombre ha pasado al castellano para calificar al hijo de padres de distinta nacionalidad.

Jenner, Eduard (1749-1823). Médico inglés, descubridor de la vacuna contra la viruela. Fue auxiliar del cirujano Ludlow, y luego en Londres estudió anatomía con John Hunter. Demostró que la vacunación constituía un procedimiento más seguro que la inoculación para evitar la viruela, sentando con ello las bases de la medicina preventiva. Jenner comenzó a observar que los enfermos que padecían la peste vacuna *(cow-pox)* eran refractarios a la viruela; entonces inoculó pus de las pústulas de una ordeñadora enferma de *cow-pox* a un niño, con excelentes resultados. Continuó sus experimentos hasta poder anunciar el descubrimiento de la vacuna en una memoria titulada: *Investigaciones sobre cau-*

sas y efectos de la vacuna antivariólica, aparecida en 1798. Su método se extendió rápidamente, siendo España uno de los países que demostraron más interés, propagándolo por América la expedición científica de Balmis y Salvany, enviada desde la Madre Patria, en Argentina; Carro, en Austria; Sacco, en Italia; Waterhouse, en América del Norte y Hufeland, en Alemania, son los nombres de otros ilustres propagadores del descubrimiento de Jenner.

Fue un genio de la observación, modesto y estudioso, contándose entre los pocos hombres de ciencia de su tiempo que recibieron recompensa antes de morir: el Parlamento británico le entregó 30,000 libras en premios, y recibió recompensas de varios soberanos europeos. Fue aficionado a la botánica y la ornitología, y parece que sugirió que la angina de pecho procede del endurecimiento de las arterias.

Jenney, William Le Baron (1832-1907).

Arquitecto estadounidense, precursor de la construcción de edificios de gran altura, por lo que se le ha denominado *padre del rascacielos*. Educado en Estados Unidos y Francia, inició su sistema en Chicago. Fue el primero en utilizar las armaduras metálicas y mejoró, asimismo, los sistemas de iluminación. Sus primeros rascacielos influyeron en toda la construcción posterior.

Jenofonte (430-355? a. C.).

General ateniense que compartió los lauros de sus campañas militares con la fama lograda como historiador, filósofo y escritor de estilo ágil, sencillo y elegante. Hijo de un rico propietario, recibió esmerada educación que le permitió desarrollar, tanto en lo intelectual como en lo físico, las notables facultades naturales que poseía. Sócrates, que fue uno de sus maestros, lo distinguió como alumno preferido. Sirviendo en el ejército ateniense, participó en la guerra del Peloponeso y se cree que fue hecho prisionero. Hallándose en Sardes, en el año 401, aceptó el requerimiento de Ciro *el Joven* para unirse a los 15,000 voluntarios griegos que reforzarían su ejército en una expedición contra Artajerjes II, rey de Persia. Derrotado Ciro en Cunaxa, 10,000 sobrevivientes griegos eligieron a Jenofonte como guía para regresar a su patria y, bajo su hábil mando, recorrieron 4,000 km entre constantes peligros. Esta hazaña fue inmortalizada con el famoso relato clásico *La retirada de los Diez Mil.*

Después de la guerra Jónica, acompañó a Agesilao, rey de Esparta, en diversas batallas. Ello determinó que Atenas decretase su destierro. Esparta, en cambio, le recompensó dándole unas tierras en la Elida, a donde se retiró, tras el combate de Queronea (año 394) para dedicar su tiempo exclusivamente a las letras y a la caza. Recon-

Jeque en su caballo en Nigeria.

ciliadas Atenas y Esparta, le fue levantado el destierro, pero Jenofonte no volvió jamás a su patria, si bien envió a sus hijos Grylos y Diodoros, a luchar en el ejército ateniense en la guerra de Tebas. Uno de ellos pereció en el combate de Mantinea. Hacia el año 730, después de la batalla de Leutra y obligado, según se supone, a abandonar su hogar, se trasladó a Corinto, donde murió.

Sus obras, están escritas con fluido y claro lenguaje, perteneciente a la llamada forma ática, y en ellas predomina el estilo filosófico socrático. Destacan entre ellas *Anábasis*, que describe la retirada de los Diez Mil; *Ciropedia*, historia de Ciro el Grande, que es un completo tratado de moral; *Helénicas*, *Hieron* y otras muchas de carácter filosófico, político y técnico.

Jensen, Hans Daniel (1907-1973).

Físico alemán, estudió en la Universidad de Hamburgo y, después de doctorarse (1933) enseñó en ella hasta 1941. Fue profesor de física de la Universidad de Heidelberg (1949-1973). Conocido por su trabajo sobre la teoría de la estructura de capas del núcleo atómico, la cual establece que los protones y neutrones están organizados en capas como los electrones. Su conclusión, la cual alcanzó independientemente de la de María Goeppert Mayer, lo llevó a colaborar con ella en una publicación conjunta sobre esta teoría. Por este trabajo Jensen, Goeppert Mayer y Eugene Paul Wigner recibieron el Premio Nobel de Física en 1963.

Jensen, Johannes Vilhelm (1873-1950).

Novelista y poeta danés de vasta cultura, que se formó en el impresionismo, pero después tendió a un concepto nacional y popular realista. Sus relatos de viajes, las novelas y cuentos inspirados en las tradiciones de las tierras por él visitadas y de los países del norte de Europa, lo señalan como colorista evocador y sutil psicólogo. Entre sus obras se destacan: *Cuentos exóticos*, *El mundo es profundo*, *El largo viaje* y *El mundo nuevo.* Son también notables

las novelas *La rueda* y *La caída del rey*, así como su ensayo de psicología nacional, *Los daneses.* Fue importante escritor didáctico en *Renacimiento gótico.* Premio Nobel de Literatura de 1944.

jeque.

Entre los musulmanes significa anciano y también jefe de tribu. Generalmente, los árabes lo emplean como expresión de reverencia, aun cuando tiene gran variedad de significados. Entre los beduinos y otras gentes nómadas en las que prevalece el gobierno patriarcal, al jefe de cada tribu se le llama *sheik* (jeque), lo mismo que a las dignidades de la religión mahometana e incluso a todo hombre docto.

jerbo.

Mamífero roedor de la familia de los dipódidos, que habita las estepas del este de Europa, norte de África y Asia Menor. Son ratones saltadores, de costumbres nocturnas, que miden unos veinte cm. Tienen un cuerpo esbelto y, sin contar su cola, la cual es muy larga y terminada en un mechón de pelos, unas patas posteriores muy desarrolladas que les permiten dar saltos prodigiosos.

Jeremías.

EL segundo de los profetas mayores hebreos. Fue natural de Anathoth e hijo de Helcías. Comenzó a profetizar a los 20 años durante el reinado de Josías, en el año 674 a. C.; iba por calles y caminos atado con cadenas a un yugo y exclamando: "¡Jerusalén, Jerusalén!" para dar a entender a los israelitas que irían al cautiverio como castigo por sus pecados. El objeto de sus profecías fue el exhortar al pueblo a la penitencia, y su divisa era una tierna caridad para con sus semejantes. El libro de *Las Lamentaciones* en el Antiguo Testamento es un poema donde en estrofas llenas de dolor, el profeta llora la destrucción de la ciudad y de su templo. Los versos, escritos en hebreo, están hechos de tal manera que el primero comienza con la primera letra del alfabeto, el segundo con la segunda y así sucesivamente hasta agotar el abecedario hebreo. En la Biblia se habla de este profeta hasta el año 629 a. C., y según la tradición, por entonces murió en Tafnis, apedreado por los judíos. *Véase* BIBLIA.

Jerez de la Frontera.

Ciudad española de la provincia de Cádiz, cabecera del municipio de su nombre. El municipio tiene 191,394 habitantes (1995), de los cuales 123,000 corresponden a la ciudad .

Se supone que en el lugar donde hoy se extiende Jerez estuvo Ceret, a la que no mencionan los geógrafos antiguos, pero se sabe que existió por las monedas encontradas. El nombre deriva de Ceres, diosa de la agricultura en la mitología, y acaso de una ciudad de Toscana famosa por sus vinos. No lejos de Jerez refiere la tradición que tuvo lugar la batalla del Guadalete. El nombre *de la Frontera* fue dado por los cristianos, porque limitaba con el territorio morisco del reino de Granada. El rey Alfonso X *el Sabio* reconquistó la ciudad en el año 1261. Se conservan monumentos históricos de los siglos XI, XIII y XVI, como el Alcázar, las Casas Consistoriales, la Colegiata y seis iglesias. El término municipal es tan extenso que él solo constituye un partido que abarca 1,260 km². Hay grandes cortijos y granjas con plantaciones de viñedos, naranjos, limoneros y olivos. Su industria vinícola es muy importante y sus vinos generosos y aguardientes finos han alcanzado renombre mundial y se conocen como los mejores en su clase. Posee fábricas de tejidos, y de productos agrícolas y derivados. La ciudad es bella y rica. Una de las más típicas de la tierra andaluza.

jerga. Tipo de lenguaje que se usa en un determinado círculo social, formado por vocablos nuevos y por otros ya conocidos, pero a los que no se les da la significación habitual. Utilizan jergas, por ejemplo, los estudiantes, los profesionales, las clases altas de una sociedad y las clases bajas. En general, se tiende a identificar el término jerga como el tipo específico de ésta que hablan los delincuentes. El impulso que da lugar a la creación de una jerga es un cierto sentido gregario, de adhesión a un grupo social determinado. Entre otras causas figura, también, la sensación de que una palabra o expresión del lenguaje común se ha hecho demasiado vieja y buscamos una nueva que satisfaga nuestra fantasía. Los términos así forjados tienen por lo común una existencia muy breve, aunque hayan alcanzado gran difusión, pues su atractivo se basa en un efecto de sorpresa que pronto pierden.

Algunos términos tienen la fortuna de imponerse rápidamente en todo un país, pero por lo general su vigencia se limita a una ciudad o una zona pequeña. Por otro lado, hay algunas palabras de jerga que al cabo se convirtieron en propias del lenguaje común, sin que nadie recuerde su origen. En estos casos suelen formarse muchos términos por deformación, añadiendo o quitando una sílaba a las que tienen. Se descubre así la raíz de lenguaje de ocultación que toda jerga tiene a la vez que para diferenciarse de los otros, para impedir que los demás entiendan. Naturalmente la gente más interesada en hablar una lengua que no entiendan sus compatriotas son los delincuentes profesionales, y también los mendigos, que antaño formaban con los gitanos y los vagabundos una capa íntegra de la sociedad. Por ejemplo, en castellano, los delincuentes llaman *cantar* al hecho de denunciar a sus compañeros, y el dinero ha recibido infinitas denominaciones, muy cambiantes, como *la miel, el vinillo,* etcétera.

Muchas de las palabras de la antigua jerga de los ladrones han sobrepasado su círculo al ser empleadas por escritores para caracterizar a sus personajes, y de allí se convirtieron al uso común. Encontramos términos de antigua germanía en Quevedo, Cervantes, las novelas de la picaresca en general, William Shakespeare, Christopher Marlowe, Henry Fielding, etcétera. Muchas de las palabras de las jergas de ladrones han sido tomadas por los gitanos. Las jergas de las clases bajas se especializan en la invención de términos para calificar las distintas partes del cuerpo humano. Así a la cabeza se la llama melón, coco, calabaza. Se dice *ése no está bien de la azotea,* para significar que alguien está loco. Se llama *trompa* a la nariz, y a la mano *zarpa*.

Otro de los procedimientos de las jergas consiste en abreviar las palabras: así *kilo* es una vieja palabra de jerga por *kilogramo,* y *piano* por el término originario que era *pianoforte* y *foto por fotografía.* A pesar de que las clases bajas son las más fértiles en cuanto a la producción de jergas, las altas también crean las suyas en cuya composición suelen emplearse vocablos extranjeros deformados. Por lo general, la jerga de cada profesión es ininteligible en otros círculos, pero a veces una palabra forjada para uso especial de una profesión pasa a generalizarse como ha ocurrido por ejemplo con *pastel* o *empastelamiento* que, de ser originariamente un término usado por los impresores para significar el total desorden de las líneas de una caja, ha pasado a ser sinónimo de desaguisado.

En la actualidad las jergas diversas, en especial la de las clases populares, son difundidas ampliamente por ciertos medios, como periódicos, radiotelefonía, etcétera, de modo que, aunque su vida sea breve, muchos términos alcanzan durante su vigencia una difusión dentro de su zona que antes era más difícil de lograr. Las jergas, como se ha dicho, constituyen una de las fuentes de renovación de una lengua. Pero asimismo encierran determinados peligros, entre ellos, el de limitar el vocabulario de las personas y empobrecer así sus posibilidades de expresión.

Jericó. Ciudad bíblica de Palestina, al noreste de Jerusalén. La conquistó Josué al frente del pueblo judío, camino de la Tierra Prometida, en 1605 a. C., al derribar sus murallas con el toque de trompetas que mandó resonaran mientras daba vueltas en torno de los muros, llevando el Arca Santa de la Alianza. Después de sucesivas épocas de esplendor y ruina, quedó destruida en el siglo XII.

Jerjes I (519-465 a. C.). Hijo de Darío I, asumió el poder como rey de Persia. Sofocadas las rebeliones que habían estallado en Egipto y Babilonia, su preocupación inmediata fue resolver el problema de Grecia. La derrota sufrida por los persas en Maratón, en el año 490, había sido una advertencia en el sentido de que era menester dominar a los griegos. Jerjes organizó minuciosamente la campaña y en el año 481 comenzó a atravesar el Helesponto, sobre puentes construidos especialmente con barcazas, a la cabeza de un ejército que se llegó a calcular en un millón de combatientes, pero que, aunque no haya alcanzado esas proporciones, era de una magnitud inusitada en la antigüedad. En las Termópilas obtuvo contra Leónidas una victoria que le valió la conquista de Atenas; pero, los griegos terriblemente estimulados por este desastre, aniquilaron a la flota persa en Salamina, con lo cual la campaña persa se vio interrumpida, y Jerjes se retiró a su país, dejando a su subordinado Mardonio, para proseguir con las operaciones. Éste fue obligado a retirarse de territorio griego tras la batalla de Platea. Jerjes fue asesinado, y con su muerte desapareció todo peligro grave para Grecia.

Jerjes II (450-424 a. C.). Rey de Persia, único hijo legítimo de Artajerjes I, a la muerte del cual heredó el trono. Pero, su reinado fue bastante breve, pues no pasó de 45 días, al cabo de los cuales murió asesinado por uno de sus numerosos hermanos naturales, llamado Sogdiano. Este usurpador fue también asesinado pocos meses más tarde por su otro hermano, Noto, quien reinó con el nombre de Darío II.

Jerne, Niels Kai (1911-1994). Inmunólogo inglés naturalizado danés. Condujo la fundamentación teórica de la base celular de la inmunología e hizo otras contribuciones tanto a la teoría como a la metodología. Se doctoró en la Universidad de Copenhague y trabajó en Estados Unidos y Alemania Occidental. También fue director del Instituto de Tecnología Basel (1969-1980), el cual ayudó a fundar. Más tarde se dedicó a dar clases hasta su retiro en 1984. Jerne compartió el Premio Nobel de Medicina o Fisiología de 1984, con Cesar Milstein y Georges J. F. Köhler por su trabajo sobre inmunología.

jeroglífico. Cada uno de los signos empleados por los antiguos egipcios para escribir. Esta palabra fue ideada por los griegos y significa *incisión sagrada.* Los egipcios usaron al mismo tiempo tres tipos de escritura, en la época de su apogeo: la *demótica* o vulgar, adecuada a las necesidades de la vida; la *hierática* o sacerdotal, utilizada en los libros o papiros y la propiamente *jeroglífica,* empleada en las inscripciones de los monumentos. Al igual que muchos otros pueblos, los egipcios comenzaron a escribir empleando una escri-

Corel Stock Photo Library

(De arriba abajo) Jeroglíficos egipcios en un museo de El Cairo y escritura jeroglífica en el templo de Kom Ombo, Egipto.

tura rudimentaria que se llama ideográfica o pictográfica. Cuando deseaban referirse a un buey, dibujaban la figura de este animal; cuando mencionaban una flecha, la dibujaban, y así sucesivamente. Pero, este sistema engorroso no tardó en ser reemplazado por la escritura hierática, que en esencia era una versión abreviada de los jeroglíficos, adaptada para escribir rápidamente sobre los papiros. Ambos tipos de escritura guardaban entre sí la misma relación que hoy existe entre la letra de imprenta y la manuscrita. Los jeroglíficos egipcios más antiguos que han llegado hasta nosotros, datan de 3,500 años a. C. Esos jeroglíficos ya no eran puramente pictóricos, porque había algunos signos que representaban ciertas consonantes o combinaciones de letras. Por tanto, los jeroglíficos estaban compuestos por dos clases de signos: los fonogramas y los ideogramas. Los primeros equivalían a cada una de las 24 consonantes de los idiomas semíticos; por ejemplo, una serpiente equivalía a la letra *f*, un halcón a la *m* y una pierna humana a la *b*. Los ideogramas representaban ideas u objetos; dos piernas significaban *movimiento*, tres pequeños círculos equivalían a *arena*, etcétera. En total había más de 600 jeroglíficos de ambas clases, que podían ser escritos desde arriba hacia abajo, de izquierda a derecha o viceversa. En los primeros tiempos se escribía con un punzón y un martillo sobre el mármol de los monumentos; pero en épocas posteriores los escribas desarrollaron una especie de papel rudimentario, llamado papiro. Elaborado con la pulpa de la planta homónima, este producto formaba una superficie lisa, resistente y duradera.

Cuando la civilización egipcia llegó a su ocaso, el significado de la escritura jeroglífica se convirtió en misterio. Los papiros hallados en las tumbas de faraones y sumos sacerdotes no podían ser interpretados por nadie y los investigadores europeos se esforzaron vanamente por descifrar su contenido. El enigma subsistió hasta 1799, cuando algunos soldados de Napoleón hallaron por casualidad, en una localidad llamada Rosetta –que se encuentra junto a las bocas del Nilo–, una piedra que habría de suministrar la clave del misterio secular. La famosa *piedra de Rosetta* contiene un solo texto: un decreto sacerdotal emitido en el año 196 a. C. en honor del rey Tolomeo V. El texto se halla escrito en tres clases de escritura: jeroglífica, demótica y griega, que era la usada en la corte de los Tolomeos. Los egiptólogos franceses, conocedores del idioma griego, se dieron a la difícil tarea de hallar su equivalencia en la escritura jeroglífica. Paulatinamente fueron hallando la traducción de cada palabra, hasta que el eminente investigador Francisco Champollion pudo coronar la obra en 1822. Los jeroglíficos han dejado de ser enigma y cualquier egiptólogo experto puede leer inscripciones y papiros.

Jerome, Jerome Klapka (1859-1927).

Escritor inglés, clásico representante del humorismo nacional. Luego de una juventud en la que fue estudiante, empleado de ferrocarriles, actor, maestro de escuela y periodista, comenzó a cultivar el relato y el teatro, con tal éxito que llegó a ser uno de los autores más leídos de su patria. *En la escena y fuera de ella, Tres hombres en un bote* y *Pensamientos necios de un hombre ocioso*, constituyen sus libros más conocidos, a los que hay que agregar sus grandes éxitos escénicos: *Bárbara, Puesta de sol, La señorita Hobbs, El tercer piso quedó atrás* y *El gran juego.*

Jerónimo, san (331?-420).

Padre de la Iglesia, nacido, según parece, en Estridon (Dalmacia), pero fue bautizado en Roma por el pontífice Liberio. Gran políglota, muy docto y erudito, ocupó elevados cargos en la Iglesia, llegando a ser consejero del papa Dámaso para contestar a las consultas de los Sínodos de Oriente y Occidente. Desarrolló una gran labor literaria y de exégesis, en ciertos momentos componía 1,000 líneas por día y empleó sólo 14 para dictar el comentario de san Mateo. Tradujo al latín el Antiguo Testamento y revisó el texto del Nuevo, elaborando así la famosa Vulgata, que es la Biblia usada en la liturgia católica. Dejó también una notable colección de cartas.

Jersey.

Isla inglesa situada en la parte sudoeste del Canal de la Mancha frente a la costa francesa del Golfo de Saint Malo. Pertenece al grupo de las islas Anglonormandas. Tiene una extensión de 116.2 km², y una población de 78,000 habitantes. El clima es moderado. Posee canteras de granito y cultiva hortalizas, flores, patatas y forrajes, distinguiéndose por la excelencia y calidad de su ganado vacuno, cuya selección pudo hacerse debido al aislamiento en que vive la raza, actualmente introducida en muchos países. La pesca es importante. Su idioma oficial es el francés, pero la población habla también inglés y el antiguo dialecto normando. En Saint Hellier –que es la capital– se halla el histórico castillo de Montorgueil, antigua residencia de los señores de la isla. Fue lugar de destierro del gran poeta francés Víctor Hugo.

jersey.

Véase VACUNO, GANADO.

Jerusalén.

Ciudad de Palestina, llamada *la Ciudad Santa*, por cristianos, musulmanes y judíos, por lo que ella representa para sus respectivas religiones. Se alza sobre una meseta de 750 m de altura a 24 km al oeste del Mar Muerto y a 52 km en línea recta del Mediterráneo, con el que se comunica mediante un ferrocarril de 87 km que llega al puerto de Jafa. Clima muy frío en invierno y extremadamente caluroso en verano, con días densamente nublados. Por su gran importancia religiosa, acuden a Jerusalén millares de turistas y peregrinos que visitan la ciudad de más atracción espiritual del mundo. Está rodeada de profundos barrancos, con excepción del lado sur, y tras de esas hondonadas hay valles y suaves colinas.

Al este de Jerusalén está el valle del Cedrón, que es el llamado *de Josafat* por los profetas, quienes señalan que allí se reunirá la humanidad el día del Juicio Final; y en su camino se alza el Monte de los Olivos, donde afirma la tradición que pasó Jesucristo la víspera de su crucifixión. La Vieja Jerusalén está cercada por las murallas que en su mayor parte hizo construir para defenderla el sultán Solimán *el Magnífico* (1542), y dentro de ese marco fue desarrollándose la población falta de orden y simetría, por entre callejuelas estrechas y retorcidas, cuyas casas en algunos puntos, y siguiendo la topografía del ondulante terre-

Puerto de Saint Helier en la Isla Jersey, Inglaterra.

no, tienen varios pisos. La ciudad vieja está dividida en barrios, de acuerdo con la religión de los moradores, y allí los judíos suman más de 50% de los habitantes.

Páginas vivas de historia y tradición. No hay ciudad en el mundo que posea reliquias tan universales como la vieja Jerusalén y sus vecindades. Una de las más impresionantes es la Vía Dolorosa, calle estrecha y tortuosa que recorrió Jesús camino del Calvario. Allí también se alza el Arco del *Ecce Homo*, que recuerda la bíblica escena y el lugar en que Simón *el Cirineo* le ayudó a cargar con la Cruz. Se conservan las puertas de *David* y *Esteban*, el Muro de las Lamentaciones, al que acuden los judíos para llorar sus culpas; la mezquita de Nabi-Dawud, donde se afirma que está la tumba de David; el Monte de los Olivos y el Valle de Josafat ya mencionados, y las tumbas de los reyes de Judá cerca de la Puerta de Damasco. Son innumerables las iglesias católicas consagradas a sucesos de la vida de Cristo, habiéndose buscado los lugares en que presuntamente ocurrieron, y resumen de todo ello es la Iglesia del Santo Sepulcro, cuya visita es la máxima aspiración de todo católico, y suman decenas de millares los que llegan allí cada año en peregrinación. Mucho más podría existir de ese historial vivo de Jerusalén; pero, la ciudad fue destruida varias veces por turcos y musulmanes y perjudicada por los propios cruzados del siglo XI, sin que haya sido posible una reconstrucción completa de iglesias, basílicas, mezquitas y monumentos, ni reponer lo que representaba la documentación.

La moderna Jerusalén. Fuera de las murallas crece hoy la nueva ciudad con todos los atributos de las urbes modernas:

grandes y cómodos edificios públicos, comerciales y de apartamentos, hoteles, suntuosas mansiones particulares, institutos extranjeros de enseñanza, estación ferroviaria y grandes paseos, calles y avenidas. En el Monte Scopus están la universidad judía, abierta en 1925, y el centro médico Rothschild-Hadassah. Entre los organismos notables se encuentran las escuelas francesa, estadounidense e inglesa de Arqueología Bíblica y Oriental, el Instituto Bíblico Pontificio y la Agencia Universitaria Musulmana, fundada en 1923. Hay iglesias

católicas, sinagogas y templos de todos los credos cristianos. Los servicios públicos de la nueva Jerusalén corresponden a los más adelantados de su clase, lo mismo que sus institutos médicos y establecimientos de beneficencia.

Historia. No obstante ser en verdad la *Ciudad de las Religiones*, ninguna ostenta un pasado más fecundo en guerra y devastación. Tres milenios antes de nuestra era se apoderan de ella los cananeos y mil años después la dominan los egipcios. Al cabo de 10 siglos (1049 a. C.) la hacen suya los judíos; David es el jefe del pueblo hebreo y la convierte en su capital, pero luego se dividen las tribus judías y se traslada la capital a Síquem. La destruyen judíos, egipcios y asirios mientras reina Nabucodonosor en Babilonia, y la restaura Ciro el persa, a quien se debe la reconstrucción del templo de Salomón. Los príncipes Antíocos de Siria, Alejandro Magno, Pompeyo *el Grande* y los romanos, la despedazan o construyen nuevamente hasta que Herodes es proclamado rey de Judea. En esta época Jerusalén fue escenario de la pasión y muerte de Cristo. El emperador romano Tito arrasó la ciudad en el año 70 de la era cristiana.

En 1099 llegan los cruzados y el 15 de julio de ese año la conquistan para los cristianos, que la proclaman capital del reino de Jerusalén y se designa como primer rey al jefe de los armados peregrinos: Godofredo de Bouillón. Éste murió en el cargo y sus restos desaparecieron de la iglesia del Santo Sepulcro donde se habían depositado. El reino cristiano terminó allí en 1187, sucediéndose como dueños de la ciudad: el

Vista de la ciudad antigua desde el Monte de los Olivos en Jerusalén, Israel.

Jerusalén

Celebración del día de la Indedendencia de Israel en Jerusalén.

Corel Stock Photo Library

musulmán Saladino, Federico II de Alemania, los egipcios, y, finalmente, los turcos, que la ocuparon de 1517 hasta 1917, en que se impone un mandato inglés bajo el patrocinio de la Sociedad de las Naciones. Después de la Segunda Guerra Mundial los judíos promovieron un movimiento de retorno a Palestina para reconstruir la patria israelita, y su centro de reacción y resistencia fue Jerusalén, donde los disturbios y choques armados indujeron a Gran Bretaña a renunciar al mandato y abandonar el país. Durante esa campaña fue asesinado en Jerusalén el mediador diplomático conde Folke Bernadotte, en 1948. Las Naciones Unidas declararon a Jerusalén área internacional. Establecida la república de Israel, con capital en Tel-Aviv, se acordó el armisticio de 1949, que puso fin a las hostilidades entre Israel y Jordania. Como resultado de ese armisticio, Jerusalén fue dividida entre ambos Estados. En la parte occidental de la ciudad, que correspondió a Israel, los judíos establecieron su capital. Jordania se adjudicó el sector nordeste, que abarca la ciudad antigua. En 1967 Jerusalén volvió a ser conquistada; esta vez los judíos en una operación relámpago, se apoderaron de la parte antigua de la ciudad, que todavía conservan a pesar de los esfuerzos de Jordania por recuperar dicha área a través de las Naciones Unidas. En

Mausoleo del Libro, casa de los rollos del mar muerto en Jerusalén.

Corel Stock Photo Library

julio de 1980 el parlamento israelí votó una ley mediante la cual Jerusalén se convierte en la capital *eterna e indivisible* de Israel. *Véase* ISRAEL.

Jesualdo (1905-). Nombre con que se conoce a Jesualdo Sosa, pedagogo y escritor uruguayo. Después de practicar la enseñanza, se inició en las letras con varios libros de prosa poética: *Nave del alba pura, El hermano Polichinela* y *Siembra de Pájaros*, alcanzando su mayor éxito con la novela autobiográfica, *Vida de un maestro*. Ha publicado, además: *Fuera de la escuela*, un volumen de poesías; *Sinfonía de la danzarina* y la documentada biografía del héroe nacional uruguayo *Artigas, del vasallaje a la Revolución*.

Jesucristo. Fundador de la religión cristiana, que de él toma su nombre y según la cual vino al mundo para redimir y salvar al género humano; de aquí que, dentro de dicha religión, sea designado también por los nombres de Salvador y Redentor. El nombre de Cristo es versión griega de la palabra hebrea *Mashiah* o *Mesías*, que equivale a ungido o consagrado; Jesús tomó este título en algunas ocasiones y se lo aplicaron siempre sus primeros discípulos para significar que era el enviado de Dios que habían anunciado los profetas. Escasas son las noticias que acerca de la existencia histórica de Jesús pueden hallarse en escritores paganos o judíos coetáneos; ello puede deberse, según unos, a la dispersión de la primitiva iglesia judíocristiana de Palestina, y, según otros, a que la tradición oral se ha encontrado condensada desde el principio en escritos de tan manifiesta autoridad que se impusieron muy pronto de manera exclusiva. Tales escritos, fuentes de excepcional valor para el conocimiento de la vida de Jesús, son los relatos evangélicos de san Marcos, san Juan, san Mateo y san Lucas, siendo los de estos dos últimos los que contienen mayores referencias acerca de los primeros años de su divino Maestro. El evangelio de san Juan, al parecer escrito en último lugar, completa a los otros tres, los llamados *Sinópticos*, y precisa mejor el orden cronológico de los acontecimientos. Teniendo éste en cuenta, cabe dividir en dos grandes periodos la existencia humana del Redentor: desde que nace en Belén hasta el comienzo de su vida publica, y desde los inicios de ésta hasta su condena y muerte en la Cruz.

Jesucristo fue concebido por obra del Espíritu Santo en una virgen de la tribu de Judá, María, que se hallaba prometida a José, como ella perteneciente a la casa de David. Un enviado de Dios, el arcángel Gabriel le anunció a María que era la elegida para concebir y dar a luz un hijo; al que debería ponerle el nombre de Jesús, que

Estatua de la cricifixión en Canadá.

Estatua de Jesucristo gozoso, junto a la cruz.

para finalmente, muerto Herodes, regresar a Nazaret, lugar de su residencia.

A partir de entonces y hasta el final de este periodo, que abarca 30 años, discurre la que se ha llamado *la vida oculta* de Jesús, de la que sólo se conocen algunos hechos, los más salientes de los cuales fueron: la circuncisión; la presentación, conforme a la ley mosaica en el templo, donde fue saludado por el anciano Simeón como el Cristo cuya venida le había sido revelada por el Espíritu Santo, y, finalmente cuando contaba 12 años, la visita que hizo a Jerusalén con sus padres, quienes al regreso, habiendo notado su ausencia, desandaron el camino, para, al cabo de tres días, hallarlo en el templo sentado en medio de los doctores de la Ley y maravillando a todos con su palabra y su inteligencia. Durante el resto de este periodo, se creé que Jesús pasó la mayor parte del tiempo ayudando a su padre en el taller de carpintero que éste tenía en Nazaret.

Jesús da comienzo a su vida pública cuando contaba alrededor de 30 años y es bautizado en las orillas del Jordán por san Juan Bautista, mientras una voz de las alturas decía: "Tú eres mi Hijo amado en quien tengo puesta toda mi complacencia". A continuación Jesús fue llevado por el Espíritu Santo al desierto de Judea, y habiendo ayunado por espacio de 40 días y 40 noches, después tuvo hambre, y fue tentado por el demonio, y aunque estaba entre las fieras los ángeles le servían. Después de que Juan fuera encarcelado, Jesús llegó a Galilea, predicando el evangelio del reino de Dios diciendo: "El tiempo es cumplido y la justicia del Señor está cerca, arrepentíos y creed el evangelio, oídme todos y entended". Primeramente dió comienzo a su ministerio en Judea y en Samaria, y a continuación en Galilea, donde fijó su morada en Cafarnaum, a orillas del lago de Genezaret, para desde allí acudir a otras localidades de los contornos a proclamar el reino de Dios. Ya le había dejado entrever su condición de Mesías a la Samaritana y se le habían acercado los primeros discípulos –unos sencillos pescadores–, a uno de los cuales, Simón, le puso el sobrenombre de *Cefas*, que significa en arameo *Pedro o Piedra*, diciéndole: "Tú eres Pedro, y sobre esta piedra edificaré mi Iglesia". En unión de esos primeros discípulos bautizó a mucha gente y realizó prodigios, como el de convertir el agua en vino en las bodas de Caná, la liberación de un poseso y diversas curaciones milagrosas. Todo ello, además de haber expulsado del templo a los mercaderes y haber iniciado sus predicaciones, principalmente en las sinagogas, acontece en el primer año de su ministerio. Durante el segundo completa el número de sus apóstoles, inicialmente cinco, elevándolo a 12, como las tribus de Israel. Los elegidos, todos ellos de humilde condición, fueron:

equivale, en hebreo, a Salvador, pues sería el Mesías esperado por Israel. Después de permanecer tres meses en casa de su prima Isabel, que pronto había de dar a luz a Juan el Bautista –éste nació seis meses antes que el Redentor–, María regresa a Nazaret, donde vivía y José la recibe por esposa, convirtiendose en custodio de su maternidad virginal y en futuro padre nutricio de Jesús. Estando en Belén, para empadronarse en su lugar de origen, obedeciendo así a un edicto de César Augusto, nació el Salvador en un humilde establo, único lugar de Belén donde el matrimonio pudo hallar refugio. Reinaba entonces en Palestina Herodes *el Grande*, quien murió en el año 750 de la fundación Roma, por lo que Jesús debió nacer al menos cuatro años antes del comienzo de la era cristiana, ya que ésta, por un error del monje Dionisio *el Exiguo* (s. IV), empezó a contarse 754 años después de la fundación de Roma. Varios hechos sobrenaturales acompañaron el nacimiento de Jesús; un ángel anunció la buena nueva a los pastores de las cercanías, mientras un coro de voces celestiales cantaba: "Gloria a Dios en las alturas y paz en la tierra a los hombres de buena voluntad", y tres Magos de Oriente, guiados por una estrella milagrosa, acudieron a Belén para adorar al recién nacido *Rey de Israel*.

Llegadas estas noticias a conocimiento de Herodes, éste entró en recelo y, no habiendo podido hallar a Jesús y a sus padres, ordenó la degollación de todos los niños de Belén y sus contornos menores de dos años. La Sagrada Familia, puesto sobre aviso José por un ángel, había huido a Egipto, donde permaneció algún tiempo,

Pedro y su hermano Andrés; los hijos de Zebedeo, Santiago *el Mayor* y Juan, y Leví o Mateo; a ellos se agregaron Felipe, Bartolomé, Tomás, Santiago *el Menor*, su hermano Judas Tadeo, Simón y, finalmente, Judas Iscariote. A ellos les confió la misión de difundir por todas partes la buena nueva, y de ahí el nombre de *apóstoles*, esto es, de *enviados*, con que los designó. En este segundo año de su ministerio, Jesús obra milagros mayores aún que los realizados hasta entonces. No sólo sana enfermos incurables, sino que resucita muertos y opera prodigios sobre la naturaleza inanimada; así, en una ocasión calma la tempestad, y en otra, para alimentar a la multitud que había acudido a oírle, multiplica los panes y los peces. Es también el periodo de sus grandes predicaciones, entre ellas las del famoso Sermón de la Montaña. En sus discursos a la multitud o cuando en la intimidad aleccionaba a sus discípulos, Jesús se expresaba en un lenguaje sencillo pero de gran belleza, muchas veces mediante comparaciones, ejemplos y parábolas en los que sus enseñanzas adquieran vívida e imborrable plasmación. El principal objeto de sus predicaciones es proclamar el reino de Dios y ofrecer una guía segura para llegar hasta él. Ese reino tiene dos fases o formas: una, la definitiva, en la terminación de los tiempos, es la de la justicia final y la santidad consumada; otra, la que pertenece a este mundo y está integrada por los que siguen el camino de perfección que ha de conducirlos a la gloria eterna. Para lograr esto último, Jesús asienta los dos principios capitales de su doctrina: *amar a Dios sobre todas las cosas y al prójimo*

99

como a uno mismo. Con ello la enseñanza evangélica, sobre contener el más puro y elevado culto a la divinidad, ofrece a todos los hombres un imperecedero mensaje de paz y de amor, sólo en virtud del cual les sería posible vivir venturosamente sobre la tierra.

En el tercero y último año de su ministerio, Jesús, que ya había hecho insinuaciones más o menos veladas acerca de su condición de Mesías, la declaró más abiertamente y se presentó a sus discípulos como Hijo de Dios, dejándoles entrever el tormento que deberá sufrir en la semana de Pasión. Se diríge con ellos a Jerusalén para asistir a las solemnidades religiosas de la Dedicación y de los Tabernáculos; sigue operando milagros, entre ellos el de la resurrección de Lázaro a los cuatro días de su muerte, y su popularidad va en aumento constante, mientras crece también la hostilidad de escribas y fariseos. Vuelve a Galilea, y en una ocasión, llevando consigo a tres de sus discípulos –Pedro, Juan y Santiago–, sube al monte Tabor, y allí se transfigura súbitamente ante sus ojos, apareciéndoseles bañado en celestial resplandor. Seis días antes de la Pascua llega a Betania desde Efrén, adonde se había retirado, y se detiene en casa de Marta y María, las hermanas de Lázaro "e hiciéronle allí una cena: y Marta servía y Lázaro era uno de los que estaban sentados a la mesa con Él. Entonces María tomó una libra de ungüento de nardo líquido, de mucho precio, y ungió los pies de Jesús, y los limpió con sus cabellos y la casa se llenó con el olor del ungüento según relato de la Biblia. En la mañana del domingo 2 de abril del año 30 hace su entrada triunfal en la ciudad santa montado en un borriquillo. "¡Bendito sea el que viene en nombre del Señor, el Rey de Israel!", grita la multitud que sale a su encuentro y cubre de hojas de olivo y de palmera el suelo por donde ha de pasar. Acude al templo, llamado de Salomón, desde donde adoctrina nuevamente a la muchedumbre y se somete al interrogatorio de los príncipes de los sacerdotes, a quienes confunde con sus respuestas. "Dad al César lo que es del César y a Dios lo que es de Dios", les contesta cuando, para hacerlo caer en una trampa, con objeto de poder acusarle de sedición ante las autoridades romanas, le preguntan si es o no lícito pagar tributo al César. Pasa los primeros días de aquella semana entre Betsaida y Jerusalén, y como sabe que su fin está próximo, procura adoctrinar a sus discípulos para la misión que quiere confiarles después de su muerte. Los príncipes de los sacerdotes y los escribas buscan cómo matarle, y decían: "No en el día de la fiesta, *la Pascua,* pues se alborotarán". Entretanto Judas, llamado *Iscariote,* se dispone a traicionar a su Maestro, al que entregará a sus enemigos mediante la recom-

Corel Stock Photo Library

Vitral que representa la última cena de Jesucristo.

pensa de 30 siclos de plata. Se reúne el Gran Consejo o Sanedrín (el más alto tribunal judío, compuesto de 70 jueces) y sus componentes acuerdan que el Nazareno sea arrestado, si bien la detención se llevará a efecto después de la fiesta de Pascua, para no excitar a los muchos partidarios de Jesús, que, para la celebración de la misma, han acudido a la ciudad. Llegada la tarde del rito pascual, Jesús se reúne con sus discípulos para cenar por última vez en su compañía. En el curso de aquella cena toma el pan, lo bendice y les da de él, diciéndoles: "Éste es mi cuerpo"; y lo mismo hace con el vino del cáliz: "Ésta es mi sangre, sello de la nueva alianza, que será derramada por la remisión de los pecados de muchos", agregando a continuación: "Repetid esto vosotros en mi memoria". Acababa de instituir con ello el sacramento de la Eucaristía. Todos se encaminan después al monte de los Olivos, y llegados a él, Jesús se apartó a orar, como solía, al huerto de Getsemaní. Estando en oración, el pensamiento de su muerte le hace caer en tierra y sudar sangre, entonces exclama: "Padre, aparta de mí este cáliz; mas no sea lo que yo quiero sino lo que quieres tú". Ya cerrada la noche llegaron los agentes del Sanedrín a prenderlo, precedidos por Judas, quien, según la señal convenida: "Aquél a quien yo besare, ése es, prendedle", acercándose a Jesús lo besó en una mejilla. Lo llevan entonces ante Caifás, el sumo sacerdote, que lo interroga en nombre del Sanedrín y no encuentra mal en él hasta que reitera que es el Hijo de Dios, por lo que se le acusa de blasfemo y reo de muerte. Pilatos, el gobernador romano, se

lava las manos y entrega el reo a la plebe que pide su crucifixión y la libertad del asesino Barrabás. Jesús, en manos de los soldados es coronado con espinas y tocado con un manto de púrpura, insultado y escupido. Se le carga con una pesada cruz y con ella sube al monte Calvario donde lo clavan en el madero que será izado entre los de dos ladrones crucificados junto con Él. Su madre y algunos discípulos y amigos están al pie de la Cruz y recogen sus últimas palabras. A las tres horas de agonía entregó su espíritu al Padre, momento en el que tembló la tierra y el cielo se oscureció. Para cerciorarse de su muerte uno de los soldados le dio un lanzazo en el pecho y de la herida brotó agua y sangre. José de Arimatea, amigo de Jesús, se hizo cargo del cadáver, lo embalsamó y le dio sepultura. Pero, al tercer día Jesucristo resucitó lleno de gloria y permaneció 40 días sobre la tierra, al cabo de los cuales, ascendió a los cielos, y prometió volver a juzgar a los vivos y a los muertos. *Véanse* BELÉN; CRISTIANISMO; EVANGELIO.

jesuita. *Véase* ORDEN RELIGIOSA.

jet. Aeronave más pesada que el aire, cuya fuerza impulsora está fundada en la reacción producida por la expulsión de un chorro de líquido o de vapor en sentido opuesto al del avance. *Véase* PROPULSIÓN A CHORRO.

jíbaros. Nombre de varias tribus indias de la cuenca del Alto Amazonas, que ocupan aproximadamente el territorio comprendido entre la Cordillera Oriental de los Andes, el río Pastaza y el Marañón. Son una raza fuerte, de estatura mediana, con la piel morena clara y el cabello negro, lacio y muy abundante, que los hombres recogen en una trenza y las mujeres dejan suelto sobre la espalda. El traje masculino es el *itipi,* pieza rectangular de algodón tejido y teñido a rayas de colores, que se arrollan a la cintura sujetándolo con una liana o faja de algodón; algunas tribus usan además una especie de camisa sin mangas, hecha de pasta de corteza vegetal.

El vestido femenino es el *tarachi,* especie de toga que les deja los brazos descubiertos. Los jíbaros son muy aficionados a los adornos, sobre todo los hombres; se pintan el cuerpo y el rostro y se perforan el lóbulo de la oreja para introducir canutillos tallados de bambú, de los que cuelgan pendientes de todas clases, y en ocasión de las fiestas usan numerosos ornamentos: collares, coronas de fibras vegetales con plumas, semillas y alas de insectos y un pompón de plumas que atan a la punta de la trenza.

Hay nueve grupos principales de jíbaros y varios subgrupos, con un total de 40,000 individuos. Su organización social es muy sencilla. No forman aldeas, sino grandes casas comunales aisladas, donde vive una veintena de personas emparentadas, bajo la autoridad de un jefe. Sólo en caso de guerra, cuando se alían varias comunidades se elige un jefe único y superior entre todos, pero cuyas atribuciones son temporales. Los personajes más importantes son los médicos brujos, que curan principalmente por sugestión.

La casa es de forma oval, de unos 25 m de largo por 10 o 12 de ancho y 4 m de alto. Está hecha de madera de chonta y cañas atadas con hojas de palma, con el techo de paja. Tiene dos puertas, una para las mujeres y otra para los hombres, e interiormente está dividida en dos secciones: en una las mujeres hacen la comida, tejen y realizan otros trabajos, mientras que la otra está reservada a los hombres y en ella hacen sus armas, tambores de señales y canoas. La vivienda ocupa el centro del terreno que dedican al cultivo: mandioca, maíz, cazabe, batatas y bananas, que constituyen la base de su alimentación. A ésta agregan los frutos silvestres recolectados y los productos de la caza y de la pesca. Gustan mucho de las bebidas, sobre todo la chicha y el masato, que fabrican por fermentación del maíz y la yuca con agua, previamente masticado por las mujeres. Además de estas ocupaciones, los jíbaros hacen trabajos de alfarería, de madera y tejidos en rústicos telares.

Sus armas son la lanza, el propulsor para flechas y la cerbatana, con la que lanzan dardos envenenados. Son de los más temibles moradores de la selva por su espíritu belicoso y vengativo. Su vida es casi una guerra continua, y ya desde los 6 o 7 años los niños son instruidos en las prácticas guerreras. Realizan los ataques para vengar ofensas reales o imaginarias, y sólo perdonan la vida de las mujeres jóvenes, a las que toman cautivas.

Su mejor botín son las cabezas de sus enemigos, que sometidas a cierto tratamiento quedan reducidas al tamaño de una naranja, pero sin perder sus rasgos fisonómicos, y son el mayor orgullo de su poseedor. La preparación de la *tsantsa* –nombre de la cabeza reducida– exige un proceso que el hombre blanco conoce sólo en parte, pues el jíbaro mantiene absoluto secreto sobre los ingredientes y baños a que la somete. Lo primero que hace es un corte en el cuero cabelludo desde su nacimiento hasta la nuca, y lo va levantando hasta que saca el cráneo. Luego la limpia cuidadosamente por dentro, dejando únicamente la piel y el cabello; cose la incisión hecha, así como la boca, con cuerdas que deja colgando y, poniendo en su interior piedras y arena caliente, la hierve en una infusión de hierbas astringentes que reducen su tamaño e impiden la caída del cabello, se repite varias veces el proceso, dis-

minuyendo cada vez la cantidad de piedras y arena, y modelando la cabeza para que conserve su primitiva forma, al cabo de varias horas queda del tamaño deseado, entonces la rellena con hierbas, la engrasa por fuera y la curte ahumándola en el fuego de raíces de determinadas palmeras. Finalmente la adorna con plumas, élitros de escarabajos y ristras de semillas atadas a las cuerdas de la boca y colgando de las orejas.

Una vez preparada la *tsantsa* tiene lugar la gran fiesta de la victoria, a la que invitan a los vecinos y que requiere larga preparación: comida y chicha abundantes, vestidos nuevos, etcétera. El día de la fiesta colocan la cabeza-trofeo en un poste, efectúan varios ritos, y hombres y mujeres bailan alrededor de ella, insultándola y cantando el heroísmo de su poseedor. Estas fiestas suelen durar varios días, generalmente hasta que se acaba la chicha con que emborracharse. Después el jíbaro coloca su *tsantsa* en el frente de su casa para que le traiga buena cosecha, abundantes ganados, habilidad en la caza, etcétera, después de la ceremonia se convirtió en amuleto; si esto no llegara a suceder, la castigan rapándola y tirándola. Otras veces la venden o cambian por armas a los blancos, comercio que está muy perseguido por el gobierno de Ecuador, quien, junto con los misioneros salesianos, trata de que desaparezca esa costumbre. Las creencias religiosas de los jíbaros se han modificado un poco por la influencia de los misioneros; creen en un espíritu superior, llamado *Iguanchi*, que vive en la selva, y al que piden consejo; pero, no le rinden culto de ninguna especie ni tienen templos ni sacerdotes. En sus tradiciones, los jíbaros tienen muchas leyendas y mitos, entre ellos el del origen de las estrellas, de las razas, el diluvio y otros.

Corel Stock Photo Library

Jibia del Mediterráneo.

jibia. Molusco cefalópodo, muy común en el Mediterráneo y en las costas del Atlántico, provisto de 10 tentáculos con ventosas en toda su longitud, excepto los dos más largos que se encuentran en sus extremos. Su cuerpo está formado por un saco oblongo rodeado por una membrana natatoria y posee una placa dorsal ósea conocida con el nombre de jibón. La cabeza, dotada de dos grandes ojos, se halla en la parte anterior del saco. Cerca del corazón posee la llamada bolsa de la tinta, que contiene un líquido oscuro (color sepia), con el que enturbia el agua cuando se ve en peligro. Tiene, además, una cavidad llena de agua, líquido que despide con fuerza cuando desea desplazarse; este aparato, que imita la propulsión a chorro, forma parte de sus medios de locomoción. Su carne es muy sabrosa.

jícara. En México, vasija hecha con la corteza del fruto del árbol llamado jícaro, que suele decorarse con ornamentaciones grabadas e iluminadas en diversos colores, y son muy estimadas por su belleza. Según la especie del árbol, los frutos son esféricos o alargados. De los esféricos se hacen las jícaras, y de los alargados otros recipientes llamados güiras. Se deriva del vocablo azteca *xicalli*. Entre las más bellas jícaras de México, se destacan las que se hacen en Michoacán, recubiertas de lacas brillantes y resistentes, primorosamente decoradas, que son hermosa demostración del arte indígena.

jiddish. *Véase* YIDDISH.

jilguero. Pájaro fringílido que habita en las regiones templadas de Europa, Asia y América; mide unos 12 cm de longitud y aproximadamente el doble de envergadura; el plumaje del lomo es castaño oscuro,

101

Corel Stock Photo Library

Jilguero amarillo en una rama.

en tanto que la cara blanca, presenta una mancha roja; tiene un collar albo, color que se observa igualmente en la punta de las alas. Se alimenta de semillas de lino, cañamones y otros granos.

Jiménez y Bellido, Jerónimo (1854-1923).
Músico y compositor español. Director de compañía lírica a los 17 años, a los 20 se fue a vivir a París donde obtuvo primeros premios de armonía, composición y piano. De gran cultura y delicada inspiración, es autor, entre otras obras, de *La boda de Luis Alonso*, *Los voluntarios*, *La tempranica*, *Los pícaros celos* y *La gatita blanca*. Amadeo Vives lo apellidó el *Músico del garbo*.

Jiménez, Juan Ramón (1881-1958).
Poeta español, nacido en Moguer (Huelva). Estudió en la Universidad de Sevilla. Residió en Madrid durante muchos años, dedicado exclusivamente a su obra lírica. En 1916 contrajo matrimonio con Zenobia Camprubí, española educada en Estados Unidos y conocida en los círculos literarios como notable traductora de Rabindranath Tagore. En 1936, se trasladó a Puerto Rico, de donde pasó a Cuba y, a continuación, a Estados Unidos, para establecer después su residencia en el primero de los países citados.

En la obra de Juan Ramón Jiménez se distinguen dos estilos o épocas principales, cuyo deslinde queda marcado por su *Diario de un poeta recién casado*, escrito en 1916 y publicado el año siguiente. Anterior a esa fecha, su lírica se caracteriza por un tono melancólico, todo matiz y síntesis, sentimental y de procedencia modernista. A esta etapa corresponden sus obras *Arias tristes*, *Jardines lejanos*, *Baladas de prima-vera*, la serie de *Elegías* y otras varias. Los mejores versos de esta primera época los recogió el mismo poeta en su *Segunda antología poética* (1922).

En su segunda época, abandona la modalidad anterior, en la que predominaban la musicalidad y el preciosismo, y se propone alcanzar en su poesía la depuración que lo eleve a la unidad esencial y a la realidad del amor como demostración de plenitud humana. A ese nuevo sentido lírico de su segundo estilo obedecen, entre otras, sus obras *Piedra y cielo*, *Eternidades*, *Belleza*, *Unidad*, *Sucesión y Ciego ante ciegos*. Como prosista, destaca en su obra *Platero y yo*. La obra de Juan Ramón Jiménez ha ejercido gran influencia en las tendencias renovadoras de la poesía en los países de habla española. En 1956 le fue otorgado el Premio Nobel de Literatura.

Jiménez, Max (1900-1947).
Intelectual y artista costarricense que cultivó indistintamente la escultura, la pintura, la poesía y varios géneros literarios. Fue discípulo de Antoine Bourdelle. Su obra escultórica se caracteriza por rasgos graciosos y a veces humorísticos, sin desdeñar algunos toques modernistas. Sus obras literarias más conocidas son: *Gleba*, *El domador de pulgas* y *Sonaja*.

Jiménez da Asúa, Luis (1899-1970).
Jurisconsulto español, de destacada actuación en la enseñanza y en la política de su país. Doctorado en España, realizó viajes de estudio a Francia, Suiza y Alemania. En 1914 desempeñó el cargo de profesor auxiliar en la facultad de derecho de Madrid, centro en el que cuatro años más tarde fue catedrático de derecho penal. Asimismo fue profesor en la Escuela de Criminología y en la Academia de Jurisprudencia españolas. Al instaurarse la República en 1931 fue elegido diputado a cortes. Formó parte del gobierno como ministro. Al producirse la guerra civil en 1936 volvió a desempeñar cargos de importancia, entre otros el de ministro de España en Checoslovaquia. Terminada la guerra marchó a América. Dio conferencias en Argentina, Uruguay y Perú y publicó muchas obras, entre ellas: *El derecho penal*, *La teoría jurídica del delito*, *El nuevo código penal argentino*, etcétera.

Jiménez de Cisneros, Francisco
(1436-1517). Célebre prelado y político español. Nació en Torrelaguna (Madrid) y murió en la villa de Roa (Burgos). Su vida es considerada como un ejemplo de integridad moral y de energía puestas al servicio de la patria más que del poder real. Siendo arzobispo de Toledo y hallándose enferma la reina doña Juana y ausente el padre de ésta, don Fernando *el Católico*, Cisneros fue designado para presidir el Consejo de Regencia. Desde este cargo revocó las mercedes que, contra el sentir del pueblo, se habían otorgado a los flamencos y emprendió una enérgica y quebrantadora acción contra los nobles que urdían conspiraciones y trataban de destruir la unidad nacional. Para combatirlos creó un cuerpo de infantería y caballería, fuerzas con las que mantuvo a raya a los levantiscos hasta el regreso de Fernando *el Católico*, quien, al volver de Italia, trajo el capelo cardenalicio para Jiménez de Cisneros.

Ya en los últimos años de su vida, muerto don Fernando y recluida la reina doña Juana en el monasterio de Tordesillas, volvió el cardenal Cisneros a ejercer la regencia del reino y cumplió de nuevo su misión con rectitud y energía. Hizo frente a las pretensiones de Adriano de Utrech, deán de Lovaina y ayo de Carlos I, que había llegado a España con ánimo de gobernarla; restableció la situación del Tesoro haciendo restituir al erario cuantiosas sumas; reprimió nuevos conatos de alzamiento de algunos nobles sin derramar una sola gota de sangre; reorganizó el Ejército y equipó escuadras que limpiaron de piratas la costa española; salió al encuentro de las tropas francesas que trataban de conquistar Navarra y las derrotó en las gargantas de los Pirineos. Asimismo mantuvo el poderío español en Nápoles, África y América hasta la llegada del heredero de la corona, Carlos I de España y V de Alemania, que residía en Flandes y que, cediendo al fin a las instancias de Cisneros, llegó a España en 1517, poco antes de morir el cardenal. Jiménez de Cisneros emprendió también la reforma de las órdenes religiosas españolas y contribuyó con su propio peculio a la conquista de Orán y otros lugares de Áfricaca donde los infieles tenían a numerosos españoles en cautiverio. Se ocupó en la preparación de la Biblia políglota y, preocupado siempre por el progreso cultural del pueblo español, fundó la famosa Universidad de Alcalá de Henares.

Jiménez de la Espada, Marcos

(1831-1898). Naturalista y viajero español, nacido en Cartagena. Fue profesor auxiliar de varias cátedras de la Universidad de Madrid. Nombrado naturalista de la expedición al Pacífico en 1862, realizó en América meridional uno de los más asombrosos viajes de exploración del siglo XIX, recorriendo a pie y en canoa más de 4,000 km. Después de explorar los principales volcanes andinos, cruzó todo el continente de Guayaquil a Pará, y descendió por el Napo y el Amazonas, recogiendo y estudiando numerosas especies nuevas. Escribió numerosos trabajos científicos, geográficos e históricos. Poco antes de su muerte se le nombró catedrático de la universidad y miembro de varias academias.

Jiménez de Quesada, Gonzalo

(1509-1579). Conquistador español. Descubridor y fundador del reino de Nueva Granada (hoy Colombia) y de su capital, Santa Fe de Bogotá. Estudió leyes y pertenecía a la cancillería real cuando fue designado auditor y justicia mayor de la expedición de Pedro Fernández de Lugo a Santa Marta. De allí partió a las fuentes del río Magdalena (abril de 1536). Fundó Bogotá (6 de agosto de 1538) y un año después viajó a España y recorrió Francia e Italia. Vuelto a Bogotá en 1569, donde se le recibió con entusiasmo, salió a los Llanos en busca de los tesoros de El Dorado, empresa en la que fracasó, y regresó a los tres años arruinado y enfermo. Vivió en Suesca, escribiendo sus memorias, que se han perdido; en 1579 se trasladó a Mariquita, enfermo de lepra, donde murió. En 1598 su cadáver fue llevado a la catedral de Bogotá, donde reposa bajo el altar mayor, del lado de la Epístola. Quesada fue conquistador letrado y escritor fecundo, pero desgraciadamente se ha perdido la mayor parte de sus obras. *Véase* DORADO, EL.

Jiménez de Rada, Rodrigo (1170?-

1247). Prelado e historiador español, llamado *el Toledano*. Fue obispo de Osma y arzobispo de Toledo (1210). Activo consejero del rey de Castilla, Alfonso VIII, tuvo actuación principal en la cruzada contra los almohades que culminó en la victoria de las Navas de Tolosa (1212). Participó activamente en diversos concilios, y sostuvo la primacía de la sede metropolitana de Toledo frente a la de Tarragona. Fue canciller de Castilla y cultivó las letras y las artes. Entre sus obras se destacan el *Breviario de la historia católica* y la monumental *Historia gótica*.

Jiménez Díaz, Carlos (1898-1963).

Médico y profesor español, catedrático de patología y clínica médica de las facultades de medicina de Sevilla y Madrid. Fundador del Instituto de Investigaciones Médicas de Madrid donde desarrolló una impotante labor. Se le considera uno de los grandes clínicos contemporáneos. Entre sus obras figuran: *Lecciones de patología médica*, *El asma*, *Nuevos aspectos de la hematología*, etcétera. Dió conferencias en las facultades de medicina de Buenos Aires, la Plata, Santiago de Chile y Lima. Dirigió la *Revista Clínica Española*.

Jiménez Oreamuno, Ricardo

(1859-1945). Jurisconsulto y político costarricense nacido en Cartago. Realizó sus estudios y obtuvo el título de abogado en San José, y desempeñó varios cargos oficiales, ocupando la presidencia de cada uno de los poderes: Legislativo, Judicial y Ejecutivo; este último ejercido asimismo en tres ocasiones: de 1910 a 1914, de 1924 a 1928 y de 1932 a 1936. Durante su gobierno se reorganizó la Hacienda Pública, se consolidó la deuda externa y se pagó la interna, amén de muchas mejoras logradas en los renglones de agricultura, finanzas, comunicaciones y obras públicas.

Jiménez Rueda, Julio (1896-1960).

Escritor mexicano nacido y muerto en la ciudad de México. Abogado por la Escuela de Jurisprudencia y doctorado por la facultad de filosofía y letras, dio cátedra tanto en la Universidad Nacional Autónoma de México como en la secretaría de Educación Pública. Fue director de diversas instituciones educativas y culturales, como la Escuela de Arte Teatral, el Archivo General de la Nación; representante de la Universidad en los congresos dentro y fuera del país; miembro de la Academia de la Lengua y de la de Historia. Escribió varias obras tanto de investigación como de creación. De las primeras quizá la más conocida es su *Historia de la Literatura Mexicana*, con una *Antología de la prosa en México*, sin olvidar el

Sombreros de la ciudad de Jipijapa.

estudio histórico titulado *Herejías y supersticiones en la Nueva España* y la *Historia de la cultura mexicana* (obra inconclusa). En la narrativa sobresalen sus *Novelas coloniales* y en teatro se cuentan *Toque de diana*, *Miramar*, *Balada de Navidad*, etcétera.

jineta. Mamífero carnicero, de unos 45 cm de largo desde la cabeza al arranque de la cola la cual mide otro tanto. El cuerpo es esbelto, la cabeza pequeña, el hocico prolongado, el cuello largo, las patas cortas y el pelaje blanco en la garganta, pardo amarillento con manchas en fajas negras por el cuerpo y con anillos negros y blancos en la cola. Abunda en Berbería, donde los domestican para reemplazar al gato común.

Jinnah, Mohammed Alí (1876-

1948). Estadista y político hindú que ha merecido el calificativo de *padre del Pakistán*. Nacido en la ciudad de Karachi, estudió abogacía en Gran Bretaña. Al regresar a la India alcanzó fama como abogado del tribunal supremo de Bombay. Elegido presidente de la Liga Musulmana, actuó al mismo tiempo en el seno del Partido del Congreso, organización política que propugnaba la independencia de la India. Disintiendo del Mahatma Gandhi y de sus métodos de desobediencia civil, abandonó el partido e inició una enconada lucha cívica que culminó con la escisión de Pakistán. Jinnah sostenía que el inmenso subcontinente de la India no formaba un solo país, sino dos: musulmán el uno, hindú el otro. Como jefe de la Liga Musulmana, desplegó ingentes esfuerzos para lograr la creación de un país libre que representara a los millones de musulmanes de la India. Logró éxito en 1947, año en que nació el Dominio de Pakistán, Estado soberano miembro de la Comunidad Británica de Naciones.

Jinotega. Departamento de Nicaragua en el noroeste del país, cruzado por los importantes ríos Coco y su afluente el Bocay. Su superficie es de 9,640 km². Población: 214,070 habitantes (1995). La capital es Jinotega, que tiene 14,000 habitantes. Rica zona agrícola, una de las más importantes de la República, principalmente por su producción de café.

Jipijapa. Ciudad del Ecuador, en la provincia de Manabí. Tiene 36,000 habitantes. Entre sus industrias se destaca la fabricación de los famosos sombreros de *jipijapa*. Está situada en una fértil comarca de gran producción de café y en la que se recolectan, también, nueces de tagua (marfil vegetal), por lo que la ciudad es el centro mercantil de dichos productos.

jipijapa. Nombre con que se designa a los sombreros confeccionados con paja

Jirafa alimentándose en África.

toquilla, industria típica de la República del Ecuador, principalmente en las regiones de Jipijapa y Montecristi, de la provincia de Manabí. La materia prima procede de una planta tropical, parecida a la palma, cuyo nombre es *Carludovica palmata*, que crece en los bosques de Manabí y Esmeraldas. Las hojas de esa planta se someten a un cuidadoso proceso de maceración, después del cual se separan las fibras que, a su vez, son sometidas a la acción del vapor de azufre para darles mayor blancura. De esa manera, las fibras, blancas, flexibles y de gran finura, quedan listas para ser tejidas y hacer de ellas diversos objetos y prendas, pero principalmente sombreros.

Para obtener la más alta calidad y finura, el tejido de sombreros se hace de noche, por familias de artesanos que son expertos tejedores y que se transmiten su experiencia y los secretos de su arte, de padres a hijos. La labor de tejido se hace a mano, empleando hormas de madera de balsa para darles forma a los sombreros. Se necesitan varios meses de labor para tejer los sombreros de mayor finura y de tejido tan apretado que resulta casi invisible. Los sombreros de tejido más tenue, doblados y enrollados, pueden pasar por el hueco de una sortija. Los sombreros más finos y apreciados, de gran valor, se tejen en Jipijapa y en Montecristi, pero también se fabrican en otras partes del Ecuador.

jirafa. Mamífero rumiante, de la familia de los jiráfidos, originario de África al sur del Sahara. Tiene unos 5 m de altura. Su cuello mide aproximadamente 2 m. Aparentemente, sus miembros anteriores son más

largos que los posteriores, pero en realidad tienen igual longitud, error visual provocado por la inclinación acentuada que presenta el dorso. En la cabeza lleva dos protuberancias frontales semejantes a diminutos cuernos, cubiertos por la piel.

La jirafa casi siempre se encuentra en manadas de 15 a 20 individuos, aunque muchos exploradores han visto algunas hasta de 100. Su andar es el llamado de *ambladura*, es decir, que levantan casi al mismo tiempo los dos pies del mismo lado, lo que aumenta notablemente la velocidad de su carrera. La movilidad de su labio superior y la longitud extremada de su lengua le permiten arrancar hojas y frutos de los árboles.

A semejanza del camello, la jirafa es de marcha lenta y de fuga veloz. Posee un notable mimetismo (adaptación y disimulo en su medio), pues su forma y color se confunde muchas veces con el follaje y los troncos de los árboles. Sus formidables coces ponen en aprieto a tigres y panteras. Rumia durante la noche. Cuando bebe, o come hierba, la gran longitud de su cuello la obliga a separar las extremidades delanteras, de tal modo que a mayor abertura del ángulo que forman tiene mejor acceso al nivel del suelo.

Sus cuerdas vocales apenas vibran, por lo cual no emite sonidos claramente perceptibles. A veces se les escucha un mugido levísimo. Tienen muy desarrollado el olfato, oído y vista. Al menor asomo de peligro emprenden veloz galope, en el que aventajan al mismo caballo. En cautividad necesita especiales cuidados. Su apreciada piel, llena de manchas irregulares, valió a este animal la denominación de camellopardo, voz anticuada y en desuso, que se le daba por su semejanza con el camello y el leopardo.

jiujitsu. Sistema de lucha de origen japonés, que se vale de la habilidad y sangre fría para vencer a contrincantes de mayor fortaleza. Practicado en Japón desde antes de la era cristiana, sus reglas fueron monopolio de este país durante mucho tiempo; en nuestros días fue reconocido universalmente como deporte al ser incluido en el programa de los juegos olímpicos de Tokio (1964). México fue la sede del campeonato mundial de judo de 1969. El buen luchador de jiujitsu debe conocer perfectamente la localización de las partes más vulnerables del cuerpo humano y la manera eficaz de atacarlas y proteger las propias.

Los ataques más frecuentes son golpes con el canto de la mano a la cabeza, cuello, antebrazo, brazo, piernas, etcétera, dados con tal precisión, que paralizan parte del cuerpo. También se golpea con la punta de los dedos el hueco del estómago; con la palma de la mano a la nariz y barbilla, y con el codo o rodilla a la cara, abdomen,

estómago, etcétera. Un golpe en el hueso del codo deja paralizado por algunos momentos el brazo. Además de los golpes, se usan numerosas llaves o presas, que oprimen centros nerviosos o vitales, dejando al adversario inconsciente. Una fuerte presión en el cuello, por ejemplo, impide el riego sanguíneo que llega por las carótidas al cerebro, produciendo un desvanecimiento en el contrincante, que se aprovecha para vencerlo. Los luchadores suelen conocer también las prácticas para reanimar al adversario en caso necesario y curar las contusiones producidas en la lucha. La rapidez y agilidad de movimientos, unidas a la sangre fría y a la precisión para asestar los golpes, son las cualidades más apreciadas en esta lucha.

En algunos países se practica modernamente una forma popular de jiujitsu, el *judo*, basado en algunas reglas de aquél, pero mucho más fácil de aprender y menos peligroso. Tiene enorme importancia porque enseña a defenderse contra adversarios físicamente más fuertes y a contrarrestar ataques de enemigos armados de palos, cuchillo, navaja y hasta revólver. Los alumnos de las escuelas militares lo aprenden para las luchas cuerpo a cuerpo y también se enseña a los agentes de policía y de los servicios secretos para su propia protección.

Joachim von Laucher, George

(1514-1576). Astrónomo y matemático suizo, al que se dio el sobrenombre de Rheticus. Se graduó maestro de filosofía en la Universidad de Wittemberg en 1535. Fue profesor de matemáticas. En 1539 ayudó en sus observaciones astronómicas a Copérnico, de quien fue primer discípulo, y se mostró acérrimo defensor de su teoría de la rotación de la Tierra. Escribió diversas obras entre las que pueden señalarse su *Opus palatinum de triangulis*, *Orationes de astronomía*, *Copernici narratio* y otras.

Job. Personaje de la tradición hebrea que vivió hacia el siglo XIV a. C. en la tierra de Hus en unión de su esposa, siete hijos y tres hijas, y poseía abundantes bienes. Agobiado por múltiples desgracias supo sobreponerse y recuperó, por su fe y resignación, cuanto había perdido. Su ejemplo de conformidad ha vencido a los siglos y hoy es común aconsejar a las personas irascibles que "tengan la paciencia de Job".

El Libro de Job consta de 42 capítulos y contiene la vida del patriarca según el Antiguo Testamento, y sus páginas constituyen una de las obras maestras de la literatura hebrea. Comienza refiriéndose al poder que Dios da a Satanás para que ponga a prueba la fe de su siervo, ante la afirmación del demonio de que Job es fiel a su Señor únicamente por los bienes que de Él recibe. A partir de ese instante los padecimientos de Job no tienen límites: pierde cuanto posee, mueren sus hijos, se ve aislado y presa de una inmunda enfermedad, yace en un estercolero. Acuden a consolarle tres príncipes amigos: Elifaz, Baldad y Sofar, y el joven Eliu. En los diálogos que sostiene con ellos se registran las páginas magistrales en que niega haber cometido culpa que merezca su desgracia y, sobre todo, sostiene que Dios es justo.

Su paciencia y su fe superan todo mal y mantienen su resignación, que jamás desfallece. Vence así a Satanás y le vuelven la salud y la prosperidad, y otros siete hijos y tres hijas alegran el hogar reconstruido para vivir todavía 140 años. El Libro de Job ha inspirado pinturas y esculturas famosas. En el admirable camposanto de Pisa, construido a mitad del siglo XIII, hay seis pinturas murales con pasajes de la vida del patriarca, que fueron realizadas por Giotto. William Shakespeare lo toma como ejemplo en su drama *Enrique IV*, al poner en labios de Falstaff las palabras: "Me hallo tan pobre como Job, Señor, ¡pero no soy tan paciente!". *Véase* BIBLIA.

Jodrell Bank. Observatorio radioastronómico dependiente de la Universidad de Manchester, situado en Jodrell Bank, localidad de Chesire, Inglaterra. El elemento más importante de este observatorio es el radiotelescopio Mark I, inaugurado en 1957 y cuyo peso total (pantalla más estructura-soporte) es de unas 2,000 ton. En 1964 entró en funcionamiento un segundo radiotelescopio –el Mark II–, de menores dimensiones, pero que presenta la ventaja de funcionar durante varias horas de modo completamente automático de acuerdo con un programa preparado con anterioridad. Hay además un tercer radiotelescopio –el Mark III–, cuya pantalla tiene las mismas dimensiones que el Mark II, bien dispone de una estructura metálica transportable.

Las investigaciones llevadas a cabo en Jodrell Bank son muy variadas: análisis de los ecos radioeléctricos de la Luna y los planetas, estudio de las características de la ionosfera superior, de la radiación térmica procedente de las nebulosas planetarias, del ruido radioeléctrico de origen galáctico, etcétera. *Véase* OBSERVATORIOS.

Joe Louis (1914-1981). Boxeador estadounidense. Desde que se inició en el boxeo, ganó casi todas sus peleas por *knock out*. Venció a famosos boxeadores como Primo Carnera, Max Baer, Paulino Uzcudun y Max Schmelling. En 1937 alcanzó el título de campeón del mundo en la división de pesos pesados al derrotar a James J. Braddock. Durante más de once años retuvo el título de campeón, que defendió en 25 peleas, y en 1949 se retiró victorioso, abandonando el título, que pasó a Ezzard Charles. En 1950 volvió Louis al

Salvat Universal

Escenas de la historia de Job en un salterio del s. XVI.

boxeo para disputarle el título a Charles, pero fue derrotado por decisión. En años posteriores continuó dedicado al boxeo. Su nombre completo es Joe Louis Barrow.

Joffre, Joseph Jacques Césaire (1852-1931). Militar francés. Estudió en la Escuela Politécnica y se especializó en ingeniería militar, fortificaciones y matemáticas. Con el grado de subteniente, peleó en la guerra francoprusiana de 1870-1871 y mandó una batería en el sitio de París. Ascendió a capitán en 1876. Sirvió en Asia y África, en las campañas del Tonkín, Dahomey y Timbuctú. Fue nombrado profesor de la Escuela Superior de Guerra en

1901 y ascendido a general. En 1911 fue designado jefe de Estado Mayor General y formuló el plan militar de defensa para el caso de una nueva guerra con Alemania. En la Primera Guerra Mundial fue general en jefe de los ejércitos franceses e ingleses que defendían las fronteras de Francia. Rechazó a los alemanes en la célebre batalla del Marne y fue considerado como el *salvador* de Francia. Por sus grandes servicios militares fue ascendido a mariscal de Francia y se le concedió la gran cruz de la Legión de honor.

Johannesburgo. La mayor ciudad de la República de Sudáfrica. Tiene 1.916,063

Arquitectura contemporánea en Johannesburgo, Sudáfrica.

Corel Stock Photo Library

habitantes (1991). En 1886, un año después de descubrirse los ricos yacimientos de oro de los montes Witwatersrand, fue fundada en el centro de estas minas y alcanzó rápido y extraordinario progreso. La ciudad está construida sobre terrenos auríferos, y bajo sus calles suelen hallarse vetas de oro. Durante la guerra anglobóer fue capturada por las fuerzas británicas de lord Roberts, en 1900, después de una lucha heroica. Quedó destruida en gran parte y en su defensa murieron millares de hombres, mujeres y niños. Para contribuir a su recuperación económica se realizó en Johannesburgo la Exposición Internacional de la Paz (1904-1905). Es el gran centro de producción de oro y diamantes de la República de Sudáfrica. Posee magníficos servicios aéreos con el exterior y para su comunicación interior cuenta con excelentes redes ferroviarias, que la enlazan con el resto de la nación y otras regiones de África. Entre sus edificios más importantes se destacan los palacios Municipal, de Correos, de Justicia y la biblioteca. Es sede de un obispado católico y otro anglicano. Posee un jardín zoológico muy admirado.

John Bull. Protagonista de la sátira del médico y escritor John Arbuthnot *La historia de John Bull*, aparecida en 1727, y que ha pasado a ser la caracterización de la nación inglesa o de su pueblo, según después la dibujó Francis Carruthers Gould. De índole franca y alegre e inclinado a la bondad, a John Bull se le representa vestido de frac, luciendo los colores de la bandera inglesa a modo de chaleco, con botas hasta media pantorrilla y sombrero de copa. La popularidad del personaje de Arbuthnot estimuló la aparición del *Uncle Sam* de los estadounidenses.

Johnson, Eyvind (1900-1976). Novelista sueco. Su infancia en Suecia del norte proveyó el material para sus famosas series de novelas, incluyendo *1914* (1934), todas publicadas antes de la Segunda Guerra Mundial. En sus obras posteriores, Johnson exploró un amplio rango de periodos históricos: Grecia antigua en *Regreso a Ítaca* (1946) y el siglo XVII de Francia en *Sueños sobre rosas y fuego* (1949). Escritor casi por completo autodidacta, Johnson compartió en 1974 el Premio Nobel de Literatura con otro autor sueco, Harry Martinson.

Johnson, Lyndon Baines (1908-1973). Político estadounidense. En 1930 se graduó de maestro en la Escuela Normal de Texas, en su estado natal, ejerció el magisterio durante dos años y después se graduó en la facultad de leyes de la Universidad de Georgetown en Washington. En 1935 desempeñó el cargo de director de la Administración Juvenil Nacional y dos años después fue elegido representante a la Cámara. En la Segunda Guerra Mundial sirvió en la marina de guerra (1941-1942). En 1948 fue elegido senador y reelecto posteriormente. Jefe de la mayoría del Senado, en 1955 y 1959, demostró gran experiencia y tacto político tanto en problemas interiores del partido demócrata al que pertenece, como en grandes cuestiones de interés nacional entre ellas sobre libertades civiles y la seguridad nacional. Creó y presidió el comité senatorial de Investigación Espacial y Astronáutica. En las elecciones de noviembre de 1960, fue elegido vicepresidente de la República. Pasó a ejercer las funciones de presidente de Estados Unidos, el 22 de noviembre de 1963 por fallecimiento del presidente John Fitzgerald Kennedy. Al año siguiente fue elegido presidente para 1964-1968. Antes de terminar su mandato, anunció que no se presentaría a la reelección. Le sucedió en el cargo Richard Milhous Nixon.

Johnson, Samuel (1709-1784). Escritor inglés considerado en su patria como el típico hombre de letras británico. Sus conversaciones y andanzas fueron recogidas cuidadosamente por un amigo suyo, Jaime Boswell, quien con ellas compuso un libro, *Vida de Samuel Johnson* que es modelo de biografías. Según Boswell, su retratado era un hombre rudo y mal vestido, de una sinceridad que no temía ofender a los hombres más orgullosos. Era hijo de un librero y en el negocio de su padre leyó casi todos los libros que formaban su extensa y compleja cultura y su animada conversación. Muy pobre, se casó con una mujer 20 años mayor que él, pero de regular fortuna, y juntos intentaron fundar una escuela. Esta empresa fracasó y comenzó a colaborar en periódicos londinenses, a frecuentar sociedades de escritores y a publicar algunas de sus obras. Su *diccionario de la lengua inglesa* fue una obra notable en su género. Son también suyos un famoso prólogo a las obras de William Shakespeare y las biografías *Vidas de poetas*.

Joliot-Curie, Jean Fréderic (1900-1958). Físico francés notable por sus trabajos acerca de la radiactividad inducida, efectuados en compañía de su esposa, Irene Curie, hija de los descubridores del radio, lo que les valió a ambos el Premio Nobel de Química en 1935. Profesor del Colegio de Francia, fue designado alto comisario francés para el programa de investigaciones sobre la energía atómica, cargo que ejerció de 1946 a 1950.

Joló. Provincia de la República de Filipinas, cuyo territorio se halla formado por un archipiélago que separa el mar de su nombre del de Célebes y que comprende unas 400 islas, divididas en cinco grupos. Su superficie es de 2,850 km² y su población de más de 360,588 habitantes (1994). Sus principales fuentes de riqueza son la agricultura y la pesca. El puerto de Joló goza de importancia comercial y la industria perlera es tradicional entre los naturales del país.

Jolson, Al (1886-1950). Cantante y actor estadounidense de origen lituano que alcanzó gran popularidad, principalmente en el cine. Hijo de un rabino que se radicó en Washington, huyó del hogar cuando sus padres quisieron hacerlo cantor de la sinagoga. Cambió su nombre de Asa Yoelson por el seudónimo que lo haría famoso y se unió a compañías de artistas negros donde dio a conocer su bella voz y estilo personal que lo llevaron a la cumbre de la popularidad. Intervino en las primeras películas sonoras, y se consagró con la creación del protagonista en *El cantor de jazz,* y en *El loco cantor*.

Jomeini, Rujola (1901-1989). Jefe religioso chiíta. Hacia finales del decenio de 1950 alcanzó la jerarquía de Ayatollah o representante de Alá. Enemigo declarado del sha Reza Pahlevi, fue expulsado del país en 1964. Desde el exilio organizó y dirigió la resistencia, que culminó en 1979 con la huida del sha, el regreso triunfal de Jomeini como dirigente supremo con carácter vitalicio, y el establecimiento de la nueva república islámica de Irán. A partir de entonces, el ayatollah ejerció un rígido control político, social y religioso tendiente a desterrar del país y del resto del mundo árabe toda influencia occidental u occidentalizante.

Jonás. Profeta hebreo que vivió en el siglo VIII a. C., cuando Jeroboam II reinaba en Israel y Osías en Judá. Fue enviado por Dios a predicar en Nínive, pero huyó por mar a Tarsis, viéndose sorprendido por una tempestad que no cesó hasta que Jonás se arrojó al mar. Allí se lo tragó entero un pez enorme y el Profeta permaneció tres días en el vientre del animal, se salvó luego milagrosamente por obra del Señor, que le envió de nuevo a Nínive para profetizar la ruina de la ciudad. Como muchos ninivitas se convirtieron a la predicación e hicieron penitencia, el Señor tuvo compasión de ellos y de la ciudad y revocó la sentencia, por lo cual Jonás anduvo afligido y clamando a Dios al ver que no se verificaba su profecía; pero, no tardó en comprender que debía tener compasión de los pecadores de Nínive. Véase BIBLIA.

Jones, Íñigo (1573-1652). Arquitecto inglés. De origen humilde, fue protegido por el conde de Arundel y pudo ir a Italia a estudiar pintura, pero al conocer las obras arquitectónicas de Andrea Palladio prefirió dedicarse a la arquitectura y llegó a alcanzar gran renombre en Venecia. Trazó los planos para la construcción de dos palacios para el rey de Dinamarca, Cristián IV, de quien fue primer arquitecto. Al regresar a Inglaterra fue nombrado arquitecto de la reina y, posteriormente, inspector general de los sitios reales. Proyectó el palacio de Whitehall, considerado como modelo de la arquitectura del Renacimiento en Inglaterra, e intervino en la reconstrucción de la catedral de San Pablo.

Jónico, Mar. Parte del Mar Mediterráneo entre Italia y Grecia, al sur del Adriático, al que se comunica por el Canal de Otranto; al oeste se comunica con el Mar Tirreno por el estrecho de Mesina. En sus aguas se encuentran las islas Jónicas y los golfos de Tarento, Catania (Sicilia), Esquilache (Calabria), Arta, Patrás, Arcadia y Lepanto (Grecia), escenario este último de la célebre batalla naval de su nombre (1571).

jonios. Los jonios pertenecieron a una de las tribus helénicas que constituyeron el pueblo griego. Comerciantes y guerreros, se extendieron fuera de los límites del territorio propiamente dicho de la antigua Grecia e impusieron su dominio en el Ática, el norte del Peloponeso, las islas Cícladas y parte de la Eubea. Superados más tarde por el poder creciente de los dorios, se replegaron a las islas del Mar Egeo y las costas del Asia Menor, que colonizaron y de donde lograron desplazar, con el tiempo, a los fenicios. Se esparcieron por las costas del Mediterráneo y sostuvieron su dominio en los siglos VIII al VI antes de Jesucristo.

Jonson, Benjamín (1573-1637). Dramaturgo, poeta, lírico y crítico inglés. Contemporáneo de William Shakespeare, buscó con sus obras neutralizar las tendencias extremadamente impulsivas, románticas, de la literatura de su tiempo. Hijo de un caballero pobre, estudió en Cambridge; pasó luego a Londres, y allí se desempeñó a la vez como actor, autor teatral y refundidor de piezas ajenas. Por entonces dio muerte a un conocido actor en un duelo y estuvo a punto de ser ejecutado. Publicó *Poetastro*, sátira contra algunos de sus colegas, lo que le valió muchas enemistades. Al ascender al trono Jacobo I, Jonson vio mejorada su situación, pues contó con la protección y las remuneraciones de la corte. En ese periodo estrenó las más importantes de sus obras: *Volpone* y *El alquimista*.

Jordaens, Jacob (1593-1678). Pintor flamenco, discípulo de Adam van Noort, con cuya hija se casó. Su escuela es esencialmente flamenca y sus grandes cuadros al óleo, rebosantes de espíritu flamenco, lo señalan como el máximo colorista de la

Corel Stock Photo Library
Ruinas de la Ciudad de Petra en Jordania.

escuela, robusto, popular, sensual, aunque carente de elegancia. Entre sus mejores obras, que se conservan en los grandes museos, se encuentran *Moises haciendo emanar agua de las rocas, Adán y Eva* y *La Sagrada Familia.*

Jordán. Río de Palestina que corre de norte a sur, desde el monte Hermón, donde nace, hasta desembocar en el Mar Muerto. Es el principal río de ese país, con un recorrido de 350 km, la mayor parte de los cuales están bajo el nivel del mar. Al entrar y salir del lago Tiberíades (o Genezareth o Mar de Galilea), que cruza de un extremo a otro en su trayecto, su curso corre a 208 m bajo el nivel del mar y desciende a 394 al vaciarse en el Mar Muerto. Su mayor afluente es el Yarmuk (o Sheri-at-el-Menadir), que desciende del norte de Jordania, al sur del Tiberíades. Los zigzags que hace en su carrera, y los rápidos y continuos remolinos, impiden la navegación. Su cauce es tan irregular como la profundidad de sus aguas: estrechas gargantas y luego anchuras de 500 a 3,000 m, y poca profundidad excepto en la temporada del deshielo de las nieves del Hermón, cuando desborda impetuosamente.

Es río histórico y venerado por los cristianos. El Libro de Josué en el Antiguo Testamento refiere que sus aguas se separaron para que pasara el Arca Santa que llevaban los sacerdotes seguidos del pueblo judío. Allí fueron bautizados los primeros cristianos y san Juan Bautista bautizó a Jesús.

Jordania. Estado árabe en el Asia Occidental. Limita al norte con Siria, al sur con Arabia Saudita, al este con Iraq y Arabia Saudita y al oeste con Israel. Superficie terrestre: 88,930 km²; Población: 4,400 millones de habitantes (1994).

El país está dividido en dos mesetas con caracteres enteramente diversos, constituidas por dos franjas que avanzan paralelas de norte a sur. La meseta occidental alcanza alturas hasta de 1,000 m, es árida, salvo en los pocos meses en que llueve, y baja con rápidas declinaciones hacia el valle del Jordán. También árida y de tipo desértico es la planicie de la franja oriental, habitada por las tribus nómadas árabe-mahometanas. La zona habitada y de mayor progreso se encuentra en el occidente, entre los ríos Yarmuk y Arnon. Allí se halla la ciudad capital, Ammán (965,000 h), por donde pasa la vía férrea que va de Siria a la frontera de Arabia Saudita, de modo que cruza Jordania de norte a sur.

Ríos principales: el Yarmuk y el Jabbok, tributarios del Jordán, y el Arnon y Al-Hassan que desembocan en el Mar Muerto. Este último y otras corrientes son irregulares, pues sólo aparecen en la estación de las grandes lluvias. Los más importantes recursos minerales corresponden a yacimientos de fosfatos, potasa, manganeso, yeso y mármol. Es importante la industria agropecuaria y se cultivan trigo, cebada, maíz, forrajes, higos y aceitunas.

Historia. Transjordania estuvo sometida a los turcos de 1517 a 1918. En abril de este año fue ocupada por el regente de Siria, el emir Faisal, incorporándose al término de la Primera Guerra Mundial al mandato inglés sobre Palestina. Caído Faisal en 1921, le remplazó su hermano Abdullah como rey, y éste fue quien en 1949 cambió el nombre de Transjordania por el de Reino Hashimita del Jordán o Jordania, al suscribir el armisticio con Israel que puso término a las diferencias entre ambos países. Jordania ocupó entonces la ciudad vieja de Jerusalén y ciertas áreas de Palestina. En 1951 fue asesinado Abdullah y le sucedió su hijo Talal I, quien, alejado momentáneamente del trono por una enfermedad mental fue sustituido por su hijo Hussein, en 1952. Este tuvo que afrontar la permanente hostilidad palestina, resultado de la cual fueron los asesinatos de dos primeros ministros (H. Majali en 1960 y W. Tall en 1971) y diversos intentos revolucionarios, solventados generalmente con ayuda británica y estadounidense. En la guerra árabe-israelí de 1967, Jordania perdió toda la Cisjordania, territorio que no pudo recuperar en la de 1973 a pesar de su activa participación.

En 1980, el gobierno de Jordania rompe relaciones con Irán en apoyo de Iraq y, en 1982, el rey Hussein se reúne con Yasser Arafat para redactar una propuesta de paz en el Medio Oriente. En 1986, Hussein da por terminadas sus gestiones con la Organización para la Liberación de Palestina en pro de la paz y se distancia de Arafat. Un año después, en 1987, se efectúa en Ammán una reunión cumbre a la que asisten 16 jefes de Estado árabes. En 1988, Hussein renuncia al control sobre la Ribera Occidental y la OLP proclama el establecimiento del Estado Independiente de Palestina, que es reconocido por otros 70 países.

En 1991, terminada la guerra del Golfo Pérsico, el rey Hussein promete al pueblo jordano reparar las relaciones con los países occidentales miembros de la coalición antiiraquí. Tras el acuerdo para la autonomía palestina en Cisjordania y Gaza (1993), Jordania firmó un tratado de paz con Israel (26 de octubre de 1994), patrocinado por Estados Unidos. En febrero de 1996 Hussein nombró primer ministro a Abdul-Karin al-kabariti, quien llevó a cabo una renovación gubernamental con miembros partidarios de reforzar los vínculos con Israel y los países del Golfo Pérsico.

El rey Hussein advierte que los tratados de paz de Israel con Egipto y Jordania peligran, a menos que el gobierno judío cumpla con las obligaciones hacia los palestinos como se acordara en Oslo en 1993. Incrementando las relaciones perdidas con Israel ocurrió un nuevo golpe cuando agentes israelíes intentaron el asesinato de Hamas líder de Amman en septiembre de 1997. Los siguientes años Hamas removió sus cuarteles políticos de Jordania a Siria. A pesar de sus enfermedades el rey Hussein jugó un importante papel en pláticas de paz entre líderes palestinos e israelíes en Estados Unidos en octubre de

1998. En 1999 Hussein retira oficialmente el título de heredero a su hermano Hassan, de 51 años de edad, y a quien el monarca había proclamada su sucesor en 1965; en su lugar Hussein nombra a su hijo Abdalá, de 19 años de edad, como su heredero al trono. Tras la muerte del rey Hussein el príncipe Abdalá asciende al trono y se espera de él una continuidad de las políticas pacifistas de su padre en el conflicto árabe-israelí.

Jorge I (1660-1727). Rey de Gran Bretaña e Irlanda y Elector de Hannover, en quien se unieron esta casa y la de Estuardo. Al ser coronado (1714), destituyó al ministerio *tory* (conservador) y puso al frente del gobierno a los *whigs* (liberales), por lo que aquel partido apoyó la insurrección del pretendiente Jacobo III. Reprimido el levantamiento, el Parlamento adquirió gran prestigio, sobre todo por obra de los ministros James Stanhope y sir Robert Walpole, primer conde de Oxford. Nacido en Hannover (Alemania) Jorge I nunca llegó a dominar el idioma inglés, y fue un rey impopular. Su esposa Sofía Dorotea, duquesa de Zell, vivió encerrada 32 años en el castillo de Alsen.

Jorge V (1865-1936). Rey de Gran Bretaña e Irlanda y emperador de la India. Fue el segundo hijo de Eduardo VII y de Alejandra, princesa de Dinamarca. Por muerte de su hermano mayor (1892) subió al trono al fallecimiento de su padre (mayo de 1910). A los 12 años de edad ingresó como cadete a la marina de guerra, en la que permaneció hasta 1903, en que alcanzó el grado de vicealmirante. En 1901 visitó Australia para inaugurar su parlamento y en 1905 estuvo en la India. A este país regresó en 1911 para su coronación y entonces colocó la primera piedra de la actual capital hindú: Nueva Delhi. Le correspondió una meritoria actuación durante la guerra (1914-1918), impulsando principalmente las obras relacionadas con la marina.

Jorge VI (1895-1952). Rey de Gran Bretaña e Irlanda y emperador de la India. Segundo hijo de su antecesor el rey Jorge V y de la reina María. Sirvió en la marina de guerra de la que era oficial al estallar la Primera Guerra Mundial, habiendo participado en la batalla de Jutlandia a las órdenes del almirante Beatty; después pasó a la aviación. Duque de York (1920), se casó en 1923 con lady Isabel Bowes-Lyon, de noble familia escocesa. Por abdicación de su hermano Eduardo ascendió al trono en 1936 y fue coronado en mayo del año siguiente. Durante su reinado se desarrolló la Segunda Guerra Mundial.

Jorge, san (? -303). Patrono de Inglaterra, de Rusia, de Aragón y de otros países. Fue torturado y muerto a causa de su fe cristiana por orden del emperador Diocleciano. Anteriormente había sido soldado, y la fecha de su muerte se fija en el 23 de abril del año 303. Su culto es muy antiguo y la leyenda lo pinta siempre en combate con un dragón. La leyenda, que surge en el siglo XII, dice que Jorge, caballero de Capadocia, visitó la ciudad de Silene, en Libia, donde halló que el pueblo estaba aterrado por un dragón que exigía víctimas humanas. A quien había que entregar cuando llegó Jorge, era a la hija del rey. Entonces el caballero marchó a luchar con el dragón y le dio muerte con su lanza. Luego lo arrastró hasta la ciudad.

joropo. Baile nacional de Venezuela. Se considera que puede ser de origen andaluz ya que tiene cierta semejanza con los bailes típicos de esa región de España, como, por ejemplo, con el peculiar zapateado. Para interpretar su música se utilizan el arpa y las maracas. Este baile tiene una característica denominada el *contrapunteo*. Consiste en el torneo que se entabla entre el *maraquero* recitador de improvisadas coplas alusivas a las parejas danzantes y que éstas replican por su parte con otros estribillos adecuados, colocándose enfrente del músico cantante.

Josafat. Célebre valle de Palestina, en el que según la profecía de Joel tendrá lugar el Juicio Final el día de la resurrección de la carne. Ha sido identificado por la tradición judaica, cristiana y mahometana con la parte del valle de Cedrón que se extien-

Monumento de San Jorge venciendo al Dragón en Estocolmo, Suecia.

de a partir de la tumba de los peregrinos. En él logró el rey de Judá, Josafat, su victoria decisiva sobre amonitas, moabitas e idumeos, pudiendo nacer la tradición en este hecho y la particularidad de que el nombre *Josafat* quiera decir en hebreo, *juicio de Dios*.

José. Patriarca hebreo, decimoprimero de los 12 hijos de Jacob y primer hijo de éste y Raquel. Era, entre todos, según lo expresa la narración bíblica, el preferido de su padre. Sus hermanos, a quienes ayudaba en las faenas campestres, estaban celosos de él a causa de la preferencia paterna y habían decidido darle muerte. No obstante, Rubén, el hermano mayor, los disuadió de ello. Como José tuviera sueños en los cuales se expresaba la predominancia que en el futuro tendría sobre sus hermanos, el odio de éstos aumentó, y un día en que Rubén se hallaba ausente lo vendieron por 20 monedas de plata a unos mercaderes que se marchaban a Egipto. Allí fue comprado por el jefe de la guardia del faraón, Putifar, cuya mujer, se enamoró de él. Como José no accediese a sus requerimientos, ésta, mediante falsas acusaciones, logró que lo encarcelaran.

Habiendo sido encerrado con el mayordomo y el panadero del faraón, José, basándose en los extraños sueños de éstos, les pronosticó sus destinos, que eran la liberación para el primero y la muerte para el segundo. Estas profecías se cumplieron, y cuando el faraón se sintió preocupado por un sueño que tuvo, en el que siete vacas flacas devoraban a otras siete gordas, el mayordomo mandó llamar a José, quien dijo que el sueño significaba que a siete años de prosperidad seguirían otros siete de hambre. El faraón lo nombró entonces administrador de las reservas de granos, y cuando llegaron los años de hambre el pueblo egipcio tuvo qué comer.

Los hermanos de José arribaron entonces a Egipto desde Canaán en busca de alimentos, y José, a quien no reconocieron, los acusó de espías para averiguar qué había sido de sus padres. Sabedor de que tenía otro hermano, Benjamín, los obligó a que lo trajesen a Egipto como condición para darles granos. Después de la llegada de Benjamín, al ver que sus hermanos amaban a su padre, se dio a conocer a éstos y los perdonó. El faraón concedió luego permiso para que Jacob y todos sus hijos se instalasen con sus familias en Egipto, donde vivieron hasta que Moisés los sacó de allí. José vivió 110 años y tuvo dos hijos, Efraim y Manasés, que fueron los padres de las dos tribus que llevan sus nombres. Véase JACOB.

José, san. Santo varón israelita, carpintero de oficio. Contrajo matrimonio en Jerusalén con la Virgen María. En cumpli-

San José representado en un mosaico bizantino.

miento del decreto imperial que ordenaba la reunión de los descendientes de David en Belén, para su censo, se trasladó a esa ciudad y en ella nació Jesús. Sabedor, por un sueño, del decreto de Herodes que ordenaba la degollación de los hijos de los judíos, huyó a Egipto en unión de su familia y permaneció allí hasta la muerte del rey, regresando entonces a Belén. Visitó con su familia Jerusalén (Jesús contaba entonces 12 años), en ocasión de la pascua hebrea. Se cree que falleció antes de que Jesús comenzara a predicar. La Iglesia conmemora a san José el día 19 de marzo.

José de Calasanz, san (1556-1648).
Religioso y educador español, fundador de las Escuelas Pías. Fue estudiante ejemplar en Valencia y Alcalá de Henares. Recibió las órdenes sagradas en 1583. Pasó a Roma, donde se despertó su vocación educadora al observar el abandono moral y material en que se encontraba la infancia. Dedicado desde entonces a la enseñanza, de la que hizo un verdadero apostolado, su obra inmensa de pedagogo y educador le valió el sobrenombre de *apóstol de la enseñanza*. Fue canonizado en el año 1767.

Josefina (1763-1814).
Esposa de Napoleón I y emperatriz de los franceses. Su nombre completo era Marie Joséphe Rose Tascher de la Pagerie. Nacida en la Martinica, contrajo en 1779 matrimonio con el vizconde Alexandre de Beauharnais, con quien tuvo dos hijos Eugène y Hortense, y que fue ejecutado en 1794. Al conocerla, Napoleón se enamoró de ella y ambos se casaron en 1796. Fue coronada en 1804 junto con su marido. Sin embargo, la ambición mayor de Napoleón era fundar una dinastía, y como la emperatriz no le daba hijos, en 1809 se divorció. Josefina se retiró a vivir a la Malmaison, castillo cerca de Versalles. Al ser desterrado Napoleón a la isla de Elba, Josefina le escribió pidiéndole autorización para marchar junto a él. La respuesta que las autoridades obligaron a Napoleón a dar fue negativa, pero cuando la carta llegó a París Josefina ya había muerto.

Josefo, Flavio (30?-107?).
Historiador hebreo. Aunque admirador de los romanos, consintió en apoyar a su pueblo en una rebelión, pero cayó prisionero de Vespasiano, el futuro emperador. Después de servir como intérprete entre romanos y judíos, se estableció definitivamente en Roma. Sus obras principales son *Historia de la guerra de los judíos*, *Antigüedades judaicas* y *Contra Apión*.

Joselito (1895-1920).
Torero español. Nació en Sevilla y a los 8 años ya toreaba en los tentaderos; a los 15 vistió el traje de luces y deslumbró a la afición durante sus

dos años de novillero, para asombrarla después en 1912, al recibir la alternativa en Jerez. Su rápida carrera culminó trágicamente cuando un toro lo mató en la plaza de Talavera de la Reina. El nombre de pila de *Joselito* fue el de José Gómez Ortega.

Josephson, Brian David (1940-).
Físico británico, doctor por la Universidad de Cambridge (1964); investigador en el Cavendish Laboratory. En 1962 publicó un importante trabajo sobre los fundamentos teóricos de la superconductividad, incluyendo la existencia de un conjunto de fenómenos producidos por el efecto túnel entre dos superconductores separados por una delgada capa de material aislante, denominados *efectos Josephson*. Tales fenómenos fueron verificados experimentalmente y dieron origen al nacimiento de una nueva rama de la tecnología: la crioelectricidad. En 1973 fue galardonado con el Premio Nobel de Física, el cual compartió con Ivar Giaever y Leo Esaki.

Josephson, efecto.
Corriente de electrones que fluye a través de una barrera aislante colocada entre dos materiales superconductores. La corriente de electrones a través de una barrera entre materiales no superconductores fue contemplada por los estudiosos de la mecánica cuántica y se ha conocido desde la década de 1950; se le denomina efecto de túnel. Sin embargo, los túneles superconductores se relacionan con pares de electrones llamados *Cooper*, que fueron planteados por primera vez en 1962 por el físico inglés Brian Josephson. Las corrientes relacionadas con el efecto Josephson son muy sensibles a los campos magnéticos y son útiles para la observación de fenómenos físicos básicos. Las llamadas *uniones de Josephson*, que comprenden el empleo del efecto, también se están explorando para su uso en computadoras de alta velocidad. *Véase* SUPERCONDUCTIVIDAD.

Josué (1534-1424 a. C.).
Jefe de los israelitas a la muerte de Moisés. Era hijo de Nun, y su primitivo nombre fue el de Oseas. Jehová le ordenó que condujera al pueblo a través del Jordán para que se vengara de sus opresores. Las aguas del río se separaron, pasó el arca seguida por todo el pueblo y, poco después, Josué "detuvo al sol sobre el valle de Gabaon y la luna sobre el de Ajalón" para que pudiera terminar de librarse la batalla que daría la victoria al pueblo elegido. Posteriormente, una serie de victorias dieron a Israel el dominio hasta los confines de Palestina. Josué distribuyó el territorio entre las 12 tribus y murió a la edad de 110 años siendo enterrado en Efraín.

jota.
Baile popular de España, principalmente de Aragón, Levante y Navarra. Ligeras variaciones en el ritmo distinguen la jota aragonesa, la valenciana y la navarra, pero en general se caracteriza porque la pareja baila separadamente, con los brazos en alto y ejecutando los pasos y vueltas con agilidad y rapidez. Suelen intervenir en ella diversas parejas, que constituyen alegres conjuntos, pero en ningún momento se cambia de compañero.

La jota es, asimismo, una canción de carácter nacional, que sintetiza el temperamento enérgico y vigoroso del español y concretamente del aragonés. Se ha utilizado como canto patriótico. Durante la invasión de España por las tropas napoleónicas se entonaba como grito de guerra contra los franceses. Los soldados que mandaba el general José de Rebolledo Palafox y Melci en la defensa de Zaragoza hallaban en los encendidos versos de la jota una ardiente arenga para la lucha.

Según algunos historiadores la jota fue desde su origen una canción combativa. Se afirma que en 1170, durante el dominio árabe en España, un habitante de la ciudad de Valencia llamado Aben Jot compuso una tonada contra el cadí Muley-Tared, gobernador de Levante. Repetida rápidamente por el pueblo valenciano, el cadí ordenó la detención del autor y señaló fuertes multas para quienes la cantaran.

Aben-Jot huyó del reino moro de Valencia y se refugió en la antigua Bilbilis, llamada Kalat-Ayub (Castillo de Ayub) por los árabes y Calatayud actualmente. En esta ciudad aragonesa el fugitivo lanzó de nuevo su canción, y extendiéndose desde allí por toda la península adquirió significado nacional. Tales versiones consignan que la denominación de jota proviene precisamente del nombre de Jot, su creador.

Jouhaux, León (1879-1954).
Sindicalista francés. En 1909 pasó a ser secretario general de la CGT. Belicista durante la Primera Guerra Mundial, evolucionó rápidamente hacia posiciones reformistas, lo que constituyó una de las razones de la escisión de los comunistas en 1921. Sin embargo, laboró por la reunificación, que se llevó a cabo en 1936. En diciembre de 1947 abandonó la CGT para fundar la CGT-FO, y fue también uno de los creadores de la CISL (1949). En 1951 recibió el Premio Nobel de la Paz.

Joule, James Prescott (1818-1889).
Físico inglés cuyos trabajos contribuyeron poderosamente al descubrimiento del principio de la conservación de la energía. Estudió química y practicó en un laboratorio que su padre, rico fabricante de cerveza, le construyó en su casa. Padecía una deformidad física que le impidió asistir a la universidad y fue cervecero, pero, trabajador infatigable, dedicó sus mejores horas a la ciencia. Además de sus trabajos sobre la te-

oría mecánica del calor, descubrió las leyes térmicas de las corrientes eléctricas, llamadas leyes de Joule, que explican la transformación de la energía en calor. Las aplicaciones domésticas e industriales del efecto Joule son numerosas e importantes, entre ellas figuran las planchas eléctricas, los calentadores, tostadores y estufas y también la soldadura eléctrica y el horno eléctrico. Aplicación útil de los descubrimientos de Joule es el *fusible*, trozo de metal de baja temperatura de fusión, intercalado en las instalaciones eléctricas, que se calienta y funde al producirse un cortocircuito, interrumpiendo la corriente. También inventó instrumentos para medir con exactitud la corriente eléctrica.

Joule-Thomson, efecto.

El efecto Joule-Thomson describe los cambios de temperatura de un gas bajo un proceso adiabático (transformación de un cuerpo efectuado sin que éste ceda o reciba calor) de estrangulación. La estrangulación es un proceso termodinámico por el cual se reduce la presión de un gas flotante, usualmente forzándolo a pasar a través de un orificio pequeño o de una válvula medio cerrada. En la estrangulación, la mayoría de los gases con una temperatura inicial normal experimentan un descenso Joule-Thomson de temperatura. Al mismo tiempo se da un aumento irreversible de entropía y una pérdida de energía disponible.

Este efecto es el principio de la mayoría de los refrigeradores, aires acondicionados y equipos de aire licuado. Fue identificado por primera vez entre 1852 y 1862 por James P. Joule y William Thomson (Lord Kelvin).

Jouvet, Luis (1887-1951).

Actor y director teatral y cinematográfico. Figura relevante de la escena francesa, hizo magníficas encarnaciones en el cine y en el teatro, de personajes como Topacio, de Marcel Pagnol, y *Knock*, de Jules Romains, y otros. Representó con extraordinario acierto obras del repertorio clásico francés, en el que logró introducir, como en la *Escuela de mujeres,* de Jean Baptiste Poquellin, llamado Moliere, una vena de humor y de modernidad personal.

Jovellanos, Gaspar Melchor de

(1744-1811). Jurisconsulto y escritor español, nacido en Gijón (Asturias). Cultivó diversas ramas del saber: derecho, economía, moral, agricultura, industrias y letras. Hizo sus primeros estudios en Gijón y Oviedo y más tarde en Ávila, cuya diócesis desempeñaba otro asturiano, don Romualdo Velarde y Cienfuegos, quien, interesado por aquel joven inteligente, ávido lector y estudioso infatigable, le consigue una beca en el Colegio Mayor de San Ildefonso de Alcalá de Henares. A los 20 años Jovellanos se li-

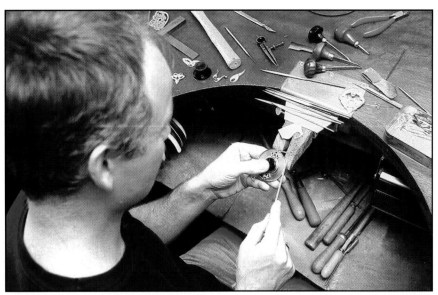
Artesano trabajando la joyería en plata.

cenció en derecho civil y en derecho canónico, disponiéndose a hacer oposiciones a una canonjía. Sin embargo, no siendo la Iglesia su verdadera vocación, luego de algunas vacilaciones, ingresa en la magistratura, siendo destinado a la Audiencia de Sevilla, en cuya ciudad pasa 11 años y de la que sale para Madrid por haber sido ascendido en su carrera.

No obstante ser enemigo del valido de Carlos IV, don Manuel Godoy, éste lo nombra ministro de Gracia y Justicia, destituyéndolo pocos meses después y desterrándolo a su tierra natal, Gijón, donde Jovellanos funda el instituto que lleva su nombre. No terminó ahí su persecución, sino que durante siete años se le tuvo preso en el castillo de Bellver, en Palma de Mallorca. Fernando VII decretó su libertad, y al invadir España las huestes de Napoleón Bonaparte, el hermano de éste, José I, trató de hacerlo ministro, pero Jovellanos no quiso aceptar el cargo por hallarse compenetrado con los españoles que luchaban por la independencia. Como representante de Asturias formó parte de la Junta Suprema que defendía la libertad de la patria, dentro de cuyo organismo tuvo hondas discrepancias con su presidente, José Moñino, conde de Floridablanca, por ser Jovellanos decidido partidario de que se convocaran las cortes.

Si la vida política de Jovellanos es fecunda, no lo es menos su vida intelectual, de lo que es buena prueba que a los 37 años de edad era ya académico de historia, de lengua y de bellas artes. El mismo año de su llegada a la corte ingresa en la Sociedad Económica Matritense, llamada también Sociedad Patriótica, fundada por el rey Carlos III, en la que deja huellas de su talento.

Su labor literaria es ingente y sus escritos abarcan todos los temas, desde los más abstractos de economía y derecho hasta el verso sentimental, alternando, según su propia frase, "las sentencias en papel sellado con la poesía". De una animada discusión en una tertulia sevillana, surgió su comedia *El delincuente honrado*, en la que se aunan su talento de escritor y su formación de magistrado. Sus informes, discursos, epístolas, etcétera, son numerosos y hacen de Jovellanos uno de los hombres más eminentes del siglo XVIII.

Joyce, James (1882-1941).

Escritor irlandés. Estudió en un colegio de jesuitas y luego en la Universidad de Dublín; esta época de su vida fue admirablemente narrada por él mismo en la novela *El retrato del artista adolescente*. Vivió luego en la ciudad italiana de Trieste como profesor de inglés de las escuelas Berlitz y desde 1920 en París. Su obra maestra es la novela *Ulises*, narración minuciosa de un día de Dublín. En ella combina todos los estilos y todas las técnicas literarias, incluso el famoso monólogo interior, representación de la vida de la conciencia. Los juegos de palabras, los neologismos, las alusiones literarias, hacen esta obra difícil de leer. Durante 17 años, a pesar de una ceguera progresiva, trabajó en otra novela: *El velatorio de Finnegan*, narración de un sueño donde se mezclan todos los idiomas europeos. La influencia de estos libros en la literatura de todos los países ha sido muy grande. Además de las mencionadas, Joyce escribió, entre otras, *Desterrados, Música de cámara* y *Dublinenses*.

joyería.

EL uso de los adornos se remonta a los primeros tiempos de la huma-

joyería

nidad. Sobre todo en la remota antigüedad se usaron los productos de la naturaleza, tales como plumas, dientes conchas, huesos, piedras etcétera. Los primeros collares estaban formados por dientes de animales perforados y ensartados en una liana muy delgada.

El origen del anillo se remonta a tiempos muy remotos, creyéndose que su sentido, como el de casi todas las joyas, tiene un carácter mágico y está ligado, en su caso especial, a las virtudes unitivas que se atribuían al nudo. Los objetos preciosos de oro y plata aparecen posteriormente, pero antes de que se empezara a trabajar esas materias ya debía haberse comenzado a emplear el martillo y el punzón, que son los instrumentos de joyería primitivos. Posteriormente debe haberse empleado el hornillo para la fundición de los metales.

Entre las civilizaciones más antiguas, la que prestó sin duda mayor interés a las joyas, o alhajas, fue la egipcia, que combinó las piedras preciosas con los metales en una producción que tenía acentuado sentido religioso. Los asirios y babilonios emplearon al principio el bronce y el cobre, y sus joyas eran pesadas y sumamente elaboradas. Los judíos, tal como nos lo dice la Biblia, demostraron gran interés por la fabricación de bellas alhajas, mientras que los etruscos se limitaron a una joyería de carácter ecléctico, con influencias tanto egipcias como asirias.

Entre los griegos, las primeras joyas corresponden principalmente a la civilización

Broche de oro con una perla.

minoica, de la isla de Creta, que fueron luego superadas por el notable sentido artístico de los orfebres de la Grecia continental. La orfebrería en Roma fue influida por la de Grecia y Etruria, y aunque la Edad Media nos ha dejado algunas joyas notables es necesario llegar al Renacimiento para ver un nuevo despertar que, como en

las restantes artes, tuvo su centro más importante en Italia. Durante este periodo se fabricaron las piezas más raras y completas, existiendo una verdadera competencia entre los maestros orfebres, cuya importancia era puesta a la altura de la de los pintores. No obstante, sobre todos ellos se destaca la genial destreza de Benvenuto Cellini, quien ejecutó hermosos trabajos para las autoridades religiosas y para la nobleza. Cabe destacar la delicadeza y maestria de las joyas elaboradas por los pueblos precolombinos, destacándose las de los pueblos mesoamericanos y los incas.

A finales del siglo XV, se perfeccionó el tallado de los diamantes lo que les dio mayor brillantez y belleza. En siglos posteriores, la talla experimentó nuevos progresos hasta llegar a la talla brillante roca antigua y después a la brillante moderna de gran perfección. En nuestro siglo, se ha observado una nueva tendencia, muy acentuada, a usar platino como montura para las piedras preciosas, figurando el diamante entre las más usadas. Aunque se han inventado máquinas para facilitar y perfeccionar el trabajo de joyería, la mayoría de las tareas de orfebrería se realizan todavía en forma manual. Se fabrican también en la actualidad joyas baratas, de imitación, que reciben el nombre de bisutería.

Juan XXIII (1868-1963). Pontífice romano. Su nombre era Angelo Giuseppe Roncalli. Hijo de modesta familia campesina, nació en Sotto il Monte, en la provincia italiana de Lombardía. Recibió las órdenes sagradas en 1904. En la Primera Gue-

Crucifijo polaco de plata del siglo XVI (izq.) y anillo de diamante y oro. (der.).

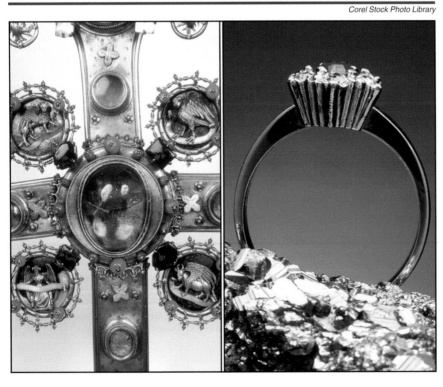

rra Mundial fue sargento de sanidad militar y, después, capellán castrense. En 1921, Benedicto XV lo designó a la Congregación para la Propagación de la Fe. En 1925, fue consagrado arzobispo titular de Areópolis y designado visitador apostólico en Bulgaria y, años después, delegado apostólico en Turquía y Grecia, destacándose por sus dotes de bondad, rectitud y capacidad diplomática. Al fin de la Segunda Guerra Mundial, fue designado nuncio apostólico en París, realizando una brillante labor que culminó en la reanudación de las relaciones entre la Santa Sede y Francia. En 1953 fue elevado al cardenalato y designado Patriarca de Venecia. Al morir Pío XII, en octubre de 1958, fue elegido para sucederle. En el primer año de su pontificado, designó 23 nuevos cardenales, y otros más en años posteriores. Realizó admirable labor en pro de la paz, unidad y concordia de las naciones y en defensa de la moral cristiana y la dignificación de las costumbres. En 1961, dirigió al orbe católico su célebre encíclica *Mater et Magistra* sobre la cuestión social. Véanse ENCÍCLICA; MATER ET MAGISTRA; VATICANO (*CONCILIOS*).

Juan Bautista, san (1 a. C.-32 d. C.).

Precursor de Jesucristo, el primero que lo señaló como Hijo de Dios y Mesías prometido. Quinientos años hacía que el pueblo de Israel esperaba un profeta, cuando Zacarías, anciano sacerdote hebreo casado con Isabel, prima de la Santísima Virgen, tuvo la visión de que sería padre. Juan creció al lado de sus padres y después se retiró al desierto, para regresar anunciando la presencia del Hijo de Dios entre los hombres. Sus prédicas llegaron a su apogeo cuando se encontró con Jesús, llamándolo nuevamente Cordero de Dios y bautizándolo en el Jordán, como a todos los que le seguían. Se introdujo en el palacio de Herodes Antipas para reprenderlo por vivir deshonestamente con su cuñada Herodías y a petición de ésta y de su hija Salomé, el Bautista fue degollado. La Iglesia conmemora a san Juan el día 24 de junio.

Juan Bautista de la Salle, san

(1651-1719). Religioso francés. Oriundo de Reims, fue canónigo en la misma ciudad y fundó la Congregación de los Hermanos de las Escuelas Cristianas, institución aprobada por el papa Benedicto XIII en 1725. Cristiano de espíritu generoso y educador sagaz, fundó numerosas escuelas y repartió todos su bienes entre los pobres. Escribió obras dedicadas a los niños: *Deberes del cristiano para con Dios, Reglas de urbanidad y educación cristiana, Conducta de las escuelas cristianas* y otras. Fue canonizado en el año 1900 por el papa León XIII. Su fiesta se celebra el 15 de mayo.

Nova Development

San Juan el Bautista, *bautizando a Jesús en el río Jordán.*

Juan Bosco, san (1815-1888).

Sacerdote y educador italiano. Se inició en el ministerio sacerdotal visitando cárceles. El conocimiento de los problemas que aquejaban a la juventud lo movió a consagrar su vida a la educación. Adaptando la espiritualidad de san Francisco de Sales y utilizando eficaces métodos pedagógicos, logró fundar numerosos establecimientos de enseñanza en todo el mundo. Creó la Sociedad Salesiana (llamada también Obra de don Bosco), que cuenta con centenares de institutos y millares de sacerdotes en todo el orbe, y la congregación femenina de Hijas de María Auxiliadora. Don Bosco fue canonizado por el papa Pío XI. Su fiesta se celebra el 31 de enero. Escribió una *Historia eclesiástica*, una *Historia de Italia* y numerosos trabajos pedagógicos.

Juan Carlos I (1938-).

Rey de España. Juan Carlos de Borbón nació el 5 de enero de 1938 en Roma, donde su padre don Juan, conde de Barcelona, pretendiente al trono español, estaba en exilio. Recibió su primera educación en Suiza y fue enviado a Madrid a la edad de 10 años. Allí, bajo la supervisión del general Francisco Franco, se preparó para su ulterior ascenso al trono y asistió a la Academia Militar, la Escuela Naval y la Academia de Aviación, así como a la Universidad de Madrid. Se graduó de oficial en los tres servicios armados y recibió también instrucción en administración gubernamental. En 1962 se casó con la princesa Sofía de Grecia, con la que tiene tres hijos.

El 22 de julio de 1969, el general Franco desechó las reclamaciones de don Juan y designó a Juan Carlos heredero directo del trono. Juan Carlos se vio destinado así a convertirse en el primer rey de España desde 1931, cuando su abuelo Alfonso XIII salió al exilio, tras el triunfo republicano en las elecciones municipales.

Juan Carlos prestó juramento como rey el 22 de noviembre de 1975, a la muerte de Franco, y en escasos dos años convirtió a España en un país democrático que disfruta de amplias libertades, regido por una monarquía constitucional.

Juan Crisóstomo, san (344-407).

Uno de los tres grandes doctores ecuménicos de la Iglesia Griega, apodado el *Crisóstomo* o *Boca de oro* desde el siglo V por su incomparable elocuencia, y denominado también el *Constantinopolitano* por sus contemporáneos. Nació en Antioquía, donde estudió con Andragacio y con Libanio, manifestando su maravillosa elocuencia y su apartamiento del paganismo. Bautizado a la mayoría de edad, como era costumbre en aquellos tiempos, practicó la piedad, siendo ordenado sucesivamente diácono y sacerdote. De entonces datan sus célebres *Homilías*. Fue elegido prelado de Constantinopla a la muerte de Nectario, a propuesta del pueblo y del emperador Arcadio. Sus denuncias de vicios y desafueros, concitaron contra él la enemistad del favorito Eutropio y de la emperatriz Eudoxia. Destituido, fue desterrado a Cucuso, en Asia Menor, y aunque el pontífice Romano Inocente I intercedió por él, nada se logró y el santo falleció en el viaje hacia su destierro. Ha dejado muchos tratados dogmáticos y morales e innumerables cartas.

Juan de Austria (1547-1578).

General y hombre de estado español, hijo natural del emperador Carlos V. Acaudilló las más importantes empresas guerreras desde su juventud. Tuvo el mando de las tropas en la campaña contra los moriscos granadinos mandados por Aben Humeya. Comandó también una expedición naval contra los piratas británicos que asaltaban los galeones procedentes de las Indias; pero, la empresa que le dio más fama en la historia fue la gran batalla naval que la liga de los países cristianos entabló contra el poderío marítimo de los turcos.

Bajo el mando de don Juan de Austria se infligió a estos la memorable derrota en aguas del Golfo de Lepanto (1571). Más tarde, prosiguiendo la misma lucha, libró la batalla de la Goleta y se apoderó de Túnez y Bizerta. Se le conoció desde entonces como caudillo de la cristiandad; y su nombre llegó a ser célebre y admirado en toda Europa. Fue criado y educado por la esposa de un noble de la confianza del emperador. De niño se le llamaba Jeromo o Jeromín, hasta el día en que ante su gran sorpresa se le reveló la verdadera condición de su sangre. Su muerte tuvo lugar en Flandes, a donde había sido enviado como jefe de la campaña para someter a los flamencos. Al sitiar a Bouges, fue acometido de una fiebre maligna, y murió el 1 de octubre de 1578. Fue embalsamado y depositado en Namur hasta su traslado a El Escorial, que se efectuó el año siguiente.

Juan de Dios, san (1495-1550).

De origen portugués, llevó en su primera juventud una vida disipada como soldado en los ejércitos de Carlos V y luego como buhonero. No obstante, a los 40 años su carácter sufrió una profunda transformación; se convirtió y se dedicó al cuidado de los enfermos, a quienes recibía y atendía en su propia casa. Con varios jóvenes que participaban de sus inclinaciones, fundó la Orden de los Hermanos Hospitalarios en la ciudad de Granada. Fue beatificado en 1638, canonizado en 1690 y nombrado patrono de los hospitales y de los moribundos por el papa León XIII.

Juan de Juanes (1523-1579).

Pintor español de nombre Vicente Juan Macip, igual que el de su padre, también pintor y maestro suyo. Nació en Fuente de Higuera (Valencia) y desde joven supo captar las enseñanzas de la escuela romana de los discípulos de Rafael; pero, en su obra se reconocen el genio y factura hispanos, que lo hacen uno de los pintores más representativos del arte español de la época. Casi todos sus cuadros representan asuntos religiosos, impregnados de un profundo misticismo producto del fervor religioso que animaba al pintor, quien no iniciaba una obra sin antes prepararse espiritualmente. Muy apreciado en su época, trabajó intensamente para la catedral, conventos e iglesias de Valencia donde se conservan muchos de sus cuadros. Sus mejores obras son: *Última Cena, Martirio de Santa Inés, Retablo de Fuente la Higuera*, todos ellos en el Museo del Prado; *Bautismo de Jesús*, en la catedral de Valencia y *El nacimiento de Jesucristo*, en San Nicolás de Valencia.

Juan Evangelista, san (12?-101).

Pescador de Galilea. hijo del Zebedeo y María Salomé, que llegó a ser discípulo de Jesucristo, junto a quien estuvo durante la transfiguración, la última cena, la oración del huerto y la muerte en el Calvario, donde fue encargado de cuidar a la Santísima Virgen. Desterrado a la isla de Palmos escribió, mientras regía las iglesias de Asia, el Apocalipsis, su Evangelio y tres Epístolas.

Juan Fernández, archipiélago.

Grupo de tres islas chilenas del Pacífico, a 650 km al oeste de Valparaíso y respecti-

Corel Stock Photo Library

Juan Pablo II con el jefe de la tribu Micmac, en Nueva Escocia, Canadá.

vamente denominadas, desde 1966, Isla Robinson Crusoe (ex Más a Tierra), Islote Santa Clara e Isla Alejandro Selkirk (ex Más Afuera). Tienen, en ese orden 93, 38 y 85 km², y dependen administrativamente de la provincia de Valparaíso, de la región homónima. Fueron descubiertas en 1574, de manera casual, por el navegante español que les dio su nombre. Fernández partió de El Callao con rumbo al puerto chileno de Valparaíso y, en vez de seguir junto a la costa como todos lo hacían, salió a alta mar para navegar en línea recta y acortar la distancia. Al acercarse a su destino divisó el archipiélago. En 1792 los españoles usaron como presidio la actual Isla Robinson Crusoe, única habitada, y construyeron, entre otras obras, un fortín y una iglesia que aún se conservan en parte. Los penados vivían en cuevas naturales. Chile tomó posesión de las jalas en 1819 y les dio el mismo destino hasta 1855. En la Isla Robinson Crusoe viven 1,500 personas, dedicadas a la pesca de langostas, bacalao y sardinas.

Se producen diversas frutas. Los bosques, que fueron extensos, han sido muy explotados. Existen rebaños de cabras, cuyos primeros ejemplares dejó allí el propio Juan Fernández. El clima es templado, suave y seco y muy frío en invierno, cuando llueve de continuo y soplan fuertes vientos del norte. En la Isla Robinson Crusoe vivió solo, Alejandro Selkirk varios años de aventuras (1704-1709) que inspiraron al escritor inglés Daniel Defoe su novela *Robinson Crusoe*.

Juan Manuel, Infante don (1282-1348?).

Famoso escritor y poeta español, hijo del infante don Manuel, nieto del rey San Fernando y sobrino de Alfonso *el Sa-*

bio. Entre su conducta y su obra literaria existe rotundo contraste, pues si su actuación en el reino de Castilla lo caracteriza como personaje turbulento y ambicioso, sus escritos corresponden, en cambio, al pensador de juicio sereno y moralista.

Se le considera entre los culpables de las revueltas e injusticias que precedieron a la mayoría de edad de Alfonso XI, monarca contra el que don Juan Manuel desencadenó después una larga lucha, con el apoyo de los reyes de Aragón y de Granada, pretextando que el rey había faltado a su palabra de casamiento con Constanza, hija de don Juan Manuel, y se había desposado con María de Portugal. Se sucedieron reconciliaciones y rompimientos hasta que, ya viejo, don Juan Manuel defendió gloriosamente a Castilla en las batallas del Salado y de Algeciras.

Juan Pablo I (1912-1978).

Pontífice romano, nacido con el nombre de Albino Luciani en la población Canale D'Agordo, en el noreste de Italia.

Hijo de obrero socialista y de madre campesina, se ordenó sacerdote en julio de 1936 y fue ordenado obispo en 1958 por el papa Juan XXIII.

Durante este periodo sobresale su labor pastoral entre los pobres y analfabetos, para los que escribió un catecismo en términos sencillos. Enseñó teología, ética e historia del arte en el Seminario de Belluno, y nunca desempeñó un puesto en la Curia. En 1969 Albino Luciani fue nombrado patriarca de Venecia y en 1978 elegido papa. Al ser consagrado como pontífice suprimió la ceremonia de coronación. Su muerte repentina al mes y días de haber sido elegido hizo de su papado uno de los mas cortos de la historia.

Juan Pablo II (1920-). Pontífice romano, el primero no italiano desde 1522 y el único polaco nombrado sucesor de San Pedro.

Karol Josef Wojtyla nació en Wadowice, una aldea cercana a Cracovia. Hijo de un obrero, el papa fue a su vez obrero en una planta química en sus tiempos de estudiante y se asegura que realizó trabajos forzados durante la ocupación alemana del país. Wojtyla fue el primero en su familia que recibió educación universitaria.

Wojtyla se ordenó sacerdote en 1946, durante los años de la represión stalinista en Polonia y demostró su habilidad diplomática para oponerse a la política oficial de ateísmo. Su pasado de obrero le facilitó competir en influencia con los comunistas en los medios proletarios. Considerado también como intelectual de amplia cultura filosófica, es autor de tres libros y numerosos artículos. Fue designado arzobispo de Cracovia en 1963, cardenal en 1967 y papa en 1978.

Al igual que su predecesor, Juan Pablo I, optó por la sencillez en la ceremonia de consagración como sumo pontífice y reemplazó la tradicional coronación con una misa en San Pedro.

Las primeras declaraciones y decisiones de su pontificado han determinado que Juan Pablo II sea considerado como liberal en política y moderado en teología. Ha mantenido la posición tradicional en cuanto al divorcio, el celibato sacerdotal, la ordenación de mujeres y el aborto.

Desde sus primeras encíclicas exaltó el papel de la Iglesia como maestra de los hombres y destacó la necesidad de una fe robusta, arraigada en el patrimonio teológico tradicional, y de una sólida moral, sin mengua de una apertura cristiana al mundo del siglo XX.

Realizó importantes viajes a México, Polonia, Irlanda, Estados Unidos, Turquía, diversos países de África, Francia, Brasil, Alemania, Filipinas, Japón, España, Gran Bretaña, Portugal y varios países de Iberoamérica. En 1981 sufrió un grave atentado en la plaza de San Pedro, en Roma, y un atentado en el santuario de Fátima, durante su viaje a Portugal. En 1997 realizó una visita histórica a la isla de Cuba, donde se entrevistó con el primer ministro y presidente Fidel Castro.

Juan sin tierra (1166-1216). Rey de Inglaterra, hijo de Enrique II y de Leonor de Aquitania, denominado así porque a la muerte de su padre no poseía territorio alguno a su nombre. A la muerte de su hermano Ricardo Corazón de León se apoderó del trono, dando seguidamente muerte a su sobrino y rival. Perdidas sus posesiones en Francia, por obra de Felipe Augusto, los barones sublevados lo obligaron a otorgar la famosa Carta Magna, base de las libertades inglesas. Falleció en la contienda sostenida contra los nobles rivales. *Véase* Carta Magna.

Juan y Santacilia, Jorge (1713-1773). Marino y matemático español. Fundador del Observatorio Astronómico de Cádiz y director de la Academia de Guardias Marinas y del Seminario de Nobles. Efectuó diversos viajes y expediciones de carácter científico, debiendo citarse especialmente la que, junto con Juan Antonio de Ulloa y los franceses Godin, Bouger y La Condamine, hizo a Ecuador (1735) para medir el grado medio de dicho círculo máximo, lo que permitirá determinar la configuración de la tierra y su magnitud.

Juana de Arco, santa (1412-1431). Heroína nacional francesa, llamada *la doncella de Orléans*, una de las figuras más nobles y singulares de la historia, que surge en el momento en que gran parte de Francia se encontraba en poder de los ingleses y sus aliados borgoñones, y la salva con el ímpetu de su valor y de su fe. Nació en Domremy, pequeña aldea de los Vosgos donde su padre era un acomodado labrador, y su infancia transcurrió en el ambiente campesino dedicada a coser, hilar y, a veces, ayudar a su padre y hermanos en las tareas del campo. Nunca aprendió a leer ni escribir, y toda su instrucción consistió en las oraciones que le enseñaba su madre. Era una muchacha sencilla y piadosa, que veía con horror a los enemigos que asolaban su patria, y a los 13 años comenzó a oír las *voces* divinas y a ver las apariciones de san Miguel, santa Margarita y santa Catalina que la ordenaban liberar a Francia y coronar a su rey.

Estas voces y visiones preocuparon su espíritu y, aunque las desobedeció por algún tiempo, se hicieron tan apremiantes cuando los ingleses sitiaron Orléans, que no pudo resistir su mandato y abandonó su casa para acudir en socorro de la ciudad. Se presentó a Roberto de Baudricourt capitán de Vaucouleurs, a quien consiguió convencer de su *misión* y de que le diera una escolta para conducirla hasta Chinon, donde se hallaba la corte, y allí, después de varias pruebas, logró vencer el escepticismo de Carlos VII, quien le confió mando militar. Vestida con ropas masculinas, con la blanca armadura y el sagrado estandarte bordado en oro, *la Doncella* marchó al frente de sus tropas y, a pesar de sus 17 años, era tan valerosa su resolución, audacia y fe, que hasta los mejores capitanes la obedecieron sin discutir, admitiendo su intuitivo conocimiento del arte de la guerra.

Próxima a rendirse estaba la plaza de Orleáns cuando Juana acudió en su auxilio; entró el 29 de abril de 1429, y tras diversas operaciones el 8 de mayo quedó liberada. En seguida marchó a buscar a Carlos VII y lo condujo a Reims, en cuya catedral se consagraban todos los reyes de Francia. Para ello tuvo que atravesar gran parte del país borgoñón, librar diversas batallas, entre ellas la memorable de Patay, en todas las cuales salió victoriosa, y se apoderó de las poblaciones de las márgenes del Loira, siendo aclamada por el pueblo francés, que veía en ella a una mensajera divina, mientras que los ingleses la consideraban aliada del diablo.

Coronado Carlos VII el 17 de julio, Juana le pidió que le permitiera regresar a su hogar, pero como el rey no podía prescindir de ella continuó en el ejército. Trató de tomar París, tuvo que retirarse al ser herida en un asalto, y luego de una temporada de inactividad se dirigió a Compiegne para defender la plaza. La suerte la abandonó esta vez y, acaso traicionada por uno de los suyos, cayó prisionera de los borgoñones. Abandonada por el desaparecido rey que no hizo nada por rescatarla, fue vendida a los ingleses, quienes la entregaron a un tribunal eclesiástico que debía juzgarla. Durante el largo proceso tuvo que soportar los mayores insultos y acusaciones y aunque confortada por sus *voces* se defendió a sí misma con gran habilidad y valor, la declararon culpable de herejía y la condenaron a morir en la hoguera.

La vieja plaza del Mercado de Ruan fue escenario de su martirio, y el día 30 de mayo de 1431 fue quemada viva y sus cenizas arrojadas al Sena. Veinticinco años después se revisó el proceso siendo declarada inocente; beatificada en 1909 y canonizada como santa en 1920, su fiesta se celebra el 30 de mayo.

Juana *la loca* (1479-1555). Reina de Castilla, nacida en Toledo, hija de los Reyes Católicos. Casó con Felipe el Hermoso, archiduque de Austria, naciendo de esta unión 6 hijos: 2 varones y 4 mujeres. Uno de ellos, Carlos, fue rey de España y emperador de Alemania, y el otro, Fernando, emperador de este último país por renuncia de aquél. Juana, cuyo estado mental se hallaba muy quebrantado, sufrió un grave trastorno al ocurrir la muerte de su esposo, de cuyo cadáver no quiso apartarse.

Juárez. Ciudad del norte de la República Mexicana, en el estado de Chihuahua, situada en la frontera con Estados Unidos, frente a la ciudad de El Paso (Texas), en la margen derecha del río Bravo; 1.011,786 habitantes (1995).

En la segunda mitad del siglo XX experimentó un crecimiento muy rápido. Su aduana internacional, una de las de mayor movimiento del país, la ha convertido en la primera de las aglomeraciones que se suceden a lo largo de la frontera norte. A sus funciones aduaneras cabe añadir la de cen-

Juárez

Hemiciclo a Benito Juárez en la ciudad de México.

tro comercial agrícola. Está enclavada en una de las más importantes regiones algodoneras de México y se beneficia de las obras de irrigación del río Bravo. Cuenta con industrias alimentaria (cerveza, licores, aceite) y derivados del algodón.

Fue fundada con el nombre de Paso del Norte por un grupo de franciscanos (1662). Estuvo ocupada por los estadounidenses de 1846 a 1848,y durante la invasión francesa fue cuartel general de Benito Juárez (1865), de quien recibió su nombre en 1888. En 1911 se firmó en ella un convenio de paz entre los representantes de Porfirio Díaz y los de Francisco Ignacio Madero.

Juárez, Benito (1806-1872). Jurisconsulto y hombre de Estado mexicano. Nació en San Pablo de Guelatao (Oaxaca) y murió en la ciudad de México. Fue uno de los estadistas más grandes de su patria. Sus padres eran campesinos de raza indígena y posición modesta. Se quedó huérfano siendo un niño. A los 12 años no sabía leer, ni escribir, ni hablar castellano, y sólo conocía el idioma zapoteco; pero, ya demostraba una voluntad tesonera para obtener la educación que le faltaba. En 1818 se trasladó a la ciudad de Oaxaca, donde encontró acogida en casa del señor Salanueva, que lo alentó, aprendió el español y a leer y escribir. Ingresó en el Seminario Eclesiástico y después en el Instituto de Artes y Ciencias de Oaxaca, donde realizó brillantes estudios, desempeñó cátedras y en 1833 obtuvo el título de abogado. En esa época inició su carrera política, en la que siempre profesó y defendió las ideas liberales. De 1833 a 1852 fue elegido para distintos cargos públicos, entre ellos los de

diputado, magistrado del Tribunal Superior de Justicia y gobernador de Oaxaca, en el que adquirió gran renombre por su buena administración.

En 1853, el dictador Antonio López de Santa Anna lo desterró, después de tenerlo en prisión. En 1855 regresó a la patria y se unió a la revolución liberal dirigida por el general Juan N. Álvarez para defender el Plan de Ayutla. Al triunfar, Álvarez ocupo la presidencia de la república y nombró a Juárez ministro de Justicia y Negocios Eclesiásticos. El 22 de noviembre de 1855 se promulgó la Ley Juárez, que suprimía ciertos tribunales especiales y limitaba los privilegios del clero y del Ejército. En 1857 renunció el general Álvarez y subió a la presidencia el general Ignacio Comonfort, y Juárez fue nombrado presidente de la Suprema Corte de Justicia, cargo que, según la Constitución, llevaba anexa la función de vicepresidente de la república. El presidente Comonfort se vio complicado en una conspiración para derogar la Constitución de 1857 y otras leyes mediante un golpe de Estado; pero, éste falló, Comonfort tuvo que abandonar el país (1858) y Juárez, de acuerdo con las leyes, asumió la presidencia de la República.

Frente al gobierno liberal de Juárez, y desconociéndolo, se alzó un gobierno conservador encabezado por Félix Zuloaga, que contaba con formidable poder, y sobrevino la guerra civil, llamada *guerra de Reforma*. Juárez se retiró con su gobierno a Guadalajara, contando como sus armas más poderosas la legalidad y la defensa de la Constitución. Los liberales sufrieron sucesivas derrotas, y Juárez, acosado, para poder trasladarse con el gobierno a Vera-

cruz, tuvo que embarcarse en un puerto del Pacífico, cruzar el istmo de Panamá y remontarse por el Caribe y el Golfo de México hasta New Orleans para llegar a Veracruz. Allí expidió (1859) las famosas Leyes de Reforma que establecían la separación de la Iglesia y el Estado, la libertad de cultos, la nacionalización de bienes eclesiásticos y otras medidas de transcendentales consecuencias políticas, sociales y económicas. La guerra seguía y la suerte de las armas se inclinaba entonces a favor de los liberales, que alcanzaron una victoria decisiva en Calpulalpan sobre las tropas conservadoras de Miguel Miramón (1859) la cual dio el triunfo a la causa liberal.

Juárez instaló de nuevo su gobierno en la ciudad de México (1861) y fue designado presidente constitucional. Surgieron nuevos levantamientos y sublevaciones de los conservadores. El mal estado del Tesoro obligó a Juárez a suspender el servicio de la deuda pública, tanto interior como exterior; los intereses financieros de Francia, Inglaterra y España resultaron afectados, lo que sirvió de motivo a esas naciones para intervenir en México y desembarcar fuerzas en Veracruz. Juárez solucionó el conflicto derogando la ley de suspensión de pagos, causa aparente de la intervención, pero Francia que tenía el oculto designio de imponer a México un gobierno monárquico en combinación con elementos conservadores mexicanos, insistió en su proyecto de intervención. España e Inglaterra retiraron sus tropas y las reembarcaron. En cambio, las tropas francesas se dirigieron al interior del país. El 5 de mayo de 1862 fueron derrotadas en Puebla las fuerzas francesas del general Lorencez por las mexicanas del general Ignacio de Zaragoza y la invasión recibió un duro golpe que la paralizó durante un año, hasta recibir los considerables refuerzos que envió Napoleón III y que elevaron el ejército francés a casi 30,000 hombres. Después de vigorosa resistencia, tomaron a Puebla los franceces (17 de mayo de 1863) y marcharon sobre la ciudad de México.

Ante el avance enemigo, Juárez trasladó el gobierno a San Luis Potosí, mientras los franceses, auxiliados por los conservadores pero combatidos por los liberales, se posesionaban de la capital (7 de julio) y extendían su dominación en gran parte del país e instalaban a Maximiliano como emperador de México. Mientras tanto Juárez, con espíritu indomable, se constituyó en custodio de las libertades patrias y de la continuación de la república, y sufriendo privaciones y penalidades, a medida que avanzaba la penetración extranjera iba trasladando el gobierno de ciudad en ciudad, hasta que el 5 de agosto de 1865 se vio obligado a instalarse en Paso del Norte (hoy Ciudad Juárez), ya en la frontera con Estados Unidos, que marcaba el límite de su peregrinación dentro del tertitorio mexicano.

En 1866, las tropas liberales, que nunca habían dejado de hostilizar al enemigo, obtuvieron importantes victorias lo que permitió a Juárez iniciar su regreso hacia el sur. Napoleón III decidió retirar sus tropas de México, y los últimos soldados franceses se reembarcaron el 11 de marzo de 1867. Maximiliano, en lugar de abdicar, prefirió sostenerse con las tropas mexicanas imperialistas que aún lo apoyaban, pero fue vencido en Querétaro, hecho prisionero y, sometido a consejo de guerra, fue fusilado el 19 de junio de 1867. Juárez, de nuevo en la capital de la nación, restableció las instituciones republicanas y fue reelegido presidente en 1867, y otra vez en 1871, periodo que no pudo terminar por fallecer al año siguiente.

Benito Juárez es uno de los más ilustres próceres de América, que supo defender, con admirable tenacidad, la libertad de la patria y el espíritu de las instituciones democráticas y republicanas, manteniéndolas en alto por encima de todas las adversidades. Hombre de toga, en los momentos más aciagos encontraba estímulo y aliento en sus acendradas convicciones civilistas. Así, después de una terrible derrota, Juárez, animando a sus tropas vencidas, exclamaba: "El pensamiento está sobre el dominio de los cañones". Y a la hora del triunfo, aplastada la invasión extranjera, firme siempre en sus convicciones, declaró: "Entre los individuos, como entre las naciones, el respeto al derecho ajeno es la paz. Véanse MAXIMILIANO; MÉXICO.

Juárez, José (1610-1670?). Pintor mexicano. Ejerció gran influencia en el desarrollo de la pintura de la Nueva España y, por la riqueza de su obra y su estilo vigoroso, se le considera a la altura de Echave *el Viejo*.

Juárez, Luis (Siglo XVII). Pintor mexicano que ejerció su arte de 1610 a 1630. Fue discípulo de Echave *El Viejo*, y uno de los grandes maestros de la escuela mexicana de pintura. Entre sus cuadros principales se cuentan *La oración del Huerto*, *La Sagrada Familia*, *La Anunciación* y *San Ildefonso recibe la casulla de manos de la Virgen*, admirable obra maestra.

Juárez Celman, Miguel (1844-1909). Jurisconsulto y político argentino. Apenas doctorado en Jurisprudencia participó en las actividades políticas de su provincia natal, Córdoba, donde desempeñó diversos cargos públicos. Ministro del gobierno del doctor Del Viso (1878), electo gobernador de esa provincia (1880), senador nacional, y finalmente presidente de la República, en 1886. A consecuencia de la revolución de 1890 acaudillada por el

Corel Stock Photo Library

El muro de las lamentaciones es uno de los lugares sagrados del Judaísmo.

jefe del Partido Radical, Leandro N. Alem, renunció ante el Congreso y se retiró definitivamente a la vida privada.

jubileo. Festividad pública que celebraban cada 50 años los hebreos, en virtud de la cual las deudas quedaban saldadas, las herencias eran entregadas a sus propietarios y los esclavos hebreos manumitidos. Desde el siglo XV la Iglesia Católica celebra cada 25 años un jubileo especial, llamado Año *Santo* o *Año Jubilar*, de carácter puramente religioso.

Jubones. Hoya del suroeste de Ecuador que desagua en el océano Pacífico por medio del río Jubones. Forma un amplio valle cubierto de vegetación tropical, cerrado al norte por los nudos de Portete y Tinajillas, y el sur por los de Acayana y Guagrauma.

Juby, cabo. Saliente occidental del norte de África, la más próxima a Fuerteventura (Canarias), que perteneció a España hasta 1958, en que pasó a depender de Marruecos. Los navegantes lo señalan como punto peligroso, debido a las aguas procelosas de su contorno.

Judá. Cuarto hijo de Jacob con Lía, que dio nombre a una de las 12 tribus de Israel y al reino que ocupó la parte sur de Palestina, como consecuencia del cisma que se produjo a la muerte del rey Salomón. Se casó con una mujer cananea, lo que explica las relaciones que mantuvo la tribu de Judá con los cananeos.

Esta tribu se asentó al oeste del Mar Muerto, quedando separada de las otras tribus hebreas por el territorio cananeo. Bajo el mandato de David, una vez conquistada la ciudad cananea de Jerusalén y transformada en capital de reino, Judá pasó a formar parte de una monarquía unificada, junto con las demás tribus hebreas. Después de la rebelión en contra de Roboam, hijo de Salomón, en el siglo X a. C., Judá volvió a ser un reino independiente y, a pesar de carecer de importancia política, se mantuvo estable gracias a su lealtad a la casa de David y a la posesión de Jerusalén y el templo de Salomón. El reino de Judá se rindió a los babilonios en el año 586 a. C. y la mayoría de su población fue llevada en cautiverio a Babilonia.

judaísmo. Religión monoteísta que practica el pueblo hebreo, fundada en el concepto de un Dios todopoderoso, inmaterial, eterno, justo y misericordioso. Identificado con el pueblo hebreo, el judaísmo está íntimamente ligado a la historia de Israel. Cerca de 2,000 años a. C. vivía en la ciudad de Ur, en la Mesopotamia, el patriarca Abraham, llamado *el Hebreo*, quien, por mandato divino, pasó con los suyos a las tierras de Canaán o Tierra Prometida, estableciendo allí el concepto fundamental y primero del judaísmo, al renegar de los ídolos de piedra y madera de sus antepasados, para levantar altares al Dios único e invocar su nombre. Aquel Dios invisible y puramente espiritual reinó sobre los descendientes de Abraham. Bajo su guía el nieto del patriarca, llamado Jacob o Israel, distribuyó las tierras y los bienes entre sus doce hijos, formando así las doce tribus que dieron origen al pueblo llamado hebreo o de Israel.

A esta era patriarcal siguió la de Moisés, en la que fue afianzándose la nación hebrea, al tiempo que se fortalecía en el pueblo la idea de un Dios único. Desde hacía muchos años el pueblo israelita se hallaba cautivo y oprimido en Egipto, cuando un gran jefe y maestro vino a liberarle. Moisés, por mandato de Dios, sacó al pueblo de allí haciéndolo cruzar milagrosamente el Mar Rojo –ocasión ésta que los hebreos todavía celebran con su fiesta de El Paso–, para conducirlos luego por el desierto durante 40 años para reconquistar la Tierra Prometida.

Durante aquel peregrinaje, Moisés dio a su pueblo el Decálogo o Tablas de la Ley que Dios le entregó en el monte Sinaí, estableciendo además por su cuenta una serie de leyes y preceptos religiosos que afectaban a la alimentación, la política y la agricultura, además de un cúmulo de reglamentos para observar las fiestas y días santos. Así fue como el advenimiento de Moisés y sus enseñanzas permitieron adquirir al pueblo una cultura religiosa mucho más elevada. El Arca de la Alianza, imagen del templo, se convirtió en la marca visible de la presencia de Dios entre los hombres. El ritual de la época se encuentra detallado en el libro bíblico del Pentateuco, que deja establecido el principio sustentado durante la edad de Moisés; la eternidad de Dios.

A la muerte del conductor, en las puertas de la Tierra Prometida, el Señor encargó a Josué de guiar al pueblo a través del Jordán para introducirlo en Canaán. Tras dos siglos de luchas los israelitas quedaron establecidos en la Tierra Prometida, iniciándose entonces la tercera edad del judaísmo: la de su división e independencia nacional. A medida que el pueblo prosperaba, iba despegándose de las estrictas leyes que antaño había observado con tanto celo y adoptó principios y costumbres de los pueblos idólatras. Samuel y otros profetas predicaban el ascetismo y el sacrificio para recuperar la perdida fe, y lograron que las 12 tribus de Israel formaran un único reino, ungiendo a Saúl como su primer monarca. Cuando David, que había guiado los victoriosos ejércitos israelitas contra los filisteos y había cantado al Señor con salmos sublimes, ascendió al trono, el judaísmo alcanzó su más alto plano espiritual, siguiendo la inspiración de Moisés.

Ese resurgimiento tuvo su culminación cuando el rey Salomón, hijo de David, construyó en Jerusalén el anhelado templo, con gran magnificencia. En aquella época, el pueblo tuvo su edad de oro material y espiritual. En ese entonces se anunció que habría de venir un Mesías (Salvador) descendiente de la casa real de David, como monarca terrenal de una Israel unida, con el propósito de restaurar la adoración puramente espiritual del Dios único de los antepasados. A la muerte de Salomón, el reino se dividió y las tribus se separaron formando reinos independientes, y se inició la edad del exilio y la opresión.

Los judíos (del hebreo *Yehudah* que quiere decir *Hombre de Judá*) actuales son únicamente los descendientes del pequeño reino de Judá, uno de los que se formaron al dividirse las tribus, el que fue conquistado en el año 586 a. C. por Nabucodonosor y el pueblo llevado al cautiverio en Babilonia. El otro reino, el de Israel o de las diez tribus, fue avasallado por los asirios en el año 720 y a la población se la deportó a las regiones desconocidas del interior de Asia por orden del rey Salmanasar, perdiéndose desde entonces sus rastros en la historia.

El reino de Judá, mientras tanto, mantuvo sus tradiciones y sus creencias durante el cautiverio en Babilonia, sostenido particularmente por el profeta Ezequiel, y cuando el rey Ciro dejó en libertad a los hebreos, se instalaron nuevamente en Palestina, reconstruyeron el templo de Salomón, siguieron a los grandes jefes –como Ezra y Nehemias– y establecieron fórmulas nuevas del ritual y preceptos fundados en las leyes mosaicas, cuyos detalles se hallan coleccionados y expuestos en el Talmud.

Durante varias generaciones después del regreso de los judíos a Palestina, el pueblo tuvo, hasta el año 63 a. C., periodos de prosperidad relativa, unas veces libre y otras bajo el dominio de persas, sirios y egipcios, hasta que Roma, la poderosa, lo conquistó. Jesucristo vino al mundo por ese entonces. La dominación romana fue dura y cruel, los judíos se levantaron en armas y los ejércitos romanos invadieron el país a sangre y fuego. Jerusalén fue sitiada, conquistada y destruida el año 70 de la era cristiana. La resistencia judía prosiguió muy debilitada en otras partes hasta que el año 132 el decreto del emperador Adriano proscribió el judaísmo. Palestina decayó como centro del judaísmo y a través de los años, los judíos se dispersaron.

Grupos numerosos de israelitas se establecieron en el norte de África, España, Francia y Alemania, para trasladarse después a Inglaterra, Polonia, Rusia y los países de Europa Central. En este punto de la historia podría iniciarse la edad moderna del judaísmo, porque a pesar de que los romanos habían arrasado la nación hebrea y destruido el templo de Jerusalén, el pueblo disperso se mantuvo fiel a su religión. Los judíos, resignados a vivir sin patria, se asieron a su religión como el único vínculo que los pudiera mantener unidos en el mundo. En África del Norte, en España, en Turquía, en Arabia y en Alemania, surgieron los grandes filósofos hebreos como Saadia ben Josef, Salomón ibn Gabirol, Leví ben Gerson o León Hebreo, Maimónides, Judah Halevi, Crescas y José Albo.

Los dogmas, preceptos y ritos de la religión judaica, basados en la ley mosaica, se contienen en los libros, leyes y escrituras sagradas siendo las principales: la Tora, o sea la Ley, que contiene el Pentateuco; el *Talmud*, compilación de diversas leyes y prácticas judías, y la Masora, cuerpo de comentarios y observaciones críticas al Antiguo Testamento. La forma de obedecer esas leyes constituye la mayor diferencia entre las dos ramas principales en que se ha dividido el judaísmo moderno: los ortodoxos y los de la reforma; los primeros acatan todas las leyes y las cumplen, aun las más severas, como la de no hacer ningún trabajo en sábado, ni aun viajar o escribir, mientras que los segundos no consideran necesario someterse a muchas de ellas.

Sin embargo, el fin principal que las dos ramas del judaísmo persiguen es estrictamente el mismo: mantener y fortificar las doctrinas de aquel Dios único y espiritual de que hablaron Abraham y Moisés. La Sinagoga, factor vital del judaísmo, es mucho más que un lugar donde los hombres de su religión se reúnen para orar; representa la historia de Israel, el ritual organizado, la disciplina, la doctrina, la ley y las costumbres del judaísmo y es, por lo tanto, un templo, escuela, sala de asambleas, hogar, tribunal y, algunas veces, en épocas de persecución, fortaleza donde los judíos resistieron hasta perecer entre las llamas del santuario. La historia de la Sinagoga es la del pueblo y su religión, porque existe desde el siglo VI a. C. cuando vino a reemplazar al templo del que se vieron privados los judíos, cautivos en Babilonia.

También las persecuciones innumerables que ha sufrido el pueblo de Israel forman parte del judaísmo, porque, al quedar dispersos por el mundo, siguieron practicando estrictamente su religión. Durante la Edad Media y la época contemporánea, en una u otra parte del mundo, los judíos vivieron periodos más o menos largos de violencia en que se desataban sangrientas persecuciones, y sólo la fe en su Dios les daba valor para soportar tantos sufrimientos. Pero, también gozaron a menudo de periodos de paz, en que se les respetaba y aceptaba,–como en España en el siglo X, en Francia y en Alemania durante el XI y el XII– haciendo entonces grandes contribuciones a la civilización tanto en calidad de pueblo como individualmente.

La Revolución Francesa y las guerras de independencia americanas les aportaron mayor libertad, y en el siglo XIX se les reconocía como ciudadanos libres del país en que vivían; pero, periódicamente resurgía el antisemitismo y se reanudaban las persecuciones. América es el único lugar donde los hebreos han podido vivir en paz. A fines del siglo XIX surgió entre los hebreos el movimiento sionista que propugnaba la fundación de un Estado judío en Palestina. A la terminación de la Segunda Guerra Mundial, Gran Bretaña apoyó la idea, pero la resistencia de los países árabes afectados por esas aspiraciones demoró su realización. Finalmente, después de la Segunda Guerra Mundial, se creó en 1948, el Estado de Israel, en territorio de la antigua Palestina, nueva nación que, desde sus inicios, tuvo que luchar contra la oposición armada de los árabes. Por la Alemania Nazi en 1933, años en que Adolfo Hitler toma el poder, la política antisemita priva de sus derechos, a los judíos, son despojados de sus posesiones convirtiendose en sujetos de violencia física y humillación constante. Durante la Segunda Guerra Mundial ocupaba la atención de las democracias, Hitler y sus partidarios intentaron una decisión final, la exterminación de los judíos, cerca de 6 millones fueron masacrados, casi la tercera parte de su población, ya sea por hambre o de manera sistemática en campos de concentración. *Véanse* HEBREOS; ISRAEL; PALESTINA; SIONISMO.

Judas Iscariote.

Uno de los 12 apóstoles. Fue natural de Carioth. Traicionó a Jesús denunciándolo, con un beso, a los soldados que lo fueron a apresar al monte de los Olivos. Algunos evangelistas dicen que era el tesorero de los apóstoles, y san Juan afirma que había sido ladrón. Los cuatro Evangelios coinciden en que Jesús sabía que Judas lo iba a traicionar. En pago por su delación, los sacerdotes le dieron 30 monedas de plata. Se cuenta que, arrepentido por su acto, Judas arrojó las monedas a los sacerdotes y se ahorcó.

Judas Tadeo, san. *Véase* APÓSTOLES.

Judea.

Nombre que se aplicaba a toda la Palestina y, principalmente, a una parte de ésta situada al suroeste y que estaba integrada por las tribus de Judá, Benjamín, Dan y Simeón, el país de los filisteos hasta el litoral y una región de Idumea. Debió su nombre a la preponderancia de Judá sobre las otras tribus. Herodes *el Grande* reinó sobre Judea, ya sometida a la influencia de Roma. Después de la muerte de Herodes *el Grande* (año 4 a. C.), sus hijos se disputaron la corona. El emperador romano Augusto decidió dividir los territorios que había gobernado Herodes *el Grande* entre tres de los hijos de éste, y Judea, con Samaria e Idumea fue adjudicada a Herodes Arquelao, que la gobernó con el título de etnarca.

Juderías y Loyot, Julián (1870-1918).

Sociólogo e historiador español, que escribió *La leyenda negra y la verdad histórica* en la que documentalmente refuta apreciaciones equivocadas sobre los valores hispánicos. Escribió también diver-

Corel Stock Photo Library

Niña jugando con arena.

sas obras relacionadas con el obrerismo y la delincuencia juvenil. Además de la mencionada, entre sus obras figuran *El problema de la infancia obrera, La juventud delincuente, El obrero en Rusia, España en tiempos de Carlos II el Hechizado* y *Los favoritos de Felipe III.*

judía. *Véase* ALUBIA.

Judío Errante.

Una leyenda cristiana, que parece haberse difundido en Constantinopla hacia finales del siglo IV, cuenta que Cristo –camino del Calvario– quiso descansar un instante en el pequeño taller de Ahasvero (o Ahseverus), un zapatero judío. Pero, éste no consintió, y, de mala mane-

Juego de mesa Parchesí.

ra lo instó a seguir. Entonces el Señor le predijo que él y sus descendientes errarían por la tierra hasta el Día del Juicio, vagabundos y sin amparo. Así tuvo origen el mito del Judío Errante, símbolo del pueblo hebreo, disperso y perseguido. La literatura encarna en el tipo de Ahasvero la ironía, el sarcasmo y la falta de fe. La figura del Judío Errante ha sido llevada a la literatura por escritores como Schlegel, Johann Wolfgang Goethe, Shelly y Eugène Sue. Hans Christian Andersen tituló *Ahseverus* una obra de teatro que aspiraba a ser una alegoría de la historia del mundo.

judíos. *Véanse* HEBREOS; ISRAEL; JUDAÍSMO; JUDEA.

Judit.

Heroína judía que, según el Antiguo Testamento, salvó a Bethulia de la dominación asiria. Cuando Holofernes al mando de los ejércitos de Nabucodonosor, sitió la ciudad, dejándola sin víveres y sin otra solución que la de rendirse, Judit, hermosa y virtuosa viuda, dijo tener un plan, y sin que nadie pudiera detenerla se marchó con su criada a entrevistar al general de Nabucodonosor. Prendado de ella, Holofernes la retiene, pero después de un banquete ofrecido pocos días más tarde el general es sorprendido en su sueño por la bella espía, quien le arranca la espada y le corta la cabeza, llevándosela a su pueblo, liberado ya de la amenaza.

juego.

Actividad que se realiza para pasar el tiempo, con el objeto de entretenerse o divertirse. El juego, una de las formas más antiguas y corrientes de diversión, puede ser llevado a cabo por una sola persona o por varios individuos. Todo juego se caracteriza por dos rasgos esenciales: quienes participan pueden perder o ganar y deben someterse a reglas determinadas de antemano. Entre los juegos de azar figuran la ruleta y sus derivados, los dados, y la lo-

Corel Stock Photo Library

Juego de tenis en EE.UU.

tería. Algunos de ellos son de antiguo origen y poseen centenares de variedades.

Los *juegos de naipes* o de cartas se juegan con unas cartulinas rectangulares que en una de sus caras presentan figuras u objetos que aparecen en distinto número en cada carta. Existen numerosas clases de barajas o cuadernos, nombre con que se designa a cada conjunto de naipes. La baraja llamada española consta de 48 cartas, divididas en cuatro series distintas llamadas palos; dos de ellos (oros y copas) son los

palos cortos y los otros dos (espadas y bastos) se llaman palos largos. Cada palo consta de 12 cartas numeradas del uno al doce; las nueve primeras se llaman cartas blancas y las tres últimas (sota, caballo y rey) se denominan figuras. En algunos juegos desaparecen los naipes que llevan los números ocho y nueve y la baraja queda reducida a 40 cartas. Los juegos de naipes ingleses y franceses tienen 52 cartas, divididas en cuatro series de 13 cartas, que reciben los nombres de tréboles, diamantes o cuadrados, corazones y picas. Las cartas correspondientes a los números 11, 12 y 13 se denominan *jack* (sota), *queen* (reina) y *king* (rey). Los principales juegos de naipes se describen en varios artículos de esta obra.

Los juegos llamados de tablero tuvieron origen en las antiguas civilizaciones de Oriente. El más famoso y perfecto de todos ellos es el ajedrez o escaques, que se practica entre dos personas y goza de universal prestigio por su jerarquía intelectual; se practica sobre un tablero dividido en 64 compartimientos, alternadamente blancos y negros, denominados casillas dispuestos en ocho filas y ocho columnas. De menor complejidad, pero también interesante, el juego de las damas se practica utilizando un tablero idéntico al del ajedrez, pero reemplazando sus diversas piezas por 12 discos blancos y negros.

Se da el nombre genérico de deportes a todos los juegos en que predomina el ejercicio corporal. Los deportes obligan a exhibir agilidad, destreza o fuerza, a la vez que educan el cuerpo mediante el esfuerzo, el vigor o la tenacidad. Pueden ser practicados en forma individual o colectiva, pero en

Tablero del juego de ajedrez.

todos ellos existen los elementos esenciales del juego: sujeción a reglas predeterminadas y búsqueda del triunfo.

Existen algunos juegos de destreza que son practicados en locales cerrados. El más famoso de todos ellos es el billar, que consiste en impulsar mediante una barra de madera (el taco) ciertas bolas de marfil que ruedan por una mesa rectangular cubierta de una tela verde (el paño) y limitada por un borde de goma (la banda o baranda). El billarista trata de que la bola impulsada mediante el taco choque contra otras; esto se denomina carambola. La tacada es la cantidad de carambolas ininterrumpidas que logra realizar.

Los juegos de manos, de ilusión o de prestidigitación consisten en realizar, a la vista del público, operaciones aparentemente mágicas cuya trampa no puede ser advertida por los espectadores. La persona que practica estos juegos, ya sea por afición o por profesión, recibe los nombres de prestidigitador, ilusionista, jugador de manos o escamoteador.

Los juegos de sociedad sirven para amenizar reuniones hogareñas. Existe enorme variedad, que tiene su forma más simple en el clásico juego de prendas, consistente en decir o hacer los concurrentes una cosa, pagando prendas el que no lo realiza en forma correcta. Se da el nombre de sentencia o prenda al castigo, generalmente humorístico, que se impone al perdedor.

Los juegos de ingenio son aquellos en que se ejercita la inteligencia tratando de resolver un enigma. El jeroglífico es un escrito en que las letras han sido sustituidas, en forma total o parcial, por signos ideográficos; al descifrarlos, el jugador puede leer el texto escrito. La charada es un problema cuyo enigma está formado por una palabra de varias sílabas, de la que se indica vagamente el significado. El crucigrama o problema de palabras cruzadas consiste en rellenar con letras los huecos de un dibujo, de modo tal que al leer luego en sentido horizontal y vertical aparezcan determi-

Los juegos infantiles son enscenciales para un buen desarrollo de las habilidades.

nadas palabras cuyo significado se indica. En el acertijo o adivinanza la clave se presenta en forma enigmática. Las fugas de vocales o de consonantes son, como el nombre lo indica, escritos en que se han sustituido ciertas letras por puntos. El logogrifo es un enigma más complejo: para conocer la palabra que constituye la solución es necesario adivinar primero una indicación más o menos precisa. Los rompecabezas son el prototipo de los juegos de ingenio para niños: consisten en armar determinadas figuras que previamente han sido cortadas en varios trozos. Por lo común, dichos trozos van pegados a unos cubos de cartón o madera y es posible llegar a componer seis figuras, una para cada cara.

Los juegos infantiles son extraordinariamente numerosos y variados: algunos de ellos suelen ser jugados también por los adultos, a menudo sin otra complicación que la de apostar dinero sobre el resultado.

juego de azar. Ejercicio recreativo en el que se arriesga dinero buscando beneficio, pero en cuyo resultado el éxito depende exclusivamente de la suerte o la casualidad. Aparentemente los juegos de azar existen –aunque su forma haya sufrido transformaciones a través de los años– desde que el hombre pensó en las posibilidades de ganar mucho arriesgando poco y sin esfuerzo alguno. Siglos a. C. hubo tribus germanas y galas que arriesgaban hasta la vida en sus apuestas confiadas al azar de un fenómeno de la naturaleza. Entre los indios americanos aún quedan huellas de ciertos hábitos semejantes y que mezclaban supersticiones.

Corel Stock Photo Library

Máquina de juego de azar en las Vegas.

Para que un juego de azar fuese considerado lícito deberían prevalecer en él: ausencia de maniobras fraudulentas, consentimiento espontáneo de participación, propiedad de lo que se arriesga e igualdad de condiciones. Sin embargo, surgieron los peligros por no respetarse enteramente aquellas normas, principalmente en lo que se refiere al uso de bienes propios, y entonces los juegos de azar fueron prohibidos en la mayoría de los países. En Estados Unidos solo hay estado en el cual se permite el funcionamiento de casas profesionales de juego: Nevada; y están prohibidas las loterías, al igual que en Inglaterra y casi todas las naciones europeas.

En Europa hay un pequeño estado que debe su existencia y mantenimiento a los juegos de suerte: Mónaco, cuyo casino de Montecarlo goza de renombre internacional. En muchos países latinoamericanos funcionan loterías y ruletas, pero únicamente oficiales y están prohibidas las reuniones de jugadores clandestinos.

El juego de azar más antiguo que se conoce es el de dados, que practicaban los pueblos que surgieron en Europa y Asia. El juego de dados causó tales males entre los romanos de mediados del siglo VI, que el emperador Justiniano prohibió que se arriesgara dinero en cualquier clase de juegos, excepto en ciertos casos de juegos de destreza y ejercicios corporales y no más de un escudo de oro en cada partida. Al anterior sigue en antigüedad la lotería; y en los tiempos modernos han aparecido la ruleta, el rojo y negro y el bacará.

juego de pelota. Poco antes de la llegada de los españoles, el juego de pelota era en América un deporte aristocrático con carácter de rito divinatorio. En algunos lugares se introdujo en época tardía, no encontrándose juegos de pelota en las más antiguas ciudades mayas, aunque este deporte ya aparezca representado en el fresco de Tláloc, en Teotihuacan. Estas canchas siguen una disposición rectangular con parapetos laterales para presenciar el juego desde lo alto. En las más antiguas, como la de Tula, metrópoli tolteca del Valle Central de México, los muros son en

Mesa de naipes en las Vegas.

Corel Stock Photo Library

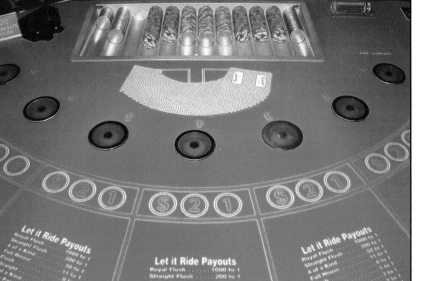

talud, mientras que posteriormente, como en Chichén Itzá, fueron verticales.

El juego de pelota se encuentra en todos los lugares de influencia tolteca, como en Copán, Monte Albán, Quiriguá, Yaxchilán e incluso en Chandler, al sur de Estados Unidos. Del siglo X al XIII tuvo un extraordinario desarrollo, especialmente en Chichen Itzá, donde se encuentra el más importante de los conservados. Está formado por dos muros paralelos que limitan un espacio de 150 m de largo y 35 de ancho, con edículos a cada lado, a modo de palcos. En el muro destinado a los espectadores se sitúa el templete llamado *de los Tigres*, porticado y con pilastras serpentinas, y al que se asciende por una escalera lateral. Estaba policromado, relatándose en sus muros interiores hazañas de la conquista de la ciudad. En los parapetos de la concha hay escenas de juego policromadas, principalmente en rojo y verde. En estos muros solían colocarse portaestandartes de piedra esculpida que adoptaban a menudo formas animales, como el tigre portaestandarte del Juego de Pelota de Tula.

juegos florales.

Concursos poéticos, cuyo primer certamen se celebró en Toulouse (10 de mayo de 1324) creados para reanimar a la poesía provenzal. La primera obra premiada fue una poesía de Arnaldo Vidal, dedicada a la Virgen. Barcelona fue la primera ciudad que a imitación de Toulouse, instituyó los juegos florales (1393), los cuales tomaron especialmente un gran incremento en el siglo XIX a raíz del movimiento intelectual y patriótico surgido del entusiasmo que provocó la *Oda a la Patria* de Carlos Aribau. Johann Fastenrath, el sabio alemán que fue un gran hispanista, los implantó en Colonia el año 1899.

juegos olímpicos. *Véase* OLIMPIADAS.

juegos panamericanos.

Patrocinados por el Comité Olímpico, en 1951 se reunieron en Buenos Aires 2,513 deportistas que representaban a 22 naciones del continente americano. Era el primer evento denominado Juegos Panamericanos, que a partir de entonces, al estilo olímpico, se celebra cada cuatro años, procurando que siempre sea un año antes de la Olimpiada.

En 1940, el Comité Olímpico de Argentina citó a un congreso deportivo al que asistieron 16 de los 21 miembros de los países de la Unión Panamericana. Se pensó iniciar los juegos en 1942, pero las condiciones bélicas por las que atravesaba el mundo no lo permitieron. Se fijó otra fecha: 1945, pero tampoco fue posible hacerlos. En 1948, durante las Olimpiadas en Londres se celebró el Segundo Congreso Panamericano en donde se acordó la celebración de los primeros Juegos: del 25 de

Corel Stock Photo Library

La autoridad del juez, se representa con un martillo de madera.

febrero al 8 de marzo de 1951, ocupándose el Comité Olímpico Argentino de la organización de dicho evento.

Los juegos Panamericanos se celebran y organizan dentro del modelo olímpico, en general, y con reglas y disciplinas de la propia olimpiada y a partir de su inicio han seguido un camino ascendente.

Los segundos juegos se celebraron en ciudad de México en 1955 con 2,583 atletas que representaban a 21 países; los terceros tuvieron como sede a Chicago, en 1959, con 25 países y 2,263 atletas; los cuartos juegos fueron en São Paulo, en 1963; los quintos en Winnipeg, en 1967; los sextos en Cali, en 1971; los séptimos, de nuevo en la ciudad de México, en 1975; los octavos, en San Juan, en 1979; los novenos, en Caracas, en 1983; los décimos, en Indianápolis, en 1987; los décimo primeros en La Habana, en 1991; y los décimo segundos en Mar de Plata, en 1995.

jueves.

Quinto día de la semana que los antiguos consagraron a Iovis (Júpiter). La liturgia católica tiene en su calendario tres festividades solemnes que coinciden con ese día: Jueves Santo, Corpus-Christi y la Ascensión. La primera, que se llama también *día de indulgencia* porque los pecadores públicos recibían la absolución y los reyes concedían indultos, ofrece diversos ritos tradicionales, como el *Pediluvium*. Corpus-Christi es el jueves en que se celebra la institución de la Eucaristía.

juez.

Persona encargada de administrar justicia. En todos los países occidentaliza-

dos existen funcionarios con autoridad y potestad para juzgar y sentenciar, de acuerdo con las leyes establecidas, que resuelven los conflictos producidos entre los individuos y aplican las normas del derecho positivo. En Estados Unidos los jueces federales son designados por el presidente de la nación, mientras que los jueces de los estados son elegidos por el pueblo generalmente cada seis años; en otros países como Gran Bretaña y las naciones hispanoamericanas, su nombramiento es efectuado por el gobierno. El oficio de juez puede ser desempeñado en forma individual o colegiada; en este último caso cada funcionario se llama magistrado y el cuerpo que los agrupa recibe el nombre de tribunal. La judicatura es el conjunto de los jueces de un país, quienes se ocupan por separado de asuntos civiles, comerciales, penales o administrativos. *Véanse* DERECHO; JUSTICIA; TRIBUNALES.

Juggernaut.

Nombre de un ídolo y un templo que se hallan en la ciudad de Puri, en la Bahía de Bengala, La India Oriental. El ídolo fue construido en el siglo XII y es de madera, con un rostro negro y ojos formados con piedras preciosas. Su nombre significa en sánscrito *Señor del Mundo*; se supone que contiene los huesos de Krishna y que está dotado de alma. Una vez al año es sacado en un gigantesco carro de madera de unos 15 m de altura, arrastrado por los fieles.

juglar.

Actor que durante la Edad Media y principios de la moderna animaba las reuniones con cantos, música y juegos de manos. Se diferenciaba de los trovadores porque no componía él mismo los poemas y ejercía su arte por dinero. Gracias a él se popularizaron leyendas y canciones. Luego abandonó el canto y degeneró en saltimbanqui o bufón. *Véase* TROVADOR.

jugos.

Sustancias que se obtienen por presión de materias animales o vegetales. Los jugos conservan la mayoría de las cualidades nutritivas de la sustancia de que se extraen y son de más fácil digestión, como el jugo de carne, que se obtiene exprimiendo carne fresca y limpia de grasa. En fisiología también se llaman jugos a las secreciones de algunos órganos glandulares, como el jugo gástrico y el pancreático, que son las sustancias segregadas por las glándulas del estómago y el páncreas. Se llaman jugos de frutas, no sólo a los zumos que salen al exprimirlas, sino también a los refrescos que se obtienen por una trituración fina de sus pulpas.

juguetes.

Objetos que utilizan los niños en sus pasatiempos y diversiones. Aunque se ignora su origen, es posible que el primer juguete fuera creado por algún niño de

El carro de pedales es uno de los juguetes preferidos de los niños.

Niño con un juguete didáctico.

los tiempos prehistóricos para imitar las actividades de su padre, cazador y guerrero. Los arqueólogos han descubierto entre los restos de antiguas ciudades desaparecidas, pequeños animales de terracota, bronce y plomo. En Persia se halló un león metálico montado sobre ruedas, que fue construido más de mil años antes de nuestra era. En algunos sarcófagos egipcios han aparecido juguetes, trompos y muñecas. Los niños griegos y roma-

nos tenían minúsculos carros de batalla y figuras de animales.

En la Edad Media los juguetes reproducían las armas y utensilios de la época, y el emporio de la fabricación de juguetes era la ciudad alemana de Nuremberg, donde artesanos expertos construían pequeñas obras de arte que eran maravillas de paciencia, ingenio y habilidad. Los mismos armeros, carpinteros, orfebres y mecánicos de la ciudad consagraban sus ratos de ocio a la construcción de juguetes que reproducían sus creaciones principales. Así surgieron casas de muñecas cuyos habitantes se movían y danzaban, y numerosos juguetes minuciosamente construidos.

Las épocas belicosas producen juguetes bélicos, desde los diminutos arcos, flechas y catapultas del tiempo de las Cruzadas, hasta los pequeños cañones, ametralladoras, fusiles y submarinos de nuestro tiempo. El desarrollo de la técnica influye directamente sobre los juguetes; cuando los hermanos Jacques Ètienne y Joseph Michel Montgolfier lograron elevarse en los aires con su famoso globo, surgieron de inmediato los pequeños aeróstatos de papel coloreado (que los chinos habían estado fabricando desde muchos siglos atrás), antecesores de los globos de goma que hacen las delicias de los chiquillos de hoy.

En el siglo XIX, uno de los efectos de la llamada Revolución Industrial fue el de abaratar y democratizar los juguetes, que hasta entonces habían sido privilegio de pocas familias. Además de abaratarlos, hizo surgir innumerables réplicas de las invenciones modernas; a mediados del siglo XIX se hicieron populares los trenes en miniatura,

que nada han perdido de su prestigio. A comienzos del siglo XX aparecieron los automóviles de cuerda, y poco después se difundieron los modelos de aeroplanos. Con el auge de la electricidad, los trenecitos y otros juguetes fueron *electrificados*. En la actualidad, los principales productores de juguetes son Alemania, Estados Unidos, Francia, Japón y Gran Bretaña. Los juguetes alemanes y británicos son famosos por su precisión y calidad, mientras que los japoneses lo son por su simplicidad y reducido costo.

Hay dos clases de juguetes: los que instruyen al niño ejercitándolo en una tarea y los que sólo sirven para recreo y distracción de sus sentidos. Los juguetes mecánicos corrientes tienen la desventaja de que no desarrollan el espíritu creador ni el sentido de observación; el niño se suele cansar con más rapidez de un complicado juguete eléctrico que de un humilde producto del ingenio doméstico, hecho con cajas y maderas, pero que le permite dar rienda suelta a su imaginación. Puede tener un costoso caballito de madera construido con minucioso realismo, y no divertirse con él mucho más que con un palo de escoba o una silla destrozada. Los pedagogos y psicólogos han ideado juguetes que despiertan y forman la personalidad infantil. A principios de siglo invadieron el mercado juguetes fabricados en serie con nuevos materiales (goma, cartón, piedra, materias plásticas, etcétera) y a los temas usuales se añadieron poco a poco otros que son la reproducción de los nuevos inventos de la técnica: desde el *mecano,* autos y aviones teledirigidos hasta los videojue-

Manzana s y jugo de manzana.

juguetes

Pintura del Juicio Final *de Miguel Ángel, en el Vaticano.*

gos en monitor, y *realidad virtual. Véanse* COMETA; MUÑECA.

juicio. Facultad del intelecto merced a la cual el hombre se siente capaz de diferenciar el bien del mal y lo verdadero de lo falso. Va implícita en ella la capacidad de ordenar las proporciones y representárselas con claridad, a fin de poder elegir acertadamente. Indispensable para hacer frente a todas las contingencias de la vida, es el juicio una de las manifestaciones intelectuales más susceptibles de ser encauzadas y desarrolladas por medio de la educación.

Condición indispensable para juzgar hechos e ideas es la imparcialidad, por cierto muy difícil de mantener en los siglos de profundas convulsiones. El odio a determinados hombres o sistemas, unido a la ventaja material que casi siempre reporta estar afiliado a un movimiento determinado, hace que muchos se cierren voluntariamente a toda verdad que se origine en el campo contrario. Tal miopía vulnera la más noble actividad de la inteligencia y sus nocivos efectos envenenan la capacidad creadora y la felicidad personal y colectiva. Renunciar al privilegio de ejercer libremente el juicio, es amputar el alma.

La posibilidad de distinguir el bien y el mal determina generalmente la conducta moral del individuo. No suele ser tan difícil obrar bien como saber lo que es bueno. Pues no basta que la religión o las costumbres nos señalen la senda, es menester comprender la virtud para que ella nos atraiga, y ello sólo se logra cuando, en plena conciencia, la elige el juicio de cada uno.

Los jóvenes deben elegir su actividad o carrera, y en tal circunstancia ponen a prueba su juicio ya que de la decisión dependerá su futuro. No siempre las inclinaciones revelan las verdaderas condiciones físicas o intelectuales; entusiasmos pasajeros suelen extraviar la vocación y llevar al fracaso. El juicio puede reparar el error antes de que sea demasiado tarde, y a menudo una gran equivocación inicial previene contra muchas otras que podrían traer peores resultados. Peculiar a la inteligencia humana es el aprender mesura de los extravíos y lo que llamamos experiencia no suele ser sino la suma de todos los errores. Pues por fortuna la alquimia del espíritu sabe transformar el vil metal en oro y cambiar el signo a las cantidades negativas. Poco pierde el hombre mientras conserve su juicio claro y despierto.

La psicología otorga particular importancia al estudio del juicio, que es la base de nuestro pensamiento racional, el acto esencial de la inteligencia. Cuando decimos "Juan usa sombrero" afirmamos la existencia de cierta relación entre el término *Juan* (sujeto) y el concepto *sombrero* (predicado), ligados por el verbo *usa* (cópula). El conjunto de esta formulación significativa es un juicio. La psicología agrega que los juicios pueden ser de dos clases. Algunos, llamados de forma, afirman o niegan la existencia de algo que puede ser comprobado en forma objetiva, como cuando decimos "dos más dos son cuatro". Otros juicios, denominados de valor, califican la importancia de algo formulando una relación subjetiva, como cuando decimos "la guerra es inmoral".

La lógica también aborda, desde su ámbito particular, el estudio del juicio. Lo llama universal cuando su sujeto goza de la amplitud máxima, como en la proposición "todos los mamíferos son vertebrados"; le da el nombre de particular cuando la extensión del sujeto es menor "algunos mamíferos son carnívoros", y lo denomina individual cuando esa amplitud es mínima "mi perro es carnívoro".

juicio final. Acto que según las Escrituras tendrá lugar al final del mundo en el valle de Josafat, después de la resurrección de los muertos y en el que Cristo juzgará definitivamente a todos los hombres, premiando a los buenos y castigando a los malos. Según los textos sagrados, al llegar el instante anunciado, Jesús se hará presente en todo su poder y esplendor, llevado por las nubes del cielo, y en toda su majestad tomará asiento en el trono de su gloria, hará comparecer todas las acciones de los resucitados y los seleccionará según la calidad de las mismas, a cuyo efecto los dividirá en dos grupos: uno a la derecha de su trono y otro a la izquierda. A los primeros les dirá: "Venid, benditos de mi padre, heredad el reino celestial preparado para vosotros desde la fundación del mundo" y a los segundos: "Apartaos de mí, malditos; id al fuego eterno". Jesucristo no modificará, sino que confirmará los juicios particulares (naturalmente de la Iglesia) y desde las buenas obras hasta los menores pecados serán publicados ostensiblemente reafirmándose la justicia, bondad y sabiduría de Dios. Este tema ha servido al arte cristiano para bellas manifestaciones. Miguel Ángel representó magistralmente, en la Capilla Sixtina, *el Juicio Final*.

Jujuy. Provincia argentina situada en el extremo noroeste de la República entre Chile, Bolivia y la provincia de Salta. Es zona pintoresca ideal para el turismo; tiene una superficie de 53,219 km² y una población de 551,804 habitantes (1995). Su territorio aumentó al incorporar parte del antiguo territorio de Los Andes. Dos cadenas montañosas surcan su suelo: la subandina al este y la precordillera saltojujeña en el centro. Varios ríos, entre ellos el San Francisco, riegan fértiles valles donde se cultivan cereales y se cría ganado. Entre sus cultivos se destaca la caña de azúcar (800,000 ton anuales), maíz, arroz y alfalfa. Se cría ganado ovino, bovino, caballar, caprino y asnal. La minería es la principal fuente de recursos. El plomo extraído del cerro Aguilar, representa 99% de la explotación del país. Jujuy es gran productor de concentrados de plata. También hay yacimientos de estaño, hierro, oro, plata, mercurio, petróleo, asfalto, carbón, cinc, wolfram y boratos. La principal industria es la azucarera con cuatro ingenios que representan 15% de la producción argentina. Está dividido en 15 departamentos y su capital es San Salvador de Jujuy.

Jujuy, San Salvador de. Ciudad de Argentina, capital de la provincia de Jujuy. Población: 229,520 habitantes (1995). Edificada a 1,200 m, sobre las márgenes del río Grande, es la más septentrional de las capitales argentinas. Un ferrocarril la une con Bolivia y varias líneas aéreas establecen comunicación directa con el resto del país. Enmarcada en una región de belleza agreste y solitaria, todavía vive con resabios de la cultura colonial y sus habitantes practican aún las tareas artesanales

que los distinguieron en siglos pasados. La ciudad es sede de un obispado y posee varios institutos de enseñanza secundaria. Fue fundada en 1593 por el capitán Francisco de Argañaraz.

Juliana, Reina (1909-). Soberana de los Países Bajos (Holanda), hija única de la reina Guillermina y del príncipe Enrique de Mecklemburgo-Schwerin. Recibió el título real de princesa de Orange-Nassau y contrajo matrimonio en 1937 con el príncipe alemán Bernardo de Lippe-Biesterfeld, quien debió nacionalizarse holandés con tal objeto. De este matrimonio nació el 31 de enero de 1938 la princesa Beatriz Guillermina, quien sucedería a Juliana en caso de no tener ésta un hijo varón. La princesa Juliana se graduó en diversas materias clásicas y superiores en la Universidad de Leiden. Acompañó a su madre cuando, debido a la invasión alemana de 1940, el gobierno holandés se trasladó a Londres. Poco después, la princesa Juliana se fue con sus dos hijas mayores a Canadá, donde residió hasta el término del conflicto. Allí nació su tercera hija, en 1943. Posteriormente visitó Estados Unidos. Regresó a La Haya en 1945, después de la victoria aliada. En mayo de 1948 la reina Guillermina la designó regente y el 4 de septiembre abdicó el trono en su favor, y Juliana fue coronada reina. Gobernó hasta 1980, en que abdicó a favor de su hija Beatriz.

Juliano Flavio Claudio, el apóstata (331-363). Emperador romano. Sobrino de Constantino *el Grande*, sufrió persecuciones en su juventud. Hombre muy instruido y aficionado a las letras, se hizo

Junco tradicional en el puerto de Hong Kong.

Corel Stock Photo Library

iniciar en los misterios de Eleusis. Se reveló como un consumado general al ser nombrado por su cuñado Constancio II prefecto de las Galias. Derrotó a germanos y francos, y alcanzó gran popularidad entre sus tropas tanto por sus dotes militares como por su carácter bondadoso. Al ser destinado a Oriente, aquellas se insurreccionaron y le proclamaron emperador en Lutecia siendo reconocido por tal cuando Constancio murió durante una campaña en Asia. Juliano abjuró el cristianismo, restableció el culto pagano y despojó a la Iglesia cristiana de sus templos. Murió peleando en Persia contra las huestes del rey Sapor. Valeroso, hábil administrador y muy culto escribió varias obras.

julio. Séptimo mes del año en el calendario gregoriano y cuyo nombre le fue aplicado como homenaje a Julio César (año 45 a. C.) por haber nacido en él. Fue también Julio César quien le fijó los 31 días de que consta. Originariamente este mes figuró con el nombre de *quintilis* en el calendario romano, lo que correspondía a su colocación de quinto dentro del año, porque entonces éste comenzaba en marzo.

Julio II (1443-1513). Pontífice romano. Nombrado papa en 1503, manifestó su voluntad de restaurar el poder político del Pontificado en Italia, empleando en ello su genio y el ardor de su temperamento fogoso e intrépido. Tomó parte en las guerras de la península organizando la Liga de Cambray y la Liga Santa contra Francia, a la cual venció. Creó la guardia suiza. Mecenas excelso de las artes, encargó a Donato di Pasccucio, llamado Bramante el plano del Vaticano y protegió a Miguel Ángel y Rafael. Fue sobrino y protegido del papa Sixto IV.

Julio Antonio (Julio Antonio Rodríguez Hernández) (1899-1919). Escultor español. Fue discípulo de Miguel Blay, sin embargo pronto rompió con el convencionalismo de su maestro y con poderosa personalidad intentó captar los tipos de la raza española. Estudió algún tiempo en Italia. Su estilo propio era realista y vigoroso. Murió joven, pero su obra fue de gran intensidad, caracterizándole entre los grandes escultores modernos de España. Entre sus obras citaremos *Hombre de la Mancha*, *Monumento a los héroes* y *La minera* y su famosa serie de bustos agrupados bajo el nombre genérico de *Bustos de la raza*.

junco. Embarcación característica de China y de las Indias Orientales. El casco del junco es, generalmente, de fondo plano o de poca quilla, que suele ser rebasada por el timón; tiene la popa alta sobre la cual se alza el castillo; los mástiles suelen ser dos o tres, con velas al tercio, frecuentemente hechas de estera.

junco. Planta herbácea de la familia de las juncáceas, que crece en lugares húmedos y pantanosos. Con sus tallos se tejen cestos, canastas esteras, etcétera. Los hay también útiles en medicina, como el junco florido, con flores dispuestas en forma de umbela, de seis pétalos y frutos capsulados; las hojas se emplean como aperitivo.

Junco, Alfonso (1896-1974). Escritor y poeta mexicano nacido en Monterrey, Nuevo León, y fallecido en la ciudad de México. Dirigió la revista cultural *Ábside* (fundada por Gabriel Méndez Plantarte y dirigida después por su hermano Alfonso). Fue colaborador habitual del periódico *El Universal* y miembro de la Academia Mexicana de la Lengua. Entre sus obras poéticas destacan *El alma estrella*, *Posesión* y *La divina aventura*. En prosa tiene varias semblanzas y ensayos histórico-sociales y literarios, como *Fisonomía*, *Lumbre de México*, *Lope ecuménico*, etcétera.

Jung, Carl Gustav (1875-1961). Médico y psicólogo suizo. En los comienzos de su carrera fue discípulo de Sigmund Freud, el creador del psicoanálisis, y con él trabajó algunos años; pero, al disentir de la interpretación freudiana sobre la sexualidad y el inconsciente, se separó de su maestro. Elaboró entonces una teoría en la que la sexualidad es una de las formas de la energía vital y el inconsciente (parte de la mente no reprimida, como dice Freud, sino poco desarrollada) tiene sus raíces no sólo en el pasado del individuo, sino también en el de la especie. Así se explica que todos los mitos y los sueños humanos sean tan parecidos. Son también famosos sus estudios sobre los caracteres humanos que él divide en extravertidos (hombres que viven hacia afuera, de una actividad visible casi constante) e introvertidos (hombres que viven hacia adentro, en su propio mundo). Sus obras principales son *Psicología del inconsciente*, *Contribuciones a una psicología analítica* y *Tipos psicológicos*.

Jungfrau. Monte de 4,158 m de altura, que forma parte del gran macizo de los Alpes Berneses (Suiza). De gran belleza y grandiosidad cuando se contempla desde Interlaken, ha sido objeto de numerosas expediciones; los primeros en escalarlo fueron los hermanos Meyer en 1811.

jungla. Terreno en el que crecen, con profusión, toda clase de hierbas, juncos, árboles, bejucos y otras plantas trepadoras; en general ese tipo de vegetación se da en la India. Es impenetrable en muchos de sus lugares e inhabitable para el hombre; en su interior vive una fauna considerable de animales de las más diversas especies, la mayoría extremadamente peligrosos, y abundan los reptiles venenosos.

Junín. Departamento de Perú en la zona central del país, cruzado por dos ramales de cordilleras. Limita con los departamentos de Lima, Pasco, Cuzco, Ayacucho y Huancavélica. Junto al lago Junín se halla el campo que fue escenario de la victoria de Simón Bolívar (1824) y que dio su nombre actual a la zona, antes llamada Huánuco. La superficie es de 44,409 km² y tiene una población de 1.092,993 habitantes (1993), indios en su mayoría. La capital es Huancayo. Su riqueza minera se caracteriza por la explotación de los famosos yacimientos de cobre de Oroya, a los que llega un ferrocarril. Las poblaciones más importantes son la capital y Jauja, de clima benigno.

Junín. Ciudad de la provincia de Buenos Aires, en Argentina. Fue llamada oficialmente con este nombre a partir del año 1853: con anterioridad había sido denominada Federación. Tiene una población de 73,103 habitantes y es un importante centro ferroviario. Sus alrededores constituyen una importante zona agrícola. Su nombre actual conmemora la batalla de Junín, librada entre las tropas de Simón Bolívar y los realistas en 1824.

junio. Sexto mes del año. Algunos historiadores creen que deriva del de la diosa Juno. Otros le atribuyen el significado de *unir*, del verbo latino *jungo*, en referencia a la unión entre sabinos y romanos. Algunos, finalmente, creen que proviene de *juniores, los más jóvenes*, alegándose que Rómulo habría dedicado el mes de mayo a los ancianos y el de junio a los jóvenes, al dividir al pueblo en esas dos grandes clases, de las cuales la primera había de servir como consejera y la segunda como combatiente. En el primitivo calendario romano ocupaba el cuarto lugar. Originariamente tenía 26 días, y se dice que Rómulo le agregó cuatro y que Numa le quitó uno. Julio César, cuando reformó el calendario, lo colocó en sexto término y le adjudicó 30 días. El vigésimo primer día de este mes comienza el invierno en el hemisferio sur y el verano en el norte. Como la diosa Juno era entre los romanos patrona de las bodas, se lo consideraba un mes propicio para los casamientos, especialmente en sus días de luna llena.

Juno. Diosa principal de la mitología romana, identificada con Hera en la griega. Como esposa de Júpiter (Zeus) tenía dominio sobre los fenómenos celestes, e igual que a él, todos los dioses le rendían homenaje. Era la diosa del matrimonio y del nacimiento, protectora de la mujer y símbolo de la fidelidad conyugal. Se la representa en un trono, ciñendo una corona y empuñando un cetro de oro, con un pavo real a sus pies y acompañada de Iris, su mensajera. El 1 de marzo se celebraban en su honor las fiestas *Matronalia*.

junquillo. Planta amarilidácea, originaria de la región meridional del Antiguo Continente y septentrional del África; sus flores son de color amarillo y se yerguen en la extremidad del tallo sin que las rodeen

Representación artística de la sonda Voyager pasando fente a Júpiter.

NASA

las hojas, pues estas últimas surgen del bulbo, son estrechas y de color verde oscuro. El fruto está constituido por una cápsula; la semilla está rodeada por un tegumento duro y negro que contiene un albumen carnoso.

junta. Asamblea o reunión de varias personas con la misión de resolver, ejecutar, investigar u orientar con respecto a algún negocio o asunto. Sus funciones pueden ser directivas, inspectoras o consultivas. En el terreno político las juntas se crean para hacer frente a situaciones graves y ejercen las funciones superiores del gobierno. Entre ellas merecen ser recordadas la junta Central formada en España a principios de la guerra de la Independencia, y constituida por diputados provinciales; la junta de Salvación Pública, que rigió los destinos de Francia durante la triste época del terror; la primera junta de Argentina, de la que surgieron los postulados básicos en que se apoyó la Revolución de Mayo, y las asambleas de la misma índole producidas en casi todas las antiguas colonias hispanas para la declaración de la independencia.

Júpiter. Nombre del mayor planeta del sistema solar, por lo que se le ha llamado el planeta gigante. Después de Venus es el que más brilla en el cielo, siendo, por tanto, muy fácil de reconocer. Emite luz blanca de singular pureza e intensidad. Es el quinto en distancia al Sol, del que lo separa un promedio de 778.000,000 de km, o sea 5.2 veces más que la Tierra, y recorre su órbita con una velocidad de 13 km/seg en 11 años y 315 días. Su rotación es la más rápida de todos los planetas, pues la cumple en 9 horas y 56 minutos, y por ser muy pequeña la inclinación del plano de su órbita con respecto al de su ecuador, casi no existen diferencias entre las estaciones.

Su atmósfera densa e inestable, en continua transformación, impide ver su superficie. El análisis espectral ha hecho posible descubrir que las nubes que lo rodean están compuestas de amoníaco y metano, susceptibles de evaporarse en la extraordinariamente fría temperatura de este planeta que, por su gran distancia al Sol, se calcula en -138 °C. Visto con un telescopio, Júpiter aparece como un disco luminoso amarillento, aplastado por los polos y surcado por varias franjas claras y oscuras paralelas entre sí en el sentido del ecuador, las cuales sufren frecuentes variaciones, tanto de color como de forma, y que se atribuyen a los vientos alisios que circulan a enorme velocidad sobre el planeta. Lo más característico de su atmósfera es la llamada *gran mancha roja*, de 48.000 km de longitud y 11,000 de anchura, de naturaleza desconocida, que se traslada con movimiento propio a veces a grandes dis-

Foto de Júpiter tomada por la sonda Voyager

NASA

tancias, pero que persiste desde hace más de un siglo.

Júpiter tiene una superficie 130 veces mayor que la de la Tierra, y sus diámetros ecuatorial y polar son de 143,000 y 133,000 km, respectivamente; es decir, que su volumen es unas 1.312 veces mayor que el de nuestro planeta. Sin embargo, su masa es 317 veces la de la Tierra y, por tanto, su densidad es sólo de 0.25. De todos los datos conocidos: masa, radio y velocidad, se deduce que la intensidad media de la gravedad es de 2.64 lo que equivale a decir que los cuerpos pesan en Júpiter 2.64 veces más que en la Tierra.

Este gigantesco planeta gira en el espacio acompañado por un cortejo de 12 satélites, de los cuales los cuatro más grandes y brillantes fueron descubiertos por Galileo en 1610, por lo que se les denomina *galileanos*. Sus nombres son: I, Io; II, Europa; III, Ganimedes, y IV, Calixto. El tamaño del Europa es casi igual al de la Luna y el III y IV superan a Mercurio, especialmente Ganimedes, que casi alcanza las dimensiones de Marte. Los demás se descubrieron gracias a la potencia de grandes telescopios, pues son muy pequeños, y se les conoce con el número de orden según la distancia al planeta. El V lo descubrió Edward Emerson Barnard en 1892; los VI y VII, Charles Dillon Perrine en 1904 y 1905, respectivamente; el VIII, Melotte en 1908, y los IX, X, XI y XII, Seth Barnes Nicholson, el primero en 1914 y otros dos en 1938 y el XII en 1951. Un hecho curioso es que los satélites VIII, IX y XI giran en sentido retrógrado, lo que hace suponer a algunos

astrónomos que se trata de asteroides captados por Júpiter. En 1964 se efectuaron contactos de radar con Júpiter, las señales de radar tardaron una hora y 6 minutos en llegar a la superficie del planeta y regresar al punto de partida en las estaciones emisoras norteamericanas y soviéticas que efectuaron el experimento.

En 1977 fueron lanzadas al espacio dos naves Voyager que deberían funcionar durante unos cinco años y estudiar sólo dos planetas: Júpiter y Urano. La Voyager 1 se acercó a Júpiter el 5 de marzo de 1979 a 277,400 km y la Voyager 2 lo hizo ese mismo año el 9 de julio siendo su acercamiento máximo de 650,180 km.

La información recibida de ambas naves permitió a los hombres de ciencia confirmar la existencia de un anillo de partículas finas, de unos 32 km de espesor, el descubrimiento de dos nuevos satélites y ampliar el conocimiento que se tenía de los satélites ya conocidos.

El 8 de febrero de 1991, Júpiter recibió la visita de *Ulises*, la sonda espacial europea, que midió los campos magnéticos y otros aspectos del planeta.

Júpiter (Mitología). Véase ZEUS.

jurado y juicio por jurados. Toda persona que ha prestado juramento al encargarse de una misión se llama jurado. Por extensión se da este nombre a un grupo de individuos competentes en determinada materia que actúan en certámenes, concursos, pruebas deportivas y exposiciones artísticas o industriales; su función con-

jurado y juicio por jurados

Suprema Corte de Justicia de Canadá.

siste en admitir o rechazar los trabajos o personas que habrán de participar, pronunciando un veredicto y adjudicando recompensas a los vendedores.

Se da el nombre de *juicio por jurados* a una antigua institución democrática, de origen inglés, que trata de dar al pueblo una intervención directa en la administración de la justicia. El jurado tuvo origen en las encuestas o inquisiciones que los señores feudales organizaron durante el siglo IX para investigar ciertos hechos delictuosos y adquirió forma definitiva en Inglaterra durante el reinado de Enrique II. Formando una de las bases del derecho común (*common law*) de las Islas Británicas, fue reglamentado en forma minuciosa. De Inglaterra pasó a algunos países del continente europeo, donde vino a superponerse a las normas del derecho civil romano, según las cuales la administración de justicia debe estar en manos de jueces profesionales y no de gentes del pueblo. Ambos sistemas coexisten en algunos países latinoamericanos, mientras que otros han optado por el sistema romano exclusivamente.

El jurado, que interviene en asuntos civiles y criminales, está compuesto en los países anglosajones por doce personas elegidas al azar entre los pobladores del lugar. Después de jurar que habrán de pronunciar un veredicto equitativo, los jurados oyen las declaraciones de los testigos, la acusación del fiscal y el alegato del abogado defensor; el juez les explica los principios jurídicos que están en juego y les señala los puntos que habrán de ser objeto del veredicto. Los jurados se retiran entonces a deliberar, sin que nadie pueda urgirles una decisión rápida; en épocas remotas eran privados de todo alimento hasta que daban a conocer su fallo, pero en la actualidad se les deja obrar con entera libertad. En algunas partes se exige que el veredicto sea unánime, pero en otras basta con que la mayoría de los miembros estén de acuerdo. El juicio por jurados se instauró en España en 1822. Posteriormente, fue suspendido y restaurado en diversas ocasiones, hasta que en 1936 se dispuso su supresión. Durante su vigencia, los tribunales de esta clase estaban compuestos por tres jueces y ocho jurados; estos últimos podían ser hombres o mujeres, pero debían tener más de treinta años y ser jefes de familia. Sus decisiones eran tomadas por mayoría absoluta y ningún miembro podía abstenerse de votar. Sistemas similares existen en varios países hispanoamericanos. *Véase* TRIBUNALES.

juramento. Fórmula verbal, generalmente breve y solemne, en mérito de la cual una persona se compromete a hacer

La jurisprudencia es la ciencia del derecho.

o no hacer alguna cosa, o declarar con verdad absoluta determinados hechos; el juramento presupone la creación, por la fuerza de su fórmula, de un vínculo trascendente entre quien la pronuncia y un ser superior –Dios, ídolo o divinidad– a quien se toma por testigo de la sinceridad del propósito. El juramento tiene su origen en un hecho puramente social: desde el momento en que el engaño y el fraude se hacen posibles en las relaciones humanas, sobre todo cuando éstas se efectúan oralmente y no por escrito, el hombre precisa el auxilio de alguien que no sea otro hombre para acreditar la veracidad, recta intención y lealtad de sus propósitos. Un juramento no puede romperse sin incurrir en grave responsabilidad; para la Iglesia es un pecado, y en el procedimiento judicial se comete el hecho delictivo de perjurio.

Los entes tomados como base para el juramento han sido muy variados y complejos, según la época y la costumbre; los romanos, por ejemplo, solían jurar por Júpiter los varones, y por Juno las mujeres, invocando además otras divinidades que se acordaban con su profesión: Marte para los guerreros, Baco para los vendimiadores, etcétera. Los persas lo hacían por el sol, los griegos por Zeus y los lacedemonios por Cástor y Pólux. Generalmente, el juramento se exige en la actualidad para poder ejercer determinados cargos públicos y políticos; se jura ante la Biblia, un Crucifijo, una Constitución, una espada o una bandera, y se invocan, junto con el nombre de Dios los del Estado, la Patria, la Ley o el Pueblo, Tribunales, Ejército, Parlamento, etcétera.

jurásico. *Véase* GEOLOGÍA.

jurisprudencia. Es, en primer término, la ciencia del derecho y, por extensión, las normas que establecen los fallos emanados de las autoridades gubernativas y judiciales. A esas resoluciones, sentencias o dictámenes de los organismos superiores encargados de administrar justicia se les concede validez y pueden ser considerados como fuente de derecho. Su razón de ser deriva de la insuficiencia o laguna de la ley para fallar el caso controvertido; al propio tiempo sirven de orientación para aplicarla, puesto que encierran un aspecto práctico al partir siempre de casos vivos y no de supuestos o presunciones como hacen los preceptos legales. La mayoría de los tratadistas se inclinan por la opinión de que debe haber siempre más de una sentencia en un mismo sentido, para que pueda formarse jurisprudencia. *Véase* TRIBUNALES.

justas y torneos. Una justa era un combate librado por dos caballeros; un torneo era una lucha entre dos bandos o cuadrillas, a imitación de una batalla. Am-

Torneo medieval en Inglaterra.

Representación de la celebración de una justa medieval entre dos caballeros a pie.

bas competencias fueron productos típicos de la civilización medieval. Los antecedentes más remotos de los torneos se hallan en los combates de gladiadores con que se solazaba la plebe del imperio romano y en las leyendas de la mitología escandinava, cuyo Walhalla era escenario de continuos y feroces combates entre sus múltiples deidades; sin embargo, en el siglo XI y gracias al esfuerzo organizador de Godofredo de Preuilly, aparecen en tierra francesa los primeros torneos sometidos a normas fijas. Cualquier excusa servía para su realización: una fiesta religiosa, el casamiento de un noble, una victoria, la firma de un tratado de paz. Un heraldo recorría castillos y ciudades, portador de carteles con el anuncio del torneo, y recogía los nombres de los caballeros que deseaban exhibir su destreza. Los escudos y estandartes de todos los candidatos eran desplegados en lugar prominente, por lo general en los muros de un castillo o en alguna catedral o plaza pública. Cualquier candidato podía ser acusado de descortesía o de cobardía, faltas gravísimas para la mentalidad medieval, y quedaba eliminado del torneo. El acusador debía tocar con sus manos el estandarte del inculpado, y los jueces del torneo procedían a examinar la veracidad de los cargos.

Empalizadas, tribunas, torreones, estandartes multicolores y todo el despliegue de la artesanía urbana y del fastuoso esplendor señorial, daban a los torneos el aspecto de un abigarrado y colorido espectáculo de multitudes. Montados en briosos corceles enjaezados con oro y plata, hacían su entrada los paladines; reunidos en el centro de la liza, entre el respetuoso silencio de la muchedumbre, escuchaban la solemne admonición de los mariscales de campo: no herir la cabalgadura del contrario, no unirse varios caballeros contra uno, no golpear en los brazos ni en el rostro al rival. Entre toques de clarín se iniciaba la lucha con una justa individual, en la que dos adalides trataban de derribarse recíprocamente con un golpe certero de sus pesadas lanzas, para obtener así el simbólico premio entregado por la dama de su predilección.

Seguían luego las luchas colectivas, que formaban la esencia espectacular y riesgosa del torneo. Aunque disputados de acuerdo a un código estricto, estos combates llegaron a tener macabros resultados en muchas oportunidades: en un solo torneo, realizado durante el siglo XII en la ciudad de Neusse, murieron más de 40 caballeros. Enrique II, rey de Francia, perdió la vida (1559) en combate singular con Gabriel señor de Lorges y conde de Montgomery, herido por la lanza del rival. Festejados triunfalmente en los castillos de la región, los vencedores se convertían en auténticos héroes populares y sus hazañas eran llevadas a las comarcas más distantes por bardos y juglares. Aunque condenados rigurosamente por la Iglesia, los torneos subsistieron hasta el siglo XVI, en que el auge de las armas de fuego acabó por desplazarlos.

justicia. Virtud que consiste en dar a cada uno lo que le es debido, de acuerdo con una norma general. Resulta fácil definir la justicia, pero se torna difícil determinar su contenido: todos los filósofos que se han ocupado de los problemas que plantea la ética han tratado de hacerlo, sin que el acuerdo resulte unánime. A más de veinte siglos de distancia, las distinciones elaboradas por Aristóteles siguen siendo las más penetrantes y válidas y a ellas habremos de referirnos.

Dice el Estagirita que las virtudes o hábitos morales son cuatro: la prudencia, la templanza, la fortaleza y la justicia. Esta última es el hábito que tiende a respetar el derecho del prójimo y a restituirle lo que es suyo, en forma constante y permanente. La justicia general se refiere al bien común de las sociedades a las que pertenecemos, y la justicia particular se refiere al bien de los individuos. A su vez, la justicia particular comprende dos grandes ramas: la *conmutativa*, que inclina nuestra voluntad a dar a cada individuo su derecho, y la *distributiva*, que reparte los bienes y las cargas entre los miembros de la sociedad. En teoría la división es perfecta, pues fija la relación entre las partes y el todo, entre el todo y las partes, y entre cada una de las partes. El problema surge cuando llega el momento de precisar qué es el derecho ajeno.

¿Cómo determinar lo que corresponde a cada uno? Para ello existe el derecho que define y determina los deberes de justicia. Los juristas distinguen entre el derecho positivo, definido en las leyes y aplicado por los tribunales, y el derecho natural, que la conciencia moral del hombre —mediante el ejercicio de la reflexión y el contacto con la experiencia— halla inscrito en su naturaleza de ser racional y libre. Apliquemos estas ideas, necesariamente complejas, a las diversas clases de justicia que hemos definido. La justicia conmutativa, que preside los intercambios entre personas, tiene como

norma la igualdad más absoluta; si compramos un aparato de radio, por ejemplo, la justicia conmutativa nos obliga a pagar el precio justo, estableciendo una igualdad recíproca entre lo dado y lo recibido.

El problema se complica cuando llegamos a la justicia distributiva, que es la virtud de los responsables, de los jefes; esta justicia obliga a reclamar de cada persona una contribución proporcional a sus fuerzas y capacidades, y a devolverle una compensación proporcional a sus necesidades y a sus méritos. Más sutil y compleja que la justicia conmutativa, no es por ello menos estricta. Acordar un premio a quien lo merece, infligir un castigo al culpable, colocar a un trabajador en el puesto más conveniente, son ejemplos concretos de esta justicia, cuya violación no obliga a restituir lo adeudado, sino a reparar la falta.

Por último, la justicia legal del filósofo griego —que en ciertos aspectos coincide con la noción de *justicia social* introducida en nuestro tiempo, pero todavía muy mal definida— es la que debemos a las sociedades en que vivimos. Ejemplos: pagar los impuestos, tomar las armas en caso de guerra. Ésta es la especie más elevada de la justicia; exige que tengamos un agudo sentido social, vale decir, que comprendamos que nuestros actos individuales repercuten sobre el bien común y que las condiciones sociales se reflejan también sobre nuestras vidas personales.

A estas tres especies de justicia se suele agregar una cuarta, llamada penal, que es la aplicada por todo tribunal al pronunciar una condena. Tiende a reparar los daños causados por el crimen o el delito, restaurando el orden social alterado y corrigiendo a los culpables. La administración de la justicia no puede quedar en manos de los particulares, sino que se halla confiada al Estado. Los gobiernos no son los creadores del derecho y de la justicia, que son valores anteriores y superiores a ellos, sino sus intérpretes y guardianes. Ello exige que las personas encargadas de aplicar la justicia —los jueces— sean independientes de los partidos políticos y de las presio-

justicia

Nova Development Corporation

Representación tradicional de la imparcialidad de la justicia.

nes de la autoridad. *Véanse* DERECHO; JUEZ; JURISPRUDENCIA; TRIBUNALES.

Justiniano I (482-565). Emperador de Oriente, famoso por su obra jurídica, militar y administrativa. Se casó con Teodosia, una actriz de talento. Sobrino y heredero de Justino I, asumió la jefatura del imperio bizantino a los 44 años de edad, y emprendió una vasta serie de campañas bélicas con las que expulsó a los bárbaros de Italia y África. Ardiente defensor del cristianismo combatió a los arrianos y clausuró las escuelas filosóficas de Atenas, al tiempo que convertía a Bizancio (ciudad que posteriormente se llamó Constantinopla y Estambul) en un centro cultural y político de primera magnitud. Emprendió también una vasta reforma de la administración imperial, cuyas líneas esenciales fueron imitadas en épocas posteriores. Dando su protección y estímulo a notables juristas hizo posible la codificación del *Corpus Juris Civilis* (Cuerpo del Derecho Civil), conjunto de obras que permitieron ordenar y preservar el patrimonio del derecho romano. *Véase* DERECHO.

Justino, san. Mártir y apologista cristiano, del siglo II. Filósofo pagano se convirtió al cristianismo y se distinguió en sus predicaciones y escritos porque veía en la nueva fe el complemento de la filosofía. Escribió: Apologías y Diálogos y se distinguió por su austeridad y ascetismo. Por no haber querido someterse a los edictos del emperador que obligaban a rendir culto a los dioses paganos, fue decapitado. Su fiesta se celebra el 14 de abril.

Justo, Juan Bautista (1865-1928). Estadista y médico argentino. Fundador del Partido Socialista en su país. Del lado

de la Unión Cívica, participó en las jornadas revolucionarias de 1890, y tras de doctorarse en medicina, viajó a Europa para perfeccionar sus conocimientos. A su regreso, dio gran impulso a la práctica quirúrgica en Argentina. Preocupado por las cuestiones sociales, abandonó la práctica de la medicina para entregarse a la acción reformadora en el campo de la política, pues consideraba que gran número de los males que curaba en los hospitales podían impedirse mejorando las condiciones de vida de la clase trabajadora. Fundó así el Partido Socialista, uniendo diversos núcleos de izquierda ya existentes, y también el órgano de dicho partido *La Vanguardia*, que dirigió. Fue elegido diputado, y posteriormente senador. En tales funciones contribuyó a la sanción de leyes beneficiosas para los trabajadores. Como publicista y sociólogo su tarea ha sido vasta. Colaboró en numerosos periódicos del país y el extranjero, y escribió numerosos libros, entre los cuales se destacan: *Teoría y práctica de la historia* y *El realismo ingenuo*.

Jutiapa. Departamento de Guatemala, situado en la parte sureste del país. Tiene una superficie de 3,219 km² y 307,491 habitantes (1995). En su territorio se levantan los volcanes Suchitán, Chingo y Moyuta, el río más importante que lo cruza es el Paz. Produce arroz, cereales, frijoles, caña de azúcar, café, cacao, zarzaparrilla, vainilla, etcétera; en los llanos la principal riqueza es la ganadería. La capital es Jutiapa con una población de 72,611 habitantes (1995).

Juvenal, Décimo Junio (55-135). Poeta latino. Lo que se sabe de su vida (créese que el emperador Adriano lo desterró a Egipto) ha sido sacado principalmente de sus obras. Éstas son 16 *Sátiras* en verso en las que predomina el pesimismo y la indignación ante los hombres, las ideas y las costumbres de la Roma de su época, todo lo que fustiga con fuerza epigramática y vigor poético, que elevó la sátira a su mayor altura. El estilo de Juvenal es vívido y de gran perfección formal, y recuerda al de otro poeta latino, Virgilio.

juventud. Época de la vida humana que se extiende desde la adolescencia hasta la edad madura. Sus límites no son definidos, pues algunas personas logran conservarla mucho más que otras. Fisiológicamente puede decirse que comienza cuando, terminados los decisivos cambios que ocasionó la pubertad, el organismo se encuentra en posesión de todos los medios y alcanza su máximo desarrollo. Es la edad más hermosa. El individuo tiene conciencia de su vigor y el porvenir abre ante él ilimitadas perspectivas. Por lo general ha terminado su carrera o aprendido un oficio y la tutela paterna ya no encauza su libertad.

No todos los jóvenes saben valorar el privilegio que les otorga su edad. Sensibles al entusiasmo, lo son también al desaliento, en el que suelen caer con más frecuencia que los mayores. El sentido crítico es en ellos muy agudo. Someten a juicio a la generación que los ha precedido, y suelen disentir de ella en muchos aspectos, lo que llega a provocar actitudes, criterios y opiniones de divergencia y oposición a las normas y valores establecidos.

La inquietud de espíritu y el ansia de transformación y mejoramiento de lo existente, es cualidad característica de los años de juventud, por lo que esa disconformidad que muestra gran parte ésta con lo realizado por sus antecesores, responde a causas explicables y, si está bien orientada, puede ser considerada como un elemento de necesario estímulo para la continuada superación del progreso humano.

Grandes son la misión y la responsabilidad que corresponden a la juventud, que recibe los elementos que integran la cultura, forjados y acumulados por las generaciones que precedieron a los jóvenes que utilizan las aportaciones de esa cultura y se beneficien de ella para disfrutar del bienestar material y de la satisfacción y perfeccionamiento moral a que tienen derecho. Pero, el deber que acompaña a ese derecho es el de aprovechar esa etapa de juventud mediante la orientación y el propósito de añadir nuevas aportaciones a ese acervo cultural que encontraron ya formado. Por ello, la juventud en el transcurso ineludible de la vida hacia el estado adulto y la madurez, debe no sólo disfrutar de las ventajas del orden material y cultural establecido, sino, también, tender a mejorarlo de manera que generaciones sucesivas reciban una herencia cultural acrecentada.

Por esas razones, la juventud debe adquirir conciencia plena de su misión, fortalecer sus conocimientos y su preparación para la vida, absorber la sabiduría acumulada en el pasado, cultivar el principio de responsabilidad, disponerse a cumplir sus deberes cívicos y adaptarse al medio social.

Para facilitar esa tarea, en la actualidad se brinda a los jóvenes de hoy modernos elementos de que carecieron las generaciones anteriores. De esa manera, la juventud podrá alcanzar y realizar sus ideales, y combinar los intereses y derechos que le son inherentes con los deberes y obligaciones que debe cumplir como parte integrante de la comunidad.

juvia. Árbol mirtáceo de la zona amazónica, cuyo tronco puede alcanzar hasta 30 m de altura. Produce un fruto llamado nuez de Brasil o castaña del Pará, o del Marañón, de forma esférica, que mide 8 a 9 cm de radio y aloja de 12 a 20 almendras comestibles, semilunares, ricas en aceite de gran valor alimenticio e industrial.

k. Undécima letra del abecedario español y octava de sus consonantes (velar, oclusiva y sorda). Su nombre es *ka* y se pronuncia del mismo modo que la c fuerte. En latín clásico el sonido gutural fuerte de la *k* (*kappa*, en griego) se representaba con la *c*. Las lenguas de origen germánico y eslavo utilizan la *k* para representar ese sonido gutural. En castellano muy pocas palabras se escriben con *k*, y casi todas son de origen extranjero. La *K* mayúscula es el símbolo del potasio y tiene, además, otros significados científicos, entre ellos los de representar el radio de giro en aeronáutica, la escala de temperatura de William Thomason, lord Kelvin y el módulo de compresibilidad cúbica.

Kaaba. *Véase* CAABA.

Kabardino-Balkaria. República autónoma de Rusia. Está situada en el Cáucaso Central y se divide en ocho distritos. Ocupa una superficie de 12,500 km^2 y tiene una población de 785,800 habitantes (1995). Su territorio, formado por la unión de las regiones de Kabardia y Balkaria, es muy montañoso. Se practica la agricultura y abunda el ganado equino y ovino. La región adquirió el carácter de república autónoma en el año 1936. Su capital es la ciudad de Nalchik.

Kabul. Capital de Afganistán, situada en una llanura pintoresca y muy fértil, a orillas del río Kabul. Población: 700 mil (1993) habitantes. En la antigüedad fue un importante centro de comercio, por ser paso de las caravanas entre Irán, Rusia y la India. Sede del Colegio Militar y la Universidad de Afganistán, posee también la hermosa fortaleza de Bala Hissar, residencia del emir. Fue conquistada por los ingleses en 1839, perdida y reconquistada con posterioridad; dada la hostilidad de los naturales, las tropas británicas la abandonaron en 1928.

Kafka, Franz (1883-1924). Novelista checo, de lengua alemana. Estudió leyes y se empleó en una oficina de seguros y escribió en los intervalos de su trabajo unas obras alucinantes, donde a veces no existen límites entre el sueño y la realidad, pero de un estilo claro y minucioso. En ellas el tema esencial parece ser el empeño del hombre en superar lo arbitrario y absurdo de la existencia. Enfermo de tuberculosis, antes de morir pidió a su amigo el escritor Max Brod, que destruyese todos sus manuscritos. Éste no le obedeció e hizo publicar más tarde un diario íntimo, sus cuentos y sus tres más importantes novelas: *América, El proceso* y *El castillo*.

Kaiser, George (1878-1945). Dramaturgo y novelista alemán, uno de los promotores de la renovación del teatro contemporáneo. Hijo de un rico comerciante, residió en Argentina y en diversos países europeos y a los 33 años presentó su primera obra, que lo colocó en la primera fila de los dramaturgos alemanes. Sus obras,

Hombre afgano en Kabul.

de estructura escueta, tienen un diálogo de tajante patetismo, y se ocupan preferentemente de problemas morales. Entre las más importantes se cuentan: *Los burgueses de Calais, Un día de octubre, El incendio del teatro de la ópera* y *Gas*. Desterrado por los nazis, murió en Suiza.

kaiser. Nombre aplicado a los monarcas austríacos y alemanes; deriva del latín *César* y equivale a *emperador*. Después de la Primera Guerra Mundial ha desaparecido el uso de esta voz, exclusivamente alemana.

kakapú. *Véase* LORO.

kala-azar. Enfermedad infecciosa que se caracteriza por aumento en el tamaño del bazo y estado febril, producida por un protozoo (*Leishmania donovani*). Se le llama también *fiebre dumdum* y *fiebre negra*. Se observó primero en la India, China y África. Existe una variedad que ataca a los niños o kala-azar infantil, que se encuentra en la costa del Mediterráneo. La enfermedad puede confundirse en sus comienzos con el paludismo y la fiebre tifoidea. Sus síntomas más sobresalientes son: adelgazamiento, anemia y coloración morena de la piel.

Kalahari, desierto de. Región desértica del centro del África meridional, que ocupa unos 550,000 km^2 entre las zonas lacustres de Ngami y Soa al norte, y el río Orange al sur, invadiendo el oeste de Bechuanalandia, el norte de la Unión Sudafricana y el este del África del suroeste, con una altitud media de 1,000 m. Es una extensa meseta de escasas lluvias que se filtran por su suelo produciendo corrientes de agua subterránea, que permiten broten hierbas ralas y árboles achaparrados. En la parte sur existen dunas. La población escasa está constituida por tribus negras como los bosquimanos y hotentotes, que cuidan rebaños de cabras y tienen algunos cultivos. Los animales principales de la región son: leones, elefantes, jirafas, leopardos, cebras, búfalos y grandes monos cinocéfalos.

Kalasasaya. Nombre del edificio más importante del conjunto representativo de la cultura Tiwanaku (Tiahuanaco), Perú. Es un recinto cuadrangular con muros de sillares ensamblados alternados con altos pilares; el acceso se realiza a través de una megalítica situada al frente del *Templete semisubterráneo*. En el interior del Kalasasaya se encuentran algunos de los monolitos más conocidos y representativos de la cultura, como el *Ponce* y la *Puerta del Sol*.

Kalidasa (s. V). Poeta y dramaturgo hindú. En sus obras son comunes los párrafos y estrofas que cantan la hermosura de la naturaleza. Según los hindúes es, además, un notable maestro de la versificación. De sus obras de teatro la más conocida por el público occidental es el drama *El anillo de Sakuntala*.

Kalinin, Mihail Ivanovich (1875-1946). Político socialista ruso. Fue obrero en una fábrica de municiones y se unió al Partido Socialdemócrata Obrero, pasando a la rama bolchevique de éste en 1903. Fue encarcelado numerosas veces y desterrado al Cáucaso y en 1912 colaboró en el periódico *Pravda* y atrajo la atención de Vladimir Ilich Vlianov, Lenin. En 1917 fue elegido miembro del Comité Central del Partido Comunista. Posteriormente fue designado presidente del Presidium del Soviet Supremo, cargo equivalente al de presidente de Rusia y que en la práctica tiene escaso poder. Se mantuvo en dicho puesto durante 25 años y lo abandonó por razones de salud. En 1926 fue elegido miembro del Politburó y en 1935 se le otorgó la Orden de Lenin.

Kaliningrado. Ciudad universitaria que, con el nombre de Königsberg, fue capital de la antigua Prusia Oriental. Cayó en poder de la entonces Unión Soviética, que la incorporó a su territorio después de la derrota de Alemania en la Segunda Guerra Mundial. Población: 419,000 habitantes (1995). Construida en las márgenes del Pregel, no lejos del Mar Báltico, es uno de los principales centros navieros y fabriles de dicho mar. Es patria del filósofo Immanuel Kant.

Kamchatka. Península del noreste de Siberia, situada entre los mares de Bering y de Ojotsk. Pertenece a la Federación Rusa. De una extensión de 472,300 km², está recorrida de norte a sur por una cordillera con numerosos volcanes (muchos en actividad) y cubierta por extensos bosques. La población está compuesta en su mayor parte por rusos y kamchadales, de origen mogol. Tiene una gran riqueza minera sin explotar, sus principales recursos son la pesca (salmón, bacalao, arenques) y la caza de animales apreciados por sus

Salvat Universal

Obra de Wasily Kandinsky.

pieles, como osos, lobos, zorros, armiños, etcétera. La capital es Petropavlovsk, que situada en el sureste de la península tiene 439,400 habitantes.

Kamerlingh Onnes, Heike (1853-1926). Físico holandés, profesor de la Universidad de Leyden, donde fundó un famoso Laboratorio del Frío. Realizó importantes investigaciones sobre la tensión de los vapores y la isotermia de los gases, y descubrió la superconducción de los metales a temperaturas muy bajas. Además de realizar estudios sobre radioactividad, logró producir temperaturas cercanas al cero absoluto y logró licuar el helio. Obtuvo el Premio Nobel de Física en 1913.

Kamikaze. Nombre que en japonés significa *viento divino* y que fue dado al tifón que en el siglo XIII salvó a Japón de la invasión de los mongoles. En la Segunda Guerra Mundial fue aplicado a una fuerza de aviadores suicidas que los japoneses emplearon por primera vez en octubre de 1944, cuando los norteamericanos invadieron las Filipinas.

Kaminaljuyu. Sitio arqueológico mesoamericano, en las afueras de la ciudad de Guatemala. Los edificios se agrupan alrededor de patios o de juegos de pelota. En los periodos clásicos mayas recibió una fuerte influencia de Teotihuacan, que se manifiesta principalmente en la alternancia de tablero y talud en los edificios, en la cerámica con efigie de Tláloc, o en los vasos de tres patas y tapa. Posteriormente abandonó este estímulo para erigir edificios con

taludes rematados por una faja. Los diseños de la cerámica tienen, entre otras, influencias teotihuacanas.

Kampuchea. *Véase* CAMBODIA.

Kandinsky, Wasily (1866-1944). Pintor ruso. Profesor de la Academia de Moscú en 1919. Director del museo de Arte de dicha ciudad. Fue uno de los creadores de la pintura no-objetiva. Se hizo famoso por su obra pictórica en la cual logra expresarse mediante el lenguaje de las formas y los colores. Bajo el lema *pintura absoluta* ejerció honda influencia en el arte del siglo XX.

Kansas. Ubicado en el centro de Estados Unidos, es el primer estado agricultor de la nación. Está bordeado por Nebraska, Missouri, Oklahoma y Colorado. Superficie: 213,110 km². Población: 2.554,000 de habitantes en 1994. La capital es Topeka (120,000 h, 1992) y la ciudad más grande es Wichita (312,000 h, 1992). Se descubrió por los europeos en 1541 en la expediciòn de Colorado, pero curiosamente no hubo asentamientos poblaciones hasta 1855. Los primeros seis años era conocida como *Sunflower State* y posteriormente entro en la Unión como estado libre en 1861. El nombre de kansas proviene de la palabra siux, *gente del viento sur*.

Tierra y recursos. Tiene reputación de ser una llanura, pero esto sólo es real en una parte del oeste del estado; la mayoria de éste es montañoso y ondulado. El punto más alto es el monte Sunflower (1,231 m) en el oeste; la elevación más baja es de 207 m en el condado de Montgomery en el sureste.

Cuadro: El río del lobo en Kansas, *de Bierstadt.*

Corel Stock Photo Library

A la topografía plana de las Grandes Planicies se le atribuye la falta de agua y la erosión existente, pero la carencia de depósitos de agua en la superficie es el factor más importante.

Clima. Carece de influencia del clima oceánico, por lo que tiene un rango de temperatura variado. En invierno las temperaturas no sobrepasan de -1 °C. y en verano llegan facilmente a los 26 °C. Las precipitaciones son altamente variables, van desde los 380 mm en el extremo oeste a 1,140 mm en el suroeste. El 75 % de la precipitación anual es en abril y septiembre. En el verano no existe casi precipitaciones debido a la alta evaporación ya que dependen de los cambios que se producen en el aire proveniente del Golfo de México, sobretodo en el extremo oeste del estado.

Hidrografía. Dos son los ríos que drenan la mayor parte del estado: Kansas River, en el norte y Arkansas River en el sur. El Kansas River es la corriente más pequeña (275 km), formado por la unión del río Smoky Hill y de los ríos de la república. Los principales tributarios del Arkansas River (2,348 km) son el río Cimarron, el Neosho y el Verdigris. El Arkansas se ubica en una ancha y fértil tierra baja del área de Hutchinson, al borde de Oklahoma. Ninguno de los ríos del estado se utilizan para la navegación. La mayoria de las granjas se encuentran cercanas a las orillas de estos ríos, ya que proporcionan reservas de agua y buena irrigación.

Vegetación y vida animal. La vegetación de pradera domina el estado. El pasto azul y la hierba de búfalo crecen en el oeste. Pastos de hierba más larga crece en el resto de las zonas. Madera, especialmente álamo americano, plantano falso y nogales, son comunes en las orillas de los rios. Generalmente existe un debate concerniente al origen de las praderas de Kansas. Algunos dicen que debido a la alta variabilidad del clima, este tipo de pasto es el natural del estado y otros difieren que debió predominar gran cantidad de árboles pero que lo indios quemaron para producir pasto para los búfalos. Hay gran cantidad de vida animal, incluyendo animales de bosque y especies de praderas. Los faisanes son populares en el oeste, así como el antílope. La ardilla, el mapache y el ciervo viven en el oeste.

Recursos. Los depósitos de petroleo y gas natural están esparcidos por el medio sur del estado. Los campos están en declive pero siguen produciendo más de la mitad de los minerales que salen de Kansas. La explotación del campo de gas natural de Hugoton en la década de 1950 y 1960 produjo que el suroeste se convirtiera en la zona más rica *per capita* del estado. La mayoria del petroleo y del gas se exportan a los estados del este para proveer de energía sus industrias. Antes de la Se-

Corel Stock Photo Library

Rivera de la tortuga en Kansas, EE.UU.

gunda Guerra Mundial Kansas fue el mayor productor de plomo y cinc. La sal del área de Hutchinson y el carbón del sureste son otros recursos.

Actividad económica. La economía del estado esta basada integramente en la agricultura. Se encuentra en el lugar número 10 de Estados Unidos. La producción de trigo es ideal para el clima de las planicies centrales. Otras producciones agrícolas son el sorgo, el maíz, etcétera, en el sureste y oeste.

Otras de las industrias importantes es la ganadera y la química. La primera se encuentra a lo largo de todo el estado y a

partir de ésta se crean otras, como la industria empaquetadora de carnes. La segunda es importante por el petroleo, el gas natural y el cinc y se encuentra sobretodo donde hay depósitos de estos minerales.

Turismo. La mayoria de éste proviene de Colorado y del oeste. En años recientes ha habido un debate estatal sobre las ventajas de crear un Parque Nacional en las praderas, en algún lugar de Flint Hills. Se propone así captar más turistas y crear un sistema de vigilancia de prevención del ecosistema; oponentes a este proyecto alegan que posiblemente se destruiría la serenidad de las praderas y que los rancheros de la

Fachadas de tiendas tradicionales en Dodge City, Kansas.

Corel Stock Photo Library

Atardecer en los campos de trigo de Kansas, EE.UU.

zona ya hacen un buen trabajo de prevención de ésta.

Kansas City. Ciudades gemelas de Estados Unidos, situadas en la confluencia de los ríos Missouri y Kansas. Una de ellas, Independence, perteneciente al estado de Missouri, tiene 142,630 habitantes (1994), la otra, Kansas City, incluida dentro del estado de Kansas, tiene 435,150 habitantes (1994). Con sus suburbios y áreas metropolitanas respectivas, ambas forman un conglomerado urbano con más de 1.830,000 habitantes. Poseen grandes mataderos, fábricas de conservas, de maquinaria, materiales de construcción, e importantes mercados de trigo.

Kant, Immanuel (1724-1804). Filósofo alemán. En su juventud sintió alguna inclinación por los estudios religiosos, pero luego la filosofía, las ciencias naturales y las matemáticas lo absorbieron por completo. La muerte de sus padres, humildes talabarteros, lo obligó a interrumpir esos estudios. Se dedicó a la enseñanza privada, hasta que nueve años más tarde pudo obtener su título de doctor en artes y luego una cátedra en la Universidad de Könisberg, su ciudad natal. Desde entonces su vida fue solitaria y metódica. De una extrema regularidad, se levantaba, almorzaba y se acostaba todos los días a la misma hora, daba siempre el mismo paseo y escribía y estudiaba en un cuarto que debía conservar constantemente la misma temperatura. Así lo sorprendió la vejez. Comenzó por perder la vista, luego la memoria y el uso de la palabra; pero, su fama ya era entonces muy grande.

El libro más importante de Kant es el titulado *Crítica de la razón pura*; su influencia fue tan grande, que él solo dominó durante muchas décadas toda la filosofía europea. En él se estudia el problema de la posibilidad del conocimiento.

La *Crítica de la razón práctica* es la otra obra de Kant que sigue en importancia filosófica a la anterior.

Kantorovic, Leonid Vitalevic. (1912-1986). Economista ruso, ganador del Premio Nobel de su especialidad (con Tjalling Charles Graveland Koopmans) en 1975 por su trabajo en econometría, específicamente por sus contribuciones a la teoría de la adjudicación óptima de recursos. En 1930, se graduó de la Universidad de Leningrado y posteriormente impartió clases en esa institución, primero como instructor (1932-1934) y después como profesor (1934-1960). De 1958 a 1971 trabajó en la división Siberiana de la Academia de Ciencias de la entonces Unión Soviética en Novosibirisk (Akademgorodok) y en 1971 se convirtió en el director del Instituto de Administración Económica en Moscú. Fue miembro de la Academia de Ciencias de la URSS a partir de 1964 y obtuvo el Premio Lenin de Economía en 1965. Sus obras más recientes son *Solución óptima en economía* (1972), *Sobre planificación óptima* (1976) y fue coautor (con G. P. Akilov) de la obra *Análisis funcional* (1977).

Kapitza o Kapica, Pëtr Leonidovic (1894-1984). Físico soviético. Estudió en el Instituto Politécnico de Leningrado y en la Universidad de Cambridge, de la que posteriormente fue profesor. En 1934,

regresó a su país para dirigir el Instituto de Problemas de Física de Moscú. Se especializó en el campo de las temperaturas muy bajas y en el comportamiento de la materia en ese estado. Perfeccionó las técnicas de licuefacción de gases, y efectuó un detallado estudio del superfluido He-4. En 1955, fue designado director del programa *Sputnik* y se le atribuye gran parte del éxito en el lanzamiento de los dos primeros satélites soviéticos en 1957. En 1978, compartió el Premio Nobel de Física con Arno Penzias y R. Wilson.

Kara, mar de. Mar secundario que depende del océano Glacial Ártico. Se extiende desde las islas de Nueva Zembla, al oeste, hasta la península de Yamal, en tierra de Siberia. Un paso de 450 km de anchura lo comunica por el este con el Ártico. La bahía y el río del mismo nombre se hallan en su extremo meridional. Su profundidad máxima sólo llega a 200 m y es navegable únicamente en los meses de julio a septiembre, durante los cuales se explota su riqueza pesquera. Fue recorrido en 1875 por el explorador Adolf Erik Nordenskjöld.

Karachi. Ciudad del Pakistán. Población: 9.863,000 habitantes (1995). Situada en el extremo más occidental del delta del río Indo, sobre la costa del Mar Arábigo, es uno de los más importantes puertos de Pakistán; posee extensas y modernas instalaciones portuarias y exporta grandes cantidades de trigo, algodón, sal, pieles y muchos productos de la rica región de Sind. Fue capital federal de Pakistán de 1947 a 1960, año en que se inició la construcción de la ciudad de Islamabad, que más tarde sería capital del país. Mientras tanto y con carácter provisional, Rawalpindi fue la sede del gobierno.

Karajan, Herbert von (1908-1989). Director de orquesta austriaco. Intérprete de renombre internacional, fue nombrado director de la Filarmónica de Berlín en 1954. Director de la Ópera de Viena de 1956 a 1964. Dirigió de 1964 a 1988 el Festival de Salzburgo. Se le deben gran cantidad de grabaciones discográficas, entre las que destacan la *Tetralogía wagneriana*, óperas de Strauss, *Boris Godunov*, *Los maestros cantores*, *Madame Butterfly*, etcétera. Ha grabado asimismo para el cine y la televisión diversas óperas, entre las que destacan *El caballero de la rosa* y *La boheme*.

Karamanlis, Konstantinos (1907-1998). Abogado y político griego. Estudió en la Universidad de Atenas y fue ministro de distintos departamentos de 1946 a 1955, en que fue elegido primer ministro, cargo que ocupó hasta 1963. Desde ese año residió exiliado en París hasta 1974, en que fue llamado para formar un nuevo gobierno, ganando las elecciones generales. Ya en el poder, restauró la democracia. Volvió a triunfar en las elecciones de 1988 y siguió como jefe de gobierno. En 1980, el Parlamento lo eligió presidente de la República. En 1985 no pudo acceder a la reelección presidencial.

Kardec, Allan (1803-1869). Seudónimo del escritor y espiritista francés Hypolite Léon Denizart Rivail. Fundó en París la *Sociedad de estudios espiritistas.* Escribió *El libro de los espíritus, El libro de los médiums* y otras obras sobre espiritismo.

Karlfeldt, Erick Axel (1864-1931). Poeta sueco. Estudió en Upsala y fue maestro de escuela de Djursholm y después en la Escuela Superior municipal de Dalecarlia. Estudió la carrera de bibliotecología. Sus mejores libros son: *Cantos de la selva y de amor, Cantos de Fridolin* y *Jardín de amor.* Casi todas sus poesías toman sus temas de la naturaleza y de la vida del pueblo de Dalecarlia. Su estilo está repleto de provincialismos y arcaísmos, que le dan un tinte característico, rebosan fuerza y armonía, dando frescura y nueva fortaleza a formas ya desusadas Se le concedió a título postumo, el Premio Nobel de Literatura de 1931, año en que murió.

karma. Palabra sánscrita que significa *trabajo o acción.* Según las religiones hindúes (brahamanismo, budismo), el destino de un ser humano, tanto en su vida actual como en sus futuras reencarnaciones, está prefijado por el conjunto de sus acciones y pensamientos, o sea el *karma.*

Karpov, Anatoli (1951 -). Ajedrecista ruso. Campeón mundial de 1975 a 1985. Ganó el campeonato juvenil mundial en 1969 y un año después se convirtió en el gran maestro internacional más joven en el mundo. Su juego es reconocido por su economía y precisión. En 1975 obtuvo el campeonato mundial por *default,* después de que Bobby Fischer se rehusó a defender su título. En 1978 y nuevamente en 1981 defendió el título mundial contra el expatriado ruso Viktor Korchnoi. Sin embargo, en 1985 perdió el título ante su compatriota Gary Kasparov, y en intentos posteriores le fue imposible recuperarlo.

Karrer, Paul (1889-1971). Químico suizo. Trabajó durante seis años al lado de Paul Ehrlich en Francfort. Catedrático de Química Orgánica en la Universidad de Zurich, dirigió allí el Instituto de Investigaciones Químicas. Compartió el Premio Nobel de Química con sir Walter Norman Haworth en 1937. Efectuó importantes investigaciones sobre vitaminas, hidratos de carbono, flavinas, etcétera.

Kastler, Alfred (1902-1984). Físico francés. Estudió en la École Normale Supérieure, de la que fue profesor de física (1941). Investigó especialmente acerca de los métodos para producción de la resonancia óptica, y estableció los fundamentos teóricos del láser. En 1966 le fue concedido el Premio Nobel de Física. En 1976 publicó, en colaboración con P. Nemo, *Cette étrange matière,* historia de la física contemporánea.

Katz, Bernard (1911 -). Fisiólogo británico de origen alemán que recibió el Premio Nobel de Medicina o Fisiología en 1970 junto con Julius Axelrod y Ulf Svante von Euler por su contribución a la comprensión de la química de la transmisión de los impulsos nerviosos. Katz investigó la acetilcolina química, un trabajo que ha auxiliado en forma importante el desarrollo de la neurofisiología.

Kautsky, Karl (1854-1938). Socialista alemán, representante de la tendencia centrista dentro del marxismo. Fue tenaz enemigo del revisionismo de Edward Bernstein y de las tendencias extremistas de Rosa Luxemburgo. Llegó a ser uno de los expositores más importantes del marxismo y dirigió durante cinco lustros la revista *Los tiempos nuevos.* Producida la revolución rusa, combatió los principios y la estrategia de los bolcheviques, que siempre lo consideraron enemigo. Una de sus obras más importantes fue *La cuestión agraria.*

Kawabata Yasunari (1899-1972). Escritor japonés. Entre 1949 y 1965 fue presidente del Pen-Club japonés. El relato *La danzarina de Izu* (1926) transcurre en una atmósfera de feliz inocencia, lo cual muestra la hegemonía de una corriente literaria de signo manifiestamente esteticista. Los temas de la soledad, de la muerte y de la decadencia presidirán su posterior producción narrativa: *Pájaros y animales* (1933), *País de nieve* (1935-1937) y *Un millar de cigüeñas* (1949-1951). En sus obras *El resonar de la montaña* (1949-1954), *La casa de las bellezas durmientes* (1960-1961) y *Kioto* (1961-1962), presenta un alegato en contra del proceso de americanización sufrido por Japón en los años de la postguerra. De estilo minucioso y refinado, la obra de Kawabata se distingue por un singular tratamiento de lo erótico y por un agudo sentido de la observación. En 1968 le fue otorgado el Premio Nobel de Literatura.

Kazajstán. República de Asia central, miembro de la Comunidad de Estados Independientes. Su superficie es de 2.724,000 km^2 y en ella hay 16.677,000 habitantes (1996). Situada entre el Mar Caspio y los montes Altai, limita al norte con los montes Urales y Siberia y al sur con Uzbekistán y los montes Tiam-Shan.

La industrialización y la puesta en cultivo del territorio han cambiado la estructura étnica y el modo de vida del país. Los kasakos emigraron a los centros industriales de Siberia al entrar en crisis su economía nómada pastoril, convirtiéndose en una minoría en su país, mientras que la industrialización atrajo a gran número de técnicos y obreros rusos y ucranianos. En 1997, 56% de la población vivía en áreas urbanas. En el total, los kasakos representaban 46%, los rusos 34.8% y los ucranianos 4.9% (1995).

La economía de Kazajstán mostró notable evolución durante los años en que formó parte como república federada de la ex Unión Soviética. Importantes reformas en el campo de la industrialización se vieron favorecidas por la explotación de los grandes yacimientos de minerales, la agricultura sufrió un proceso de transformación mediante nuevos cultivos y técnicas modernas, disminuyendo en importancia la ganadería, tradicionalmente de nomadeo.

La agricultura todavía desempeña un papel importante en la vida del país: los principales cultivos son los cereales, principalmente el trigo, del cual se obtienen altas cosechas. Notable papel desempeñan los cultivos industriales (algodón y remolacha azucarera). La siguen en importancia los viñedos y el cultivo de papa y hortalizas.

La ganadería, principal fuente de riqueza en el pasado, ha experimentado cierto estancamiento, pero aún son de primera magnitud las cifras de ovinos y bovinos y hay buen número de aves de corral. Los productos ganaderos más importantes son la carne, la leche y los huevos.

Kazajstán es rico en recursos minerales, cobre, plomo y cinc en particular. Tiene, además, grandes reservas de mineral de hierro, manganeso, tungsteno, cromo y bauxita. El carbón ha experimentado un aumento sorprendente (sus reservas hulleras son, quizá, las mayores del mundo). La obtención de petróleo y sus derivados sitúan al país en lugar destacado a nivel mundial. La industria siderúrgica ha experimentado notable desarrollo y la industria química, en su mayor parte especializada en petroquímica y fabricación de fertilizantes, está sometida a un proceso de rápida transformación y crecimiento.

Los transportes interiores cuentan con una red de carreteras de 158,655 km (1995), de los cuales 68.4% están asfaltados. El comercio exterior se realiza conjuntamente al de Rusia, que después de la desaparición de la URSS sigue ejerciendo un papel determinante en este terreno.

La capital de Kazajstán es Alma-Ata, con 1.172,400 habitantes (1995). Otras ciudades importantes son Karaganda (573,700 h),

Semipalatinsk (320,200 h), Chimkent (397,600 h) y Petropavlovsk (239,000 h).

Kazán. Capital de la República Autónoma Federada de los Tártaros, cuenta con 1.094,000 habitantes. Edificada sobre siete colinas a orillas del río Kazanka y a 5 km del Volga, donde Pedro *el Grande* construyó los astilleros que crearon la escuadra del Caspio. Es el centro cultural del pueblo tártaro, con universidad, museos, escuelas especiales e importante centro comercial y fabril. Actualmente es una de las ciudades más importantes de Rusia por su situación en la ruta entre Siberia y China.

Kazantzakis, Nikos (1885-1957). Novelista, poeta y pensador griego. Vivió gran parte de su vida en Alemania, la ex Unión Soviética y Francia. También viajó por Europa, Japón y China. Influido por Friedrich Nietzsche y Henri Bergson, el marxismo y el budismo, así como el cristianismo, intentó sintetizar estos puntos de vista aparentemente distintos. Al principio su carrera fue filosófica y pedagógica, más que literaria. Se dio a conocer como poeta hasta 1938 con su amplio poema épico filosófico *Odisea,* obra de 33,333 versos. Aún más exitosas fueron sus novelas, que empezó a escribir hasta después de haber cumplido 60 años de edad. Su primer novela, *Alexis Zorbas* (1946) es la más popular. Escribió también *Libertad o muerte* (1953) y *La última tentación* (1954), así como un gran número de obras teatrales. Póstumamente se publicaron *El Jardín de las piedras* (1959), *Carta al Greco* (1961) y *Toda-Raba* (1962).

Keaton, Buster (1896-1966). Actor cinematográfico estadounidense. Brilló como artista cómico en el cine mudo, destacándose porque nunca se reía, a pesar de las situaciones más jocosas o ridículas en las que siempre conservaba la seriedad de expresión. Entre sus realizaciones figuran: *El colegial, Las tres edades, Pobre Tenorio* y *El cameraman.*

Keats, John (1795-1821). Poeta inglés, perteneciente a la generación romántica, junto con lord George Gordon Byron y Percy Bysshe Shelley; es una de las voces líricas más puras y hoy está considerado como uno de los más grandes poetas ingleses. Formado en la lectura de William Shakespeare y de Homero, compuso ensayos juveniles de rara sugestión, como Endimión, pero sólo más tarde dio toda la medida de su estro en las cuatro grandes odas: *A un ruiseñor, A una urna griega,* Al *otoño* y *A la melancolía.* En ellas logra colocarse a la par de Shakespeare por su musicalidad y la plástica objetividad de sus imágenes. Cruelmente herido por la incomprensión y las burlas de sus críticos, se

fue a Italia, para morir en plena juventud. Sobre su tumba, en Roma, se lee el siguiente epitafio: "Aquí yace alguien cuyo nombre se escribió en el agua".

kefir. Leche agria cuya fermentación se provoca por medio de los granos de *kefir,* mezcla de diversas bacterias, entre ellas el *Lactobacilus caucasicus.* Es bebida muy común en el Cáucaso, a la cual se atribuye la proverbial longevidad de los naturales del país. Se utiliza como alimento y contra las fermentaciones del intestino. El famoso biólogo Ilja Ilich Metchnikoff, propagó la excelencia del *kefir,* logrando popularizarlo.

Kefrén o Chefrén. Rey de Egipto, perteneciente a la IV dinastía, constructor de la segunda pirámide de Gizeh. Se cree que también construyó la célebre Esfinge, que se supone reproduce sus facciones. Reinó hacia el año 2800 a. C. En el museo de El Cairo se conserva una bella estatua de diorita que lo representa administrando justicia.

Keller, Gottfried (1819-1890). Novelista y poeta germano-suizo. En 1840 se dirigió a Munich impulsado por su amor a la pintura; pero, dos años después regresaba a su hogar, empobrecido y ya sin vocación. Poco tiempo después comenzaba a escribir. Su primer libro, *Poesías* fue muy bien recibido y sus conciudadanos decidieron pagar sus estudios en Heidelberg y en Berlín.

Durante esa época escribió su famosa novela autobiográfica *El verde Enrique.* Es autor además de otros varios volúmenes de poesías y cuentos, y de la novela *Gente de Seldwyla.* Todos ellos se caracterizan por un delicado sentido del humor y su originalidad poética. Su septuagésimo cumpleaños fue celebrado en Suiza como una fiesta nacional.

Keller, Helen Adams (1880-1968). Escritora estadounidense que sorprendió al mundo con admirable ejemplo de perseverancia y entereza. No obstante haber quedado imposibilitada para ver, hablar y oír antes de cumplir dos años, ello no bastó para abatir su espíritu y bajo la guía de su preceptora, Anne Sullivan, que habría de acompañarla durante cincuenta años, Helen Keller aprende, cuando todavía no tiene 10 años, a leer y a escribir en Braille. A los 16 gracias a su inteligencia y constancia, logra también hablar. Más tarde, se doctora en filosofía, y entonces comienza la obra filantrópica que había de señalarla como benefactora de la humanidad. Publica artículos en revistas y escribe los libros: *Historia de mi vida, Optimismo, Fuera de la oscuridad* y *Tengamos fe,* y con el producto de sus obras, contribuyó a la crea-

Corel Stock Photo Library

Busto de bronce de Grace Kelly en Mónaco.

ción de un fondo de asistencia para ciegos y colaboró con toda institución que ostentaba iguales propósitos. Su actuación altruista y su obra ejemplar han sido reconocidas internacionalmente.

Kellogg, Frank Billings (1856-1937). Diplomático y jurista estadounidense, senador por el estado de Minnesota. Fue, además, juez permanente de la Corte Internacional de Justicia, embajador en Gran Bretaña y secretario de Estado de 1925 a 1929. En este último año recibió el Premio Nobel de la Paz, por el tratado Kellogg-Briand de 1928 mediante el cual muchos países renunciaban a la guerra como instrumento para solucionar los conflictos entre naciones.

Kelly, Gene (1912 - 1996). Bailarín, cantante y actor estadounidense cuya personalidad alegre e innovadoras secuencias de baile amenizaron algunos de los musicales más memorables de Hollywood. Su verdadero nombre era Eugene Curran Kelly. Sintetizando el ballet con el tap, los ritmos del jazz y un sentido de diversión y gracia, actuó en *El pirata* (1948), *Un día en New York* (1949), *Un americano en París* (1951), *Cantando bajo la lluvia* (1952) y *Brigadoon* (1954). También fue director de películas, incluyendo *Hello, Dolly!* (1969).

Kelly, Grace (1928-1982). Actriz de cine estadounidense. Las películas *Solo ante el peligro* (1952), de Fred Zinnemann y *Mogambo* (1953), de John Ford, la revelaron como actriz de porte elegante y serena belleza. Alfred Hitchcock potenció estas características en *La ventana indiscreta* (1954), *Crimen perfecto* (1954) y *Atrapa a un ladrón* (1955). En 1957 se casó con el príncipe Rainiero III de Mónaco y se retiró del cine. Murió en un accidente automovilístico.

Kelvin, escala de.

Escala de temperatura absoluta, que se define a partir de que cero grados kelvin (K) significan cero absoluto, la temperatura teórica más fría (-273.15 °C / -459.67 °F), a la cual la energía de movimiento de moléculas es cero. Cada grado Kelvin es equivalente a un grado centígrado, en donde el punto de congelamiento del agua (0 °C / 32 °F) es de 273.15 K y su punto de ebullición (100 °C / 212 °F) es 100° más alto o 373.15 K. La escala toma su nombre del físico William Thomson, primer Barón de Kelvin, quien fue el primero en proponer una escala abssoluta de temperatura.

Kelvin, William Thomson, Lord

(1824-1907). Físico inglés, natural de Belfast (Irlanda). Estudió en la Universidad de Cambridge. Es uno de los fundadores de la termodinámica, autor del proyecto de cable subatlántico, de la brújula compensadora, descubridor del principio de Joule-Thomson sobre la energía interna de los gases. Publicó numerosas memorias científicas, y entre sus obras principales se cuenta el *Tratado de filosofía natural*, escrito en colaboración con Pedro Tait, donde se tratan problemas relacionados con la física matemática. Fue el fundador de la *Revista de matemáticas*, de Dublín y Cambridge.

Kemal Atatürk (Mustafá Kemal, llamado)

1881-1938). General y estadista turco, llamado también Kemal Bajá, fundador de la moderna República Turca, que lo tituló *Atatürk* o *padre de los turcos* por su revolución progresista. Procedente de la Escuela Militar de Salónica, se distinguió en la Primera Guerra Mundial como defensor de Gallípoli, donde derrotó a los ingleses. Rebelado contra el sultán, como presidente del gobierno en la guerra contra Grecia (1921-1922) expulsó a los griegos de Asia Menor y de Tracia y obtuvo la paz ventajosa de Lausana. Modernizó a Turquía con medidas como la liberación de las mujeres, la adopción del alfabeto latino, la difusión de la enseñanza, la reforma de diversas costumbres, y adoptando cuanta medida progresiva fue necesaria mediante disposiciones drásticas, entre ellas el traslado de la capital de Estambul a Ankara.

Kempis, Tomás de

(1380-1471). El escritor ascético alemán Tomás Hemerken

Corel Stock Photo Library

(De izq. a der. y de arriba abajo). Tejedor de canastas Masai, edificio del parlamento y mujeres Masai en Kenia.

se hizo famoso con el nombre de Kempis, que viene de Kempen, lugar de su nacimiento. A los 20 años entró como novicio en el convento de agustinos de Santa Inés, donde su hermano era prior, y ordenado sacerdote en 1413 se trasladó con los demás monjes al monasterio de Lunekerke (Frisia), acatando una orden del papa. Tres años después retornó al primer convento, donde ejerció las funciones de superior hasta su muerte.

Dejó varios escritos ascéticos, pero su renombre lo debe, exclusivamente, a *La imitación de Cristo*, cuya paternidad se le ha discutido y dio lugar (s. XVII) a una reñida controversia literaria, renovada en el siglo XIX, para atribuir dicha obra a san Bernardo, a Inocencio III y, sobre todo, a Juan Charlier de Gerson. La obra es el compendio de los pensamientos y afectos de un espíritu enamorado de Dios.

Kendall, Edward Calvin

(1886-1972). Bioquímico estadounidense. De 1914 hasta su jubilación en 1950, fue director de la sección de bioquímica de la Fundación Mayo. Se le debe el aislamiento de la tiroxina (1914), conquista científica realizada en la Clínica Mayo de Rochester. En colaboración con Philip Showalter Hench, consiguió aislar la cortisona en forma cristalina, estableciendo su función terapéutica en el tratamiento de la artritis reumática y de otras enfermedades inflamatorias. Por sus investigaciones sobre producción hormonal de la corteza suprarrenal y el estudio de sus funciones biológicas, recibió el Premio Nobel de Medicina o Fisiología en 1950,

que compartió con P. S. Hench y Tadeus Reichstein.

Kendall, Henry W.

(1926-1999). Físico estadounidense. Se doctoró en el Instituto Tecnológico de Massachusetts, donde ha ejercido como profesor de física desde 1967. En 1990 compartió el Premio Nobel de Física con J. I. Friedman y R. E. Taylor por sus investigaciones sobre la estructura de los protones y los neutrones, realizadas con el acelerador lineal de Stanford. Dichas investigaciones contribuyeron decisivamente a la elaboración de la teoría de los quarks.

Kendrew, sir John Cowdery

(1917-1997). Bioquímico inglés que utilizó métodos de difracción de rayos X para determinar la estructura del complejo proteico mioglobina (1960). Esto llevó a su colega, Max Perutz, a determinar la estructura de la hemoglobina, que permitió que ambos compartiesen el Premio Nobel de Química en 1962.

Kenia.

Estado de África ecuatorial, situado al sur de Sudán y Etiopía, entre el lago Victoria y Uganda por el oeste, Somalia y el océano Índico por el este, y Tangañica al sur.

El territorio, de 582,646 km² es montañoso, con alturas como el monte Kenia, de 5,195 m. Tiene 29.137,000 habitantes (1996), de los cuales 66,000 son europeos, que viven principalmente en las regiones altas dedicados a explotaciones agrícolas y ganaderas; y 247,000 son árabes e hindúes. Ganado vacuno y lanar, además del

137

Kenia

café, son los principales productos de las tierras altas, y en las bajas se cultivan algodón, maíz, mandioca, caña de azúcar y sisal. En las laderas selváticas hay leones, cebras, jirafas, antílopes, hienas, gacelas y otros animales salvajes. Las principales explotaciones minerales son de caliza, mármol, carbonatos, plata y oro, que es muy explotado en la región del lago Victoria. La población de Kenia puede repartirse en tres grupos étnicos: los banhúes, agricultores generalmente, asocian la cría de bovinos con el cultivo de la tierra, las tribus banhúes más importantes son las de los Kikuyu (21% de la población) y los Kamba o (Wakamba). Los niloticos llegados del valle del Nilo, de los cuales unos son agricultores (la principal tribu es la de los Lou 13% de la población) y otros ganaderos (representada por la tribu guerrera de los masai. Los camitas, ganaderos, los cuales hablan lenguas del tipo custico (sin embargo son negros). Kenia cuenta con una red de caminos que le permite transportar sus productos hasta Mombasa, su principal puerto del Índico. Cuenta además con un ferrocarril que une Nairobi, la capital (2.000,000 h), con Uganda y el puerto de Mombasa. Fue colonia y protectorado británico hasta el 12 de diciembre de 1963, en que se constituyó en Estado independiente miembro de la Comunidad Británica de Naciones. Al año siguiente, en 1964, se proclama la república y Jomo Kenyatta es declarado presidente, cargo que desempeñó hasta 1978 debido a su muerte.

En 1980, Estados Unidos adquiere el derecho de instalar bases militares en Kenia, mismas que completa en 1985. En este año, el papa Juan Pablo II visita el país. En diciembre de 1987 estallaron incidentes fronterizos con Uganda, que causaron numerosos muertos. Arap Moi, presionado por la oposición, ordenó la liberación de los presos políticos en junio de 1989, aunque

Centro espacial Kennedy en Cabo Cañaveral, Florida.

Estatua de John F. Kennedy en Boston, EE.UU.

se negó a aceptar el pluralismo. Los extraños asesinatos de un prestigioso naturista (agosto de 1989) y del ministro de Asuntos Exteriores (febrero de 1990), debilitaron todavía más al presidente. La llegada de miles de refugiados somalíes, que escapaban de la guerra de su país, y la caída de las exportaciones agravaron la situación económica. El multipartidismo fue autorizado en 1991 y en las elecciones presidenciales del mes de diciembre de 1992, Arap Moi fue reelegido con 33.6 % de los votos; en las legislativas, la Unión Nacional Africana de Kenya (KANU) obtuvo la mayoría absoluta. Sin embargo, prosiguieron las tensiones interétnicas y las quejas de la oposición.

Kennedy, Centro Espacial.

Base de lanzamientos espaciales estadounidense, –la más importante del país–, cuyas instalaciones ocupan la barra costera llamada cabo Cañaveral y la isla adyacente de Merrit, en Florida, con una extensión de unas 55,000 ha. Inició sus actividades en 1950, y recibió su nombre actual en 1963. En ella se han efectuado los lanzamientos más importantes de la historia espacial de Estados Unidos, incluidos los de las naves tripuladas a la Luna. En la década de 1970 fue acondicionada para lanzar desde ella transbordadores espaciales.

Kennedy, John Fitzgerald (1917-1963).

Estadista estadounidense. Nació en Brookline (Boston, Massachusetts). Su familia es oriunda de Irlanda. Su padre, diplomático y hombre de negocios, se con-

virtió en magnate de las finanzas y adquirió una gran fortuna, Joseph Patrick, y hermano de Robert Francis y Edward. Estudió ciencias económicas en la Escuela de Economía de Londres (1935-1936) y después se graduó en leyes en la Universidad de Harvard (1940). En la Segunda Guerra Mundial, sirvió en la marina al mando de un torpedero, hundido en combate por los japoneses. Kennedy resultó herido y fue condecorado por actos de valor. Ejerció el periodismo y escribió varias obras, entre ellos *Por qué dormía Inglaterra* (1940) y *Perfiles del valor* (1956) obra ésta de ensayos biográficos sobre grandes figuras políticas estadounidenses, que obtuvo gran difusión y fue laureada con el Premio Pulitzer. Kennedy, de religión católica y afiliado al partido demócrata, fue elegido en 1946 representante a la Cámara, senador en 1952, y reelegido posteriormente. Su actuación en el Senado se distinguió en debates y cuestiones de defensa nacional, política internacional y aprobación de leyes para mejorar las relaciones obrero-patronales. En las elecciones de noviembre de 1960, figuró como candidato demócrata a la presidencia, en oposición a Richard Milhous Nixon, candidato republicano. Kennedy obtuvo el triunfo y proclamado presidente constitucional para el periodo 1961-1965, sucedió en el cargo al general Dwight David Eisenhower. Kennedy fue el primer católico que ejerció la presidencia de Estados Unidos. En política interior su gobierno se distinguió por las medidas para respaldar el acatamiento de los derechos civiles y abolir la segregación racial; en lo internacional llegó a un acuerdo con la Unión Soviética, Gran Bretaña y otras naciones para la limitación parcial de las pruebas de armas nucleares; en cuestiones interamericanas, la creación, con el concurso de las naciones latinoamericanas, de la Alianza para el Progreso (1961). El 22 de noviembre de 1963, al visitar la ciudad de Dallas (Texas), el presidente Kennedy fue asesinado por un desequilibrado mental, Lee Harvey Oswald, que le hizo tres disparos de fusil desde el sexto piso de un edificio situado en el trayecto que recorría el automóvil del presidente.

Kentucky.

Estado estadounidense localizado entre las zonas del medio oeste y del sur. El norte, la parte más urbanizada del estado, particularmente en el corredor del valle de Ohio, está caracterizada por la industria de la manufactura orientada hacia la zona media del este. El sur y el oeste del estado tienden a ser rurales y naturales, concentrándose en agricultura y minería; están asociados generalmente con el sur. Kentacky está bordeado por siete estados: Illinois, Indiana, Ohio, West Virginia, Virginia, Tennessee y Missouri. Superficie: 104,664 km². Población: 3.827,000 habitantes en 1994. La capital es Frankfort (25,968 h, 1990) y la capital más grande es Louisville (271,000 h, 1992). Estaba poblado por los indios hasta que en 1750 fue explorado por el hombre blanco. En 1792 se separó de Virginia y se convirtió en el decimoquinto estado de la Unión.

Tierra. Kentucky muestra diversidad en sus terrenos. Se encuentran en el estado considerables áreas de llanos, bastantes colinas y una reducida área de montañas en el sureste. La altura de las montañas disminuyen del oeste al norte, variando desde los 610 a los 914 m en el sureste a 122-183 m en el noroeste y 396 m en el norte. El punto más alto es la montaña Negra (1,262 m).

El estado se puede dividir en seis regiones que conforman solidamente la estructura geológica. La región Pennyroyal, localizada en el centro y en el oeste del estado, es una llanura. En el este de esta región, las montañas y los campos de carbón demandan más de 25% de la tierra. Esta parte del estado está caracterizada por vastos yacimientos de carbón, terrenos escabrosos y una gran pobreza. La región del Bluegrass cubre el 50% del estado a lo larfo del Río Ohio y es famosa por sus granjas de caballos, el tabaco y el ganado. El oeste de los campos de carbón, más de 10% del estado, es relativamente ondulada y la agricultura y la extracción de carbón son importantes.

Los recursos natruales son muy abundantes. Aparte de los yacimientos de carbón antes mencionados hay arena y grava, agua y recursos forestales, yacimientos de gas natural, petróleo, aceite de esquistos, etcétera.

Clima. Es moderado pero variable, ocasionado por la localización del estado en la linea de la ruta de las tormentas. Está influenciado por el aire calido del Golfo de México en verano y por tormentas ciclónicas en invierno. El oeste es ligeramente más calido que el este en verano y el sur es marginalmente más calido que el norte en invierno. En verano las temperaturas van desde los 33 °C a los 18 °C. En invierno de 10 °C a -3 °C.

Las precipitaciones anuales disminuyen de sur a norte. En el norte llueve alrededor de 1,016 mm y en el sur más de 1,270 mm. La mayoría de las precipitaciones ocurren entre marzo y junio y las fuerte tormentas de marzo a septiembre.

Hidrografía. Tres corrientes recorren el oeste, el norte y el este del estado: el río Mississippi, el Ohio y el Big Sandy. Otros ríos importantes son: el Cumberland, el Tennessee, el Green, el Kentucky, el Licking y los ríos Sal. En el estado hay muchas reservas artificiales de agua y pequeña lagunas naturales. Los lagos más conocidos son el Cumberland, el Kentucky y el Barkley. El lago más grande es el de Swan, localizado en el condado de Ballard.

Corel Stock Photo Library

Cascadas Cumberland *en Corbin, Kentucky.*

Vida animal y vegetal. El estado descansa en el centro de una zona forestal y el 48% está cubierto de árboles. Dominan los árboles como el pino, el roble, el arce, etcétera. La vida animal consiste en abundan-

Carrera del famoso Derby de Kentucky.

Corel Stock Photo Library

cia de venados, conejos, ardillas, topos, entre otros. Los peces incluyen carpas, percas, barbos y lubinas.

Actividad económica. Contraria a la opinión popular, la manufactura contribuye más a la economía del estado que la agricultura y la minería combinadas. La agricultura está localizada en el oeste y el estado es lider en la producción de tabaco del país. Aparte del tabaco hay un cultivo significante de granos, soya y heno. La ganadería domina es estado.

La manufactura emplea a más de 250,000 personas, es dominante a lo largo del río Ohio entrel el área de Ashland-Catlettburg en el noreste y el área de Paducah-Calvert en el extremo oeste. Un área adicional se encuentra en Lexintong. La ciudad de Louisville es el principal centro de manufactura. Esta industria incluye metales, máquinas, equipo de transporte (automóviles), química, comida, productos del tabaco, etcétera.

Turismo. Hay cinco parques federales en el estado: el parque nacional de la Cueva del Mamut, el parque histórico nacional de Cumberland, el área de la reserva de pájaros de Abraham Lincoln y la tierra entre los lagos de recreación nacional. Existen seis zonas significantes para el turismo: el área de los lagos de Kentucky y Barkley, el área de la Cueva del Mamut, cercana al parque nacional de Daniel Boone, el área del lago

Revisión de las raíces de plantas de tabaco en Glasgow, Kentucky, EE.UU.

Cumberland, Lexintong y la zona de Bluegrass y Louisville.

Kepler, Johannes (1571-1630). Uno de los fundadores de la astronomía moderna, nacido en Weil, ducado de Würtemberg (Alemania), donde su abuelo era burgomaestre. La debilidad de su cuerpo y, especialmente, la de su vista, decidieron a sus padres a dedicarlo a la teología y lo internaron en un seminario; pero a poco abandonó los estudios eclesiásticos e ingresó en la Universidad de Tübingen, donde adquirió sólidos conocimientos acerca de los principios astronómicos de Copérnico.

Sus investigaciones en las ciencias físicas y matemáticas lo condujeron a establecer las siguientes leyes sobre el movimiento de los astros, que llevan su nombre: 1) Todo planeta describe una elipse, en uno de cuyos focos se encuentra el Sol; 2) El radio vector de todo planeta recorre áreas iguales en tiempos iguales, y 3) Los cuadrados de los tiempos empleados en sus revoluciones por los planetas, son proporcionales a los cubos de los semiejes menores de sus órbitas.

Para explicar estos principios, que consideran a los cuerpos celestes en movimiento alrededor del Sol, escribió la obra que lo ha hecho inmortal, titulada *Astronomía nova seu physica coelestis*, donde figuran sus dos primeras leyes. Este libro llamó poderosamente la atención del gran astrónomo Tycho Brahe, quien lo nombró su ayudante en el observatorio de Praga. La tercera ley la dio a conocer en su publicación *Harmonices mundi*. A la muerte de Brahe, lo reemplazó en la dirección del instituto y prosiguió trabajando en la preparación de las tablas astronómicas que habían iniciado ambos. Fue el primero en emplear los logaritmos, invención de su época, cuya teoría expone en un tratado.

Kerensky, Aleksandr Fёdorovich (1881-1970). Político ruso, jefe del gobierno provisional que surgió tras la revolución de 1917, y fue desalojado del poder por los bolcheviques. Como abogado se especializó en la defensa de los acusados políticos del partido socialista, al cual pertenecía. Fue líder de los representantes de izquierda en el Parlamento zarista, y tras la revolución se desempeñó sucesivamente como ministro de Justicia, de la Guerra y primer ministro. Proclamó la república, pero pese a las concesiones hechas a sus aliados, los bolcheviques, fue derrocado en noviembre de 1917. Logró huir, y residió en diversas capitales europeas, en Estados Unidos y en Australia. Publicó numerosos libros en contra del régimen de Moscú y fue fundador de la Unión para la Liberación de Rusia.

keroseno. *Véase* QUEROSENO.

Keynes, John Maynard (1883-1946). Economista inglés. Su opinión de que los gastos del gobierno mediante la ejecución de obras públicas, al ocupar y dar medios de vida a gran número de hombres pueden modificar favorablemente la economía de un país, fue adoptada por el presidente de Estados Unidos, Franklin D. Roosevelt y muchos otros gobernantes. Su obra principal es su *Teoría general del empleo, el interés y la moneda*. Durante la Segunda Guerra Mundial fue ministro del Tesoro y director del Banco de Inglaterra.

Keyserling, Hermann Alexander, conde de (1880-1946). Escritor y filósofo, nacido en el oriente de Estonia y naturalizado alemán. Cursó sus estudios en las universidades de Ginebra, Dorpat, Heidelberg y Viena. Viajó por el mundo entero y en 1920 fundó en Darmstadt la *Escuela de la sabiduría*, a la que invitó a Rabindranath Tagore. Inspirado en Platón e Inmanuel Kant, era un gran admirador de la cultura oriental, de la que poseía vastos conocimientos, y trató de acoplarla al pensamiento europeo. Entre sus numerosas producciones sobresalen el *Diario de viaje de un filósofo*, *La verdadera misión política de Alemania*, *La estructura del mundo* y *Meditaciones sudamericanas*.

Khachaturian, Aram Il'ic (1904-1978). Compositor soviético de nacionalidad armenia. Nació en Tbilisi (Tiflis) y se graduó de composición en Moscú, adonde había ido originalmente a estudiar violoncelo. Su *Sinfonía No. 1* (1934) obtuvo reconocimiento internacional y su reputación creció con los conciertos para piano (1936) y violín (1940).

El ballet *Gayane* (1942), que incluye la bien conocida *Danza del Sable*, y *la Sinfonía No. 2* (1942) fueron escritos para el vigésimo quinto aniversario de la Revolución. En 1948, Khachaturian, al igual que Sergei Prokofiev y Dmitri Shostakovich, fue criticado en la Unión Soviética por el *formalismo* de su música. En 1954 creó el ballet *Espartaco*. En sus composiciones abundan los temas armenios y otros folclóricos.

Kharkov. Importante ciudad industrial de Ucrania, que fue capital de la República Socialista Autónoma de Ucrania hasta 1934. Centro cultural de la región ucraniana, posee universidad, museos, escuelas técnicas y grandes fábricas de tractores, locomotoras y equipos industriales. Durante la Primera Guerra Mundial fue ocupada por los alemanes y en la Segunda cayó nuevamente en poder de los mismos, después de que los rusos evacuaron sus fábricas. En febrero de 1943 fue reconquistada por los soviéticos, que la volvieron a perder unas semanas más tarde, para reconquistarla en agosto de 1943. Población: 1.555,000 habitantes (1996).

Khartum. Capital del Sudán, en la margen izquierda del Nilo Azul, en su confluencia con el Nilo Blanco. Es gran centro comercial, unido por ferrocarril a los puertos del Mar Rojo. El Mahdi, al mando de tribus nativas, sitió Khartum en 1885 venciendo al general inglés Charles George Gordon, que la defendía; en 1898 la reconquistaron los británicos a las órdenes de lord Horatio Herber Kitchener. Su población unida a la de su área metropolitana, que comprende el suburbio de Khartum Norte es de 924,405 habitantes (1994).

Khorana, Gobind Har (1922-   ). Bioquímico nacido en la India. Con sus investigaciones contribuyó a esclarecer el mecanismo de la síntesis proteica y a descifrar el código genético. En 1970 obtuvo por vez primera la síntesis completa de un gen. Compartió el Premio Nobel de Medicina o Fisiología con Robert William Holley y Marshal Warren Niremberg en 1968.

Kiel. Ciudad de Alemania y capital del estado de Schleswig-Holstein, situada en el fondo de la bahía de su nombre en el Mar Báltico, es uno de los mejores puertos europeos y hasta 1944 fue el primer puerto militar e importante base naval de la escuadra alemana.

Es un importante centro industrial con fábricas siderúrgicas y astilleros. Su población es de 246,586 habitantes (1995).

Canal de Kiel. Esta importante vía de comunicación marítima corta el istmo de Schleswig-Holstein para unir los mares Báltico y del Norte. Se empezó a construir en 1887 y se terminó en 1895. Va de Schonberg, cerca de Kiel, a Brunsbuttel, en el estuario del Elba, con esclusas en ambos lados. Mide 98 km de largo, 105 m de ancho y 11 m de profundidad. Su construcción benefició a Alemania económica y militarmente. El Tratado de Versalles (1919) lo internacionalizó. Durante la Segunda Guerra Mundial sufrió fuertes bombardeos.

Kierkegaard, Soren Aabye (1813-1855). Escritor y filósofo danés. Su vida parece estar dominada por dos figuras: la melancólica y religiosa de su padre y la de su prometida Regina Olsen a quien un día abandonó. Las contradicciones de su conducta son el reflejo visible de su pensamiento, que osciló continuamente entre lo religioso y lo terrenal; lo ético y lo estético, según sus palabras. Sus obras son a veces simples relatos, más o menos autobiográficos, y otras, puramente filosóficas, como *El concepto de la angustia* o los *Fragmentos filosóficos*. Estas obras son una reflexión casi constante sobre los mismos temas: la fe cristiana, el pecado, la libertad y la angustia. Se lo considera comúnmente iniciador del movimiento existencialista, principalmente por su lucha contra la filosofía abstracta de George Wilhelm Friedrich Hegel.

Kiev. Ciudad capital de Ucrania, situada en la orilla derecha del Dniéper. Gran centro de empalme de los ferrocarriles de Kursk, Odessa, Kovel y Poltava, posee un gran puerto fluvial, y muchas fábricas de construcciones mecánicas, destilerías, curtidos, azúcar, industrias textiles, etcétera. Es famosa por sus grandes monumentos, entre los que se cuenta la catedral de Santa Sofía, construida por Yaroslav *el Sabio*. Población: 2.630,000 habitantes (1996).

Kilimanjaro. Macizo volcánico aislado, el más elevado de África. Se alza en el Territorio de Tangañica, no lejos del límite de Kenia. A pesar de hallarse en las proximidades del Ecuador, su cima más elevada está persistentemente cubierta de nieve. En sus faldas se escalonan varias zonas de vegetación. Sus cimas principales son: el Kigo (el Cielo, 5,970 m), en cuyo cráter de 2 km de diámetro y 200 m de profundidad se ha formado un glaciar, y el Mawenzi (el Oscuro, 5,350 m). El alemán Hans Meyer fue el primero que llegó a su cúspide en el año 1889.

kilociclo. Unidad de frecuencia utilizada en radiodifusión, equivalente a 1,000 oscilaciones por segundo. Cada estación emite ondas cuya frecuencia difiere de las otras emisoras, única manera de evitar

Corel Stock Photo Library

Vista panorámica del monte Kilimanjaro en el Parque Nacional de Amboseli en África.

las interferencias. Mediante el reóstato sintonizador de los receptores, podemos elegir la estación deseada, para lo cual lo haremos girar hasta obtener la frecuencia correspondiente. Los receptores registran en su cuadrante los kilociclos de las radioemisoras que están a su alcance, de tal manera que si la de nuestra predilección tiene una frecuencia de onda de 800,000 ciclos, colocaremos la aguja en dicha banda de frecuencia. Ciclo y periodo son sinónimos en radiodifusión.

kilográmetro. Unidad correspondiente al trabajo mecánico o esfuerzo que debe aplicarse a un peso de 1 kg para elevarlo a 1 m de altura. Para establecer el patrón de esta unidad se tomó como base un lugar sujeto a la ley de la gravedad en su valor normal, o sea de 980,665 centímetros por segundos.

kilogramo. Peso de 1,000 gr. Es una masa equivalente al peso de un decímetro cúbico de agua destilada, a la temperatura de 4 ºC y a la latitud de París. Se ha elegido el agua destilada porque siempre tiene el mismo peso en igualdad de volumen,

El consumo de electricidad se mide en kilovatios.

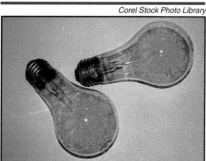
Corel Stock Photo Library

y la latitud de París porque a distintas latitudes una misma masa tiene peso distinto. El prototipo, un cilindro de platino, se conserva en la Oficina Internacional de Pesas y Medidas, en Francia. *Véase* PESO.

kilómetro. Medida de longitud que tiene 1,000 m. Se emplea para medir largas distancias; delante de la expresión *por hora*, indica la distancia que en ese espacio de tiempo recorre un tren, un avión o un automóvil. Equivale a 1,090 yardas. El kilómetro cuadrado tiene 1,000 m por lado, es decir, 1.000.000 m² o 100 ha. *Véanse* METROLOGÍA; METRO Y SISTEMA MÉTRICO.

kilovatio. Unidad de potencia eléctrica equivalente a 1,000 W. El vatio mide la energía suministrada por una corriente de un amperio, cuya tensión es de un voltio. Esta medida registra también la potencia de las máquinas de vapor o de combustión interna, en cuyo caso se usa una unidad equivalente a 0.736 kW (para el sistema inglés 0.746), denominada *caballo de fuerza*. Aunque en ingeniería industrial y eléctrica se emplea mucho el caballo de fuerza, no deja de ser ésta una medida arbitraria, en tanto que el kilovatio, por sus relaciones con el sistema métrico decimal, es más universalmente aceptado.

kimono. *Véase* VESTIDO.

kinesiterapia. Voz formada por las palabras griegas *kinesis*, movimiento, y *therapia*, curación. Sistema curativo, de naturaleza mecánica, que utiliza los masajes y ejercicios. Lo practica el kinesiólogo, persona que ha de poseer conocimientos de anatomía y fisiología, y regirse por las prescripciones del médico; se vale por lo general del masaje, que comprende palmadas, fricciones y presiones para producir reacciones musculares que mejoran la circulación, calman los nervios, estimulan los órganos digestivos y propenden a la recuperación de los movimientos normales entorpecidos por lesiones o enfermedades del sistema nervioso. El ejercicio es otro auxiliar de la kinesiterapia. Con él se pueden corregir defectos físicos, tales como las espaldas cargadas; en este caso se obliga al paciente a marchar con la cabeza erguida, el pecho saliente y el estómago hundido, y se utilizan otros recursos apropiados.

King, Martin Luther (1929-1968). Pastor protestante estadounidense de raza negra. Estudió teología en el Seminario Crozer, de Chester, y filosofía en la Universidad de Boston. Ejerció su ministerio desde 1954 en la Iglesia baptista de Montgomery (Alabama). Contrario a toda violencia, adquirió notoriedad al dirigir, en Alabama y Georgia, manifestaciones pacíficas de protesta de los negros contra la discriminación racial. Fundador y presidente de la Conferencia Meridional de Primacía Cristiana, y miembro prominente de la Asociación para el Progreso de la Raza de Color, fue uno de los organizadores de la marcha para la aplicación efectiva de los derechos civiles, en Washington (1963). Por su firme adhesión al principio de no violencia en el esfuerzo para obtener la igualdad y eliminar la discriminación racial, se le concedió en 1964 el Premio Nobel de la Paz.

Kingsley, Charles (1819-1875). Eclesiástico y novelista inglés, de tendencias socialcristianas, en cuyas obras se advierte su preocupación de propagandista y proselitista de doctrinas tendientes a la creación de un mundo mejor para los trabajadores y menesterosos. Universitario y religioso, ocupó el cargo de capellán de la reina Victoria, explicando posteriormente la cátedra de historia moderna de la Universidad de Cambridge y desempeñando sucesivas canonjías en Chester y Westminster. Su obra literaria se caracteriza por la variedad, que va del relato infantil, fantástico, humorístico, como *Niños de agua*, hasta la propaganda del socialismo cristiano, expuesto con sincero amor por sus ideales en *Fermentación* y *Alton Locke*. Un relato histórico, *¡Hacia el Oeste!*, su creación de más éxito, constituye en su final una reconstrucción vívida y dramática del ataque a la Inglaterra isabelina por la Armada Invencible. Otras obras suyas son: *Hipatia, Dos años atrás* y *Featón*. En *Los héroes* cultivó la narración fantástica inspirada en temas de Grecia clásica. Como poeta cultivó la lírica humanitaria en composiciones rebosantes de sinceridad, aunque aquejadas de prosaísmo.

Corel Stock Photo Library

Casa Devon *en Kingston, Jamaica.*

Kingston. Capital de Jamaica; 100,637 habitantes y 661,600 el área metropolitana. Situada en la costa sur de la isla, al fondo de la bahía homónima, muy abrigada por una estrecha faja de tierra que casi la cierra. Es el centro comercial y administrativo de la isla y posee uno de los mejores puertos naturales de las Antillas, a través del cual exporta bauxita, aluminio, ron y productos agrícolas (azúcar, bananas). Frente a la ciudad, en el extremo de la bahía, se localiza Port Royal, con instalaciones portuarias de avituallamiento. Industria del cemento, textil y alimentaria. Refinería de petróleo. Turismo. Puerto y aeropuerto internacionales. Universidad (1962). Arzobispado.

Kino, Francisco Eusebio (1644-1711). Misionero y jesuita austríaco. Su verdadero apellido era el de Kunt, pero en México, donde realizó admirable labor misionera, fue conocido por Kino. En 1681 se trasladó a la Nueva España, y hacia 1687 inició su gran labor misionera entre los pimas de Sonora. Estudió lenguas indígenas, de las que compiló vocabularios, y en 1694 se dirigió a la inexplorada California. Descubrió la desembocadura del río Grande, demostró que California era una península, y durante 30 años efectuó importantes viajes de exploración y trabajos misionales en los que convirtió a millares de indígenas. Sus exploraciones, descubrimientos y labor misional los dejó registrados en diversos diarios y descripciones, así como en mapas trazados por él, todo lo que constituye una valiosa aportación a la historia de la colonización del noroeste de México.

Kipling, Rudyard (1865-1936). Poeta y escritor inglés, nacido en la India, país en el que su padre era profesor en una academia de arte. Una niñera hindú le enseñó la lengua nativa y las historias de animales que luego aparecerían en algunas de sus obras. A los cinco años fue llevado a Inglaterra y puesto al cuidado de una mujer muy severa. Siempre recordaría con tristeza la casa donde vivió entonces y que él y su hermana llamaban *de la desolación*. Ingresó luego en un colegio de oficiales, donde su ya apasionado amor por Inglaterra fue alentado y aplaudido. Una vez terminados sus estudios volvió a la India, tenía entonces 17 años. En algunos periódicos anglohindúes publicó sus primeros cuentos y poemas, y numerosas crónicas sobre diferentes regiones de la India, que llegó a conocer profundamente. Algún tiempo después volvió a Inglaterra; pero su casamiento con una mujer estadounidense lo llevó hasta Estados Unidos, donde residió varios años. Inquieto e interesado en todos los problemas de su época, cuando estalló la guerra de los bóers fue a África del Sur como corresponsal de un diario inglés. Su actividad aumentó durante la Primera Guerra Mundial. Escribió entonces una serie de obras con las que pretendía animar al pueblo inglés, intervino en varias campañas periodísticas y pronunció algunos discursos. Sólo en los últimos años de su vida pareció indiferente a los nuevos problemas sociales y políticos.

Sus obras más conocidas son aquellas que describen el ambiente de las selvas y ciudades hindúes. *El libro de las selvas vírgenes* es una colección de historias de animales que hablan como en las fábulas y revelan también, como en ellas, gran sabiduría. En *Kim* se narra la amistad de un joven huérfano de origen irlandés y un sabio hindú. Ambos mundos, el occidental y el oriental, aparecen en este libro en una casi total oposición. Obras algo distintas son: *La luz que se apaga,* drama de la miseria humana, y *Capitanes intrépidos,* historia inspirada en la vida real de unos pescadores. Después de su muerte se publicó su autobiografía, *Algo de mí mismo,* donde al lado de sus prejuicios políticos aparecen, admirablemente narrados, los incidentes más hermosos de su infancia. Su obra poética es importante. En sus *Baladas cuarteleras* escritas en el lenguaje popular de los soldados, hay un extraordinario sentido del ritmo. En 1907 recibió el Premio Nobel de Literatura.

Kirchhoff, Gustav Robert (1824-1887).
Físico alemán. Alumno de Bunsen, enseñó química en las universidades de Heidelberg y Berlín y fue director del observatorio astronómico de la capital alemana. Junto con Robert Wilhelm Bunsen descubrió los elementos cesio y rubidio y sentó las bases del análisis espectral. Efectuó importantes investigaciones sobre la dilatación de los cuerpos, expansión de los vapores, calorimetría y fenómenos de inducción eléctrica.

Kirguisistán.
República de Asia central que formaba parte del antiguo Turquistán Ruso y colindante con la frontera china en la provincia de Sinkiang. Su extensión territorial es de 198,500 km².

El país tiene dos tipos de relieve opuestos: las cordilleras (Kungej Alatau, Terskej Alatau, Koksal Tau, Kirgizskij Chrebet), en su mayor parte periféricas y con altitudes superiores a 5,000 m, y las depresiones (Fergana, Issyk-kul, Naryn), en las que hay depósitos terciarios y morrénicos. El clima se caracteriza por la escasez de lluvias, inferiores a 300 mm, y la gran amplitud térmica; el mes más frío, enero, alcanza 5 °C de media, y julio, el más cálido, 28 °C. Toda la región está drenada por el Naryn y sus afluentes, cuyas aguas son aprovechadas para el riego. La población está desigualmente repartida. La población de Kirguisistán está formada por 52.4% de kirguises, 21.5% de rusos, 2.5% de ucranianos, y 12.9% de uzbekos. Capital Bishkek, antes Frunze, con 597,000 habitantes (1992).

La economía experimentó una importante transformación durante los años de pertenencia al Estado soviético, en especial en lo que se refiere a la racionalización de la agricultura, con la introducción de nuevos cultivos y la mecanización del campo. La industria se surtía básicamente de derivados agrícolas y ganaderos. Los planes económicos concedieron especial impor-

tancia al cultivo del algodón y la remolacha azucarera, al desarrollo de los recursos hidráulicos y al mejor aprovechamiento de las reservas hulleras. La mecanización del campo alcanza 60% de la superficie cultivada, y existen 933,000 ha de regadío. Los productos de la huerta, los cultivos industriales (algodón, lino), los cereales, los frutales y viñedos constituyen los cultivos principales. La sericultura ha tenido un notable incremento. La ganadería contaba en 1992 con 1.106,000 vacunos, 347,500 cerdos y 10 millones de cabras y ovejas. Kirguisistán dispone de algunos recursos minerales, como antimonio, mercurio, cobre, cinc y sobre todo hulla. Los transportes interiores disponen solamente de 400 km de ferrocarriles y de 22,300 km de carreteras (15,200 km asfaltados).

Kiribati.
Véase GILBERT Y ELLICE, ISLAS.

Kirkpatrick, Federico Alejandro
(1861-1923). Hispanista inglés especializado en el estudio de la Historia de la Literatura de América Española. Profesor en la universidad inglesa de Cambridge, sus obras han contribuido en gran manera a realzar los valores positivos de la acción de España en América en su obra más famosa, *Los conquistadores españoles.*

Kissinger, Henry Alfred (1923 -).
Político estadounidense de origen alemán. Ocupó el puesto de primer consejero de Política Exterior y secretario de Estado de los presidentes Richard Nixon y Gerald Ford. En estas posiciones logró un poder y prestigio poco comunes. Entre sus logros se encuentran la restauración de las relaciones entre Estados Unidos y la República Popular de China y el convenio –a través de la *diplomacia de intermediario* entre las partes– de un alto al fuego entre los israelíes y los árabes en la guerra de 1973. También negoció un alto al fuego en Vietnam, compartiendo el Premio Nobel de la Paz de 1973 con Le Duc Tho, negociador norvietnamita.

Kissinger sirvió en el Ejército de Estados Unidos durante la Segunda Guerra Mundial y en el gobierno militar estadounidense en Alemania de 1945 a 1946. Estudió ciencias políticas en la Universidad de Harvard y dio clases ahí desde 1954 hasta 1969. Su disertación doctoral fue publicada después bajo el título *Un mundo restaurado: Metternich, Castlereagh y el problema de la paz 1812-1822* (1967). Su obra *Armas nucleares y política exterior* (1957) le valió el reconocimiento como experto en estrategia nuclear; abogó por el desarrollo de fuerzas convencionales como una alternativa a la dependencia de armas nucleares. Fue consultor en política exterior de los presidentes John F. Kennedy y Lyndom Baines Johnson.

Como asistente del presidente Nixon para asuntos de seguridad nacional de 1969 a 1970, Kissinger llevó las riendas de la política exterior. Controló el Consejo Nacional de Seguridad extendiendo considerablemente sus recursos humanos; su opinión tuvo más peso que la del secretario de estado William P. Rogers en discusiones con respecto a políticas de gobierno; tuvo un papel activo en la diplomacia y en las negociaciones con jefes de Estado y primeros ministros. Sucedió a Rogers como secretario de estado en septiembre de 1973, continuando con su puesto de director del Consejo de Seguridad Nacional hasta 1975. Se mantuvo como secretario de estado durante el mandato de Gerald Ford.

La diplomacia de Kissinger fue una política de maniobras, caracterizada por una desconfianza a la burocracia y una preferencia a negociar personalmente con estadistas en el extranjero y con líderes del Congreso en casa. Tuvo más éxito durante el periodo de 1971 a 1973, cuando se establecieron nuevas relaciones con China y la entonces Unión Soviética, el primer Tratado Estratégico de Limitación de Armas (SALT I, por sus siglas en inglés) fue firmado, y las tropas estadounidenses fueron retiradas de Vietnam. Durante su siguiente periodo (1974-1977) como Secretario de Estado, encontró oposición nacional y extranjera a sus políticas.

Después de su retiro de la secretaría de estado, Kissinger se mantuvo activo como comentador de asuntos extranjeros, maestro y consultor. Sus memorias, *Los años en la Casa Blanca* y *Los años de trastorno,* aparecieron en 1979 y 1982, respectivamente. *Diplomacia,* apareció en 1994.

Kitasato, Shibasaburo (1852-1931).
Médico y bacteriólogo japonés. Fue uno de los descubridores del bacilo de la peste bubónica. Fue discípulo de Robert Koch y colaboró con Emile Adolf von Behring en el descubrimiento del suero antitetánico. Fundó el más famoso de los laboratorios bacteriológicos de Japón y descubrió el microbio de la disentería.

kiwi.
Ave del género *Apterix,* del tamaño de una gallina, que habita en Nueva Zelanda. Sus alas atrofiadas, de unos 5 cm de longitud, no le permiten volar; las plumas, que semejan una pelambre hirsuta, le dan el aspecto de un erizo, el largo pico es afilado como un cuchillo. Se alimenta de lombrices, insectos y semillas. Su caza está prohibida, pues tiende a extinguirse.

Klee, Paul (1879 - 1940).
Pintor y teórico suizo. Formado en Munich (1898-1900), viajó por Italia (1901-1902) y Francia (1905). Instalado en Munich expuso individualmente en 1911 y en 1912 se sumó al grupo *Der Blaue Reiter;* el mismo año, en

París, fue impresionado por la obra de Robert Delaunay, Pablo Picasso, Henri Rousseau y Henry Matisse, y a su regreso tradujo una obra del primero en la revista *Der Sturm* (1913). Un breve viaje a Túnez, le reveló la importancia del color. Influido en principio por el modernismo, realizó más tarde (1903-1906) grabados satíricos, y después de una etapa bajo la influencia parisiense y el expresionismo alcanzó un estilo propio, hacia 1916, cuando empezó a pintar sus *ideogramas*. Individualista e irregular, su inclasificable pintura ascética, inquieta, fría y en la frontera de la abstracción, se caracteriza por el predominio absoluto de la línea y el color, así como por un vocabulario de un primitivismo y un infantilismo deliberados que dan a su obra un aire que se ha calificado de mágico. En 1920 fue llamado a enseñar pintura en el Bauhaus, en el que estuvo hasta 1931, año en el que fue nombrado profesor de la Academia de Düsseldorf. En 1925 aparecieron publicados en el Bauhaus sus estudios sobre arte, con el título *Cuaderno de apuntes pedagógicos*. Fugitivo del nazismo, en 1933 se instaló en Berna. Gran aficionado a la música y buen violinista, su obra ha inspirado composiciones musicales como *The world of Paul Klee* (1948), de David Diamond, o *Seven studies of themes of Paul Klee* (1960), de Günther Schuller.

Klein, Christian Felix (1849-1925). Matemático alemán e importante promotor de dicha actividad, tanto en Alemania como en el mundo. Se le conoce mejor por su obra en geometría no euclidiana, por sus estudios de las relaciones entre la geometría y la teoría de grupo y por sus resultados en teoría funcional. Klein recibió su doctorado en 1868 de la Universidad de Bonn. Después de dar clases en varias universidades, fue (1886) a la Universidad de Gottingen, en donde se mantuvo hasta su retiro en 1913.

Klein, Lawrence R. (1920-). Economista estadounidense. Estudió en la Universidad de California y en el Instituto Tecnológico de Massachusetts, y enseñó economía en las universidadades de Michigan (1951-1954), Oxford (1955-1958) y Pensilvania desde 1958. Fue asesor del presidente James Carter, destacado econométra, sus posiciones evolucionaron desde su marxismo inicial al keynesianismo y de éste a planteamientos clásicos. Se le concedió el Premio Nobel de Economía en 1980 por sus aportaciones en el campo de los modelos económicos y sus aplicaciones en el análisis de las fluctuaciones y las políticas económicas. Algunas de sus obras son *La revolución keynesiana* (1947*), Un modelo econométrico de Estados Unidos, 1929-1958* (1955*) y Economía de la oferta y la demanda* (1983).

Kleist, Heinrich von (1777-1811). Poeta, dramaturgo y novelista alemán. Tenía 15 años de edad cuando ingresó en el ejército. La vida militar no le agradó y en 1799 comenzó a cursar estudios universitarios. Otra vez desilusionado, se refugió en Suiza, donde escribió varias obras dramáticas. De vuelta a su patria, escribió dos de sus mejores dramas, *Pentesilea* y *El príncipe Federico de Homburg*, y una colección de *Novelas*.

Klerk, Frederik Willem de (1936-). Político sudafricano. De familia bóer, miembro de la Iglesia reformada holandesa, estudió derecho y ejerció como abogado en su ciudad natal. Dirigente del Partido Nacional, fue elegido diputado en 1972. Estuvo al frente de diversos ministerios desde 1978. En febrero de 1989 sustituyó a Pieter Willen Botha como jefe del Partido Nacional. Propuso un plan de reformas contra el *apartheid* que fue rechazado por los sectores más ortodoxos de su partido. Tras la renuncia de Botha, fue elegido presidente de la república y tomó posesión el 20 de septiembre de 1989. Impulsó un programa para eliminar el *apartheid,* permitió las manifestaciones y liberó a importantes dirigentes negros. El paso decisivo fue la puesta en libertad de Nelson Mandela (febrero de 1990) y la legalización del Congreso Nacional Africano (CNA). En 1993 le fue concedido el Premio Nobel de la Paz, que compartió con Nelson Mandela. Tuvo éxito en la liquidación del *apartheid* y concurrió al frente de su partido a las primeras elecciones generales multirraciales (abril de 1994), en las que obtuvo 25% de los votos. Fue nombrado Segundo Vicepresidente en el Gobierno multirracial de coalición presidido por Mandela (mayo de 1994), el cual abandonó, junto con su partido en bloque (9 de mayo de 1995), un día después de ser aprobada la nueva Constitución, considerada insuficiente por de Klerk para garantizar la toma de decisiones conjuntas.

Klitzing, Klaus von (1943-). Físico alemán. Investigador en el Instituto de Ciencias de Sólidos Max Planck de Stuttgart desde 1985. Premio Nobel de Física en 1985 por su contribución al conocimiento del efecto Hall cuántico, de gran importancia en el estudio de los semiconductores.

Klondike. Región aurífera del noroeste del Canadá, bañada por el río del mismo nombre, su capital es Dawson. En 1895 se descubrió oro en esa región y acudió a ella gran número de aventureros deseosos de enriquecerse, dando así origen a uno de los mayores episodios de la fiebre del oro en los tiempos modernos. A principios del siglo XX, en la época de su mayor auge, Dawson llegó a tener 10,000 habitantes, pero al disminuir la abundancia de oro, la población descendió a menos de 800 habitantes.

Klopstock, Friedrich Gottlieb (1724-1803). Poeta alemán, primer representante de la *Aufklarung* o época de las luces, dentro de un contenido cristiano al que dio forma inmortal en su poema *El Mesías*, que le valió el sobrenombre del *Milton alemán.* Trató de renovar la crítica estética con su revista *La República de las Letras*, en la que preconizaba la supremacía del sentimiento sobre la razón. Una tragedia en prosa, *La muerte de Adán*, y una trilogía, *El combate de Hermann, Hermann y los príncipes* y *La muerte de Hermann*, constituyen su aportación a la escena, de escasa importancia si se la compara con el efecto producido por sus exaltadas *Odas,* que prepararon el camino para el romanticismo alemán.

Klug, Aaron (1926-). Bioquímico británico. Estudió y se doctoró en la Universidad de Cambridge. Trabaja desde 1962 en el Laboratorio de Biología Molecular de dicho centro docente. Premio Nobel de Química en 1982 por "su contribución al desarrollo de la microscopía electrónica sobre la estructura de los complejos proteínas-ácidos nucleicos".

Kneipp, Sebastian (1821-1897). Clérigo alemán. Se dio a conocer por un sistema curativo basado en la hidroterapia, acerca de la cual escribió un tratado que alcanzó numerosas ediciones. En su sistema aconseja el uso continuo del agua, y también los baños de sol y la vida al aire libre.

knock-out. Vocablo inglés que expresa *fuera de combate.* Se usa en la jerga boxística para significar el triunfo que el luchador obtiene cuando consigue derribar con un golpe a su rival y lo deja fuera de combate durante 10 segundos. Recibe el nombre de *knock-out* técnico cuando el árbitro de la lucha reconoce en uno de los boxeadores la carencia de las necesarias energías para continuar la pelea.

Knox, John (1514-1572). Reformista escocés, nacido cerca de Haddington. Se ordenó de sacerdote católico. En 1545 abrazó el protestantismo. Perseguido por sus campañas religiosas, fue hecho prisionero y sirvió como galeote en una galera francesa. Al volver liberado a Inglaterra, llegó a ser capellán del rey Eduardo VI, y tomó parte muy activa en la conversión de este país al protestantismo. La llegada al trono de Inglaterra de la católica reina María Tudor, le obligó a refugiarse en Suiza, donde ejerció como pastor. En 1559 volvió a Escocia, predicó contra el catolicismo y logró que en 1560 se adoptara el protestantismo como religión del Estado. Al volver su enemiga, la reina María Estuardo, al trono de Escocia, consiguió que en 1567 el pueblo se rebelara contra ella y la obligara a abdicar el poder.

koala. Mamífero marsupial australiano, semejante a un oso de tamaño pequeño de unos 60 cm de alto, provisto de bolsa abdominal, como la de los canguros, en donde la hembra lleva a su cría –pues sólo tiene una– cuando es pequeña, y después la transporta en su lomo hasta que el animalito puede valerse por si mismo. Hace su hogar en los eucaliptos, de los cuales se alimenta casi exclusivamente, pues devora tanto sus hojas, como sus retoños y raíces. Suele colgarse de las ramas de ese árbol con el torso hacia abajo. Tiene sólo un rudimento de cola; su pelo es espeso, suave y lanudo, de color ceniciento en el lomo y blanco amarillento en la región inferior. El koala no bebe, pues le basta el líquido que contiene su alimento; es seminoctámbulo y durante el día duerme en la copa de los árboles. Se le perseguía por la finura de su piel, pero su caza está hoy reglamentada.

Kobe. Ciudad y puerto de Japón, situado en el sur de la isla de Hondo en la bahía de Osaka, junto al Mar Interior. Ciudad moderna, con trenes subterráneos y grandes edificios, ha sido construida en una depresión en forma de abanico, rodeada al norte por cimas rocosas. Su puerto es uno de los principales de Japón. y por él se exportan té, tejidos de seda y algodón. Es importante centro industrial y marítimo. Su población es de 1.423,830 habitantes. En enero de 1995 un terremoto causó numerosas víctimas y daños importantes a la ciudad.

Koch, Robert (1843-1910). Médico alemán famoso por sus descubrimientos en bacteriología. Estudió medicina en Götingen. En 1876 aisló el bacilo del ántrax y en 1882 descubrió el bacilo de la tuberculosis. En 1885 fue nombrado profesor de la Universidad de Berlín. Cinco años más tarde publicó el hallazgo de un extracto atenuado del bacilo de la tuberculosis, llamándole tuberculina, que, aunque no es un medio para curar la tuberculosis, tiene gran valor como elemento del diagnóstico. Koch identificó el germen del cólera asiático y estudió las infecciones de la sangre entre los enfermos de encefalitis letárgica en África, logrando importantes descubrimientos. En 1905 le fue otorgado el Premio Nobel de Medicina o Fisiología.

Kocher, Emil Theodor (1841-1917). Cirujano suizo, natural de Berna, que fue el primero en operar con éxito el bocio. Obtuvo el Premio Nobel de Medicina o Fisio-

Corel Stock Photo Library

Koala asido a un árbol.

logía en 1909; su obra más conocida es el *Tratado de cirugía operatoria*, publicado en 1911, considerada clásica en la materia.

Kohl, Helmut (1930 -). Político alemán. Líder de la Unión Democrática Cristiana (CDU) 1972; asumió el puesto de canciller de Alemania Occidental en 1982 y fue reelegido en 1983 y 1987. Cuando el régimen comunista de Alemania Oriental empezó a desintegrarse a principios de 1990, Kohl obtuvo un grupo de seguidores entre los votantes de ex Alemania Oriental como defensor de la reunificación. Sobreponiéndose a una fuerte oposición tanto interna como en el exterior, logró la incorporación de ex Alemania Oriental dentro de la República Federal en unos cuantos meses, terminando 45 años de separación. Kohl ganó una victoria decisiva en las elecciones de diciembre de 1990. En 1991 y 1992 su popularidad decayó cuando los alemanes occidentales empezaron a cubrir el costo de reconstrucción de la economía destruida de ex Alemania Oriental y a sentir los efectos de una recesión a nivel de toda Europa. Sin embargo, su coalición de poder fue reelegida por un margen pequeño en las elecciones parlamentarias de 1994. En 1996, Kohl celebró 14 años en el poder, convirtiéndose en el canciller que ha servido durante más tiempo dentro de la historia de la República Federal. En septiembre de 1998 perdió las elecciones frente a una coalición del Partido Verde y la izquierda unida.

Köhler, Georges (1946-1995). Biólogo alemán. Se especializó en biología molecular en Cambridge (Gran Bretaña), y en 1976 ingresó como investigador en el Instituto de Inmunología de Basilea. Destacó por sus estudios sobre el desarrollo y control de los sistemas inmunitarios. En colaboración con Cesar Milstein descubrió los hibridomas, productores de anticuerpos monoclonales. En 1984 compartió el Premio Nobel de Medicina o Fisiología con Milstein y Niels Jerne.

koljós. Palabra rusa que designa un tipo de granja colectiva de producción. En la entonces Unión Soviética existían hacia 1950 unos 100,000 koljoses. Fueron instituidos en los primeros tiempos de la revolución bolchevique para acelerar el proceso de socialización de la tierra. El koljós es de propiedad colectiva y todos los frutos y cosechas pertenecen a la comunidad; pero los precios y la distribución los fija el gobierno. A partir de 1953 el gobierno procedió a reducir el número de koljoses, y unos 10 años después la producción agrícola soviética procedía de 45,000 granjas colectivas y 8,300 granjas del Estado. Véase CAMPO Y VIDA DE CAMPO.

Kon-Tiki. Nombre de la embarcación en forma de balsa construida con madera de balsa y con una vela que tripulada por el etnólogo noruego Thor Heyerdahl y cinco compañeros, navegó desde El Callao (Perú), atravesando el océano Pacífico, hasta la Polinesia, en 1947. El viaje, de cerca de 8,000 km, duró 101 días con el auxilio de la corriente ecuatorial y los vientos. Hicieron numerosas observaciones biológicas y oceanográficas. Tomaron películas y reunieron sus impresiones en un libro muy popular. Con su viaje trataron de probar la posibilidad de que fueran hombres primitivos de América del Sur los pobladores de las islas de la Polinesia.

Korda, Alexander, sir (1893-1956). Director y productor cinematográfico inglés, nacido en Hungría. Fundó en 1932 la compañía productora *London Film*. Dirigió las películas *La vida privada de Elena de Troya, La vida privada de don Juan, Ana Karenina* y *El tercer hombre*. Era hermano del director cinematográfico Zoltan Korda, quien nació en 1895.

Korn, Alejandro (1860-1936). Médico y filósofo argentino. Luego de cultivar la medicina en la especialidad de psiquiatría y enfermedades mentales, se dio a conocer por sus obras de especulación filosófica, *Apuntes filosóficos* y *La libertad creadora*. Con su idealismo, su conocimiento de la libertad y el valor creador de la persona humana, contribuyó a superar la etapa positivista que atravesaba la filosofía argentina de su época.

Kornberg, Arthur (1918-). Biólogo estadounidense. De 1953 a 1959 fue profesor en la facultad de medicina de la Universidad de Washington, en San Luis, cuyo departamento de microbiología presidió, y pasó luego (1959) a la facultad de medicina de la Universidad de Stanford como profesor y director del departamento de bioquímica. En 1959 compartió el Premio Nobel de Medicina o Fisiología con Severo Ochoa por sus trabajos, realizados independientemente y de modo paralelo, sobre la síntesis de los ácidos nucleicos. Descubrió la enzima ADN-polimerasa, que cataliza la síntesis del ADN a partir de nucleótidos, y que aisló en 1956 a partir del *Escherichia coli.*

Korolenko, Vladimir Galaktionovich (1853-1921). Escritor ruso. Revolucionario desde joven, fue enviado a Siberia donde escribió sus primeros libros. Puesto en libertad volvió a Rusia y adquirió merecido renombre como novelista. Sus obras principales son, su autobiografía *Historia de un contemporáneo mío,* publicada después de su muerte, y sus novelas cortas *El bosque murmurante, El músico ciego y Mala compañía.*

Kósciuskzo, Tadeusz (1746-1817). Patriota y militar polaco. Hizo su aprendizaje militar en Polonia y Francia, donde juró poner su espada al servicio de la libertad. Combatiendo por la independencia norteamericana, llegó a ser ayudante de George Washington, siendo nombrado general del ejército polaco al regreso a su patria. Jefe político y militar de la rebelión contra los zares de Rusia, fue nombrado dictador por sus conciudadanos. Tras de algunas victorias iniciales fue derrotado y capturado en la batalla de Maciejowice por las fuerzas superiores de Prusia y Rusia y sufrió dos años de cautiverio en Rusia. Una vez en libertad volvió a América y fue recompensado por el Senado de Estados Unidos con grandes extensiones de terreno en Ohio. A su regreso a Europa se esforzó inútilmente para conseguir del Congreso de Viena la restauración de Polonia. Desencantado por el fracaso se retiro a Soleure (Suiza), donde murió.

kosher. Palabra hebrea que significa *apropiado, adecuado.* Las leyes de dieta judías basadas en la Biblia (Leviticus 11; Deuteronomía 14), según se interpreta en el Talmud, se refieren exclusivamente a productos animales. Los alimentos kosher incluyen aves de granero, carne de ganado bovino y caprino (y su leche) y de carnero, así como de pescados que tengan aletas y escamas. Las aves y cuadrúpedos deben matarse por carniceros especialmente capacitados y con licencia en conformidad con reglas minuciosas; los cadáveres se drenan y se revisan para ase-

gurarse de que los animales no estaban enfermos. A menos que vaya a ser asada, la carne debe frotarse totalmente con sal y posteriormente enjuagarse antes de su cocimiento para eliminar toda la sangre. Las ancas de los animales puede comerse solamente si ciertos nervios y tendones se eliminan primero. Los productos de carne y de leche no pueden cocinarse y comerse juntos o inmediatamente uno después del otro, y no se permite el uso de los mismos cubiertos para su preparación y consumo. Originalmente, el propósito de las leyes de dieta no era la higiene, pero probablemente ahora lo es; la Biblia las describe como una forma de santificación.

Kossel, Albrecht (1853-1927). Fisiólogo y químico alemán. Desde 1879 se dedicó al estudio de las nucleínas (nucleoproteínas o ácidos nucleicos), identificando muchas de las bases purínicas y pirimidínicas formadas con la hidrólisis; estableció la diferencia entre las nucleínas verdaderas y las que llamó paranucleínas. En 1884 aisló la sustancia que llamó histona. Recibió el Premio Nobel de Medicina o Fisiología en 1910, por su contribución a la química celular.

Kossuth, Luis (1820-1894). Patriota y estadista húngaro, incansable propugnador de la separación de Hungría y Austria y de su completa independencia. Miembro de la Dieta Húngara, publicó las reseñas de varias sesiones de cámara, siendo condenado por esta violación de la ley a cuatro años de prisión, que posteriormente se redujeron a uno. Director del *Diario de Pest,* encabezó la revolución húngara como jefe indiscutido y Presidente del Comité Nacional de Defensa y autor de la Declaración de Independencia Nacional. Vencida la revo-

lución, huyó a Turquía, donde permaneció prisionero por casi dos años. Huésped del gobierno estadounidense a mediados del siglo XIX, realizó en ese territorio una ardiente campaña en pro de la independencia de Hungría. De regreso a Europa, se negó a aceptar la unión de Austria y Hungría, prefiriendo permanecer desterrado. Falleció en Turín, pero fue enterrado con honores nacionales en Pest.

Kosygin, Aleksei Nicolaevich (1904-1980). Político soviético. Experto en economía y administración gubernativa, fue comisario de la producción textil (1939); primer ministro de la República Federal Socialista Soviética Rusa (1943); miembro del Comité Central del Partido Comunista, ministro de Hacienda y de Industria (1948). En las depuraciones efectuadas al final del régimen de José Stalin fue degradado y excluido del Partido Comunista. A la muerte de Stalin volvió a ejercer cargos ministeriales, reingresó al Partido y fue vicepresidente de la Comisión de Planificación Económica (1957). Fue designado presidente del Consejo de Ministros (octubre 15 de 1964), para sustituir a Kruschov.

Krakatoa. Isla volcánica, equidistante de Sumatra y Java, en el estrecho de la Sonda, célebre por la explosión del volcán Rakata, que produjo su voladura reduciéndola a la tercera parte de su superficie, que era de 33,50 km². El cataclismo ocurrió en agosto de 1883. Las enormes olas producidas, que anegaron las costas de las islas vecinas, y las cenizas ardientes, que cubrieron 825,000 km², destruyeron numerosas poblaciones y causaron la muerte de 36,000 personas. El polvo volcánico, que arrastrado por los alisios llegó a notarse en Panamá y Paramaribo, se mantuvo en suspensión en el aire durante muchos meses,

Isla del volcán de Krakatoa en Indonesia.

provocando fenómenos eléctricos y luminosos, como halos en torno al Sol y a la Luna, crepúsculos prolongados de coloraciones vivas, observados incluso en Europa.

Krause, Karl Christian Friedrich

(1781-1832). Filósofo alemán, discípulo de George Wilhelm Hegel y Friedrich Wilhelm Schelling, de quienes no aceptó sino parte de su doctrina. Pensador idealista relativamente original, de sentido ético acusado, su sistema denominado panenteísmo, ejerció gran influencia en Bélgica y España, donde bajo el nombre de *krausismo* animó toda una escuela filosófica durante el siglo XIX, muy numerosa e influyente en la educación y la cultura, aunque no produjo pensadores eminentes. El krausismo, conciliación del teísmo y el panteísmo, afirma que Dios, sin ser el mundo ni estar fuera de él, lo contiene en sí trascendiendo de él. Escritor profundo, sus obras más conocidas son: *Ensayo sobre la base científica de la moral. Fundamento del derecho natural,* y *Fundamento de un sistema filosófico de la matemática.*

Krebs, Edwin G. (1918-). Bioquímico estadounidense. Se doctoró en medicina por la Universidad de Washington (Missouri) en 1943. En 1948 se incorporó como investigador a la Universidad de Washington (Columbia), donde en 1953 empezó a investigar junto con E. Fischer el metabolismo de la células musculares, y ambos descubrieron que la enzima que desencadena la contracción muscular, llamada fosforilasa, se activa o desactiva según se le una o se le desprenda un grupo fosfato. Por estos trabajos, Fischer y Krebs recibieron el Premio Nobel de Medicina o Fisiología en 1992.

Krebs, sir Hans Adolf (1900-1981).

Bioquímico alemán nacionalizado británico, descubridor del ciclo del ácido cítrico en el metabolismo de los azúcares, por lo que compartió el Premio Nobel de Medicina o Fisiología en 1953 con F. A. Lipmann. En 1932, Krebs descubrió cómo se forma la urea en el hígado; cuatro años después dilucidó los pasos involucrados en la conversión de productos alimenticios, principalmente carbohidratos, a energía utilizable. Estos pasos, conocidos como el ciclo del ácido cítrico, o ciclo Krebs, son esenciales al metabolismo. Se convirtió en profesor de bioquímica en la Universidad de Oxford en 1954 y en 1958 recibió el título de sir.

Kreisler, Friedrich (1875-1962). Violinista y compositor austríaco, uno de los más conocidos intérpretes de los últimos tiempos. Niño prodigio, luego de recibir las primeras lecciones de su padre ingresó en el Conservatorio de Viena, donde obtu-

Corel Stock Photo Library

Plaza pública en el Kremlin, Moscú.

vo todos los premios, pasando al Conservatorio de París e iniciando seguidamente sus giras artísticas por todo el mundo, acompañado por el pianista Mauricio Rosenthal. Entre sus composiciones figuran multitud de piezas breves que él presentó como *arreglos* de obras escritas por músicos antiguos, sin que la superchería fuese descubierta hasta mucho más tarde. Enrolado en el ejército austrohúngaro durante la Primera Guerra Mundial, fue herido. Se trasladó a Estados

Interior del palacio del Kremlin en Moscú.

Corel Stock Photo Library

Unidos al comienzo de la Segunda Guerra Mundial. Entre sus obras más famosas se encuentran: *Capricho vienés, Tamboril chino, Alegrías de amor, Penas de amor* y su arreglo del *Concierto* de Paganini.

Kremlin. Nombre dado a ciertas ciudadelas construidas durante la Edad Media en poblados rusos. Son famosas en primer término la de Moscú, que en el extranjero es identificada con dicho nombre genérico, y también las de Kazán, Novgorod, Pskov, Rostov y Astrakán. Estas fortalezas, pues tal es el significado de su nombre en ruso, estaban rodeadas por murallas y dotadas de torres con artillería, y constituían los centros religiosos y gubernativos de las ciudades rusas feudales. Dentro de ellas se hallaban los palacios, iglesias, edificios gubernamentales y, a veces, incluso los mercados. El Kremlin de Moscú constituye desde 1918 el centro administrativo de la ex Unión Soviética. Su construcción comenzó en 1393, y los planos originales han sido cuidadosamente seguidos, aunque se han hecho muchas reparaciones y construcciones nuevas desde entonces. La muralla que lo rodea es del año 1492, y tiene forma de triángulo isósceles, con un perímetro de 2.5 km. La vista panorámica del Kremlin, con sus numerosísimos edificios de diversas épocas y con sus cúpulas doradas y de brillantes colores, resulta impresionante. En el interior, los variados estilos y la barroca decoración de todas las construcciones dan una sensación de riqueza, vigor y abigarramiento. Sobre todas las torres se destaca la cúpula de la catedral de la Asunción. Otro edificio notable es el de la Iglesia de Invierno, comenzada en

147

Kremlin

Corel Stock Photo Library

Monasterio de la iglesia ortodoxa rusa en el Kremlin.

el siglo XIV, pero que cuenta con un frente de carácter gótico realizado en el siglo XVIII. Durante el periodo renacentista en que algunos zares decidieron promover el adelanto del país contratando sabios y artistas extranjeros, numerosos arquitectos italianos tuvieron ocasión de colaborar en la construcción de los palacios del Kremlin. El Gran Palacio, proyectado por el arquitecto Rastrelli, de tendencia barroca, fue destruido casi completamente por el incendio de Moscú, iniciado por los rusos al llegar Napoleón Bonaparte a la capital. En la actualidad, el palacio que lo reemplaza es de carácter clásico. Todos los zares contribuyeron al engrandecimiento y embellecimiento del Kremlin, destacándose entre ellos Nicolás I. En 1917, al estallar la revolución, la fortaleza se convirtió en refugio de fuerzas contrarias a los bolcheviques. Pero, al triunfar éstos, los departamentos que pertenecieron a los integrantes de la corte del zar fueron destinados a habitaciones para los funcionarios soviéticos. Junto al Kremlin se halla la famosa Plaza Roja, en donde se alza la tumba de Vladimir Ilch, llamado Lenin.

Krishna. Dios de la mitología india, considerado como uno de los avatares o encarnaciones de Vishnú. Corresponde a la octava encarnación y la más conocida de este dios, y su relato forma parte principal del *Bhagavadgita* y el *Mahabarata*, los grandes poemas sánscritos de la India.

Krishnamurti, Jiddu (1897-1986). Teósofo hindú contemporáneo, apóstol del misticismo oriental. Divulgó su doctrina en conferencias y en dos obras fundamentales: *El sendero* y *La fuente de la sabiduría*, en las que presentó en forma asequible para los occidentales los postulados principales de las viejas religiones hindúes, aunque algo transformados. Afirma en ellas que sólo mediante el conocimiento de si mismo puede alcanzarse la libertad, pero ésta debe manifestarse en la acción. Su

Patio interior del Kremlin.

Corel Stock Photo Library

publicación, *La vida liberada* condensa lo esencial de su doctrina.

Krogh, August (1874-1949). Fisiólogo danés. Catedrático de fisiología animal en la Universidad de Copenhague, en cuyo centro recibió las lecciones de Christian Bohr. Realizó importantes investigaciones sobre el metabolismo de la respiración, y le fue concedido el Premio Nobel de Medicina o Fisiología de 1920 por sus trabajos sobre la regulación capilar del riego sanguíneo de los músculos. Investigó también el efecto del fondo del mar sobre los organismos Vivos. Publicó: *Mecanismo del cambio de gas en los pulmones* y *Regulación osmótica en los animales acuáticos.*

Kropotkin, príncipe Pëtr Alekseevic (1842-1921). Geógrafo y revolucionario ruso. Perteneció en su juventud a uno de los famosos batallones de cosacos. Dejó luego la carrera militar y exploró durante algunos años las regiones occidentales de Siberia donde hizo importantes descubrimientos orográficos. Perseguido en su patria por sus actividades anarquistas fue encarcelado pero logró escapar. Vivió algún tiempo en Suiza, donde dirigió un periódico revolucionario, y en Francia. Allí fue arrestado por intervenir en unos sucesos de la ciudad de Lyon. Puesto en libertad pasó a Inglaterra donde continuó su prédica en diarios y revistas. En 1917, al iniciarse la revolución rusa, volvió a su patria, aunque sus ideas anarquistas no coincidían con las de los bolcheviques.

Kroto, sir Harold W. (1939-). Químico británico. Obtuvo su doctorado en la Universidad de Sheffield en 1964. Entró a la Universidad de Sussex en 1967 y en 1985 fue nombrado profesor de química. En 1985 descubrió, junto con Richard E. Smalley y R. F. Curl, una molécula de 60 átomos de carbono de estructura globosa. Posteriormente los tres investigadores descubrieron otras moléculas de similares características, constituidas por decenas o incluso centenares de átomos de carbono dispuestos en hexágonos o pentágonos y enlazados entre sí, formando una superficie cerrada y redondeada. Estas moléculas, a las que denominaron fullerenos, son investigadas en muchos laboratorios químicos por sus posibles aplicaciones como superconductores, lubricantes, catalizadores, etcétera. En 1991 fue nombrado profesor investigador de la Royal Society y en 1996 compartió el Premio Nobel de Química con Smalley y Curl.

Kruger, Paulus (1825-1904). Estadista y militar sudafricano. Se destacó por su rectitud y entereza, interviniendo activamente en la organización del estado del Transvaal y de su ejército, hasta conseguir en 1852 la independencia. Bajo el primer presidente de la República de África del Sur, Martín Pretorius, mandó los ejércitos del Transvaal, pero al llegar el segundo presidente, Thomas F. Burgers, surgen diferencias con Kruger, que los ingleses aprovechan para anexarse el Transvaal. Encabezó la política antibritánica que terminó en la rebelión de 1880, siendo elegido presidente en 1883 y asegurando en 1884 la independencia de la República de África del Sur. Fue reelecto en 1888, 1893 y 1898, hasta que en 1899, irritados los propietarios ingleses por la política de Kruger, sobrevino la guerra entre Gran Bretaña y la república bóer (1899-1902). En 1900 Kruger viajó a Europa en busca de ayuda para resistir a los ingleses, pero fracasó en sus gestiones.

Kruif, Paul de (1890-1971). Bacteriólogo y escritor. Estudió en la Universidad de Michigan y trabajó en los laboratorios del Instituto Rockefeller. Alcanzó renombre como escritor especializado en la divulgación de descubrimientos científicos y de investigaciones en medicina y biología. Entre sus obras más conocidas figuran *Los cazadores de microbios*, *Hombres contra la muerte*, *La lucha por la vida*, *Siete hombres de hierro* y *Luchadores contra el hambre*.

Krung Thep. *Véase* BANGKOK.

Krupp. Nombre de una familia alemana de fabricantes de armamentos. En la ciudad de Essen, situada en la Prusia renana, instaló en 1810 Federico Krupp (1787-1826) una pequeña forja, en la que inició la fundición de acero; a su muerte, se hace cargo de la empresa su esposa y luego su hijo Alfredo Krupp (1812-1887), inventor de la producción de acero en gran escala, con la que llegó a obtener piezas hasta de 50 ton. La fundición pasó a manos del hijo de este último, llamado Federico Alfredo Krupp (1854-1902). Su hija, Berta Krupp (1886-1957) se casó en 1906 con Gustavo de Bohlen y Halbach (1870-1950), cuarto director de la firma, el cual bautizó con el nombre de *cañón Berta*, en honor de su esposa, a la pieza de artillería con que después habría de bombardearse París. Juzgado como criminal de guerra al terminar la Segunda Guerra Mundial, fue absuelto por padecer de enajenación mental, en tanto que a su hijo Federico Alfredo Krupp de Bohlen y Halbach (1907-1967) se le condenó a doce años de prisión. Los bombardeos aliados de 1944 paralizaron las actividades de la fábrica Krupp, que había llegado a producir mensualmente unas 10,000 ton de armamentos y a dar trabajo a más de 100,000 operarios y empleados.

Kruschov, Hruscëv Nikita Sergeevich (1894-1971). Político soviético. En 1918 se afilió al partido comunista y en 1934 fue nombrado secretario del comité de Moscú. Dirigió con mano de hierro la supresión del movimiento nacionalista de Ucrania, en 1938, en reconocimiento de lo cual, Stalin lo nombró miembro del Politburó. En la Segunda Guerra Mundial mandó un ejército de guerrillas ucranianas. Después de la muerte de José Stalin, en 1953, fue designado primer secretario del Comité Central del Partido Comunista, lo que equivalía a ser el sucesor de Stalin. En 1956 lanzó contra Stalin graves acusaciones de despotismo, crueldad y desgobierno, que causaron sensación y desconcierto en todo el mundo. De 1955 a 1958 se recrudeció la lucha interna por el poder entre los dirigentes comunistas, y Kruschov eliminó a sus opositores, primero a Georgij Malenkov y Vjaceslav Mihailovich, llamado Molotov (1955) y después a Nikolaj Aleksandrovich Bulganin. Al derrotar a este último (marzo de 1958) Kruschov fue designado presidente del Consejo de Ministros, cargo que unido al de primer secretario del Partido Comunista, concentró en sus manos todo el poder político y de gobierno. En política internacional desarrolló una acción enérgica y agresiva, y propugnó el predominio soviético en sus viajes a distintos países. En 1959 y 1960 visitó Estados Unidos y en la sede de las Naciones Unidas expuso las directrices de la política soviética en relación con los problemas del desarme, la paz y la convivencia internacional. En años posteriores mientras por una parte decía actuar en pro de la *coexistencia pacífica*, otros aspectos de su actuación contribuían a exacerbar la *guerra fría* y aumentaban la tensión internacional. El 15 de octubre de 1964 se anunció oficialmente que el Comité Central del Partido Comunista aceptaba la renuncia presentada por Khrushchev a sus cargos de primer secretario del Partido, de miembro del *Presidium* del mismo y de presidente del Consejo de Ministros, alegando su avanzada edad y mala salud; aunque, según otras fuentes, fue destituido por su torpe actuación en política exterior y en la dirección de la economía soviética que condujo a una deficiente producción industrial y al desastre de la producción agrícola.

Kubelik. Apellido de dos músicos checos, padre e hijo. El primero de ellos, *Jan Kubelik* (1880-1940), estudió en el Conservatorio de Praga, donde adquirió una técnica tan prodigiosa que se situó de inmediato entre los más grandes violinistas de su tiempo. Después de recorrer el mundo en triunfales giras de conciertos, se estableció en Estados Unidos, donde permaneció hasta su muerte. Compositor al servicio de los recursos expresivos del violín, escribió seis *Conciertos* para violín, erizados de dificultades técnicas, y una *Sinfonía americana*.

Su hijo, *Jeronym Rafael Kubelik* (1914-) se especializó en la dirección orquestal. Director a los 22 años de la Orquesta Filarmónica Checa, cuatro años más tarde pasó a dirigir el Teatro de la Ópera Nacional checa de Brno, a cuyo frente permaneció hasta su clausura por la ocupación hitleriana. En Estados Unidos asumió luego la dirección de la Orquesta Sinfónica de Chicago. Ha escrito música de cámara y música sinfónica.

Kublai Kan (1215-1294). Nieto de Genghis Kan y fundador de la dinastía mogol, que dominó en China entre 1279 y 1368. Comenzó a reinar en 1260, fue uno de los más inteligentes y poderosos gobernantes mogoles. Entre 1252 y 1259 conquistó la mayor parte de China y luego sucedió a su hermano en el trono. Construyó su capital en Cambaluc, cerca de Pekín. Luego sometió a Corea y Birmania, y reinó sobre la zona que se extiende entre el Mar Negro y el Mar de China. Hizo numerosas tentativas para ganar más territorios en el extranjero, pero sus expediciones a Japón, Conchinchina y Java no tuvieron éxito. Gran parte de lo que se sabe de su reinado es debido a los informes del aventurero veneciano Marco Polo, que contaba con la amistad del kan y residió en su corte durante 17 años. El lujo de su palacio era fabuloso; había puesto en circulación papel moneda, y daba impulso a las industrias y las artes entre sus súbditos.

Kübler-Ross, Elisabeth (1926-). Médica suiza nacionalizada estadounidense en 1958. Autoridad en el tema de la muerte y de morir. Después de estudiar en la Universidad de Zurich, se especializó en el cuidado de pacientes desahuciados. Como psiquiatra, en Chicago (1965-1977) llegó a considerar la muerte como una parte integral de la vida y ayudó a los pacientes terminales a aceptarla. En 1977 fue nombrada directora del Centro de Crecimiento y Salud Shantl Nilaya, localizado en Escondido, California, y durante su gestión ha estudiado el fenómeno de experiencias cercanas a la muerte. *Acerca de la muerte y de morir* (1969) es la obra que mayor influencia ha tenido entre sus numerosos libros.

kudu. *Véase* ANTÍLOPE.

kudzu. Planta perenne, rastrera, de la familia de las leguminosas, originaria de Asia, muy apreciada por la extraordinaria rapidez de crecimiento de sus tallos trepadores, que llegan a alcanzar en una temporada hasta 20 m de longitud. De abundantes hojas, anchas y verdes, florece a finales de verano, produciendo flores violadopurpúreas, que se transforman en grandes vainas aplastadas cargadas de semillas. Sus raíces globosas son ricas en fécula, por lo que sirven de alimento en China y Japón, donde crece espontáneamente. Fue introducida en América a fines del siglo XIX utilizándola como planta de adorno, pero al cabo de muchos años se ensayó como planta para fijar los terrenos disgregados por la erosión, obteniendo un éxito total. En plantaciones tupidas, las raíces forman, al entrecruzarse, a manera de redes, que retienen la tierra laborable e impiden la erosión, labor que se completa en otoño con la caída de las abundantes hojas que cubren el suelo, enriqueciéndolo en materias orgánicas. Asociadas a las raíces viven numerosas bacterias que fijan el nitrógeno, con lo cual restituyen a los terrenos agotados por el cultivo las sustancias que son consumidas por las plantas. La práctica de alternar los cultivos de maíz con plantaciones de kudzu tiene la ventaja de producir mejores cosechas de aquel grano, a la vez que un excelente forraje para el ganado, pues el kudzu es tan rico en proteínas como la alfalfa. Sus largos tallos tienen fibras, que se utilizan en Oriente para tejer telas con los que se visten los nativos.

Kuhn, Richard (1900-1967). Químico austriaco. Estudió en el Instituto Willstatter, de Munich, fue profesor en la Escuela Técnica Superior de Zurich y catedrático en la Universidad de Heidelberg. Sus más importantes investigaciones fueron dedicadas al estudio de la estereoquimica, las vitaminas y carotinoides, especialmente de la vitamina A, que logró sintetizar en 1937. Por todo ello mereció que le fuera concedido el Premio Nobel de Química de 1938, cuya aceptación tuvo que declinar por indicación del gobierno de Adolfo Hitler.

ku-klux-klan. Sociedad secreta estadounidense de tendencia antinegra, nacida a fines de la guerra de Secesión y resurgida a comienzos de la Primera Guerra Mundial. De tendencias xenófobas, combate a los individuos que no son norteamericanos y protestantes: judíos, católicos, negros y amarillos. El primer klan fue fundado en Pulaski (Tennessee) hacia 1866, por un grupo de veteranos de guerra. Vestidos con caperuzas y hopalandas blancas, que aterrorizaban en la noche a los crédulos negros, realizaban grandes cabalgadas nocturnas contra ellos, sembrando el espanto entre los esclavos del Sur, recientemente liberados. El segundo ku-klux-klan fue fundado en 1915 en Stone Mountain (Georgia) por el coronel William J. Simmons. Además de la supremacía de los blancos, su programa se caracterizaba por una fuerte hostilidad hacia los católicos, judíos y los sindicatos, su desaparición fue completa cuando en 1944 el gobierno le reclamó impuestos atrasados. Un tercer ku-klux-klan hizo su aparición hacia 1954 para obstaculizar las leyes antirras-

tras, y alcanzó su mayor actividad en la década de 1960.

Kukulcán. *Véase* MAYAS.

kulturkampf. Palabra alemana que significa *lucha por la cultura*. Fue utilizada en Alemania para designar el conflicto producido entre el Estado y la Iglesia católica. Cuando el Concilio Vaticano declaró el dogma de la infalibilidad pontificia, Otto Leopold, príncipe de Bismarck se propuso realizar la *nacionalización* de la Iglesia católica, sometiéndola al Estado.

Bajo la enérgica jefatura de Windthorst, los católicos alemanes resistieron el movimiento y, aunque sufrieron numerosos perjuicios y debieron hacer diversas concesiones, lograron triunfar en la prolongada querella. Ésta se extendió desde 1871 hasta 1887 y el nombre con que la recuerda la historia tuvo su origen en una frase de Virchow, jefe de la minoría progresista parlamentaria.

kuomintang. Movimiento político chino creado en 1912 por Sun Yat-sen para robustecer la naciente república y consolidar la unidad e independencia nacionales. Al final de la Primera Guerra Mundial el Kuomintang domina la región de Cantón, y en 1926, a raíz del boicot a los extranjeros, se forma el ejército nacional, con la participación de todos los sectores de izquierda que manda Chiang Kai-shek, controlando toda China hasta la invasión japonesa. Terminada la Segunda Guerra Mundial y expulsados los japoneses, el Kuomintang se escinde por la separación de los ejércitos comunistas, quienes terminan por vencer en la guerra civil contra Chiang Kai-shek, relegándolo a Formosa e instaurando el comunismo en China.

Kurdistán. Región montañosa de Asia sudoccidental, habitada por las tribus de kurdos; según la última estimación, tiene 25 millones de habitantes. Abarca más de 145,000 km^2, y comprende el extremo oriental de Turquía, el borde noroccidental de Irán y pequeñas partes de Iraq y Siria; la surcan los ríos Zab Mayor y Menor, tributarios del Tigris. En 1920 se quiso unificarla políticamente, pero tal proyecto fue abandonado.

Los kurdos pertenecen a la fe musulmana, y se asemejan a los iraníes en raza y lenguaje. Llevan una existencia semisalvaje y nómada, en tiendas, logrando su sustento mediante la caza. También se dedican a la crianza del ganado, y algunos trabajan en las ciudades como peones. Las principales ciudades de Kurdistán son: Bitlis y Van, en Turquía; Kirmanshah en Persia, y Erbil y Sulaimaniya, en Iraq. En 1925 los kurdos intentaron lograr la independencia mediante una revolución, pero ésta fue

sofocada por los turcos, quienes ejecutaron a los cabecillas.

La resolución 688 del Consejo de Seguridad de la ONU (5 de abril de 1991) permitió a las potencias occidentales crear una zona de exclusión aérea en Iraq, al norte del paralelo 36, de unos 40,000 km^2 (la mitad del territorio reclamado por los secesionistas). El objetivo de la resolución era proteger y reagrupar al pueblo kurdo, lo que motivó el regreso de miles de personas desde Turquía e Irán. Bajo un precario régimen jurídico internacional basado en el derecho de injerencia humanitaria, en el Kurdistán iraquí se creó un gobierno de facto que consagró la casi independencia del Estado. En las elecciones al Parlamento (Consejo Legislativo) de la región autónoma (19 de mayo de 1992), y en presencia de observadores internacionales, quedaron igualados el Partido Democrático (PDK) y la Unión Patriótica (UPK), que formaron en Erbil un gobierno paritario de coalición. Las hostilidades entre el PDK y la UPK estallaron de nuevo en 1994. Turquía, Siria e Irán advirtieron que no renunciarán a parte de sus territorios en favor de un Estado kurdo. La represión es muy fuerte en Turquía, donde la guerra causó al menos 13,000 muertos durante los conflictos del decenio 1984-1994 en las 10 provincias bajo estado de emergencia. Los ejércitos turcos e iraní intervienen regularmente en la región.

Kuriles, islas. Archipiélago del océano Pacífico que se extiende desde el norte de la isla japonesa de Yeso hasta el estrecho de su nombre, situado al sur de la península siberiana de Kamchatka. Está formado por 32 islas que ocupan casi 10,215 km^2 y están pobladas por 18,000 habitantes. Las islas más importantes son Kunasir, Iturub, Urup y Paramusir. Todas son muy accidentadas, con picos volcánicos cuya altura superior sobrepasa los 2,000 m, de clima frío y provistas de extensos bosques de coníferas. El archipiélago perteneció a Japón en virtud de un tratado ruso-nipón desde 1875 hasta 1945, año en que, tras la derrota japonesa en la Segunda Guerra Mundial, la ex Unión Soviética ocupó las islas. En 1992 Japón reconoció la soberanía de Rusia sobre las dos islas más pobladas, a cambio de la devolución de las otras cuatro: Shikotan, Haboma, Urup y Paramusir, que abarcan en conjunto 4,996 kilómetros cuadrados.

Kuro-sivo. Corriente marina de aguas cálidas, en el océano Pacífico, que es una prolongación de la Corriente Ecuatorial del Norte. Fluye en dirección noreste hacia la gran isla japonesa de Kiushiu. Una rama del Kuro-Sivo pasa entre Corea y Japón, hasta la isla de Sajalin y prosigue en dirección norte hasta mezclarse con las corrientes árticas. La corriente principal del Kuro-

Depósitos municipales de agua en la ciudad de Kuwait.

Sivo corre a lo largo de las costas orientales de Japón y tuerce hacia el este hasta llegar a las costas de América del Norte.

Kusch, Polykarp (1911-1993).

Físico estadounidense de origen alemán. Profesor de física de la Universidad de Columbia (1946-1971) y de la Universidad de Texas desde 1972. Realizó numerosas investigaciones sobre física nuclear, atómica y molecular, y estudió los problemas relacionados con la espectroscopia de masas. Investigó asimismo el perfeccionamiento de los procedimientos para determinar con precisión el momento magnético del electrón. En 1955 recibió junto con Willis E. Lamb el Premio Nobel de Física.

Kuwait.

País musulmán independiente, situado en la costa noroccidental del Golfo Pérsico, en la Península de Arabia, limita al norte con Iraq, al este con el golfo antes citado, al sur con Arabia Saudita, y al oeste con esta última e Iraq. Ocupa una superficie de 17,818 km^2 y su población es de 2.070.000 habitantes.

El recurso tradicional es la pesca y la ganadería, a las que le ha sucedido el petróleo, que actualmente se extrae de unos 700 pozos situados en las zonas de Magna, Burgan, Ahmadi, Bahra, Sabriya, etcétera. (53.658,000 ton anuales). La mayoría del petróleo se transporta por medio de oleoductos el puerto de Mena Al Ahmadi, donde hay una importante refinería.

La producción de energía eléctrica es de 18,200.000.000 kW/h. Cuenta con una marina mercante que desplaza 3.188,526 ton. La religión predominante es la musulmana (85%). Hay católicos, ortodoxos, anglicanos y protestantes.

Gobierno. El poder Ejecutivo corresponde al emir (jefe de Estado escogido de la familia real) un primer ministro y un Consejo de Ministros. El poder Legislativo está formado por un Consejo Nacional (75 miembros, 50 escogidos y el resto nombrados por el emir), cuerpo que funcionará hasta el restablecimiento de la Asamblea Nacional, disuelta en 1986, por el príncipe Souphanouvong, quien después de gobernar durante 11 años, renunció a su cargo, por razones de salud, en 1986. Tres años después, en 1989, se celebran elecciones para consejos locales (los primeros de la República Democrática Popular Lao). En 1989, son elegidos los miembros de la Asamblea Suprema Popular, cuyo número se elevó a 79. En 1990 aumenta la actividad de las guerrillas antigubernamentales.

La capital es Al-Kuwait, con 31,241 habitantes, y el conglomerado urbano alcanza 167,768 habitantes.

Historia. El emirato de Kuwait fue fundado por Sabah-Abu-Abdullah, que gobernó de 1756 a 1772. Mubarak, el emir que le sucedió, al temer que Turquía quisiese hacer efectiva su autoridad nominal sobre Kuwait, firmó un tratado con Inglaterra por el cual se comprometió, a cambio de la protección otorgada por esta última, a no enajenar ninguna parte de su territorio sin el consentimiento del gobierno inglés (1899). En 1914, el gobierno inglés reconoció a Kuwait como Estado soberano, bajo la protección británica y, en 1961, le concedió la plena independencia. Iraq, que ya había manifestado la pretensión de incorporar este territorio en su soberanía, se negó a reconocerlo como país independiente y declaró, en ese año, su intención de anexárselo. Ante esta amenaza, Kuwait

Minarete de una mezquita en la ciudad de Kuwait.

pidió ayuda militar a Inglaterra, la que envió rápidamente sus tropas.

A pesar de la oposición de Iraq, Kuwait fue admitido en 1963 en la Liga Árabe y en la ONU. En 1965 muere el emir Abdullah y su hermano lo sustituye. En 1976, el emir disuelve la Asamblea Nacional integrada por 50 miembros. En 1982, Kuwait, y otros países del Golfo Pérsico acuerdan establecer un plan de defensa común. En 1984, Kuwait anuncia que comprará armas a la URSS dada la negativa de Estados Unidos a suministrarlas. En 1987, el gobierno registra gran parte de su flota de petroleros bajo banderas extranjeras para detener los

Museo nacional de Kuwait.

Kuwait

Corel Stock Photo Library

Templo de Kiyomizu en Kyoto, Japón.

ataques iraníes en el golfo, así como los secuestros de barcos. En 1988, Estados Unidos y la URSS acuerdan venderle a Kuwait equipo militar incluyendo aviones de combate y misiles. En 1990, después de las amenazas de Saddam Hussein, se rompen las pláticas e Iraq invade Kuwait. Se establece una alianza internacional contra Irak que incluye a Estados Unidos, la ex URSS y varios estados árabes. La ONU autoriza el embargo comercial y financiero contra Iraq y el 29 de noviembre el Consejo de Seguridad de la ONU autoriza el uso de la fuerza para liberar a Kuwait. Al iniciarse 1991, la fuerza internacional ataca a Irak y las tropas que ocupan Kuwait. El 27 de enero se rinde Iraq, termina el conflicto y, el 7 de abril, el emir anuncia que su gobierno celebrará elecciones.

Tras la liberación del emirato por la coalición internacional dirigida por Estados Unidos (28 de febrero de 1991), el emir regresó del exilio, iniciando la reconstrucción del país y una tímida apertura, presionado por la oposición. Las exportaciones de petróleo se reanudaron en julio de 1991. En las elecciones legislativas (5 de octubre de 1992), los grupos de la oposición obtuvieron 31 de los 50 escaños en disputa, pero el príncipe Saad-al-Sabbah siguió como primer ministro. Iraq reconoció, bajo la presión de la ONU, la independencia y las fronteras internacionales de Kuwait, el 10 de noviembre de 1994.

Kuznets, Simon Smith (1901-1985). Economista y estadístico estadounidense, de origen ruso. En 1921 emigró a Estados Unidos y en 1926 se doctoró en economía por la Universidad de Columbia. Desde 1927 perteneció al National Bureau of Economic Research. Perteneció al grupo de economistas neokeynesianos que han intentado verificar empíricamente, mediante la elaboración de series de datos, las hipótesis keynesianas sobre el comportamiento a largo plazo de las magnitudes relevantes. Su investigación en el campo de la contabilidad nacional ha sido fundamental para el desarrollo de esta técnica, al definir y delimitar cada concepto y el plantear los problemas que surgen al medir las magnitudes macroeconómicas de una economía. Entre sus obras destacan *El producto nacional desde 1869* (1946), *Crecimiento y estructura económica* (1965), *Crecimiento económico de las naciones* (1971) y el ensayo *Población, capital y crecimiento* (1974). En 1971 recibió el Premio Nobel de Economía.

Kyne, Peter Bernard (1880-1957). Novelista estadounidense cuyos héroes de vida ruda y noble le han dado fama a través de versiones cinematográficas e historietas, después de haberse popularizado en la prosa directa de sus novelas. *Camaradas de la tormenta, Expulsados del Edén, La gran oportunidad, Tres padrinos, El valle de los gigantes* y *Jim el conquistador* son las obras más conocidas de este soldado y periodista que vivió todos sus relatos antes de escribirlos.

Kyoto. Ciudad de Japón, de 1.463,601 habitantes (1995), en la isla de Honshu. Kyoto significa *Capital Imperial* y, en efecto, fue la capital de Japón desde 794 hasta 1868, cuando el emperador Meiji trasladó su corte a Tokio. Es una de las ciudades más bellas del mundo, construida en una llanura rodeada de verdes montañas, a 50 km al noreste de Osaka y 75 del puerto de Kobe, atravesada por el río Kamogawa. Uno de los centros religiosos más importantes de Japón, con numerosos conventos y templos budistas, verdaderas joyas arquitectónicas construidas totalmente en madera, hallándose entre ellos los mayores edificios de madera del mundo. El palacio Imperial y el castillo Nijo, construido en el siglo XVI, con las dos universidades, una de ellas especializada en la investigación de física nuclear, terminan de darle el carácter de ciudad tradicional. La industria se caracteriza por la fabricación de delicados objetos de arte, como porcelana, lacas, marqueterías, bronces, tejidos y estampados de seda.

Jardín botánico de Kyoto (izq.) y tren bala a su paso por Kyoto (der.).

Corel Stock Photo Library

L. Decimosegunda letra del alfabeto castellano y novena de sus consonantes, apicoalveolar, fricativa y sonora. Su nombre es *ele*, y el origen de su forma, un antiguo jeroglífico egipcio que significaba *león*. En hebreo, la antecesora de esta letra llamada *lamedh* significaba la *vara* del *maestro*; en griego se llamaba *lambda*. En castellano, su sonido corresponde, en posición inicial, a la *l* clara de los latinos (lago, en latín *lacus;* lengua; *lingua*), los sonidos *fl* y *gl* del latín se han transformado a veces en castellano en *l* (de *flaccidus*, lacio); la *l* final proviene de un sonido similar o de *r* (miel, de *mel*; árbol, de *arbore*). El signo L equivale en el alfabeto romano a 50; en electricidad designa la inductancia, y es además abreviatura de litro y longitud.

la. Artículo femenino singular. Sexta nota de la escala musical. Las expresiones que comienzan con este término están alfabetizadas en la palabra siguiente. Ejemplo: *La Paz*, figura como *Paz, La*.

Labarden, Manuel José de (1754-1809). Escritor argentino, considerado el primer poeta porteño. En el teatro de la Ranchería de Buenos Aires estrenó en 1789 su Siripo, tragedia basada en la leyenda de Argentina de Ruy Díaz de Guzmán. De esta obra, que alcanzó gran éxito y con la que nace el teatro argentino, sólo se conoce el segundo acto. En 1801 publicó en el periódico *El Telégrafo Mercantil* su obra en verso *Oda al Paraná*, que dio igualmente gran renombre a su autor.

laberinto. Conjunto de pasadizos, calles y tortuosas galerías, artificiosamente entrelazadas en repetida sucesión y cuya salida es difícil de encontrar. El más famoso de la historia fue el legendario laberinto de Creta, construido por Dédalo para encerrar al Minotauro, muerto finalmente por Teseo. En Cnosos (Creta), se encontraron las ruinas del que se supone memorable laberinto, que mostró una intrincada red de pasajes. No menos famosos y tal vez de mayor belleza fueron los encontrados en Egipto, construidos, según se cree, para sepul-

cro de los reyes. En Italia y Grecia también los hubo célebres. Por extensión, se ha dado en llamar laberinto a un entretenido pasatiempo, que consiste en un diagrama dispuesto generalmente en varios círculos cerrados, cortados por sucesivas encrucijadas y obstáculos, para cuya solución se requieren atención y habilidad.

laboratorio. Las ciencias exactas, físicas y naturales, así como la medicina, farmacia y sus ramas, exigen la instalación de laboratorios, que son lugares organizados para trabajos de experimentación. Se investiga, se ensaya y se analiza según la misión del laboratorio. Hay laboratorios científicos e industriales. Entre los primeros los más conocidos son los que se dedican a análisis clínicos y bacteriológicos –existen en todos los hospitales y policlínicas– y los laboratorios farmacéuticos, donde se preparan medicamentos en todas sus formas. En cuanto a los industriales, son ejemplo los laboratorios foto-

gráficos, de colorantes y de productos de la química industrial.

Laboria, Pedro (1700-1770). Escultor español. Llegó muy joven a Bogotá, Virreinato de Nueva Granada, y en 1726 realizó en madera la escultura de *San Francisco Javier moribundo*, contratado por la Compañía de Jesús. También talló las imágenes de *Santa Bárbara*, para el templo del mismo nombre, y las de *San Ignacio de Loyola*, *El rapto y San Francisco de Borja*, para la iglesia de San Carlos.

laborismo. Movimiento político británico que representa a las fuerzas del trabajador organizado. El Partido Laborista es la expresión inglesa del socialismo democrático, y el más izquierdista de los tres grandes movimientos políticos de Gran Bretaña. En varios países anglosajones y latinos existen partidos similares. Tres fuerzas contribuyeron a crear el laborismo británico. La primera fue el Congreso de los Sindicatos

Laberinto de nieve en el parque Hull en Quebec, Canadá.

laborismo

Obreros o *Trade Unions*, que hacia 1880 inició un movimiento para llevar representantes de los trabajadores al Parlamento y el primer elegido fue Keir Hardie, minero escocés. Hacia la misma época, dos grupos de intelectuales trataban de aplicar las doctrinas del socialismo. Uno de estos núcleos, el Partido Laborista Independiente, extraía su doctrina de la obra de Carlos Marx, el otro, la Sociedad Fabiana, buscaba nuevas sendas dentro de la democracia, y contaba con intelectuales de la talla de Bernard Shaw, Herbert George Wells y Sidney Webb. Los tres núcleos se unieron en 1900 para formar el Comité de Representación del Trabajo, que seis años después se organizó bajo la forma de un partido político. Así nació el Partido Laborista, que en 1918 asumió el carácter de una alianza federal entre el Congreso de las *Trade Unions*, el Partido Cooperativo y los diversos comités laboristas de las Islas Británicas.

A partir de las elecciones de 1906, el naciente movimiento comenzó a ganar fuerza. Aunque el sector pacifista, encabezado por James Ramsay MacDonald, se opuso enérgicamente a la Primera Guerra Mundial, el partido intervino en los gobiernos de coalición que rigieron a Gran Bretaña durante una de las épocas más duras de su historia. Concluidas las hostilidades, el partido lanzó un famoso programa de acción, de neto contenido socialista. Aspiraba a la "propiedad común de todos los medios de producción" y proponía un amplio plan de nacionalizaciones progresivas, realizadas con total respeto hacia la democracia parlamentaria. El socialismo de los laboristas es evolutivo; no cree en las revoluciones bruscas; tiene fe en la educación popular y en la libertad política, y respeta a la monarquía, símbolo de la unidad nacional del pueblo británico.

Las elecciones de 1922 aportaron el primer gran éxito del laborismo, que ingresó a la Cámara de los Comunes con 142 representantes. Convertido en la oposición oficial del Parlamento, apoyó decididamente los esfuerzos de la Sociedad de las Naciones. Dos años más tarde, en 1924, un precario triunfo electoral dio motivo a que se formara el primer gabinete laborista. Encabezado por James Ransay MacDonald, fue derribado al perder el apoyo de los liberales, que habían sido sus aliados y cuyos votos necesitaba. Llevada la cuestión a nueva consulta del cuerpo electoral (29 de octubre de 1924) se decidió éste a dar el triunfo a los conservadores. Pero, en nuevas elecciones ganaron los laboristas y el mismo MacDonald volvió a encabezar un gabinete laborista en 1929; repudiado por su partido, que lo acusaba de seguir métodos demasiado conservadores, este veterano luchador debió abandonar el cargo dos años después. La *vieja guardia* de Arthur Henderson, MacDonald, Sidney Webb

Corel Stock Photo Library

Exploradores en la península del Labrador.

y Snowden debió ceder el paso a dirigentes más jóvenes, cuyo jefe intelectual era Harold Laski. Estos hombres provenían de los sindicatos, pero supieron ampliar la base social del movimiento, atrayendo a muchos votantes de la clase media. Concluida la Segunda Guerra Mundial –durante la cual habían actuado en los gobiernos de coalición que encabezó Winston Churchill– los laboristas obtuvieron un aplastante triunfo electoral y se hallaron en condiciones de aplicar su programa. Dirigidos por Clement Attlee, Stafford Cripps, Herbert Morrison y Ernest Bevin, nacionalizaron los transportes, el Banco de Inglaterra y las industrias del carbón y el acero. Aunque derrotado en las elecciones de 1951, el laborismo continuó siendo una de las mayores fuerzas de la política británica. En las elecciones de 1964 triunfó de nuevo el partido laborista y se formó un gabinete presidido por su dirigente Harold Wilson, que estuvo en el poder hasta las elecciones de 1970, en que inesperadamente alcanzó la victoria el jefe del partido conservador, Edward Heath. Wilson dijo a sus partidarios: "Desde este momento el partido laborista comenzará el ataque".

Labra, Rafael María de (1841-1918).

Político y abogado español. Partidario de la abolición de la esclavitud y de la autonomía de las Antillas, dedicó toda su actividad a defender ambas causas no sólo a través de su colaboración en periódicos y revistas, sino también como presidente de la Sociedad Abolicionista Española y como diputado y senador. Fruto de estos esfuerzos fue la abolición de la esclavitud en Puerto Rico en 1873. Preocupado igualmente por la educación, fue una de las figuras claves de la Institución Libre de Enseñanza. Se adhirió al republicanismo moderado durante la Restauración, separándose en 1910 de la Unión Republicana por no estar conforme con el principio político en pro de la revolución como único medio para cambiar las estructuras. Entre la amplia bibliografía que dejó escrita destacan: *La abolición de la esclavitud en las Antillas españolas* (1869), *Los diputados americanos en las cortes de Cádiz* (1911) y *Estudios políticos, históricos y de Derecho Internacional* (1912).

Labrador, península y corriente del.

Península del extremo noreste de América del Norte que se interna en el Atlántico, cerrando el Mar de Hudson. El estrecho de este nombre, al norte, la separa de la Tierra de Baffin y su costa atlántica se extiende desde el cabo Chidley, a la entrada del estrecho de Hudson, hasta el estrecho de Belle Isle, que separa a Labrador de Terranova. El Golfo de San Lorenzo baña la costa del sureste. Ocupa 1.400,000 km^2 y administrativamente corresponde a las provincias canadienses de Terranova y Quebec. Es una meseta granítica, pantanosa, de clima muy frío y poco fértil. Crecen bosques de pinos, musgos y líquenes, pero no hay posibilidades de agricultura. La actividad de sus habitantes, descendientes de ingleses y esquimales, se concentra en las costas del Golfo de San Lorenzo, donde existen pequeños poblados que viven de la caza, pesca y explotación forestal. La península tiene importantes recursos minerales –se han reconocido enormes reservas de hierro, cuya explotación comienza a tener importancia, así como la de cobre, plomo y cinc– y el curso del río Hamilton dispone de una rica reserva de energía en sus cataratas, pero todavía conservan la supremacía en la vida económica el comercio de pieles finas y las famosas pesquerías. El escandinavo Leif Ericsson parece que descubrió este país hacia el 1000. A finales del siglo XV, Sebastián Cabot exploró sus costas y en el siglo XVI llegaron a ellas Gaspar de Corterreal y Jacques Cartier. El primero murió en dichas tierras, que fueron bautizadas con el nombre de *Terra de Corterrealis*, denominación que se cambió por la de Labrador.

La corriente fría del Labrador, que ocupa la parte occidental del Atlántico norte, se origina en las regiones árticas de la bahía de Baffin y corre, hacia el sureste, paralela a las costas del Labrador. Encuentra la corriente del golfo al sureste de Terranova, en las cercanías de los Grandes Bancos; pero continúa hacia el sur, aunque a mayor profundidad, a lo largo de la costa atlántica de Estados Unidos. La corriente arrastra hielos flotantes y en su encuentro con las aguas cálidas de la corriente del golfo da origen a grandes nieblas, muy peligrosas para la navegación.

Esquimales del labrador. Grupo localizado en la península y formado por los subgrupos serquinermiut (costa del Atlántico), tarrarmiut (parte sur del estrecho de Hudson) e itivermiut (costa oriental de la bahía de Hudson). Su economía, de tipo ártico, incluye en un mismo nivel de importancia la caza de mamíferos marinos y la del caribú. Su indumentaria tradicional es ricamente elaborada, y para su adorno utilizan el bordado en perlas, influidos por los grupos vecinos; las casacas femeninas llevan una especie de delantal al frente y una prolongación semejante en la parte posterior y al igual que las demás prendas son de fina confección. A semejanza de otros grupos esquimales, establecen zonas de caza favorables, generalmente en las cercanías de las fronteras divisorias entre los diferentes subgrupos, en donde se organizan a menudo los intercambios de mercancías. Los esquimales del Labrador están en proceso de aculturación y dependen del gobierno de Canadá, que dirige y controla su economía por medio de cooperativas y les proporciona ayuda a diferentes niveles.

Labrador Ruiz, Enrique (1902-1991).

Novelista y periodista cubano. Comenzó publicando poemas imaginistas como *Grimpolario* (1937) y *Relatos gaseiformes,* de un tono cercano al iniciado por Jarnés y Espina en España: *El laberinto de sí mismo* (1933), *Cresival* (1936), *Anteo* (1940). Mayor hondura reúnen los cuentos de *Trailer de sueños* (1949). Sus novelas más ambiciosas técnicamente, de orientación realista, son *La sangre hambrienta*

Corel Stock Photo Library

Labranza en forma de terrazas en Nepal.

(1950) y *El gallo en el espejo* (1953) donde recrea con verdad y belleza lingüística ambientes pueblerinos cubanos. Exiliado en 1976, residió en Estados Unidos a partir de 1979.

labranza. Arte de cultivar la tierra. En la noble tarea del labriego halla la humanidad una fuente inagotable de sustentación. Al observarla en rápido análisis, veremos a continuación las diversas etapas que la integran y las herramientas utilizadas. Variados propósitos guían al campesino al efectuar la labranza. Algunas plantas como el trigo y el centeno, son cultivadas para alimento del hombre. Otras, como la alfalfa, proporcionan forraje para los animales. El algodón y otras plantas textiles sirven para fabricar nuestras ropas. Algunos árboles suministran combustibles y diversas semillas, como la de soya, permiten elaborar pinturas y materias plásticas. Algunas de estas plantas –y muchas otras que podríamos agregar a la nómina– son anuales, deben ser plantadas y cosechadas todos los años; las restantes proporcionan sus frutos y semillas sin que ese esfuerzo anual sea necesario. La esencia de la labranza reside en el cultivo de las plantas del primer grupo, las de mayor importancia económica y humana. El cultivo puede ser efectuado en múltiples formas, de acuerdo con la planta, el suelo y los recursos técnicos disponibles; pero existen ciertos rasgos comunes a todas las formas de labranza. Son ellos la preparación del suelo, la siembra de las semillas, la protección durante el crecimiento, la recolección y el almacenamiento de la cosecha.

La preparación del suelo es la primera tarea que debe emprenderse en el año agrícola. Esta preparación se realiza empleando arados que roturan la tierra; arrastradas por bueyes, caballos o por un tractor, las aceradas hojas del arado van abriendo un surco rectilíneo que sirve para que el aire se ponga en contacto con la tierra vegetal, vivificándola, y para destrozar las hierbas y malezas que puedan haber crecido en el suelo. El agricultor debe cuidar de que su arado no quiebre el terreno en partículas demasiado finas que podrían ser arrastradas por la lluvia, privando al suelo de su

Labranza de arroz en Asia.

Corel Stock Photo Library

labranza

Campo de labranza de sorgo (izquierda) y cosecha de maíz con tractores automáticos (derecha).

fuerza fecundante. Al arar en una colina o un territorio ondulado, debe tratar también de que los surcos sean transversales a las pendientes del suelo, para evitar que se conviertan en pequeños canales por los que eventualmente se deslice el agua de las lluvias.

Al igual que los seres humanos, las plantas necesitan ciertos alimentos para vivir y crecer; entre estas sustancias nutricias figuran el calcio, el fósforo y el nitrógeno. Cuando el suelo carece de alguno de los vitales elementos, o lo posee solamente en cantidades insuficientes, el campesino acude al auxilio de los llamados abonos o fertilizantes, que devuelven al terreno el equilibrio de sus elementos básicos. Llega ahora el momento de la siembra, cuyo simbolismo ha inspirado a pintores y escultores de todos los tiempos. Hasta no hace mucho, todos los labriegos del mundo efectuaban la siembra a voleo, lanzando al aire las semillas que llevaban en una bolsa; la introducción de las máquinas sembradoras ha eliminado el antiguo procedimiento, que provocaba una siembra imperfecta. La sembradora coloca las semillas a la profundidad deseada, arroja abonos para fertilizar el terreno y completa la operación cubriéndolas con tierra. La elección de las semillas es tarea delicada, que los agricultores modernos prefieren efectuar de acuerdo con las indicaciones de los expertos, sobre todo cuando utilizan especies híbridas o poco conocidas. Cuando emplean semillas provenientes de cosechas anteriores, los campesinos prueban su poder germinativo colocándolas debajo de un trapo húmedo; al cabo de cierto núme-

ro de días examinan el resultado de la prueba para determinar cuántas han germinado. Si la proporción de semillas germinadas es suficientemente alta, emplean sus reservas en la próxima siembra; si no lo es, deben comprar nuevas semillas en las casas especializadas o pedirlas a las estaciones agrícolas del gobierno.

Concluida la siembra, no han terminado las preocupaciones del agricultor; la operación siguiente es el rastreo, que consiste en pasar sobre el terreno una rastra de púas que nivela el suelo y desmenuza los terrones demasiado grandes, evitando a la vez que los pájaros devoren los granos que hayan quedado sin cubrir. Las semanas siguientes son de una espera ansiosa y constante vigilancia; sequías, lluvias excesivas, heladas, enfermedades y plagas acechan a las plantas recién brotadas, y el agricultor debe estar constantemente a la expectativa, tratando de descubrir los primeros síntomas de la acción de una plaga. Algunas variedades de cereales resisten eficazmente los embates de diversas enfermedades, pero aun en este caso subsiste el peligro de los insectos en acecho. El clima, aliado natural del campesino, puede ser también su peor enemigo. Dentro de ciertos límites es posible regular la acción de algunos factores naturales; la provisión de agua, por ejemplo, puede ser aumentada o disminuida por medio de diques o canales. Pero, los cambios de temperatura escapan al control del hombre y pueden arruinar en una sola noche el esfuerzo de varios meses.

Superados todos los obstáculos naturales, llega la hora de la cosecha, esperada

con ansia por todas las personas del campo. Múltiples formas puede asumir este momento trascendental, que los antiguos celebraban con solemnes fiestas religiosas. Los cereales, por ejemplo, deben ser cortados a mano o utilizando máquinas llamadas cosechadoras, que arrancan la totalidad de la planta. El tabaco, por el contrario, sólo pierde su hojas, y la vid entrega sus racimos durante la vendimia. Los capullos de algodón son separados de la planta mediante máquinas especiales llamadas desmotadoras. Para recoger el heno o la alfalfa se emplean máquinas llamadas recolectoras-prensadoras, que recolectan el heno y lo enfardan a razón de cuatro o cinco fardos por minuto. La operación es completamente automática, y la máquina ata los fardos con alambre o hilo sisal, según la conveniencia del agricultor. Concluida la recolección, algunas plantas deben ser objeto de operaciones adicionales antes de quedar listas para el mercado. Una de tales operaciones es la trilla del trigo, que consiste en separar el grano del resto del cereal.

Algunos de los productos vegetales obtenidos en la labranza sirven para cubrir las necesidades del agricultor y su familia. Pero, la mayoría son comercializados vendidos a intermediarios, industriales o exportadores, o entregados a cooperativas o dependencias del gobierno. El horticultor, que generalmente vive cerca de las ciudades, suele transportar sus productos en sus propios carros o camiones; pero, los agricultores que cultivan cereales tienen que depender de los camiones de acarreadores particulares y de los servicios ferroviarios. El precio obtenido por el agricultor depende de varios factores; como todos los precios, puede ser fijado en forma más o menos automática por la llamada *ley de la oferta y la demanda* o ser determinado en forma expresa por el gobierno. En general, los precios mundiales bajan cuando en los principales países productores hay cosechas abundantes y aumentan cuando las cosechas son pobres. Algunos gobiernos se ven obligados, cuando los precios son bajos, a pagar subsidios a los agricultores, a abonarles por sus cosechas un precio superior al del mercado, o a darles créditos generosos a bajo interés. Con ello logran evitar que cunda el desaliento en el campo y que disminuyan las siembras del año siguiente.

La labranza tropical. Las faenas rurales que hemos venido mencionando son propias de las diversas variedades de climas templados. Pero, la labranza asume ciertas características especiales en las regiones del trópico, cuyos rasgos típicos son la gran abundancia de sol y la escasa variación de temperatura en las diversas estaciones del año, sólo diferenciadas por el régimen de lluvias. Los métodos de labranza varían considerablemente en las tres clases de zonas tropicales. En las regiones áridas o secas, las tareas agrícolas dependen de la irrigación, es decir, de la provisión artificial de agua que permita obtener cosechas en tierras naturalmente desérticas. En segundo lugar, las regiones tropicales de clima monzónico –que tienen grandes lluvias en una época del año y grandes sequías en otra– necesitan formas especiales de irrigación que permitan almacenar el agua de las lluvias para usarla en los periodos de sequía; éste es el gran problema agrario que deben resolver la India y Sri Lanka, países comprendidos dentro de la región monzónica. En tercer término existe el trópico húmedo, formado por regiones donde llueve en forma copiosa durante todo el año; en estas tierras de vegetación abundante crece gran número de plantas útiles, pero el agricultor tropieza siempre con el problema de la erosión: los suelos cultivados pierden buena parte de su valor porque las tormentas torrenciales arrastran la capa superficial de tierra negra. Las áreas tropicales de América del Sur son fuentes inagotables de azúcar, algodón, tabaco, café y cacao, productos típicos de los trópicos húmedos. Brasil, Ecuador y Venezuela producen un tercio del cacao existente en el mundo, mientras que Cuba y Puerto Rico poseen grandes plantaciones de caña de azúcar. El cultivo del cafeto y de diversas frutas tropicales ocupa a buena parte de la población rural en Brasil, México y Centroamérica. Mediante la selección de las variedades más aptas y la hibridación o cruzamiento de los cultivos se han logrado notables progresos. Pero, la labranza de la zona tórrida todavía plantea delicados problemas económicos y humanos que exigen solución rápida.

La tarea rural en el mundo. ¿Cuál es la magnitud de las tierras de labranza? ¿Progresa o decae el cultivo del suelo en nuestro tiempo? ¿Qué consecuencias ha producido el progreso técnico sobre el trabajo del labrador? Para dar respuesta a estas interrogaciones, comencemos recordando un hecho geográfico elemental. Nuestro mundo tiene una superficie total de 510.000,000 km², de los cuales sólo 133 millones están ocupados por los continentes. Henos aquí frente a un primer límite opuesto a la labranza, al que deberemos agregar este otro: las características naturales de muchas regiones de la tierra emergida (montañas, desiertos, hielos). Llamaremos *espacio agrícola* a la porción del globo terráqueo en que se puede efectuar la siembra y recolección de una cosecha. Este espacio teórico ocupa entre 15 y 18 millones de Km² (eliminando los bosques), lo cual equivale a una superficie inferior a la de América del Sur. Por tanto, sólo una extensión limitada de nuestro planeta puede ser cultivada, y de estas tierras cultiva-

bles, sólo las dos terceras partes son explotadas en la actualidad. Por tanto, las tierras de labranza ocupan alrededor de 9.600,000 km², lo cual equivale a la suma de los territorios de Brasil y Paraguay. Este espacio, relativamente exiguo, tiene que suministrar ropas y alimentos para 2,500 millones de personas. Comparemos las tierras de labranza con la superficie total de cuatro importantes regiones del mundo:

Región	Superficie total	Tierras total cultivadas
Europa	100	31
Unión Soviética	100	12
América del Norte	100	9
América del Sur	100	3

El hombre ha tratado de modificar esta situación, que engendra hambre y miseria en vastas regiones del mundo. Lo ha hecho procurando mejorar la cantidad y la calidad de la producción agrícola. Desde el punto de vista cuantitativo ha logrado ampliar el espacio laborable, haciendo retroceder los bosques ecuatoriales, irrigando territorios antes desérticos y adaptando ciertos cultivos a los climas fríos. Desde el punto de vista cualitativo ha logrado mejorar la utilización de las cosechas y el rendimiento general de los cultivos. Señalemos un ejemplo típico: hacia el año 1800, un labriego tardaba una hora en segar 100 m² de trigo con su hoz; en la actualidad esa tarea se realiza en 30 segundos empleando una máquina. La calidad y cantidad de las cosechas han aumentado en forma considerable desde que se usan fertilizantes naturales o químicos en forma sistemática. He aquí el rendimiento de una hectárea de terreno sembrada con trigo de la variedad *Wilson*:

En 1875 sin abonos... 1400 Kg. por Ha.
En 1902 sin abonos... 1680 Kg. por Ha.
Desde 1940, con abonos.2830 Kg. por Ha.

Como vemos, la producción por hectárea se ha duplicado. El uso científico de fertilizantes y el empleo de máquinas rurales son los dos principales factores en que los agrónomos cifran sus esperanzas. Para América Latina, región de alimentación deficiente, población en rápido aumento y vastas extensiones cultivables, estos factores tienen especial importancia.

Útiles de labranza. Los arqueólogos han hallado en muchas partes del mundo restos de instrumentos rústicos que el hombre prehistórico empleaba en su labranza rudimentaria. La herramienta rural más simple y antigua es una rama de árbol con la punta afilada, que algunas tribus de la Polinesia emplean todavía para cavar zanjas y abrir surcos. La hoz y la rastra aparecieron en la Edad del Bronce, y los morteros para moler granos de cereales pare-

cen datar de la misma época. También surgió en la Edad del Bronce el primer arado impulsado por animales, cuyo empleo habría de tener gran influencia en la antigüedad. Se conservan todavía, en varios museos de Europa, arados metálicos construidos por los primitivos pobladores del valle del Nilo. En la Biblia hallamos la mención de arados construidos con madera y hierro, que los hebreos parecen haber empleado hace 30 siglos. Los arqueólogos suponen que la invención del arado no se debió a ningún pueblo en particular, sino que el útil instrumento apareció en diversas partes hacia la misma época. La tradición china, por ejemplo, afirma que la labranza del valle del Yangtsé comenzó en tiempos del emperador Shen Nung, apodado el Divino, unos 2,500 años antes de Cristo. Como los egipcios ya practicaban labores rurales utilizando herramientas parecidas en dicha época, resulta lógico suponer que el ingenio humano encontró idénticas soluciones para el problema en varias regiones al mismo tiempo. Los útiles rurales evolucionaron muy poco hasta el siglo XIX, cuando los primeros efectos de la Revolución Industrial comenzaron a hacerse sentir sobre las tareas del campo. En 1828, Patricio Bell inventó en Escocia la espigadora, que cortaba los cereales como lo haría un gigantesco par de tijeras; poco después aparecieron nuevos modelos de aparatos cosechadores.

Desde los tiempos más remotos el labriego ha debido prestar gran atención al problema de la energía empleada para las faenas rurales. Los bueyes fueron los animales más empleados en el mundo entero hasta el siglo XVII, en que comenzó a generalizarse el empleo de caballos. Para las tareas auxiliares se empleaba la energía proveniente del agua y del viento. En el siglo XX comenzó la aplicación de los motores de explosión y de energía eléctrica, que permiten mejorar en producción jamás imaginada la eficacia de la labor rural. Las complejas maquinarias de tractores, cosechadoras, equipos generadores, etcétera, son fabricadas en serie por establecimientos especializados. Esto ha producido una verdadera revolución en la técnica agrícola. En el estado actual de la evolución tecnológica, la mecanización rural se convierte en un imperativo que ningún país puede eludir. Sin embargo América Latina ha penetrado con peligroso retardo en la nueva era de la vida agrícola, que la sorprende convertida en una región de las llamadas *insuficientemente desarrolladas*. El esfuerzo de cada trabajador del campo latinoamericano sólo sirve para alimentar a seis personas; comparada con el rendimiento del labriego británico, que con la ayuda de máquinas eficaces logra alimentar a cuarenta personas, la cifra resulta dramáticamente baja. Sobre el plano técnico,

Corel Stock Photo Library

Labranza tradicional de terrazas en centroamérica.

el desarrollo de la labranza latinoamericana exige un número cada vez mayor de agrónomos y especialistas, en el ámbito económico y social reclama una acción conjunta y armónica de gobernantes y pobladores rurales. Pero, ante todo exige la presencia decidida de los jóvenes, que deben adquirir conciencia de un problema cuya solución implicará la elevación del nivel de vida en el continente. *Véanse* AGRICULTURA; CAMPO Y VIDA DE CAMPO; EDUCACIÓN RURAL; GANADERÍA; GRANJA; IRRIGACIÓN; MAQUINARIA AGRÍCOLA; ROTACIÓN DE CULTIVOS; TRIGO.

La Bruyère, Jean de (1645-1696).

Escritor francés. Cursó estudios de Derecho, pero renunció pronto a la profesión de abogado y se le designó como profesor de historia del duque de Borbón. Su obra se distingue por el estudio de la psicología de las costumbres, su fondo moral y su erudición. En lo literario son cualidades suyas excelentes la observación aguda, la variedad, la pintura de los defectos humanos, especialmente de su época, y la expresión delicada. Es famosa su obra *Los caracteres* (1687), conjunto de máximas y sentencias. Fue miembro de la Academia Francesa (1693) y traductor del filósofo y botánico ateniense Teofrasto.

laca.

Sustancia que se forma en ciertos árboles de la India y China, originada por la exudación que les provocan unos insectos parecidos a la cochinilla. Es transparente, frágil, resinosa y termina por envolver al animalito y convertirse así en una materia rojiza compuesta por 80% de resina, 6% de

cera, 4% de mucílago, 3% de cuerpos amargos y 7% de carmín.

El comercio la expende en dos formas: en rama, que se presenta adherida a los palitos del árbol que la produce, generalmente el crotón y varias especies de higueras y mimosas, donde vive la cochinilla denominada Coccus lacca, insecto que se alimenta de savia; y en grano, estado en que se halla privada de la sustancia colorante por haber sido tratada con lejías. Las lacas decoloradas se emplean principalmente en la preparación de barnices, previo blanqueo y depuración, y tras agregarles el colorante deseado.

En Japón y China se utiliza la laca de las higueras y acacias frecuentadas por el insecto *Tachardia lacca*. Dichos pueblos orientales la utilizan para barnizar bandejas, cajas, platos, vasos y otras piezas de adorno, a las cuales les dan hasta 30 manos, cada una de las cuales exige una desecación y pulido perfectos antes de aplicar otra encima. Una vez que los objetos han sido recubiertos con la última capa de laca, se pintan o doran y se recubren finalmente con un barniz transparente.

Hoy se fabrican lacas sintéticas con celulosa y resinas acrílicas y vinílicas, si bien las mejores son las elaboradas con griptal, que fueron las primeras que se prepararon en gran escala sin nitrocelulosa y que tienen la ventaja de resistir a la oxidación y a los rayos solares.

Aunque las resinas sintéticas reemplazan en muchos casos a las lacas naturales, éstas también se empleaban en la fabricación de discos de gramófono, aprestos para fieltros de sombreros y cierres herméticos

entre el vidrio de las bombillas eléctricas y su base de latón. Anualmente se emplean grandes cantidades de este producto en la fabricación de aisladores, barnices, linóleos, cementos, tintas, cremas para calzado y muchos otros artículos. *Véase* BARNIZ.

lacandón.

Indio de origen maya, perteneciente a una tribu que habita en Chiapas (México) y el Petén, a orillas de los ríos Lacantún y Usumacinta. Todavía existen hoy unos 200 individuos de esta raza, que viven en la cuenca del Usumacinta y por los cuales se ha interesado el gobierno mexicano para impedir su total desaparición o desplazamiento. Los lacandones viven en una región de clima cálido y humedo, con lluvias durante casi todo el año. La flora y la fauna son muy ricas, entre la vegetación se encuentra la caoba, el roble, el árbol del tinte, el zapote, el chicozapote (árbol que proporciona la materia prima para el chicle) y el mamey. Los lacandones hablan la lengua lacandona, subfamilia winc de la rama maya. A finales del siglo XX su población se calculaba en unos 600 individuos y decreciendo. Viven en pequeñas rancherías llamadas caribales, diseminadas en la selva y compuestas por las chozas de una familia extensa: dos o tres varones adultos emparentados entre sí, sus esposas y sus hijos. Las chozas se levantan alrededor de otra mayor, en la que se celebran ritos religiosos. Los lacandones núnca fueron dominados por los blancos. Su indumentaria, igual en los hombres que en las mujeres, es una túnica blanca; su cabello es largo enmarañado en los hombres y cuidadosamente peinado en las mujeres. Los hombres pueden tener dos o tres esposas, su forma de gobierno está basada en el liderazgo del miembro más viejo del Caribal. Los lacandones cultivan maíz, frijol, y tabaco, pescan y cazan, su idolatría es maya entre sus ídolos se encuentran: Nojom-Yum Chac señor de la lluvia. En las sierras lacandonas (Estado mexicano de Chiapas) estalló una revuelta social y política contra el gobierno mexicano en enero de 1994.

La Cierva y Codorniú, Juan de

(1896-1936). Inventor español nacido en Murcia. Muy joven se trasladó a Madrid, donde se hizo ingeniero, e interesado por la aeronáutica, a ella dedicó sus estudios. Construyó en 1911 el primer aeroplano español que voló, en 1919 el segundo trimotor del mundo, y luego de varios años de ensayos logró realizar el autogiro que lleva su nombre, cuyas primeras pruebas se llevaron a cabo en Cuatro Vientos (Madrid) en 1923. Nuevas demostraciones en diversos países hicieron famoso al autogiro y a su inventor, quien fue objeto de grandes homenajes y distinciones, entre las que figuran el Gran Premio de la Sociedad Francesa de Navegación Aérea, la Medalla de Oro de la Federación Aeronáutica Internacional, la Medalla del Instituto Franklin, etcétera. Murió en Croydon (Londres), en un accidente del avión donde viajaba como pasajero. *Véanse* AEROPLANO; AVIACIÓN.

La Condamine, Charles Marie de

(1701-1774). Matemático y escritor francés, que nació y murió en París. Aunque a los 17 años se enroló en el ejército bien pronto trocó las armas por el estudio de las ciencias y a los 29 años era adjunto de química en la Academia de Ciencias. Después de varios viajes a lo largo de las costas de África y Asia, en las que atesoró importantes conocimientos, partió para América, formando parte, juntamente con los españoles Antonio de Ulloa y Jorge Juan, de la expedición de Godin y Pierre Bouguer que se proponía determinar en el Ecuador, en territorio de lo que era entonces Audiencia de Quito, en el virreinato de Perú, la longitud de un arco de meridiano. Las mediciones geodésicas se hicieron en el valle que se extiende de Quito a Cuenca. En las montañas peruanas hizo observaciones importantes, sobre todo en lo que se refiere a la atracción de la plomada por las masas montañosas. A su regreso, atravesó Perú y llegó al Amazonas, cuyo curso siguió en parte para alcanzar la costa de Guayana. Una vez en Francia se preocupó de un proyecto de medida universal, proponiendo como unidad de longitud la del péndulo que bate segundos en el Ecuador, y trató en varios escritos de demostrar la utilidad de la vacuna contra la viruela. Obras: *Relación de un viaje hecho al interior de América Meridional, Historia de las pirámides de Quito, Medida de tres grados del meridiano en el Hemisferio Austral*, etcétera.

laconia.

Una de las siete prefecturas del Peloponeso, en Grecia meridional. En la antigüedad se denominó Lacedemonia, y Esparta, su capital, alcanzó gran predominio en toda Grecia, siendo reiterada y a veces victoriosa rival de Atenas. Hoy, aún ocupa casi los mismos límites de aquella época, limitando al norte con la prefectura de Arcadia, al noroeste con la de Mesenia, quedando en lo demás limitada por el Mar Egeo. Tiene una superficie de 3,764 km² y una población de 132,000 habitantes (1994). La zona fértil de Laconia es el valle del Eurotas, donde se cultivan cereales, olivo, vid e higos. Su capital es Esparta, y tiene una población de 12,000 habitantes.

lacre.

Pasta sólida, compuesta de goma laca y trementina, con bermellón o alguna otra sustancia que le da color, y que se emplea derretido para sellar cartas, paquetes, botellas, etcétera. En Cuba: árbol de 10 a 12 m de altura que proporciona una hermosa, fina y resistente madera de color rosa pálido.

Corel Stock Photo Library

(De izq. a der y de arriba abajo.) Mujer de las islas Trobiand en Nueva Guinea amamantando a su hijo, mujer masai en Kenia alimentado a su hijo y niño con biberón en la etapa de lactancia.

lactancia.

Periodo posterior al nacimiento, durante el cual el niño se alimenta con la leche materna. Aparte de las ventajas para la salud del niño, el hecho de que la madre críe a su hijo refuerza el vínculo afectivo entre ambos. La leche de la madre reduce al mínimo el peligro de indigestión.

láctico, ácido.

Líquido incoloro, viscoso más denso que el agua, descubierto por Carl Wilhelm Scheele en 1780, y que comunica a la leche agria su sabor característico. Es un producto de la acción del queso, carne o albuminoides en putrefacción, sobre disoluciones de azúcar de leche, caña o uva mantenidas a una temperatura de 35 °C. Contribuyen a provocar esa fermentación diversas bacterias, entre las que descuella la *Bacterium acidulactici*. Hoy se prepara en la industria hirviendo fécula de patata y sacarificándola después por medio de diastasa de malta y sometiendo esta sacarosa a fermentación en levadura láctea en presencia de carbonato de calcio. Se utiliza en medicina, tintorería y curtidos; en la industria lechera juega un papel principal , lográndose con su presencia la elaboración del kefir al que el pueblo búlgaro concede las virtudes de prolongar la vida y conservar la salud.

lactosa.

Sustancia que existe en la leche y en ciertas semillas (azúcar de leche). Es blanca, soluble en el agua y menos dulce que la sacarosa (azúcar de fruta). La leche humana suele contener unos 65 gr de lactosa por litro, y la de vaca 45. El fermento pancreático denominado lactasa desdobla la lactosa en glucosa y galactosa. Se emplea como diurético a la dosis de 50 a 100 gr disueltos en 1 l, para la preparación de leche modificada para los niños, y como excipiente en la elaboración de píldoras.

lacustres, pueblos.

Comunidades que viven a las orillas o sobre las aguas de un lago o un río y que se multiplicaron en tiempos prehistóricos, cuando la mayor parte de la tierra estaba cubierta por el líquido elemento y las inundaciones constituían un peligro permanente. Hoy la parte de la geografía que se dedica al estudio de los mantos lacustres se denomina *Limnología*. El historiador griego Herodoto (450 a. C.) es quien dejó la primera referencia de un pueblo lacustre existente en Macedonia, pero del que no se han encontrado huellas; éstas aparecieron a mediados del siglo XIX en el fondo de un lago cercano a Zurich (Suiza), y luego se repitieron iguales hallazgos en dicho país, así como en Holanda, Escocia e Irlanda. También los pueblos lacustres se desarrollaron en América, pues los conquistadores españoles los hallaron al llegar a México, en los contornos de los lagos de Texcoco y Xochimilco. En la actualidad existen grupos lacustres en ciertas regiones de Asia, Oceanía y América española, principalmente como un medio de defensa contra las condiciones naturales de terrenos pantanosos, propicios a las inundaciones, y también para ponerse al resguardo de las fieras que pueblan sus selvas. En los pueblos lacustres las habitaciones, siempre simples y reducidas, se construyen sobre plataformas que se afirman en pilotes clavados en el fondo del terreno cubierto por el agua. Hay tribus primitivas en las islas malayas y Nueva Guinea que se niegan a vivir de otro modo.

Edificio construido con ladrillos.

Corel Stock Photo Library

lache. Grupo indígena sudamericano de los Andes venezolanos, asociado al grupo mayor de los chaqué. Su agricultura era mediante un sistema de cultivo semimigratorio. Vivían en poblados relativamente grandes; entre los localizados por los arqueólogos figura uno de 800 viviendas. Se regían por una división sexual del trabajo según la cual tocaba hacer a las mujeres las labores agrícolas.

Ladenburg, Albert (1842-1911). Químico alemán, discípulo de Robert Wilhelm Bunsen, Charles Adolph Wurtz y Charles Friedel. Profesor en Kiel (1873) y Breslau (1889). En 1869 propuso una fórmula para el benzeno no exagonal, sino prismática, de base triangular, con los carbones en los seis vértices. En 1866 logró la síntesis de la coniína, primer alcaloide sintetizado en laboratorio.

Ladoga. Lago que pertenece a la Federación de Rusia. Está situado al este del istmo de Carelia y al noreste de Leningrado. Hasta 1940 la frontera entre Finlandia y la ex Unión Soviética dividía el lago en dos partes, una rusa y otra finlandesa. Tiene una extensión de 18,200 km². Recibe el caudal de numerosos ríos y arroyos, y descarga el sobrante de sus aguas por el río Neva, que desagua en el Golfo de Finlandia. Tiene una profundidad media de 60 m y la máxima alcanza a 220 m. La pesca es abundante. Es el centro de un sistema de canales que establecen comunicación fluvial con el Mar Blanco, el Báltico y el río Volga. Sus aguas se hielan de octubre a abril.

ladrillo. Paralelepípedo rectangular fabricado con arcilla cocida, que sirve para levantar paredes, muros, diques, revestir pozos y cisternas y que entra en otras muchas obras de albañilería. Suele medir 28 cm de largo, 14 de ancho y 7 de grueso.

Desde los tiempos más antiguos, el ladrillo ocupa, junto con la piedra, un lugar preferente en las construcciones, y hasta puede decirse que su empleo se halla más difundido que el de ésta, pues eran muchos los lugares donde la falta de canteras obligaba a utilizarlo exclusivamente. En las ruinas de la antigua Babilonia, Asiria, Egipto y Caldea se han encontrado ladrillos cocidos al sol que datan de más de 40 siglos. Los israelitas, durante su cautiverio en Egipto, tenían por principal ocupación fabricar ladrillos con barro recogido del Nilo. El historiador Plinio menciona tres clases de ladrillos de uso corriente en Grecia; en Roma, como lo atestiguan los descubrimientos hechos en las ruinas, se usó muchísimo este material de construcción y fue ese imperio el que lo introdujo en el resto de Europa.

El color del ladrillo depende de la proporción de óxido de hierro que contienen las arcillas y de la temperatura de cocción, y la calidad se basa en la elección de la tierra. Hay arcillas puras, compuesta de alúmina y sílice en diversas proporciones y pequeñas cantidades de hierro, calcio, magnesio, etcétera; otras son arenosas, y muchas, calizas, férricas, magnésicas, etcétera. Cuando hay exceso de alúmina se corrige con el agregado de 30 % de arena, como máximo.

Para fabricar los ladrillos se comienza por extraer la tierra y someterla a la disgregación; luego se corrige, se mezcla y se amasa con agua –operación que puede hacerse con máquinas, palas o pisándola con caballos–, para luego llevarla a los moldes, de los cuales se sacan para el secado, que consiste en colocar los ladrillos de canto, para que les den el sol y el aire, en pilas, donde se entrecruzan unos con otros, en forma tal que queden huecos entre ellos. Terminada la desecación se llevan a los hornos donde han de cocerse, que según el sistema adoptado, pueden

El ladrillo se utiliza comunmente en la industria de la construcción.

Corel Stock Photo Library

estar formados por una serie de cámaras en arco, unidas por corredores a una chimenea principal, cada una de esas cámaras posee una entrada de aire independiente que regula el calor a la temperatura deseada y posee su propia hornalla alimentada con leña, carbón u otro combustible. Los gases producidos por la cocción pasan a otras cámaras, donde ceden su calor antes de escapar por la chimenea, con lo que se completa la desecación de los ladrillos y se inicia su cocimiento, que luego se continúa hasta dar el tono deseado.

En los lugares donde no abunda la arcilla, los ladrillos se fabrican con cal y arena fuertemente comprimidas, y también de cal y escorias, o yeso con estas últimas; de piedra pómez y cal, de cemento y arena, etcétera.

Tanto por razones de aislamiento térmico como por economía de material y de peso se fabrican también ladrillos huecos. En éstos, al moldearlos, en las formalotas o gradillas, se dejan huecos rectangulares, cuyo eje mayor es paralelo al eje mayor de la pieza, y que quedan separados entre sí por un delgado tabiquillo formado por el material con que se hace el ladrillo; los huecos pasan de una a otra cabeza de la pieza. Modernamente son muy usados en la construcción de pisos, intercalando filas de ladrillos y viguetas delgadas de concreto armado.

Las baldosas, más delgadas que los ladrillos, se fabrican con arcillas más puras y tratamiento más delicado, si bien el procedimiento apenas varía. Se destinan a diversos usos: para pavimentar patios, aceras y azoteas, o recubrir techos.

Según el lugar del horno en que se realice la cocción, los ladrillos adquieren diversos tonos: los de la parte superior son más claros y propensos a desmoronarse; los que se hallan en el medio tienen igual defecto y absorben humedad, y los de abajo suelen estar bien cocidos, pero a veces presentan manchas más claras y otras perfectamente coloreadas; el que ha recibido una cocción a punto tiene la dureza deseada y el color encendido; los ladrillos que se queman, por exceso de calor, se presentan apegotados, retorcidos, de color negruzco y se emplean para molerlos o para relleno.

Muchas fábricas especializadas fabrican ladrillos de diversas formas, según el empleo a que están destinados, pues existen estilos arquitectónicos que reclaman espesores y contextura distintos, en cuyo caso es preciso adquirir tipos aplantillados o moldeados.

Los ladrillos de tipo aislante o los que se utilizan en mamposterías, que no pueden soportar pesos excesivos, se amasan con sustancias combustibles que luego se consumen en los hornos, con lo que se obtiene un material poroso.

Corel Stock Photo Library

Ladrillos de lodo secándose (arriba) y ladrillos apilados fromando una columna (abajo).

En ciertas ocasiones se exige un ladrillo más compacto y resistente, y se obtiene el ladrillo prensado. Los que se utilizan para revestimiento de frentes se hacen de masa más fina y se dejan vitrificar algo durante la cocción. Para ciertos tipos de construcciones se requieren los llamados ladrillos refractarios; éstos tienen que ser fabricados con arcilla que contenga un alto porcentaje de alúmina y un bajo porcentaje de óxidos. Resisten temperaturas hasta de 1580 grados centígrados.

La colocación de los ladrillos, cuando se trata de levantar paredes, muros o diques que tengan un espesor de, por lo menos, dos anchos de ladrillo, se puede hacer de tres maneras: 1) con los ladrillos sentados en forma que su eje mayor sea paralelo a la longitud de la pared; 2) con hileras alternadas: una en la forma que acaba de indicarse y otra en que el eje mayor de la pieza es perpendicular a la dirección longitudinal de la pared y 3) alternando en cada hilada ladrillos a lo largo y a lo ancho. En los tres es indispensable cuidar mucho de la perfecta horizontalidad de las hiladas y de la regularidad de las juntas.

La argamasa que une los ladrillos, vulgarmente llamada *mezcla*, se compone de cal y arena amasadas con agua, a la cual se le agrega cemento si se desea mayor poder adhesivo y durabilidad.

Los frontispicios se recubren de ladrillos esmaltados o no, que se colocan sobre la mampostería de ladrillos comunes. Entre ambas paredes, la decorativa y la de sustentación, se deja un espacio, donde el aire impide la acumulación de humedad

y penetración del calor en verano y del frío en invierno.

Los revestimientos de ladrillo empleados en los frentes o fachadas pueden pintarse de colores esmaltados, donde por lo general se alternan los tonos vivos con los claros en la misma hilera. Esas pinturas o barnices no sólo protegen la pared, sino que la decoran y embellecen.

Laënnec, René Theophile Hyacinthe (1781-1826). Médico francés que estudió en París y obtuvo importantes premios en medicina y cirugía. Se dedicó especialmente al estudio de la anatomía patológica y perfeccionó la auscultación. Inventó el estetoscopio. Sus notables observaciones clínicas contribuyeron al progreso de las ciencias médicas.

laetril. Extracto de huesos de chabacano según su preparación original y patente (1949) por el médico californiano Ernest T. Krebs y su hijo. Algunas autoridades lo han identificado como una cura o remedio efectivo en el tratamiento del cáncer. El nombre ha sido utilizado equivocada e indistintamente con amigdalina, el principal componente del laetril, que se localiza en las semillas de muchas frutas, particularmente chabacanos y almendras amargas. Una forma purificada menos tóxica fue desarrollada subsecuentemente.

La amigdalina se descompone en el cuerpo a través de enzimas conocidas como betaglucósidos para formar dextrosa y mandelonitrilo, un compuesto que contiene ácido cianhídrico. Los compuestos que contienen cianuro son los presuntamente activos contra el cáncer. Sus promotores aducen que las células del tumor son selectivamente muertas por el laetril porque contienen más de las enzimas betaglucósidas de las que contienen los tejidos saludables. También sostienen que los tumores contienen una cantidad menor de las enzimas que convierten el ácido cianhídrico tóxico a compuestos no tóxicos que la cantidad contenida en los tejidos saludables. El laetril también ha sido propuesto como una vitamina, la B_{17}.

El uso del laetril para el tratamiento del cáncer es un tema controvertido. Se dice que los reportes de su actividad contra el cáncer están basados en casos individuales sin controles adecuados, mediciones objetivas o seguimiento suficiente. Desde el punto de vista médico y científico, se dice que no existe en la actualidad ninguna evidencia objetiva aceptable que indique que el laetril tenga alguna actividad como agente contra el cáncer ni como vitamina.

Lafayette, Marie Joseph Motier, marqués de (1757-1834). Militar y político francés. Héroe de la independencia de Estados Unidos, combatió heroicamen-

Lafayette, marqués de

Lagarto en el desierto de Sonora, México.

Corel Stock Photo Library

te a los ingleses, siendo herido, alcanzó el grado de general de división en las batallas de Barren Hill y Montmouth. De regreso en Francia, fue de los primeros en proponer la Declaración de los Derechos del Hombre y del Ciudadano a la Asamblea. Se le dio el mando de la Guardia Nacional inmediatamente después de la toma de la Bastilla. Prisionero de los austríacos en 1792 y liberado por Napoleón Bonaparte en 1797. Se negó a colaborar con su gobierno y contribuyó a la abdicación definitiva del emperador tras la derrota de Waterloo. Reintegrado a la política, fue elegido miembro del Parlamento y al sobrevenir la revolución de 1830, reasumió el mando de la Guardia Nacional.

Laferrère, Gregorio de (1867-1913).
Comediógrafo argentino, que cultivó especialmente el teatro de costumbres. Político, viajero y hombre de mundo, su crítica se aplicó a los hábitos de la clase media. Inició sus éxitos como comediógrafo con *Jettatore.* Sus mejores y más conocidas comedias son: *Locos de verano, Las de Barranco, Los invisibles, El cuarto de hora, Dios los cría* y varios diálogos y monólogos.

Lafinur, Juan Crisóstomo (1797-1824).
Pedagogo argentino. Fundado en Buenos Aires el Colegio de la Unión del Sud en 1819, Lafinur ocupó por oposición la cátedra de filosofía. Sus cursos significaron el paso del escolasticismo a las nuevas doctrinas profesadas por los principales filósofos de la época. En el periodismo también defendió los principios filosóficos que enseñaba en las aulas, sobre todo en Chile.

La Fontaine, Jean de (1621-1695).
Poeta y fabulista francés famoso, entre sus creaciones poéticas, por las fábulas llenas de sentencias y animales que hablan, a la manera del antiguo Esopo. En ellas utilizó diversos estilos y formas poéticas. Son menos importantes los cuentos, los poemas variados y las obras teatrales. Nació en Château-Thierry y después de abandonar el propósito de ordenarse en lo eclesiástico hizo estudios de derecho. Se inició en las letras con una traducción de Terencio. Desde joven, por influencias familiares y por su talento y simpatía, vivió protegido por diversos personajes.

Lafourcade, Enrique (1927-).
Novelista chileno. Le caracterizan la introspección y la presentación de mundos degradados. Sobresalen sus títulos *Pena de muerte* (1952), *Asedio* (1956), *La fiesta del rey Acab* (1959), sobre el dictador Trujillo; *El príncipe y las ovejas* (1961, premio Gabriela Mistral), *Pronombres personales* (1967), *Frecuencia modulada* (1968), *Antología del cuento chileno,* 3 vols (1969). Autor también del ensayo político *Salvador Allende* (1974).

La Fuente, Antonio Gutiérrez de
(1796-1878). Militar y político peruano. Nombrado gobernador de Arequipa, junto con Agustín Gamarra derrocó al presidente José de La Mar (junio de 1829). En agosto fue elegido vicepresidente de la República y en 1830 se hizo cargo provisionalmente de la presidencia, pero en abril de 1831 estalló un motín que le obligó a exiliarse. Regresó a Perú en la expedición del general Manuel Bulnes (1838) durante la guerra de Chile contra la Confederación Peruano–Boliviana (1836-1839) la cual ganó.

lagartija.
Reptil de forma muy semejante a la del lagarto, de unos 20 cm de largo, incluidos 12 a 14 de la cola, muy común en España, centro y sur de Europa y parte occidental de Asia. Tiene escamas dorsales circulares y granulosas, sienes cubiertas de escamitas, y en la parte frontal una circular. La parte superior es de color ceniciento, con manchas pardoverdosas, y el vientre protegido por 6 u 8 series de placas.

Lagartijo (1841-1900).
Apodo del torero español Rafael Molina. A los nueve años toreó en una plaza como banderillero. En 1865 tomó la alternativa y durante casi 30 años compartió con Frascuelo, la gran figura de la tauromaquia española, la supremacía en la lidia de toros. se Retiró de la profesión en 1893 después de haber ganado una fortuna.

lagarto.
Reptil saurio, de cabeza robusta y algo alargada, con ojos pequeños, tronco cilíndrico, cuatro extremidades provistas de uñas, cola flexible, que al romperse vuelve a crecer, cubierta de escudetes y escamas. Por lo general no se alejan de sus escondites, en los cuales se guarecen rápidamente al menor asomo de peligro. Se alimentan de gusanos, arañas, moscas y otros insectos. La hembra pone los huevos en lugar donde pueda darles el sol, cuyo calor los incuba; las crías, en cuanto nacen, pueden procurarse el sustento por sí mismas. Algunas especies son vivíparas.

Son animales muy útiles a la agricultura, pues destruyen muchos insectos que perjudican los cultivos por lo cual no se justifica que el hombre los persiga, ya que entre las 3,000 especies que se conocen,

Lagartija agama en Serengetti, Tanzania.

Corel Stock Photo Library

162

sólo dos, pertenecientes al género *Helo-derma*, son ponzoñosas. Los lagartos comprenden 20 familias, de las cuales daremos algunos de los géneros y especies más conocidos:

La *salamanquesa común*, muy frecuente en los países mediterráneos; carece de cola y mide unos 8 cm; corre con gran rapidez y se dedica a la caza de mosquitos y otros insectos.

El *geco de corteza*, que recibe este nombre porque su piel imita el color del liquen que recubre los árboles, o sea que posee esa adaptación al medio que se conoce con el nombre de mimetismo.

El *diplodáctilo de cola manchada*, caracterizado por las llamativas manchas que presenta; vive en la Península de Málaca; está provisto de pliegues membranosos, que van de la cabeza a la cola, con los cuales puede lanzarse, desde lo alto, como si tuviese un paracaídas.

El *geco salpicado*, que vive en diversos países del Extremo Oriente. Sus dedos pueden separarse extraordinariamente y posee tres uñas retráctiles, presenta en la cabeza y dorso tubérculos y escamas granulosas, en tanto que las del vientre son lisas.

En algunas regiones de México encontramos el *lagarto cornudo*, provisto de dos astas agudas y un par de hileras de espinas en el dorso. Habitualmente permanece hundido en la arena hasta muy entradas las horas del día.

En América Central vive el *lagarto cola de peine*, perteneciente, como el cornudo, al género *Phrynosoma*; en su cola se advierten numerosas espinas.

La *iguana cornuda* habita en las zonas cálidas de América. El macho presenta tres cuernos agudos. Hace su nidada en lugares boscosos, y elige las proximidades de los ríos y arroyos, donde se refugia en caso de peligro.

Es propio de Jamaica el *cicluro*, que presenta la cresta dorsal interrumpida en la región escapular y sacra; es un animal muy robusto que, aunque por lo general huye del hombre, se defiende a mordiscos y coletazos si se ve acorralado. Los indígenas lo persiguen para apoderarse de sus huevos, que aprecian como un manjar.

La fauna de América tropical abunda en especies que llaman poderosamente la atención por su aspecto y gran tamaño, como sucede con la *iguana común*, que mide cerca de 2 m de longitud. Comestible, posee una carne de gusto agradable. Uno de los lagartos de mayor tamaño es el *tejú*, que alcanza una longitud de 95 cm, de los cuales 57 corresponden a la cola que es cilíndrica en su origen y comprimida a partir de la mitad. De color negro azulado, con manchas blancas amarillentas, habita en la mayor parte de América del Sur, al este de los Andes, desde el Uruguay a las Indias

Occidentales y se alimenta de animales vivos: ranas, topos, lombrices e insectos.

Uno de los lagartos venenosos es el monstruo *del Gila*, de Arizona y México, que alcanza hasta 60 cm de longitud. Su mordedura es fatal para los animales pequeños, tales como las ranas y palomas, y peligrosa para el hombre.

El cuero de lagarto es muy empleado en peletería, y con él se fabrican guantes, carteras, calzado y muchos otros artículos.

La Gasca, Pedro de (1485-1567).

Eclesiástico y político español. Fue designado presidente de la audiencia de Perú, con amplios poderes para proceder a la pacificación del virreinato, perturbado por Gonzalo Pizarro que se había rebelado contra el virrey Blasco Núñez Vela, a quien había vencido y muerto en combate. Pizarro no acató la autoridad de La Gasca y éste lo venció (1547), lo hizo prisionero y fue ejecutado. Dotado La Gasca de grandes cualidades de gobierno, procedió con prudencia y energía a restaurar el orden y afirmar la autoridad real. Regresó a España en 1549 y por sus meritorios servicios fue elevado al episcopado, que ejerció en Sigüenza y después en Palencia, donde murió.

Lagerkvist, Pär Fabian (1891-1974).

Escritor sueco. Residió en París y expresó su admiración por el cubismo y el fauvismo en *Arte de las palabras y arte de las imágenes* (1913). Aparte de sus libros de poemas, escribió narraciones que también reflejaban su horror a la guerra y obras de teatro. Influido por August Strindberg, se orientó hacia temas de índole metafísica, con utilización de símbolos y alegorías. Sus

novelas más representativas son *El verdugo* (1933), *El enano* (1944) y *Barrabás* (1950), que adaptó a la escena en 1953. Acentuó su preocupación religiosa en *La muerte de Asuero* (1960) y *La tierra santa* (1964). Le fue otorgado el Premio Nobel de Literatura en 1951.

Lagerlöf, Selma (1858-1940).

Novelista sueca nacida en la provincia de Vermland, rica en tradiciones. Fue maestra en Landskrona. Tras ganar el concurso de un periódico literario con capítulos de su primera novela, *La leyenda de Gosta Berling*, se dio de lleno a la literatura. Mostraba allí escenas pintorescas del Vermland de 1830. Visita Italia y escribe *Los milagros del Anticristo*, con pormenores de la vida en Sicilia; va a Palestina y narra en *Jerusalén* las vicisitudes de una secta religiosa sueca establecida en Tierra Santa. Su entrañable amor por los niños se manifiesta en su obra maestra: *El maravilloso viaje de Nils Holgersson*. Nadie que haya leído este relato podrá olvidar el encanto y la poesía de los paisajes suecos que ve desde la altura el travieso Nils, azorado acompañante de los ánades silvestres en su anual migración hacia el sur. En 1909 fue distinguida con el Premio Nobel, y al entrar en la Academia Sueca de Letras fue la primera mujer que figuró en la docta asamblea. Sus dotes literarias y su entusiasmo por toda causa noble, le hicieron famosa en su patria y fuera de ella.

lagidio. *Véase* VIZCACHA.

lago. Acumulación permanente de agua en una depresión del terreno, donde se re-

Lago Eunice junto al monte Rainier en Washington, E.E.U.U.

lago

Lago Vermilion en el parque nacional Banff.

únen las aguas de su cuenca *(lacustre)*, que puede o no comunicarse con el mar. Existen varias clases de lagos. Por su origen se dividen en: *tectónicos*, cuya depresión ha sido originada por fracturas y hundimientos de la corteza terrestre, siendo por lo regular alargados y profundos; *volcánicos* cuando la masa de agua se acumula en la abertura de los cráteres de los volcanes apagados, predominan los de forma circular o casi circular *de barrera*, formados por el taponamiento de la salida de un valle, que puede ser producido de varias maneras y por diversos elementos (materiales rocosos, glaciares, lava, morrenas de antiguos glaciares, aluviones); *residuales*, constituidos por restos de antiguos mares que perdieron su contacto con la gran masa oceánica; de *erosión glaciar*, fraguados por la acción geológica de los glaciares locales de montaña o por los polares; *litorales o albuferas*, situados a nivel del mar y que reciben de éste gran parte de su caudal, por infiltración o por una abertura del cordón litoral (caños, esteros). Cuando son producidos por dos o más de las causas citadas se denominan *mixtos*. Al considerar la alimentación y el desagüe de los lagos nos encontramos con cuatro tipos de éstos: *abiertos* son aquellos que tienen entrada y salida de aguas, es decir, que en ellos desemboca un río y nace otro; *cerrados*, o faltos de afluentes y de emisarios visibles; *terminales*, los que cuentan con corriente tributaria y carecen de emisarios; *rebosantes* son los lagos que, aunque no reciben afluentes caudalosos, por hallarse en zonas de lluvias abundantes se desbordan y dan origen a un curso periódico o permanente de agua. En realidad, todo lago es una formación geológica imperfecta, pues representa una verdadera anormalidad en el drenaje de una cuenca fluvial y en teoría tiende siempre a desaparecer por una de las tres causas enumeradas a continuación o por la acción combinada de ellas: *evaporación, erosión* o *cegamiento*.

El caudal de un lago se acrecienta con los afluentes, las lluvias y los manantiales y fuentes, y se mengua por los emisarios, la evaporación y la infiltración. Las variaciones de su nivel están, por lo tanto, ligadas a las condiciones climáticas e hidrográficas de la región en que se halla. Por ello los de los desiertos son, en general, reducidos, periódicos, poco profundos y de agua salobre.

Existen mares que efectivamente no son otra cosa que lagos residuales, como el Caspio y el Aral. Los lagos más extensos se encuentran en Asia, América y África. He aquí los que alcanzan un área superior a 16,000 km²: en Asia: el Mar Caspio, 438,000; el Aral 67,943; el Baikal, 34,000; el Balkach, 18,400. En América: el Superior, 81,120; el Hurón, 59,600; Michigan, 58,100; Osos, 29,000; Esclavos, 27,800; Erie, 25,900; Winnipeg, 24,500 y Ontario, 18,800. En África: el Victoria, 68,000; Tanganica, 32,000; Nyassa, 28,500; Chad, 17,000. En Europa: el Ladoga, 18,200. A pesar de ser más pequeños, merecen mención especial entre los lagos americanos el Titicaca (8,300 km²), que, a 3,800 m de altitud sobre el nivel del mar, forma el límite natural entre Bolivia y Perú; y el Nicaragua (7,700), en Nicaragua.

Cuando una masa de agua, casi siempre dulce, llena un depósito natural de reducidas dimensiones y escasa profundidad constituye una *laguna*. El estudio de los lagos se denomina limnología.

Lagos. Antigua colonia inglesa de África Occidental, en la costa del Golfo de Guinea, que comprendía la isla de su nombre y el territorio contiguo de la costa de Nigeria. Perteneció a los portugueses, a los que debe su nombre; pero no formalizaron la ocupación efectiva de un modo continuo. En 1861 fue cedida por un rey indígena a Gran Bretaña, que hasta 1866 la tuvo como dependencia del gobernador de Sierra Leona, de cuya jurisdicción se separó en 1874 en unión de la colonia de Costa de Oro, y se disoció de ésta en 1886. En 1906 se integró a la colonia y protectorado de Nigeria. Al constituirse en 1954 la Federación de Nigeria, la ciudad de Lagos (antigua capital de la colonia de su nombre) pasó a ser capital federal. Hoy es capital del Estado de Nigeria. Tiene 1.347,000 habitantes (1992) y ocupa la isla de su nombre y parte de la costa. Esta ciudad y su zona de influencia están unidas con el interior por una línea férrea y una carretera. Tiene

Lagos más extensos				
Lago	Origen	País	Profundidad (en m)	Extension (en km²)
Mar Caspio	endorreico	Rusia-Irán	980	371.000
Superior	glaciar	Canadá-Estados Unidos	406	84.131
Victoria	tectónico	Tanzania-Kenia-Uganda	79	68.100
Hurón[1]	glaciar	Canadá-Estados Unidos	229	61.797
Mar de Aral	endorreico	Kazakstán-Uzbekistán	54	41.000
Michigan[1]	glaciar	Estados Unidos	282	58.016
Tanganica	tectónico	Tanzania-Zaire-Burundi	1.435	32.893
Grande de los Osos	glaciar	Canadá	82	31.792
Baikal	tectónico	Rusia	742	31.500
Winniepeg	glaciar	Canadá	27	24.514
Gran Lago de los Esclavos	glaciar	Canadá	614	28.438
Erie	glaciar	Canadá-Estados Unidos	64	25.612

([1]) *El Hurón y el Michigan constituyen hidrográficamente un lago único.*

puerto con activo movimiento comercial. Exporta aceite de palma, caucho y maderas finas, sobre todo caucho.

Lagos, Los. Región X de Chile, situada en la parte meridional del país y limitada al norte por la Región de la Araucanía; al sur por la Región Aisén del General Carlos Ibáñez del Campo; al este por Argentina, y al oeste por el Pacífico. La integran las provincias de Valdivia, Osorno, Llanquihue, Chiloé y Palena. Superficie: 69,039 km²; población: 957,212 habitantes (1995). Su capital es Puerto Mont (122,399 h). Comprende la zona forestal más rica del país y produce también cereales; ganado bovino y porcino. Industrias maderera y alimentaria. *Véanse* CHILE; CHILOÉ.

Lagrange, Joseph Louis de (1736-1813). Matemático y astrónomo francés. Desde muy joven demostró excepcional aptitud para las ciencias matemáticas. A los 19 años, siendo profesor en la escuela de artillería de Turín, publicó los fundamentos del cálculo de variaciones. El rey de Prusia Federico *el Grande* lo nombró en 1766 director de la sección de matemáticas de la Academia de Berlín. En 1786 regresó a París y publicó su famosa obra *Mecánica analítica*. Sus principales trabajos matemáticos abarcan la aplicación del cálculo a la teoría de las probabilidades, notables investigaciones sobre la teoría del sonido, las ecuaciones indeterminadas a partir del segundo grado, el análisis funcional, el cálculo diferencial y la teoría de los números. En el campo de la astronomía, estudió las libraciones de la Luna, la estabilidad del sistema solar y los satélites de Júpiter. Se le considera uno de los más grandes matemáticos de todos los tiempos.

lágrima. Cada una de las gotas de humor que segrega la glándula lagrimal destinadas a mantener húmedas las membranas de los ojos. La producción y eliminación de la lágrima es constante, manteniéndose un equilibrio que evita su derrame por la abertura palpebral. Se compone de una solución acuosa de cloruro de sodio y bicarbonato; además contiene lisozima, de efecto antibiótico. Es importante su misión de arrastrar mecánicamente pequeños cuerpos extraños y bacterias. La eliminación lagrimal se efectúa por evaporación o por la salida hacia las cavidades nasales, pasando por los conductos lagrimales.

Laguna, Tomás Antonio de La Cerda y Aragón, marqués de La (1638-1692). Virrey de Nueva España (1680-1686). Durante su gobierno tuvo que enfrentarse a la sublevación de los indios de New Mexico y a la revuelta de la ciudad de Antequera. Asimismo, se produjeron diversos ataques de piratas, contra algunas ciudades como Veracruz, Campeche, Acapulco y Tampico. Promovió expediciones a Florida y a California. Fi-

Corel Stock Photo Library

Vista microscópica del lagrimal.

nalizando su mandato fue elevado a la nobleza de España y pasó al servicio de la reina Mariana de Neoburgo (1689).

Lahore. Antigua ciudad de la India, capital histórica del Punjab, y actualmente perteneciente a Pakistán. Con una población de 2.922,000 habitantes (1995), es la segunda ciudad del país y el mayor centro cultural de Pakistán. Es también muy importante como mercado de granos, como consecuencia de estar enclavada en un distrito muy bien irrigado que produce grandes cosechas.

laicismo. Doctrina que postula como principio fundamental la independencia del hombre, de la sociedad y del Estado de toda influencia de tipo religioso. En 1846 George James Holyoake publicó en Inglaterra los principios del Laicismo, los cuales sirvieron para fomentar largas polémicas. La historia de esta doctrina, en el orden político, está unida a la del liberalismo como principio de separación estricta entre el poder civil y el eclesiástico; en los países de religión católica ha tendido a limitar la influencia educativa, social y cívica de la Iglesia, y sus conexiones con el poder político. La Iglesia católica lo ha combatido.

Laika, perra. Primera criatura viviente enviada al espacio exterior. Fue lanzada por la Unión Soviética el 3 de noviembre de 1957 en el satélite *Sputnik 2*. Viajó en una cabina cilíndrica sellada que contenía equipo para registrar su pulso, respiración, presión sanguínea y actividad cardiaca. La nave no fue diseñada para regresarla a la Tierra.

Esquema del aparato lagrimal.

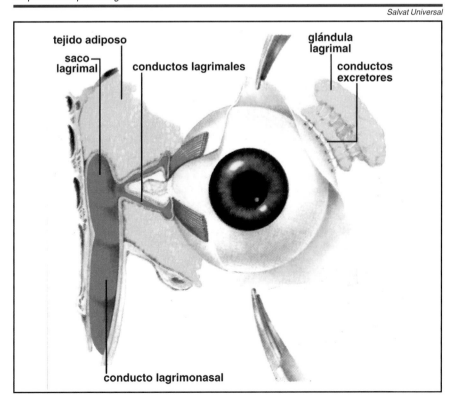

tejido adiposo
saco lagrimal
conductos lagrimales
glándula lagrimal
conductos excretores
conducto lagrimonasal

Laika, perra

Laika es también el nombre de un grupo de perros de la raza spitz, originario del norte euroasiático, que son criados como mascotas y cazadores.

Laín Entralgo, Pedro (1908-). Médico, historiador y ensayista español. Fue catedrático de historia de la medicina en la Universidad de Madrid (de 1942 a 1978), en la que ocupó también el cargo de rector hasta 1956. Desde 1962, miembro de la Real Academia de la Historia. Se le considera el iniciador de la historia de la medicina en España. Su producción bibliográfica abarca los géneros más diversos. Destacan entre sus obras: *Medicina e historia* (1941) y *España como problema* (1942). En 1982 fue elegido director de la Real Academia Española. En 1989 recibió el premio Príncipe de Asturias de Humanidades y publicó *El cuerpo humano*.

Lalo, Edouard (1823-1892). Compositor francés, que señala el auge del llamado nacionalismo musical en obras como *Rapsodia noruega* y *Sinfonía* española para violín y orquesta, limitado a un pintoresquismo externo y brillante para lucimiento de los intérpretes. Autor de numerosas obras sinfónicas y de cámara, entre ellas se destacan, aparte de las ya citadas, el ballet *Namouna* y la ópera *El rey de Ys*, considerada como su obra más importante y de más éxito.

Lam, Wilfredo (1902-1982). Pintor cubano nacido en Sagua la Grande y muerto en París. Se formó en La Habana, en Madrid y en la capital francesa, donde residió desde 1938 (excepto durante los años de la Segunda Guerra Mundial). Su pintura es surrealista, de inspiración africana. En un tiempo se dedicó a ilustrar libros, como *Fata Morgana*, de André Breton. También colaboró con Carlos Raúl Villanueva pintando murales para la Ciudad Universitaria de Caracas. Sus obras se han exhibido en diversos museos y galerías de Europa y América.

lama. Sacerdote de la religión lamaísta, mezcla de budismo y tradiciones populares, que se practica en Asia, principalmente en el Tíbet, Mongolia y ciertas regiones de Manchuria. Una de sus doctrinas fundamentales es la creencia en la reencarnación. El jefe supremo del lamaísmo es el Dalai Lama, a quien se supone reencarnación de la divinidad. En 1959, tras la ocupación del Tíbet por los comunistas chinos, el Dalai Lama abandonó su sede de la ciudad de Lhasa, para buscar refugio en la India.

Lamadrid, Gregorio Aráoz de (1795-1857). General argentino de la Independencia. Comenzó su carrera militar

a los 14 años, y fue guerrillero muy hábil para preparar emboscadas y golpes de mando. Se cuenta que participó en 140 combates. Se distinguió en las batallas de Tucuman y de Salta, fue ayudante de José de San Martín e hizo la campaña del Alto Perú. Tomó luego parte como jefe unitario en las guerras civiles, junto con Juan Galo Lavalle y Justo José Urquiza. Vencido por Juan Facundo Quiroga y por Juan Manuel de Rosas, tuvo que emigrar a Chile y a Uruguay. Años más tarde, en 1852, participó en la batalla de Caseros.

La Mar y Cortázar, José (1778-1830). Militar ecuatoriano. Fue oficial del Ejército Español y se distinguió en la defensa de Zaragoza y Valencia. En 1814 fue ascendido a brigadier y dos años más tarde nombrado inspector general del Ejército de Perú. Defendió El Callao heroicamente contra el general José de san Martín y poco después abrazó la causa de los patriotas americanos. Luchó a las órdenes de Simón Bolívar y su comportamiento en Ayacucho fue memorable. Posteriormente se sublevó contra Bolívar y se hizo elegir presidente de Perú en 1827. Declaró la guerra a Colombia con el pretexto de que las provincias de Guayaquil y Cuenca eran partidarias de adherirse a Perú, y derrotado en la batalla de Portete de Tarqui (27 de febrero de 1829), fue apresado por Agustín Gamarra, quien se apoderó poco después del gobierno de Lima; fue deportado a Costa Rica, donde falleció al año siguiente.

Lamarck, Jean Baptiste. Pierre Antoine de Monet, caballero de (1744-1829). Naturalista francés. Empezó los estudios eclesiásticos, pero a la muerte de su padre se enroló en el Ejército, y alcanzó el grado de oficial. Un accidente lo obligó a abandonar las armas y, desde entonces, se consagró por entero a la historia natural. Su primer libro *Flora francesa,* en el que emplea las claves dicotómicas para la clasificación de las especies, le abrió las puertas de la Academia de Ciencias. En sus dos obras fundamentales *Filosofía zoológica* e *Historia de los animales invertebrados* aparece como propugnador de la teoría del *transformismo.* Como dedicaba todos sus recursos a la investigación vivió y murió en la pobreza.

Lamartine, Alphonse de (1790-1869). Poeta y escritor francés, uno de los primeros y más destacados representantes del Romanticismo en su patria. Poeta ante todo, pese a la efímera gloria política que gozó durante la Revolución de 1848, son sus *Meditaciones, Armonías* y su poema *Jocelyn* las obras a las que debe su inmortalidad. Lírico de esencia cristiana, *La caída de un ángel* y *Graciela* cierran su inspi-

rada obra poética. Escribió, asimismo, *Historia de los Girondinos, Historia de la Revolución* de 1848, *Historia de la Restauración, Curso familiar de literatura* y *Viaje por Oriente.* La primera de las historias citadas, por su aliento liberal y su glorificación de los principios de la revolución, permanece como una de sus obras mayores y como profesión de su fe democrática. *Véase* ROMANTICISMO.

Lamas, Andrés (1817-1891). Político, periodista e historiador uruguayo. Siendo aún muy joven desempeñó el cargo de jefe de Policía en Montevideo. Al sobrevenir la lucha entre las dos fracciones de Uruguay, Lamas estuvo al lado de los liberales. Después de distinguirse en el sitio de Montevideo, sus compatriotas le asignaron la misión de ultimar los preparativos de la alianza con Brasil. Contribuyó con su política y su pluma a derribar al tirano Juan Manuel de Rosas. Fundó y colaboró en la *Revista del Río de la Plata* y escribió numerosas obras, como *Génesis de la revolución* y *Rivadavia* y *su época,* que son verdaderos documentos históricos.

Lamb, Charles (1775-1834). Poeta y escritor inglés, cuya obra fue dedicada en su mayor parte a la divulgación de algunas de las creaciones de la literatura universal. Iniciado en las letras con algunos sonetos y dos dramas que fueron dos fracasos, alcanzó la fama con los *Relatos basados en las obras de Shakespeare,* escritos en colaboración con su hermana, quien transcribió las comedias mientras él hizo lo mismo con las tragedias. Famoso con el seudónimo de Elia, escribió a continuación las *Aventuras de Ulises,* versión de *La Odisea* homérica para la juventud. Los *Ensayos de Elia, La leyenda de Rosamunda Gray,* en prosa poética; los recuerdos de infancia, escritos en colaboración con su hermana; *La escuela de la señora Leicester,* y *Estudios sobre los poetas ingleses contemporáneos de Shakespeare.*

Lamb, Willis Eugene, Jr. (1913-). Físico teórico estadounidense. Profesor de física en la Universidad de Yale desde 1962 y en la de Arizona desde 1974. Realizó investigaciones sobre la estructura atómica y nuclear, espectroscopia de las microondas, y descubrió el efecto llamado *desplazamiento de Lamb* (desdoblamiento de los niveles de energía del hidrógeno). Se interesó por los estudios referentes a la técnica de los osciladores, los máseres y los láseres. En 1955 recibió, junto con Polykarp Kusch, el Premio Nobel de Física.

Lambayeque. Departamento de Perú que limita al norte con el de Piura, al este con el de Cajamarca, al sureste con el de Libertad y al sur y al oeste con el océano

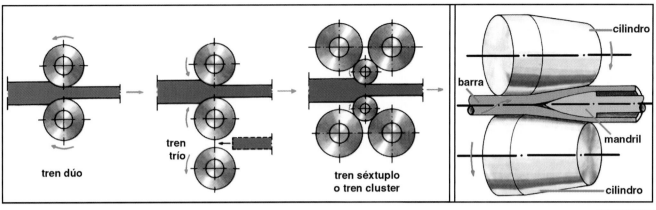

Salvat Universal

Algunas disposiciones típicas de los cilindros en los trenes de laminado, (izq.) y obtención de un tubo sin soldadura en un proceso de laminado (der.).

Pacífico. El departamento es un plano inclinado desde las orillas del Pacífico hasta la cordillera occidental de los Andes, y sus tierras son arenosas, cortadas por valles en los que se cultiva arroz, maíz, algodón, vid, caña de azúcar, tabaco y café. Tiene una extensión de 16,586 km², su población asciende a 950,842 habitantes (1993) y se divide en tres provincias. Su capital es la ciudad de Chiclayo.

Lamennais, Felicité y Robert de

(1782-1854). Pensador y eclesiástico francés, cuyas obras, de carácter polémico y libre interpretación del dogma católico, influyeron sobre la generación romántica. Después de la publicación del *Ensayo sobre la indiferencia en materia de religión*, en la que impugna el racionalismo, reunió a su

Efectos de laminado en caliente (arriba) y en frío (abajo).

Salvat Universal

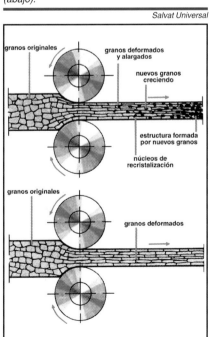

alrededor la élite de los católicos liberales y fundó la revista *L'Avenir*, en la que defendió el liberalismo y la separación de la Iglesia y el Estado. Desaprobado por el papa Gregorio XVI en 1832, publicó su obra *Palabras de un creyente*, que le hace salir de la Iglesia. Elegido representante de la Asamblea Nacional de 1848, se sentó en la extrema izquierda.

laminado. El laminado de los metales consiste en conformarlos según perfiles comerciales por medio de compresiones realizadas con cilindros. Este tratamiento presenta gran economía y rapidez para la obtención de productos acabados: barras, chapas, perfiles comerciales, tubos, etcétera.

El laminado se puede efectuar en dos formas: en caliente y en frío. El laminado en caliente es el más antiguo y generalizado. Se realiza a alta temperatura, con lo que se logran mayores reducciones; sin embargo, la temperatura elevada facilita la formación de óxido y la decarburación. El laminado en frío ha adquirido auge ya que la acritud que acompaña toda deformación en frío implica aumento de resistencia, disminución de ductilidad y formación de tensiones residuales.

lámpara. Utensilio para dar luz. La necesidad de alumbrarse la sintieron los primeros hombres, y en cuanto descubrieron el fuego crearon utensilios rudimentarios, donde hacían arder sustancias combustibles, alumbrándose con su llama. Las primeras lámparas del hombre de las cavernas fueron piedras o huesos cóncavos y conchas donde ardían grasas de animales. Egipcios, griegos y romanos fabricaron sus lámparas de tierra cocida y de bronce, haciendo arder una mecha de algodón empapada en aceite. Las formas y dimensiones de estas lámparas fueron evolucionando desde el simple candil de una sola mecha hasta las artísticas lámparas ornamentales de numerosos mecheros, y se

introdujeron perfeccionamientos, como la mecha tubular, que produce llama circular, y el tubo o chimenea de vidrio, que protege y da más uniformidad a la llama. Al descubrirse el petróleo, éste sustituyó a casi todos los aceites en las lámparas, quemándose al principio impregnado en mechas y más tarde gasificándolo por medio de mecheros especiales y a presión. En el siglo XIX fueron las más utilizadas las lámparas de gas, que quemaban gas de alumbrado producido por la destilación de carbones minerales, o acetileno, obtenido del carburo de calcio. En nuestra época, las lámparas eléctricas, en sus distintos tipos, han sustituido, casi totalmente, las otras clases de alumbrado y se ha generalizado el nombre de lámpara, aplicándolo a muchos apara-

Lámpara eléctrica de filamento incandescente, dentro de una ampolla de vidrio al vacío.

Corel Stock Photo Library

Corel Stock Photo Library

Lámpara china de dragón.

tos productores de luz y calor, así como a los que producen radiaciones diversas.

lámpara de seguridad.

Aparato que tiene la doble propiedad de servir para la iluminación de las minas y advertir la presencia de los gases nocivos que podrían poner en peligro a los que trabajan en ellas. En las minas de carbón, se producen emanaciones de grisú que al menor contacto con una materia candente (la misma chispa que produzca una herramienta al dar con un canto duro) se inflaman y estallan. El químico inglés Humphry Davy observó que las telas metálicas tenían la virtud de aislar los fluidos de distinta densidad y fundado en ese principio construyó la lámpara que lleva su nombre. Se trata de un farol,

alimentado con petróleo o aceite, cuya llama se halla completamente envuelta por un cilindro de tupida trama metálica. Empleada en el interior de las explotaciones mineras, se observó que cuando el aire se hallaba cargado de gases nocivos, la llama de la lámpara se alargaba y adquiría una tonalidad azul característica, y que cuando la tela metálica empezaba a ponerse al rojo, ello era señal de inminente peligro, ante lo cual era necesario apagar la lámpara y los mineros debían apresurarse a salir de la galería subterránea en que estuvieran trabajando. El empleo de lámparas eléctricas en las minas desplazó a las antiguas lámparas de seguridad, y la presencia de gases peligrosos en el aire se descubre mediante aparatos especiales como los detectores de metano y de monóxido de carbono, y se previene e impide la acumulación de gases mediante los ventiladores y extractores de los sistemas de ventilación.

lámpara solar o ultravioleta.

Aparato que emite rayos ultravioletas. Los rayos ultravioletas, invisibles y de una longitud de onda relativamente pequeña, son uno de los componentes de la luz solar. Bajo su acción la piel humana toma un color bronceado y la cantidad de vitamina D en el organismo aumenta notablemente. Hace algún tiempo se creía que estos rayos estimulaban el metabolismo y la actividad cerebral y actuaban, en general, como un tónico excelente. Hoy sabemos que esto es incierto. Sin embargo, la acción de estos rayos, unida a otros medicamentos, puede ser eficaz en muchos casos. La lámpara solar está formada esencialmente por un arco de carbón (a veces mezclado con sales metálicas) o de cuarzo y vapor de mercurio, por los que se hace pasar una corriente eléctrica. La luz emitida entonces por estos arcos es muy rica en radiaciones ultravioletas. El enfermo que se expone a estos rayos debe protegerse la

vista con unos anteojos oscuros y no descuidar la duración de las sesiones; éstas aumentan progresivamente de unos pocos minutos hasta cerca de una hora. El tiempo exacto depende de la enfermedad del paciente y de la potencia de la lámpara. *Véase* RAYOS ULTRAVIOLETAS.

lamprea. Pez ciclóstomo de mar o de río, de cuerpo cilíndrico semejante al de una anguila, esqueleto cartilaginoso y, por consiguiente, desprovisto de columna vertebral ósea; cuerpo liso viscoso y cola puntiaguda. La que habita en los mares mide 1 m o más de longitud, en tanto que la fluvial sólo tiene 30 o 40 cm. La primera presenta un lomo con manchas azules, la segunda las ostenta negruzcas. Su carne es muy sabrosa y se consume desde tiempos antiguos, aunque es algo difícil de digerir. Es uno de los vertebrados más inferiores, provisto de columna vertebral fibrosa sustentada por un notocordio, órgano de transición que sólo poseen los animales considerados como predecesores de los vertebrados. Posee una boca redonda capaz de succionar enérgicamente, lo que le permite adherirse a las piedras, embarcaciones, y, sobre todo, a otros peces, mecanismo que termina por perforarles la piel y rasgarles la carne, con la cual se alimenta; su boca, en forma de taza, está armada de poderosos dientes con los cuales arranca tegumentos y tejidos, sin soltar la presa, a la cual se sostiene fija por la poderosa ventosa que lleva por boca. Sus víctimas predilectas son el bacalao, la caballa y los salmones. La lamprea desova en los ríos, aun cuando sea de mar. Después de depositados sus huevos en los guijarros de las corrientes, muere. Nace ciega y se cría en el cieno, desprovista de dientes, después, dotada ya de vista y apta para buscarse el alimento, la lamprea vuelve al mar. Habita en las regiones templadas de ambos hemisferios.

lana. Pelo de ovejas, carneros, corderos y de otros animales como llamas, vicuñas, alpacas y ciertas cabras asiáticas, formado por mechas o vellones de fibras suaves, flexibles, largas, sedosas y onduladas, que reunidas en grupos regulares, más o menos voluminosos, cubren todo el cuerpo del animal. Dada la variedad de los animales que la producen, sus características difieren, pero tienen en común los filamentos formados por un canal central recubierto por escamas superpuestas que se contraen bajo los efectos del calor y la humedad, y que dan cohesión a los filamentos cuando se unen entre sí para formar hilos resistentes con los que se hacen ricos paños y tejidos diversos. Las características del vellón dependen de la lana y del agrupamiento de las fibras que la forman, y se dice que es cerrado o compacto cuando las mechas están compuestas por filamen-

De las ovejas se obtiene la lana.

Corel Stock Photo Library

tos de igual longitud, y abiertos si las mechas terminan en puntas irregulares. Los vellones compactos son los más apreciados porque producen la mejor lana, que es tanto más fina cuanto más corta y apretada es la fibra. El vellón se quita a las ovejas y carneros generalmente una vez por año, en la primavera, mediante la operación del esquileo, que consiste en cortar con tijeras o máquinas eléctricas especiales, toda la lana que cubre el cuerpo de la oveja. El peso total del producto de uno de estos animales varía entre 1.5 y 5 kg de lana por año, según la raza, aunque hay carneros merinos que dan más de 10 kg. Los vellones se obtienen en bruto, es decir, conservando las materias extrañas y suciedades que contiene, pero también suelen lavarse sobre el cuerpo del animal poco antes de la esquila. Después de cortado, el vellón se pesa y se extiende sobre una tabla. se enrolla para formar una masa cilíndrica que se ata y almacena en lugares secos y ventilados hasta el momento de la venta, que se hace de acuerdo con el peso y la calidad de la lana.

Para la clasificación de la lana se tienen en cuenta la finura de la mecha, la longitud, resistencia y rizado de la fibra, el color, la elasticidad y la limpieza. Cuando los hilos de la mecha carecen de ondulaciones y están apelotonados y caídos, se clasifica la lana como lisa y de ínfima calidad, pero si presenta ondulaciones, como ocurre casi siempre, se recurre a la longitud de la fibra para la clasificación. Esta longitud es muy variable y a veces en una misma raza; como la de merinos, se encuentra entre los 3 y los 6 cm, y en algunas especies llega a los 20 cm. De acuerdo con la longitud de las fibras se destinan las lanas para peinar o cardar (largas y cortas). En las fibras de mejor calidad, los hilos presentan ondulaciones múltiples y uniformes en zigzag y, en consecuencia, cada uno de los hilos puede extenderse considerablemente. En las lanas de calidad más inferior, los filamentos apelotonados, lisos y rectos, no pueden estirarse. También la medida del diámetro de cada hilo interviene en la clasificación de la calidad; el experto puede juzgar y comparar el diámetro de un hilo, pero generalmente se recurre al microscopio. Este diámetro es uniforme en todos los hilos de la mecha cuando la calidad es buena. En las lanas de los merinos, que son las más finas, el diámetro de cada filamento llega a un centésimo de mm y nunca sobrepasa los 3 centésimos de mm. Asimismo, la lana buena debe ser fuerte y flexible, es decir, que debe resistir al esfuerzo que tiende a romper los hilos. Esta cualidad esencial depende del buen estado de salud, la higiene y la buena alimentación del animal. En una oveja que se haya alimentado mal durante el invierno, la mecha presenta irregularidades y es más débil en toda

Corel Stock Photo Library
Esquilando la lana de una oveja.

aquella parte que creció durante el periodo de alimentación insuficiente. La suavidad acompaña siempre la finura y la elasticidad. Para apreciar esta cualidad que aumenta sensiblemente el valor del vellón, se palpa la lana reunida en mechas gruesas, sobre el lomo de la oveja.

En cuanto a la flexibilidad y elasticidad, que también dependen de la finura, varían según la cantidad de sebo que hay en la epidermis y, en consecuencia, según la salud y buenas condiciones en que vive el animal. Debido a su elasticidad y extensibilidad, la lana apelmazada forma los fieltros. La lana lisa de mechas puntiagudas no puede extenderse, mientras que la ondulada se alarga considerablemente al estirarla y recupera su forma primitiva, gracias a la elasticidad. También varía la calidad según las partes del cuerpo del carnero y la oveja donde crece la lana. La mejor se encuentra en el lomo, las paletas delanteras, la base del cuello y la parte superior de los flancos.

El cordero nace con un vellón sumamente imperfecto, cuya lana va mezclada con filamentos gruesos y duros y sólo a los siete meses de vida del animal empieza a formarse. A los 20 meses, o sea durante la época de la segunda esquila, el vellón habrá adquirido sus características definitivas, pero no alcanza su volumen o su calidad máximos sino hasta la tercera esquila. A partir de la sexta, la producción tiende a disminuir tanto en calidad como en cantidad.

Debido a sus propiedades aislantes y térmicas, la lana es la fibra más ventajosa para la fabricación de telas para ropa. Los hilos muy resistentes, finos y suaves, se tejen ya solos o ya mezclados con otras fibras, y con ellos se obtienen paños de gran calidad, franelas, mantas, estameñas, los merinos o casimires de Escocia, terciopelos, felpas y géneros de punto.

Láncaster. La casa real inglesa de Láncaster tuvo su origen en 1267, cuando el rey Enrique III concedió el título de conde de Láncaster a su hijo Edmundo. A mediados del siglo XIV, los condes de Láncaster, por su valor en las guerras con Francia, fueron elevados a la categoría de duques. Al morir en 1361 Enrique, duque de Láncaster, sin sucesión masculina, su hija se casó con Juan de Gante, que heredó el título, mientras que a Lionel, hermano de Juan, el rey Eduardo le concedió el ducado de Clarence. Así se originaron las dos casas rivales de Láncaster y de York, que habrían de sostener la guerra de las Dos Rosas y disputarse la corona de Inglaterra. En 1399, un hijo de Juan de Gante subió al trono de Inglaterra con el nombre de Enrique IV. Su hijo y su nieto fueron también soberanos con los nombres de Enrique V y Enrique VI. A la muerte de este último (1461) el trono de Inglaterra pasó a la casa de York.

lancero. Soldado cuya arma de combate es la lanza. Los jinetes ulanos tártaros fueron, según parece, los primeros en emplear este artificio. Usaban la lanza asiática, con gallardete que, al ondear en el combate, espantaba a las cabalgaduras enemigas. Prusia, Austria, Sajonia, Francia y España la introducen paulatinamente en sus ejércitos, que logran de ese modo aumentar la acometividad de la caballería.

lancha torpedera. Tipo de embarcación usado por la armada de Estados Unidos y otras que se destacó en la Segunda Guerra Mundial como una de las más veloces y prácticas para diversas maniobras. Se la conoce comúnmente como *PT Boat*; las iniciales corresponden a las palabras *patrol torpedo*, que aluden a su doble condición de embarcación torpedera y lancha de patrullaje. También se la llama *mosquito boat*, aludiendo a su utilidad para acosar al enemigo, apareciendo de pronto en la oscuridad. Sus motores desarrollan una velocidad de alrededor de 50 nudos, y en conjunto no llega a pesar 50 ton. Es proporcionalmente muy grande; gran parte de su estructura se compone de piezas de aluminio duro y liviano, diversas zonas son recubiertas con fibra de madera prensada y otras con goma. Cada lancha puede cargar cuatro torpedos de 45 cm, o dos de 52. Posee cuatro cañones de calibre 50, montados sobre estructuras móviles. También suele tener un cañón de 125 mm. La diseñó el inglés Humberto Scott-Paine, y la empezó a utilizar Gran Bretaña en la Primera Guerra Mundial. Estados Unidos la adoptó a partir de 1937 y todas los beligerantes la utilizaron en la Segunda Guerra Mundial; en el Mediterráneo, en el Mar del Norte y en el Pacífico, estas embarcaciones tuvieron descollante actuación. Las lanchas torpederas estadounidenses inutilizaron muchos barcos japoneses.

Landa, Diego de (1524-1579). Eclesiástico español. Enviado como misionero franciscano a Yucatán (1549), ejerció funciones episcopales e inquisitoriales. Trató con dureza a los indios y quemó numerosos códices mayas. A la llegada del obispo Toral (1562) regresó a la península, donde tuvo que responder a las acusaciones por su conducta. No obstante, regresó a Yucatán en 1573 al ser nombrado obispo de aquella sede. Su *Relación de las cosas de Yucatán* es una valiosa fuente para conocer la cultura maya.

Landau, Lev Davidovich (1908-1968). Físico soviético. Estudió en las universidades de Bakú y Leningrado. Dirigió el departamento de física teórica del Instituto para Problemas de la Física de la Academia de Ciencias de la Unión Soviética (1937-1968). Realizó numerosas investigaciones sobre la teoría del estado sólido y el comportamiento de los cuerpos a temperaturas muy bajas, y desarrolló la teoría termodinámica de las transiciones de fase de segundo orden en los cuerpos sólidos y una teoría macroscópica del estado superfluido del helio líquido. También se interesó por la teoría cuántica de los campos y por algunas cuestiones de física nuclear, estable-

ciendo la teoría llamada de la inversión combinada y la del neutrino de doble componente. En 1962 le fue concedido el Premio Nobel de Física. Landau es especialmente conocido por su *Curso de física teórica,* publicado en colaboración con otros autores y que abarca siete volúmenes.

Landowska, Wanda (1877-1959). La música moderna debe a esta singular pianista polaca, versiones musicales ejemplares de la obra de Johann Sebastian Bach y los clavicembalistas de los siglos XVII y XVIII. Fundó en Francia *La escuela de música antigua.* Fue autora de los libros *La música antigua* y *Bach y sus intérpretes.* No obtuvo con sus composiciones la categoría que como intérprete se le reconoce en todo el mundo musical.

Landseer, sir Edwin Henry (1802-1873). Pintor inglés cuyos cuadros de animales, especialmente perros y ciervos, ya en sus versiones originales –dibujo o pintura– o en reproducciones grabadas por su hermano Tomás (1795-1880), le conquistaron fama y fortuna, así como el título de caballero, que le fue conferido en 1850. Se dedicó al dibujo del natural, desde la infancia. *El rey de la cañada* y *Ciervo acorralado* poseen la fuerza de documentos, en tanto que su obra posterior adolece de cierto sentimentalismo.

Landsteiner, Karl (1868-1943). Médico austriaco, que llevó a cabo trascendentales investigaciones bioquímicas que le valieron el Premio Nobel en 1930 y la medalla Paul Ehrlich. Ocupó durante 10 años la cátedra de patología de la Univer-

sidad de Viena, y luego se trasladó a Estados Unidos, donde fue nombrado miembro del Instituto Rockefeller de Investigaciones Médicas. Especializado en el estudio de la hematología, sus trabajos han ejercido decisiva influencia sobre los actuales métodos de transfusión de sangre; son clásicos sus estudios sobre la existencia de cuatro grupos sanguíneos diferentes.

Lang, Fritz (1890-1976). Director cinematográfico alemán. En sus películas, casi siempre dramáticas, abundan los juegos de luces y están claramente influidas por el expresionismo. Dirigió en Alemania *Los nibelungos, Metrópolis* y *El testamento del doctor Mabuse,* y en Estados Unidos, donde se trasladó en 1935, *Furia, Sólo vivimos una vez* y *Los verdugos también mueren.*

Lange, Christian Lous (1869-1938). Pacifista noruego. Secretario general de la Unión Interparlamentaria (1909-1933) y delegado de su país en la Liga de las Naciones, donde abogó por el desarme. Recibió el Premio Nobel de la Paz en 1921, que compartió con H. Branting.

Langevin, Paul (1872-1946). Físico francés. Desde 1909 fue profesor del Colegio de Francia y desde 1925 director de la Escuela Municipal de Química y Física Industrial. Se le deben notables investigaciones sobre la aplicación de los rayos X, estudió también los rayos Roentgen y la teoría de la relatividad. Inventó y perfeccionó dispositivos para descubrir la presencia de submarinos sumergidos.

Langmuir, Irving (1881-1957). Químico estadounidense, que cursó sus estudios en la Universidad de Columbia y los amplió en Alemania. Es inventor de la lámpara eléctrica de tungsteno y gas y del soplete de hidrógeno atómico. Por sus notables investigaciones sobre la estructura atómica, obtuvo, en 1932, el Premio Nobel de Química.

langosta. Crustáceo marino provisto de 10 patas, cuatro antenas (dos centrales cortas y dos laterales largas), ojos salientes, cuerpo semicilíndrico y cola larga y gruesa. Mide aproximadamente 50 cm de longitud, es de color oscuro, que se vuelve rojo cuando se cuece; pesa en promedio 5 kg (aunque se han encontrado langostas que pesaban más de 10 kg), y vive en el fondo del mar. La hembra pone de 5,000 a 100,000 huevos –que lleva debajo de la cola–, durante 11 meses, de los cuales no todos alcanzan su completo desarrollo, pues las crías suelen ser abundante pasto de los peces y hasta llegan a ser devoradas por la propia madre. Al principio viven en aguas poco profundas, cercanas a la costa, pero a medida que crecen buscan las

Langosta marina.

profundidades, donde se instalan entre las anfractuosidades de las rocas submarinas. Asomada a la cueva, pasa el día moviendo continuamente sus antenas a la espera de la presa que, inadvertidamente, se pone a su alcance; durante la noche sale de caza guiada por el gran poder de orientación de sus antenas menores, en tanto que con las grandes explora las cavidades de las rocas en busca de peces dotados de tardos movimientos, caracoles o tallos tiernos.

Cuando la langosta llega a su completo desarrollo, el caparazón, incapaz de contenerla, se va desprendiendo en fracciones, durante esa muda, cuya duración es de tres semanas el crustáceo se debilita y desprovisto de toda defensa puede ser devorado por uno de sus muchos enemigos, entre los que se cuentan el bacalao, la raya y el cazón. El macho adulto experimenta dos mudas anuales y la hembra una solamente. La langosta se pesca en el océano Atlántico, en el Pacífico y en las costas septentrionales de Europa mediante trampas en cuya parte superior se encuentra una abertura en forma de embudo, donde se coloca la carnada (por lo general pescados). Esa especie de jaula se suspende de una cuerda y se baja al fondo del mar; el crustáceo, una vez que ha penetrado en la trampa, no puede retroceder ni librarse de su prisión. El cordel se sujeta a una boya, y el pescador recorre diariamente las que son de su propiedad, retira las langostas y repone la carnada. En muchos países la pesca de la langosta está reglamentada para evitar su extinción.

Corel Stock Photo Library

Langosta grandes cuernos.

Langosta (insecto) sobre una rama.

Corel Stock Photo Library

langosta. Insecto ortóptero de color gris amarillento, cabeza gruesa, ojos compuestos y prominentes, antenas articuladas, alas membranosas y patas muy robustas, aptas para saltar. Mide de 4 a 6 cm de largo, se alimenta de vegetales, se propaga copiosamente y constituye por su voracidad, una de las plagas más temibles de la agricultura.

Pone sus huevos en el suelo, para lo cual introduce en éste el oviscapto, que se encuentra en el extremo del abdomen, para luego ir retirándolo poco a poco, operación con la que salen los huevos rodeados por una sustancia pegajosa a la que se adhiere la tierra, para constituir los denominados en España *canutos* y en casi toda Hispanoamérica *paquetes*. En cada uno de éstos hay unos 25 huevos, de los cuales salen las llamadas *mosquitas*, que luego entran en el periodo de *saltonas*.

Desde tiempos muy antiguos la langosta constituyó el más dañino de los insectos. En el libro del Éxodo, de la Biblia, se describe una plaga de langosta que invadió Egipto, las tropas de Carlos XII de Suecia, retirándose de Besarabia, se vieron detenidas por una manga de langosta; en 1885 China fue devastada por los acridios.

A veces el hombre ha querido sacar provecho de la langosta como represalia a sus depredaciones; Moisés la incluía entre los animales que se podían comer, y cuéntase que San Juan Bautista se alimentaba de langostas en el desierto, lo mismo que San Juan Evangelista en la isla de Patmos; los hotentotes la consideran un manjar delicioso.

Muchas son las especies de langostas que existen. La marroquí invade España, sur de Francia, Italia, Hungría, Países Balcánicos, islas Canarias y norte de Africa, desde Marruecos a la Tripolitania; la peregrina, parece tener su origen en América, especialmente en la del Sur, donde existen muchas especies próximas a ella, como la *Schistocerca paranensis*, que vive desde Costa Rica, Argentina, Brasil hasta Chile. Cuando Charles Robert Darwin estuvo en el Río de la Plata, en Luján, ciudad de la provincia de Buenos Aires, tuvo oportunidad de ver una manga de langostas que volaba a más de 50 m de altura, tapaba la luz del Sol y producía un ruido semejante al de los carros o al del viento pasando entre el cordaje de una embarcación. El acridio taló completamente los campos.

Los métodos de lucha contra la langosta dependen de su estado de desarrollo. Los paquetes o canutos, una vez descubiertos, se desentierran con el arado y se echan en el campo las aves de corral para que los devoren; la mosquita se quema con lanzallamas; la saltona se combate instalando una barrera formada con chapas de cinc de 0.5 m de altura, las cuales, al impedir el paso del insecto, lo obligan a marchar a lo largo de la barrera, hasta llegar a unos pozos cavados exprofeso, en los que cae.

La langosta puede destruirse aprovechando sus parásitos naturales, entre los que se encuentran una bacteria denominada *Coccobacilus acridiorum* y un insecto llamado *Sarcaphaga lineata*, los cuales atacan, respectivamente, los huevos y los adultos.

langostino. Crustáceo marino, comestible, de cuerpo comprimido y caparazón

Corel Stock Photo Library

Lanzacohetes múltiple en funcionamiento durante la Guerra del Golfo.

poco consistente, que alcanza un tamaño de 12 o 14 cm. Tiene rostro prolongado en punta serriforme, patas pequeñas y finas y cola robusta y prolongada, terminada en aletas caudales que le sirven para la natación hacia atrás. De color gris azuloso, que se torna rosado con la cocción, vive en las aguas poco profundas, guareciéndose entre las rocas y alimentándose de los pequeños animales y plantas suspendidas en el agua. Las hembras suelen llevar adheridas a la parte inferior del abdomen enormes masas de pequeños huevos esféricos, de los que nacerán diminutas larvas.

lantánido. Cada uno de los elementos de la primera serie de transición interna del sistema periódico. Existen 14 lantánidos de números atómicos comprendidos del 58 al 71: Ce 58, Pr 59, Nd 60, Pm 61, Sm 62, Eu 63, Ga 64, Tb 65, Dy 66, Ho 67, Er 68, Th 69, Yb 70 y Lu 71.

Lanús. Ciudad de Argentina, en la provincia de Buenos Aires. Dista 9 km de la capital del país y tiene 466,980 habitantes. Fue fundada el 20 de octubre de 1888 con el nombre de Villa General Paz. Formaba parte de Avellaneda, en 1944 fue designada cabecera del partido homónimo. Es un importante centro comercial e industrial.

lanza. Antigua arma de guerra consistente en un asta o palo de cierta longitud (casi 5 m) que lleva en uno de los extremos una pieza metálica, cortante y puntiaguda. Ésta es, quizá, después de la honda, la maza y el cuchillo, el arma más antigua que se conoce; en las excavaciones arqueológicas se han hallado puntas de lanza cons-

truidas por el hombre del Neolítico. La ventaja más importante de la lanza era su longitud, pues permitía herir al enemigo a mayor distancia. Hasta hace no mucho tiempo existieron en todos los ejércitos regimientos de caballería especializados en el manejo de esta arma. La bayoneta, o machete, acoplada al cañón del fusil, sirvió también como una lanza.

lanzacohetes. El lanzacohetes reúne ciertas ventajas sobre los tradicionales cañones, obuses y morteros, cuyas mismas misiones cumple con el empleo de proyectiles cohete, no teledirigidos ni autodirigidos. Su estructura es muy sencilla; una guía, carril o tubo que pueda ser apuntado, y los elementos eléctricos para dar fuego a la carga propulsora. La primera ventaja es la ligereza de la cureña y su facilidad de transporte. Su manejo es sencillo, exigiendo pocos hombres para utilizarlo. Esto último, unido a su elevada potencia efectiva (ya que se presta al disparo sucesivo de varios tubos lanzadores) y a que el cohete es capaz de transportar altas cargas a grandes distancias, hacen de ésta una arma muy efectiva en determinadas situaciones. Como incovenientes, los más notables son: poca precisión y corto tiempo de empleo, a causa de la fácil detección por el enemigo de los asentamientos de los lanzacohetes.

Los primeros lanzacohetes eficaces fueron utilizados por los alemanes durante la Segunda Guerra Mundial, a partir de 1941. En el bando contrario tuvieron la más famosa arma de este tipo, el *Katiusca*, cohete ruso de 130 mm, que hacía llegar 40 kg de explosivo a 8 km de distancia. Los soviéti-

cos montaban 16 katiuscas sobre un camión. El Ejército Soviético sigue otorgando gran atención a los lanzacohetes. Su modelo más conocido, usado con gran éxito en Angola (1975), es el *BM-21* que dispara 40 cohetes de 122 mm, de 77 kg, a 20 km de distancia. El *BM-21* va montado en un camión, aunque los egipcios lo utilizan desde lanchas rápidas. Su frecuencia es de tres disparos por segundo. Los modelos occidentales actuales son similares.

lanzallamas. Moderna arma de guerra que sirve para arrojar gases o líquidos inflamados a larga distancia. Se compone de recipientes, generalmente portátiles, en los que van las materias combustibles, que salen al exterior impulsadas por aire comprimido o por cualquier otro gas neutro a presión. El chorro de líquido inflamado sale por un tubo articulado terminado en una boquilla especial, que permite se pueda dirigir a voluntad hacia el objetivo a batir. La inflamación se realiza generalmente por procedimientos químicos automáticos, cuando el líquido sale del aparato, produciendo tan alta temperatura que carboniza todo cuanto halla a su paso y lo que impregna, por lo que es un arma sumamente mortífera. Existen lanzallamas dispuestos para que puedan ser transportados a la espalda de un soldado, como si fuese una mochila, y son muy eficaces en operaciones ofensivas, para reducir centros de resistencia, como nidos de ametralladoras, blocaos, refugios, etcétera, ya que pueden lanzar su fuego a más de 30 m de distancia. Otros tipos de lanzallamas, más pesadas, se pueden acoplar a tanques y carros de asalto, instalándose también en posiciones fijas como armas defensivas, pudiendo enviar sus llamas a más de 100 m de distancia. Se emplean para exterminar las nubes de langostas en países asolados por el acridio. Los lanzallamas se empezaron a utilizar en la Primera Guerra Mundial. En la Segunda Guerra Mundial se utilizaron con profusión por todos los ejércitos.

lanzamiento de bala. Prueba deportiva para la que se requiere una serie de condiciones que exigen constante ejercicio. El objeto que se lanza es una esfera de metal de 7.25 kg de peso, y ello debe realizarse dentro de reglas estrictas: el atleta se sitúa dentro de una circunferencia de 2.13 m de diámetro, generalmente afirmado sobre la línea que queda a su espalda; toma la bala con su mano derecha y la sostiene entre la palma y los dedos, y en esta postura efectúa un balanceo destinado a tomar impulso; luego salta hacia adelante, pero sin que el pie salga de la línea del círculo; en este momento ha llegado al máximo de fuerza y lanza la bala, acentuando el impulso de ésta con una media vuelta final que ha dado al soltarla, de modo que recupera, siempre dentro de la circunferencia, la posición inicial. Para aprovechar mejor el lanzamiento se cuida que la bala no supere una altura mayor de 40 grados. La medida de la distancia a que caiga la esfera se toma desde el sitio de su caída hasta la línea del círculo en que estaba el atleta al impulsarla. En otras clases de lanzamiento de bala, se emplean esferas de 16 y de 25 kg. El ejercicio del lanzamiento de bala tuvo su origen en las olimpiadas de los griegos.

Laocoonte. Sacerdote de Apolo en la legendaria Troya. Su trágica muerte junto con sus hijos, dio motivo al arte antiguo para realizar una de sus más famosas esculturas, descubierta en 1506, y que hoy se encuentra en el Vaticano. El caballo de madera que ofrendaron los griegos a Minerva en su retirada de Troya fue objeto de recelos por parte de Laocoonte, por nadie compartidos. Para confirmar sus sospechas arrojó una flecha al vientre del enorme animal, de donde partieron ruidos y exclamaciones. La diosa, colérica ante la audacia del sacerdote, decidió vengarse e hizo que dos enormes serpientes salieran del mar, precisamente cuando Laocoonte y sus hijos preparaban un sacrificio a Poseidón en un altar en la playa, y se enroscaran y apretaran alrededor de su cuerpo ahogándolo, mientras sus dos hijos corrían igual suerte. Virgilio, en el segundo libro de la *Eneida*, narra las torturas y agonía de Laocoonte.

Laos. País de Asia que ocupa el lado izquierdo de la cuenca media del río Mekong, con una superficie de 236,800 km² y 5.1 millones de habitantes en 1997 (laos, thais y chinos). Limita al norte con China, al este con Vietnam, al sur con Camboya y al oeste con Tailandia y Myanmar. País montañoso, con alturas que pasan de los 2,000 m, tiene difíciles vías de comunicación, siendo la parte menos evolucionada de la antigua Indochina. De fértil terreno y clima tropical continental con abundantes lluvias, que se extienden de junio a octubre, es propio para cultivos como el arroz, caña de azúcar, índigo, maíz, caucho, café, algodón, tabaco, té, y en sus ricos y frondosos bosques se produce el bambú, la teca, (apreciada madera que se saca flotando por el Mekong), que es la más abundante vía de Laos. En sus selvas abundan los animales salvajes, como el tigre, la pantera, leopardo, rinoceronte, monos y elefantes; éste, junto con el cebú, el búfalo y el buey son los animales domésticos de que se sirven los habitantes para el transporte y los trabajos agrícolas. Existen también reptiles, como cocodrilos, pitones, cobras y tortugas. Aunque poco explotada, hay una gran riqueza mineral (oro, cobre, estaño, cinc y

Corel Stock Photo Library

Estatuas de Buda en Laos, Asia.

piedras preciosas). La capital administrativa es Vientiane y el principal centro comercial, Luang-Prabang.

En 1945 los japoneses proclamaron la independencia de Laos, como del resto de la Indochina, pero con la rendición japonesa en septiembre de ese año se restauró la soberanía francesa, que pronto luchó con la oposición del Viet-Minh. En 1950 se constituyó Laos, igualmente que Vietnam y Camboya, en Estado asociado de la Unión Francesa. Por acuerdo firmado en París en octubre de 1953, Laos fue considerado *independiente y soberano*. El país asumió la forma monárquica de gobierno, y el rey Savang Vatthana ascendió al trono en 1959. Sin embargo desde 1953, se estableció un gobierno comunista, del Pathet Lao, en la provincia de Samneua, que rompió las hostilidades contra el de Vientiane. En 1974 se formó un gobierno de coalición integrado por realistas, neutralistas y el Pathet Lao. Las elecciones de 1975 dieron la mayoría al Pathet Lao en muchas provincias, y ese mismo año dicha organización político-militar abolió la monarquía y estableció un régimen comunista con el príncipe Suphanuvong como jefe de Estado, pero el poder efectivo recayó en Kaysone Phomvihane, secretario general del Partido Revolucionario Popular (comunista). En 1976 se publicó un programa para la construcción del socialismo, que había de cumplirse con tres *revoluciones*: económica, técnica e ideológica. El rey Savang Vatthana fue detenido y confinado en 1977. Suphanuvong dimitió en 1986, y el presidente Fumi Vonguichit inició un viraje político que incluyó la retirada de las tropas vietnamitas, el restablecimiento de las relaciones con China, la privatización de empresas y la promulgación de una Constitución. Suphanuvong dimitió también como presidente del PRPL (29 de mayo de 1991). Al morir Koysone Phomrihane, presidente de la república y del PRPL (noviembre de 1992), Novhak Phoumsavan asumió la jefatura del partido. Firmó un tratado fronterizo con China el 4 de diciembre de 1993, y promovió una relativa liberalización.

La Constitución, promulgada el 14 de agosto de 1991, estableció una República democrática y popular. El titular de la soberanía es la Asamblea Suprema del Pueblo, compuesta por 85 miembros, que elige al presidente de la República y de la que depende el gobierno, encabezado por un primer ministro. La capital es Vientiane, con 442,000 habitantes.

Lao-Tse (s. VI a. C.). Filósofo chino, nacido en una aldea de la provincia de Honan. No se sabe a ciencia cierta de su vida, mientras unos sostienen que fue contemporáneo de Confucio y que murió en su provincia natal, otros dicen que, disgustado de los malos gobiernos, emigró a Occidente y desapareció. Se le atribuye el libro *Tao-teh-king* (*Libro de la razón suprema y la virtud*), de profundo contenido filosófico en forma de máximas y apólogos. Es el fundador del taoísmo, que llegó a ser una de las religiones de la antigua China. *Véase* TAOÍSMO.

lapa. Molusco gasterópodo, marino, de concha ovalada o circular, cónica, aplanada, generalmente con estrías longitudinales, que vive adherido a las rocas que quedan descubiertas por las mareas. Tie-

lapa

Lapa de la especie Diodora Áspera.

ne cabeza con dos tentáculos retráctiles y un pie voluminoso, sobre el que descansa todo el cuerpo y con el que se fija fuertemente a las rocas. Suele formar grupos numerosos. Se mueve poco y con lentitud. Su carne es comestible, pero poco apreciada por lo coriácea. Se le emplea para cebo en la pesca.

lapacho. Árbol bignoniáceo de la América Meridional. Suele alcanzar 50 m de altura por 2.5 m de diámetro en el tronco. Su madera, fuerte e incorruptible, contiene mucho tanino, es tintórea y muy estimada para construcciones recias. Da una flor morada, cuya delicadeza contrasta con la áspera robustez de su tronco y ramaje.

laparoscopia. Cirugía que contempla una técnica para diagnóstico y tratamiento de enfermedades del abdomen sin la necesidad de una gran incisión. El cirujano usa un laparoscopio, cilindro rígido o flexible con una serie de lentes que transmiten la imagen de la cavidad abdominal al ojo. El tubo está insertado dentro de la cavidad para ver, reparar o eliminar tejidos o hasta órganos completos. Este procedimiento causa menores complicaciones y requiere de un periodo de recuperación más corto que las operaciones tradicionales de incisión abierta.

El uso de la laparoscopia se ha incrementado en años recientes. Hasta la década de 1960 se usó primariamente para diagnósticos médicos. En los años setenta y ochenta, su principal aplicación fue el diagnóstico y el tratamiento de desórdenes pélvicos como biopsias ováricas y extirpación de tumores, así como para la extracción de un huevo para fertilización *in vitro* y para la esterilización. Con los avances lo-

grados en el desarrollo de la fibra óptica y la introducción de la cámara de video, las aplicaciones quirúrgicas se han extendido. El uso de la laparoscopia para operaciones como la extirpación de la vejiga o de la vesícula, la reparación de una hernia o la reconstrucción del intestino, es cada día más común.

La Pérouse, Jean Francois de Galaup, conde de (1741-1788). Navegante y explorador francés desaparecido en los Mares del Sur. Logró todos sus ascensos por méritos científicos y de guerra. Encargado, en 1785, de proseguir los descubrimientos de James Cook y Louis-Antoine conde de Bougainville se le dio el mando de las fragatas *La Brújula* y *El Astrolabio*, en las que se hizo a la mar acompañado por numerosos sabios e investigadores. Navegando por el Atlántico llegó hasta el cabo de Hornos y siguió por el Pacífico hasta el Estrecho de Bering; costeó las islas de Japón y el litoral de Siberia en el Pacífico, recorriendo el estrecho que lleva su nombre, entre las islas de Sajalin y Hokkaido. En 1788, navegaba en aguas de Oceanía y se detuvo algún tiempo en Botany Bay, la hermosa bahía australiana al sur del lugar donde luego se estableció Sidney, de donde partió para no volver; la última noticia que se tuvo de La Perouse es que llegó a la isla de Norfolk.

lapidario. Artífice que talla, pulimenta y graba las piedras finas o preciosas. Profesión de origen antiguo, han llegado hasta nosotros muestras de este arte procedentes de los caldeos armenios, egipcios, griegos y romanos. El lapidario debe conocer a la perfección la calidad de las piedras que talla y poder distinguir las finas de las

falsas, además de poseer conocimientos de dibujo y geometría, para poder obtener el máximo partido de su obra. La vistosidad y la belleza de una piedra depende, más que de su estructura, del arte con que se haya hecho su pulimento y su talla.

lapislázuli. Silicato de alúmina, calcio, sodio y azufre, de color azul intenso, difícilmente fusible al soplete, muy empleado en ornamentación. Es conocido desde tiempos antiguos y ha sido encontrado en excavaciones practicadas en el antiguo Egipto. Se conservan también sellos cilíndricos de este mineral empleados por los asirios. Aunque los griegos solían llamarle zafiro, no se trata de la piedra preciosa que hoy lleva este nombre. Su polvo, llamado *ultramar*, se empleaba mucho en pintura, para lo cual se molía el mineral, se calcinaba y se levigaba. Si bien hoy se fabrica artificialmente, no faltan pintores que sigan prefiriendo el natural, por considerarlo de mejor calidad. El lapizlázuli más apreciado procede de Afganistán, Persia, Tartaria, Tibet y de las proximidades del lago Baikal. Hay también yacimientos en los Andes chilenos y peruanos y en Transilvania.

lápiz. Utensilio destinado a escribir o dibujar, que se compone de una barrita de grafito amasado con arcilla, encerrada en un cilindro, un prisma de madera o en un portaminas, si se trata de lápices automáticos.

Los antiguos egipcios y romanos empleaban lápices fabricados con plomo. Las primeras noticias acerca del empleo de estos utensilios se encuentran en una *Historia Natural* escrita en Zurich a mediados del siglo XVI, donde se menciona un útil para escribir compuesto de madera y antimonio. La primera fábrica de lápices la instala en Nuremberg la familia Faber en 1761, y en éstos entra el grafito pulverizado, que se cementa en los bloques con gomas, resinas, azufre y otras sustancias agregadas a título de ensayo, pero sin resultados satisfactorios. Hacia 1795, en París, logra Conté crear el procedimiento que actualmente se usa, consistente en una mezcla de grafito y arcilla finamente pulverizados; el grafito se muele en un mortero, se pasa por un cedazo y a veces se le trata con ácidos minerales para eliminar restos de metales, como el hierro; después se lava y finalmente, se calcina al rojo. Luego se somete a levigación, es decir, se vierte en una vasija que contiene agua, sobre la cual flotan las partículas más ligeras, que son las que se desechan, y luego se repite la operación dos o tres veces, hasta que han precipitado en el fondo las porciones más subdivididas, que han de constituir las minas de los lápices. La arcilla no debe contener arena ni hierro, y se trata de la misma forma, hasta que presente un estado homogéneo y sea suave al tacto. La arcilla y el grafito así preparados se mezclan en proporciones variadas, que van desde partes iguales hasta dos de arcilla por una de grafito, según se trate de lápices duros o blandos. Mezclados y molidos juntos se les da una consistencia pastosa; dicha pasta se hace pasar a presión por un tablero lleno de agujeros, que darán a las barritas o minas el calibre deseado, las cuales se cortan en trozos y se secan en un horno.

La madera de los buenos lápices es de cedro, y la de los corrientes, de pino. Las minas se colocan sobre tablillas que tienen varias acanaladuras, en las cuales se pegan con cola. Estas tablillas se cubren con otras también acanaladas, de manera que las minas se encuentran entre ambas; luego se sierran para separar las secciones, que se tornearán o tallarán en forma de cilindros o prismas exagonales.

Los lápices de color se fabrican mezclando una sustancia colorante con arcilla o cera, los de tinta contienen una anilina mineral con arcilla y goma; los llamados de papel llevan la mina envuelta en una serpentina y se les saca punta desarrollando un trocito de papel; el dermográfico se compone de manteca, cera, trementina y una sustancia colorante, lo emplean los cirujanos para marcar la piel, como asimismo los que trabajan en laboratorios para escribir en los tubos de ensayo y otros recipientes de vidrio; el mecánico lleva un depósito de minas que van saliendo a medida que se hace girar un tornillo sin fin o apretando la extremidad superior del lápiz, que acciona un resorte e impulsa la barrita.

Laplace, Pierre-Simon, marqués de (1749-1827).

Astrónomo, matemático y físico francés. Fue profesor de matemáticas de la Escuela Militar y de la Escuela Normal. Intervino también en política durante la Revolución, en 1799 desempeñó el cargo de ministro del Interior y más tarde fue canciller del Senado. En 1814 se destacó por su actuación en favor de los Borbón y Luis XVIII lo hizo marqués y par de Francia. Fue miembro del Instituto de Francia y de la Academia Francesa. Como astrónomo estudió las perturbaciones del movimiento de los planetas y de varios satélites alrededor de ellos, sistematizó y dio unidad al concepto de la gravitación universal. Sus principios quedaron establecidos en su obra capital, *Tratado de la mecánica celeste,* en cinco tomos, que consisten en la invariabilidad de las distancias medias de los planetas al Sol y estabilidad permanente del sistema planetario. Formuló, también, una importante teoría sobre el origen y formación del sistema planetario, que ha sido rectificada en varios aspectos por hombres de ciencia posteriores a él, pero en su época le dio merecida celebri-

dad, sobre todo a partir de la publicación (1796) de la conocida *Exposición del sistema del mundo.* El siglo XVIII se inclinó decididamente por el estudio de las ciencias de la naturaleza y se desvió de la corriente del siglo anterior, que se había preocupado particularmente en la geometría. Laplace tuvo una labor destacada en esta nueva tendencia de los estudios científicos. Como físico, estudió las refracciones astronómicas, las dilataciones de los cuerpos sólidos, las propiedades de la electricidad, entre otros temas, y como matemático sobresalió en el estudio de las ecuaciones algebraicas y perfeccionó los sistemas de integración de las ecuaciones de diferencias parciales. Las leyes que llevan su nombre siguen siendo básicas para el estudio de las teorías del electromagnetismo. Laplace fue también excelente escritor.

Laponia.

Región del norte de Europa, que se extiende entre las costas septentrionales del océano Atlántico y el Mar Blanco. Ocupa una superficie aproximada de 375,000 km², pero no forma una unidad política, porque se halla repartida entre Noruega, Suecia, Finlandia y Rusia (Península de Kola).

Aspecto físico. Esta región es una de las *tierras del Sol de medianoche.* A causa de la latitud en que se encuentra, la luz solar no desaparece durante dos meses de la temporada estival. Pero este periodo lleno de luz se interrumpe súbitamente cuando llega el otoño, cuyos fríos anuncian la venida del riguroso invierno, que se prolonga durante nueve meses. Al llegar el mes de noviembre, comienza en la tierra lapona el periodo de oscuridad permanente, cuya duración se extiende por espacio de noventa días.

Varios mares circundan el territorio: al oeste, el océano Atlántico; hacia el norte, entre fiordos escarpados y hielos perpetuos, el océano Glacial Ártico y el Mar de Barents; al este, rodeando la Península de Kola, el Mar Blanco; y hacia el sur, el Golfo de Botnia, brazo septentrional del Mar Báltico. Azotada por vientos helados y corrientes marinas, la tierra lapona presenta un aspecto desolado, con escasa vegetación y pequeños grupos de animales árticos. Los bosques de coníferas sobreviven con dificultad en la tierra árida, cubierta por musgos y líquenes. El subsuelo contiene grandes riquezas, poco explotadas todavía: inmensos mantos de hierro yacen en el sector sueco, en Kiruna y Gallivare. También hay cobre y níquel en la Laponia finlandesa, pero la caza, la pesca y la cría de renos siguen siendo la principal actividad de los habitantes. La riqueza de un lapón se mide por el número de renos que posee; un padre de familia que tiene 1,000 de estos animales es considerado miembro preeminente de la comunidad.

El pueblo lapón. Cerca de 40,000 personas viven en este rudo ambiente. Son individuos de baja estatura, generalmente 1.50 m, y tienen ciertos rasgos asiáticos, que se deben a su origen mongol. Hombres de tez oscura, cabello negro y gran resistencia física. Visten ropajes hechos de lana y piel de reno, adornados con vistosos colores. Las canoas y los trineos son sus principales medios de transporte, con ellos acuden a las ciudades del sur en ocasiones excepcionales. Los suecos les llaman *lapps,* término que significa *nómadas.*

Hay unos 20,000 lapones en Noruega, 8,500 en Suecia, 3,800 en Finlandia y 1,500 en la Península de Kola, en Rusia. Sin embargo, esta división política no tiene importancia si se la compara con la antigua división de los lapones en tres grupos humanos y sociales: lapones de la montaña, del mar y del río.

Laprida, Francisco Narciso (1786-1829).

Político argentino. Se graduó de abogado en la Universidad de San Felipe, de Santiago de Chile, y fue nombrado alcalde de San Juan (1812), ciudad donde había nacido. Contribuyó a la formación del Ejército de los Andes. Presidente del Congreso de Tucumán el 9 de julio de 1816, firmó el acta de Declaración de la Independencia, la cual se debió, en parte, a su iniciativa. Luego de desempeñar varios cargos en Buenos Aires, volvió como gobernador a San Juan. De ideas progresistas, apoyó al presidente Bernardino Rivadavia y suscribió la Constitución de 1826. Al retirarse Rivadavia, se dirigió a San Juan y pasó luego a Mendoza, donde integró las fuerzas que habrían de oponerse a Juan Facundo Quiroga y Aldao. Derrotados los unitarios en Pilar (1829), Laprida fue hecho prisionero y fusilado por tropas de Aldao.

Laquedivas, islas.

Archipiélago de formación madrepórica que surge en el océano Índico (Mar Arábigo) 300 km al oeste de la costa de Malabar. Tiene en total 29 km² y está poblado por 51,681 habitantes. Las 19 islas que forman el grupo producen cereales y frutas, sobre todo cocoteros, y gozan de un clima saludable. Algunas de las islas fueron descubiertas por Vasco da Gama en 1499. Pertenecen a la India.

La Quemada.

Zona arqueológica del estado mexicano de Zacatecas, situada 50 km al suroeste de la ciudad de Zacatecas, en una de las estribaciones de la Sierra de las Palomas. Es un centro ceremonial, con apariencia de ciudad fortificada. Existen restos de una amplia calzada en la entrada del centro, flanqueada por dos construcciones piramidales. Al sur se encuentra un gran edificio en forma de patio rectangular, al lado oriental del cual se abre otro patio con columnas. Hacia el norte se distribuyen irregularmente las construcciones siguiendo el relieve del terreno. En la parte oriental de la ciudad se eleva una pirámide de planta cuadrada. En este centro ceremonial se han encontrado hachas con ranura, puntas de proyectil, raspadores, bolas de piedra y pipas de barro con efigies.

lar. *Véase* LARES Y PENATES.

Lara. Estado del occidente de la República de Venezuela, en el noroeste del país, en el que se aproximan las cordilleras de los Andes y de la Costa, y la sierra de Coro. Su superficie es de 19,800 km², con una población de 1.423,683 habitantes (1995). De su más alta cima, Páramo de Cendé (3,585 m) desciende el importante río Tocuyo; además están el Turbio, Morera y Baragua. Capital: Barquisimeto, con 723,587 habitantes (1995), que cruza la Carretera Panamericana. Intensa agricultura, en especial caña de azúcar y café. Cría de ganado cabrío y vacuno. Exporta café, pieles y sisal.

Lara, Agustín (1900-1970). Compositor mexicano. Fue uno de los más brillantes y celebrados compositores de música popular de su época. Autor de numerosas canciones, entre ellas varias dedicadas a diversas ciudades de España: *Madrid, Granada, Valencia, Sevilla* . Otros títulos famosos son *Azúl, María bonita, Noche criolla, Farolito Mujer, Solamente una vez*, entre otras.

Lara, Domingo Antonio. Personaje importante de la emancipación salvadoreña. Luchador esforzado por la libertad de su patria; sus actividades fueron la causa de su prisión, ocurrida en 1814, durante la cual se mantuvo fiel a sus ideales. Logrado el triunfo, volvió al anonimato, lo que ha convertido su figura legendaria en el símbolo y resumen de las virtudes ciudadanas nacionales.

Lara, Jesús (1898-1980). Novelista boliviano. Luchó en la guerra del Chaco, tema que en forma de diario reflejó en el libro *Repete* (1937). Fue miembro durante muchos años del Partido Comunista. Su producción novelesca, de tema indigenista quechua, incluye los siguientes títulos: *Surumi* (1948), *Yanakuna* (1952), y la trilogía formada por *Yawarninchij* (1959), *Sinchikay* (1962) y *Llallypacha* (1965). Cultivó también la poesía: *Flor de loto* (1960), y el ensayo: *Poesía popular quechua* (1956), *Ñancahuazu* (1969).

Larache. Ciudad de Marruecos, puerto sobre el Atlántico en la desembocadura del Lucas, que forma una barra peligrosa. Circundada por una fértil campiña, comercia activamente granos, cera, lana y cueros. Un ramal ferroviario la enlaza con Aleazarquivir, en la línea Tánger-Fez. Tiene 46,000 habitantes (1995) –de ellos unos 13,000 son españoles– y como todas las ciudades moras cuenta con rincones muy pintorescos. Parece ser la antigua Lixus de los cartagineses, reedificada en el siglo VIII. España la ocupó de 1610 a 1689, año en que volvió al poder de los moros. Al establecerse el protectorado español sobre una parte de Marruecos, Larache fue de nuevo ocupada por España desde 1912 hasta 1956, en que cesó el protectorado español.

lares y penates. Dioses secundarios de la mitología romana, pertenecientes a la categoría de los genios. Se consideraba a los lares espíritus de los antepasados muertos, mientras los penates eran los protectores del hogar y presidían todo lo concerniente a la casa. Todos los lares domésticos estaban presididos por el *lar familiaris* o fundador de la familia. Los lares protegían de los males externos y los penates el interior del hogar. Ambos eran muy venerados, y en cada casa romana había un lugar especialmente destinado a su culto, donde diariamente se les ofrecía porciones de vituallas. En ocasiones especiales, como casamientos, viajes, etcétera, los adornaban con guirnaldas y les hacían ofrendas. Un fuego perenne ardía en su honor.

laringe y laringitis. La laringe es el órgano de la voz, y forma parte de las vías respiratorias. Está unida al principio de la tráquea y situada en la parte media y anterior del cuello, detrás de la lengua y delante de la faringe, con la que comunica por una amplia abertura. Está constituida por un armazón de cartílagos (tiroides, cricoides, aritenoides, etcétera), provistos de músculos y tapizados por una membrana mucosa que se continúa en las de la faringe y la tráquea. La mucosa de la laringe forma varios pliegues llamados cuerdas vocales, las que a causa de ciertas contracciones y del paso del aire, vibran y producen sonidos. Glotis es el orificio circunscrito por las dos cuerdas vocales inferiores y epiglotis la membrana cartilaginosa que lo cubre y protege. Este aparato no existe más que en los vertebrados de respiración pulmonar y es uno de los órganos más delicados del cuerpo, siendo susceptible de numerosas molestias y afecciones que a veces revisten carácter grave.

La laringitis o inflamación de la laringe se traduce generalmente por escozor, cosquilleos, tos, dificultad en tragar la saliva y dolores, sobre todo al ingerir alimentos o bebidas. Sus causas, muy diversas y variadas –excesos en la voz, congestiones y cambios bruscos de temperatura, abusos del alcohol, tabaco, bebidas frías, etcétera–, pueden tener también por origen otras enfermedades, tales como la tuberculosis, la sífilis y el cáncer. Como profilaxis general se recomiendan las inhalaciones, los antibióticos y las aplicaciones locales con tintura de yodo y nitrato de plata; para calmar los dolores las pastillas expectorantes combinadas con algún alcaloide y también los emplastos y emolientes al exterior.

La laringe (izq.) se conecta a la tráquea (der.) para permitir el paso del aire a los pulmones.

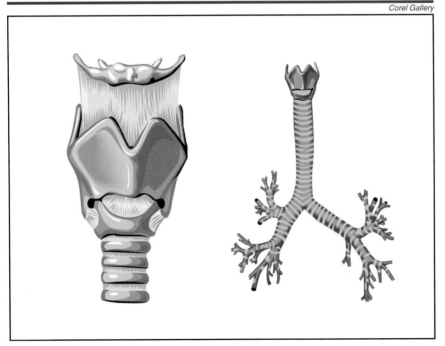

La Rochefoucauld, François duque de

(1613-1680). Moralista y escritor francés, autor de las famosas *Máximas*. Su estilo marca la transición del preciosismo a lo clásico. Sus *Máximas* pueden verse como un testamento moral, casi siempre de fondo amargo y sincero. Fue implacable en el análisis de la virtud usual. Su expresión es concisa, es uno de los autores cuyas frases se citan con más frecuencia. Participó en el movimiento de la Fronda y después de ser herido en un combate en el barrio de San Antonio renunció a la actividad política y vivió en una sociedad de mujeres distinguidas. Alcanzó altos títulos y distinciones.

Larousse, Pierre-Athanase

(1817-1875). Gramático, lexicógrafo y editor francés. Mientras trabajaba como profesor auxiliar en un colegio de París y preparaba su *Gramática lexicológica*, concibió la idea de editar un diccionario de la lengua francesa, lo cual llevó a cabo iniciando así una serie de recopilaciones enciclopédicas. La principal de éstas fue el *Gran diccionario universal del siglo XIX*.

Larra, Mariano José de

(1809-1837). Escritor español. Nació en Madrid, pero pasó parte de su infancia en Burdeos. Cultivó el teatro y la novela, aunque donde se destacó de modo singular fue en el periodismo. Gran observador, satírico y misántropo, criticó encarnizadamente las costumbres, la política y la literatura de su tiempo, lo que le acarreó muchas enemistades. Ocultó su personalidad bajo diversos seudónimos, entre los cuales el de *Fígaro* llegó a ser tan conocido como su propio nombre, y lo adoptó para escribir en *La revista española*. Colaboró también en diversas revistas y publicaciones, y editó otras redactadas exclusivamente por él, como *El pobrecito hablador* y *El duende del día*. Escribió con temas similares entre sí el drama *Macías* y la novela *El doncel de don Enrique el Doliente*.

Larrazábal, Antonio

(1769-1853). Eclesiástico y legislador guatemalteco. Fue designado para representar a Guatemala en las cortes de Cádiz, que llegó a presidir, y en las que propugnó de manera brillante los derechos de los americanos. Al regresar al trono de España, el rey Fernando VII desconoció los actos de gobierno emanados de las cortes y encarceló a sus miembros, entre ellos a Larrazábal, que fue enviado preso a su patria. Al efectuarse la independencia de la América Central, Larrazábal ejerció la presidencia del poder Legislativo y, en 1826, ostentó la representación de las provincias centroamericanas en el Congreso Continental que convocó Simón Bolívar en Panamá.

Larrea, Juan

(1782-1847). Comerciante español que se radicó en Buenos Aires a principios del siglo XIX. Participó en la defensa de la ciudad contra las invasiones inglesas y apoyó a los patriotas en la Revolución de Mayo, siendo vocal de la Primera Junta. Partidario de Mariano Moreno, fue depuesto por el motín de 1811 y deportado a San Juan. Representó a Buenos Aires en la Asamblea de 1813. Reemplazó a José Julián Pérez en el Primer Triunvirato y fue ministro de Hacienda del Director Supremo Gervasio Antonio de Posadas. Propulsor de la escuadra de Guillermo Brown, contribuyó a la caída de Montevideo. Fue cónsul argentino en Francia.

Larreinaga, Miguel

(1771-1847). Político y jurisconsulto nicaragüense de destacada actuación jurídica. Fue uno de los signatarios del acta de independencia de América Central (1821) y presidente de la Asamblea Constituyente de Guatemala (1838).

Larreta, Enrique Rodríguez

(1875-1961). Escritor argentino, considerado uno de los clásicos de las letras hispanoamericanas. Cursó derecho en la Universidad de Buenos Aires y fue profesor de historia. Viajó luego por Europa, y subyugado por la belleza de las viejas ciudades españolas escribió su célebre novela *La gloria de don Ramiro*, admirable evocación de la España de Felipe II. La acción se desarrolla en el ambiente místico de Ávila y concluye en Lima, en tiempos de Santa Rosa. Se han hecho numerosas ediciones y ha sido

Larva del escarabajo de la patata.

traducida a 10 idiomas. Fue ministro argentino en Francia (1910). De regreso en su patria, obtuvo otro triunfo con *Zogoibi* (1926). Esta novela se desarrolla en el paisaje de la pampa, el cual vuelve a aparecer en su obra dramática *El linyera* (1932). *Artemis, Pasión de Roma, Santa María del Buen Aire, Historiales, Tiempos iluminados, Jerónimo y su almohada, La naranja, Sonetos, A orillas del Ebro*, (Premio Nacional de Literatura, 1949, España) y dos trabajos en francés, *Palabras de la víspera* y *La lámpara de arcilla*, son obras que ahondan temas históricos y filosóficos y ponen de relieve la fina sensibilidad e inquietud espiritual de su autor. Su prosa entronca con la de los escritores españoles del Siglo de Oro, pero al mismo tiempo refleja problemas de su época. Larreta manejó también el verso castellano.

larva.

Forma que adquieren ciertos animales al salir del huevo, que no conservarán cuando lleguen al estado adulto. El renacuajo es una rana en estado larval; la oruga es la larva de la mariposa; ciertos gusanos de la carne son larvas de mosca, etcétera. La larva presenta una forma alargada; su cuerpo es blanco, formado por anillos; puede tener o no patas y antenas, y se caracteriza por su gran voracidad, necesidad fisiológica tendiente a acumular las sustancias nutritivas necesarias para su evolución. Esto explica los enormes destrozos que causa en frutales y hortalizas. La larva constituye el estado de transformación consecutivo al huevo de los insectos. Muchos de éstos, tras ser larvas, pasan a ser pupas, y entonces experimentan las llamadas mudas, es decir, que cambian sus tegumentos externos para entrar en el estado de insectos adultos. Esos cambios reciben el nombre de metamorfosis (del griego *meta*, más allá, y *morfe*, forma). Cuando un insecto en su ciclo vital pasa por los estados de huevo, larva, pupa y adulto, se dice que es de metamorfosis completa. Ciertos insectos, terminado su estado larvario e iniciado el de pupa, se revisten de una sustancia dura denominada quitina, en tanto que otros conservan un tegumento blando y mantienen una forma algo distinta a la que llegarán a tener en la edad adulta. *Véanse* HUEVO; INSECTO.

La Salle, Rene Robert Cavelier, Señor de

(1643-1687). Viajero francés, explorador del curso del río Mississippi y fundador de Louisiana. Enterado en Canadá de la existencia del gran río Mississipi por su descubridor, el padre Marquette, se propuso encontrar su desembocadura. Apoyado por el gobernador de Canadá y el gobierno francés, inició su viaje explorando los Grandes Lagos, prosiguió por el Mississippi hasta el Golfo de México, y dio el nombre de Louisiana, en homenaje al

Corel Stock Photo Library

Pintura de un venado en Lascaux, Francia.

nombre del rey de Francia, a toda la inmensa comarca regada por el gran río. Regresó a Francia en busca de apoyo para establecer factorías que aseguraran el acceso a Louisiana, y consiguió cuatro buques y una nutrida cantidad de colonos. Como el capitán de la expedición se equivocó al dejarlos en tierra más allá del punto exacto, la expedición se vio abandonada a sus propios recursos y sus componentes perecieron.

Lascaux. Cueva cerca de Montignac, Dordoña, Francia, que compite con Altamira como uno de los ejemplos más espectaculares y famosos de arte prehistórico que se haya descubierto. Pinturas y dibujos en pigmentos negros, cafés, rojos y amarillos, así como grabados en la roca, aparecen en las paredes y techos de la caverna central y en varias cámaras laterales y galerías dentro de las cuevas. La caverna principal, conocida como el *Gran Pasillo de los Toros*, es en sí una obra de arte total, conteniendo lo que parece ser un friso planeado deliberadamente sobre toda la extensión de sus paredes. En el friso aparecen enormes toros y caballos policromados –el más grande de 5.5 m de longitud– y bisontes más pequeños, ciervos, un oso y un animal curioso, posiblemente mítico, con manchas y dos cuernos. En la galería a la izquierda se encuentran las pinturas más famosas de animales policromados, incluyendo el conocido como el *Friso de Caballos Pequeños*, y en el abovedado techo, una bellísima composición con caballos y vacas. Dentro de una pequeña cámara lateral se encuentran varios grabados de leones de caverna. En el Tiro conocido

como el del *Hombre Muerto* hay una escena única en arte cavernario, que muestra un rinoceronte de dos cuernos, un hombre muerto esquemáticamente dibujado, un bisonte herido y un pájaro sobre un instrumento enganchado, posiblemente un disparador de lanzas. El significado de la escena y de las muchas señales grabadas y elementos tipo celosía pintados que alternan con los animales impresos no está claro.

El arte de Lascaux data desde las fases primarias Magdalenas del paleolítico supe-

rior (aproximadamente hace 17,000 años). La caverna fue descubierta en 1940 por cuatro jóvenes que buscaban a su perro perdido. Aunque inicialmente las pinturas estaban en condiciones perfectas, cambios atmosféricos subsecuentes causaron deterioro en algunas de las pinturas. Lascaux fue cerrado al público en 1963; cerca de ahí se creó una réplica exacta de la famosa cueva, Lascaux II, inaugurada en 1983.

láser. Siglas de *Light Amplification by Stimulated Emission of Radiation,* amplificación de luz por emisión estimulada de radiaciones. En óptica se llama así al dispositivo que genera un haz de ondas luminosas de igual frecuencia y fase, y con la misma dirección de propagación mediante el proceso de emisión estimulada de radiación.

El láser de tubos fue inventado en 1960 por Theodore H. Maiman. Contenía un cristal de rubí y producía destellos cortos de luz. En la actualidad hay láseres de onda continua que producen haces de todos los colores, incluso de rayos infrarrojos o ultravioleta.

Tipos de láser. Según el estado físico del medio activo, se distinguen los láser de estado sólido, los de líquido y los de gas. Los láser de estado sólido más comunes son los de *rubí,* los YAG (*yttrium aluminium garnett*) y los de *semiconductores.* En los dos primeros la estimulación se realiza mediante una luz de *flash,* mientras que en el segundo se establece una corriente eléctrica. Los láser de gas más comunes son el de *helio-neón,* el de *argón* y el de *gas carbónico.* Entre los láser de líquido los más conocidos son los de *colorantes,* en los que

Pintura de un caballo y un toro en Lascaux, Francia.

Corel Stock Photo Library

el medio activo es un colorante orgánico disuelto con propiedades fluorescentes. Los láser de colorantes pueden sintonizarse, es decir, puede seleccionarse la longitud de onda a la que emiten dentro de ciertos márgenes.

Aplicaciones. La radiación monocromática altamente coherente emitida por un láser puede, mediante sistemas ópticos adecuados, alinearse para formar un haz dirigido muy estrecho, o bien concentrarse sobre una región muy pequeña, acumulando sobre la misma una energía muy elevada. En estas propiedades se basa la utilización de rayos láser pulsantes para cortar, fundir o vaporizar pequeños volúmenes de cualquier material; la cualidad de los láser de ser dirigibles permite una gran precisión en estas operaciones, lo que, unido a la ventaja de poder operar sin necesidad de vacío, les confiere un papel relevante en el campo metalúrgico y en el tratamiento de cerámicas especiales.

Los láser son también un instrumento muy útil en medicina y cirugía, especialmente en oftalmología, dermatología y neurología. Una gran ventaja sobre los instrumentos quirúrgicos tradicionales es su capacidad de actuar en una zona muy pequeña sin afectar las zonas circundantes.

Otro campo en el que se aprovecha la concentración de energía de los haces de láser en áreas muy reducidas es la fotolitografía de circuitos integrados.

Debido a la escasa dispersión de la luz del láser, éste puede emplearse en telecomunicaciones. Por la alta frecuencia de la luz, su intensidad puede ser modificada con rapidez, consiguiendo así la transmisión de señales complejas. La luz láser transmitida a través de la atmósfera sufre perturbaciones fácilmente por fenómenos atmosféricos tales como la lluvia o la niebla; por esta razón se transmite a través de fibras ópticas.

Mediante los rayos láser es posible detectar átomos y moléculas a partir de las frecuencias luminosas que estas partículas químicas absorben. Este es el fundamento de la *separación isotópica* y la *espectrografía por láser*. Finalmente, el rayo láser ofrece un amplio espectro de posibilidades en el campo militar, especialmente en el ámbito de teledetección y en la guía a distancia de bombas y misiles.

Las Heras, Juan Gualberto Gregorio de (1780-1866). General argentino de la guerra de Independencia, que se distinguió en numerosas batallas libradas en América. Se incorporó a las fuerzas de la Revolución de Mayo después de haber luchado durante las invasiones inglesas. En 1813 se trasladó a Chile al frente de un cuerpo de 300 hombres con que cooperaba el gobierno argentino a la lucha que sostenía aquel Estado contra los realistas.

Laboratorio de ingeniería electrónica láser.

Se destacó en el combate de Cucha Cucha y en otras acciones libradas hasta que la Revolución Chilena fue dominada en 1814. En Mendoza colaboró activamente con José de San Martín en la organización del Ejército de los Andes; al ponerse en marcha éste para cruzar la cordillera, Las Heras tuvo el comando de la división que avanzó por el paso de Uspallata. Participó en la batalla de Chacabuco, y San Martín le encargó la dirección de la campaña sobre el sur de Chile, durante la cual combatió con éxito en Curapaligüe y Gavilán, aunque fracasó junto a Bernardo O'Higgins en el asalto a la plaza de Talcahuano. Participó después destacadamente en el salvamento de los restos del Ejército Patriota derrotado en Cancha Rayada, así como en la subsiguiente victoria en Maipú, que consagró la libertad de Chile. Siempre al lado de San Martín, colaboró en la organización del Ejército Libertador de Perú, del que fue nombrado jefe del estado mayor. Por su actuación en Perú se le nombró mariscal de este Estado, en 1821. Posteriormente, en 1824, la legislatura de la provincia de Buenos Aires lo designó gobernador de la misma, cargo que desempeñó por dos años. Durante su gobierno convocó al Congreso General Constituyente que dictó la Constitución de 1826 y dirigió la política nacional en los delicados momentos que precedieron a la guerra con Brasil hasta su declaración final en diciembre de 1825. Extinguido el gobierno de provincia por resolución del Congreso, Las Heras se dirigió a Chile, donde pasó el resto de su existencia.

Lasker, Emanuel (1868-1941). Matemático y ajedrecista alemán. Consagrado en un principio a la enseñanza, abandonó muy pronto aquella actividad para dedicarse completamente al estudio y la práctica del ajedrez, del que hizo su profesión, ganando el Campeonato Mundial en 1894 y reteniendo el título hasta que fue derrotado en 1921, por José Raúl Capablanca, de Cuba. Nacionalizado estadounidense, editó la *Revista Lasker de Ajedrez*, publicando asimismo sus memorias, y un magistral *Tratado de ajedrez*.

Laski, Harold Joseph (1893-1950). Político y escritor británico, principal teorizador del Partido Laborista. Graduado en Oxford, desempeñó durante un cuarto de siglo, y hasta su muerte, la cátedra de Ciencia Política de la Universidad de Londres.

Lassalle, Ferdinand (1825-1864). Político socialista alemán. Fue encarcelado por su participación en los disturbios de 1848. Laboró por unir a los obreros en un partido político, que habría de ser el precursor del partido socialdemócrata alemán. Propugnó la implantación del sufragio universal y el Socialismo de Estado. Entre sus obras principales figuran *Programa del trabajador* y *Sistema de los derechos adquiridos*.

Lastarria, José Victoriano (1817-1888). Escritor, jurisconsulto y político chileno. Fue profesor del Instituto Nacional, fundador de periódicos y semanarios (*El Crepúsculo, El Siglo, La Revista de Santiago*), ministro plenipotenciario en Perú, Argentina y Brasil, diputado en diversos periodos y ministro de Hacienda, corresponsal de la Real Academia Española y director de la Academia Chilena de la Lengua. Autor de obras de derecho, históricas, literarias, de crítica y para la enseñanza. A sus vastos conocimientos unía condiciones oratorias que hicieron de su personalidad una de las más notables de su época en su patria y en América Latina. Algunas de sus obras son: *El mendigo, Antaño y Ogallo* y *Recuerdos literarios*.

Las Vegas. Ciudad localizada en el sureste de Nevada, estado en el cual fue incluida en 1867. Cuenta con una población de 258,295 habitantes (1990) y es la ciudad más grande del estado. Ubicada aproximadamente a 620 m sobre el nivel del mar, en un llano desértico rodeado de montañas. Es un lugar de fama mundial debido a los casinos de juego, hoteles de lujo y diversas atracciones turísticas, utilizadas por aproximadamente 15 millones de personas al año, lo cual genera un ingreso económico que es la base de su economía. Es además el centro comercial de una gran área minera y ranchera. La crianza de

Las Vegas

Hotel Excalibur (izq.) y la isla del tesoro en las Vegas, Nevada (der.).

ganado, la minería (oro, plata, cal, bórax y yeso), los ferrocarriles y la elaboración de bebidas también son industrias importantes. La Universidad de Nevada cuenta con un *campus* en Las Vegas. El juego fue legalizado en el estado en 1931 y su popularidad ha crecido a partir de 1940.

Latacunga. Ciudad del centro de Ecuador, capital de la provincia de Cotopaxi, con 22,103 habitantes (1974), está situa-

da 2,801 m de altura sobre el nivel del mar, al pie del volcán Cotopaxi y al sur de la ciudad de Quito. Es el centro comercial más importante de su región, principalmente de ganadería (vacunos, ovinos y equinos). La agricultura rinde cosechas de cereales, patatas y hortalizas. Cuenta con industria papelera, alimentaria, de cerámica y de materiales de construcción. Está unida a Guayaquil y Quito por medio de carretera y ferrocarril. Tiene aeropuerto.

Vista nocturna de la calle principal de Las Vegas.

látex. Jugo de aspecto y consistencia parecidos a los de la leche que contienen los vasos lacticíferos de ciertas plantas. Brota cuando se cortan hojas o ramas, y para explotarlo industrialmente se practican incisiones en la corteza de los troncos, de manera que la herida llegue a la zona por donde fluye el látex, que se recoge en recipientes colocados al efecto. Hay látex de infinidad de composiciones y aplicaciones: de gusto acre, como el de la higuera; nutritivos, como el del árbol de la leche, y otros son venenosos. Los más explotados son los del género *Hevea,* de los que se obtiene el caucho; el de la *gutta*, que produce la gutapercha, al igual que otros productores de gomorresinas.

latifundio. Finca rural de gran extensión. Desde los tiempos primitivos, la agricultura constituyó el fundamento económico de los países, con este régimen de propiedad y explotación de las tierras de labor. Dio origen a problemas de hondas repercusiones sociales, políticas y económicas.

Existen dos formas de latifundio: la *hacienda* o latifundio absentista, con explotación extensiva, y la *plantación* o latifundio con explotación intensiva. La hacienda es una típica explotación de cereales y ganado con una tasa muy baja de inversión de capital y trabajo por unidad de superficie. El propietario no reside generalmente en la hacienda, y la dirección de la misma es llevada por administradores y capataces; la mano de obra se provee por el sistema de colonos o por alguna de sus variantes. La plantación muestra una elevada capitalización, combinada con una organización y un control laboral más estricto. Como resultado de ello el rendimiento por unidad de tierra y por trabajador es elevado y la eficacia de la finca está por encima del término medio.

latín. Lengua del Lacio que hablaban los antiguos romanos. Pertenece al grupo de lenguas indoeuropeas y se relaciona con el griego y el sánscrito. Cuando el imperio romano abarcaba casi todo el mundo entonces conocido era una lengua casi universal; desaparecido el imperio se desarrollaron en sus antiguas provincias lenguas nacionales similares al latín: el castellano, el portugués, el francés, el italiano, el rumano, que se distinguían de él, principalmente, por su sintaxis. En el castellano, por ejemplo, el complemento del verbo se expresa con ayuda de preposiciones y las palabras conservan en las distintas frases un orden más o menos riguroso. La construcción de las oraciones en latín era más libre, pues la función gramatical, se usen o no preposiciones, esta indicada siempre por las letras finales de la palabra; *padre* en esa lengua se escribe *pater*, pero del *padre*, *patrem*, y al padre, *patrem*. Las letras finales de sustantivos, adjetivos y pronombres varían según el caso (nominativo, genitivo, dativo, acusativo, vocativo y ablativo) que desempeñan en la oración; estos cambios se llaman declinaciones, los verbos no se declinan, se conjugan como en castellano. Gracias a estas particularidades el escritor romano podía usar las palabras en el orden más adecuado a su sentido de la armonía y la elegancia. En castellano el poeta español Luis de Góngora y Argote pretendió hacer lo mismo, y de ahí la oscuridad de algunos de sus poemas, ya que las variaciones de los vocablos de este idioma no indican la función que la palabra desempeña en la oración. El alemán moderno ha conservado, aunque de un modo restringido, estas formas antiguas; las lenguas romances, en cambio, el español, el francés, etcétera, las han perdido; el sustantivo castellano, por ejemplo, varía solamente según su género y número. A causa de estas diferencias las traducciones del latín no son nunca fieles, pues es imposible reproducir la condensada sintaxis del original. Además, en esa lengua no existían los acentos; las palabras no se distinguían por la altura de algunas de sus sílabas, sino por la duración de las mismas. La musicalidad del verso latino, formada por una armoniosa distribución de sílabas breves y largas, es también irreproducible en una lengua moderna; es necesario, pues, aprender el latín si se quiere gustar realmente su literatura. A él es indispensable recurrir también, como al griego, cuando se quiere dar nombre a un nuevo invento, a una nueva enfermedad, etcétera. La influencia de su enseñanza en el desarrollo de la inteligencia de los jóvenes ha sido comparada, por la precisión y rigor de su sintaxis, con la de la matemática. Sin embargo, el latín se enseña sólo en aquellos países donde se concede importancia a las humanidades y como lengua necesaria en la carrera eclesiástica.

latina, literatura.

La literatura latina clásica puede dividirse en tres periodos principales: desde los inicios hasta la aparición de Cicerón (81 a. C.); desde Cicerón hasta la muerte del emperador Augusto en el año 14 de nuestra era; y desde el final de la era de Augusto hasta la muerte de Juvenal, acaecida alrededor del año 130 de la era cristiana. El latín continuó escribiéndose tanto por paganos como por cristianos durante otros 1,500 años, pero la mayoría de los autores posclásicos mejor conocidos se clasifican en cristianos primitivos, medievales y renacentistas.

Aunque las inscripciones y una variedad de leyes y cantos sobreviven desde el siglo V a. C., el inicio formal de la literatura latina generalmente se asigna a 240 a. C., cuando Livio Andrónico presentó en Roma sus traducciones de dos obras teatrales

Aunque San Agustín de Hipona escribió en latín, no se considera un clásico de la literatura latina por ser un autor cristiano posterior al año 130 de nuestra era..

griegas, una tragedia y una comedia. Fue seguido por los poetas épicos Gnaeo Naevio y Quinto Ennio y el inventor de la sátira, Lucilio. Las obras de los cuatro escritores sobreviven solamente en fragmentos. Catón *el Viejo*, llamado el *padre de la prosa latina*, y los escritores de obras teatrales cómicas, Plauto y Terencio, se consideran dentro del mismo periodo.

Después del primer discurso de Marco Tulio Cicerón en el año 81 a. C., hubo una extraordinaria creatividad durante un periodo de 100 años. El poeta filosófico Lucrecio y el lírico Catulo escribieron durante la vida de Cicerón. Las siguientes dos generaciones –la era dorada del latín– vieron el nacimiento de Virgilio, autor de la épica más importante de Roma, la *Eneida*; y de Horacio, el maestro de la sátira y de la poesía lírica; de los elegíacos Sexto Propercio y Tibulo; del poeta cosmopolita Ovidio, autor de *Las Metamorfosis*; y de los historiadores de la Roma republicana, Salustio y Livio. La mayoría de los trabajos de estos autores aparecieron durante el reinado de Augusto (31 a. C.-14 d. C.).

El siguiente periodo, frecuentemente denominado la era de plata, quedó marcado por un decaimiento en la calidad. La libertad de expresión era circunscrita y los escritos tendían a la retórica. A este periodo corresponden los poetas épicos Lucano, Statio y Valerio Flacco, el legislador Petronio Arbiter, los satíricos Martial y Juvenal, el trágico Lucio Anneo Séneca, el escritor de epístolas Plinio *el Joven*, el biógrafo de los emperadores Suetonio y, el más importante historiador de la era temprana de la Roma imperial, Cornelio Tácito.

Desde el principio, la literatura latina recibió la influencia de la antigua literatura griega. Con excepción de la sátira, los romanos no utilizaron ningún género que no hubiese sido ya manejado por los griegos, y a pesar de que no los imitaban, los romanos tendían a definirse usando los términos de los escritores griegos. Sin embargo, los autores latinos más importantes Cicerón, Virgilio, Horacio, aceptaron la imitación como un reto. Recordaron deliberadamente a sus predecesores griegos, pero con frecuencia lo hicieron solamente para mostrar lo distintos que eran de ellos. Es justo decir de estos escritores que cuando más imitaban, también eran más originales.

Latinoamérica

Latinoamérica. Nombre que suele darse al conjunto de países de Centro y Sudamérica, en oposición a la América anglosajona, llamada también impropiamente Norteamérica. Es un término acuñado para sustituir al de Iberoamérica, pero también incluye Belice, Guyana, Saint Kitts y Nevis, Antigua y Barbuda, Haití, Jamaica, Barbados, Trinidad y Tobago, Surinam, Granada, Bahamas, Dominicana, San Vicente y las Granadinas y Santa Lucía, así como las posesiones de Estados Unidos, Gran Bretaña, Francia y Países Bajos en las Antillas y Guayana.

Historia. Se cree que el hombre llegó a América y Asia cuando existía una conexión de tierra entre Siberia y Alaska; a pesar de ignorarse con certeza cuándo sucedio esta migración, los descubrimientos arqueológicos indican que el hombre pudo haber estado presente hace más de 30,000 años. Durante miles de años América estaba habitada por cazadores nómadas y recopiladores de semillas. Sin embargo, el desarrollo gradual de las plantas cultivadas hizo posible densidades de población considerablemente altas en algunas regiones para fines del siglo XV, cuando se inició la colonización europea.

Civilización mesoamericana. Las culturas maya y azteca son conocidas como civilizaciones mesoamericanas. En Mesoamérica se cultivaban plantas por lo menos desde el año 7000 a. C., aunque el saqueo y la caza aún eran las fuentes más importantes de alimentación. Para el 3500 a. C. la población vivía la mayor parte del año de manera sedentaria y durante el periodo comprendido entre el 1500 y el 900 a. C. se desarrolló una economía agrícola. Se piensa que la cultura olmeca, de la costa del sur de Veracruz, fue el centro de difusión de los principales patrones culturales mesoamericanos.

La cultura maya, que data aproximadamente del 1200 a. C. parece haber tenido un origen olmeca. La mayoría de la arquitectura monumental maya, incluye pirámides, estelas y losas magníficamente talladas, que corresponden al periodo que va del año 300 al 900 de la era cristiana. Los mayas fueron responsables de grandes logros intelectuales, incluyendo un sistema de escritura y un calendario preciso basado en un alto nivel de matemáticas. Todas las impresionantes construcciones mayas fueron centros ceremoniales; los Arqueólogos han concluido que el sacerdocio estaba en la cima de cada jerarquía local. El centro más grande, Tikal Guatemala, llegó a su clímax entre los años 600 y 800. Los centros mayas no eran asentamientos humanos fijos, y no fueron ciudades verdaderas. La estructura política, los métodos de producción de alimentación y las herramientas fueron típicas de sociedades menos avanzadas.

Se desconoce la extensión exacta de tierra controlada por los mayas en su apogeo, pero tenían contacto constante, ya sea cultural o comercial, con las civilizaciones mexicanas centrales y costeras. La civilización maya inició su caída alrededor del año 900; para el 1000 gran parte de Yucatán estaba dominado por los toltecas. En la actualidad, la población maya aún puede ser identificada con facilidad, lo que no sucede con el pueblo que conformaba el estado azteca o el impero inca al momento de la conquista española, quizá porque las tierras mayas eran menos interesantes para los españoles.

Además de la cultura olmeca, la cultura Teotihuacana, que floreció entre los años 350 y 650 de la era cristiana en el centro de México, también influyó en la civilización mesoamericana. La ciudad de Teotihuacán se convirtió en el centro de un gran imperio, puede haber tenido una población aproximada de 150,000 personas. Teotihuacan cayó alrededor del año 650; sin

Latinoamérica. Paseo familiar en Chapultepec en México.

embargo, su cultura siguió siendo importante hasta su desintegración, tres siglos después, ocasionada por invasiones de pueblos nómadas del norte.

Un grupo nómada del norte fue el mexica, después conocido como el azteca. En 1325 habitaron una pequeña isla en el lago de Texcoco que se convirtió en el segundo centro urbano más importante de mesoamérica: Tenochtitlan. Una serie de alianzas proporcionó a los aztecas el control esencial del valle central de México para el año 1420. Durante los años siguientes, de ser una pequeña ciudad-Estado, Tenochtitlan se convirtió en el centro de un gran imperio, extendiéndose hasta los actuales territorios de El Salvador y Guatemala.

Moctezuma II, elegido en 1502, fue el emperador azteca que regía cuando los españoles, bajo el mando de Hernán Cortés, arribaron en 1519. Los españoles encontraron una civilización avanzada en los dominios aztecas, con un comercio activo y una amplia acumulación de riqueza. Los aristócratas militares, los sacerdotes y los comerciantes tenían el poder, ejerciendo autoridad sobre los liberados, quienes a su vez regían a los esclavos y a los trabajadores de la tierra. Durante los tres siglos posteriores a la conquista de Tenochtitlan, los españoles centraron sus intereses en el área que ocupó el imperio azteca.

Civilizaciones andinas. Cuando los españoles arribaron al Nuevo Mundo, los valles irrigados de las costas de Perú eran utilizados para la agricultura (aproximadamente 6,000 años antes). Sus habitantes ya producían textiles de algodón finamente tejidos alrededor del año 2500 a. C. El estado costero pre-inca más extenso, el reinado Chimu, se había desarrollado en estos valles y es probable que se haya consolidado durante la primera mitad del siglo XIV.

Los incas, que se establecieron en el valle de Cuzco alrededor del 1250, iniciaron conquistas más extensivas a principios del siglo XV: conquistaron a los Chimu en el 1460. Su expansión hacia el norte continuaba cuando los españoles, bajo el liderazgo de Francisco Pizarro, aparecieron en el norte de Perú y en 1532 capturaron al rey inca Atahualpa, junto con una fortuna en oro. El imperio inca se extendía en ese entonces a lo largo de la cordillera de los Andes desde el río Maule en el centro sur de Chile, hasta la frontera norte de lo que en la actualidad es Ecuador. En la cima de la jerarquía gubernamental se encontraba una elite étnica inca en Cuzco con un rey-dios en el pináculo. Por medio de terraplenes e irrigación, los incas cultivaron las montañas; allí también erigieron sorprendentes ciudades en las montañas como Machu Picchu.

La colonia. La ocupación de la actual Latinoamérica y mucho del oeste de Estados Unidos por los españoles y los portu-

Latinoamérica. Mercado de artesanías.

gueses se inició en 1492 con la llegada de Cristóbal Colón a la Isla de San Salvador en las Bahamas. Dejó un pequeño grupo de colonizadores en la isla de La Española y el año siguiente regresó con una expedición más grande. El primer viaje de Colón fue parte de un esfuerzo del reino español de Castilla por establecer una ruta marítima a las Indias, a raíz de su competencia con los portugueses. La expedición portuguesa de Pedro Cabral llegó al extremo este de Brasil en 1500 y poco después se establecieron varios puntos de comercio.

El hemisferio entero llegó a conocerse como América una vez que los cosmógrafos europeos estuvieron conscientes de la existencia de un *Nuevo Mundo*. Utilizaron el nombre en sus mapas en honor del navegante italiano Americo Vespucio, quien preparó los mapas del área entre 1499 y 1501. El Tratado de Tordesillas (1494) dividió al Nuevo Mundo entre españoles y portugueses, con propósitos de colonización. Vespucio, al servicio de los portugueses, determinó que cualquier tierra al sur de la protuberancia brasileña sería española. Por lo tanto, una exploración adicional al sur fue efectuada por navegantes que trabajaban para España, uno de los cuales fue Fernando de Magallanes, quien pasó a través de los estrechos que ahora llevan su nombre en 1520, para llegar al océano Pacífico.

Colonización portuguesa. Los portugueses no establecieron colonias permanentes hasta 1532, cuando se fundaron São Vicente (cerca del actual São Paulo) y Recife, y en 1549 la corona portuguesa envió a un gobernador general a establecer una capital en São Salvador, ahora Salvador o

Bahía. Los portugueses confinaron sus poblados al área costera. Sin embargo, las expediciones, conocidas como *bandeiras*, ayudaron a establecer el derecho de Portugal a las tierras hacia el oeste de la línea definida por el Tratado de Tordesillas. Las bandeiras de la primera mitad del siglo XVII fueron generalmente incursiones en busca de esclavos indígenas. Sin embargo, posteriormente se convirtieron en búsquedas de metales preciosos. Al final del siglo XVII, después del descubrimiento de yacimientos de oro en el estado actual de Minas Gerais, se inició la primera migración masiva de portugueses a América. En 1763 se nombró capital a Río de Janeiro, en sustitución de Bahía, reflejando los movimientos de la población y de la actividad económica hacia el sur.

Los primeros pasos hacia la centralización del gobierno portugués a lo largo de la costa fueron tomados para expulsar a los Hugonotes franceses, que en 1555 establecieron una colonia en donde se encuentra actualmente Río de Janeiro. Los holandeses fueron la amenaza más seria al control de Portugal sobre Brasil durante los años de 1580 a 1640, cuando Portugal era dirigido por monarcas españoles. Los holandeses, en un esfuerzo por controlar la producción del azúcar así como su procesamiento y comercialización en Europa, ocuparon los campos productivos alrededor de Recife de 1630 a 1654. Al norte de Brasil, tanto los franceses como los holandeses y los ingleses lograron establecer pequeñas colonias, las Guyanas francesa, holandesa (ahora Surinam) e inglesa (ahora República de Guyana). La colonización portuguesa en América enfrentó amenazas externas, mientras que España, por otro lado, pudo establecer control sin sufrir serias interrupciones de otras potencias europeas.

Los españoles en el Caribe. El primer punto central de la ocupación española de América fue la segunda isla más grande del Caribe, La Española, que fue considerablemente poblada por las tribus araucanas. El trabajo que representó para ellos la búsqueda de oro de los españoles, y su total vulnerabilidad a las enfermedades europeas, eliminaron casi por completo a los arauacanos de La Española. Esta rápida disminución de la mano de obra nativa forzó a los españoles a buscarla en Cuba, Jamaica, las Bahamas y Puerto Rico, en donde también acabaron con la fuerza laboral local. Además, los españoles terminaron velozmente con los pequeños depósitos de oro de Cuba, la isla más grande del Caribe.

El papel de La Española y su ciudad capital, Santo Domingo, en la conquista y colonización de Latinoamérica continental tuvo dos aspectos: 1) las expediciones fueron organizadas y financiadas ahí; La mayoría de los oficiales y los hombres que conformaron las expediciones enviadas al norte de Sudamérica, Panamá, Centro América, México y mucho de lo que hoy es Estados Unidos, vinieron desde La Española y Cuba. 2), la primera estructura administrativa hispanoamericana fue establecida en La Española.

Una revuelta de los primeros colonizadores contra Colón en Santo Domingo dejó claro que los españoles en América no tenían intención de ser empleados asalariados o granjeros arrendatarios, deseaban riqueza y control. El principal instrumento administrativo establecido para satisfacer sus demandas fue una adaptación de la antigua institución española de la encomienda, que era en esencia la asignación de un número de indígenas a cada colonizador. Como encomendero el español tenía derecho tanto a servicios personales como a tributo de los indígenas; en compensación asumía la responsabilidad de su cristianización. El sistema de la encomienda asumió gran importancia en el continente, en donde las altas civilizaciones existentes desde México hasta Perú estaban acostumbradas a la mano de obra forzada y al pago de tributo a los jefes locales, quienes a su vez efectuaban pagos a la jerarquía imperial.

Una vez que los españoles acabaron con la provisión de mano de obra araucana de las islas, empezaron a importar esclavos africanos. Sin embargo, la importación a gran escala para trabajos en el campo, no fue económicamente factible hasta que la agricultura de las plantaciones se desarrolló lo suficiente para producir una cosecha importante de exportación de azúcar a fines del siglo XVII. Esto sucedió primero en las islas más pequeñas de las Antillas menores, colonizadas por los ingleses y los franceses, y en Jamaica, invadida por los británicos en 1655. En la parte occidental de La Española (posteriormente Haití), los franceses construyeron gradualmente la economía más productiva de exportación de productos de plantaciones de la América colonial, basada en la mano de obra de los esclavos negros.

Adicional a la encomienda, una segunda institución importante para la ocupación española de América fue la villa, o ciudad. La ciudad era administrada por un cabildo o concejo compuesto primero por miembros electos y posteriormente tanto de miembros electos como asignados. El cabildo era el instrumento principal de contacto de los primeros colonizadores españoles con el gobierno real en España y evolucionó a un mecanismo importante de gobierno local. Aunque disminuyó su importancia cuando España centralizó el control de sus colonias, como centro del gobierno autónomo local se convirtió en un punto de reunión del movimiento nacionalista del siglo XIX. En el Caribe, la ciudad de Santo Domingo sirvió también como el principal centro administrativo regional. Su importancia disminuyó sólo una vez que la riqueza humana y mineral del centro de México y del imperio inca se volvió evidente.

Expansión española. La conquista del continente puso por primera vez a los españoles en contacto directo con las altas civilizaciones de América y su extraordinaria riqueza mineral. La conquista de Méxi-

co se inició en 1519 con la captura del rey azteca Moctezuma II en Tenochtitlan. La captura del emperador inca Atahualpa en 1532 por Pizarro resultó en la ejecución del monarca y la ocupación española de Cuzco. Durante las siguientes décadas, los españoles invadieron las regiones que ahora ocupan Chile, Paraguay y Colombia. También hubo expediciones hacia el norte, en lo que ahora es Estados Unidos.

Por múltiples motivos, grupos relativamente pequeños de conquistadores españoles pudieron conquistar a los incas, aztecas y otras culturas indígenas en un corto plazo. Sin embargo, hubo tres factores fundamentales: 1) los españoles llegaron con tecnología avanzada y animales domesticados, lo cual sorprendió a la población indígena; los indios estaban realmente aterrados de ver a guerreros montados a caballo. 2) los nativos estaban completamente indefensos ante las nuevas enfermedades que trajeron los españoles. 3) las estructuras políticas azteca e inca estaban altamente estratificadas, con un grupo pequeño y virtualmente impenetrable al mando de cada una de ellas. Como grupos cerrados, su sustitución por conquistadores españoles resultó relativamente sencilla.

La corona española dedicó los siguientes 150 años a establecer su autoridad a través de una estructura administrativa con poderes superpuestos. Esta estructura consistía en representantes personales del rey como los virreyes, los capitanes generales y una serie de juntas desde el cabildo del pueblo hasta las audiencias (cortes reales de justicia). Los virreinatos originales fueron aquellos de la Nueva España (1535) y Perú (1544); el primero comprendía todo el territorio al norte de Panamá, y el de Perú, todo el territorio al sur de Panamá; posteriormente éste fue dividido en los vicevirreinatos de Nueva Granada (1717) y La Plata (1776).

Además de la administración civil, los misioneros franciscanos, agustinos y dominicos fueron responsables del proceso de cristianización. Algunos misioneros intentaron pacificar a los indígenas congregándolos en las llamadas reducciones, o reservaciones, de las cuales las más notables fueron mantenidas por los jesuitas en Paraguay. Éstos también se establecieron como los educadores de los hijos de los aristócratas terratenientes y mercaderes urbanos. Sin embargo, los jesuitas eran vistos como una amenaza al Estado Español centralizado, el cual, particularmente después de 1750, prefirió trabajar a través de la jerarquía del clero secular (aquellos ordenados para servicio parroquial).

La corona envió a sus principales administradores directamente de España, que frecuentemente entraban en conflicto con los criollos. Una depresión económica en América, la falta de tecnología para una

Puerta de la fachada de la catedral de Lima, Perú.

minería efectiva y profunda, la degeneración de la línea de reyes españoles de la familia Habsburgo y la incursión creciente de otros poderes europeos en los caminos comerciales del Caribe, dio a los grupos criollos regionales mayores oportunidades para situarse en altos puestos administrativos.

Reformas Borbónicas. Cuando la dinastía española de los Habsburgo desapareció, en 1700, fue sustituida por la de los Borbón, quienes esperaban montar una estructura administrativa más eficiente. El impacto sobre la América española no se sintió en su totalidad hasta 1760, cuando Carlos III envió a José de Gálvez (1720-1787) a la Nueva España como visitador general. Los objetivos de la reorganización de Gálvez eran sustituir a todos los criollos con administradores nuevos, incrementar los ingresos de España a través de reformas en la estructura de impuestos y la apertura del comercio intercolonial, proteger las fronteras en California y la costa del Golfo de México de incursiones extranjeras y expulsar a los jesuitas alegando que efectivamente se habían convertido en un Estado dentro de otro.

Algunos de esos cambios, conocidos como Reformas Borbónicas, se implementaron en toda la América Española en 1770, y se produjeron mayores ingresos en lingotes para España a través de la revitalización del sistema administrativo colonial, centralizando la recolección de impuestos, incrementando la producción en las minas de plata y otorgando monopolios reales, particularmente de tabaco. Adicionalmente, las expediciones al norte en contra de los indígenas abrieron nuevas áreas de expansión, y defensas más efectivas proporcionaron seguridad en contra de otras potencias europeas.

Las reformas borbónicas, sin embargo, ayudaron a crear muchos problemas en la América Española. Acabaron con las monedas de muchas áreas rurales esenciales para el comercio local. Los monopolios arrasaron con las plantaciones de tabaco en todas partes, excepto unos cuantos centros específicamente designados. La producción local de textiles y otros productos manufacturados fueron también dañados por el incremento de bienes importados de España. La aplicación de impuestos sobre las ganancias y la pérdida de las mejores posiciones administrativas dañaron el prestigio, y frecuentemente los ingresos, de muchos criollos de las clases superiores. Esta pérdida de privilegios fue un factor que motivó a tales grupos a instar una revuelta en contra de España, cuando la ocupación (1807-1808) de la Península Ibérica por Napoleón I les dio la oportunidad política. Podían encontrar valor en el ejemplo de Haití, que en 1804 se liberó del dominio francés para convertirse en la segunda na-

La catedral de Lima, Perú, es considerada como un ejemplo artístico latinoamericano.

ción independiente (después de Estados Unidos) en el hemisferio occidental.

Guerras de Independencia. Los líderes de los movimientos de independencia en la zona de lo que ahora es Argentina, Venezuela, Colombia y Chile eran gente de buena posición, generalmente comerciantes o terratenientes. Sin embargo, en México, en donde se llevó a cabo el levantamiento de una masa popular, los dos líderes más importantes fueron los curas parroquiales Miguel Hidalgo y Costilla y José María Morelos y Pavón, quienes pensaban que habían sido tratados injustamente por los españoles.

México. Hidalgo dirigió un levantamiento indígena en 1810 que saqueó la ciudad de Guanajuato antes de dirigirse hacia la ciudad de México bajo el estandarte de la Virgen de Guadalupe. Al mismo tiempo, Morelos condujo una brillante campaña de guerrillas en el sur, exigiendo un nuevo gobierno y la redistribución de la riqueza. Ambos curas fueron finalmente capturados y ejecutados, Hidalgo en 1811 y Morelos en 1815.

La declaración final de independencia en México se hizo en 1821, por Agustín de Iturbide, quien reinó brevemente como el emperador Agustín I. Había luchado contra el movimiento insurgente popular y su régimen representó los intereses de la tradicional clase criolla, ahora libre de las leyes españolas.

Sudamérica. Los primeros intentos armados para derrotar a los españoles en Sudamérica fueron organizados en Buenos Aires, la sede del virreinato de La Plata, y en Caracas, sede de una capitanía general. Ambos fueron centros de una nueva economía de exportación, en gran parte en manos de los españoles en Venezuela y de los criollos en Buenos Aires. Ambos ejércitos sufrieron una derrota inicial en manos de los españoles, pero sus líderes no fueron capturados.

En el sur, las fuerzas revolucionarias se reorganizaron bajo el mando del argentino José de San Martín, quien, con el general chileno Bernardo O'Higgins, dirigió un ataque al valle central de Chile desde Mendoza y a través de los Andes. Después de la

Latinoamérica

Corel Stock Photo Library

La arquitectura latinoamericana tiene elementos estilísticos propios como en esta iglesia de México.

derrota inicial de las fuerzas españolas en ese lugar, en 1818, San Martín continuó hacia Perú por mar; las fuerzas españolas mantuvieron el control de los valles interiores.

Al norte, Simón Bolívar formó un ejército en el interior de Venezuela y cruzó los Andes para derrocar a las sorprendidas fuerzas españolas en los altos colombianos de Boyacá, en 1819. Bolívar regresó a Venezuela, en donde fue electo presidente de la nueva República de Gran Colombia (que incluía el territorio que actualmente ocupan Colombia, Venezuela, Ecuador y Panamá) en 1821. Con un gran ejército, Bolívar procedió hacia Perú. Después de derrotar a los españoles en una montaña cerca de Quito en 1822, Bolívar se reunió con San Martín en Guayaquil. San Martín, después de declarar a Perú formalmente independiente, se retiró de la vida pública, dejando la campaña a Bolívar y a su principal teniente, Antonio José de Sucre.

Los comerciantes y terratenientes de Lima consideraron a Bolívar más un extranjero problemático que un libertador. Deseaban recuperar la autoridad que tenían antes de 1750 y no estaban de acuerdo con la separación de Perú del norte (Bolivia). En 1826, Bolívar regresó a Bogotá, pero, con su ideal de un estado continental destruido por el fuerte regionalismo que había emergido después de una guerra de 15 años, no fue capaz de mantener intacta la nación de la Gran Colombia.

Periodo nacional. Las naciones independientes de Latinoamérica continental llegaron a formarse dentro de las grandes unidades administrativas organizadas durante el reinado español y portugués.

Regionalismo hispanoamericano. Durante un periodo relativamente corto a principios del siglo XIX, muchas áreas se libraron del dominio español. Del virreinato de Perú, Chile logró su independencia en 1818 y Perú en 1821. En ese año, la Nueva España se transformó en México y Nueva Granada en la Gran Colombia. De las regiones de La Plata, Paraguay se independizó en 1813, Argentina en 1818, Bolivia en 1825 y Uruguay, después de un conflicto prolongado primero con Argentina y después con Brasil, en 1828.

El problema más abrumador para la mayoría de los territorios recién independizados fue establecer autoridad sobre las diversas regiones dentro de sus fronteras. En poco tiempo México perdió control sobre Guatemala, El Salvador, Costa Rica, Honduras y Nicaragua, que se unieron en la Federación Centroamericana (1825-1838) y posteriormente se convirtieron en estados separados. La Revolución de Texas y la guerra mexicana (1846-1848) terminaron con la cesión por parte del gobierno mexicano del territorio que incluía Texas, California, Arizona y Nuevo México a Estados Unidos. Gran Colombia también se desintegró, con la separación de Venezuela (1830) y Ecuador. Panamá se separó en 1903 durante la controversia generada por la construcción del canal de Panamá.

Las áreas fronterizas de las nuevas naciones estaban poco pobladas y las fronteras nacionales eran inciertas, por lo que surgieron problemas internacionales. Entre 1879 y 1884, Chile luchó contra Perú y Bolivia en la llamada guerra del Pacífico. El resultado

de esta guerra fue la disputa Tacna-Arica, que duró hasta 1929. Paraguay perdió la mayoría de su población masculina en la devastadora guerra de la Triple Alianza (1865-1870) contra Argentina, Brasil y Uruguay. Sin embargo, se recuperó para derrotar a Bolivia en la guerra del Chaco, que duró de 1932 a 1935. Algunas de las disputas fronterizas entre los países latinoamericanos aún no se han resuelto.

Brasil. La América portuguesa, por otro lado, pudo mantener su unidad territorial a pesar de las variaciones regionales. En 1822, Brasil se convirtió en un imperio independiente bajo Pedro I. Cuando el imperio fue derrocado en 1889 y se estableció un gobierno republicano, los estados organizaron partidos políticos regionales. Aunque cada partido expresaba intereses económicos locales, las diferencias no eran tan marcadas entre regiones. La economía de Brasil se había desarrollado con base en la mano de obra de esclavos y estaba confinada a una franja costera relativamente angosta. La economía de toda la costa dependía de las exportaciones agrícolas. Por lo tanto, cada región apoyaba las políticas de libre comercio del poder mundial dominante, Gran Bretaña. Ninguna organización política nacional emergió hasta 1930.

El Caribe. España mantuvo a Cuba y a Puerto Rico como sus colonias hasta que una revuelta cubana culminó en la independencia de la isla después de la guerra hispanoamericana de 1898. Puerto Rico quedó entonces bajo el control de Estados Unidos. Haití fue la primera nación latinoamericana que estableció su independencia definitiva. La República Dominicana se liberó del dominio haitiano en 1844 pero fue ocupada nuevamente por los españoles durante la guerra de Secesión y posteriormente fue casi anexada por Estados Unidos.

El resto del Caribe se mantuvo bajo el control político europeo y su economía continuó basada en las plantaciones de caña de azúcar. En las colonias azucareras más nuevas, como Trinidad, la introducción a gran escala de mano de obra indígena a fines del siglo XIX, resultó en poblaciones racialmente divididas.

Desarrollo político y socioeconómico. Durante la primera mitad del siglo XIX después de las guerras de independencia, las naciones latinoamericanas sufrieron los efectos de la larga lucha, la falta de reconocimiento político a nivel nacional y el desarrollo económico regionalista. Estos factores, junto con el control local de las unidades militares, provocó la pérdida de poder político. Los gobiernos criollos tuvieron dificultades para mantener el control sin el apoyo de un líder militar nacional, o caudillo, frecuentemente de origen mestizo. En México, Antonio López de Santa Anna fungió en cinco ocasiones como la

Latinoamérica

autoridad central, y el gobierno de Venezuela buscó a José Antonio Páez para mantener el control.

Los retos de los liberales, generalmente criollos urbanos que disfrutaban de un resurgimiento de influencia a mediados del siglo XIX, a la ideología política conservadora, aumentaron considerablemente. A fines de siglo, los ataques liberales ayudaban a eliminar a la Iglesia católica de su estado tradicional, en la mayoría de las naciones latinoamericanas. En contraposición a las tendencias liberales de la última mitad del siglo, algunos caudillos pospusieron las elecciones hasta que el desarrollo económico pudiese consolidarse. Porfirio Díaz, de México, es un ejemplo importante. Algunos liberales previos, como Antonio Guzmán Blanco en Venezuela, adoptaron una actitud similar.

Durante el último cuarto del siglo XIX gran parte de la población de Sudamérica se trasladó de la costa del Pacífico al Atlántico. El crecimiento económico generado por las exportaciones de productos procesados y agrícolas a Europa, incrementó la demanda de mano de obra en Argentina, Uruguay y Brasil. Se dio una migración masiva de italianos, españoles, portugueses y alemanes. Los nuevos inmigrantes habitaron las principales ciudades y para la Primera Guerra Mundial la mayoría de los habitantes de Buenos Aires eran extranjeros.

Por esos tiempos, muchas naciones empezaron a crear fuerzas militares profesionales para ayudar a los gobiernos civiles a mantener el control del Estado. Los ejércitos, fortalecidos con el monopolio gubernamental de armas y con mejores sistemas nacionales de transporte, propiciaron la aparición de un nuevo tipo de caudillo.

La nueva clase de oficiales sólo necesitaba una crisis importante para definir su poder y sustituir un sistema político que considerara ineficiente. La oportunidad surgió gracias a la depresión mundial de la década de 1930. En Brasil, Getúlio Vargas instituyó una forma de corporativismo estatal, *Estado Nova*, que dependía del apoyo militar. En Argentina, después de una serie de golpes militares, Juan Perón llegó al poder, y su primer régimen (1946-1955), a pesar de contar con un considerable apoyo popular, fue una dictadura militar apenas disimulada. Dictadores como Perón buscaban el apoyo de la mano de obra urbana en vez del apoyo del pueblo indígena y mestizo. Antes de los años cincuenta solamente en México había grupos de campesinos con un peso político importante, los mismos que ganaron una redistribución sustancial de la tierra.

Con la victoria de las democracias occidentales y de la Unión Soviética sobre los fascistas europeos al final de la Segunda Guerra Mundial, muchos gobiernos lati-

Corel Stock Photo Library

La influencia de las culturas perhispánicas en latinoamérica sigue estando vigente en casos como este mercado en Guatemala.

noamericanos se vieron atacados debido a las desigualdades en ellos persistentes. El éxito de la revolución de Fidel Castro en Cuba (1959), que pronto se unió al bloque de naciones comunistas, incrementó la presión en favor de reformas sociales y económicas. Sin embargo, al mismo tiempo se intensificó el temor de una revolución de izquierda, temor compartido por el poderoso Estados Unidos, que envió tropas a República Dominicana en 1965 y aparentemente tuvo una participación en el derrocamiento del presidente electo en 1973 en Chile, Salvador Allende. Durante los años ochenta, Estados Unidos apoyó a los rebeldes antisandinistas en Nicaragua y ejerció presión política y económica, lo cual resultó en elecciones libres que perdió el régimen marxista-sandinista. Estados Unidos también invadió Granada para derrocar al gobierno marxista y mandó ayuda militar y económica al gobierno de El Salvador, a pesar de abusos continuos de los derechos humanos, para apoyar su guerra en contra de los rebeldes marxistas. En 1989, las fuerzas estadounidenses invadieron Panamá y condujeron al general Manuel Noriega a Estados Unidos para que fuera enjuiciado y encarcelado por cargos de narcotráfico.

Preocupaciones contemporáneas. Las naciones de Latinoamérica tienen un fuerte sentido de nacionalismo. Las disputas territoriales continúan entre Ecuador y Perú, y el reclamo hecho por Guatemala a Belice fue abandonado hasta 1991 tras varios años de controversia. El principio de la soberanía nacional, fomentado por los gobiernos de Latinoamérica, también se apo-

ya en su disgusto ante las muchas intervenciones de Estados Unidos.

El deseo de un desarrollo económico ha dominado las políticas nacionales y las relaciones internacionales en Latinoamérica desde 1940. Los gobiernos tanto de derecha como de izquierda están convencidos de que las corporaciones internacionales explotan sus recursos y las instituciones internacionales de préstamos, como el Fondo Monetario Internacional (FMI), han infringido su soberanía demandando reformas económicas a cambio de préstamos. Los altos niveles de deuda continúan deteniendo los esfuerzos de desarrollo y complican las relaciones con las naciones acreedoras. Los gobiernos de varias naciones incrementan sus esfuerzos para cooperar con agencias internacionales, y la privatización de las principales industrias se ha convertido en una tendencia creciente después de un periodo de confrontación y nacionalizaciones extensivas.

La creciente cooperación regional es otro de los fenómenos recientes. México, Estados Unidos y Canadá crearon el Tratado de Libre Comercio de América del Norte (TLC); los presidentes George Bush y William Clinton propusieron una zona hemisférica de libre comercio que vincularía América del Norte, del Sur y Central. Algunas uniones aduaneras regionales ya están implementadas, incluyendo el Mercado Común Centroamericano, el Mercado Común Andino, el CARICOM en el Caribe y el Mercosur en la cuenca del Río de la Plata en Sudamérica. El final de la guerra fría y la evolución de otros bloques de comercio regional como la Unión Europea han pro-

187

Corel Stock Photo Library

Vista interior de la iglesia de Zarceo en Costa Rica, Latinoamérica.

vocado una reevaluación substancial del interés nacional en muchas capitales latinoamericanas, haciendo posibles nuevas alineaciones.

En muchos países latinoamericanos los constantes problemas como el rápido crecimiento de la población, la distribución injusta de la tierra y la producción ilegal de narcóticos, son obstáculos para la creación de economías tecnológicamente sofisticadas y de grandes capitales. Estados Unidos proporciona asistencia técnica para la lucha en contra de los traficantes de drogas, y Perú adoptó medidas diseñadas para inducir a los agricultores a cambiar de cocaína a plantíos legales. La lucha de guerrillas en Colombia está cerca de terminar y el régimen militar de Guatemala está negociando el fin de años de guerra civil. Un cambio marcado de dominio militar a gobiernos democráticamente electos a finales de los años ochenta ha hecho posible un amplio rango de programas sociales y económicos que quizá resulten en un crecimiento sostenible en la región.

Literatura. Como resultado de un auge en la escritura de novelas durante los años 60, la literatura latinoamericana finalmente capturó la atención mundial durante la segunda mitad del siglo XX. Las novelas latinoamericanas, rápidamente traducidas a los principales idiomas occidentales, capturaron la atención de los críticos y del público tanto por la originalidad de sus temas –todos parte de la realidad actual de Latinoamérica– como por sus magníficos estilos innovadores. A pesar del reconocimiento inicial que Latinoamérica tenía, una producción literaria substancial, fueron

necesarias las *novelas del boom* para demostrar que las obras latinoamericanas eran más que productos simplemente regionales y que muchas, de hecho, alteraron el curso de la literatura mundial.

Literatura nativa y de inicios de la colonia. Excepto por los romances de caballeros y la Biblia, los europeos que primero llegaron a Latinoamérica en los siglos XV y XVI no tenían modelos literarios sobre los cuales basar las descripciones de lo que encontraron. Por lo tanto, Cristóbal Colón y Américo Vespucio describieron Latinoamérica en los términos de literatura con los que estaban familiarizados. De la misma manera, las crónicas de los primeros conquistadores y colonizadores contienen narraciones de hazañas de valor. La tierra y los pobladores frecuentemente eran descritos en términos idealizados que sugerían la influencia de la noción europea popular del buen salvaje. Sin embargo, en la práctica los nativos eran esclavizados a través de trabajo excesivo y sus culturas eran profanadas.

El grado de civilización representado por las tribus indígenas que vivían en el Nuevo Mundo variaba enormemente. Algunos ejemplos de las grandes civilizaciones maya, inca y azteca fueron preservados gracias a los esfuerzos de frailes que les tenían simpatía. El libro sagrado maya, el *Popol Vuh*, que contiene su filosofía, cosmología e historia, es un ejemplo de esta cultura extraordinaria. El franciscano fray Bernardino de Sahagún (1950-1590) escribió la historia de la Nueva España, basando sus observaciones en el material en náhuatl, el idioma de los aztecas, y un mestizo del virreinato de Perú, Garcilaso Inca de la Vega, escribió sus *Comentarios reales* (1609-1617) para registrar la vida en el Perú precolombino así como la conquista y las guerras civiles que siguieron.

La mayor parte de la literatura latinoamericana de los siglos XVI y XVII intentó describir para el lector europeo las tierras recientemente conquistadas. Los escritores oscilaban entre una sorpresa impresionante y un idioma hiperbólico al describir las aves exóticas, las tonalidades vibrantes de las plantas tropicales, los extraños habitantes y sus ritos y templos; al mismo tiempo, registraron y en ocasiones mejoraron su propia proeza principal, la conquista. Quizás la narración más fascinante de este evento es la que proporciona Bernal Díaz del Castillo (1492-1584) en su *Verdadera historia de la conquista de la Nueva España* (1632-1956). Esta crónica describe las aventuras del autor como un joven soldado del ejército de Cortés.

Aunque la mayor cantidad de obras trataban el tema de la conquista como una proeza de valor y de fe, los críticos de la empresa no faltaron. Fray Bartolomé de las Casas, el crítico más distinguido y exitoso,

en su *Brevísima relación de la destrucción de las Indias* (1552) culpó a la corona española y a sus representantes por el maltrato y muerte resultante de la población nativa. Su defensa produjo que el rey publicara en Madrid ordenanzas para templar los abusos perpetrados en contra de los indios.

Una vez que terminó la colonización, narraciones picarescas de viajes y aventuras, tales como aquélla escrita en 1690 por el mexicano Carlos de Sigüenza y Góngora, empezaron a proliferar. En las cortes más suntuosas del virreinato en México y Lima, el verso barroco estuvo de moda, imitando el estilo del de la corte española.

Sor Juana Inés de la Cruz fue conocida como la *décima musa* por sus piezas dramáticas, poesía y sofisticados escritos científicos y filosóficos. Se le considera la figura literaria más importante de la época colonial española.

La Literatura de la Independencia. El siglo XVIII y los principio del XIX vieron el surgimiento de un nuevo orgullo entre los latinoamericanos mientras se acercaba la independencia. La mayoría de los hombres de letras ahora eran miembros del grupo criollo, o sea, descendientes de europeos nacidos en el Nuevo Mundo, con una lealtad y un sentido de orgullo a su tierra nativa en lugar de España. En 1810 fue declarada la independencia en Venezuela, México y Argentina; sin embargo, no fue hasta la década de 1820 cuando la mayoría del continente se liberó del dominio español. Con la autonomía, emergieron una variedad de literaturas nacionales y la atención se enfocó hacia la tierra, el indígena y el mulato o el mestizo como su poblador nativo. Los poetas, reconociendo en este momento que necesitaban establecer su identidad cultural, decidieron hacerlo refiriéndose a las batallas y los héroes de la independencia, *La victoria de Junín: Himno a Bolivar* (1825), de José Joaquín Olmedo (1790 - 1847) es considerado el mejor ejemplo conocido.

El indígena fue el tema exaltado del poema *La cautiva* (1837), de Esteban Echeverría y de la colección de poemas llamados *En el teocalli de Cholula* (1820) por José María Heredia (1803 - 1839). Andrés Bello y, desde un punto de vista distinto, Domingo Faustino Sarmiento, lucharon con el problema de crear una gramática para el español que se usaría en el Nuevo Mundo; ambos también escribieron obras de descripción de la tierra, en tanto que Sarmiento por su parte, en su estudio del líder nativo Juan Facundo Quiroga, atacó el caudillismo (dictadura militar). Es en este momento cuando el barbarismo y la civilización vienen a identificarse como fuerzas coexistentes y contendientes en la vida latinoamericana. La obra más importante en esta tradición, la épica *Martín Fierro* (1872) por José Hernández, se convirtió en el poema nacional de Argentina.

Modernismo. La última década del siglo XIX vio el nacimiento de un movimiento literario específicamente latinoamericano: el Modernismo. Afectando a la poesía en forma más directa, pero recurriendo también a la ficción en prosa, esta escuela literaria fue responsable de la admirable innovación poética tanto en forma como en concepto. Su principal exponente fue el nicaragüense Rubén Darío. Inmerso en la tradición poética francesa además del verso tradicional español, Darío logró traer al verso español una flexibilidad que se basaba en nuevas combinaciones de sonidos, cinestesia y evocación de humores, en vez de una expresión directa de sentimientos. También popularizó la idea de Latinoamérica como la constitución de una madre patria, habiendo vivido en varias naciones hermanas así como en París y en España. De esta manera Darío encarnó tanto una universalización de innovaciones formales y una pasión por las realidades del pasado y futuro de Latinoamérica.

La literatura del campo y de la Revolución Mexicana. A principios del siglo XX emergió la denominada novela del campo; ésta asumió la descripción sin idealización romántica de la tierra y de su gente y las formas de vida que eran específicas para las condiciones geográficas en las que vivían. El gaucho en la pampa, el peón en la plantación de hule o en los campos de caña de azúcar, el ranchero de las planicies venezolanas, el indígena en su choza andina; cada uno era el tema de novelas que aparecieron durante las primeras décadas del siglo XX: *La raza de bronce* (1919), del boliviano Alcides Arguedas; *Don Segundo Sombra* (1926-1935), del argentino Ricardo Guiraldes; *Doña Bárbara* (1929), del venezolano Rómulo Gallegos; *La vorágine* (1924), del colombiano José Eustasio Rivera; *Huasipungo* (1934), del ecuatoriano Jorge Icaza, y *Cuentos de la jungla,* del uruguayo Horacio Quiroga.

Al mismo tiempo, la Revolución Mexicana recibió su propio tratamiento tanto en poesía como en la serie de novelas que aparecieron durante y después del conflicto. La novela más famosa fue *Los de abajo* (1915), de Mariano Azuela. El autor luchó del lado deFrancisco I. Madero y su trabajo narrativo registra el crecimiento y caída de un luchador campesino para quien la Revolución Mexicana (1910-1921) solamente trae sufrimiento y desolación.

Contrariamente a los escritores románticos, los novelistas del campo ya no admiraban sorprendidos los paisajes latinoamericanos. Empezaron a percibir que la injusticia era el orden prevaleciente, que ésta no había desaparecido con el advenimiento de la independencia política. Sus instituciones sociales, no tan nuevas, combinadas con

Corel Stock Photo Library

Antigua construcción colonial en Nicaragua.

lo que había sido aceptado sin cuestionar en el siglo pasado como la influencia benéfica del pensamiento europeo, empezaron a parecer inadecuados a la realidad americana. Estos novelistas, aunque en ocasiones desesperados por no poder mejorar la situación de los oprimidos æaun por medios violentos y revolucionariosæ finalmente enfatizaron la pureza nata de la gente del campo, según reveló, por ejemplo, el luchador campesino en *Los de abajo* y por los caracteres indígenas en los trabajos de Jorge Icaza. Incluso *Don Segundo Sombra,* producción de un escritor refinado a la manera parisina, sugiere que la renovación espiritual debe encontrarse en el campo y no en los recibidores.

Los modernistas brasileños. A principios del siglo XX, el movimiento modernista brasileño, con sede en São Paulo, también empezó a lograr una independencia cultural similar a través de distintos medios. Brasil pasó por las mismas etapas de desarrollo que el resto de Latinoamérica, pero su

independencia política y cultural sucedió más gradualmente. El primer emperador de Brasil, Pedro I, fue un miembro legítimo de la dinastía real portuguesa. Aunque declaró la independencia de Brasil en 1822, el país se mantuvo bajo el dominio imperial y de la corte en Río de Janeiro hasta 1889.

Con Brasil atado de esta forma a la cultura portuguesa, los escritores brasileños asumieron poco a poco la responsabilidad de proveer una expresión a su propio paisaje y mezcla étnica. La presencia de grandes números de esclavos antiguos añadió un carácter distintivamente africano a la cultura, y la llegada subsecuente de inmigrantes de origen no portugués ayudó a la nueva nación a encontrar su propia voz y a utilizarla.

A principios del siglo XX las novelas de Joaquim Maria Machado de Assis, como *Dom Casmurro* (1899), de Graca Aranna (1868-1931) y de Euclydes da Cunha (1866 - 1909) evaluaban tanto la vida bra-

Latinoamérica

Corel Stock Photo Library

Arte barroco Latinoamericano en la iglesia de San Francisco, México.

sileña urbana como la rural. Aproximadamente en 1922 el grupo modernista (sin relación con los modernistas de habla hispana de la década de 1890) se separó totalmente con este pasado, declarándose representantes de una nueva vanguardia y en numerosas revistas y pequeñas publicaciones experimentaron con verso y prosa. Una gran actividad editorial se extendió a áreas remotas de la costa, de esta manera ayudando a incrementar la validez cultural de las regiones distintas a los grandes centros urbanos. En el pasado, los estados tan-

to de Bahía como de Minas Girais habían patrocinado movimientos literarios activos pero de vidas relativamente cortas. Mário de Andrade fue el principal exponente del grupo modernista.

La literatura latinoamericana reciente. Brasil ha producido un número de escuelas vanguardistas desde el modernismo, siendo la de Poesía Concreta la mejor conocida, y tanto la poesía como la ficción en prosa han continuado desarrollandose bajo la influencia local y europea. Algunos de los autores brasileños más conocidos incluyen

a Jorge Amaado, Érico Veríssimo, Oswald de Andrade (1890-1954) y Raquel de Queiros, en prosa, y Carlos Drummond de Andrade, Joao Cabral de Melo Neto, Vinicius de Moraes (1913-1980) y Jorge de Lima (1893-1953) en poesía.

La literatura puertorriqueña, particularmente en respuesta a las preocupaciones nacionalistas y raciales, ha sido exitosa solamente en décadas recientes. Un vibrante movimiento de teatro indigenista ha sido distinguido por las obras de Emilio Belaval, Manuel Mendez Ballester, Francisco Arriví y René Marqués (1919-1979), este último conocido especialmente por su obra teatral *La carreta del buey* (1951). Enrique Laguerre y Pedro Juan Soto han dominado el campo de la narrativa. En poesía, Luis Palés Matos (1898-1959) fue pionero con el tema del *primitivismo* contra el imperialismo cultural de la *civilización*.

En el resto de Latinoamérica puede decirse con certeza que la prosa contemporánea viene delante de la poesía en función de su calidad en general, y en particular en vista del éxito que muchos autores han tenido al experimentar con técnicas introducidas por novelistas franceses y críticos literarios, tales como la *nueva novela* y con las innovaciones de escritores estadounidenses como William Faulkner, al mantener un estilo sumamente personal y una voz distintivamente latinoamericana. Entre los novelistas y cuentistas de este estilo sobresalen Carlos Fuentes y Juan Rulfo de México; Alejo Carpentier de Cuba; Jorge Luis Borges, Julio Cortázar y Manuel Puig de Argentina; Juan Carlos Onetti de Uruguay; Gabriel García Márquez de Colombia; Mario Vargas Llosa y José María Arguedas (1911-1969) de Perú, y José Donoso de Chile. Estos escritores, responsables del *boom* de los años 60, finalmente lograron fusionar la necesidad persistente de una definición propia con la necesidad de modernismo y universalidad. Aunque no han renunciado a ningún tipo de especificidad latinoamericana, se han expresado en términos igualmente accesibles al público mucho más amplio conseguido en Europa y Norte América contemporánea.

Muchas de sus novelas incorporan dolorosas revisiones del pasado inmediato de las naciones así como las sugerencias de nuevos caminos de acción. Estas van desde la creación de una nueva conciencia latinoamericana que obviaría la necesidad de modelos europeos, a un regreso al pasado nativo casi apócrifo. Con cada cambio en la historia, con cada elección exitosa o errónea, los latinoamericanos han evolucionado su propio sentido particular de la historia, y los escritores han asumido un papel especialmente activo en la formación de esta conciencia. El famoso *Canto general* (1950) de Pablo Neruda, es una suma de todo Latinoamérica: su tierra, su historia y su gente. César Vallejo en su poesía se lamenta por todos los Cristos del continente; Nicanor Parra se burla de la banalidad de la unión y activismo ordinario en el sentido original cristiano de darle libertad a toda la gente. Nicolás Guillén es el poeta que celebra con más éxito la infusión de la sangre africana en el seno de la cultura hispánica. Octavio Paz, que escribió poesía lírica, surrealista y hasta concreta, se mantiene como el mejor ejemplo conocido de la tradición cosmopolita.

Persecución y exilio. Si los escritores latinoamericanos jamás han estado lejos de los sucesos históricos que formaron sus vidas y han sido testigos de éstos por escrito, también han tenido que soportar el peso de la persecución política. Desde la época colonial cuando muchos poetas brasileños fueron desterrados a Angola a lo largo de la vida independiente cuando muchos escritores tuvieron que huir de sus países el precio por escribir acerca de la realidad latinoamericana, como ellos la vieron, ha sido frecuentemente el exilio. En la actualidad muchos escritores latinoamericanos más jóvenes están lejos de la fuente de su idioma y de sus preocupaciones, aunque activamente escribiendo acerca de ambos.

Arte y Arquitectura. El arte y la arquitectura latinoamericana se refieren a las tradiciones artísticas desarrolladas por los colonizadores europeos de México, Centro América y Sudamérica y sus descendientes. Desde el descubrimiento europeo del Nuevo Mundo, el arte y la arquitectura de esta área tan vasta han evolucionado en dos fases. La primera fue la fase colonial que inició a fines de siglo XV y terminó a principios del XIX, terminadas las guerras de Independencia. En México la Revolución de principios del siglo XX marcó el inicio de la segunda fase: el surgimiento de modernos planteamientos en arquitectura, pintura y escultura. El resto de Latinoamérica entró en esta fase en diversos momentos, aunque generalmente poco después de que se había iniciado en México.

Existieron civilizaciones altamente desarrolladas en el Nuevo Mundo miles de años antes del arribo de los europeos. Los centros americanos precolombinos de gran importancia florecieron en los Andes, en el centro de México y en el área maya (Yucatán y Centro América) hasta el momento de la conquista española de los aztecas (1519-1521) y de los incas (1531). En la costa desértica de Perú las ruinas de construcciones de ladrillos de lodo secados al sol tallados con esculturas en relieve policromadas aún pueden verse en Chan Chan (1200-1450) y en otros lugares; los restos de construcciones de piedra cortada con maestría existen en Cuzco, Machu Picchu (1450-1531) y en otros lugares de los Altos andinos. En México, pirámides de piedras

Palacio del arzobispo en Lima, Perú.

que cubrían escombros terrosos y terminados con yeso brillantemente pintado dominaron la arquitectura del periodo precolombino. Teotihuacan, gran centro urbano del valle central de México (200 a. C.-700 d. C.) tenía una superficie mayor que el imperio romano; era un lugar de peregrinos para muchos pueblos antiguos de mesoamérica, y fue una ciudad magnífica de calles y palacios coronados por pirámides y plazas extendidos alrededor de un gran eje central.

La característica del arte y la arquitectura precolombina fue su hábil integración de la arquitectura, escultura y pintura dentro de un estilo que presenta una única síntesis de las tres formas estéticas. Esta tendencia sintetizadora también se observa en el estilo barroco que apareció durante el periodo colonial; igualmente característico en mucha de la arquitectura latinoamericana en la actualidad. Poco del arte nativo americano duró mucho después de la conquista. Uno de los ejemplos mejor documentados de arte nativo que sobrevivió después del siglo XVI es el de la pintura manuscrita practicada entre los indígenas de México. Los primeros estilos precolombinos con sus exposiciones abstractas de la

figura humana gradualmente dio lugar a un enfoque más europeo de las formas, el manejo del cepillo, de la pluma y el uso del papel europeo en lugar de la corteza del árbol y otros materiales nativos. Otra reminiscencia del periodo precolombino en México fue la elaboración de mosaicos de plumas. Aquí los artistas cambiaron de hacer vestimentas para los reyes y nobles aztecas a hacer decoraciones para la mitra de los obispos y para otros objetos eclesiásticos cristianos. En Perú el *keru*, un recipiente de madera para beber decorado con tallados y diseños pintados en la tradición inca continuó durante el periodo colonial con pocos cambios excepto en el tema tratado.

Las tradiciones de arte folclórico que se inició durante el siglo XVI se extendió a través de toda Latinoamérica. Representa un arte basado en la copia de estilos a lo largo de importantes periodo en aislamiento de los impulsos innovadores emanados de centros artísticos vitales. Los *santos*, pinturas policromadas y esculturas de santos, ejecutadas en un estilo reverente notablemente más primitivo, son ejemplos típicos de este arte folclórico, como es el caso de la fachada tallada de la catedral de Zacatecas (1752) en México. Muchos exteriores de iglesias en la región de los Andes exhiben patrones en relieve similares a aquéllos encontrados en los textiles locales. Este estilo folclórico distintivo ocasionalmente se denomina arte mestizo (*Sincrético*) porque combina las características indígenas tradicionales con elementos cristianos. Sus centros principales fueron los pueblos peruanos de Ayacucho y Arequipa.

Periodo colonial. Durante el periodo colonial las ciudades de gran esplendor arquitectónico así como las escuelas locales de pintura y escultura surgieron, especialmente en aquellas partes de Latinoamérica en donde las civilizaciones prehispánicas se habían desarrollado en el momento de la Conquista. En Perú el centro inca de Cuzco se convirtió en el periodo colonial en una ciudad espléndida con enormes iglesias, edificios monásticos y palacios. El Colegio de Cuzco forjó una tradición importante de pintura colonial conocida por su uso profuso de hoja de oro. Tenochtitlan, la capital azteca, se convirtió en la ciudad de México, la sede del virreinato más próspero del Nuevo Mundo (aquella Nueva España) y un arzobispado; aún se le llama en ocasiones la *ciudad de los palacios* y su escuela de pintura se convirtió en la más impotante del mundo colonial. Las ciudades que se convierten de hecho en culturas periféricas de estas dos primeras capitales incluyen Bogotá y Quito para Cuzco y Puebla y Oaxaca para la ciudad de México. Buenos Aires colonial en Argentina, Santiago en Chile, Monterrey en México y Antigua en Guatemala fueron pueblos más o menos fronterizos en comparación, y dependían principalmente de la minería, el comercio o la administración en lugar de la ascendencia cultural por su importancia en tiempos coloniales.

Contrariamente a cualquier otra colonia importante del Nuevo Mundo, la anterior colonia portuguesa de Brasil no fue construida sobre ninguna alta cultura indígena preexistente. Sin embargo, la arquitectura, pintura y escultura de sus principales centros coloniales –Bahía, Recife, Belém– así como de sus pueblos mineros en la provincia de Minas Gerais; todos llevan la huella de haber sido creados en un ambiente metropolitano en vez de provinciano. Quizás los estrictos lazos mantenidos entre Lisboa y el mundo de ultramar ayudaron a mantener a Brasil al día acerca de las tendencias europeas en las artes plásticas; en contraste, en México y Perú, en donde existía una mayor autonomía para el gobierno local, las artes se mantuvieron en general más remotas y más provincianas en su estilo.

Siglo XVI. Este siglo marcó la construcción de un amplio rango de edificios públicos (de los cuales pocos siguen existiendo); muchos establecimientos monásticos, principalmente de las órdenes de los pa-

dres agustinos, dominicos y franciscanos, y el principio de las grandes catedrales. Los primeros conquistadores militares y las órdenes religiosas en el Nuevo Mundo trajeron consigo trabajos de arte æpinturas y esculturasæ así como el conocimiento de los principales estilos arquitectónicos que estaban de moda en España. Estos estilos incluían iglesias de altas bóvedas del gótico posterior con arcos puntiagudos, estribos y ventanas con tracerías.

El estilo gótico posterior, dominante en los primeros establecimientos monásticos, frecuentemente se combinaba con fachadas externas y piezas de altar interiores diseñadas en plateresco o renacentista primario, estilo español. Esta combinación de estilos aparece en la catedral de Santo Domingo en La Española, la catedral más antigua del Nuevo Mundo, iniciada en 1512. Para fines del siglo XVI aparecieron técnicas de construcción más avanzadas se construyeron varias catedrales de tres naves en un plan de basílica , incluyendo las de la ciudad de México, Guadalajara y Puebla, esta última diseñada por Claudio de Arciniega (1528-1593).

Otro estilo que trajeron los españoles a sus nuevas colonias se denominó mudéjar, que significa el estilo de los artesanos moros que trabajaban para los cristianos. La forma más prevaleciente del arte mudéjar que llegó al Nuevo Mundo se ve especialmente en Sudamérica y en las islas del Caribe y son los techos en forma de cofre tallados y pintados elaboradamente con vigas de madera expuestas. Estos techos están decorados con motivos abstractos moros cuya característica es interpenetrar diseños lineales que se unen en patrones de estrella elaborados. La decoración modelada de estuco con diseños moros aparece frecuentemente en las paredes exteriores de los edificios. En los palacios de Lima los balcones de madera con contraventanas son reminiscencias del mundo musulmán de España o de África del Norte.

Durante todo el periodo colonial, iniciando con la primera fundación de ciudades, la arquitectura militar tuvo un papel importante. Los castillos y los muros fortificados de la ciudad y los fuertes de La Habana en Cuba, Campeche y Veracruz en México, Lima en Perú, la ciudad de Panamá y San Juan de Puerto Rico se encuentran entre las principales obras de arquitectura militar diseñada para proteger las colonias de los piratas o de los navíos extranjeros en tiempo de guerra.

La planeación de la ciudad también era de gran importancia porque tantas nuevas ciudades y pueblos tenían que construirse a principios del periodo colonial. En México, por ejemplo, los españoles frecuentemente reubicaban pueblos indígenas de las colinas bajas en regiones abiertas y acce-

sibles a fin de que pudiesen ser mejor controlados. Cuando el nuevo pueblo o, en el caso de Puebla, México, nueva ciudad fue distribuida, seguía el plan regular europeo del Renacimiento, una red de calles intersectadas en ángulos rectos con la plaza principal en el corazón del pueblo. En esta plaza se construía la iglesia parroquial o, dependiendo de la importancia del pueblo, catedral y otros edificios públicos tales como la presidencia municipal y la cárcel, residencias para oficiales reales importantes y en el caso de una ciudad con catedral, el palacio del obispo o del arzobispo.

En pintura, los primeros frescos coloniales fueron ejecutados en *grisaille* (tonalidades de gris que crean la ilusión de escultura). Los pintores del siglo XVI que emigraron desde Europa incluyeron al italiano Bernardo Bitti (1548-1616) en Sudamérica y en México, el flamenco Simón Pereyns (activo durante la segunda mitad del siglo XVI). Ambos pintaban en el estilo manierista caracterizado por proporciones atenuadas del cuerpo, cabezas pequeñas y una expresión facial un tanto alejada, como el *San Cristóbal* (1588; catedral de México) de Pereyn. En las colonias como en España, el tema de la pintura era principalmente religioso, los santos de las iglesias y escenas que ilustraban la vida de Cristo y la Virgen. Los temas seculares se limitaban a pinturas de paisajes y eran generalmente desconocidos.

Siglos XVII y XVIII. Desde principios del siglo XVII hasta fines del periodo colonial, los estilos barrocos dominaron la vida artística de las colonias españolas y portuguesas. Varias fases del estilo barroco son claramente evidentes en la arquitectura monumental y en los retablos de madera tallados (piezas del altar) de las iglesias coloniales. El retablo barroco es una construcción tipo malla pintada y dorada colocada generalmente detrás de un altar y frecuentemente de piso a techo. A principios del sigo XVII apareció la columna denominada salomónica, derivada de la tradición plateresca europea; esta columna en forma de espiral, profusamente tallada con motivos frutales y con flores, se convirtió en un elemento primario de altar barroco del siglo XVII. La distribución de las columnas en relación con la pared detrás de ellas se volvió marcadamente dinámica, con la textura de la superficie y el color como elemento decorativo importante. Las paredes ya no aparecían como superficies planas sino como curvas convexas y cóncavas como si las columnas se proyectaran más allá en el espacio y se apilaran una antes o encima de la otra.

Los proyectos arquitectónicos coloniales fueron ampliamente extendidos en el siglo XVIII. Las universidades y otros edificios educativos fueron surgiendo, como numerosas iglesias parroquiales en los ricos pueblos mineros de Taxco y Guanajuato en México. Típicamente fueron construidos sobre un plano cruciforme con un domo encima del cruce de la nave y de los cruceros. Los altares de oro eran adornados ricamente con pinturas y esculturas policromadas muy reales frecuentemente vestidas con seda, satín o terciopelo.

En 1718, Jerónimo Balbás (1706-1750) vino de España a México e introdujo las suntuosas columnas estípite en el *Altar de los Reyes* en la catedral de la ciudad de México. El estilo asociado de decoración arquitectónico exuberante comúnmente denominado churrigueresco en honor del famoso arquitecto español José de Churriguera dominó la arquitectura colonial durante el resto del siglo. Apareció en las fachadas exteriores de iglesias, palacios y edificios públicos, en el interior en altares y retablos y también como adorno en pinturas. Las columnas estípite son cuadradas en sección cruzada y divididas en tres partes distintas por profundas molduras horizontales; generalmente están cubiertas con plantas, frutas y flores esculpidas y doradas. La entablatura anterior es igualmente elaborada logrando que el efecto visual sea frecuentemente impresionante, especialmente cuando cubre todo el lado de una iglesia o el altar principal en el ábside.

La edificación de incontables palacios en las ciudades e imponentes haciendas en el campo marcó la riqueza agrícola de los colonizadores durante el siglo XVIII. Como puede apreciarse en la elegante casa del marqués de Jaral de Berrio (1760; ciudad de México) el palacio tenía típicamente un amplio patio formal en la parte frontal del edificio con una entrada desde la calle lo suficientemente amplia para pasar caballos y carrozas. La escalera formal del primer patio llevaba a las habitaciones formales en el primer piso (comedor, salón, salas, recámaras y, en las casas de mayor afluencia, hasta una capilla privada). Otros patios seguían en el plan, frecuentemente uno para los establos y la casa de las carrozas, uno para la cocina y otro para el lavado y otros servicios. La decoración escultural de las paredes del palacio seguían el mismo estilo utilizado para las iglesias, especialmente la columna estípite, una pilastra tallada hacia abajo característica del barroco mexicano. Además de una escultura arquitectural en la fachada exterior el escudo de armas de la familia aparecía invariablemente y con frecuencia en un nicho el santo patrono del constructor.

Las pinturas de retratos se volvieron inmensamente populares a fines del siglo XVII y durante el XVIII. Miembros acomodados de la nobleza colonial posaban con sus atavíos más ricos y formales: sedas de China, perlas del Pacífico y las insignias de caballero y nobleza de España o Portugal. El fondo de tales retratos de cuerpo comple-

Corel Stock Photo Library

Iglesia colonial en la ciudad de Antigua en Guatemala.

to o de medio cuerpo frecuentemente incluye un enorme escudo o cartucho con los nombres y títulos del modelo. Un importante pintor mexicano fue Baltasar de Echave Ibia (1585-1645), hijo del pintor español Baltasar de Echave Orio (1548-1620) y padre del pintor Baltasar de Echave Rioja (1632-1682). Otros pintores distinguidos de la escuela de la ciudad de México fueron Cristóbal de Villalpando (1652-1714) y Miguel Cabrera (1695-1768).

Las principales contribuciones de Brasil al arte del periodo barroco fueron sus iglesias magníficas y las creaciones esculturales de Antonio Francisco Lisboa, conocido como Aleijandinho. Los arquitectos brasileños dieron a sus iglesias una expresión de fortaleza palaciega a través del uso de espacios interiores ovalados interconectados y paredes exteriores cóncavas y convexas contrastantes. La nave octagonal, como se ve en São Pedrodos Clérigos (1728) en Recibe, fue básica para mucha de la arquitectura de iglesia brasileña. Después de 1755 la provincia de Minas Gerais se convirtió en el centro de la actividad arquitectónica. Varias iglesias fueron construidas en Ouro Preto, incluyendo la de São Francisco di Assis (1766-1794), brillantemente decorada con tallados en madera y piedra por Aleijandinho. Sus obras más conocidas son las estatuas dramáticas de los 12 profetas en Congonhas do Campo (1800- 1805) que enfatizan la monumental escalera que lleva a la iglesia de Bom Jesus de Matozinhos.

Periodo poscolonial. Al final del siglo XVIII las colonias españolas recibieron una orden real de detener la construcción de piezas de altar en el estilo estípite opulento y

también de destruir aquéllas en uso y sustituirlas con altares más castizos. La escultura policromada, el uso exuberante de pinturas y la profusión abrumadora de hoja de oro serían todas descontinuadas; los elementos arquitectónicos a partir de ese momento serían hechos de mármol blanco, alabastro o madera pintada de blanco para imitar el mármol. Las columnas deberían ser hechas en formas sencillas asociadas con la antigüedad clásica; la predilección barroca por el tallado de decoraciones de plantas en el fuste de la columna sería eliminada. Este estilo neoclásico, en gran parte derivado de los franceses, reflejado en edificios como el palacio del Colegio de Minería (1797-1813; ciudad de México) surgió tanto en las colonias hispanas como en las brasileñas a fines del siglo XVIII y a principios de XIX formando un puente entre el periodo colonial y el periodo de la independencia latinoamericana que se inició en 1821.

Siglo XIX. La actividad arquitectónica se mantuvo un tanto limitada hasta fin del siglo XIX cuando las alteraciones del periodo inmediato a la postindependencia habían decaído y una nueva prosperidad ganaba terreno en Latinoamérica. Durante un periodo renovado de construcción, nuevas tecnologías como plomería, equipo eléctrico y elevadores fueron importados de Europa o de Estados Unidos. Otra importación fue el estilo ecléctico asociado con la Escuela de las Bellas Artes de París. Los detalles decorativos son ricos y variados en este estilo de las Bellas Artes según lo ejemplifica la oficina postal en estilo gótico veneciano en la ciudad de México, y, en una esquina diagonalmente opuesta a ella,

Latinoamérica

Vista panorámica de la cordillera andina en su paso por Colombia, Latinoamérica.

el teatro nacional barroco (ahora el palacio de las Bellas Artes), ambos obra del arquitecto Adamo Boari. Balaustradas de bronce o de hierro forjado, fachadas de mármol tallado, interiores finamente terminados con paneles de madera así como tapetes que hacen juego con los muebles y las cortinas, todo era parte del programa arquitectónico dentro de los edificios urbanos inspirados por las Bellas Artes de fines del siglo XIX. El estilo art nouveau que surgió de Francia también fue ampliamente utilizado en el cambio de siglo, aunque esta fase de la arquitectura latinoamericana ha sido poco estudiada.

La pintura latinoamericana del siglo XIX puede dividirse en tres categorías principales: pintura académica patrocinada por el gobierno o por miembros de la elite gobernante; arte folclórico, que continuaba las fuertes corrientes del arte popular que se originó en los primeros días de las colonias, y un nuevo elemento, la pintura de la vida cotidiana en Latinoamérica por artistas europeos o del norte de América que viajaban al Nuevo Mundo. La pintura académica en México reflejaba los estilos de la pintura académica que surgió en Europa. A principios del siglo XIX se introdujo el neoclasicismo, su representante principal era el pintor mexicano Rafael Jimeno y Planes (1759-1825) quien decoró (1810) el domo de la catedral de la ciudad de México. Un renacimiento del barroco a mediados y fines del siglo XIX fue caracterizado por el uso de luz y sombra y por enormes y complejas composiciones que describían temas históricos. En tanto que en Europa se trataban los temas griegos o romanos clásicos en general, en Latinoamérica los

temas de su propio pasado eran favorecidos, incluyendo escenas de Cristóbal Colón, los Reyes Católicos y otros temas de la historia española. En forma exclusiva los temas del Nuevo Mundo como el invento del pulque (una bebida mexicana fermentada) o la tortura de Cuauhtémoc (rey azteca) también fueron utilizados, especialmente en México.

Los pintores de paisajes también encontraron mucha de su inspiración en los estilos de arte europeos. Los paisajes del gran maestro José María Velasco aparecen como las pinturas más impresionantes de su género dentro de la tradición europea en ambos lados del Atlántico. En obras como *El valle de México visto desde el cerro de Guadalupe* (1905), detalles del fondo estudiados con el cuidado de un geólogo o de un botánico aparecen a lo largo una vista que barre distante las dimensiones casi épicas.

El arte folclórico del siglo XIX se representa no solamente por la continuación de retratos, un tanto rígidos sino también por números crecientes de exvotos, un tipo de pintura religiosa que aún se produce en la actualidad. El exvoto se rinde para ofrecer gracias a una intervención milagrosa por un santo o imagen de Cristo en particular. Generalmente la historia de lo que sucedió y la naturaleza de la intercesión se describen en detalle incluyendo la fecha y el lugar en donde ocurrió.

Entre los artistas extranjeros que pintaron temas latinoamericanos se encuentran el alemán Johann Rugendas (1802-1852), el inglés Daniel Egerton (1842) y Frederick Catherwood, quien brilló en la elaboración de vistas extraordinariamente

exactas de las ruinas mayas. Los pintores de las costumbres de la gente, en ocasiones vinculados con los pintores nativos de temas similares que se denominaban costumbristas, disfrutaban el carácter pintoresco de la vida en el campo. En Argentina pintaban gauchos en las pampas, edificios coloniales y costumbres locales festivas.

Siglo XX. Después de la Revolución Mexicana de 1910 surgió una tendencia totalmente nueva en el arte y en la arquitectura latinoamericana, primero en México y en varias ocasiones subsecuentes en otros países latinoamericanos. La pintura académica de salón de temas hispanos o prehispánicos históricos desapareció de la escena. En su lugar surgió la pintura muralista de la revolución. En tanto que la escuela parisina experimentaba con el cubismo y los *collages* y el grupo *Bauhaus* en Alemania creaba ejercicios geométricos abstractos alejándose del significado humano y de la profundidad, los mexicanos regresaban a las tradiciones representativas de la Italia gótica tardía y renacentista: pinturas con significado didáctico y humanístico ahora cargados con claros tonos políticos. Como los grandes maestros del *quattrocento* del renacimiento italiano, los principales muralistas mexicanos –Diego Rivera, José Clemente Orozco y David Alfaro Siqueiros– pintaron figuras a gran escala usando el método del fresco, integrando la pintura en el marco arquitectónico respectivo, y representaron para la gente enormes épicas históricas, aquéllos de temas religiosos, de éstos temas históricos.

Diego Rivera, el más orientado políticamente de los tres, pintó escenas dramáticas de la Revolución Mexicana (en el edificio de la secretaría de Educación Pública de la ciudad de México) e hizo comentarios acerca de la vida de sus tiempos en un estilo similar a la del Renacimiento. Sus figuras claras fueron pintadas en una forma lineal y acomodadas en una serie de planos, en ocasiones con fondos de paisajes derivados de sus visiones majestuosas del valle de México concebidas con Velasco. Orozco pintó con un estilo más barroco o expresionista con grandes remolinos de color que definen las figuras por trazos y no de manera lineal, como se observa en sus murales de la Escuela Nacional Preparatoria (1923-1926; ciudad de México). En tanto que Rivera evoca al reportero cuidadoso y consciente, Orozco parece más el poeta épico, y Siqueiros, quien también pintó en un estilo expresionista y altamente dinámico, parece más el panfletista intenso. La energía artística representada en el trabajo de estos tres hombres surgió en toda una escuela de pintores, todos enfocados en la forma humana como su motivo artístico principal, algunos en términos de historia, otros en términos de significado sociológico y algunos como pintores de escenas de la vida mexicana y su folclore, algunos hasta surrealistas.

Cándido Portinari es el pintor contemporáneo de Brasil más ampliamente reconocido. Un verdadero modernista, efectuó murales en fresco así como pinturas en panel de la gente de Brasil. De formación francesa, recibida en París, Portinari abandonó ésta una vez que regresó a Río, en donde desarrolló su estilo peculiarmente brasileño. Emilio Pettoruti, por otro lado, estudió durante 12 años en Europa y al regresar a Argentina continuó como uno de los principales pintores continentales de vanguardia. Su pintura de estilo cubista *El quinteto* (1927, museo de Arte de San Francisco) es sorprendentemente similar al trabajo de Pablo Picasso. Otros pintores de vanguardia muy conocidos fueron el chileno Roberto Mata Echaurren, el cubano Raúl Martínez, el mexicano Rufino Tamayo y en la siguiente generación, Fernando Botero de Colombia y Rafael Soto de Venezuela. En los años 80 las pinturas de la esposa de Rivera, Frida Kahlo, empezaron a llamar la atención.

La arquitectura moderna en Latinoamérica empezó a principios de los años 20 con los principios funcionalistas de arquitectos mexicanos como Juan O'Gorman y José Villagrán García. En Brasil la construcción del nuevo edificio del ministerio de Educación y Salud (1934-1943; Río de Janeiro) señala claramente el nacimiento del estilo moderno internacional. Entre los arquitectos participantes se encuentran Lúcio Costa, Oscar Niemeyer y Alfonso Eduardo Reidy (1909-1964); Charles - Edouard Jeanneret Le Corbusier viajó desde Francia para actuar como consultor.

La arquitectura contemporánea en Latinoamérica de las últimas décadas ha sido tan vital como la arquitectura de Estados Unidos y de Europa y en algunos aspectos hasta más imaginativa. Un uso casi barroco de paredes curvas y definiciones dinámicas de espacio interno y externo se encuentran en mucha de la arquitectura latinoamericana, notablemente en la del arquitecto mexicano Félix Candela. Además, en buena parte de Latinoamérica el clima es templado y hasta tropical que una apertura hacia el ambiente, desconocido e imposible en Europa o en Estados Unidos, domina el diseño. La combinación de murales pintados o trabajo de mosaico con escultura frecuentemente forman una parte integral de la arquitectura, como en el edificio de la biblioteca de la Universidad Nacional Autónoma de México (1953) diseñada principalmente por Mario Pani y Enrique de Moral. La Ciudad Universitaria en Caracas, Venezuela, construida (1950-1957) por Carlos Raúl Villanueva, es otro ejemplo del campus enfocado en lugar de la tradición antigua de la universidad ocupando

edificios desperdigados en el corazón de una metrópolis.

Quizá uno de los diseños urbanos más importantes de este siglo en Latinoamérica y uno de los mejores ejemplos de planeación urbana en el mundo es el de Brasília, la capital de Brasil, diseñada (1957) por Lúcio Costa. Aquí toda una ciudad, con todas las funciones administrativas, legislativas y ejecutivas claramente planeadas, fue creada con la intención de traer la vida de Brasil hacia el centro de las antiguas ciudades costeras del periodo colonial. La mayoría de los edificios individuales fueron ejecutados por Oscar Niemeyer.

Música. Quizá para encontrar la mejor forma de definir a los músicos de esta gran región sea tomando en cuenta los componentes étnicos; sus raíces europeas (especialmente ibéricas), amerindias, africanas y mestizas.

Antecedentes amerindios. Durante el periodo colonial en Latinoamérica (s. XVI-XIX) muchas poblaciones amerindias fueron diezmadas y mucha de la cultura musical tradicional amerindia fue destruida o sincretizada con la ibérica. La poca evidencia que queda de la música en las civilizaciones aztecas, inca y mayas parte del testimonio de las crónicas españolas del siglo XVI y lo que puede observarse de instrumentos percusión y vientos, con casi una ausencia total de cuerdas en las representaciones grñaficas y en las decoraciones de la cerámica. Los indígenas modernos andinos aún hacen gran uso de flautas verticales y de flautas de pan, junto con los instrumentos europeos como los tambores

Vasija precolombina de Sudamérica.

bajos, las arpas y las guitarras de distintos tamaños. En Mesoamérica los indígenas ahora tocan el arpa, violines y guitarras basadas sobre modelos españoles arcaicos o marimbas de origen africano, todos los cuales han sustituido en gran parte a los instrumentos indígenas. Solamente en determinadas áreas tropicales (como la cuenca del Amazonas) se encuentra música amerindia virtualmente sin aculturación.

Influencias ibéricas. Aunque relativamente pocos géneros ibéricos han sido retenidos en sus formas originales, los orígenes ibéricos de muchas formas de canto y de baile son evidentes en una predilección para alternar los ritmos de $^3/_4$ y $^6/_8$, el uso de arpas, violines, guitarras y muchos tipos de canciones derivadas de las estructuras de verso español como la copla y la décima. Tales géneros incluyen el *desafío* de Brasil, la *cueca* de Chile y Bolivia, el *joropo* de Venezuela, los *sones* y *corridos* de México, el *seis* de Puerto Rico y el *punto* de Cuba. Generalmente se bailan en pareja y frecuentemente incorporan características como el zapateado y el ondeo del pañuelo. Adicionalmente a los bailes arriba citados de derivación ibérica, los bailes de salón europeos tales como la polka, la mazurka y el vals desarrollaron muchas variantes regionales.

Influencias africanas. Las poblaciones negras más grandes se encuentran en la región del Caribe y en Brasil. Las características musicales africanas comúnmente retenidas incluyen el llamado y la respuesta en el canto, politirmos, uso extensivo de figuras musicales repetidas con persistencia e improvisación basada en frases cortas recurrentes. Los instrumentos africanos (principalmente percusivos) encontrados tanto en formas inalteradas como adaptadas, con muchos nombres y variaciones regionales, incluyen tambores largos, frecuentemente en juegos *familiares* de tres (conga), gongs de acero, maracas internas o externas (maracas, shekere), marímbula, marimbas y claves. *Clave* también es el nombre de una importante figura rítmica sincopada. El *tambor de acero* (tambo afinado de metal) asociado con el *calipso* de Trinidad no tiene un equivalente africano directo pero evolucionó de los conjuntos de tambores. Las mayorías de las formas africanas se asocian generalmente con religiones derivadas de África como el *vudú* de Haití, el *candombé* orientado a *Yoruba* de Brasil y la *santería* de Cuba. La *samba* secular de Brasil, la *rumba* y la *conga* de Cuba, la *bomba* de Puerto Rico y otras formas también son africanas en estilo. Más géneros aculturados se han convertido en músicas nacionales de folclore popular; generalmente combinando instrumentos europeos melódicos armónicos con percusión africana, incluyen el *merengue* (variantes en la República Dominicana y Haití), la *plena* de Puerto Rico, la *cumbia* de Colombia y Panamá (popular en Centro América, México y en el suroeste de Estados Unidos) y la *guaracha* y el *son* de Cuba.

Impacto en la música mundial. Más formas europeizadas (canciones individuales, géneros y sus pasos de baile) se han hecho populares en el medio latinoamericano e internacional, a través de su difusión por los medios masivos. Estos incluyen el *bolero* y el *chachachá* de Cuba, el *tango* de Argentina y la *samba de cabaret* y el *bossa nova* de Brasil. La *salsa* ha evolucionado del *son* cubano y otros géneros como una música popular de los hispanos caribeños de las urbes. Como con el *mambo*, la *salsa* recibió la influencia armónica y arreglística del *jazz*. Desarrolló su forma más distintiva en New York a principios de los años 70. Por otro lado, desde los años 40 el jazz ha tomado frecuentemente ritmos latinos (especialmente cubanos y brasileños) y percusión, reteniendo las técnicas de improvisación distintivas al género. El ritmo de *rock* de mediados de los años 60 ha cambiado de su ritmo de *blues* a un ritmo que refleja una influencia cubana.

La música latinoamericana junto con el *jazz*, que también mezcla características africanas y europeas, han sido una gran influencia en la música popular a nivel mundial. Canciones de películas asiáticas y los bailes sensuales del este del Mediterráneo pueden incorporar percusiones, ritmos y el patrón clave latino. Desde los años 30 los ritmos latinos han sido populares entre músicos del oeste, centro y este de África, resultando en una rica fertilización cruzada en dos sentidos ya que la música latina incorpora muchas características originalmente africanas. La *rumba flamenca* española es el resultado de un intercambio similar, en este caso entre España y Cuba, su antigua colonia.

Música de arte. Desde el siglo XVI hasta el siglo XIX la mayoría de la música de arte latinoamericana reflejó modelos europeos contemporáneos. Los músicos componían y presentaban música muy parecida a aquella de sus culturas coloniales. Sin embargo, durante el siglo XX, un número de compositores descubrieron sus voces nacionales, basados en su folclore tradicional y música tribal (o su concepción o reconstrucción de ella). Estos incluyen a Heitor Villa-Lobos en Brasil y Manuel M. Ponce, Carlos Chávez, Silvestre Revueltas y Blas Galindo en México. Otros compositores han tendido a representar técnicas más universales que nacionalistas: estos incluyen a Alberto Ginastera y Maricio Kagel en Argentina, Camargo Guaarnieri en Brasil, Domingo Santa Cruz Wilson y Juan Orrego Salas en Chile y Julián Carrillo en México.

Latinoamericanismo. *Véanse* Conferencias Panamericanas; Panamericanismo.

latitud y longitud. La posición de un punto de la Tierra se determina por medio de las coordenadas geográficas, es decir, por la latitud y la longitud. La primera es el valor del ángulo que forma la vertical de un lugar con el plano del Ecuador expresado en grados de meridiano, o sea, la distancia de dicho punto al Ecuador, medida sobre el arco de meridiano correspondiente. Equivale a la altura del polo sobre el horizonte del lugar considerado. Las latitudes se miden a partir del Ecuador hacia los polos. Un punto situado en el Ecuador tiene 0 grados de latitud y los polos 90 grados. Para indicar si el punto se halla en el hemisferio boreal o austral, se añaden a las cifras que indican los grados, minutos y segundos, las iniciales de las palabras norte y sur, respectivamente. Todos los puntos situados en un mismo paralelo tienen la misma latitud. Para determinarla hay que tener en cuenta la coincidencia de ésta con la altura del polo sobre el horizonte y la existencia de una estrella llamada Polar en la prolongación norte del eje de la Tierra. Por lo tanto, la latitud de cualquier lugar está definida aproximadamente por la altura de la estrella citada, y para determinar aquélla basta medir esta altura con un goniómetro. Un observador que se desplace hacia el sur desde un punto del hemisferio boreal vería la estrella Polar más baja cada noche hasta llegar a verla hundirse en el horizonte. Una vez cruzado el Ecuador la estrella Polar deja de percibirse y aparece la famosa Cruz del Sur. Los marinos, que tienen necesidad de saber durante el día el punto en que se encuentran, calculan su latitud por la altura del sol al mediodía. La distancia variable de este astro al polo (declinación) puede determinarse por medio de unas tablas náuticas. Los sabios de la antigüedad, que no disponían de los aparatos de precisión actuales, determinaron la latitud de los puertos con una notable exactitud.

Longitud de un lugar es el valor expresado en grados, minutos y segundos o en horas del arco del Ecuador comprendido entre el primer meridiano o de origen y el meridiano de aquel lugar, es decir el ángulo que forma este último meridiano con otro previamente fijado. La mayor parte de los mapas utilizan como meridiano de origen el del Observatorio de Greenwich, cerca de Londres, pero no faltan países que toman, a veces, como tal el meridiano de su capital. Las longitudes suelen contarse de 0° a 180° y de 0 a 12 horas, a ambos lados del primer meridiano. La correspondencia de los grados y las horas se establece así: 24 horas = 360°; 1 hora = 15°; 4 minutos = 1°; 1 minuto = 15'; 1 segundo = 15". Para precisar si la longitud corresponde al este o al oeste del meridiano de origen se colocan después de las cifras que la expresan las letras E (este) u O (oeste) aunque es mejor utilizar W (inicial de la misma palabra pero en inglés y alemán) con arreglo a la norma internacional acordada. La determinación de la longitud es una operación delicada. Los antiguos empleaban el *método astronómico*, que consiste en observar un mismo fenómeno celeste (por ejemplo, la iniciación o el final de un eclipse) desde el lugar cuya longitud se trata de determinar y desde el meridiano de origen. Se anota la hora de observación en ambos lugares y de la diferencia de horas se deduce la diferencia de longitudes. Otro método se basa en el empleo de dos cronómetros, uno con la hora del lugar en que uno se halla y otro con la del primer meridiano. Supongamos que un barco que sale de Barcelona rumbo a Buenos Aires quiere conocer su longitud después de varios días de navegación. Lo primero que tiene que hacer es observar el Sol cuando llega a su mayor altura en el cielo, es decir a mediodía (12 horas). Si en ese momento el cronómetro adaptado a la hora de Greenwich marca, por ejemplo, las 15 horas, quiere decir que el Sol pasa por el meridiano de Greenwich tres horas antes. Ahora bien, como la tierra gira 15°/hr, el barco se halla a $15 \times 3 = 45°$ al oeste del primer meridiano, es decir a 45° de longitud occidental. La exactitud del cálculo depende de la precisión de los relojes, pues basta un minuto de error para equivocarse en 20 km con respecto a la posición real del barco. La falta de instrumentos de precisión para medir el tiempo hizo que durante la antigüedad y la Edad Media se incurriera en graves errores en la determinación de las longitudes. Para evitar las inexactitudes, los grandes navíos llevan varios cronómetros de precisión. En 1843, para determinar la longitud del observatorio ruso de Pulkova se transportaron allí 68 cronómetros adaptados a la hora de Greenwich. Otro método muy preciso es el que emplea las *señales radiotelegráficas*. Un observador situado en un lugar, cuya longitud se quiere averiguar, y otro situado en el primer meridiano pueden determinar con exactitud la hora sideral de cada uno de dichos lugares por la observación de estrellas conocidas. Si uno de ellos trasmite al otro la hora sideral local, como la trasmisión es casi instantánea, basta hallar la diferencia de hora para saber la longitud entre ambos puntos.

latón. Aleación de cobre y cinc, de color amarillo o rojizo. Por lo general contiene 70% del primer metal y 30% del segundo. Esta combinación posee mayor dureza que cada uno de sus componentes y se presta a ser pulida y adquirir notable brillo. Es muy maleable (susceptible de convertirse en delgadas láminas) y muy dúctil (capaz de transformarse en hilos finísimos).

Su color depende de las proporciones en que entran el cobre y el cinc. El latón rojo

Mercado de latón en Estambúl, Turquía.

contiene de 85 a 90% del primero y de 10 a 15% del segundo, en cuyo caso la aleación resulta poco dura y tenaz y se emplea para el dorado; en la fabricación de cojinetes entra sólo de 3 a 8% de cinc. A medida que aumenta la proporción de cinc se acrecienta la dureza del latón, de tal manera que con 35% de este último metal se obtiene el que se emplea en relojería por su gran dureza. El latón para soldaduras contiene partes iguales de cobre y cinc, a las cuales se agrega un poco de plata si se destina a soldar ésta o el oro. Para preservar de la oxidación algunos metales se les da un baño de latón, recubrimiento que se obtiene por medios electrolíticos, en los cuales se emplean soluciones de cobre y cinc. Hay latones denominados especiales, en cuya composición entra el hierro, que aumenta su dureza; el plomo, que los hace más blandos; el aluminio y el manganeso, que acrecientan su resistencia a la oxidación, y el níquel, que los hace más maleables.

El latón tiene múltiples aplicaciones, pues con él se fabrican muchos utensilios, como candelabros, mecheros de gas, bases para lámparas eléctricas, cañerías, chapas, cartuchos para armas de fuego, tornillos, instrumentos musicales, calderos, lámparas, jaulas para pájaros, etcétera.

La fabricación del latón se hace en crisoles, donde se funde primeramente el cobre y luego el cinc que se ha derretido aparte. El método más corriente consiste en calentar carbonato de cinc, carbón de leña y trocitos de cobre, después se vierte el metal fundido en moldes para convertirlo en barras, las cuales se vuelven a fundir para purificar la aleación. Las planchas de latón se obtienen haciendo pasar los lingotes por rodillos y las piezas fundidas vertiendo la aleación en moldes de arena.

Latorre, Mariano (1886-1955). Escritor chileno, considerado el más alto representante de la escuela criollista, exaltadora del paisaje, el hombre y las costumbres de su patria. Durante un cuarto de siglo fue catedrático de literatura española en el Instituto Pedagógico de la Universidad de Chile, donde formó varias generaciones de profesores de castellano. Su obra literaria ejerció una influencia profunda y fue considerado como uno de los mayores estilistas. En 1944 se le otorgó el Premio Nacional de Literatura.

laúd. Instrumento musical compuesto de caja sonora y un número variable de cuerdas, en el que se ejecuta punteando con púas adecuadas. Hasta el siglo XVI, fue el más importante de la música profana. De origen oriental, fue llevado a Europa por los árabes.

laúd, códice. Documento pictográfico mesoamericano probablemente prehispánico, de la región de Puebla-Tlaxcala. Es un tonalámatl, libro adivinatorio que relaciona los días del calendario con los dioses patronos y los destinos. Tiene gran semejanza con el *Códice Borgia*, y se caracteriza por la belleza y la seguridad de trazo de sus figuras. Se encuentra en la Biblioteca Bodleiana de la Universidad de Oxford. Fue publicado por primera vez en *Antiques of Mexico*, de lord Kingsborough (Londres, 1848).

láudano. Medicamento líquido a base de opio, al que se agrega azafrán, canela, clavo y vino blanco. El primero que lo preparó fue el químico suizo Teofrasto Bombasto von Hohenheim Paracelso. Su composición varía: el de Rousseau contiene 1 gr de opio por cada 4 gr; el de Thomas Sydenham, 0.5 gr para la misma cantidad.

laudo. Fallo dictado por un tercero en determinada cuestión o asunto. Es una especie de arbitraje que se utiliza con satisfactorios resultados cuando obreros y patronos en conflicto no llegan a un acuerdo. Es también un medio sencillo y económico para poner fin a contiendas entre particulares, sin recurrir al procedimiento judicial. Al laudo se le otorga autoridad suficiente para que sea respetado por quienes se han comprometido de antemano a su aceptación y cumplimiento. *Véase* ARBITRAJE.

Laue, Max Theodor Felix von (1879-1960). Físico alemán que fue profesor en Zurich y Frankfurt, dirigió el Instituto de Física Teórica de Berlín y obtuvo el Premio Nobel de Física en 1914. Entre sus aportaciones a la ciencia se destaca el descubrimiento de la interferencia de los rayos X en los cristales, lo que permitió determinar la longitud de onda de los rayos X e investigar la estructura de los cristales.

Laugerud García, Kjell Eugenio (1930-). Militar y político guatemalteco. Agregado militar en la embajada de Guatemala en Washington, ascendió a general y fue el jefe del Estado Mayor del Ejército y ministro de Defensa (1970-1974). Candidato gubernamental en las elecciones presidenciales de marzo de 1974, fue designado presidente a pesar de la acusación de fraude lanzada por la oposición. Durante su mandato recurrió al estado de sitio para combatir a la oposición, especialmente a la guerrilla. Celebradas nuevas elecciones presidenciales en el año de 1978, cesó en su cargo.

Laughton, Charles (1899-1962). Actor cinematográfico británico. Su primera vocación artística fue la escena teatral. Cursó estudios en la Academia Real de Arte Dramático de Londres, brillando en el desempeño de ciertos papeles. Entre sus interpretaciones en el cine descuellan: *Rebelión a bordo*, *Calles de Londres* y *El jorobado de Nuestra Señora de París*. En 1933 se le concedió el premio Oscar de la Academia de Hollywood por su labor en *La vida privada de Enrique VIII*.

Laura de Novés. *Véase* NOVÉS, LAURA DE.

laurel. Árbol lauráceo originario del Cáucaso, adaptado a los climas templados de

Laureles en un jardín escocés.

casi todos los continentes; tiene una altura de 6 a 10 m; sus ramas, cilíndricas y lampiñas, se cubren de hojas siempre verdes y lustrosas; da flores blancas en panículos muy apretados y frutos en baya, del tamaño de una aceituna. Todos sus órganos están impregnados de jugos aromáticos que dan a la planta un olor característico pues, contiene un principio tóxico: el ácido cianhídrico. Con todo, el empleo de algunas hojas en el arte culinario no ofrece peligro alguno. La esencia que se extrae de sus frutos se utiliza en medicina. Fue un árbol muy estimado en la antigüedad. Estaba consagrado a Apolo y sus ramas eran símbolo de victoria.

laurencio. Elemento químico, decimocuarto de la segunda serie de transición (actínidos) de la tabla periódica de los elementos químicos. Símbolo, Lw. Número atómico 103. Obtenido artificialmente.

El laurencio fue descubierto en marzo de 1961 por A. Ghiorso, T. Sikkeland, A. E. Larsh y R. M. Latimer, bombardeando californio con núcleos de boro de masas 10 y 11. Se obtuvo un elemento de número atómico 103, cuya masa era de 257 uma. Su periodo de desintegración es de 8 segundos, descomponiéndose por emisión de un partícula alfa. Se desconocen sus propiedades químicas.

Lauria, Roger de. *Véase* ROGER DE LAURIA.

lauricocha, cultura. Cultura Prehispánica localizada en la sierra norte de Perú. Su historia consta de tres fases: las dos primeras son preagrícolas y van del 4000 al 1000 a. C. En estos periodos, la economía se fundamentaba en la caza, principalmente del guanaco, aunque también comían carne de llama. En Lauricocha II se observa deformación cefálica intencional del tipo tabular erecto, siendo ésta, quizá, la deformación más antiguas de Sudamérica; en esta segunda fase, las puntas de flecha corresponden a las de la cultura de Ayampitín, con la base en *arco*. La tercera fase, del 4000 a 3000 a. C., contó ya con una agricultura incipiente. Son notables los adelantos en pintura, tanto rupestre como corpo-

ral; en ambas utilizaron pigmentos minerales, cabe destacar una escena de cacería de auquénidos encontrada en las cuevas de Lauricocha.

Lausana, tratado de. Fue firmado el 24 de julio de 1923, en la ciudad suiza del mismo nombre entre Inglaterra, Francia, Italia, Grecia, Bulgaria, Japón y Yugoslavia, de una parte, y Turquía, de otra. Comprendió las cuestiones referentes a la paz, a la frontera tracia, al canje de poblaciones griegas y turcas y a la evacuación del territorio turco ocupado por tropas inglesas, francesas e italianas. En virtud de este tratado Turquía recuperó casi todo el territorio europeo que había perdido durante la Primera Guerra Mundial, especialmente Constantinopla, la Tracia Oriental y los estrechos, aunque éstos fueron desmilitarizados, habiéndose decidido también a su favor la cuestión de la frontera noroeste de Siria.

Lautaro (1535-1557). Famoso caudillo araucano. Los españoles le hicieron prisionero en 1550 y sirvió como escudero del conquistador Pedro Valdivia, quien le llamaba Alonso. Consiguió fugarse y unido a sus hermanos de raza éstos le eligieron como jefe por su conocimiento de los invasores. Su primera hazaña fue atraer al enemigo hacia el fuerte Tucapel, donde lo derrotó, pereciendo el propio Valdivia. El jefe indio prosiguió tenazmente la lucha logrando importantes victorias , como la de Marigüeñu, enfrentado a Francisco de Villagra (1556), lo que originó el éxodo y destrucción de Concepción. Cuando pretendió asaltar Santiago, fue derrotado en Mataquito y Petorca donde pereció.

Flujo de lava del volcán Kilawea en Hawai.

Lautaro, logia. Asociación masónica fundada en Buenos Aires en 1812 para promover la independencia de la América Española. Recibió el nombre de Lautaro, por el caudillo araucano, y pertenecieron a ella personalidades como José de San Martín, Juan Martín de Pueyrredón y Carlos de Alvear. Ubicada en Argentina, extendió su influencia a Chile, Perú, Uruguay y Bolivia. Su programa político se basaba en un sistema republicano unitario y el gobierno unipersonal. Tras los acontecimientos políticos ocurridos en 1820 disminuyó su influencia política.

Lautreamont, conde de (1846-1870). Seudónimo del escritor francés Isidoro Luciano Ducasse, nacido en Montevideo, Uruguay. Llegó a París a los 20 años y allí tomó unos cursos en la Escuela Politécnica, Su obra *Los cantos de Maldoror* es una colección de fragmentos en prosa de una crueldad, ironía y esplendor verbal inusitados. La mayor parte de esos cantos se publicaron después de su muerte. La obra de Lautreamont influyó sobre los surrealistas, quienes lo aclamaron como al más grande de los poetas franceses.

lava. Substancia compuesta de diversos minerales –basaltos, andesitas, etcétera– que sale semifluida y en fusión del cráter de los volcanes en actividad, avanzando por las vertientes y destruyendo todo cuanto se le pone al paso. Su temperatura cuando está incandescente puede ser superior a 1,000 °C, pero se solidifica con rapidez al contacto con el aire. Según la cantidad de elementos silíceos y calcáreos que posea, las lavas son más o menos fluidas, y las que contienen gases, al enfriarse forman bloques de estructura esponjosa. Ciertas especies de lava son utilizadas como materiales de construcción y si se pulverizan pueden emplearse como cemento hidráulico. Otras lavas se disgregan rápidamente, constituyendo un excelente abono; esto sucedió con las que cubren las laderas del Vesubio, cuyos viñedos son famosos por la calidad del vino que producen. Por último, las hay que cristalizan, aprovechándose entonces su estructura vítrea para la confección de objetos de adorno. Muchas son duras e inatacables por los ácidos; las basálticas, puestas en contacto con el agua en el momento de la erupción, dan lugar a hermosas columnatas naturales. Algunas presentan el aspecto de montones de cuerdas y se llaman cordadas. La extensión cubierta de lavas erizadas de puntas y aristas agudas constituyen lo que se denomina *malpaís*.

lavado y planchado. Término genérico que abarca la limpieza, secado y planchado de la ropa. La labor, que generalmente consta de remojo, lavado y escurri-

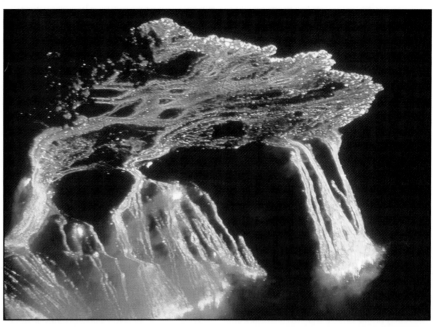
Corel Stock Photo Library
Lava del volcán Kilawea en Hawai.

do, se basa en la disolución de los componentes de la suciedad mediante la acción del jabón, de la sosa, o del oxígeno desprendido por el detergente empleado. El escurrido de la ropa (a mano, con rodillos o con centrifugación) permite la obtención del punto óptimo de humedad necesario para el secado. Posteriormente se procede al planchado, éste puede realizarse a mano o a máquina según convenga.

lavadora. Máquina destinada a lavar ropa. Aun cuando las máquinas de lavar movidas mecánicamente eran ya conocidas desde hace tiempo, su uso no comenzó a divulgarse hasta el momento en que fue posible, gracias a la electricidad, lograr su funcionamiento cómodo y económico.

Según el dispositivo encargado de la agitación de la ropa, las lavadoras se clasifican en lavadoras de tambor y en lavadoras de turbina.

Lavadoras de tambor. Constan esencialmente de un tambor cilíndrico colocado dentro de una cubeta y de un dispositivo de control electrónico. Este último, que contiene varios programas de lavado codificados, se encarga de la regulación del proceso. El tambor, que está conectado a un motor mediante un eje, tiene en su superficie agujereada una tapa de lámina galvanizada, se encarga de la agitación y del escurrido por centrifugación de la ropa. Antes de poner en marcha la lavadora, se pone en un depósito el detergente. Se selecciona, según el tipo de ropa que se va a lavar, el programa adecuado. Estos programas especifican el número de operaciones y sus tiempos de duración, las temperatu-

ras convenientes, etcétera. Durante el proceso, la memoria del aparato da las órdenes oportunas.

Lavadora de turbina. Consta de una cubeta y una hélice de goma situada en el fondo de la cubeta. Por lo general, el equipo electrónico de este tipo de lavadoras es muy sencillo, dado que ejecuta de manera semiautomática un número inferior de operaciones (prelavado, lavado y enjuague). La rotación de la hélice provoca la agitación del agua y de la ropa. El equipo automático controla únicamente el tiempo de la operación y su temperatura.

Laval, Gustaf de (1845-1913). Ingeniero sueco inventor de la turbina de vapor que lleva su nombre, así como la tobera convergente-divergente de expansión. Se le considera uno de los impulsores de la industria sueca contemporánea, y en sus investigaciones sobre metalurgia ideó un separador centrifugo y un horno eléctrico.

Laval, Pierre (1883-1945). Estadista francés que figuró en forma importante en los asuntos exteriores y nacionales de la Tercera República y fue vice primer ministro del gobierno fascista de Vichy durante la Segunda Guerra Mundial. Inicialmente fue un socialista de izquierda que defendió a los sindicalistas comerciales en su práctica de leyes, posteriormente se integró a la Cámara de Diputados en 1914. En la década de los años 20, sostuvo una variedad de puestos gubernamentales aunque ya orientandose a la derecha y en 1926 fue elegido senador independiente. Fue primer ministro (1931-1932), ministro de Asuntos

Extranjeros y nuevamente primer ministro en 1935-1936. En 1935 formuló un plan con el secretario británico extranjero sir Samuel Hoare para detener la invasión italiana de Etiopía dividiendo ese país y entregando una gran parte del mismo a Italia. La indignación pública forzó la cancelación del plan y cayó el gobierno de Laval.

En 1940, Laval se unió al gobierno de Vichy del Mariscal Henri-Philippe Pétain y ayudó a persuadir a la Cámara de Diputados que diera a Pétain un poder virtualmente sin restricciones. Fue nombrado vice primer ministro, y presionó para tener vínculos más cercanos con la Alemania nazi. En 1941, Pétain sustituyó a Laval, de ideología independiente, con el almirante Jean Darlan. Regresando al poder en 1942, Laval negoció para evitar un compromiso más profundo con Alemania, aunque con un mínimo de éxito. En 1944 fue arrestado por los alemanes en retirada, pero escapó a España en 1945. Fue extraditado a Francia y juzgado por traición en una corte hostil. Después de un fallido intento de suicidio fue ejecutado.

Lavalle, Juan Galo (1797-1841).

Militar argentino que a las órdenes de José de San Martín y Simón Bolívar fue uno de los más heroicos guerreros de la lucha por la independencia americana. Participó también en la guerra con Brasil y en las guerras civiles argentinas. Cadete de granaderos a los 14 años, muy pronto fue destinado al ejército sitiador de Montevideo, pasando luego a la guarnición del Cerro. Intervino en el combate de Guayabos, combatiendo a las órdenes de Manuel Dorrego, sobre cuyo destino tanto influiría posteriormente. Fue incorporado al Ejército de los Andes y en el cruce de la cordillera deshizo las milicias de Aconcagua, lo que le valió una citación de San Martín. Se destacó en las batallas de Chacabuco y Maipú, y participó en la campaña de Perú, asistiendo como mayor al desembarco de Pisco y en el combate de Nazca. Con Arenales hizo la campaña de la Sierra, siendo actor principal en la batalla del cerro de Pasco. Se distinguió en Pichincha y en Río Bamba, y, de regreso a Lima, recibió la condecoración de la Legión del Mérito y un escudo donado por el gobierno de Perú con la leyenda: "Perú al heroico valor en Río Bamba". Su cuerpo de granaderos se hizo famoso después de Río Bamba, lo que certificó al cubrir la retirada patriota en los desastres de Moquegua y Torata, oportunidad en la que llegó a dar 20 cargas en el término de tres horas. Disgustado con Bolívar, bajó a Mendoza, cuya gobernación desempeñó por una semana. Pero, este puesto sedentario no iba con su carácter, y pronto lo abandonó para incorporarse al ejército de su patria que luchaba contra Brasil. Su desempeño en Bacacay y posteriormente en Ituzaingó, le valió

ser nombrado general sobre el campo de batalla. Herido en Yerbal, tuvo que retirarse por un tiempo de la actividad militar.

Los servicios prestados por Lavalle a la causa de la independencia sudamericana fueron extraordinarios. Asegurada ésta, su temperamento no le permitió abstenerse de tomar parte en las luchas civiles, como lo hicieron San Martín y Juan Gregorio de Las Heras. No bien repuesto de sus heridas, preparó la revolución que derrocó a Dorrego, entonces gobernador, el 1 de diciembre de 1828. Sin juicio sumario lo hizo fusilar en Navarro.

La situación de Lavalle se hizo crítica en el gobierno, abandonando su ejercicio después de firmar con Juan Manuel de Rosas el Tratado de Barracas, en agosto de 1829. Este ascendió al gobierno y tuvo en Lavalle a uno de sus más ardientes opositores. Unido a Fructuoso Rivera y a los emigrados unitarios en Montevideo, desplegó una intensa actividad en la formación de cuerpos armados con los que presentó combate al poder de Rosas durante 12 años. Carpintería, Palmar, Yerúa, Don Cristóbal, Sauce Grande, Tala, Quebracho Herrado, son los nombres de otros tantos encuentros que libró Lavalle con distinta suerte en un vasto territorio. Finalmente sus fuerzas fueron dispersadas en Famaillá, en septiembre de 1841 y se retiró a Jujuy, donde fue muerto de un balazo.

Lavalleja. Departamento de Uruguay

conocido antes con el nombre de Minas. Limita con los de Treinta y Tres, Rocha, Maldonado, Canelones y Florida. Está situado en el sureste y difiere del resto del país por su suelo quebrado por las sierras de Minas y Carape, y cerros como el Arequita. Tiene una extensión de 12,485 km^2 y 61,192 habitantes (1996). Su capital es Minas y sus fuentes de riqueza la ganadería, la agricultura y el turismo.

Lavalleja, Juan Antonio (1786-

1853). Patriota y militar uruguayo, nacido en Minas, hoy Lavalleja, y muerto en Montevideo. En 1811 se incorporó a las huestes libertadoras y poco después era oficial de Artigas, grado con el que se destacó en la batalla de Las Piedras. Después de la invasión portuguesa de 1816 peleó valientemente contra los invasores y fue hecho prisionero y conducido a Río de Janeiro, donde se le ofreció el puesto de coronel y la libertad, pero Lavalleja se negó por no hacer traición a su patria. Proclamada la independencia de Brasil en 1822, se trasladó a Buenos Aires, donde continuó trabajando por la independencia de su país. Los patriotas emigrados lo designaron jefe del movimiento reivindicador y el 19 de abril de 1825 llegó a tierra uruguaya al desembarcar al frente de la expedición conocida en la historia con el nombre de *Los

treinta y tres orientales*, por ser éste el número de los expedicionarios. Obtuvo resonantes victorias en Sarandí e Ituzaingó, y poco después Uruguay se sacudió el yugo de la dominación brasileña. Las luchas internas lo llevaron a enemistarse con Rivera y tuvo que emigrar de nuevo a Brasil. En 1853 formó parte del triunvirato designado para hacerse cargo del gobierno de Uruguay, falleciendo poco después.

lavándula. Planta de la familia de las labiadas también llamada espliego o alhucema. Tiene hojas en forma de lanza o espátula y color blanquecino, de tallos largos y delgados, de 4 a 6 dm de altura, y de pequeñas flores azules en espiga. Estas flores, de olor penetrante y agradable, se emplean para perfumar muebles o habitaciones. De ellas se extrae un aceite muy usado en perfumería.

lavaplatos. Máquina destinada a lavar vajillas, cubiertos, batería de cocina, etcétera. Consta de un gabinete de acero y de los sistemas hidráulico, secador y electrónico.

El sistema hidráulico se compone de filtros, descalcificador, bomba, termostato y válvulas de retroceso, de cierre del depósito del detergente y de salida de agua. Los filtros y el descalcificador realizan la eliminación de las impurezas sólidas y del calcio que contiene el agua de la red alimentadora. La bomba permite la obtención de la presión adecuada para cada fase del proceso, y el termostato, situado en un pequeño depósito, calienta el agua purificada a la temperatura adecuada. La válvula de retroceso automático separa el agua purificada del agua sucia en el lavado, y la válvula del depósito del detergente regula el paso de ésta al sistema hidráulico.

El sistema secador consta de unas resistencias eléctricas que calientan el aire impulsado por un ventilador.

El sistema electrónico de control regula el proceso, para lo cual tiene codificado el programa en una pequeña memoria. En síntesis, el programa tiene las órdenes para la ejecución de un prelavado en frío, un lavado con detergentes en caliente, un aclarado y un secado con aire caliente.

Lavardén, Manuel José de (1754-

1809). Escritor argentino. Su figura revela la adhesión de la oligarquía criolla a las formas neoclásicas imperantes, pero también una auténtica conciencia localista. A este espíritu se deben la *Oda al Paraná* (1801), que apareció en el primer número del *Telégrafo mercantil, rural, político-económico* e *historiógrafo del Río de la Plata*, y la tragedia *Siripo* (1789) –precedida, como era habitual en la época, por una loa del autor en la que explicaba sus intenciones dramáticas–, de la que se conserva un segundo acto de atribución discutible. Escribió, según parece, otra obra, *Los Araucanos*, pero no se tiene ninguna noticia fidedigna de ella.

La Vega. Provincia en la región central de República Dominicana. Tiene una extensión de 3,463 km² y 334,756 habitantes (1993). Se divide en cuatro comunas y su capital es Concepción de la Vega, ciudad de 52,432 habitantes, enclavada en el fértil valle de La Vega Real a orillas del río Camú. La base de la economía de la provincia es la agricultura.

La Venta. Yacimiento arqueológico olmeca en el estado mexicano de Tabasco. Fundada la población en 1500 la estructura central de La Venta es un montículo piramidal de tierra con una base de 126 × 72 m y altura de 31 m. Las estelas encontradas son de gran belleza; predominan entre sus figuras representaciones de jaguares y hombres jaguares. Los monolitos más importantes son las cabezas colosales. Entre los altares destaca uno con la figura de un hombre sentado en un nicho con las piernas cruzadas, y otro con alto tocado y rodeado de elaborados personajes. En la cerámica destacan los diseños de garras y caras de jaguar y representaciones de todo tipo de animales. Se ha calculado que La Venta fue habitada hacia el siglo II.

Laveran, Charles-Louis-Alphonse (1845-1922). Médico e investigador francés. Logró descubrir el hematozoario que produce el paludismo. Publicó numerosos trabajos sobre los protozoarios. Fundó en París la Sociedad de Patología Exótica y en 1907 recibió el Premio Nobel de Medicina o Fisiología, cuyo importe donó para ampliar los laboratorios del Instituto Pasteur.

Lavín, Carlos (1883-1962). Folclorista y compositor chileno. Amplió sus estudios en París y Berlín. Su obra utiliza elementos musicales araucanos. Autor de *Fiesta araucana* (1926) y *Lamentaciones huilliches* (1928), ambas para orquesta, numerosas obras escénicas, música para películas y obras para piano.

Lavoisier, Antoine-Laurent (1743-1794). Químico francés, considerado como *el padre de la química moderna*. Hijo de comerciantes ricos, estudió en el Colegio Mazarino, graduándose de abogado. Su afición a las ciencias le llevó a las clases del sabio Rouelle, hasta que abandonó totalmente la abogacía, dedicándose a la investigación. Comparte con Joseph Priestley el reconocimiento de haber descubierto el oxígeno, y determinó sus propiedades y la función que desempeña en la combustión, acabando con la teoría del flogisto.

Su *Tratado elemental de química* (1789) representa la primera gran síntesis de los principios químicos. Inventó ingeniosos aparatos de laboratorio y acentuó la importancia de la ecuación química como medio para expresar cuantitativamente los experimentos químicos. Fue miembro de la comisión que estableció el sistema métrico decimal de pesas y medidas. Fue creador de la nomenclatura química y determinó la composición del aire y la importancia del oxígeno en la respiración. Se le solicitó la elaboración del primer mapa geológico de Francia. Aclaró el concepto de elemento químico, estudió la licuefacción de los gases, la calorimetría y los procesos de fermentación. Contó entre sus amigos a las más afamadas eminencias de su tiempo, como Carlo von Linné, Benjamin Franklin, Marie Jean Antoine Caritat marqués de Condorcet y Pierre Simón marqués de Laplace. Perteneció a la Academia Francesa de Ciencias. Ejerció el cargo de recaudador general de impuestos, y habiendo el tribunal revolucionario condenado a muerte a todos los que desempeñaron ese cargo, fue guillotinado en París durante el Terror. Su amigo, el matemático Joseph Louis de La Grange, dijo: "Bastó un momento para cercenar aquella cabeza que siglos de civilización no podrán reemplazar".

Lawrence, Ernest Orlando (1901-1958). Físico estadounidense, inventor del *ciclotrón*, acelerador de partículas, y cuyas investigaciones nucleares contribuyeron a la obtención de la bomba atómica. Son también meritorias sus investigaciones sobre la estructura del átomo, la transmutación de elementos, la radiactividad artificial y las aplicaciones de las radiaciones a la biología y a la medicina. Recibió el Premio Nobel de Física en 1939.

Lawrence, Thomas Edward (1888-1935). Escritor, arqueólogo y militar inglés. Realizó varios viajes por África y Asia, en los que aprendió los idiomas y las costumbres de los nativos. Más tarde, ya coronel, se hizo amigo de los árabes, a quienes ayudó a triunfar sobre los turcos. Descontento con la actitud del gobierno inglés hacia los pueblos árabes, renunció a todo puesto oficial e ingresó con un nombre supuesto en la fuerza aérea. Su libro *Los siete pilares de la sabiduría* no es sólo un ameno relato de sus campañas en Arabia, sino también un notable estudio pleno de observaciones filosóficas.

laxante. Medicamento que se emplea para facilitar la evacuación intestinal. Hay laxantes, como el aceite mineral o el de ricino, que tienen una acción de lubricación, otros están formados por semillas vegetales que al hincharse en el intestino activan sus movimientos, y otros, compuestos por

sales, atraen agua a las materias fecales y facilitan su evacuación. Los laxantes deben tomarse únicamente cuando son necesarios y en la cantidad adecuada, pues su uso frecuente puede ocasionar hábitos perjudiciales y trastornos del organismo.

Laxness, Halldór Kiljan (1902-1998). Escritor islandés. La figura más prominente en la literatura moderna de Islandia, recibió el Premio Nobel de Literatura en 1955. Su primera novela exitosa, *El gran tejedor de Kashmir* (1927) refleja su inconformidad con el catolicismo romano y su interés en el expresionismo y surrealismo. En la década de 1930, completó tres secuencias de novelas: *Salka Valka* (1931), un relato detallado de la vida en una pequeña comunidad pesquera durante un tiempo de cambios sociales; *Gente independiente* (1934-1935), acerca de la lucha de un pobre granjero en contra de la injusticia; y *Luz del mundo* (1937-1940), que trata de poeta que vive entre gente incapaz de comprender su genio. Durante la Segunda Guerra Mundial, escribió su mejor novela, *La campana de Islandia* (1943), una trilogía montada a fines del siglo XVII y principios del XVIII. En *Estación atómica* (1948) presenta una cuenta satírica de la caída de la cultura islandesa, que hizo posible la entrada de las bases militares estadounidenses. Sus novelas posteriores muestran una temática de crítica social: *El concierto de los peces* (1957), *El paraíso reencontrado* (1960), *Asistencia espiritual en el glaciar* (1968), *En el prado de la casa* (1975). En 1963 publicó un volumen de memorias titulado *Tiempo de escribir*.

lazareto. Hospital o lugar fuera de las ciudades, que servía para aislar a los que llegaban en mal estado sanitario o de países con epidemias o enfermedades contagiosas. Generalmente estaban situados en islas cercanas a los puertos, donde se hacía permanecer a los tripulantes y pasajeros de los barcos en condiciones insalubres durante el tiempo necesario para diagnosticar y tratar las enfermedades, así como para desinfectar y desratizar los barcos. Actualmente las rigurosas inspecciones sanitarias a que está sometida la navegación han reducido en gran medida la importancia de los lazaretos.

Lazarillo de Tormes. Obra de la novelística española. Se publicó por primera vez en Burgos (1554) y se hicieron también ediciones en Alcalá y en Amberes. Es de autor anónimo, si bien algunos eruditos la han atribuido a Diego Hurtado de Mendoza, a Sebastián de Horozco y a otros escritores. El género al que dio nacimiento el *Lazarillo* se denomina picaresco, por tener como protagonistas a pícaros y gentes de baja condición social que hacen alarde de su destreza para burlar las leyes y satisfacer apetitos inmediatos, como el de comer, por ejemplo. El *Lazarillo* es una obra decisiva dentro de la novela realista española, que luego culminó en Mateo Alemán, en Francisco de Quevedo y en el mismo Miguel de Cervantes Saavedra. *Véase* NOVELA.

Lázaro. Nombre hebreo, derivación o abreviación de Eleazar *(ayudado por Dios)*, que se menciona en los Evangelios al relatarse el milagro de la resurrección de Lázaro de Betania, hermano de Marta y de María y amigo de Jesús, después de cuatro días de muerto. También se le nombra antes de aquel hecho, en ocasión de las visitas que Jesús hacía a su casa y después de su resurrección entre los asistentes a la cena en casa de Simón el Leproso. Lázaro es, también, el nombre del personaje de la parábola del mendigo y el rico avariento que relató Jesucristo para predicar la caridad.

lazo. Atadura o nudo de cintas o cosa semejante que sirve de adorno, de manera que tirando de uno de los cabos pueda desatarse con facilidad. También se llama lazo a la cuerda larga, con un nudo corredizo en uno de sus extremos, usada en las praderas de América. Fue popularizada en el sur, por el gaucho de Argentina, el huaso de Chile, el *vaqueiro* de Brasil, el llanero de Venezuela, y en el centro y el norte por el charro mexicano y el *cowboy*. Aunque en su fabricación se emplearon distintos materiales –el gaucho laboriosamente trenzó el duro cuero crudo trabajándolo hasta hacerlo suave; el *cowboy* utilizó fibras retorcidas de cáñamo u otros textiles–, el uso del lazo tuvo para todos una misma finalidad: la de cazar, defenderse enlazando el caballo del enemigo, y para agrupar el ganado. Llegó hasta prestar servicios patrióticos en las luchas de independencia, cuando sirvió para enlazar los cañones del enemigo. El hombre de las llanuras lo lleva siempre con él, atado en la montura de su caballo.

Lazo Martí, Francisco (1864-1909). Poeta venezolano. Se graduó de médico y anduvo en las guerras civiles a finales del siglo XIX. Su obra poética se destaca por *Silva criolla, Crepusculares* y *Veguera*, poemas donde con intención filosófica y social, y honda frescura lírica, contó la vida en la llanura. *Silva criolla* supera a la *Silva* de Bello, y es como un breviario del venezolano.

Leandro, san (?-600). Prelado español y doctor de la Iglesia católica. Era hermano de los santos Isidoro, Fulgencio y Florentina. Nacido en Cartagena, en el año 554, se trasladó con su familia a Sevilla, y cuatro años después, muerto el metropolitano sevillano, se le nombró arzobispo de

Corel Stock Photo Library

El arquitecto Le Corbusier colaboró en el diseño de la ciudad de Brasilia.

esta ciudad. Desterrado de su sede por el rey Leovigildo, migró a Constantinopla y a Roma y fue amigo de San Gregorio *el Grande*. Luchó contra las herejías, en particular el arrianismo, cuyos errores expuso en trabajos polémicos. Vuelto a España, convirtió al rey Recaredo al cristianismo e influyó decisivamente en su gobierno. Presidió el Concilio III de Toledo (año de 589) donde pronunció una hermosa pieza oratoria que aún se conserva. Una de las obras más notables de la literatura monástica es la que san Leandro publicó con el título *De la institución de las vírgenes y desprecio del mundo.*

Leblanc, Maurice (1864-1941). Novelista francés, cultivador del género de aventura y policiaco, dentro de una modalidad original que hacía héroe de la novela al ladrón, personificado en un hombre de gran mundo y fría lucidez. Arsenio Lupin es el protagonista de toda una serie de novelas, entre las que se destaca, *Aventuras de Arsenio Lupin, Ladrón de levita, Una mujer, La aguja hueca* y *La casa misteriosa.*

Le Bon, Gustave (1841-1931). Sociólogo y psicólogo francés. Fue autor de numerosas obras de gran influencia en su tiempo, entre las que se destacan: *El hombre y la sociedad, Psicología de las multitudes, Evolución de la materia, Evolución de las fuerzas* y *Psicología de los nuevos tiempos.*

lecitina. Denominación aplicada a ciertos cuerpos fosforados, grasos, de composición química similar, presentes en la sustancia cerebral y nerviosa, la sangre, bilis y yema de huevo, y también en los vegetales (maíz, soja, etcétera). Son de consistencia viscosa, insolubles en agua y muy solubles en alcohol hirviente y en éter. En terapéutica, se prescriben para la anemia, raquitismo, neurastenia, tuberculosis, diabetes y otras enfermedades.

Leconte de Lisle, Charles-Marie-René (1818-1894). Poeta francés nacido en la isla de La Reunión. Durante su juventud realizó largos viajes por lejanos países, lo que le permitió adquirir gran conocimiento de gente y costumbres. Tradujo varias obras de autores clásicos y publicó, entre otras, las siguientes producciones: *Poemas antiguos, Poemas trágicos* y *Poemas bárbaros*. Su poesía, excelente en la forma, notable por el vigor de las descripciones, se halla saturada, no obstante, de un matiz pesimista.

Lecor, Carlos Federico (1764-1836). General portugués. Luchó contra los franceses en la guerra de Independencia, distinguiéndose en la batalla de Vitoria. Enviado a Brasil, encabezó la invasión portuguesa de 1816 a la provincia de la Banda Oriental (actual República Oriental del Uruguay); en enero de 1817 ocupó Montevideo, venciendo la tenaz resistencia opuesta por Artigas. En 1821 organizó el Congreso Cisplatino que dispuso la anexión de la Banda Oriental a Portugal. Permaneció en Montevideo hasta 1828, abandonando sus posiciones por motivo de la firma de la paz que dio término a la guerra entre Argentina y Brasil.

Le Corbusier (1887-1965). Seudónimo del arquitecto, pintor y escritor suizo Charles Edouard Jeanneret. A él se deben algunas de las más atrevidas concepciones de la arquitectura moderna: los edificios sobre columnas (de este modo no se interrumpen los jardines ni las calles), las anchas ventanas con la extensión de los antiguos muros, los jardines en las terrazas, las paredes de color. Introdujo además materiales hasta entonces no utilizados, como la cerámica transparente. Escribió numerosas obras para defender su postura de que los edificios deben ser diseñados según las necesidades humanas de aire, espacio y luz. *Hacia una nueva arquitectura, El nuevo mundo del espacio, La ciudad de mañana* y *Cuando las catedrales eran blancas* son quizá las más importantes. Entre sus obras realizadas son notables los edificios del Ejército de Salvación, en París, y del ministerio de Salud y Educación en Río de Janeiro (Brasil).

leche y lechería. Es la leche una secreción producida por ciertas glándulas de los mamíferos, con la cual las madres alimentan a sus crías. Desde los primeros tiempos el hombre ha aprovechado en su beneficio la leche de las hembras de algunos animales. La de vaca no tiene rival donde las condiciones naturales permiten la cría de ganado vacuno, por la cantidad en que se produce, agradable sabor y fácil digestión, así como por la variedad de derivados que se extraen de ella. Los análisis químicos confirman el alto poder nutritivo de la leche, que no sólo contiene proteínas de primera calidad, hidratos de carbono, grasa y minerales, sino también vitaminas, y todo distribuido en tan adecuada proporción que resulta el alimento más completo. Por desgracia, es también muy perecedera, lo que impone la necesidad de una industria lechera racional que utilice procedimientos higiénicos de comprobada eficacia.

Elección del ganado. Debe comenzarse por elegir con acierto la raza de las vacas. Si el campo es bueno y está cerca de población importante, se preferirá la raza Frisio-Holandesa, por ser la que da más cantidad de leche, pero si se depende de una cremería para colocar los productos, pueden ser convenientes las razas Jersey o Guernesey, pues éstas producen más grasa. En el caso de que no haya que limitarse a la producción de leche, entonces deberá preferirse la raza Shorthorn lechera, que combina la leche con la carne y, por

Corel Stock Photo Library

Obtención de la leche por medios industrializados.

rústica, resistirá mejor las inclemencias naturales. En cualquier caso, debe dedicarse especial atención al toro, porque la aptitud lechera es hereditaria. De no ser posible adquirir reproductores de raza, deberá recurrirse a la inseminación artificial, asegurándose así la posibilidad de refinar en pocos años la hacienda, aunque se haya comenzado con madres mestizas. Para esto es necesario realizar entre ellas la debida selección, lo cual impone la obligación

de llevar registros, en los cuales se anotará diariamente la cantidad de leche extraída a cada vaca, a fin de eliminar del ordeño a las que, por su escaso rendimiento, consumen más de lo que producen.

Cuidado y alimentación. En los países de clima cálido no es indispensable encerrar el ganado en invierno, como se hace en Europa y Estados Unidos. Se debe, en cambio, plantar, diseminados en grupos, árboles de hoja perenne que los protegerán del

Granjero francés obteniendo leche de una vaca.

Corel Stock Photo Library

Granjero canadiense ordeñando a una vaca.

Sol y la helada. El campo debe dividirse en sectores, donde alfalfa, cebadilla, avena o centeno y trigo permitan hacer frente al cambio de las estaciones. Al toro no se le dejará pastar habitualmente con las vacas, ya que ello impediría controlar las pariciones, lo que es esencial para evitar el exceso de leche en primavera, que es cuando tiene menos precio. Algún lote de alfalfa será reservado para corte, porque el pasto seco, siempre conveniente, salva del desastre en épocas de sequía. Una excelente solución para apremios alimenticios es el silo, extensamente usado en el norte de Europa y en Estados Unidos. Puede ser una simple fosa o una torre cilíndrica construida de ladrillos, chapa o cemento. En él se echan hojas verdes de maíz, trébol, alfalfa, avena, etcétera. Estos forrajes, privados de aire, se fermentan, y al cabo de un tiempo constituyen un alimento sabroso y nutritivo, gracias al cual las vacas producen casi tanto en invierno como en verano. La difusión de los silos permitiría fomentar vaquerías en mesetas y zonas frías. Además, su empleo es muy económico: la transformación que sufren las plantas hace posible aprovechar muchas consideradas perjudiciales, que en su estado natural son desechadas por el ganado, ya sea a causa del sabor o de las espinas, como ocurre con varios sorgos y con el cardo. En toda alimentación racional se incluirá maíz u otro cereal; esto es especialmente indicado cuando la leche se vende a las cremerías, que pagan de acuerdo con la proporción de grasa.

Ordeño y preparación de la leche. Los grandes productores prefieren ordeñadoras mecánicas. Su empleo es aconsejable cuando se dispone de energía, pues estas máquinas permiten disminuir el personal, y contrariamente a una creencia extendida, no molestan ni dañan al animal, tanto que cuando se acostumbra a ellas no se deja ordeñar a mano. Su uso impone separar el ternero de la madre, lo que se hará al segundo día. Al principio se le alimentará con leche pura, pero al mes ya se le puede dar solamente suero o leche descremada, lo que proporciona considerable economía y permite acabar con el procedimiento de matarlo para aprovechar hasta la última gota de la leche de la madre. Cualquiera que sea el método de ordeño, éste debe efectuarse dos veces por día, bajo galpón o tinglado, con piso firme y compartimientos separados para cada vaca. Éstas se sujetan por el cuello con un yugo que les deje libertad para comer una ración especial y apetitosa que se les dará sólo en esa ocasión, con lo cual se consigue que entren por su propia voluntad al establo y se coloquen inmediatamente en su lugar. Entretenidas en saborear su manjar, dejarán que se las ordeñe sin el engorroso proceso de hacer mamar antes un poco al ternero. Apenas obtenida, la leche debe enfriarse, siendo lo más recomendable verterla por medio de un embudo colador en una enfriadora de cortina, por cuya parte exterior desciende en fina película sobre aletas con circulación de agua, adquiriendo así en pocos segundos la baja temperatura deseada.

Necesidad de industrializar la leche. Las vaquerías vecinas a las ciudades hallarán más beneficioso vender su producto para el consumo, pero las que se hallan más alejadas deberán industrializarlo. Si poseen una desnatadora, aparato que mediante la fuerza centrífuga separa la crema, podrán enviar ésta sola a la fábrica. Todavía más beneficioso les resultará unirse en cooperativas e instalar su propia cremería, donde elaborarán por su cuenta manteca, queso y caseína, asegurándose así la máxima retribución a su esfuerzo.

Pasteurización y derivados. La leche cruda tomada al pie de la vaca, es quizá insustituible pero pocos pueden consumirla en esa forma. La que deja en el hogar el lechero contiene ya, por lo general, un principio de acidez y gérmenes dañinos, por lo que es conveniente hervirla aunque la cocción destruye vitaminas y elementos nutritivos. Para evitar esto se recurre a la pasteurización, proceso que consiste en calentar la leche a 70 °C o más , y enfriarla luego lo más rápidamente posible. Los microorganismos perecen al no poderse adaptar al cambio, mientras se conservan intactos elementos esenciales. A fin de hacerla más agradable y fácil de digerir por niños y enfermos, suele homogeneizarse, lo que se consigue rompiendo por un procedimiento especial los glóbulos grasos y logrando así que la crema se distribuya en igual proporción por todo el líquido, en vez de acumularse en la superficie. Para hacer cuajada suele sembrarse en la leche cultivos de bacterias, obteniéndose así el yogurt y el kefir búlgaros, ambos indicados en ciertas afecciones del intestino. La leche condensada se obtiene haciéndola hervir en recipientes al vacío, hasta sacarle la mayor parte del agua, y luego se envasa en latas. Menos humedad todavía contiene la leche en polvo, aunque conserva generosa cantidad de grasa. Actualmente suele agregarse a estos productos la vitamina D para compensar la que se pierde en el proceso. La manteca se prepara batiendo la crema que previamente ha sido separada por la desnatadora, y a la cual se deja madurar uno o dos días. Una manera efectiva de aprovechar la leche es convertirla en queso, para lo cual se hace coagular mediante el empleo del cuajo, elemento extraído

Lechuga fresca.

del estómago de los terneros. Las distintas formas de preparación, la calidad de los pastos, el tiempo de estacionamiento y otros factores permiten lograr una inmensa variedad de tipos más o menos fermentados, de diferente sabor y consistencia, pero siempre de alto poder alimenticio, lo que justifica la universal y creciente demanda por quesos de buena calidad.

Por todo lo expuesto, es fácil darse una idea de la fundamental importancia de la industria lechera. Tanto Latinoamérica como la zona cantábrica de España, con su clima en general benigno y sus inmensas praderas y protegidos valles, brinda posibilidades inmensas a la industria lechera, que, bien desarrolladas, serían factores decisivos para el progreso económico y el mejoramiento de la alimentación. La tabla muestra los principales países productores de leche. Las cifras se dan en toneladas y corresponden a la producción anual de cada uno de ellos. *Véanse* ALIMENTACIÓN; CASERÍA; MANTECA; PASTERIZACIÓN; QUESO.

Corel Stock Photo Library

Campos de lechuga en el valle del domo en Arizona, EE.UU.

Rusia	106.275,000
Alemania	32.765,000
India	26.700,000
Francia	26.400,000
Polonia	16.170,000
Reino Unido	15.203,000
Brasil	14.228,000
Países Bajos	11.200,000
Italia	10.376,000
Japón	8.190,000
Canadá	7.900,000
Nueva Zelanda	7.700,000

lechuga. Planta hortense, de la familia de las compuestas, de hojas anchas y blandas, tallo ramoso de 40 a 60 cm de altura, flores amarillentas de anchas cabezuelas y fruto seco, gris, de una sola semilla. Es oriunda de la India, de donde fue llevada al continente europeo; de ahí pasó a América, en cuyos países templados se adaptó perfectamente. Las lechugas son comúnmente de hojas sueltas, como la blanca y la denominada espinaca. En algunas variedades estas hojas son redondas y apretadas, como la llamada de primavera, de cogollo pequeño; la de semilla blanca, de cogollo denso; la de bordes rojos, con hojas algo lustrosas, y la temprana de Simpson, muy poco resistente por su precocidad. Otra clasificación divide a estas plantas en dos tipos: las de hojas flexibles y las crujientes; ambas ofrecen variedades muy apreciadas, como la rusa. La lechuga exige tierras permeables, ricas en elementos nutritivos, y cierta cantidad de días fríos. Se consume en ensaladas, es rica en vitaminas A y B, y posee abundante fibra vegetal, beneficiosa para el mecanismo digestivo.

lechuza. *Véase* BÚHO.

lectura. Acción de leer. La lectura extiende el presente, reducido y estrecho, hacia un pasado sin límites. Nos muestra los errores de los hombres de otros tiempos y nos explica los motivos de sus aciertos. Enseña a hacer cuentas, reparar máquinas, construir casas y labrar la tierra, e informa sobre todos los hechos imaginables. Además de la información, la lectura nos brinda inspiración y nos proyecta hacia el futuro. La lectura es la herramienta cultural más importante de que dispone el hombre moderno. Es indispensable para el médico, que gracias a ella se mantiene al corriente de los últimos progresos de la ciencia; lo es para el abogado, que por medio de ella conoce las nuevas leyes; lo es también para el hombre de negocios, que se ve obligado a leer cartas, balances y material de propaganda. Todas las materias de la escuela primaria, del colegio secundario y de la universidad son aprendidas, principalmente, mediante la lectura de libros de texto. La lectura es, por tanto, el principal instrumento de que dispone el hombre común en el mundo moderno para adquirir un caudal amplio de conocimientos con el mínimo esfuerzo y en el tiempo más reducido posible. Aparte de todo esto, el acto de leer es una de las formas más extendidas de la recreación humana.

Por qué leemos. Podemos señalar seis motivos básicos en el hábito de la lectura.

1. *Para adquirir información.* Los lectores acuden a la palabra impresa para obtener un resultado definido y concreto. Este

Campo cultuvado con lechuga en Ontario, Canadá.

Corel Stock Photo Library

205

lectura

resultado puede variar dentro de límites amplísimos, como también varía la naturaleza de la publicación utilizada para obtener las informaciones. Desde el simple artículo periodístico hasta el voluminoso tratado científico, se escalona una amplia gama de fuentes de lectura.

2. *Como medio de distracción.* Éste es, posiblemente, el motivo psicológico más corriente del hábito de la lectura. Por medio de una revista de historietas por ejemplo, el lector logra eludir temporariamente sus ansiedades y preocupaciones cotidianas. Durante unos instantes vive en un mundo mágico, alejado de la realidad, donde todos los problemas quedan olvidados. Esta lectura de carácter evasivo, dentro de la cual corresponde incluir toda las obras de ficción –desde la historieta mínima hasta la novela ambiciosa– ejerce el mismo efecto social que el cine y la radio: aligera las tensiones psíquicas y proporciona una válvula de escape para las ansiedades personales.

3. *Para confirmar creencias.* Muchas personas leen para fortalecer su convicción de que están en lo cierto al adoptar determinadas actitudes o sustentar determinado conjunto de valores. Todas las personas gustan de saber que tienen razón o de que sus actitudes son justas. Cuando leen artículos o libros que les hacen sentirse en esta forma, el efecto psíquico es muy positivo. Este tipo de lecturas *reforzadoras* de actitudes tiene un efecto indirecto de enorme importancia colectiva. La propaganda política, económica y social la utiliza en gran escala para consolidar y transformar las actitudes.

Corel Stock Photo Library

La estimulación temprana de la lectura es recomendable para un mejor desarrollo.

4. *Para compartir experiencias.* Este es el motivo más simple de todos los que incitan a la lectura. Son numerosas las personas que leen por el mismo motivo que las lleva a hablar: para comunicarse con el prójimo y recibir de éste un caudal de experiencias, opiniones y actitudes.

5. *Para imitar a los demás.* En la sociedad moderna prácticamente todo el mundo lee algo todos los días, aunque sólo sea los titulares de los periódicos. Detrás de

este acto suele existir la motivación psicológica de mantenerse a tono con lo que hacen los demás y no poseer un caudal inferior de informaciones. Un motivo similar es el que determina, en gran medida, el éxito de las novelas de moda. Todos los años se publican en el mundo entero varios centenares de novelas de cierto mérito literario; sólo algunas de ellas logran esa popularidad instantánea que caracteriza a los éxitos de librería, popularidad que se debe básicamente a la *cadena* creada por la ley psicológica de la imitación.

6. *Como aventura imaginaria.* El espíritu humano puede trasladarse con gran facilidad a los lugares más remotos y a las épocas más distantes, y hasta colocarse en el lugar de cualquier héroe de la ficción. Si el protagonista es de la misma edad y sexo del lector, los intereses y apetencias de éste se identifican con los del héroe. A esto se agrega el hecho de que las emociones más violentas del peligro físico, el valor heroico y el triunfo sobre obstáculos insalvables no son frecuentes en la vida civilizada.

Hasta hace apenas un siglo, el número de libros y publicaciones periódicas a disposición de la humanidad era muy reducido. La cantidad de bibliotecas no era elevada y las colecciones de libros en poder de particulares eran pocas y reducidas. En la actualidad hay bibliotecas y librerías en todas las ciudades del mundo occidental, y prácticamente no existe una sola vivienda que no posea algunos libros y revistas. Las bibliotecas públicas que existen en las grandes ciudades tienen en sus estantes miles de libros a disposición de los lectores.

La inmensa cantidad de diarios, libros y revistas que se publican todos los años en los principales países coloca al lector en difícil coyuntura: seleccionar lo que necesita entre el copioso material existente. Los estudios más recientes realizados por sociólogos, pedagogos y especialistas en bibliotecología demuestran que el hombre occidental, aun el de cultura superior a la normal, no sabe realizar esta tarea de selección. En términos generales se puede decir que 25% de los adultos que saben leer y escribir suele leer libros; 75% lee revistas, y el número de lectores de los diarios asciende a más de 90%. La mayoría de los adultos que leen libros prefieren las obras de ficción; entre éstas, las más leídas son las de jerarquía baja. Un estudio realizado en una ciudad estadounidense demostró que sólo 2% de los libros prestados por sus bibliotecas podían ser catalogados, con criterio benigno, dentro de la *buena literatura.*

Cómo leer. Los buenos libros suministran frutos valiosos. Jamás debemos suponer que las ideas impresas son siempre válidas o sabias. Pero, es indudable que una selección inteligente habrá de ampliar

Para tener una lectura más eficiente, es recomendable crear una biblioteca personal.

CMCD Inc.

nuestros horizontes culturales. El lector medio puede leer un libro no técnico a razón de 300 palabras por minuto; si puede leer en un minuto 300 palabras de una lectura de dificultad media, en 30 minutos leerá 9,000 palabras. Lo que significa que si dedicase solamente media hora diaria a la lectura ello le permitiría leer, al cabo de un año, unos 40 volúmenes con un promedio de 75,000 palabras cada uno, caudal nada despreciable. Saber leer y utilizar bien las lecturas es, por tanto, una necesidad primordial.

Hay cuatro clases de lecturas. Se lee para adquirir una formación, para realizar una tarea, para ejercitarse en el trabajo o para distraerse. Estas cuatro categorías exigen el conocimiento de ciertas técnicas que la mayoría de los lectores no poseen. Ya hemos señalado que el adulto medio suele leer alrededor de 300 palabras por minuto, siempre que se trate de un texto de complejidad normal; pero, algunas personas pueden leer hasta 600 palabras por minuto, porque han aumentado su capacidad de lectura mediante la práctica constante.

Al leer, nuestros ojos no pasan a lo largo de una línea, y de ésta a la siguiente, en movimientos suaves y armónicos, como pudiera parecer. En realidad hacen una serie de rápidos movimientos que tienen el aspecto de pequeñas detenciones y *saltos* abruptos de una palabra o grupo de palabras al siguiente. El lector corriente realiza alrededor de cuatro movimientos por segundo, empleando la mayor parte del tiempo en fijar las imágenes mientras la vista está detenida, y muy poco tiempo en pasar de un lugar a otro. Los ojos no ven nada

Corel Stock Photo Library

La lectura del periódico es esencial para mantenerse informado.

durante este *salto*, sólo ven cuando se detienen. El lector poco experimentado suele realizar movimientos con los labios o la garganta, y a veces hasta modula las palabras; estos hábitos, heredados de la lectura en alta voz, tienden a reducir considerablemente la velocidad de la lectura, para que ésta llegue a un nivel normal es indispensable eliminarlos. Los tres problemas básicos que se plantean a quien desee aumentar la velocidad se refieren al texto, al vocabulario y a la técnica de lectura.

1. Cuando un texto contiene muchas palabras desconocidas, la atención del lector se diluye y la comprensión se reduce. Los autores de obras técnicas o científicas no suelen advertir la gravedad de este problema, porque el vocabulario de su especialidad les resulta completamente familiar. Se ha descubierto, por ejemplo, que un manual de física utilizado en los colegios de educación secundaria introduce mayor número de palabras desconocidas por página que un texto típico empleado para la enseñanza del francés. Ello ocurre porque los autores de obras en idioma extranjero vigilan cuidadosamente su vocabulario, lo cual no sucede con los escritores técnicos o científicos. De esto se deduce que, al comprar un libro que no sea de ficción, se deberá tener en cuenta si posee un vocabulario simple, frases breves y precisas, un estilo atractivo y una presentación tipográfica clara y agradable.

2. La velocidad de la lectura puede ser aumentada considerablemente por medio de la práctica constante. La primera tarea debe consistir en eliminar todos los hábitos retardatorios, y especialmente los movimientos labiales. Si se trata de una visión rápida y general del texto, el modo de leer será muy distinto del que corresponda si se busca recoger datos y detalles específicos o estudiar el tema con precisión. El método menos recomendable para la lectura rápida es, sin embargo, el más común: comenzar con la primera palabra del párrafo y leer hasta la última. Este método impide tener una visión sintética de toda la oración y distinguir lo esencial de lo accesorio. El lector experimentado sabe que cada conjunto orgánico de pensamientos comienza con un punto y aparte, y de inmediato trata de adquirir una visión *a vuelo de pájaro* de la totalidad del párrafo. Así adquiere una comprensión general del contexto sin necesidad de enredarse en los detalles secundarios. El arte de la lectura veloz consiste esencialmente en leer pensamientos, no palabras. A pesar de las contrariedades iniciales, quien practica este método no tardará en aumentar la velocidad de su lectura en 50%. Naturalmente, el método es impracticable si se trata de leer un tratado de filosofía; pero, es el único modo sensato y práctico de leer las noticias de los diarios.

3. La comprensión es el elemento más importante de toda lectura. El principal obstáculo que la perturba es la pobreza del vocabulario. Cuantas más palabras conozca el lector, tanto más fáciles resultarán sus lecturas. Nuestro vocabulario posee tres dimensiones y puede por tanto, aumentar en tres sentidos: en el número de palabras que se conozca, en la cantidad de significados conocidos para cada palabra y en la profundidad de la comprensión que poseamos de cada significado. Cualquier alum-

Existen muchos lugares donde comprar libros, dependiendo de los intereses que se tengan.

Corel Stock Photo Library

lectura

Corel Stock Photo Library

El gusto por la lectura puede llegar a todo tipo de personas.

no a nivel secundaria puede conocer alrededor de 40,000 acepciones, y una persona de cultura vasta puede reconocer más de 250,000, incluyendo su conocimiento de otros idiomas. Se ha demostrado que la persona que posee un vocabulario más amplio puede incorporar nuevas palabras al mismo con mucha mayor facilidad que el individuo cuyo vocabulario es limitado. El único modo de ampliar el número de palabras que se conozca consiste en prestar especial atención a cada nuevo término que aparezca en la lectura, repitiéndolo y tratando de aprehender todo su contenido, y acudiendo al diccionario si es menester.

Algunas técnicas accesorias pueden ayudar a mejorar la compresión de las lecturas:

a) Antes de leer detenidamente un texto –en especial si se trata de material didáctico– conviene leer rápidamente todos sus títulos y subtítulos. Si la presentación tipográfica de la obra es adecuada, el uso de letra negrita, itálica y versalita permitirá discernir de inmediato cuáles son los temas principales, qué contenido poseen sus diversas divisiones y cuáles son las definiciones que interesa recordar. De este modo el lector se forma un esquema mental del capítulo o texto que tiene ante la vista, y después de lo cual procede a la lectura detenida.

b) Muchos lectores leen un capítulo entero, o varias páginas, sin detenerse a recapitular lo ya leído; en esta forma se acumulan, en confusa visión caleidoscópica, ideas asimiladas a medias y párrafos mal comprendidos. La solución consiste en detenerse al final de cada subdivisión y verificar si se ha comprendido con claridad su idea central.

c) Otra técnica auxiliar consiste en tomar notas de lo que se lee. Lo ideal es que las notas sean sumamente breves y precisas, y que sean redactadas con las propias palabras del lector y no con las del libro, para evitar la simple transcripción mecánica y pasiva.

La lectura se realiza en todos los países del mundo.

Corel Stock Photo Library

d) Además de las notas, el lector podrá acudir al subrayado de los pasajes más importantes y al empleo de diversos signos para indicar la utilidad o el interés de un párrafo. Naturalmente, el subrayado excesivo carece de todo valor, y también es inútil subrayar lo que aparece destacado en la disposición tipográfica del texto. *Véase* LIBRO.

Lecuona, Ernesto (1896-1963). Compositor y pianista cubano. Su música cadenciosa, tropical y sentida es conocida en todo el mundo a través de obras como *María de la O, Malagueña, Danza negra, La comparsa y Siboney.* Compuso además varias obras sinfónicas, una de las cuales, *Rapsodia negra,* fue estrenada en el *Carnegie Hall* de New York. Ejecutando en el piano, viajó por Europa y América, y luego dirigió una orquesta popular en Estados Unidos.

Lecuna, Vicente (1870-1954). Historiador venezolano. Ingeniero de profesión, se dedicó a la formación del archivo de Bolívar y a la recopilación documental sobre este tema, y por su labor fue nombrado director de la Academia Nacional de Historia. Destacan sus obras *Papeles de Bolívar* (1917), *Cartas del Libertador* (11 vols. 1929-1948), *Obras completas del Libertador* (2 vols. 1947), *Crónica razonada de las guerras de Bolívar* (3 vols. 1950), *Catálogo de errores y calumnias en la historia de Bolívar* (3 vols. 1956-1958).

Lederberg, Joshua (1925-). Biólogo estadounidense. Profesor de genética de la Universidad de Wisconsin, Madison (1947-1958), y en la facultad de medicina de la Universidad de Stanford, Palo Alto, desde 1959. Director del departamento de genética de este último centro y, desde 1962, de los Laboratorios Kennedy de medicina molecular. Presidente de la Universidad Rockefeller desde 1978. Se le considera uno de los pioneros de la genética bacteriana. En 1946, junto con Edward Lawrie Tatum, puso de manifiesto la existencia en las bacterias de un mecanismo hereditario análogo al de los organismos superiores, con transmisión ordenada de la información genética. En colaboración con N. D. Zinder descubrió el mecanismo de transmisión genética en las bacterias a través de los bacteriófagos (transducción). Premio Nobel de Medicina o Fisiología, junto con G. W. Beadle y E. L. Tatum, en 1958.

Lederman, Leon Max (1922-). Físico estadounidense. Contribuyó en forma importante al estudio de las partículas fundamentales. Después de obtener su doctorado en la Universidad de Columbia en 1951, formó parte del cuerpo docente de ésta. En 1989 fue a la Universidad de Chicago y en 1992 al Instituto de Tecnología de Illinois. Fungió como director del *Fermi National Accelerator Laboratory* de Batavia, en Illinois (1979-1989). Entre 1960 y 1962 realizó, junto con M. Schwartz y J. Steinberger, una serie de experimentos en el *Brookhaven National Laboratory* que les llevaron a obtener por primera vez un haz de neutrinos y a descubrir la existencia de dos tipos diferentes de estas partículas: los neutrinos electrónicos y los muónicos. Por estos descubrimientos los tres investigadores compartieron el Premio Nobel de Física en 1988.

Le Duc Tho (1910-1990). Político vietnamita. Fundador del Partido Comunista Indochino (1930) y del Vietminh (1941), del que fue secretario general. Miembro del politburó de Lao Dong (1955) y de su secretariado (1960), representó a su país en la Conferencia de París (enero de 1973) que concluyó los acuerdos de paz para Vietnam. Se le otorgó junto con Henry Kissinger el Premio Nobel de la Paz en 1973, pero no lo aceptó. Posteriormente (1976) volvió a ser miembro del politburó. Abandonó el cargo en 1986.

Lee, David M. (1931-). Físico estadounidense. Profesor de física en el Colegio de Artes y Ciencias de la Universidad de Cornell. Se unió al Departamento de Física en 1959 después de obtener su doctorado en la Universidad de Yale. Entre 1966 y 1967 fue investigador invitado en el *Brookhaven National Laboratory*, profesor invitado en la Universidad de Florida de 1974 a 1975 y en la Universidad de California en San Diego en 1988. En 1966, compartió con Douglas D. Osheroff y Robert C. Richardson el Premio Nobel de Física por el descubrimiento de que el isótopo 3 del helio se convierte en superfluido a la temperatura de 0.15 K (-273.15 °C). Este hallazgo permitió avanzar mucho en la comprensión del comportamiento de los sistemas cuánticos de muchas partículas que interaccionan fuertemente, como ocurre en los líquidos superfluidos.

Lee, Robert Edward (1807-1870). General estadounidense. Estudió en la Academia Militar de West Point. En 1847 se distinguió en la guerra contra México. En 1852 fue nombrado superintendente de West Point. Al producirse la guerra de Secesión, aunque era enemigo de la esclavitud, consideró que era su deber servir a su estado (Virginia). Los estados confederados del Sur lo eligieron comandante en jefe. Buen estratega, durante la lucha ganó varias batallas, hasta que el 3 de julio de 1863 fue derrotado en Gettysburg, retirándose y perdiendo después la guerra en Appomatox el 9 de abril de 1865. Hasta su muerte dirigió el Colegio Washington de Lexington. Escribió sus *Memorias*.

Lee, Tsung Dao (1926 -). Físico chino nacionalizado estadounidense. Estudió en las universidades de Chekiang y del Suroeste y se doctoró en la de Chicago (1950). En el Instituto de Estudios Avanzados de Princeton realizó investigaciones sobre las leyes de la conservación en la teoría de las partículas elementales, y descubrió, en colaboración con el Físico Chen Ning Yang, el principio de no conservación de paridad (1956), por lo cual recibieron el Premio Nobel de Física en 1957.

Lee, Yuan Tseh (1936-). Químico chino nacionalizado estadounidense. Después de doctorarse en Berkeley en 1965 fue profesor de la Universidad de Chicago (1968-1974) y posteriormente en la de Berkeley. Allí amplió las investigaciones de D. R. Herschbach sobre la técnica de los haces de moléculas cruzados para analizar las reacciones químicas, posibilitando el estudio de las reacciones con moléculas mayores y más complejas. Por estos trabajos recibió el Premio Nobel de Química en 1986, junto con Herschbach y J. C. Polanyi.

Leeds. Importante ciudad industrial de Inglaterra, en el condado de York, con magníficas vías de comunicación terrestres, aereas y fluviales, pues se halla situada en ambas márgenes del río Aire. Su población es de 724,000 habitantes (1994). En sus cercanías hay grandes minas de carbón y de hierro; su industria de hilados y tejidos de lana es la más importante del país. De remoto origen, son muy visitadas las antiguas ruinas de la abadía de Kirkstall, situadas en pleno centro fabril. Tiene una importante universidad desde 1904, especializada en medicina.

Leeuwenhoek, Anton van (1632-1723). Naturalista holandés, llamado *el primer cazador de microbios* y *padre de la bacteriología*. De familia de comerciantes, fue tendero en Amsterdam y luego modesto empleado municipal en la pequeña ciudad de Delft. Puliendo él mismo sus lentes fabricó un microscopio, y luego otros muchos, hasta 250, logrando aumentos de 270 diámetros. No vendió ninguno, pero los regaló a instituciones científicas y a investigadores. Aunque carecía de educación científica, tenía un gran talento natural para la observación cuidadosa. Fue el primero que vio en el agua de lluvia y en otros líquidos lo que ahora conocemos como bacterias y microbios. Con incansable constancia refería sus aventuras microscópicas en las cartas (que llenan cuatro tomos) que dirigía a la Real Sociedad de Londres, que por unanimidad lo eligió miembro en 1680, correspondiendo él con el regalo de 26 microscopios. Hizo interesantes descubrimientos sobre los capilares sanguíneos, que, estudiados por Marcello Malpighi, permitieron conocer la circulación capilar; realizó estudios sobre los glóbulos rojos de varios animales y los del hombre; descubrió las bacterias y los protozoarios que permanecieron olvidados hasta los perfeccionamientos del microscopio en el siglo XIX; estudió la constitución y desarrollo de la hormiga, el funcionamiento del aparato hilador y de la secreción del veneno en las arañas; describió los ojos compuestos de los insectos, y dio interesantes detalles sobre la estructura del ojo, la piel, los dientes y los músculos. Combatió la teoría de la generación espontánea muy arraigada en su tiempo.

legado. Representante que el papa envía a alguna nación con objeto de que ejerza, en su nombre y por su encargo, una determinada misión. Los legados pontificios, que tuvieron gran influencia en la Edad Media, pertenecen hoy a tres categorías. La primera está compuesta por los legados a *látere*, que siempre son cardenales y representan al papa en circunstancias muy importantes. La segunda comprende los nuncios e internuncios, que tienen jerarquía de arzobispo y actúan como representantes pontificios en las capitales de los países cristianos. La tercera es la de los delegados apostólicos, que actúan en los países de misión.

legalización de documentos. Formalidad jurídico-administrativa en mérito de la cual un documento expedido por las autoridades de una jurisdicción –actas de nacimiento o defunción, títulos universitarios, etcétera–, surte efecto legal ante las autoridades de otra. Como puede comprenderse, el primer requisito que debe reunir un documento para ser válido es el de su autenticidad, esto es, que no haya sido falsificado. Cuando se desconocen las firmas de aquellos que lo han expedido –jueces, notarios, etcétera–, se recurre al procedimiento de la legalización. Un representante autorizado de la institución o país en que dicho documento se ha emitido, y que resida en el lugar donde se presenta, declara entonces conocer el sello de la institución que lo expidió.

Legarda, Bernardo de (1700?-1773). Escultor y pintor ecuatoriano, nacido y fallecido en Quito. Junto con Manuel Chili (*Caspicara*) es la máxima figura de la escultura quiteña en el siglo XVIII. En sus obras, de inspiración religiosa manifiesta una versión muy personal de la gracia y del movimiento que caracterizan al rococó hispanoamericano. Dentro de su labor escultórica, se destacan la *Inmaculada Concepción*, del

Legarda, Bernardo de

templo de San Francisco; el *Ecce Homo* de la iglesia de la Merced; la imagen de *Santa Rosa de Lima* del Museo de Arte Colonial de Quito, y el *Altar Mayor* de la iglesia de Cantuña. Entre sus cuadros, es preciso destacar la *Adoración de los Reyes Magos* y la *Dolorosa* de la capilla del Rosario, en Quito. Sus obras lograron gran fama y su área de difusión se extendió por toda la América del Sur, desde Lima a Popayán.

Legazpi, Miguel López de. *Véase* LÓPEZ DE LEGAZPI, MIGUEL.

Léger, Fernand (1881-1955). Pintor francés. Fue una figura importante en el desarrollo del cubismo y un expositor principal en el desarrollo de la cultura artística moderna, tanto tecnológica como urbana. Después de mudarse a París (1900), se dedicó al bosquejo arquitectónico y al retoque fotográfico. Realizó estudios informales en la Escuela de Bellas Artes (Ecole des Beaux-Arts) y en la Academia de Julián (Académie Julien). Alrededor de 1911, Lórger ya se había convertido en un miembro clave en la evolución del movimiento cubista.

Su estilo muy personal de cubismo, se caracteriza por el uso de formas tabulares y fraccionadas, así como colores brillantes resaltados por la yuxtaposición de éstos con frescos blancos, un esquema decorativo que convierte al sentido de forma en relieve. Sus grandes obras en este periodo cubista incluyen *La Noce* (1911-1912), *Woman in Blue* (1912), y *Contrasts of Forms* (1913).

Después de la primera Guerra Mundial, Lóger enfocó su obra a las imágenes urba-

Salvat Universal

Fernand Léger. Los albañiles.

nas y de máquinas, que lógicamente lo guió a que se asociara con el purismo de Le Corbusier y Amédée Ozenfant. En pinturas tales como *The Mechanic* (1920) y *Three Women* (1921), se percibe su agrado por el uso de formas monumentales nítidamente delineadas, moldeadas en planos y colocadas en espacios profundos. Se enfocó a pintar escenas de la vida proletaria, tal es el caso de *Great parade* (1954). Una gran retrospectiva del trabajo de Lórger fue exhibida en la Beaubourg en París así como en el museo de Arte Moderno en la ciudad de New York en 1998.

legión. Cuerpo romano de tropa integrado por infantería y caballería, que fue la mayor innovación militar de su época, y posteriormente sirvió para modelar el primer ejército que tuvo base estratégica en su organización. La historia admite que los romanos llegaron a condensar en su milicia legionaria *la suma perfección de los tiempos que vivían.*

Las fuerzas de la legión fueron muy variables, así como su composición. En los tiempos del historiador griego Polibio (150 a. C.), que ha sido su mejor crítico y comentador, la legión se componía de divisiones de 4,000 a 5,000 hombres, más los combatientes de fuera de sus filas. Bajo César y durante el imperio tuvo 6,000 hombres, que se repartían en 10 cohortes (600 soldados cada una) de tres manípulos (200 hombres cada manípulo). La legión avanzaba en tres filas, compuestas por hastarios la primera, príncipes la segunda, y triarios la tercera.

Cada columna iba reemplazando sucesivamente a la anterior y ésta pasaba a formar a retaguardia, de modo que siempre se luchaba con tropas frescas. Antes de la batalla, los vélites se dispersaban al frente espiando y molestando al enemigo. Luego se situaban a los costados, junto a la caballería, para perseguir o reforzar con ésta. La legión romana superó a la falange griega por su organización y, particularmente, por su extraordinaria rapidez en los movimientos.

legión árabe. Fuerzas militares formadas en el reino de Transjordania en 1923. Al declararse el territorio independiente en este año, el rey Abdullah Ibn-Husein proyectó la creación de tropas disciplinadas. Fueron instruidas por oficiales británicos. Su número alcanzó los 25,000 hombres.

legión de Honor. Orden y condecoración francesas creadas por Napoleón Bonaparte en 1802 para *honrar a los ciudadanos* que por su saber, su talento y sus virtudes, contribuyan a consolidar o defender los principios de la República o a respetar y amar la justicia y la administración común.

Es la primera condecoración democrática, pues todas las anteriores se ajustaban al concepto de nobleza clásico. Todos los ciudadanos pueden obtenerla sin distinción de origen, de clase social o de religión; el nombramiento es vitalicio y su pérdida sólo puede producirse por atentado contra la honorabilidad. La restauración borbónica de 1814 introdujo en ella modificaciones como sustituir la efigie de Napoleón por la de Enrique IV.

Con Luis Felipe, la Legión de honor ganó prestigio que fue acrecentado por Napoleón III al restituirle todas sus prerrogativas y reglamentar su estructura con dis-

Actores Ingleses representando a una legión romana.

Corel Stock Photo Library

Salón del congreso legislativo en Berlín, Alemania.

posiciones todavía vigentes. El jefe de Estado es el gran *maestre*, con dignidad de collar; un canciller ejerce la administración asistido por el consejo de la orden que se compone de 14 miembros. Tiene ésta la sede en París, en el palacio de su nombre, y su presupuesto está anexado al del ministerio de Justicia. Los grados de esta condecoración son cinco: gran cruz, gran oficial, comendador, oficial y caballero. Poseyeron esta cinta roja: Pierre-Simón, marqués de Laplace, el naturalista Lacépede, Georges Louis Leclerc, conde de Buffon, Gaspard Monge, René Cassini, Georges Cuvier, Jaques Étienne y Joseph Michael Montgolfier, Jean Antoine Houdon, Johann Wolfgang Goethe, etcétera, y mujeres como George Sand, la pintora Rosa Bonheur, la telegrafista Juliette Dodu, la cantinera Jarrethout, la enfermera Carolina Frag, la condesa Anna Elisabeth Brancovan de Noailles, la actriz Sara Bernhardt y la bailarina española Antonia Mercé Argentina. *Véase* CONDECORACIÓN.

legión extranjera.

Regimiento de voluntarios internacionales que con este nombre fue incorporado al Ejército de Francia en 1831 por el rey Luis Felipe, quien dispuso que se trataría de un cuerpo de infantería ligera que recibiría a todos los extranjeros en condiciones de obtener su carta de naturalización. Por esta razón sus reglas iniciales no fueron muy severas y se liberalizaron mucho más en la práctica, al punto de constituir una milicia de extrañas características: no se exige dato oficial sobre su estado civil al enganchado, que da los detalles que sean de su gusto y nadie se preocupa de su identidad; pero

debe respetar la más rígida disciplina militar y cumplir con honor todas sus obligaciones. A sus filas llegan hombres que huyen de la justicia y otros para quienes la vida ha perdido interés. Se tiene derecho a llevar permanentemente en su bandera la medalla militar de la Legión de honor, al que ha merecido por sus servicios. El arrojo de sus hombres y su resistencia ante todas las contrariedades le ha creado un ambiente de leyenda y muchos son los legionarios que han vuelto a la sociedad a rehacer sus vidas. Desde su creación, la Legión Extranjera ha tomado parte en las acciones militares y en las guerras que ha sostenido Francia.

Se llama legión extranjera también al cuerpo de voluntarios españoles y extranjeros que en 1920 organizó en Marruecos el entonces teniente coronel José Millán Astray con el título de Tercio de extranjeros, siendo su primer jefe; y que estaba formado por tres banderas o batallones, dirigiendo uno de éstos el comandante Francisco Franco, que posteriormente fue jefe del estado español. Esta Legión extranjera de España participó en toda la campaña de pacificación del protectorado de su país en Marruecos hasta 1927. En 1925 cambió su nombre por el de Tercio de Marruecos. Participó en 1934 en la represión de un movimiento revolucionario en Asturias y Cataluña, y en 1936 constituyó el grueso de las fuerzas nacionalistas que desde Marruecos, cruzando el Estrecho de Gibraltar, hicieron la campaña hasta entrar en Madrid. En 1939, el cuerpo fue reorganizado en tres tercios y desde ese año forma parte del Ejército Regular Español, con campamento principal en Ceuta (Marruecos).

legislación.

Conjunto de leyes positivas que regulan la vida jurídica en sus diversas manifestaciones y por las cuales se gobierna un Estado. La legislación es nacional cuando comprende las leyes de una nación, y universal si comprende las de todos los países. Se llama histórica a la que rigió en tiempos pasados, y vigente a la que rige en el momento actual. Según los asuntos a que se refiera, puede tratarse de legislación civil, mercantil, penal, obrera, etcétera. Se denomina legislación comparada a la ciencia jurídica que consiste en comparar distintas legislaciones para observar sus diferencias y semejanzas, y proporcionar al legislador las enseñanzas necesarias para corregir y mejorar el sistema jurídico en vigor. *Véanse* DERECHO; LEY.

Legislativo, poder.

Rama del gobierno que redacta y aprueba las leyes. En la mayoría de los países, la tarea de gobernar se halla dividida entre tres poderes: el Ejecutivo, el Legislativo y el Judicial. El primero administra el país, el segundo aprueba sus leyes y el tercero aplica la justicia. Las tareas legislativas se encuentran en manos de un cuerpo colegiado que recibe nombres muy diversos, pero que, en esencia, representa al pueblo y trata de expresar su voluntad en las normas legales.

El organismo investido del poder Legislativo ha recibido gran número de nombres. Se llama Congreso en Estados Unidos, en Argentina y otros países latinoamericanos; Parlamento nacional, en Brasil; El Salvador, Panamá y Guatemala es conocido como Asamblea nacional; en Uruguay se llama Asamblea General; en Haití, Cuerpo Legislativo. Diferencias parecidas se advierten en Europa. En Gran Bretaña y Francia recibe el nombre de Parlamento; en Polonia se llama Dieta; en España, Cortes; en Alemania, Reichstag; en la Italia fascista se le conocía como Cámara de las Corporaciones.

Historia. Aunque las tribus y los clanes primitivos ya tenían asambleas que tomaban las decisiones de mayor interés colectivo, el origen directo del poder Legislativo moderno se halla en Grecia y Roma. En las ciudades-Estados de la Península Helénica se reunía una asamblea popular, llamada *ecclesia*, compuesta por la totalidad de los ciudadanos. En los primeros tiempos de la historia romana aparecen los comicios, representantes de las *curias*, *centurias* y *tribus*. Más adelante aparece el *concilium plebis*, o asamblea de la plebe, que sólo representaba a las clases inferiores. Estas asambleas eran inferiores al Senado, encarnación máxima de la democracia romana. Después de experimentar diversas crisis en los periodos de absolutismo, las legislaturas reaparecieron en la época feudal bajo una forma distinta. Los reyes eran asesorados por consejos que representaban a

Legislativo, poder

los tres *Estados* u órdenes de la sociedad: la nobleza feudal, el clero y los pobladores de las ciudades libres. En los primeros tiempos estos cuerpos no eran legislativos en sentido estricto, porque no redactaban leyes; se limitaban a solicitar o *suplicar* al rey la concesión de ciertas ventajas o el perdón de las ofensas. Pero, con el tiempo, y siguiendo el proceso político que conduce de lo simple e indiferenciado a lo complejo y multiforme, comenzaron a redactar leyes y ordenanzas.

Formas actuales. En nuestro tiempo existen dos grandes sistemas legislativos: el democrático y el dictatorial. En el primero, los legisladores no pertenecen únicamente al partido que está en el poder, sino también a núcleos opositores, un ejemplo clásico se ve en el Parlamento de Gran Bretaña, donde conviven un movimiento de *derecha* (el Partido Conservador), otro de *centro* (el Partido Liberal) y un tercero de *izquierda* (el Partido Laborista), junto a diversos núcleos menores. En la forma dictatorial los legisladores sólo representan a la facción gobernante; ningún opositor puede hacer oír su voz, y las leyes aprobadas responden estrictamente a los puntos de vista del gobierno. En rigor, estos cuerpos no son legislativos sino asambleas encargadas de dar una sanción más o menos popular a las leyes que preparan los técnicos del gobierno.

El poder Legislativo en los países democráticos, a su vez, puede pertenecer a dos clases principales. En el sistema parlamentario, que se practica en Canadá, Francia, Gran Bretaña y Australia, tiene grandes poderes. En su primera reunión elige al primer ministro y a su gabinete, y en cualquier momento puede negarles su voto de confianza, haciéndolos abandonar el poder. El primer ministro y el gabinete constituyen una especie de comité directivo de la asamblea. Por tanto, el primer ministro sólo puede gobernar mientras cuenta con el apoyo de la legislatura a que pertenece. La segunda forma que puede adoptar el poder Legislativo democrático pertenece al llamado sistema presidencial, que se practica en casi todas las repúblicas americanas. En ellas, el presidente de la República es elegido por el pueblo y no por la legislatura; sigue gobernando aunque ésta no lo apoye, y entre ambos poderes existe una verdadera separación legal. Examinaremos a continuación el funcionamiento de dos legislaturas típicamente democráticas, una de cada sistema.

El Parlamento inglés ha surgido al cabo de una dura y aleccionadora experiencia histórica. Durante la Edad Media estuvo dividido en dos ramas, la Cámara de los lores y la Cámara de los comunes, que obraban de común acuerdo con el rey, quien también podía aprobar leyes. Algunos reyes intentaron adueñarse de la potestad legislativa, lo que condujo a sangrientas revoluciones y guerras civiles. Después de varios siglos de conflictos intermitentes, la Ley de Derechos aprobada en 1689 privó al rey de la facultad de hacer leyes. Desde entonces, se dice en Gran Bretaña que *el rey reina, pero no gobierna*. Tiene el derecho de estar presente en la Cámara de los lores sin participar en los debates, pero hace 200 años que no ejerce esta prerrogativa. La Cámara de los comunes, verdadero cuerpo legislativo del país, está compuesta por 625 miembros, elegidos por el pueblo de los condados y los burgos. Hay nueve miembros que representan a los profesores y alumnos de las universidades. Ningún clérigo ni funcionario municipal puede pertenecer a ella. Aunque el rey no puede penetrar en el recinto, se permite que los miembros de la familia real oigan los debates desde una habitación vecina, como simples ciudadanos. La Cámara de los lores, que representa a la nobleza y a la Iglesia Anglicana, cuenta con 840 miembros; sus funciones han ido declinando y hoy sólo conserva un valor simbólico y tradicional.

El Congreso de Estados Unidos, utilizado como modelo por los constituyentes de varias repúblicas latinoamericanas, responde al sistema presidencial. Se halla compuesto por dos cámaras: el Senado y la Cámara de representantes. Esta división tiene dos propósitos: en primer lugar, trata de asegurar mejor elaboración de las leyes y una fiscalización recíproca de ambos organismos; en segundo término, busca asegurar una eficaz representación nacional. Al redactarse la Constitución estadounidense, los estados más grandes pidieron que los miembros del Congreso fueran elegidos de acuerdo con la población de cada territorio; los más pequeños arguyeron que cada Estado debía tener un número fijo de representantes. Se optó por respetar ambas opiniones: el Senado consta de 96 miembros, elegidos a razón de dos por cada Estado, y la Cámara 435, elegidos proporcionalmente a la población de cada distrito. Los senadores duran seis años en sus cargos y los representantes sólo permanecen dos años en ellos.

Las dos formas de poder Legislativo que hemos examinado se basan en el sistema bicameral esto es, en un poder Legislativo compuesto de dos cámaras. Pero, algunos países prefieren, para simplificar y acelerar los trámites, el sistema unicameral, en que la legislatura consta de una sola Cámara. Este sistema rige en Costa Rica, El Salvador, Honduras, Nicaragua, Panamá y Paraguay.

Formas de elección. En una democracia, todos los ciudadanos participan, teóricamente, en el gobierno del país. Pero, –dejando de lado las medidas extraordinarias, como el plebiscito y el referéndum– esta participación sólo cobra importancia concreta al elegir a los representantes que habrán de encarnar la voluntad popular. Así surge el problema del sufragio: ¿Quiénes pueden votar? ¿Cuánto vale cada voto? En todos los países democráticos priva la idea del sufragio universal: cada ciudadano adulto y no incapacitado legalmente tiene un voto. Los adversarios del sistema arguyen que el voto de un académico no puede valer lo mismo que el de un analfabeto, que el de un padre de familia no es idéntico al de un individuo soltero, etcétera. Agregan que los partidos políticos no son, por regla general, la encarnación de los verdaderos intereses familiares, económicos, profesionales y culturales del país. Proponen sustituir el voto individual por el familiar y la representación de los partidos por la representación de los intereses y las profesiones. El primer sistema se ensayó en Bélgica; el padre de familia recibía dos votos y la persona que había cursado estudios universitarios, tres. Pero el método no dio los resultados esperados y fue abandonado. La representación de las profesiones ha sido defendida por diversos movimientos políticos, pero su partidario más ardiente fue el fascismo italiano, que creó una Cámara Corporativa en la que estaban representados los cuerpos que encarnaban a todas las profesiones del país. Se decía que esta forma de poder Legislativo era la encarnación de las verdaderas fuerzas y aspiraciones de la nación, pero, en la práctica, fue un instrumento sujeto al arbitrio de Benito Mussolini, su jefe omnipotente. Los estudiosos de la ciencia política dicen que las cámaras gremiales, sindicales, profesionales o corporativas tienden a ser más egoístas y estrechas que las formadas por miembros de partidos políticos.

El poder legislativo en Latinoamérica. Casi todos los parlamentos de América Latina siguen el modelo presidencial de Estados Unidos. Sin embargo, Uruguay y Cuba han adoptado algunos aspectos del sistema parlamentario de Gran Bretaña. En general, los poderes legislativos del continente sudamericano no poseen la fuerza y la independencia del estadounidense; las frecuentes revoluciones, el predominio del poder Ejecutivo y la inestabilidad general de las instituciones perturban la labor de los congresos. En Costa Rica, Guatemala, Honduras, Panamá, El Salvador, Ecuador y Paraguay las legislaturas constan de una sola Cámara. Las legislaturas de los países restantes son bicamerales.

legua. Medida itineraria, usada antiguamente en los más diversos pueblos. Tiene distinta dimensión la legua marina (5,572 m) de la terrestre (4,225 m) y de la geográfica, basada esta última en las dimensiones de la Tierra. Existen grandes diferencias entre las usadas en los diversos países

Legumbres secas varias.

y, aun, entre las de las distintas regiones de un mismo país.

Leguía, Augusto Bernardino

(1863-1932). Político peruano. Fue ministro de Hacienda con Pardo (1904-1908), a quien sucedió en la presidencia (1908). Al término de su mandato (1912) se exilió a Europa. Regresó a Perú en 1919, tras el triunfo de un golpe militar que le colocó de nuevo en la presidencia. Instauró una dictadura con apariencia de legalidad; un plebiscito refrendó la reforma de la Constitución, modificada de nuevo en 1923 a fin de posibilitar su reelección (1924 y 1929). Firmó con Chile (3 de junio de 1919) el acuerdo mediante el cual Tacna entró a formar parte de Perú y Arica se constituyó en provincia chilena; el mismo año puso fin a la disputa con Colombia (tratado de Salomón-Lozano). Su dictadura duró hasta el *crac* de 1929, que originó el golpe militar de Sánchez del Cerro, iniciado en Arequipa (22 de agosto de 1930), que le derribó del poder.

Leguizamón, Martiniano (1858-

1935). Periodista, profesor, crítico, autor teatral e historiador argentino, de cualidades excepcionales, ya que en todos los géneros por él cultivados dejó profunda huella, orientada y definida hacia el amor y la exaltación de la patria. Obras: *Alma nativa* (1906), *De capa criolla* (1908), *La cinta colorada* (1916), *Montaraz* (1900) y *Calandria* (1896) obra teatral. El libro *Recuerdos de la Tierra* (1896) configura un valioso intento autobiográfico.

legumbres. Vocablo que designa aque-

llos frutos o semillas que se crían en vainas, aunque, por extensión, se les llama así, también a las hortalizas. Gran parte de las legumbres pertenecen a la familia de las legu-

minosas, y entre las principales figuran las judías, lentejas, guisantes, habas, frijoles, habichuelas y garbanzos. Las legumbres pueden consumirse frescas, secas, desecadas y en conserva.

leguminosas. La familia de las legumi-

nosas es una de las mayores del reino vegetal, sólo superada por la familia de las compuestas. Las leguminosas comprenden unas 10,000 especies. Casi todas ellas se caracterizan por dar frutos en forma de vaina; las flores pueden ser tanto regulares como irregulares. La mayoría de estas plantas es de gran utilidad para el hombre. Los guisantes, las judías, las habas, las lentejas, los garbanzos, pertenecen a este grupo de plantas. Algunos oleaginosos, como el maní o cacahuete, son también de esta familia. De la leguminosa conocida con el nombre de añil se obtiene una sustancia colorante. Resinas, gomas y bálsamos se extraen de plantas leguminosas. La alfalfa (utilizada en todo el mundo como forraje), el trébol, la acacia, el aromo, el regaliz, pertenecen asimismo a esta numerosa familia. Característica muy notable de todas las plantas en su propiedad de fijar en el suelo el nitrógeno que extraen del aire.

Lehar, Franz (1870-1948). Composi-

tor húngaro. Fue director de orquesta en Viena. Compuso poemas sinfónicos y música para orquesta. En 1896 estrenó la ópera *Kukuska*, pero su gran popularidad la debió a sus operetas, a partir de *La viuda alegre*, estrenada con gran éxito en 1905. Otras de sus conocidas operetas, de las que escribió más de 30, son *El conde de Luxemburgo*, *Eva*, *Paganini* y *Amor gitano*.

Los guisantes son parte de la familia de las leguminosas.

Lehn, Jean-Marie (1939-). Químico

francés. En 1963 se doctoró en química por la universidad de Estrasburgo e impartió clases ahí a partir de 1970. Desde 1979 es profesor del Colegio de Francia de París. Siguiendo la línea de investigación por Ch. J. Pedersen con los éteres en corona, sintetizó moléculas que por su configuración espacial eran capaces de combinarse selectivamente con átomos de determinados elementos metálicos, de modo parecido a como las enzimas naturales se combinan con sus sustratos. Estos trabajos, que representaron un avance decisivo en la síntesis de moléculas que imitan el comportamiento químico de los sistemas orgánicos, le valieron el Premio Nobel de

Las leguminosas son complemento de una alimentación balanceada.

Química en 1987, compartido con Pedersen y D. J. Cram.

Leibniz, Gottfried Wilhelm (1646-1716). Filósofo y hombre de ciencia alemán. Entre sus obras fundamentales se destacan *Discurso de metafísica, Monadología* y *Teodicea*. En la *Monadología* expone que el universo está formado por una jerarquía de seres independientes llamados *mónadas*. Esta jerarquía, dispuesta por su creador, responde a un plan armónico donde todo es perfecto. El mal, por su parte, sería inevitable y fundamentalmente necesario para el mantenimiento de esa armonía; de donde se deduce, lógicamente, que el mundo en que vivimos es *el mejor de los mundos posibles*. (La obra *Cándido* de Francois Marie Aouret Voltaire es una sátira de esta idea). Leibniz fue además un notable matemático que descubrió independientemente de Isaac Newton los principios fundamentales del cálculo diferencial e integral, cálculo infinitesimal y fue un constante propugnador de la unidad europea. Murió pobre y olvidado en Hannover.

Leiden, Lucas van (1494-1533). Grabador y pintor holandés. Comenzó a grabar a los ocho años, alcanzando a los 16 la perfección que denota su famosa *Lechera*, considerada como un hito en la historia del grabado. Fue uno de los introductores del naturalismo en obras maestras como *El juicio final, Lot y sus hijas* y el tríptico de la *Curación del ciego de Jericó*.

Leif, Eriksson. Navegante escandinavo del siglo XI, hijo de Erik *el Rojo*, a quien se tiene por el primer europeo que pisó las costas de América del Norte. Luego de tocar Terranova llegó a una costa que llamó *Vinland* por sus abundantes viñedos; se supone que la región pertenecía a la parte norte del continente americano.

Leigh, Vivien (1913-1967). Actriz inglesa, nacida en la India. Actuó primero en el teatro y posteriormente desempeñó en el cine los principales papeles de las siguientes películas: *Lo que el viento se llevó*, que le valió el premio de la Academia de Artes y Ciencias Cinematográficas de Hollywood (Oscar); *La divina dama, El puente de Waterloo, César y Cleopatra, Un tranvía llamado Deseo*, entre otras. En 1940 se casó en segundas nupcias con el actor inglés Laurence Olivier, de quien se divorció en 1960.

Leighton, Frederic (1830-1896). Pintor inglés, especializado en cuadros de Grecia y Roma clásicas, expresados plásticamente con un criterio más arqueológico que pictórico. Fue presidente de la Real Academia y de la Cámara de los Pares. Su cuadro *La virgen de Cimabue llevada en triunfo por Florencia* fue elogiado por John Ruskin y adquirido por la reina Victoria. Otras pinturas famosas son *El baño de Psique, Doncellas griegas jugando a la pelota* y *Clitemnestra*.

Leipzig. Ciudad alemana del viejo reino de Sajonia, situada en una llanura 100 m sobre el nivel del mar, en la confluencia de los ríos Pleisse, Pharte y Weisse-Elster, 106 km al noroeste de Dresde. Es una de las principales ciudades de Alemania por su industria y comercio. Centro científico, artístico y cultural que figura entre los primeros de Europa. Población: 511,079 habitantes.

La parte antigua de la ciudad, cuyo centro es la Plaza del Mercado, constituye uno de los más interesantes puntos evocativos del Viejo Mundo. Allí están la iglesia de Santo Tomás, la antigua colegiata fundada por los Agustinos en 1213 y de la que fue organista Johann Sebastian Bach; la universidad, fundada en 1409; la Casa Consistorial, abierta en 1556, y el edificio de la Bolsa, construido en 1678. Mientras el comercio ha ido convergiendo hacia el viejo sector, las afueras han reunido las actividades, comodidades y bellezas de la vida moderna: suntuosos edificios, amplias avenidas y hermosos paseos, en que se levantan los monumentos de Gottfried Wilhelm Leibniz, Gellert, Martin Lutero y Hahnemann –el padre de la homeopatía–, la facultad de medicina, el jardín botánico, el museo etnográfico, la bolsa de los libreros, las iglesias de San Juan y San Nicolás y el Teatro Viejo. Leipzig es famosa por sus ferias y su industria editorial. Sus instituciones científicas (astronomía, medicina, geografía, etcétera.) se crearon en el siglo XVII y poseen archivos y laboratorios de valor extraordinario. Es la patria de Leibniz, Richard Wagner y del célebre astrónomo Jacob Burckhardt.

La ciudad de Leipzig fue fundada a fines del siglo IX y 200 años después comenzaba su extraordinario desarrollo, favorecida por su posición geográfica, en el cruce de las rutas del este y del oeste de Europa. Su mayor auge lo alcanzó en la Edad Media. Allí tuvo lugar en 1519 la célebre entrevista de Lutero, Eckhart y Harlstadt. En sus campos el rey protestante Gustavo Adolfo venció a la liga católica de Europa (1631), y también se libró la batalla de las Naciones (1813), en la que los prusianos, suecos, rusos y austriacos derrotaron a las fuerzas de Napoleón, obligándolas a salir de Alemania.

leitmotiv. Término musical alemán que significa *motivo conductor*. Fue utilizado por primera vez (1887) por Hans von Wolzogen para indicar un fragmento melódico, un motivo característico que precisa a un personaje, situación o sentimiento y que vuelve al oído del auditor cada vez que se presenta ese personaje, sentimiento, etcétera. El estudio de las óperas de Richard Wagner popularizó el uso de la palabra.

lejía. *Véase* SOSA.

Leloir, Luis Federico (1906-1987). Bioquímico argentino que obtuvo el Premio Nobel de Química en 1970 por sus estudios de los procesos que descomponen los azúcares del cuerpo en moléculas más sencillas. Leloir también estudió la oxidación de ácidos grasos, la estructura de la lactosa (azúcar de leche) y la síntesis de glucógeno. Fue director del Instituto de Investigaciones Bioquímicas en Buenos Aires y también impartió clases en la Universidad de Buenos Aires.

Lemaire, Jacobo (?-1616). Marino y explorador holandés que descubrió en la extremidad de la Tierra del Fuego un canal (Estrecho de Lemaire) que lo condujo al Mar del Sur y llegó a Batavia. Apresado por el gobernador de la Compañía de las Indias Holandesas, murió en la travesía de regreso.

Le Mans. Ciudad en el valle del Loira, en el noroeste de Francia, en la confluencia de los ríos Sarthe y Juisne, aproximadamente 185 km al suroeste de París. Es un centro industrial y comercial, tiene una población de 145,502 habitantes (1990). Sus manufacturas incluyen maquinaria para ferrocarriles y automóviles, textiles, plásticos y productos de tabaco. *El Grand Prix* de las 24 horas de Le Mans se lleva a cabo al sur de la ciudad.

Le Mans fue habitada desde el siglo V a. C. La antigua ciudad amurallada, fortificada por los romanos, es la ubicación de la catedral de San Julio (s. XI-XV), la iglesia de Nuestra Señora de la Costura (s. X-XIII) y la iglesia de Santa Juana de Arco (iniciada en el s. XI). Durante la guerra de los Cien Años la ciudad fue sitiada por los ingleses en cinco ocasiones y fue ocupada por los alemanes en 1871.

lemming. Mamífero roedor de la familia de los arvicólidos que abunda en los países escandinavos, principalmente Noruega. Mide aproximadamente 12 cm de largo, sin incluir la cola; su color es de tono castaño amarillento con manchas oscuras, tiene una cabeza grande y patas cortas y anchas. Otros tipos de este roedor viven en diversas regiones árticas. En invierno perforan largos túneles bajo la nieve en busca de alimento. Rasgo interesante de los lemmings escandinavos son los viajes que hacen en manadas. Con intervalos de 5 a 20 años bajan de las montañas en cantidades enormes y atravesando campos de cultivo, cruzando ríos y pasando a través de grandes almiares se dirigen al oeste hacia el Atlántico, o al este hacia el Golfo de Botnia. Arrasan cuanto encuentran a su paso, nada hay que los contenga y son para los campesinos una plaga temible. Los que en esta emigración no perecen bajo las garras de los mamíferos carniceros y aves de rapiña que los siguen, al llegar al mar penetran en él y avanzan nadando hasta ahogarse. Existen muchas teorías sobre estas migraciones, creyéndose que se producen cuando escasea el alimento en las montañas a causa del aumento de su población.

Lempira. Departamento de la República de Honduras que limita con los de Ocotepeque, Copán, Santa Bárbara, Intibucá y la República de El Salvador. Lo atraviesa el río Mocal. Comprende cinco distritos y 27 municipios y tiene una extensión de 4,290 km², 180,000 habitantes (1995) y su capital es Gracias (3,850 h). Su riqueza se basa en la agricultura (tabaco, café, cacao), la ganadería y la minería.

lémur. Mamífero prosimio de la familia de los lemúridos, relacionado con los monos. Es de piel suave y larga cola, mide 90 cm de longitud, de los cuales más de la mitad pertenecen a la cola. Su nombre puede traducirse por *fantasma*; se le ha sido llamado así a causa de su raro aspecto y su grito agudo, semejante al aullido de un perro. Habita en los bosques de Madagascar, África central, y sur de Asia; es de hábitos nocturnos y se alimenta de frutas, insectos, roedores, reptiles, aves y huevos. Los lémures de Madagascar, o *makíes*, son animales de hocico puntiagudo como el de un zorro; en el centro de la isla vive una especie de cola anillada, blanca y negra, y en la costa oriental una de pelaje blanco y otra rojiza. Entre los lémures africanos se destaca el de Senegal, de ojos enormes, larga cola y torso muy alargado. El lémur de Sri Lanka carece de cola y se caracteriza por su extremada delgadez; el de Bengala, en cambio, es un animal rechoncho, que presenta alrededor de sus ojos gruesos círculos, a semejanza de unas gafas negras.

Lemuria. Nombre de un continente desaparecido que se supone abarcaba África y el océano Índico hasta el Archipiélago Malayo, con Madagascar y todos los grupos de islas intermedios. Se cree que Lemuria desapareció bajo las aguas a causa de grandes cataclismos geológicos durante la era mesozoica.

Le Nain. Apellido de los pintores franceses *Antoine* (1588?-1648), *Louis* (1593?-1648) y *Mathieu* (1607-1677). El más importante de estos tres hermanos es indudablemente Louis, autor de cuadros

Corel Stock Photo Library

Lémur con su cría en Madagascar.

sobrios, algo influidos por Michelangelo Mersi Caravaggio, y que a veces representan escenas populares, con trabajadores y campesinos, sin los elementos mitológicos tan comunes en la pintura de la época. *El carro de heno*, *La forja*, son algunas de sus obras. *Antoine* pintaba cuadros pequeños y simples; *Mathieu*, obras alegóricas y retratos.

Lenar Philipp (1862-1947). Físico húngaro. Profesor de las universidades de Kiel y Heidelberg. Sus estudios principales se refieren a la propagación y emisión de la luz, y los problemas de la ionización. En 1894 descubrió que los rayos catódicos observados en los tubos de Crookes se propagan igualmente en el aire a la presión atmosférica que en el interior del tubo, sin perder sus propiedades, preparando así el descubrimiento de los rayos X por Röntgen Wilhelm Conrad. Formuló una teoría sobre el átomo. Por todas estas investigaciones le fue otorgado, en 1905, el Premio Nobel de Física y la medalla Franklin del Instituto del mismo nombre, de Philadelphia. Dirigió el Instituto de Física de Kiel y el Centro Radiológico de Heidelberg.

lengua. Conjunto de formas de expresión propias de un pueblo o nación, caracterizado por disponer de pronunciación, vocabulario y estructuras propias. También se le llama idioma, aunque, en rigor, esta palabra designa un concepto más restringido, así, se habla de la lengua galaicoportuguesa y del idioma portugués. La lengua es una forma del fenómeno general llamado lenguaje, que es cualquier sistema de expresión susceptible de dar a entender ideas. Un lenguaje puede comprender uno o más *dialectos*, que participan de sus rasgos generales, pero que poseen accidentes o matices propios y cuyo uso se circunscribe a una zona más o menos reducida del territorio dominado por la lengua. La *lengua franca* resulta de la mezcla recíproca de dos o más lenguas, y sirve para que se entiendan los pobladores de dos o más países, como ocurre en Asia con los lenguajes mandarín y malayo. La *lengua criolla* resulta de la combinación de un lenguaje principal y dominante con las lenguas indígenas de los países colonizados; ejemplos típicos son el inglés hablado en Hong Kong y el malayoespañol de las islas Filipinas.

Las lenguas pueden ser clasificadas desde dos puntos de vista principales: el de su forma y el del material que las integra. Desde el punto de vista morfológico las 2,500 o 3,000 lenguas del mundo se clasifican en tres grandes grupos.

1) Las lenguas aisladoras o monosilábicas, cuyo ejemplo más importante es el idioma chino, carecen en absoluto de diferencias explícitas para indicar las diversas partes de la oración; sus palabras son simples raíces monosilábicas que no sufren cambio alguno y cuyo significado sólo depende de su lugar en la oración y de la inflexión que les dé la persona que habla. Por ejemplo, *ta* significa en chino, *grande*, *grandemente*, *grandeza* y *ser grande*.

2) Las lenguas aglutinantes o aglutinativas forman el mayor de los tres grupos. Abarca idiomas (japonés, coreano, diversos grupos lingüísticos amerindios, caucasoides y uraloaltaicos) en que existen palabras-raíces que son modalidades por la

lengua

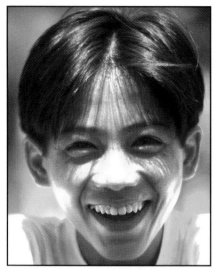

Corel Stock photo Library

El uso de una lengua es esencial para una mejor comunicación.

acción de sufijos y afijos. Entre estos idiomas cabe distinguir diversas variedades: los sintéticos, formados por afijos; los atómicos o sudafricanos, constituidos por prefijos, y los holofrásticos o polisintéticos, que reúnen en un solo vocablo todos los elementos de la frase.

3) Las lenguas flexivas o de flexión son aquellas cuyas palabras pueden sufrir ciertas modificaciones leves con el carácter de cambios internos, tales alteraciones proceden de la conjugación de los verbos, de la declinación de los sustantivos, etcétera. La adición de una o más letras, así como la introducción de determinados cambios internos, sirven para indicar la cantidad y el sexo, vale decir, el número y el género. Todos los lenguajes antiguos del grupo indoeuropeo (sánscrito, griego, latín, ruso, etcétera) presentaban numerosas inflexiones, que tienden a desaparecer en los lenguajes más evolucionados.

Más importante que la clasificación anterior es la división de los idiomas en familias lingüísticas, basadas en su parentesco histórico y filológico. Los lingüistas Meillet, Meyer-Lubke, Schmidt entre otros establecieron una clasificación general de las lenguas que comprende los siguientes grupos: indoeuropeo, semitocamítico, uraloaltaico, paleoasiático (o hiperbóreo), asiáticooriental antiguo, caucásico, vasco, dravídico, chinotibetano, austroasiático, austronésico, australiano, papúa, tasmanio, andamanésico, africano y americano o indoamericano.

El grupo lingüístico uraloaltaico o turánico está formado por dos núcleos bien diferenciados. El ural abarca los territorios escandinavo, finlandés, estoniano y húngaro; el altaico se extiende desde Macedonia hasta Mongolia, y mantiene cierto contacto, a través de Manchuria, con el coreano

y el japonés. En el grupo ural se hallan las lenguas ugrofinesas (finés, vepsio, estoniano, lapón, permiaco y morduo) y las samoyedas. En el grupo altaico se cuentan las lenguas turcotártaras (kirguís, altaico, turco osmanlí, azerbeidjaní y anatolio), las lenguas mogolas (dialectos del Tíbet y del Afganistán), las tunguses (idioma manchú y dialectos siberianos) y dos idiomas aislados: el japonés o yamato y el coreano.

Las lenguas paleoasiáticas o hiperbóreas son habladas en los distritos árticos de Asia y América del Norte. Son grupos lingüísticos primitivos y sus representantes de importancia son el ainú, hablado por los nativos de las islas Kuriles y sus aledaños, y el aleutoesquimal, hablado en las zonas árticas del continente americano.

Las lenguas asiáticoorientales antiguas forman un núcleo convencional en el que se han agrupado todas las lenguas muertas del Cercano Oriente. Se supone que la más antigua es la lengua sumeria, hablada por los pueblos de Mesopotamia hace 4,000 años a. C. De menor importancia eran el mitánico, el vánico, el elamita y el lidio. Una prolongación mediterránea de este grupo es el etrusco, hablado en la Península Itálica y extinguido con el predominio del latín.

Las lenguas caucásicas, que se extienden desde las márgenes del Caspio hasta las costas del Mar Negro, abarcan dos grupos: el septentrional, con los idiomas kabardínico y circasiano, y el meridional, con el dialecto georgiano.

La lengua vasca, conocida también con los nombres de vascuence, éuscaro o euzkera, constituye uno de los mayores enigmas lingüísticos del mundo. En el estado actual de las investigaciones se ignora su origen exacto. Algunos le atribuyen uno similar al de las lenguas del norte africano; otros lo relacionan con los dialectos caucásicos, y no faltan quienes lo sitúan dentro de la familia indoeuropea. Los vocablos se modifican por medio de sufijos, el verbo presenta una estructura compleja y su fonética es sencilla. La lengua euzkera no es homogénea; se supone que el foco principal del idioma estuvo en Navarra,

pero hoy se hablan seis dialectos principales: vizcaíno, guipuzcoano, alto navarro, bajo navarro, laburdino y suletino.

Las lenguas dravídicas, que en épocas remotas se hablaron en todo el territorio de la India, han quedado relegadas a una amplia zona del sureste indostánico. La más importante de ellas es el tamul, que se habla en el norte de Sri Lanka y zonas adyacentes de la India.

El grupo lingüístico chinotibetano abarca numerosos idiomas secundarios, aparte del chino, que es el idioma hablado por mayor número de personas en el mundo entero. Cada región del inmenso país posee su dialecto propio, pero existe una especie de lengua general, el chino mandarín, que es utilizado por los funcionarios del gobierno. Consta de dos dialectos principales: el de Pekín y el de Nankín. Antes se dijo que el chino es una lengua monosilábica en la que los matices de la modulación tienen importancia fundamental. A cada palabra corresponde un signo, pero los diccionarios contienen alrededor de 214 signos fundamentales, de los cuales se forman los demás, cuyo total se calcula en cerca de 40,000.

Las lenguas austroasiáticas, cuyo nombre ha sido creado por el padre Schmidt, se hablan en Anam, parte de Malaca y la zona meridional del Himalaya. Abarcan tres grupos principales: el mon-khmer, el anamita y el munda.

Las lenguas austronésicas o austronesias se hablan en la inmensa región oceánica que se extiende desde las costas de Madagascar hasta la isla de Formosa, abarcando los archipiélagos de las Filipinas e Indonesia y prolongándose, misteriosamente, hasta la isla de Pascua, cerca de las costas chilenas. Sus idiomas más importantes son el malayo, el tagalo, el javanés, los dialectos micronésicos y polinésicos y el idioma maorí, usado en Nueva Zelanda.

La familia papúa se habla en la región británica de Nueva Guinea y las zonas vecinas. Las lenguas australianas abarcan, según la clasificación del padre Schmidt, 11 dialectos diferentes del interior de Australia. El grupo tasmanio comprende una

Itálico	úmbrico sabédico osco	
	latín	antiguo clásico vulgar-lenguas románicas.
Céltico	continental	galo, címbrico, ligúrico.
	insular	gaélico: irlandés, escocés. británicos: galés, bretón, córnico.

sola lengua, de la que se conservan pocos datos, pues dejó de hablarse, vencida por el inglés, a fines del siglo XIX. Las lenguas andamanésicas, habladas en varias islas del Golfo de Bengala, van en camino de extinción.

Mucha mayor importancia que los anteriores tiene el grupo africano, cuyos idiomas son hablados por más de 50 millones de individuos. Se dividen en tres grandes núcleos: el bantú, que abarca las lenguas de Ruanda, África oriental, Angola, Tonga, el Congo, Zululandia y otras regiones; el khónico, que abarca los extraños dialectos bosquimanos y hotentotes, y las lenguas sudanesas, que comprenden los grupos del Nilo, del Congo, del Níger, del Dahomey, de Senegal y de los pigmeos, aparte de los dialectos hablados por los negros que viven en América.

Las lenguas indoamericanas incluyen los centenares de idiomas y dialectos hablados por los pueblos aborígenes de América; también se les llama amerindios. Su multiplicidad impide el estudio preciso de sus diversas características. Suelen ser clasificados en tres núcleos principales desde el punto de vista geográfico: el norteamericano, el centroamericano y el sudamericano. Los tres idiomas más importantes del continente fueron, antes de la dominación española, el náhuatl, impuesto a sus súbditos por el imperio azteca; el quichua o quichúa, hablado por los súbditos del imperio incaico, y el tupí-guaraní, cuyos diversos dialectos subsisten todavía en las zonas tropicales de América del Sur.

Los idiomas indoeuropeos. Los lenguajes más evolucionados e importantes del mundo pertenecen al grupo indoeuropeo y provienen, según algunas opiniones, de un tronco común, ya desaparecido, que fue hablado en el Asia central en época muy remota. La familia indoeuropea abarca nueve series de lenguas: las indoiránicas, el tocario, el armenio, el hitita, las helénicas, las ilirias, las ítaloceltas, las germánicas y las bálticoeslavas.

1. Las lenguas indoiránicas comprenden dos ramas, el indio y el iranio. A la primera pertenece el sánscrito, la lengua más perfecta que se conoce; tiene tres géneros, tres números, ocho casos y tres voces verbales; puede expresar todas las gradaciones posibles de la existencia y del movimiento. Abarca cuatro variedades: el védico, en el que están escritos los himnos sacros de la India; el sánscrito clásico, comparable, por su función cultural, al latín; el prácrito, modalidad popular que dio origen a los dialectos actuales de la India; el palí, lengua utilizada por Buda en sus escritos y predicaciones, que, debido a esto, se convirtió en instrumento de su religión. El neoindio, surgido del sánscrito, es hablado por unos 250 millones de individuos, y posee numerosos dialectos. La se-

gunda rama del grupo indoiránico es la iránica, que comprende el persa antiguo, famoso por sus inscripciones cuneiformes; el zendo, utilizado por Zoroastro en la redacción del *Avesta*; el pelvi o parsi, antecesor del persa moderno; el kurdo, mezcla de elementos varios, árabes y turcos; el persa moderno que se vale del alfabeto árabe, es de gramática muy simple y se habla en Persia, Afganistán y Turquestán.

2. El tocario era desconocido hasta 1890, cuando se descubrieron en el Turquestán oriental los restos de una arcaica civilización que hablaba un idioma extraño, de rasgos indoeuropeos, pero distinta de todas las otras lenguas conocidas.

3. El idioma armenio abarca una forma antigua, llamada grabar, que sólo se usa con finalidades litúrgicas y literarias, y el armenio moderno, que actualmente se habla en la región comprendida entre Mesopotamia y los valles meridionales del Cáucaso.

4. El hitita o heteo fue hablado por los antiguos invasores del imperio egipcio que poblaron el Asia Menor unos 2,000 años a. C. y llevaron a Grecia la cultura de Babilonia. Presenta una estructura simple, con dos géneros, dos números y siete casos; el verbo se coloca al final de la oración.

5. Las lenguas helénicas abarcan tres ramas: el griego antiguo, el bizantino y el griego moderno. El primero llegó a contener centenares de dialectos, distribuidos en cuatro grupos: el jónico-ático, el aqueo, el eólico y el dórico. Todos ellos se parecen al sánscrito al par que exhiben una armo-

niosa combinación de orden y libertad. El griego siguió usándose en la época de la hegemonía del imperio bizantino, cuando los padres de la Iglesia oriental se valieron de un idioma comparable al griego clásico. Por último, el griego moderno ofrece dos modalidades: el kathareuusa, utilizado por el gobierno, la prensa y la Iglesia, y el kathomilumené o habla del pueblo. El vocabulario de ambos idiomas está lleno de voces latinas y turcas, la pronunciación se ha modificado considerablemente y la sintaxis es mucho más simple.

6. El grupo ilirio, que tiende a desaparecer, abarcaba el ilirio propiamente dicho, hablado al noroeste de los Balcanes; el véneto, idioma de la Venecia anterior a la dominación romana, y el albanés, mezcla de elementos italianos, eslavos, griegos y turcos con vocablos ilirios. Una de sus variantes es el calabrés, dialecto del sur de Italia.

7. El grupo ítalocelta comprende algunos de los idiomas más importantes del mundo actual. Puede ser resumido en el cuadro de la tabla en la página anterior.

Del latín vulgar se derivan las lenguas románicas o romances, cuya estructura se desarrolla en el cuadro de la tabla superior en esta página.

8. Las lenguas germánicas se dividen en tres grandes grupos históricos: el gótico, hablado por los visigodos y ostrogodos cristianizados que partiendo de la región entre el Oder y el Vístula, invadieron unos el occidente y otros el sureste de Europa y que ha desaparecido como lengua viviente; el germánico septentrional o nórdico,

LENGUAS ROMANCES	**balcánicas**	dalmático rumano	
	itálicas	rético:	tirolés, friulano, romanche, engadino.
		italiano:	siciliano, napolitani, toscano, sardo, corso, paduano, veneciano, emiliano, lombardo, piamontés, genovés.
	gálicas	provenzal (lengua de oc): gascón, provenzal, lemosín, auvernés.	
		francoprovenzal: lionés, delfinés, friburgués saboyano.	
		francés (lengua de oil); normando, picardo, gálicas valón, lorenés, borgoñón, champañés.	
	hispánicas	catalán: rosellonés, valenciano, baleárico.	
		castellano: leonés, asturiano, aragonés, mozárabe, judeoespañol, malayoespañol.	
		galaicoportugués: gallego, portugués, maderés, hispánicas brasileño, malayoportugués, indoportugués.	

lengua

hablado en Escandinavia desde el siglo IX; y el germánico occidental o wéstico, padre del alemán e, indirectamente, del inglés. El cuadro de las lenguas germánicas puede ser resumido en la tabla de esta página.

9. Al grupo bálticoeslavo pertenecen los pueblos que aparecieron en el oriente europeo cuando se derrumbó el poder de Atila en el siglo V de nuestra era. Abarca dos familias: la báltica y la eslava. A la primera pertenecen los idiomas prusiano, lituano y letón; a la segunda, el esloveno, servocroata, búlgaro, bohemio, polaco y ruso.

Las lenguas semitocamíticas. El panorama de los idiomas del mundo se completa con el análisis de las lenguas habladas por los pueblos asiáticos y africanos, a los que se considera descendientes de los personajes bíblicos Sem y Cam. Comprende tres divisiones principales: la semita, la egipcia y la camítica.

a) Las lenguas del tronco semita, de gran importancia histórica, tienen una gramática muy distinta de la indoeuropea. Las raíces de todas las palabras constan de tres consonantes; las vocales son de importancia secundaria, pues sólo sirven para expresar accidentes y variantes. Las lenguas semíticas más importantes son la acadia, la aramea, la cananea antigua, el hebreo, el fenicio, el árabe con sus diversos dialectos y las numerosas lenguas etiópicas.

b) Las lenguas egipcias abarcan el egipcio antiguo, dividido en literario y vulgar, y los diversos dialectos del copto. El idioma del antiguo Egipto fue un enigma hasta que un oficial de los ejércitos napoleónicos descubrió en Rosetta (1799) la famosa piedra bilingüe que sirvió a Champollion para descifrar la naturaleza del idio-

LENGUAS GERMANICAS	gótico		
	septentriona	occidental	slandés noruego.
		oriental	sueco danés.
	occidental	alemán	alto alemán bajo alemán.
		neerlandés	holandés flamenco brabantés.
		frisón	
		inglés	anglosajón inglés medio inglés moderno.

ma de los faraones. Éste se escribía con tres géneros de escritura: la demótica o vulgar, la hierática o sacerdotal y la jeroglífica o monumental.

c) Las lenguas camíticas, diseminadas por el norte de África, se dividen en líbicas y cushitas. Al primer grupo pertenecen los idiomas libios, bereber, tuareg y cabila, además del desaparecido lenguaje aborigen de las Canarias, denominado guanche. Al grupo cushita pertenecen varias docenas de dialectos hablados en el bajo Egipto, Eritrea, Abisinia y Somalia. *Véanse* ALEMÁN; DIALECTO; ESPAÑOL; ESPERANTO; FRANCÉS; GRIEGO, HEBREO; IDIOMA INTERNACIONAL; INGLÉS; INGLÉS BÁSICO; ITALIANO, LATÍN; LENGUAJE; LENGUAS ROMANCES; PORTUGUÉS; SÁNSCRITO; YIDDISH.

lengua. *Véase* BOCA.

lenguado. Pez pleuronéctido de cuerpo aplanado y de forma elíptica, cuyo lado derecho es casi negro y el izquierdo de color blancuzco; mide de 30 a 50 cm de longitud; sus bordes dorsal y ventral están recorridos por una aleta que se extiende desde la cabeza hasta la cola. Tiene ambos ojos en el lado derecho. Habita en el Mar Cantábrico y en el océano Atlántico, aunque a veces penetra en los ríos y asciende por éstos varios kilómetros. Vive semienterrado en el fango; su carne es muy sabrosa; se pesca durante la bajamar, con tridente, anzuelo o con redes de arrastre.

lenguaje. Modo de expresarse los seres humanos que, generalmente, consiste en sonidos articulados. Ciertos insectos se comunican entre sí moviendo las antenas; pero, se ha discutido si en estos casos, se trata o no de un verdadero lenguaje. El hombre habla con expresiones de un contenido intelectual y emocional desconocido de los animales; pero, instintivamente, se expresa con gritos o con el llanto y la risa. El lenguaje humano es artificial; es un producto que se hereda y que el niño aprende lentamente a través de los años; es una creación de la colectividad que ningún individuo aislado puede llegar a dominar enteramente. Comúnmente, usamos un pequeño número de palabras, las que en nuestra profesión y en el círculo social que frecuentamos oímos más a menudo. Aunque es conveniente un vocabulario algo extenso para expresarnos con exactitud, tal vez sea más importante el uso correcto de las palabras

Lenguado durazno en el Pacífico.

Corel Stock Photo Library

que el emplear un gran número de distintos vocablos.

Según los italianos Giovanni Battista Vico y Benedetto Croce, el lenguaje es una actividad poética que, primitivamente, no pretendió satisfacer ninguna necesidad sino que obedeció al simple placer de nombrar cosas. La poesía sería, en el tiempo, anterior a la prosa, de la cual nos valemos en la vida cotidiana. En efecto, hay expresiones que parecen tener un sentido poético, hoy olvidado, como, *el árbol arroja sombra*, que parece traducir un gesto del árbol. Otros afirman que el lenguaje se desarrolla de acuerdo con las necesidades humanas. A medida que la historia varía, y nuevas concepciones sociales, políticas, religiosas y económicas aparecen y desaparecen, el lenguaje cambia también, se adapta a otras funciones y trata de expresar otros sentimientos. Así, una misma palabra puede llegar a tener muchos sentidos. La voz *libertad*, por ejemplo, no significa lo mismo en nuestro tiempo que en la antigüedad clásica o en la Edad Media. Acontecimientos históricos de mucha importancia han alterado su valor. Aun en la época contemporánea no tiene el mismo significado en una democracia liberal que en una dictadura. Diferentes concepciones políticas bastan para alterar el mecanismo expresivo del lenguaje. Toda lengua revela, además, de algún modo, las peculiaridades del pueblo que la habla. El idioma chino es casi una derivación de las artes del dibujo; sus vocablos son todos monosílabos y carecen de algunos conceptos que en los idiomas occidentales se consideran imprescindibles. Existen en chino, por ejemplo, palabras para designar el caballo alazán o el caballo zaino, pero no una que exprese la idea general de *caballo*. Las lenguas europeas presentan una estructura muy diferente. Proceden muchas de ellas del griego y el latín, lenguas prácticas que, a la vez, permitían grandes generalizaciones. Hoy han desaparecido, como lenguas vivas, pero muchas de sus características se conservan aún en las lenguas europeas modernas, que, no sólo tienen ese origen común, sino también la misma lógica, el mismo sistema mental como fundamento. Se han hecho estudios de gramática general comparada que prueban que los sustantivos, los adjetivos, los pronombres, los verbos, los adverbios, etcétera, existen en todas las lenguas europeas y realizan en casi todas ellas las mismas funciones. Las diferencias de vocabulario son, sin embargo, lo suficientemente grandes para que surjan dificultades insalvables en las comunicaciones entre esos pueblos. Las lenguas internacionales, como el esperanto, no han logrado solucionar el problema. Nadie se interesa en un idioma que no se desarrolle junto con la historia del hombre, que no sea capaz de expresar todos los

Corel Stock Photo Library

Cualquier lengua escrita es uno de los distintos tipos de lenguaje.

matices del pensamiento o las emociones, que no posea una literatura original ni la espontaneidad de las lenguas habladas desde la niñez. Uno de los principales rasgos del lenguaje es su constante evolución. La ciencia que estudia y trata de solucionar estos problemas es la lingüística.

lenguaje artificial. Lenguaje creado deliberadamente, diferente de los idiomas mundiales típicos que se han desarrollado en forma natural y, en su mayoría, sin una

planeación consciente. La planeación que ha sido invertida en muchos lenguajes naturales, especialmente en formas estándar enseñadas en las escuelas, simplemente ha involucrado el control o la modificación de los lenguajes naturales ya en uso. Los lenguajes artificiales, por otro lado, introducen sistemas novedosos de símbolos. Se utilizan en campos diversos como las matemáticas, lógica formal y ciencia de la computación. Estos lenguajes artificiales no deben compararse con lenguajes naturales; están diseñados para manejar categorías específicas y especiales de material temático y no pueden servir para describir todo el rango de la experiencia humana.

Los lenguajes artificiales menos limitados han sido propuestos para crear un vehículo más lógico del pensamiento del que puede encontrarse en cualquier lenguaje natural, y para superar las barreras de comunicación que resultan de la multiplicidad de lenguajes hablados en el mundo actual. La segunda meta probablemente ha recibido una atención más amplia.

La idea de crear artificialmente un lenguaje más lógico se inicia con pensadores como el filósofo del siglo XVII René Descartes. Desde esos tiempos, cientos de formas han sido sugeridas. Un ejemplo interesante fue el lenguaje *solresol*, desarrollado por Jean Francois Sudre en 1817. Todas sus palabras fueron formadas de combinaciones de las sílabas que designan las notas de la escala musical. Dos intentos más recientes son el *loglan*, inventado por James Cooke Brown para usarse en la exploración de la relación entre el lenguaje y el pensamiento, y el *lincos*, o *lingua cósmica*, de Hans Freudenthal, enfocado hacia un

El lenguaje artificial transmite un solo mensaje, sin importarel idioma de cada pueblo.

Corel Stock Photo Library

lenguaje artificial

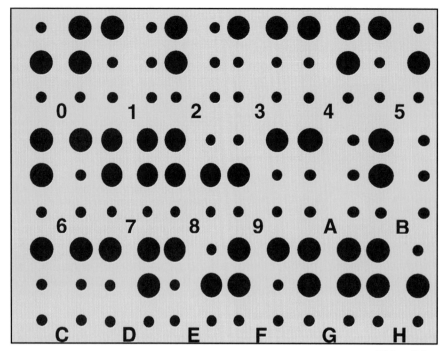

El método Braille es un ejemplo del lenguaje por signos.

programa para establecer comunicación con seres inteligentes extraterrestres en caso de ser localizados.

Aunque algunos lenguajes naturales han sido usados ampliamente alrededor del mundo en varias ocasiones como un medio común de comunicaciones entre oradores de varios idiomas, no hay certeza de que cualquier lenguaje único será adoptado algún día a nivel universal.

El primer movimiento importante para un lenguaje artificial internacional, denominado *volapük*, fue iniciado por Johann Martin Schleyer en 1880. El vocabulario del volapük se basa en el inglés, pero las palabras están tan distorsionadas en forma que ni se ve ni suena como el ingles. Esto fue hecho en forma deliberada a fin de darle una apariencia más neutral. El volapük rápidamente perdió votos en competencia con el *esperanto*, el cual fue presentado originalmente por Ludwik Lazar Azamenhof en 1887. El esperanto tiene un sistema altamente regular de información de palabras con raíces extraídas del francés, inglés, alemán y otras lenguas indoeuropeas. Es el lenguaje artificial más utilizado en la actualidad.

De los diversos sistemas rivales que han sido propuestos para su adopción internacional en el siglo XX, el de mayor éxito ha sido el *interlingua* de Alexander Gode, la culminación de un esfuerzo de colaboración inspirado en parte por el *interlingua* de base latina originalmente propuesto en 1903 por el matemático italiano Giuseppe Peano. El interlingua se basa principalmente en el vocabulario internacional de la cien-

cia y la tecnología y puede ser leído con poca dificultad por aquellas personas familiarizadas con el inglés o una lengua romance. Ha sido utilizado ampliamente en conferencias médicas y en publicaciones científicas.

lenguaje por signos.

Conjunto de señas y gestos que permite el entendimiento entre las personas. De él se valen preferentemente los mudos y sordomudos, a quienes se prepara para ejercitarlo. Consta de un alfabeto completo, cuyas letras se interpretan según la forma que se da a los dedos, y ademanes complementarios. Hay gestos creados para las frases más corrientes en la educación, los juegos deportivos, las actividades comerciales, etcétera. Los mudos y sordomudos usan este lenguaje con tal fluidez y mediante signos tan leves que muchos de ellos apenas son perceptibles. El lenguaje de signos existe desde que apareció el primer ser racional sobre la tierra y precedió a cualquier otra forma de comunicación entre los hombres. En su forma más primitiva estaba acompañado de movimientos y demostraciones que se unían a los gestos. También necesitaba de algunos objetos para su expresión. Luego se agregaron sonidos guturales y dibujos de rayas que condujeron a la palabra y a la escritura, respectivamente. Hay tribus indígenas que todavía usan el lenguaje de signos para entenderse con otros grupos de distinto idioma.

lenguas romances.

Nombre con que se designa al conjunto de las lenguas modernas derivadas del latín que se hablan en varios países de la Europa occidental y en Latinoamérica. Son las principales el español, francés, italiano, portugués, gallego, catalán, provenzal y rumano. Estos idiomas se llaman también *románicos* y *neolatinos*.

Cuando se produjo la disgregación del imperio romano, los países de la cuenca del Mediterráneo conquistados y civilizados por Roma fueron los herederos directos de la gran cultura que la metrópoli había esparcido por el mundo bajo las formas jurídicas y artísticas de su acción colonizado-

El lenguaje corporal transmite mensajes sin necesidad de palabras: interés, concentración, alegría, cansancio (izquierda a derecha, y arriba abajo).

ra. Fruto de una lenta reestructuración a lo largo de toda la Edad Media, los nuevos idiomas no dieron muestras literarias de consideración hasta después del año 1000. Si bien en todos ellos se observa una base común, el latín, algunos, como el español, sufrieron influencias extrañas que contribuyeron a su enriquecimiento. La influencia de la cultura árabe en España desde principios del siglo VIII hasta fines del XV ha enriquecido la lengua española con numerosos términos, conceptos e ideas que la han vigorizado y flexibilizado. Los nuevos países, al convertirse, a su vez, en potencias conquistadoras y colonizadoras, llevaron su lengua a diversas regiones del mundo y comenzaron a influirse en forma recíproca a través de la riqueza literaria y de la expansión civilizadora de cada uno de ellos. Esto ocurrió, particularmente, en los casos de España, Francia y Portugal.

Hoy las lenguas derivadas del viejo tronco latino se hablan en los siguientes puntos de la tierra: el español es idioma nacional de España y de los países de la América hispana; pero, se habla también, en Filipinas, en las colonias españolas de África y, con gran profusión de palabras extranjeras, en varios puntos de Oceanía por descendientes de españoles, y por fuertes núcleos de habitantes de los estados fronterizos de Estados Unidos con México. Lo hablan también los sefarditas (judíos de origen español) del Cercano Oriente; pero el sefardí es una lengua tan cargada de arcaísmos que resulta poco menos que ininteligible para el español o el hispanoamericano de hoy. El italiano se habla, además de en la Península Itálica, en las islas, en el cantón Tesino y en parte del de los Grisones, en Suiza, y en algunas comarcas del Tirol meridional. El francés es el idioma nacional de Francia. Lo hablan también los valones y flamencos de Flandes oriental, los suizos de los cantones de Ginebra, Vaud y Neufchatel, parte de los luxemburgueses y de los belgas de Lieja y Brabante, el bajo Canadá, la República de Haití y las colonias francesas de Asia, África, América y Oceanía. El provenzal es lengua popular en los departamentos franceses del Drome, Bocas del Ródano, los Alpes, el Var y Niza. El rumano es la lengua de la antigua región de Moldo-Valaquia, hoy Rumania. El portugués se habla en Portugal y Brasil (en este último país con algunas alteraciones gramaticales), en las Azores y en las colonias portuguesas de Asia y África. El catalán y el gallego son lenguas populares en las regiones de España de semejante denominación. En ambos idiomas existen, no obstante obras de gran valor literario, como los cancioneros medievales galaicoportugueses, escritos en lengua gallega, la obra monumental de Raimundo Lulio y la producción de cuatro grandes poetas regionales: Rosalía de Castro, Curros Enríquez,

Juan Maragall y Jacinto Verdaguer. Todos los idiomas modernos, como el inglés, el alemán y diversas lenguas eslavas, han recibido, asimismo, gran afluencia de palabras de origen latino. La vieja lengua del Lacio es, pues, la madre de varios idiomas modernos. *Véanse* IMPERIO ROMANO; RÉTICO.

Lenin, Vladimir Ilch Uljanov (1870-1924). Dirigente revolucionario ruso, propulsor del movimiento comunista y fundador de la Unión Soviética. Nació en la pequeña ciudad de Simbirsk –llamada hoy Uljanovsk en su honor–, junto al Volga. Estudió leyes en la Universidad de Kazan. Dedicó todo su tiempo al estudio de las cuestiones sociales, dándose a conocer por su apasionada defensa y propagación de las teorías marxistas. Hallándose en San Petersburgo, ingresó en un grupo político que luchaba por la liberación de las clases trabajadoras. Las actividades de Lenin en aquella agrupación lo llevaron a la cárcel y al destierro en Siberia en 1895. Algunos años después, ya libertado, salió de Rusia para dirigir, desde el extranjero, a una facción del Partido Socialdemócrata Ruso. Por entonces inició sus más activas campañas políticas y revolucionarias, propagando sus ideas en diversas publicaciones, especialmente en su diario, llamado *Iskra* (*La Chispa*). En 1905, cuando se otorgaron en Rusia las libertades políticas, volvió a su país, estableciéndose en San Petersburgo con un nombre supuesto. Inmediatamente inició la publicación del diario *Vida Nueva*, y se presentaba en las reuniones políticas para pronunciar ardientes discursos; también hacía frecuentes viajes por el extranjero para asistir a las reuniones de los bolcheviques –como se llamaban los extremistas del Partido Socialdemócrata Ruso, en oposición a los mencheviques o moderados–, buscando la manera de organizar una revolución armada contra el gobierno zarista.

Hasta 1914 intensificó Lenin sus actividades de prédica y proselitismo dentro de la organización mundial socialista (la Segunda Internacional), fundando escuelas, periódicos y revistas revolucionarios en Francia, Suiza, Alemania y Austria, en San Petersburgo apareció (1912) el primer número del diario *Pravda*, bajo su dirección. A poco de iniciarse la Primera Guerra Mundial y hallándose cerca de las fronteras con Rusia, fue detenido por las autoridades austriacas como espía ruso, pero los socialistas austriacos consiguieron ponerlo en libertad y enviarlo a Berna, donde lanzó un manifiesto pidiendo la transformación de la guerra mundial en una guerra civil por parte de las clases trabajadoras de cada país. Al poco tiempo convocó a todos sus partidarios para echar los fundamentos de la Tercera Internacional Socialista, y en 1917, cuando estalló la revolución en Rusia bus-

caba desesperadamente los medios de volver a su país, tropezando con mil dificultades, hasta que, ayudado por sus amigos socialistas y con aprobación del alto mando del Estado mayor alemán –que convencido de que la presencia de Lenin en Rusia debilitaría la posición de los partidarios de continuar la guerra, consintió que el caudillo bolchevique y un grupo de sus incondicionales cruzaran Alemania en un vagón sellado– pudo llegar a San Petersburgo, donde los bolcheviques habían establecido su centro de actividades. Al día siguiente de su llegada expuso su plan para convertir la revolución en una revolución socialista y, tras varios golpes fracasados, huyó a Finlandia para escapar a sus perseguidores. Desde su refugio envió un cúmulo de manifiestos, panfletos y cartas a sus partidarios en Rusia para mantener vivo el movimiento y consiguió que la Comisión Central del partido adoptara sus propuestas de emprender inmediatamente la acción para ocupar el poder. Entonces volvió a Rusia para ponerse al frente de la comisión militar revolucionaria que se instaló en el palacio Smolny de San Petersburgo y dirigió la revolución iniciada el 6 de noviembre de 1917 (24 de octubre según el antiguo calendario ruso).

Cuando el movimiento alcanzó su rápido triunfo, Lenin organizó el primer gobierno bolchevique (7 de noviembre de 1917) y se constituyó en presidente del Consejo de Comisarios del Pueblo. El gobierno se trasladó a Moscú; Lenin vivía en el Kremlin, desde donde entabló negociaciones con Alemania que dieron como resultado el tratado de Brest-Litovsk y la cesación de la guerra. A mediados de 1918 los terroristas rusos intentaron matarlo, pero a pesar de que resultó herido de gravedad, volvió a reanudar sus actividades políticas. En 1922 sufrió un ataque de apoplejía; pocos meses después quedó paralítico y al año siguiente perdió el habla. Murió el 21 de enero de 1924. Su cadáver fue embalsamado y se colocó en un mausoleo en la Plaza Roja de Moscú.

Lenin, Pico. El monte más alto (7,126 m) de la cordillera de Trans-Alai, en Asia central, y uno de los más altos de la región y de la ex Unión Soviética. Anteriormente se llamó pico Kaufmann, en honor de Constantine Kaufmann, dirigente ruso en la conquista de la zona en que se encuentra.

Leningrado. *Véase* SAN PETERSBURGO.

leninismo. Doctrina política y económica de Lenin, basada en el Marxismo. Según Lenin, la tendencia a la formación de *trusts* y monopolios, propia del capitalismo del siglo XX, no significa la eliminación de la competencia, sino que es una consecuencia necesaria de ésta y contribuye al mismo tiempo, a hacerla más explosiva. La lucha por la conquista de nuevos mercados se proyecta en escala internacional, en forma de conflictos entre las grandes potencias y entre los monopolios.

Se opuso violentamente a la tesis de Lev Davidovich Bronstein Trotski, sobre la necesidad de la revolución mundial, al afirmar que se puede organizar y conservar un Estado socialista en medio de naciones capitalistas, y evitar los conflictos armados con ellos.

Lennard-Jones, John Edward

(1894-1954). Físico y químico británico. Estudió en la Universidad de Manchester y se doctoró en Cambridge (1924). Fue profesor de física y química teórica en las Universidades de Bristol (1925) y Cambridge (1932). Basándose en la teoría de los gases de Chapman y aplicando la mecánica cuántica de Werner Heisenberg y Erwin Schrödinger, dedujo (1931) la función de energía potencial que lleva su nombre, correspondiente a una ley semiempírica de las fuerzas interatómicas. También contribuyó a desarrollar la técnica de los orbitales moleculares, que trata de obtener la solución aproximada de la ecuación de Schrödinger para las moléculas.

Lennon, John

(1940-1980). Cantante británico, uno de *los Beatles*. Cuando contaba con 16 años y estudiaba arte conoció a Paul McCartney, formando ambos el dúo *The Nurk Twins*, del que unos años después surgirían *The Beatles*. Es autor, junto con el citado McCartney, de casi la totalidad de las composiciones que interpretaron *The Beatles*, entre las cuales lograron popularidad títulos como *Strawberry Fields for Ever*, *All You need is love* y *Revolution Num. 9*. En 1968 se casó con la artista japonesa Yoko Ono, tras la disolución de *The Beatles* en 1970 formó la *Plastic Ono Band* y luego siguió trabajando en álbumes en solitario, como *Imagine*, *Some Time in New York City*, *Mind games*, *Walls and bridges* y *Double fantasy*.

Lenoir, Etienne

(1822-1900). Ingeniero francés de origen belga. Construyó uno de los primeros modelos de motor térmico que funcionaba con aire caliente (1859). En 1862 perfeccionó dicho modelo según un esquema de funcionamiento basado en el ciclo de los cuatro tiempos.

Lenormand, Henri René.

(1882-1951). Dramaturgo francés, cuyos dos mayores éxitos iniciales, *Los fracasados* y *El simoun*, lo señalaron como el representante del expresionismo de vanguardia. Cultivó un teatro de conflicto psicológico y tesis social en *El cobarde*, *El hombre y sus fantasmas* entre otras obras de éxito. De-

Lente de una lupa.

fensor del teatro frente al cinematógrafo en una obra polémica, *Crepúsculo del teatro*, ha resumido sus experiencias de autor en sus *Memorias*.

Le Notre, André

(1613-1700). Arquitecto y urbanista francés de parques y jardines. Estudió con Simon de Vouet y fue discípulo de Jules Hardouin Mansart. Es el creador del llamado *Jardín francés*. Sus obras se sitúan dentro de una concepción arquitectónica con recortados setos que simulan muros y amplias perspectivas. El edificio es término y centro de la visual y el punto del que irradian los ejes de perspectiva hacia los fondos verdes. Sus obras más importantes son los jardines de Versalles, Tullerías, Fontainebleau y Chantilly. Sus ideas fueron muy difundidas en Europa durante el siglo XVIII.

Lent, Herman

(1911-1981). Médico y parasitólogo brasileño. Profesor de la Universidad de Río de Janeiro, miembro del Instituto Oswaldo Cruz. Director de la *Revista brasileña de parasitología*. Autor de numerosos trabajos e investigaciones de parasitología.

lente.

Sólido transparente (cristal, vidrio, cuarzo, mica cristalina, etcétera) limitado por dos superficies curvas o una curva y otra plana, que se usa en diversos instrumentos ópticos. Según su forma, se clasifican en esféricas, cilíndricas, etcétera. Las lentes pueden ser convergentes o divergentes. En el primer caso son más gruesas en el centro, y en el segundo, en los bordes. Pueden corresponder a una de las seis clases siguientes: *biconvexa*, en que ambas superficies de la lente son convexas; *plano-convexa*, en que una superficie es convexa y la otra plana; *cóncavo-convexa*, con una superficie cóncava y otra convexa; *bi-cóncava*, con ambas superficies cóncavas; *plano-cóncava*, con una plana y otra cóncava, y *convexo-cóncava*, con una convexa y otra cóncava.

El principio físico en que se fundan las lentes es el de la refracción que sufren los rayos de luz al cambiar su medio de propagación (paso del aire al cristal); la regulación de las direcciones de los rayos refractados que han de formar la imagen se obtiene mediante el grado de curvatura que se da a la lente. Las imágenes que se obtienen con lentes divergentes son siempre virtuales, derechas y de menor tamaño que el objeto. Las obtenidas con lentes convergentes pueden ser reales o virtuales, derechas o invertidas, mayores o menores que el objeto según la distancia entre el objeto y la lente en relación con la distancia focal. Los centros de las superficies esféricas que

Los lentes convergentes, reflejan la luz (A) hacia el eje (B). Existen los lentes de doble convexión (1), plano convexos (2) y cóncavos convexos (3). Los lentes divergentes incluyen los convexocóncavos (4), los plano cóncavos (5) y los cóncavos dobles. La aberración cromática ocurre debido a varias ondas de longitud que son refractadas en diferentes ángulos (C). Combinando los lentes cóncavos y convexos (D) de diferentes tipos de vidrio, se puede corregir este defecto.

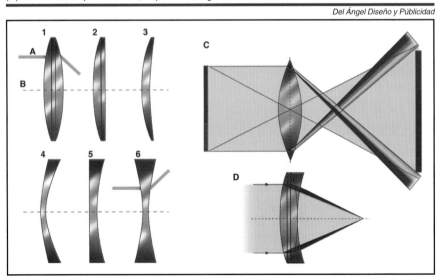

limitan la lente se llaman centros de cuvatura y la línea que los une, eje principal. En este eje, en el interior de la lente, existe un punto en que los rayos no sufren desviación, y que se denomina centro óptico. El foco principal es el punto al que concurren los rayos de un haz paralelo al eje principal después de atravesar la lente o bien el punto del que parecen salir los rayos de un haz paralelo al eje. Distancia focal es la distancia que separa dicho foco del centro óptico. El poder óptico de una lente se mide en dioptrías. Puede decirse que sin el recurso de la lente la óptica moderna no habría logrado sus maravillosas realizaciones (telescopio, microscopio, fotografía, televisión, cinematógrafo, etcétera). La medicina utilizó las lentes desde hace mucho tiempo para corregir las desviaciones oculares y hacer posible la visión correcta de présbitas y miopes. Como pueden resultar combinados dos defectos en el ojo humano se tallan lentes llamadas bifocales, las cuales vienen siendo en realidad dos lentes distintas talladas sobre la misma pieza de cristal. La lente superior sirve en los anteojos para ver de lejos y la inferior para ver de cerca. El cristal de la lente debe ser purísimo sin anfractuosidades ni partículas opacas, debiendo ser tallado con exquisita precisión, de modo que sus curvaturas coincidan, en milésimas de milímetro, con la graduación deseada. Su fabricación requiere una técnica cuidadosa, en la que intervienen especialistas y obreros calificados. Las materias primas empleadas en la fabricación del cristal que se utiliza en las lentes son sílice, potasa, óxido de plomo y bórax. Según los diversos usos ópticos a que haya de destinarse el cristal, se le añade, también, a su composición, óxido de cinc, alúmina, bario, magnesio, litio y otras sustancias químicas que tienden a hacerlo incoloro, transparente y sin estrías, dotándolo, además de cualidades especiales, como las de poder ser atravesado o rechazar los rayos infrarrojos, ultravioleta, etcétera. El trabajo de los cristales comprende tres operaciones: desbaste, talla y pulimento. Para comprobar la justeza de lo realizado se utilizan cristales de prueba, que son lentes ya comprobados y clasificados. Adhiriendo la lente pulida a la correspondiente de prueba se mira al trasluz y si no se observa ningún círculo coloreado –anillo de Newton– es que su curvatura es perfecta.

lentes de contacto.

Delgadas cápsulas hechas de un plástico especial que se colocan sobre el globo del ojo y que acompañan en la integridad de sus movimientos al glóbulo ocular.

Sirven para corregir los vicios de refracción conocidos: miopía, hipermetropía, astigmatismo, estrabismo, afaquia (estado visual del ojo operado de catarata), etcétera.

Las lentes de contacto tienen la ventaja de eliminar el uso del armazón.

Las primeras lentes de contacto eficaces se fabricaron en 1888 soplando vidrio, y también por tallado y pulido de fondos de tubo de ensayo. A pesar de que se hicieron algunas otras lentes de contacto, que no se soportaban más que unas pocas horas, el primer progreso verdadero fue la introducción en 1948, de pequeñas lentes de plástico para la córnea, que cubrían algo más que el iris (la parte coloreada del ojo).

La razón de su nombre es clara: parecen formar una especie de piel sobre la córnea del ojo; sin embargo, este nombre no es muy correcto, si se considera que una lente que está en contacto con el ojo es una lente con defecto de fabricación. Debe seguir los contornos del ojo, pero nunca tocarlo. Si lo hiciera, resultaría dañino para él y molestaría a la persona que lo lleva.

Cuando el ajuste es del todo correcto, las lágrimas fluyen libremente por debajo de la lente y no encuentran obstáculos para su misión de limpiar y proteger la córnea.

Todos los ojos tienen defectos de visión y una forma propia; para ello, las lentes de contacto deben hacerse a *la medida* para que se adapten a su poseedor. Se hacen, normalmente, de plástico acrílico incoloro, pero también se fabrican coloreadas.

Se usa el color gris para obtener el efecto de unas gafas de sol. Las lentes azules, verdes y violetas tienen fines cosméticos y logran, de esta manera, cambiar el color de los ojos.

Aquella persona a quien le hayan adaptado lentes de contacto deberá tener constancia durante algún tiempo para usarlos, pues cuando algún cuerpo extraño entra en el ojo, el párpado pestañea y trata de expulsarlo. Al acostumbrarse a las lentes, pueden llevarse, sin molestia, durante 12 horas o más.

lenteja. Planta leguminosa anual cuyo tallo tiene una altura de unos 40 cm; sus vainas contienen dos o tres semillas discoi-

Acercamiento a una lente de contacto.

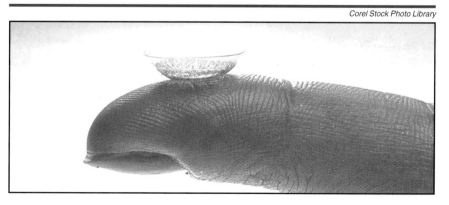

lenteja

Lentejas crudas.

deas comestibles que miden aproximadamente 5 mm de diámetro, posee hojas oblongas y estípulas lanceoladas; da flores de color blanco con vetas violáceas; trepa y se aferra con sus zarcillos. Dos son las principales variedades: la grande, denominada también lentejón, de color amarillo, y la pequeña, de tono rojizo. Ambas se producen en el sur de Europa y en todas las zonas templadas de los demás continentes. Prosperan en tierras arenosas y se dan con facilidad en los terrenos calizos y hasta en los de origen eruptivo. La lenteja constituye un excelente alimento por su riqueza en sustancias nitrogenadas (proteínas) y azúcares (hidratos de carbono). La consumen en grandes cantidades Egipto, Siria, México y muchos países sudamericanos. Sus tallos y hojas son un alimento muy nutritivo para los herbívoros domésticos.

Leñero, Vicente (1933-). Novelista y dramaturgo mexicano. Periodista e ingeniero, se inició con los relatos *La polvoreda* y *Otros cuentos* (1959). Se consagró con *Los albañiles* (1964, Premio Biblioteca Breve 1963). *Estudio Q* (1965) y *El Garabato* (1967) exploran las posibilidades del monólogo interior. Son posteriores *Redil*

de ovejas (1973) y *A fuerza de palabras* (1972). Como autor teatral se le deben obras de testimonio, a menudo inspiradas en procesos político-religiosos: *Pueblo rechazado* (1969), *Compañero* (1970), *La carpa* (1971), *El juicio* (1972). Entre sus obras recientes están el cuento *El cajón del sastre* (1981), *Teatro documental* (1985), *Jesucristo Gómez* (1986) y *Nadie sabe nada* (1988).

León. Antiguo reino de España, que estuvo unido a la corona de Castilla. Comprendía las actuales provincias de León, Zamora y Salamanca, casi toda Palencia y mucho de Valladolid. Actualmente, la región de León comprende las tres primeras provincias mencionadas, con una extensión total de 38,364 km² y 532,706 habitantes (1995).

León. Ciudad de México, la mayor del estado de Guanajuato. Tiene 1.042,132 habitantes (1995) y está situada en fértil valle, a orillas del río Turbio o Gómez. Es una bella y extensa ciudad de clima agradable. Gran centro mercantil, agrícola y minero. Tiene numerosas industrias: curtidurías, fábricas de zapatos, tejidos, cuchillería y de utensilios de hierro y acero, manufactura de artículos típicos, como arreos y sillas de montar, sombreros, rebozos, etcétera. Entre sus edificios principales son notables la catedral, el Palacio Nacional y el templo de Nuestra Señora de los Ángeles. Fue fundada por los españoles, hacia 1576. Su nombre completo es León de los Aldamas, en honor de los patriotas Ignacio y Juan Aldama, que se alzaron en armas (1810), junto con Miguel Hidalgo, para luchar por la Independencia de México.

León. Ciudad de Nicaragua, capital de la Región II y de la República hasta 1855.
Situada en una hermosa y fértil llanura a 20 km del mar, entre éste y la Cordillera de los Morabios. Cuando en 1523 la fundó don Francisco Hernández por orden de Pedrarias, estaba situada a orillas del lago frente al volcán Momotombo, pero en 1610 fue trasladada al sitio que ocupa actualmente. Cuna de notables hombres de letras, por su numerosa población universitaria, está considerada como la metrópoli intelectual del país. Su población es de 171,375 habitantes (1994). Cultivo de café y caña de azúcar. Industrias: jabones, molinos de cereales, cueros y fósforos. Tierra nativa de Rubén Darío, cuyos restos reposan en su antigua y bella catedral.

León. Ciudad española, capital de la provincia de su nombre, situada en la vega que determinan los ríos Bernesga y Torío. Tiene una población de 147,780 habitantes (1995) y es punto de comunicaciones del centro con el noroeste de España. Debe su

Vista de las villas que rodean al castillo Frías en León, España.

origen a la *Legio Septima Gemina*, llegada a la península hacia el año 70. En el siglo X fue la ciudad más importante de España, como corte de Ordoño. Arrasada por Almanzor en el siglo XI, fue reedificada por Alfonso V. Actualmente es una próspera ciudad moderna aunque conserva sugestivos rincones de épocas pasadas. Entre sus monumentos más notables figuran la catedral, bello exponente del estilo gótico; la colegiata de San Isidoro, construcción románica; el plateresco exconvento de San Marcos, el palacio de los Guzmanes (hoy Diputación Provincial) y el Ayuntamiento, obra del siglo XVI.

león. Mamífero perteneciente al orden de los carniceros, grupo de los félidos que rugen, que varía bastante de coloración y tamaño según donde viva. En unas regiones es más gris, en otras más amarillo o más rojizo. De aquí que se distingan varias razas: el león berberisco, el de Senegal, el de África oriental, el del Cabo y el de la India, entre otros. Los del Atlas y el del Cabo, casi extinguidos, son los más grandes y los de melena más abundante. Antiguamente el león podía ser encontrado en Europa, Asia Menor y Egipto, lugares de donde lo fue desalojando la civilización. Hoy sólo habita en África y en algunas regiones del sur de Asia entre ellas la parte occidental de la India. Se distingue de otros félidos que rugen, como el tigre y el leopardo, por su mayor tamaño, que puede alcanzar 2 m de largo por 1 m de alto, y, sobre todo, porque el macho ostenta una gran melena que le rodea el cuello y la cabeza, que adquiere su total desarrollo a los tres años. Sin embargo, la abundancia o escasez de melena no

Corel Stock Photo Library

Leona descansando en un zoológico.

es un buen carácter diferencial. Su cola, que alcanza a veces hasta 1 m de longitud, termina en una borla, entre cuyos pelos se oculta una especie de uña; sus dientes y garras son muy fuertes. Su promedio de vida alcanza los 35 años, si bien hay ejemplares que llegan a 40 y hasta 60; su existencia se reduce cuando vive en cauticrio.

Contra lo que parecen indicar las denominaciones de *rey de la selva* y *rey del desierto*, el león no habita en ninguna de estas regiones ; prefiere tener su cubil en los lugares despejados, en los llanos de altas hierbas y en los montes, entre cuyas rocas, protegido por plantas espinosas, se guarece. En Sudán vive entre las malezas y en el sur de África busca los cañaverales. Suele tener de dos a cuatro hijos, aun en cautiverio, estado que favorece la crianza, merced a la buena alimentación y cuidados que recibe en los parques zoológicos. Los padres son muy cariñosos con la prole, a la cual no abandonan ni cuando ésta alcanza su pleno desarrollo, circunstancia en que la llevan de caza en su compañía. El león tiene hábitos nocturnos; durante el día permanece en su guarida o tendido sobre una roca de donde no se mueve, aunque tenga a su alcance alguna presa, a menos que esté muy hambriento. Al ponerse el sol se transforma por completo: se despierta en él toda su innata ferocidad . Narran los cazadores que cuanto más oscura es la noche más atrevido es el león; a la luz de la luna llena procede con cierta cautela.

A la manera del gato, el león se desliza silenciosamente hasta acercarse poco a poco a su víctima, que suele ser un búfalo, una jirafa, una cebra o un antílope; cuando la tiene cerca, cae sobre su cuarto delantero y, poniendo sobre las paletillas una zarpa y la otra en la cara, le dobla el pescuezo y hunde los colmillos en las vértebras cervicales, causándole la muerte instantánea al alcanzar la médula espinal. A falta de carne fresca, come, como la hiena, la más inmunda carroña. Obligado por el hambre, suele merodear por los corrales de animales domésticos y matar caballos, vacas o cabras, que luego arrastra a su guarida. Según cuenta David Livingstone, es frecuente que se asocien seis u ocho leones para salir de caza. Suele ocurrir que su

Pareja de leones africanos en Kenia.

Corel Stock Photo Library

león

Corel Stock photo Library

El león macho se distingue a simple vista de la hembra por su abundante cabellera.

gran ferocidad impulse a unos leones contra otros, y entonces se entablan luchas encarnizadas, a veces mortales, por la disputa de una presa.

La caza del león es un deporte peligroso; cuantos lo practican afirman que este felino es tan valiente como agresivo, y que es necesario desalojarlo de su cubil y llevarlo a lugar abierto, donde puede atacársele con más éxito. En cualquier caso el cazador debe procurar no acercarse a menos de 150 m y acertar el tiro, pues si la fiera queda mal herida se volverá contra el cazador, el cual jamás debe perseguirla de cerca si quiere evitar poner en peligro su vida. Los árabes acostumbran cazarlo con trampas, para lo cual abren zanjas de 10 m de profundidad por 5 m de ancho, que cubren con ramas, entre las cuales se precipita el león, y una vez dentro se le da muerte a tiros. Otras veces los hombres se

León africano descansando en Sudáfrica.

Corel Stock Photo Library

ocultan en fosos que tapan bien por arriba, de modo que sólo quede una pequeña abertura para disparar, y ponen delante un jabalí recién muerto. También se les caza subiéndose a los árboles y disparando desde allí.

El león se cría fácilmente en cautividad. El majestuoso animal que contemplamos en los jardines zoológicos y en los circos, probablemente no ha conocido otro lugar que el rodeado por las rejas entre las cuales nació. Con todo, los cuidados y alimentos que el hombre le brinda no atemperan en nada su ferocidad y valor. El cartaginés Hannón fue el primero que domó por sí mismo un león, lo que le valió ser expulsado de su patria, por juzgarse que si era capaz de domar tan rebelde fiera podría hacer lo mismo con los hombres. Adriano y Marco Aurelio los hacían matar a flechazos en el circo romano, donde también hubo luchas entre estos felinos en tiempos del edil Séovola, espectáculo imitado por Sila, que tenía ya 100 leones; Pompeyo hizo luchar 600, y Julio César 400.

No hay animal más nombrado en las fábulas de todos los tiempos, desde las escritas por Esopo hasta las de épocas más modernas, sin mencionar los pasajes bíblicos, como aquel del foso de los leones donde es arrojado Daniel, quien sale incólume de la prueba merced a la gracia divina. En Roma es famosa la leyenda de Androcles, esclavo arrojado por su amo a la cueva de un león, animal al que libra de una espina clavada en una pata. Tiempo después, condenado Androcles a morir en la arena del circo devorado por un león, sorprende al público con el singular espectáculo de una fiera que, en vez de atacarlo,

le lame las manos: era el mismo animal a quien el esclavo había curado. En esta última leyenda se basa la sátira política de Bernard Shaw titulada *Androcles y el león*. La heráldica nos ofrece repetidamente la imagen del león. Por ser símbolo de fuerza y soberanía, lo han adoptado como emblema en Gran Bretaña, Persia, Venecia, Bélgica, España y Holanda.

León. Quinta constelación del Zodíaco, situada entre Cáncer y Virgo. En esta constelación se advierte la presencia de una estrella de primera magnitud *(Alpha Leonis o Regulus)* y de dos de segunda magnitud *(Beta y Gamma)*. El Sol entra en León aproximadamente el 23 de julio.

León X (Giovanni de Medici) (1475-1521). Hijo de Lorenzo *el Magnífico*, fue consagrado cardenal a los 13 años y designado papa en 1513. Se propuso librar a Italia del yugo extranjero y firmó con Francisco I de Francia el concordato vigente hasta 1789. Combatió las herejías y favoreció la evangelización de América. En 1520 lanzó su famosa bula *Exurge Domine* contra Lutero. Es el papa del Renacimiento, por el mecenazgo que dispensó a los genios contemporáneos, entre

Dos de las más comunes representaciones del signo zodiacal Leo, o León.

Nova Development Corporation

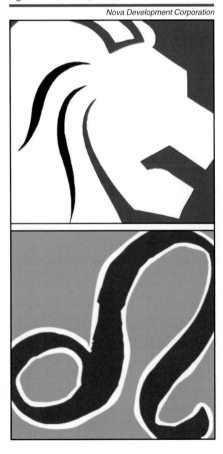

ellos a Leonardo da Vinci, Miguel Ángel Buonarroti y Rafael Sanzio.

León XIII (1810-1903). Papa que sucedió a Pío IX en 1878. Se llamaba Vicenzo Gioacchino Pecci, era de familia noble italiana y poseía el título de conde. Estudió en los colegios jesuitas de Viterbo y Roma. Se graduó en teología en 1831 y el 23 de diciembre de 1837 cantó su primera misa. Como nuncio en Bruselas (1843) demostró gran habilidad diplomática. En 1846 fue consagrado arzobispo de Perusa y conservó este cargo hasta asumir el pontificado. En 1877, ya cardenal desde 1850, fue elegido camarlengo de la Iglesia romana, que es el ejercicio de la autoridad en sede vacante. Finalmente se le proclamó sucesor de Pio IX en la tercera votación del conclave reunido con ese fin, el 20 de febrero de 1878, a las 36 horas de deliberación. Fue uno de los papas más ilustres. Mantuvo fielmente los dogmas de la Iglesia, modificó conceptos de sus predecesores y actuó con gran prudencia y sabiduría. Fue árbitro en el conflicto hispanogermano sobre las Carolinas, ejerció una política sabia y conciliadora con la República Francesa, sostuvo la oposición a los extremismos –entonces Nihilismo en Rusia y Socialismo en Alemania– y publicó un verdadero tratado acerca de las relaciones entre el capital y el trabajo, que es una pieza histórica: su célebre encíclica *Rerum Novarum* (15 de mayo de 1891), que señaló con medio siglo de anticipación la solución que debía darse a los problemas sociales. Impulsó las misiones y fue quien dio acceso a los archivos del Vaticano a los estudiosos e historiadores. Falleció el 20 de julio de 1903.

León, Alberto (1909-1978). Médico mexicano. Profesor de la Universidad Nacional Autónoma de México, director del laboratorio de Bacteorología e Inmunología en el Instituto de Enfermedades Tropicales. Autor de numerosas investigaciones sobre bacteorología e inmunología.

León, Antonio (1794-1847). General mexicano. En 1821 abandonó las filas realistas para unirse a la causa de la Independencia. Contribuyó eficazmente a que la región de Oaxaca se uniera a la empresa libertadora, y nombrado comandante de esa zona, a él se debió la incorporación de Soconusco a la República Mexicana. Fue diputado en 1832. Murió heroicamente en Molino del Rey haciendo frente a la invasión estadounidense.

León, Felipe Camino (1884-l968). Poeta español. Sobresale por una forma de poesía muy vigorosa, vehemente y hasta combativa, que en ocasiones alcanza un tono de imprecación bíblica. Viajó mucho por América y residió en Estados Unidos y

en México. Fue admirado en su actividad de conferenciante, especialmente en diversos países americanos donde su enérgico verbo atrajo muchos oyentes. Entre sus obras: *Versos y oraciones del caminante, Ganarás la luz, Antología rota, Llamadme publicano, La manzana, El juglarón* y realizó adaptaciones de William Shakespeare.

León, fray Luis de (1527-1591). Poeta y escritor español. Nació en Belmonte (Cuenca). Se hizo religioso, profesó en la orden de San Agustín (1544) y ejerció las cátedras de teología y de Sagrada Escritura en la Universidad de Salamanca. Fue delatado a la Inquisición (1572) por haber hecho una traducción castellana del *Cantar de los Cantares*, contraviniendo las disposiciones que estatuían que ningún libro de las Sagradas Escrituras fuese leído en lengua vulgar. Detenido en la cárcel hasta que recayera sentencia definitiva, fue absuelto y libertado cinco años después. Regresó a su cátedra en Salamanca y al reanudar sus clases pronunció la famosa frase: "Decíamos ayer. .." Durante su prisión escribió parte del libro *De los nombres de Cristo*, disertaciones en forma de diálogo sobre el tema que sirve de título a la obra. Otro de los trabajos que colocan a fray Luis entre los más grandes prosistas castellanos, es su obra *Exposición del libro de Job*, empezada en la primera época literaria del autor. *La perfecta casada* es quizá la obra más conocida de fray Luis, inspirada en un capítulo de los *Proverbios*, en la que se dan reglas de conducta para la esposa cristiana ideal. Su obra poética hace de fray Luis de León una de las más grandes figuras de

la lírica española. Entre sus rasgos característicos figuran la perfección formal y la serena belleza de ciertos pasajes, como el siguiente de su oda *A la vida retirada*:

¡Qué descansada vida
la del que huye el mundanal ruido,
y sigue la escondida
senda por donde han ido
los pocos sabios que en el mundo han sido!

León, Ricardo (1877-1943). Poeta y novelista español. Poeta vigoroso en *Lira de bronce* y *Alivio de caminantes*, lo mejor de su producción se halla en su prosa, obra de un estilista impregnado de lecturas clásicas y de ecos del Siglo de Oro, tanto en la forma finamente arcaizante, como en el fondo de reacción contra el Naturalismo. A su primera obra famosa, *Casta de hidalgos*, siguieron *Comedia sentimental, Alcalá de los Zegríes, El amor de los amores* –donde trata de pintar un Quijote místico–, *Los centauros* y *Cristo en los infiernos*. Perteneció a la Real Academia Española.

león marino. Mamífero pinnípedo, del género *Otaria*. En América del Sur se le suele llamar lobo marino. Habita en el Mar de Bering y en el norte del océano Pacífico, de Japón a California, y, en el hemisferio sur, principalmente en las costas del extremo austral de América del Sur. Tiene cuerpo pisciforme, de unos 3 m de longitud, cabeza robusta, hocico corto y levantado, con gruesas y largas cerdas; orejas chicas, casi ocultas en el pelo; cuello largo y grueso, y el cuerpo cubierto de pelo cor-

León marino sobre una piedra en las islas Galápagos.

león marino

to de color pardo. Las extremidades anteriores son cortas, con forma de paletas. La cola es muy corta y las extremidades posteriores dirigidas hacia atrás sirven de aletas natatorias. Pasan en el mar la mayor parte del año, alimentándose de peces que atrapan con gran agilidad. Al llegar la primavera salen a tierra, reuniéndose en islas o parajes aislados de la costa (llamados *loberías* en Chile y Argentina), donde pasan el verano, formando grandes manadas. Allí nace el único hijo que tiene cada hembra por año. Los lobos marinos son cazados para aprovechar su cuero y su grasa.

León Portilla, Miguel (1926-). Investigador mexicano, historiógrafo de las antiguas culturas americanas. Estudió en la Universidad de Loyola (Los Angeles, California) y obtuvo el doctorado en filosofía y letras por la Universidad Nacional Autónoma de México en 1956. Junto con Ángel María Garibay fundó los seminarios de cultura náhuatl, en el Instituto de Investigaciones Históricas, que dirigió desde 1963. Es autor de *La filosofía náhuatl, estudiada en sus fuentes*; *Siete ensayos sobre cultura náhuatl, La visión de los vencidos* (publicada en 1959 en colaboración con Ángel María Garibay), y muchos otros trabajos y artículos especializados aparecidos en publicaciones nacionales y extranjeras.

León y Gama, Antonio (1735-1802). Físico, matemático, astrónomo y geógrafo mexicano de la época colonial. Enseñó en el antiguo Colegio de Minería, colaboró en diversos trabajos de investigación y cálculo, astronómico y geofísico. Escribió sobre temas que a veces escapaban aparentemente de su especialidad, como *Instrucción sobre el remedio de las lagartijas, nuevamente descubierto para la curación del cancro y otras enfermedades*, que suscitó fuerte polémica entre los médicos. Fue el primer mexicano que estudió seriamente los monumentos arqueológicos, con ocasión del hallazgo de la llamada Piedra del Sol, o Calendario Azteca y de la Piedra de Tizoc (1790).

Leoncavallo, Ruggero (1858-1919). Compositor italiano. Conoció gloria y fortuna al estrenar su ópera *Pagliacci (Los payasos)* (1892), mundialmente conocida. Hasta ese momento cumbre de su inspiración sólo había conocido fracasos, no obstante haber sido alumno brillante del Conservatorio de Música de Nápoles. Tampoco perduraron otras óperas suyas: *Zazá, Edipo rey* y *Rolando en Berlín*, que escribió en Alemania, logrando mejor suerte con ballets, operetas y numerosas canciones populares.

Leones, club de. Asociación de hombres de negocios y profesionistas, entre cuyos propósitos figuran los de estudiar y estimular la implantación de medidas para fomentar el progreso cultural y material de la comunidad en que desarrollan sus actividades. Propugna mejoras cívicas, la propagación de la instrucción pública, la ayuda a los ciegos, el estímulo del espíritu público y otras actividades semejantes. Todos los clubs existentes se agrupan en la Asociación Internacional de Clubs de Leones, que tiene su sede en Chicago, y fue fundada por Melvin Jones en 1917. Cuenta con mas de 400,000 afiliados y alrededor de 8,500 clubs distribuidos en 26 países.

Leónidas (? -480 a. C.). Se hizo famoso en la antiguedad como héroe de las Termópilas. Defendió el paso o desfiladero de este nombre, situado entre la Lócrida y la Tesalia, contra un ejército del rey Jerjes en la guerra que mantenían los griegos contra los persas. Leónidas, que contaba con 300 soldados espartanos, recibió de Jerjes, el cual no concebía la resistencia con medios tan desiguales, el siguiente mensaje: "Rinde las armas". El espartano escribió al pie del mensaje las célebres palabras: "Ven a tomarlas", y se dispuso a defender el paso con la única ayuda de lo muy escarpado y estratégico de su posición. Durante tres días rechazó a los invasores, hasta que el traidor Efialto, conocedor del terreno, mostró al enemigo la manera de rodear el monte y sorprender a los griegos por la espalda.

Leontief, Wassily W. (1906 -). Economista estadounidense de origen ruso.

Leopardo tomando el sol.

Corel Stock Photo Library

Desarrolló el método *Input-Output* (*entrada-salida*) de análisis económico, usado particularmente en economías desarrolladas y planeadas, para la determinación de los niveles de recursos necesarios para producir según un plan dado. Por ello recibió el Premio Nobel de Economía en 1973.

Maestro de economía en la Universidad de Harvard desde 1931 hasta 1975, fue el fundador del Instituto de Análisis Económico. Sus obras incluyen *Economía del input-ouput* (1966), *La estructura de la economía americana* (1919-1939), *El futuro de la economía mundial* (1977), estudio encargado por , la Organización de las Naciones Unidas, *El impacto futuro de la automatización sobre los trabajadores* (1986).

Leopardi, Giacomo (1798-1837). Escritor italiano. Pasó su juventud dedicado al estudio. A los 15 años había leído ya toda la biblioteca de su padre, donde había libros en hebreo, griego, latín, francés, inglés y alemán. Una ceguera progresiva le impidió aceptar las cátedras universitarias que se le ofrecieron y vivió con el dinero que algunos amigos reunían para él. Si se leen sus obras en el orden en que fueron escritas se advierte que su tristeza y desesperanza eran cada día mayores. La búsqueda de la verdad, según se lee en sus últimos escritos, es fatal para el hombre, pues destruye su única fuente de felicidad: las ilusiones de la imaginación. Con estas ideas y su concepción de la naturaleza como un ser activo, hermoso y cruel, puede ser clasificado entre los románticos aunque ensombrecido por el pesimismo. Sus obras principales pueden dividirse en dos grupos: el de los cantos y el de los diálogos.

leopardo. Mamífero carnívoro de la familia de los félidos, que habita especialmente en África. Es un animal de cabeza grande y redonda, cola larga y piel rojiza, con grandes manchas negras, que se caracteriza por la belleza de su pelaje y por la gracia y soltura de sus movimientos. Tiene 1.5 m de largo, sin contar la cola. Esta descripción corresponde al leopardo propiamente dicho, pero existe una especie, denominada pantera, que se diferencia de este animal por la coloración de su pelaje. En América vive otra especie, el jaguar o yaguar, que es más robusto que su congénere africano y ostenta manchas de mayor tamaño. El leopardo también puede ser hallado en gran parte del continente asiático, desde el Cáucaso hasta Manchuria. Habita tanto en los grandes bosques como en los terrenos abiertos y en las montañas; en las selvas ecuatoriales, hasta donde los leones no llegan, es el animal feroz por excelencia. Es menos vigoroso y de más reducida talla que el tigre y el león, pero su agilidad es mucho mayor y sabe trepar a los árboles con increíble destreza. A semejanza del león, acecha a sus víctimas emboscado entre la maleza y, cuando las tiene cerca, salta sobre ellas con ágil movimiento; mientras inmoviliza al animal con una zarpa, con la otra le dobla la cabeza hacia atrás hasta romperle las vértebras del cuello. Sus víctimas predilectas son los animales de tamaño mediano, por lo general jabalíes, monos, venados y antílopes, y a veces penetra en los poblados para apoderarse de ovejas, cabras o perros. En circunstancias ordinarias no ataca al hombre, pero cuando está cebado se ensaña especialmente con los niños. Un pariente próximo del leopardo es el irbis o pantera de las nieves, que vive en las regiones elevadas del Asia central.

Leopoldo III (1901-1983).

Rey de los belgas, hijo de Alberto I, a quien sucedió en 1934. Casado con Astrid de Suecia. Firmó la capitulación belga en 1940, durante la invasión alemana. Permaneció prisionero de los invasores en el castillo de Laecken hasta el fin de las hostilidades, ocasión en que se retiró a Suiza en espera de la crisis dinástica y constitucional del país, que terminó con la elección de su hijo Balduino I para el trono, después de la regencia mantenida por su hermano durante su exilio.

Lepanto, batalla de.

Combate naval que tuvo lugar el 7 de octubre de 1571 en aguas del Mediterráneo oriental y a la que Cervantes menciona como "la más grande que han visto los pasados siglos y habrán de ver los venideros". Los turcos amenazaban con invadir toda la Europa cristiana y, para contrarrestar su poderío, el papa Pío V instó a las potencias católicas

Corel Stock photo Library

Leopardo en libertad..

a armar una poderosa flota que les hiciera frente. El rey Felipe II de España aceptó con entusiasmo y recabada la adhesión de Venecia se formó la *Santa Liga* (20 de mayo de 1571) a la que se adhirieron Génova, Saboya y los caballeros de Malta. De este modo se reunió una flota de 300 buques, siendo los principales 208 galeras, entre ellas 6 enormes galeazas, que fueron puestas bajo las órdenes de Juan de Austria, hermano natural de Felipe II de España; entre los jefes se hallaban marinos tan expertos como el español Álvaro de Bazán,

marqués de Santa Cruz, y el genovés Andrea Doria. La escuadra turca era dirigida por Alí Bajá, que murió en el combate; tenía mayor número de naves principales (250 galeras) y disponía de legiones de guerreros asiáticos adiestrados en la técnica del abordaje. Al cabo de un día entero de feroz lucha, la armada cristiana hundió 80 naves otomanas, logró capturar otras 120 y más de 5,400 prisioneros. Entre las bajas turcas se contaron 25,000 hombres. Unos 12,000 cristianos, cautivos que iban como remeros en las galeras turcas, fueron libertados. Aunque los turcos consiguieron rehacer sus fuerzas navales poco tiempo después y los cristianos no obtuvieron todo el fruto que podía esperarse de la victoria, a causa de mala inteligencia entre los mandos y posteriormente porque los venecianos se separaron, lo cierto es que el peligro musulmán quedó alejado definitivamente del occidente europeo. En la lucha tomó parte Miguel de Cervantes Saavedra, el entónces futuro autor del *Quijote*, que resultó herido en la mano izquierda y recibió por ello el apodo de *El manco de Lepanto*.

Le Pen, Jean Marie (1928-).

Fundador y líder del Partido Nacionalista y del xenófobo Frente Nacional (FN), prominente en Francia durante las décadas de 1980 y 1990. Sirvió como soldado paracaidista en la guerra contra Indochina y fue diputado derechista en la Asamblea Nacional Francesa desde 1956 hasta 1962. Aprovechando el sentimiento adverso hacia los extranjeros existente en Francia, fundó en 1972 el FN, que exigía restricciones a los inmigrantes no europeos bajo el llamado

Cachorro de leopardo negro (también llamado pantera) saliendo de un río.

Corel Stock Photo Library

de "Francia para los franceses". El apoyo electoral personal de Le Pen se mantuvo generalmente constante desde la elección presidencial de 1988, en donde ganó 14.4% de los votos, hasta el de 1995 en donde obtuvo 15%. Aunque su partido no está representado en la Asamblea Nacional, ganó 11% de los votos en las elecciones del Parlamento Europeo de 1994.

lepidópteros. Orden de insectos que comprende las mariposas y polillas. Se caracterizan por tener cuatro alas cubiertas de escamillas que, en el caso de las mariposas, forman bellos dibujos y presentan brillantes colores. Los lepidópteros tienen ojos grandes, antenas largas, multiarticuladas, de formas diversas, tórax de tres segmentos soldados, patas delgadas, abdomen de varios anillos, cubierto de pelo. Su reproducción es de metamorfosis completa.

En el orden de los lepidópteros, las clasificaciones difieren; pero, según la más generalizada, se dividen en dos subórdenes; el de los *ropalóceros* o mariposas, y el de los *heteróceros* o polillas. *Véanse* MARIPOSA; POLILLA.

lepidosirena. Pez de agua dulce, perteneciente al grupo de los *dipnoos* que posee, además de branquias, un órgano pulmonar, derivado de la vejiga natatoria, y por esto deben salir de vez en cuando a la superficie para respirar aire atmosférico. Tiene el cuerpo anguiliforme, de aproximadamente 35 cm de longitud, cubierto de pequeñas escamas. Es propio de los ríos de América del Sur, donde lleva una vida sedentaria; a veces se queda varias horas inmóvil, o se arrastra entre las enmarañadas plantas acuáticas para buscar su alimento. El *loalach*, como lo llaman los indígenas, tiene una curiosa característica. Durante la época de sequía en que los ríos quedan sin agua se envuelve en el lodo y permanece en una especie de letargo, respirando sólo con el pulmón, hasta que a la llegada de las lluvias puede volver a su vida activa. Entonces realiza la puesta en una depresión del fondo, que queda al cuidado del macho, cuyas aletas ventrales presentan en esa época una vellosidad sanguínea a modo de branquia accesoria, que le permite permanecer en el agua sin salir a respirar a la superficie. Estos curiosos peces, por sus caracteres comunes con los anfibios, parecen ser la transición entre ambas clases. Su carne es comestible y sus huevos muy apreciados.

lepisma. Insecto tisanuro de cuerpo fusiforme, de unos 9 mm de largo. Originario de América, se ha extendido a todo el mundo. Tiene el cuerpo cubierto de tenues escamas plateadas, dos largas antenas y abdomen terminado en cerdillas articula-

Lepidóptero sobre flores rojas.

das. Vive entre las grietas y muebles del interior de las casas, de donde sale de noche para alimentarse de papel, cueros, vestidos y, sobre todo, de sustancias azucaradas.

lepra. Enfermedad de evolución clínicamente indefinida, cuyos síntomas externos son la aparición en la superficie de la piel de manchas –a veces una sola– de color leonado, a las que siguen, luego, pequeñas protuberancias en forma de tubérculo llamados lepromas, del tamaño de una avellana, provocando ulceraciones crónicas y, sobre todo, una insensibilidad o anestesia muy característica en las zonas afectadas. Bastante difícil de diagnosticar en sus comienzos y pudiendo ser confundida con la sífilis y otras dolencias, fue considerada durante mucho tiempo como hereditaria, pero actualmente está comprobado que es puramente infecciosa, causada por el bacilo de Hansen. Puede afectar diversas formas, entre ellas la lepra nerviosa en la que las manchas cutáneas se mezclan con graves alteraciones en la sensibilidad del paciente, sequedad de la piel, desprendimiento de uñas y vello, atrofia de ciertos músculos, etcétera; la lepra mutilante, que provoca alteraciones de los huesos y desprendimiento de los dedos del pie y de la mano con graves deformaciones del rostro, y la lepra visceral, que ataca a diversos órganos y glándulas. *El leproma* que recuerda por su estructura a un tubérculo –lla-

mándose vulgarmente así por esa semejanza– aparece a nivel de los nervios o a su alrededor y en los tejidos, determinando manchas coloreadas sobre las mucosas o sobre los órganos; en su interior se hallan bacilos de Hansen en número variable. Cuando se desarrolla en el rostro –caso muy frecuente– produce la denominada *facies leonina* por la similitud que guardan los rasgos del enfermo con la expresión de la cabeza del león; la cara es objeto de una verdadera elefantiasis. El estado general del paciente es febril, acompañado de anemia y de gran decaimiento. La lepra ha sido un azote para la humanidad, especialmente en la antigüedad y en la Edad Media; en la Biblia y en papiros egipcios escritos en el 2000 a. C. se hace ya mención de la misma. Actualmente existe en algunos países de Europa y América y con mayor frecuencia en Asia, África y Oceanía. La raza negra, sobre todo cuando habita los trópicos, se halla más expuesta a sufrirla, especialmente si se trata de tribus que vivan en promiscuidad y miseria fisiológica. El pronóstico de la lepra es siempre grave y muchos autores la reputan incurable; el método más seguro que se emplea para diagnosticarla es el biópsico, consistente en seccionar una parte de la piel afectada, someterla a un líquido fijador, y examinarla luego al microscopio para ver si existen los bacilos de Hansen. Como medidas profilácticas se prescribe el aislamiento absoluto e inmediato de la persona contaminada, abluciones constantes y lavados minuciosos de la piel, higiene muy rigurosa y alimentación sana. La lepra proviene a causa del contagio directo debido a la exposición prolongada con individuos infectados por el bacilo de Hansen. Actualmente existen en algunos países, leproserías que a modo de lazaretos mantienen en su recinto a los contaminados sin los peligros de la propagación. La lepra nerviosa puede durar hasta 30 años, mientras que en la mutilante o la visceral sobreviene la muerte a los 5 o 10 años de declararse la lepra. Para el tratamiento de la lepra se utiliza desde hace mucho tiempo el aceite de chaulmugra, por la vía oral o en inyecciones. En nuestra época se emplean, con grandes resultados, medicinas derivadas de las sulfonas, entre ellas diasona, sulfetrona, promina y promacetina, también se utilizan la clofazimina y la thalomina.

leptón. Moneda de cobre de la Grecia antigua. Siete leptones componían un calco, también de cobre; 56 leptones equivalían a un óbolo de plata. En física nuclear un leptón es cada una de las partículas elementales de espín semientero y masa inferior a la del protón. Son leptones el electrón, el positrón, los neutrinos y los muones (partículas μ), impropiamente denominadas mesones μ; a excepción de estos últimos, son estables. Son característicos de las interacciones llamadas débiles.

Lerdo de Tejada, Sebastián (1823-1889).
Político y jurista mexicano nacido en Jalapa, Veracruz, y muerto en New York. Hizo carrera eclesiástica en el seminario Palafoxiano (Puebla) y luego se recibió de abogado en el Colegio de San Ildefonso. Ejerció diversos cargos ministeriales en los gobiernos liberales de Ignacio Comonfort y Benito Juárez, de quien fue el colaborador más cercano, no abandonándolo en sus luchas contra la intervención francesa y el segundo imperio hasta ver el triunfo de la república (1867). Sin embargo, aunque se opuso a una nueva reelección de Juárez en 1870, no pudo evitarla, y debió esperar hasta la muerte de éste para acceder a la presidencia, primero en forma provisional y luego por elección. Durante su mandato (1872-1876) se elevaron a rango constitucional las Leyes de Reforma de 1859. Al reelegirse para un segundo periodo de gobierno, se le opuso Porfirio Díaz, quien derrotó a sus partidarios en Tecoac (noviembre de 1876), obligando a Lerdo a salir del país para asilarse en Estados Unidos.

Leriche, René (1879-1955).
Cirujano francés. Se dedicó especialmente a la cirugía del sistema neurovegetativo; la operación que consiste en cortar las fibras simpáticas para evitar ciertos dolores neurálgicos lleva su nombre. Estudió además las úlceras estomacales y la formación del tejido óseo. Fue director del Instituto de Cirugía Experimental de Lyon y miembro del Colegio de Francia y de la Academia de Medicina de París. Autor de las siguientes obras: *Cirugía del dolor, Cirugía de las arterias* y *Enfermedades de la trombosis arterial.*

Lérida.
Ciudad española, capital de la provincia de su nombre. Está situada en la orilla derecha del río Segre, en el centro de una fértil huerta que forma parte de una de las zonas de riego más productivas de España y al pie de una colina donde se halla la antigua fortaleza de la Azuda o Alcazaba. La catedral de la ciudad, construida entre los siglos XIII y XV, es una de las más notables de España. Lérida, que actualmente reúne 114,367 habitantes (1995), era población importante de los iberos, figuró en la época romana bajo el nombre de *Ilerda* y fue ocupada por los árabes, que la llamaron *Lerita.*

Lérida.
Provincia del noreste de España que limita con Francia, de la cual la separan los Pirineos; es una de las cuatro en que se dividió el principado de Cataluña y la más extensa de este origen, con superficie de 12,028 km². Población: 360,407 habitantes (1995). Ríos principales: el Garona, que cruza el valle de Arán y penetra en Francia, y el Segre, el mayor afluente del Ebro; a orillas del Segre se encuentra la capital provincial, también llamada Lérida, que es importante nudo de carreteras. Intensos cultivos de cereales, frutales, remolacha, olivos, viñedos y forrajes, de los que derivan importantes industrias. Minas de cinc y hierro y canteras de mármol y yeso. La red del Segre desarrolla grandes y numerosos saltos de agua, en los que se han instalado importantes centrales hidroeléctricas.

Lerma, Hernando de (1550-1588).
Administrador colonial español. Designado en 1577 gobernador del Tucumán, tomó posesión del cargo en 1580, su gestión se destaca por la fundación que realizó de la ciudad de Salta, actual capital de la provincia argentina del mismo nombre, el 16 de abril de 1582. Por los abusos cometidos durante su administración, fue procesado y detenido en Chuguiasca (1584). Conducido a la península, falleció en la carcel mientras se revisaba su proceso.

Lerma-Santiago.
Sistema fluvial de México (estados de México, Guanajuato, Jalisco y Nayarit), constituidos por los ríos Lerma (515 km), la laguna de Chapala y el Grande de Santiago (400 km). Antiguamente formaron líneas de avenamiento independientes, unificándose el sistema a partir de la captura del Lerma por el Santiago. Su cuenca cubre 125,370 km², y el caudal absoluto es de 363 m³/seg en la desembocadura. El Lerma nace en la laguna homónima a 2,600 m de altura (Codillera Neovolcánica); recibe aportes del Nevado de Toluca y, hacia el noreste, drena el altiplano meridional (valles de Toluca, el Bajío). Recibe al Tigre, Jara, Laja, Turbio, Ángulo y Duero y descarga en la laguna de Chapala. A su salida recibe el nombre de Grande de Santiago, atraviesa la Sierra Madre Occidental por un desfiladero y forma el gran salto de Juanacatlán. Hacia el oeste, drena los llanos costeros del Pacífico y desemboca al norte de Puerto San Blas. Recibe al Verde, Ahichilco, Juchipila y Bolaños. El sistema está regulado por siete presas, entre las que destacan las de Solís (425.000,000 m³) y Tepuxtepec (35.000,000 m³), y riega un total aproximado de 324,094 ha a través de los distritos de riego de alto Lerma, Chapala y Grande de Santiago.

Lerma y Villegas, Francisco José de (?-1753).
Pintor venezolano activo en la capital del país. Su obra sobre lienzo y tabla refleja una mezcla de estilos, entre los cuales se acusa la influencia de la pintura flamenca y del manierismo italiano. Cultivó la temática religiosa. Su primera obra conocida es *La Sagrada Familia* (1719). De su producción sobresalen: *San Miguel Arcángel, La Virgen de la Merced, Transverberación de Santa Teresa y San Antonio y el Niño*, piezas pertenecientes a diversas colecciones privadas de Caracas.

Lermontov, Mihail Jurevich (1814-1841).
Poeta y novelista ruso, cuyas obras vida y muerte hacen de él la representación del romanticismo. Noble de origen y rebelde desde la adolescencia, la muerte del poeta Alexander Sergeevich Pushkin en un duelo inspiró una de sus primeras obras. Como pidiera en ella la cabeza del matador, fue sometido a juicio y enviado al Cáucaso. Aunque excelente pintor de las costumbres de la estepa, su obra maestra es *Un héroe de nuestro tiempo*, retrato del hombre ruso común.

Lerroux, Alejandro (1864-1949).
Político y periodista español, fundador y jefe del Partido Radical. Fue diputado varias veces y por su actuación política estuvo preso en diversas ocasiones. Formó parte del comité que propició la instauración de la Segunda República Española, de la que fue ministro de Estado y después presidente del Consejo de Ministros.

Lesage, Alain-René (1688-1747).
Novelista y autor dramático francés. Conocedor de la literatura y la sociedad españolas se inspiró en la novelística conocida como picaresca y creó una obra maestra, *Gil Blas de Santillana*, traducida y reivindicada para las letras españolas por el padre Isla.

Lesotho.
Reino africano independiente desde 1966. El país está enclavado en la República de Sudáfrica, entre las provincias del Estado Libre de Orange, Natal y El Cabo. Extensión territorial: 30,500 km² y 2 millones de habitantes (1995).

Su suelo es una extensa y elevada meseta con clima seco y variable, accidentada por los montes Maloti y Drakensberg, y cortada por los ríos Orange y Caledón. Los habitantes de Lesotho son basutos; hay una pequeña minoría de europeos. La economía es agropecuaria. Maseru, la capital, con una población de 170,000 habitantes (1994), comunica por su ramal ferroviario con la línea Natal-Bloemfontein.

Colonia británica desde 1868, hasta 1884 estuvo gobernada desde El Cabo y desde entonces hasta 1964 por un alto comisario. El 4 de octubre de 1966 obtuvo la independencia y Moshoeshoe II fue proclamado rey, pero para representar un papel meramente simbólico, ya que no tiene poderes ejecutivos. En 1970 se celebraron elecciones y ante la derrota del partido oficial, el primer ministro Leabua Jonathan estableció el estado de emergencia, obligando a exiliarse al rey y quedando como regente la reina Mamohato. En enero de 1986 un golpe militar derrocó a Jonathan, se creó un Consejo Militar, presidido por el general Justin Lekhaya y confió el poder al rey Moshoeshoe. En 1988, el papa Juan Pablo II visitó Lesotho. En 1990, Justin Lekhaya, el primer ministro, destituye a tres miembros del Consejo Militar y a un miembro del Consejo de Ministros. El rey Moshoeshoe desaprueba los cambios y Lekhaya suspende los poderes Ejecutivo y Legislativo del monarca. Al finalizar 1990, los jefes principales destituyen al rey y nombran monarca a Letsie David Mohato (Letsie III), el mayor de sus hijos. Pero poco tiempo después los militares destituyeron a Justin Lekhaya (30 de abril de 1991) y derrocaron a Letsie III. Un Consejo Militar, presidido por el coronel Elías Pishona Ramaema, autorizó los partidos políticos y el retorno del rey (1992). En las primeras elecciones multipartidistas (27 de marzo de 1993) triunfó el Partido del Congreso (BCP); Ntsu Mokhehle fue designado primer ministro y el Consejo Militar fue disuelto. Las dificultades del nuevo Ejecutivo originaron revueltas, secuestros y el asesinato de varios ministros en 1994. Mediante un golpe de Estado, Letsie III disolvió el Parlamento y abrogó la Constitución (17 de agosto de 1994), estableciendo un gobierno provisional. Las presiones externas consiguieron la vuelta de Mokhehle al Ejecutivo (14 de septiembre), así como la restauración del Parlamento y la readopción de la Constitución. Letsie III abdicó en enero de 1995 en favor de su padre Moshoeshoe II, pero volvió al trono al morir este último, en 1996.

Lesseps, Ferdinand-Marie, vizconde de (1805-1894).

Diplomático francés a cuyos esfuerzos se debió la construcción del Canal de Suez. Se inició como empleado consular a los 20 años de edad, y trabajó en distintos países. Se hallaba en Barcelona cuando Baldomero Fernández Espartero bombardeó la ciudad y desplegó tal actividad para salvar a aquellos que corrían peligro, embarcándolos en buques franceses, que mereció los más altos honores del gobierno y del pueblo en general. En 1848 fue designado ministro de Francia en Madrid desempeñando su labor excelentemente. Hasta allí parecía que la diplomacia era su destino, pero enviado a Roma al año siguiente y por diferencias con su gobierno, volvió a París y pidió la jubilación a que tenía derecho.

Fue a Egipto (1854) por invitación de su gobernante Mohammed-Said y expuso a éste su proyecto para unir el Mar Rojo con el Mediterráneo mediante un canal a través del istmo de Suez. El proyecto fue bien acogido por los egipcios; pero su gestión fue difícil y laboriosa por la tenaz oposición de Inglaterra y Turquía, mientras Egipto y Francia la apoyaban técnica y financieramente. Al fin el canal logró inaugurarse el 20 de noviembre de 1869.

Cargado de honores y merecimientos, y después de luchar, sin éxito, por la habilitación de un mar interior en Argelia y un ferrocarril central asiático, proyectó la apertura del Canal de Panamá. Fracasó en ese intento por quiebra de la compañía francesa que formó para realizarlo, y aun se vio envuelto en un juicio a que le arrastraron malos administradores; pero su nombre surgió limpio y respetable de la terrible prueba.

Lessing, Gotthold Ephraim (1729-1781).

Dramaturgo y crítico alemán, teórico insigne del teatro, cuya renovación en Alemania impulsó con la doctrina y el ejemplo. Estudiante de teología, luego de algunos estrenos sin importancia, el conocimiento de las teorías de Denis Diderot y de los teatros inglés y español le llevaron a cultivar la llamada tragedia burguesa en *Miss Sara Sampson*, *Filotas* y *Emilia Galotti*, *Minna de Barnhelm*, comedia inspirada en la vida contemporánea, abre un nuevo rumbo al teatro alemán, al mismo tiempo que publica su máxima creación crítica, *Laocoonte o de los límites de la pintura* y

Edificio en Riga, Letonia.

la escultura, magistral exposición de lo que une y separa la poesía de las artes plásticas.

Letelier, Alfonso (1912-).

Compositor chileno. Discípulo de H. Allende, amplió sus conocimientos musicales con Conrado del Campo en Madrid. La estética nacionalista de sus primeras obras cedió luego paso a la influencia de Richard Wagner y del expresionismo alemán. Sus obras más destacadas son *Vitrales de la Anunciación* (1950-1951), para orquesta, *Variaciones para piano* (1952), la ópera *Historia de Tobías y Sara* (1955), cinco piezas para piano (1955), *Concierto para guitarra* (1961), y *Misa*, para órgano y orquesta (1972).

Letelier, Valentín (1852-1919).

Educador y sociólogo chileno. Abogó por el desarrollo de la educación primaria y de la mujer. Tuvo una participación destacada en la reforma de la educación secundaria de su país y en la fundación del Instituto Pedagógico para la formación de los profesores de liceos, que ha obtenido prestigio continental. Fue rector de la Universidad de Chile (1906-1911). Alcanzó una influencia extraordinaria como escritor, sociólogo y político de gran formación democrática. Entre sus libros, son famosos: *Filosofía de la educación*, *Génesis del Estado* y *Génesis del Derecho*.

Leticia.

Población colombiana en la orilla izquierda del río Amazonas. Es capital del departamento del Amazonas y tiene una población de 14,300 habitantes. Es importante puerto fluvial y puerto militar.

Letonia.

Estado del norte de Europa situado junto a las costas del Mar Báltico. Limita al norte con Estonia, al sur con Lituania y al este con Rusia. El nombre oficial del país es *Latvijas Republika* y en su territorio, que abarca 64,500 km^2, viven 2.680,029 habitantes (1996).

Tierra y riquezas. Llanuras onduladas, cubiertas de pantanos y bosques, son la característica principal del suelo letón, que desciende suavemente hacia las costas bálticas. El Golfo de Riga, formado al noroeste del territorio, contiene la desembocadura del río Dvina o Duina, principal vía navegable y fuente de riego. El clima, templado parte del año, se vuelve inhóspito en los largos inviernos, cuando los caminos y accesos portuarios quedan bloqueados por la nieve y el hielo.

Cerca de un tercio del territorio se halla cubierto por tupidos bosques de coníferas. La abundante energía del Dvina y sus afluentes está comenzando a ser aprovechada mediante la construcción de numerosos diques, y las reservas de turba y lignito, únicas riquezas del subsuelo, son explotadas en forma intensiva.

Pueblo y gobierno. Los letones, que forman 54.8% de la población (1995), son gente alegre y trabajadora, muchos de los habitantes prefieren vivir en comunidades rurales, lejos de las grandes ciudades. Habitan en pintorescas cabañas de madera y paja que construyen con experta destreza. De origen indoeuropeo, los letones se asemejan mucho a los lituanos y hablan un antiguo lenguaje, muy similar al de éstos.

Grandes cosechas de lino, avena y cebada se obtienen de las tierras cultivables, en las que trabaja 74% de los habitantes (1995). Muchos de ellos se dedican también a criar ganado bovino y lanar y a explotar los grandes bosques propiedad del gobierno. En 1920, poco después de la independencia nacional, los letones comenzaron a dividir las tierras de los grandes latifundios, y fueron repartidas entre los campesinos, que se convirtieron en sus dueños después de pagar una renta mínima durante varios años. Cuando Letonia quedó incorporada a la Unión Soviética, estos labradores fueron agrupados en cerca de 4,500 granjas colectivas dependientes del gobierno, en un sistema similar al de los *koljoses* soviéticos.

Las aguas del Mar Báltico son ricas en peces, y muchos letones se dedican a explotar esta riqueza inagotable. La fabricación de aceite de linaza, los aserraderos y las fábricas de tejidos son las principales industrias.

Gobierno. La Constitución que rige al país es la de 1922. El poder Ejecutivo lo ejercen el presidente del Consejo Supremo (jefe de Estado), el primer ministro y un Consejo de Ministros. El poder Legislativo está integrado por el Consejo Supremo, formado por 201 diputados. El poder Ju

Corel Stock Photo Library

Vista panorámica del castillo de Riga en Letonia.

dicial descansa en la Corte Suprema, la Procuraduría General y las cortes menores.

Principales ciudades. La capital es la antigua ciudad de Riga (915,500 h), activo puerto situado sobre el golfo del mismo nombre, que presenta el grave inconveniente de permanecer helado durante varios meses al año. La ciudad de Liepaja o Libau (114,900 h) es la segunda del país, y se halla libre del obstáculo que presentan los hielos; construida en la Edad Media, ha tenido una vida accidentada y hoy es la principal ciudad industrial del país. Daugavpils o Dvinsk (128,200 h), situada a orillas del Dvina, es el centro de la red ferroviaria y de la industria maderera.

Vida cultural. Cerca de 300,000 alumnos asisten a las escuelas del gobierno, únicas que funcionan en el país. El grado de analfabetismo es mínimo y la enseñanza superior es impartida por la Universidad Estatal, ubicada en Riga, la Academia Estatal de Artes y numerosas escuelas técnicas y profesionales.

El lenguaje letón, de origen indoeuropeo, es casi tan antiguo como el lituano, y suele ser estudiado por filólogos y lingüistas que desean rastrear las formas más arcaicas de las lenguas occidentales. El pueblo profesa en su mayoría la religión luterana.

Historia. Antes de la era cristiana aparecen indicios de que un pueblo llegado de Asia central se estableció junto a las costas del Golfo de Riga y realizaba un activo intercambio con escandinavos, eslavos y romanos. Posteriormente, hacia el siglo VIII, tribus letonas, aisladas y débiles, construyen fuertes para defenderse de las incursiones realizadas por sus vecinos más poderosos, pero no logran resistir la embestida de los caballeros de la Orden Teutónica, que imponen el cristianismo y dominan el territorio hasta la llegada de los polacos, que acontece en 1562. Los siglos siguientes ven una larga lucha entre Polonia y Suecia. En 1721, Rusia se adueña de todo el territorio letón. A lo largo de todo este caótico periodo, los campesinos de Letonia trabajan en condición servil para sus amos sucesivos; su situación mejora un poco bajo la dominación zarista, cuando revive el idioma nacional y se desarrolla el anhelo de la independencia, que cristaliza

Marco labrado de una puerta en Riga, Letonia.

Corel Stock Photo Library

poco después de la revolución rusa de 1917. Un brillante grupo de patriotas logra declarar la Independencia el 18 de noviembre de 1918, y lucha con ardor contra los alemanes y los bolcheviques, que intentan sucesivamente dominarlos. El tratado ruso-letón, firmado en 1920, reconoce la independencia del nuevo Estado, y se organiza un régimen democrático que culmina en el Parlamento Nacional, formado por 100 representantes del pueblo. El país progresa rápidamente, pero en 1934 gana el poder el dictador Karlis Ulmanis, que gobierna con mano férrea hasta octubre de 1939, cuando Letonia se ve forzada a suscribir un pacto con la Unión Soviética. A partir de este momento se precipitan los acontecimientos: ocupado por las tropas rusas en agosto de 1940, el país se convierte en la República Socialista Soviética de Latvia, y poco después cae en manos de los ejércitos alemanes, que lo someten a un régimen de expoliación hasta 1944, cuando los rusos expulsan a las tropas de Adolfo Hitler y lo incorporan nuevamente a la Unión Soviética como república federada.

Bajo los auspicios de la perestroika, nacionalistas y comunistas reformadores constituyeron en 1988 un Frente Popular que venció en las elecciones del Congreso de los Diputados de la Unión Soviética (1989). Anatolijs Gordunov, el nuevo presidente, convocó en marzo de 1981 un referéndum que se pronunció por la Independencia, pero ésta no se proclamó hasta septiembre de 1991. Letonia ingresó en la Organización de la Naciones Unidas (ONU). En las primeras elecciones libres (5 de junio de 1993) triunfó el partido Vía Letona, que obtuvo 34% de los votos, y formó un gobierno de coalición minoritario con la Unión Agraria, dirigido por I. Godmanis.

Guntis Ulmanis fue elegido presidente de la República el 8 de julio de 1993, con Andreis Krastins como primer ministro (1994). Las últimas tropas rusas abandonaron el país en agosto de 1994. En las elecciones legislativas de 1995 (30 de septiembre al 1 de octubre) ningún partido consiguió la mayoría suficiente para formar gobierno. El Partido Democrático obtuvo 18 escaños; Vía Letona consiguió 17 escaños, y el derechista Movimiento Popular de Letonia logró representación por primera vez con 16 escaños. Los dos primeros candidatos a ocupar el cargo de primer ministro propuestos por el presidente letón fueron rechazados por el Parlamento; finalmente, el empresario independiente Andris Skele fue elegido (diciembre de 1995) primer ministro.

letra de cambio. Medio de crédito o pago por el cual una persona encarga a otra que abone cierta suma de dinero. La letra de cambio recibe también los nombres de giro o libranza. Es uno de los do-

Corel Stock Photo Library

Letras utilizadas en un cartel publicitario.

cumentos más importantes de la vida mercantil. Tuvo su origen a finales de la Edad Media, cuando se hizo necesario suprimir el transporte de dinero a causa de la inseguridad de las comunicaciones. Comenzaron a usarla los banqueros, pero no tardó en ser adoptada por todos los comerciantes. En la expedición o libramiento de una letra de cambio intervienen tres partes: *el librador*, que es quien extiende la letra y da la orden de hacer el pago; *el librado* que es quien debe pagarla, y *el tenedor* o *beneficiario*, que es a quien debe pagársele.

Por otra parte, el librado debe aceptar la letra poniendo su firma en la misma, convirtiéndose así en aceptante.

Normalmente, toda letra de cambio debe reunir seis requisitos: 1) el lugar y la fecha en que se emite y la época en que deberá ser pagada (vencimiento), 2) el nombre del tenedor o beneficiario, o sea de la persona o sociedad a cuya orden se manda hacer el pago, 3) la cantidad que el librador manda pagar, 4) el nombre del librado o pagador, 5) la firma del librador, 6) la indicación de si se ha expedido por primera, segunda o tercera de cambio. Las letras pueden ser emitidas: a) a la vista, cuando el librado tiene obligación de pagar la letra en el momento mismo en que se la presente el tenedor, b) a días o meses vista, o sea a cierto número de días o meses a partir de la fecha en que el librado la aceptó, c) a días o meses fecha, o sea cuando el librado deberá pagar al expirar cierto plazo contado desde la fecha de emisión de la letra.

Letrán. Histórico palacio pontificio de Roma en el que se celebraron cinco con-

cilios generales de la Iglesia católica. El primero (1123), puso término a la llamada *querella de las investiduras*, al ratificar el concordato de Worms y declinar las funciones de las autoridades eclesiásticas y civiles. El segundo (1139) introdujo reformas al derecho canónico. El tercero (1179-1180) dispuso que para la elección del papa se necesitaría el voto de los dos tercios de los cardenales, y generalizó la llamada *Tregua de Dios*. El cuarto (1215) definió la Transustanciación, la Encarnación y la Trinidad, e impuso a los fieles la obligación de comulgar una vez al año. El quinto (1512- 1517) condenó errores teológicos de una escuela neoaristotélica y autorizó la existencia de casas de empeño o montes de piedad.

El *Tratado de Letrán* fue suscrito el 11 de febrero de 1929 por el cardenal Gasparri, plenipotenciario de la Santa Sede, y Benito Mussolini, representante del reino de Italia. Solucionó la llamada *cuestión romana* (que existía desde que el rey de Italia ocupó Roma en 1870), al reconocer el gobierno italiano la independencia de la Santa Sede y su plena soberanía sobre el Vaticano, mientras que la Santa Sede reconocía la unidad italiana y se establecía el concordato para fijar las relaciones normales de la Iglesia con el gobierno italiano.

letras, dibujo de. La técnica del dibujo de letras o *rotulación*, constituye una importante rama de dicho arte en general, y se destaca dentro del dibujo arquitectónico y de carteles de propaganda. Durante la Edad Media, cuando la totalidad de los libros eran copiados a mano, los copistas solían comenzar los párrafos con letras *iniciales* exquisitamente decoradas con detalles caligráficos e ilustrativos. Hoy ha cambiado totalmente el gusto, en lo que respecta a letras, prefiriéndose, por lo general, las de lectura más fácil, y constituye un arte el dibujo de un letrero, que, ante todo, debe ser considerado ópticamente; lo que quiere decir que en su trazado, como en toda obra de arte, se atiende principalmente al efecto.

leucemia. Enfermedad progresiva caracterizada por la proliferación anormal de glóbulos blancos y la hipertrofia o infiltración del bazo, el hígado y la médula ósea. Hasta ahora sus causas son desconocidas. Se trata con radioterapia, fósforo radiactivo y mostazas nitrogenadas.

leucocito. Cada una de las células blancas de la sangre, considerablemente más grandes que las células rojas; con núcleo y mucho menos numerosas que éstas -existen solamente uno o dos por cada 1,000 células rojas y este número se incrementa en la presencia de una infección. Al igual las células rojas son necesarias para la supervivencia por ser portadoras de

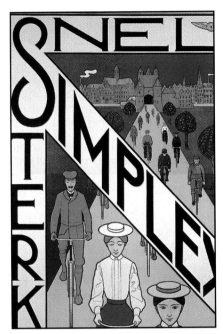

Corel Stock Photo Library

El diseño de las letras influye para una mejor comunicación.

oxígeno. Los leucocitos son indispensables para proteger al organismo en contra de infecciones.

Existen tres tipos de leucocitos, todos involucrados en la defensa del organismo: granulocitos, monocitos y linfocitos. Los granulocitos, que representan aproximadamente 70% de todas las células blancas en la sangre, se forman en la médula espinal, en donde maduran de su forma primitiva mieloblasta, se dividen varias veces y finalmente se convierten en células granuladas con núcleos multisegmentados. Existen tres tipos de granulocitos: neutrófilos (los más abundantes), eosinófilos y basófilos. Los neutrófilos son importantes en caso de reacciones alérgicas y parasitarias y los basófilos también están involucrados en las reacciones alérgicas. Los monocitos, que representan solamente entre 4 y 8% de las células blancas, atacan a los organismos que no son destruidos por los granulocitos.

Los linfocitos se producen principalmente por los tejidos linfoides del organismo, como el bazo y los nódulos linfáticos. Son más pequeños que los granulocitos y tienen núcleos redondos u ovalados. Su función principal es emigrar al tejido conectivo y ayudar a desarrollar anticuerpos en contra de bacterias y virus.

leva. *Véase* SERVICIO MILITAR.

levadura. Pequeño hongo ascomiceto, sencillo, sin micelio verdadero, de forma redonda, compuesto de una sola célula que se presenta aislada, agrupada en pequeñas cantidades, formando débiles cadenas y hasta colonias. Estos hongos se reproducen con gran rapidez en medios dotados de sustancias que, al nutrirlos, favorecen la multiplicación, como los mostos de la cerveza o del vino, caldos que fermentan merced a la acción de la levadura, es decir, que transforman los azúcares contenidos en la cebada y en la uva en anhídrido carbónico (gas que se pierde en la atmósfera) y alcohol (que permanece en la bebida). La levadura se extrae de la cerveza para utilizarla en la elaboración de pan, cuya masa hace fermentar con producción de gas, lo que determina su subida, al mismo tiempo que le da una contextura ligera y porosa. La célula de levadura se reproduce generalmente por gemación, que tiene lugar al hincharse y emitir un mamelón, que luego se desprende y constituye una célula hija; esta última, a su vez, produce una tercera y así sucesivamente, hasta que llega un momento en que toda la cerveza de la cuba está poblada de masas densas de estos hongos, que aislados son microscópicos, pero cuyas agrupaciones de millares constituyen colonias que se presentan en forma de racimos. Sucede a veces que, por falta de un medio nutritivo apropiado, la levadura no puede reproducirse por brotación y lo hace por *esporulación*, método por el cual la célula se divide en *esporas*, es decir, individuos en cierne. Varios son los tipos de levadura comercial utilizada en la industria de la panificación: *la levadura de cerveza*, que se recoge de la superficie del mosto cuando la fermentación está en su periodo tumultuoso; *la prensada*, obtenida por la siembra de variedades seleccionadas, en medios de cultivo apropiados; ésta se espuma de la superfi-

Levantamiento de pesas en una competencia.

Corel Stock Photo Library

cie del líquido, se lava, se purifica, se prensa para eliminar parte del líquido que la empapa y se expande en paquetes que deben conservarse en el refrigerador, pues se deteriora a la temperatura ambiente; y *la desecada*, que no es otra cosa que la prensada que se deshidrata y pulveriza.

La levadura contiene gran cantidad de sustancias nitrogenadas y abundancia de vitamina B. Posee ciertas propiedades tónicas y depurativas. Se denominan *levaduras químicas* o polvos para hornear a ciertos compuestos que contienen sustancias, como el bicarbonato de sodio, que al reaccionar producen gases que levantan la masa *Véase* FERMENTACIÓN.

levantamiento de pesas. Halterofilia del griego *halteres,* pesos de plomo colocados en el extremo de una barra metálica, y el sufijo *filia.* Se realiza sobre una tarima cuadrada de 4 m de lado y 1.10m de altura, se emplea una barra metálica con discos acoplados en los extremos, cada concursante tiene derecho a tres ensayos o intentos para cada movimiento. Los movimientos reconocidos oficialmente son: *arrancada* (la barra se levanta en un solo tiempo, con los brazos tendidos verticalmente por encima de la cabeza) y *dos tiempos* (primero se lleva la barra a la altura de los hombros con una flexión, para después elevarla por encima de la cabeza). Un tercer movimiento, *el de fuerza,* se suprimió en 1973.

Los datos más fidedignos se encuentran en la antigua Grecia en sus juegos deportivos, el levantamiento de piedras perduró hasta la edad media y su concepción mo-

Corel Stock Photo Library

Levntamiento de pesas profesional.

235

derna de este deporte surge hasta finales del siglo XVIII en desafíos de profesionales en salas de espectáculos. Los primeros campeonatos mundiales tuvieron lugar en Londres en 1891 y cinco años después en Atenas con los primeros juegos olímpicos; en 1920 se funda la Federación Internacional que reglamenta esta modalidad deportiva.

Levante. Nombre que se da a las tierras o regiones que están al este del observador, por corresponder al lado por donde se levanta o sale el Sol. Generalmente se entiende por Levante las regiones en el extremo oriental del Mar Mediterráneo, que comprenden Asia Menor, Siria y a veces hasta Grecia y el valle del Nilo. En España la región de Levante es la que tiene costa mediterránea, incluyendo Cataluña, toda la región de Valencia y Murcia hasta Almería. Se le llama también levante al viento que sopla del este .

Levene, Sassone Ricardo (1885-1959). Historiador y erudito argentino, cuyos trabajos han contribuido a esclarecer puntos poco conocidos de la historia argentina. Fue profesor de las facultades de derecho de Buenos Aires y de humanidades de La Plata, fundador de la Academia Nacional de la Historia y director del Archivo Histórico de la Provincia de Buenos Aires y del Instituto de Historia del Derecho. Gran Premio Nacional de 1921 y Premio de la Raza de la Academia de la Historia de Madrid, sus trabajos contribuyeron a situar en un punto de justicia histórica la labor desarrollada por España en América. Entre sus obras, se destacan: *Orígenes de la democracia argentina, Lecciones de historia argentina, Investigaciones acerca de la historia económica del virreinato del Río de La Plata, Introducción al estudio del derecho indiano e Historia del derecho argentino. La magna historia de la nación argentina,* por él dirigida, comprende 14 tomos. También dirigió la publicación de la *Historia de América,* en 15 volúmenes.

Le Verrier, Urlain Jean Joseph (1811-1877). Matemático y astrónomo francés, director del Observatorio de París. Investigó las perturbaciones hasta entonces inexplicables del planeta Urano, lo que le llevó a determinar matemáticamente la existencia del planeta Neptuno. Al año siguiente (1846), el astrónomo alemán Juan Galle descubría dicho planeta. Otro de sus principales trabajos fue la revisión de los movimientos del Sol y de los planetas. Publicó interesantes memorias y fue miembro del Instituto de Francia.

leviatán. Nombre de un monstruo gigantesco mencionado en varios libros del Antiguo Testamento. *El Libro de Job* lo describe como la mayor bestia acuática;

los Salmos lo presentan como un dragón y la profecía de Isaías lo describe como serpiente. Los padres de la Iglesia interpretaron estas expresiones en un sentido simbólico, entendiéndolas como imágenes del demonio. En 1651 el filósofo inglés Tomás Hobbes publicó una famosa obra política titulada *Leviatán o la materia, forma y poder de un Estado eclesástico y civil;* desde entonces se habla del poder estatal como de un Leviatán simbólico.

Levi-Montalcini, Rita (1909-). Médica italiana. Obtuvo su título en la Universidad de Turín en 1936, en donde comenzó el estudio de los efectos de los tejidos periféricos en las células nerviosas. Durante la ocupación nazi, entre 1943 y 1944, utilizó un laboratorio que tenía montado en su casa. Después de la ocupación trabajó como médico entre los refugiados de guerra en Florencia. Fue invitada en 1947 a unirse con investigadores en la Universidad Washington de San Luis, Misouri; allí descubrió la existencia de una sustancia producida por el organismo llamada factor de crecimiento nervioso. Más tarde, su colaborador, Stanley Cohen, identificó químicamente dicha sustancia. Por ese descubrimiento ambos compartieron el Premio Nobel de Medicina o Fisiología en 1986. Desde 1969 hasta 1978 fue directora del Instituto de Biología Celular de Roma. Su autobiografía, *Elogio de la imperfección,* fue publicada en 1988.

levitas. Israelitas de la tribu de Leví, mencionados en diversos pasajes del Antiguo Testamento. Los levitas estaban al servicio del templo y tenían a su cargo el preparar los animales para los sacrificios religiosos. Oficiaban también de cantores y músicos para la recitación de los salmos y como auxiliares de los sacerdotes. Numerosas familias de judíos han conservado las antiguas tradiciones levíticas, entre ellas las que llevan los apellidos Leví y Cohen. Sus servicios se los pagaban con diezmos, y no poseían propiedades territoriales.

Lewis, Edward B. (1918-). Genetista estadounidense. Obtuvo el doctorado en genética en el Instituto de Tecnología de California (1942) y dio clases ahí desde 1946 hasta 1988. Sus estudios sobre la genética del desarrollo embrionario de las moscas de la fruta (*Drosophila*) lo llevaron a descubrir que la formación de éstos provocaba la transformación de determinados segmentos en órganos complejos, como los ojos o las alas. Por sus investigaciones compartió el Premio Nobel de Medicina o Fisiología en 1995 con Eric Wieschaus y Christiane Nüsslein-Volhard.

Lewis, Sinclair (1885-1951). Novelista norteamericano, nacido en Minnesota,

famoso por la fina sátira sobre costumbres de su época, que invariablemente se desprende de todas sus novelas. Después de completar sus estudios en la Universidad de Yale, se inició en la literatura y el periodismo. Había publicado algunas novelas que no alcanzaron mayor resonancia, cuando dio a conocer *Calle Mayor,* que habría de promover las más contradictorias críticas y sostenidas polémicas. Allí se perfilaron las ideas aprendidas en la escuela de Upton Sinclair y se definió el estilo que habría de aparecer más adelante en *Babbit,* que logró el Premio Nobel en 1930, cuando ya en 1926 Lewis había rechazado el Premio Pulitzer otorgado a *Arrowsmith,* declarando su disconformidad por la institución del mismo. Publicó además entre otras obras *Elmer Gantry, Dodsworth y Ann Vickers.*

Lewis, sir William Arthur (1915-1991). Economista británico. Recibió el Premio Nobel de Economía en 1979 por sus estudios sobre el desarrollo económico y construcción de los modelos teóricos utilizados para explicar los problemas de subdesarrollo. Lewis se graduó en la Escuela de Economía de Londres (doctorado, 1940) donde fungió como catedrático (1938-1947). Subsecuentemente se asoció con la Universidad de Manchester (1948-1958), la Universidad de las Indias Occidentales (1959-1963) y la Universidad de Princeton (1963-1983). Gran conocedor de los países del Caribe y de África, argumentó que con el cambio en la estructura del comercio internacional, los países tropicales se convierten rápidamente en importadores de productos agrícolas y exportadores de manufacturas a los países ricos, con lo que continúan dependiendo de éstos para su crecimiento, a la vez que siguen padeciendo un tipo de intercambio desigual. Ello proviene de la baja productividad de gran parte del sector agrario que sólo podría desaparecer con una revolución tecnológica en la producción de alimentos tropicales. Fue consejero económico de muchos gobiernos del tercer mundo. Su obra más famosa es *Teoría del crecimiento económico* (1955).

ley. Regla o norma social obligatoria, establecida por la autoridad pública. La etimología de esta palabra es objeto de discusiones. Sostienen algunos que proviene del vocablo latino *legere* (leer), porque la norma legal aparece bajo la forma clara y objetiva de un texto escrito; afirman otros que se deriva de *ligare* (atar), porque no es otra cosa que el vínculo que liga a la sociedad; por último, se ha sostenido que proviene de *eligere* (elegir), porque equivale a optar en favor de determinada línea de conducta y de acción.

La ley positiva ha surgido del hecho mismo de la comunidad humana. Al formarse las comunidades primitivas, los individuos debieron fijar ciertas normas de respeto y obediencia mutua; algunos actos se consideraron ilícitos o prohibidos y los demás se consideraron como legales o permitidos. De este modo se formaron verdaderas reglas de conducta que adquirieron carácter estable y permanente gracias a la autoridad del poder político. Dos grandes fuerzas, la costumbre y las normas éticas, limitan y modelan el carácter de las leyes.

Toda ley consta de una disposición y una sanción. La primera es la parte que ordena, prohibe o permite algún hecho; la segunda la que reprime con una pena al que la viola. Así, mientras la moral ordena en abstracto: *no matarás*, la ley establece: *El que diere muerte a otro en tales circunstancias recibirá tal pena*. En esta norma, la disposición prohibe el homicidio y la sanción aplica una pena a quien viola la orden.

Teniendo en cuenta el carácter de la sanción, los juristas romanos clasificaban las leyes en cuatro grandes grupos. En el primero figuraban aquellas leyes que establecen que es nulo todo acto cometido en contra de lo que disponen; así, la persona que vende una casa sin suscribir una escritura pública realiza un acto absolutamente nulo y sigue siendo propietaria. En segundo término, se hallaban las leyes cuya violación no implica la nulidad absoluta del acto: cuando un menor vende un objeto sin autorización de sus padres o tutores está realizando un acto nulo, pero que puede tornarse válido si es aprobado por el padre o el tutor. Estas dos clases de leyes pertenecen al derecho civil.

En tercer término se encontraban las leyes que establecen que la persona que falta a sus disposiciones recibe una sanción doble, porque, a la nulidad del acto, se agrega una pena corporal o pecuniaria, vale decir, la cárcel o una multa. Los actos comprendidos por estas leyes pertenecen generalmente al derecho penal: así, la persona que ha robado un objeto debe devolverlo a su legítimo dueño y recibir un castigo. El cuarto y último grupo comprende las leyes que no fijan una sanción precisa para la transgresiones.

En los estados modernos existe un poder especializado que tiene a su cargo la elaboración de las leyes: el poder Legislativo. La formación de una ley es objeto, en los países democráticos, de un proceso que trata de asegurar la máxima eficacia de la norma jurídica.

Seguiremos sus diversas etapas tomando como ejemplo un país organizado en forma democrática, con legisladores elegidos por el pueblo y con una constitución que determina sus deberes y derechos.

La *iniciativa* de la ley, primera etapa del proceso, puede tener lugar en la Cámara de Diputados, en el Senado o en algún ministerio del poder Ejecutivo. El autor de

Edificio de la facultad de leyes de la Universidad de Toronto en Ontario, Canadá.

la iniciativa presenta un proyecto, junto con sus fundamentos, y el mismo se inserta en el Diario de Sesiones para que pueda ser conocido por los legisladores y por el público. Viene luego la *discusión* del proyecto; después de ser estudiado por una comisión de diputados o de senadores, el autor y el miembro informante de la comisión exponen, brevemente, sus puntos de vista, exposición seguida por un debate que puede durar varios días. El presidente de la Cámara pone luego a votación el proyecto; si es aprobado, pasa a la otra Cámara, donde se repite el proceso. Si esta Cámara lo rechaza o modifica, vuelve a la primera para que insista en su propósito o lo deseche. Obtenida la *sanción* de las dos Cámaras, la ley pasa al poder Ejecutivo, que efectúa la *promulgación*, esto es, el acto por el cual el gobierno manda cumplir la ley. Una ley promulgada tiene existencia propia, pero no es obligatoria hasta que, a partir de su *publicación* en el Boletín Oficial o en los periódicos del país, se cumple el plazo establecido en ella para este fin. Una vez publicada, a virtud de una antigua ficción jurídica, se considera que todo el mundo la conoce. Toda ley puede ser derogada o abrogada por el mismo órgano que la sancionó; la derogación se produce cuando se modifican algunas de sus cláusulas, la abrogación cuando la ley íntegra pierde toda vigencia. Las cinco etapas que hemos enumerado (iniciativa, discusión, sanción, promulgación y publicación) forman, con algunas variantes, el proceso de elaboración de todas las leyes. Así como la sanción de las leyes corresponde al poder Legislativo, su aplicación es tarea del poder Judicial, vale decir, de los tribunales. *Véanse* LEGISLATIVO, PODER; TRIBUNALES.

ley marcial. Situación de emergencia en que las fuerzas militares sustituyen a las autoridades civiles en el mantenimiento del orden público. Cuando surgen graves amenazas para la tranquilidad interna de un país, o cuando se acaba de ocupar un territorio enemigo durante una guerra y no existe la certeza de que el orden público permanezca inalterable, el Ejército suele hacerse cargo de la situación; las autoridades civiles quedan subordinadas a los jefes militares, que administran justicia en forma sumaria y tienen la facultad de tomar las medidas más extremas sin que nadie deba exigirles explicaciones. En rigor, la ley marcial equivale a la ausencia de toda ley y a la suspensión de las garantías constitucionales; por los graves peligros que encierra (sobre todo cuando es aplicada en época de paz), debe concluir en cuanto la situación tienda a normalizarse.

ley sálica. Al desaparecer la autoridad de Roma, el derecho sufrió una serie de tropiezos, agravados por los inconvenientes de dar a las leyes interpretaciones de acuerdo con las costumbres locales. La ley sálica, de origen germánico, y vigente entre la rama de los francos salios, vino a codificar las antiguas leyes con las nuevas modalidades de la época. Fue redactada posiblemente a principios del siglo VI. En lo criminal, lo más saliente de esta ley es la ausencia de la venganza privada, que todas las legislaciones primitivas concedían al ofendido, y en materia civil lo más importante es que privó a las mujeres de la herencia de las tierras, en la que sólo podían suceder a sus padres los hijos varones. La ley sálica fue escrita en latín y su redacción primitiva se supone que data de la época de Clodoveo. Rigió a los francos y a los visigodos en España. Con el andar del tiempo esta ley fue aplicada a la política; cuando el derecho ya había sido codificado en sus aspectos más importantes, los Borbón de Francia resucitaron la ley sálica para prohibir que reinaran las mujeres y sus descendientes directos. La casa de Borbón introdujo también la ley sálica en España, pero en este país fue abolida en 1830 por Fernando VII, mediante publicación de una pragmática aprobada desde mucho antes en las cortes, pero que no había sido debidamente promulgada. En virtud de la derogación heredó a Fernando VII su hija Isabel II, jurada por las cortes; pero, el infante Carlos, hermano de Fernando y estandarte del Partido Absolutista, se negó a reconocer la legitimidad de su sobrina como reina y se alzó en armas, iniciando las guerras carlistas.

ley suntuaria. En la Roma antigua existieron varias leyes que tenían por misión poner límite a los gastos excesivos de los ciudadanos. Se llamaron *suntuarias* porque se aplicaban a los objetos suntuosos y a la vida fastuosa que llevaban algunos patricios enriquecidos en las conquistas. En el año 215 a. C. se dictó la ley *oppia*, encargada de regir la extravagancia en el vestir de las mujeres y su excesivo afán por las joyas. La ley julia, sancionada en tiempo de Augusto, estaba encaminada a combatir la propensión al lujo que había hecho presa del patriciado romano. Las leyes suntuarias romanas dieron origen a luchas sordas en las esferas del poder y terminaron por perder su eficacia cuando los emperadores decadentes fueron los primeros en llevar una vida de apatía. Las leyes suntuarias resurgieron después en varios países, entre ellos Francia e Inglaterra, y hoy subsisten en casi todos los pueblos civilizados y tienen aplicación fiscal por parte de los gobiernos, que gravan aquellos artículos considerados superfluos o suntuosos. Las leyes suntuarias nacieron con un carácter moralizador de las costumbres y hoy tienen un sentido de valor impositivo que sólo interesa al fisco.

Leyden. Ciudad de Holanda, con una población de 115,473 habitantes (1995). Está situada 20 km al noreste de La Haya. Es una antigua ciudad que conserva históricos edificios de los siglos XVI y XVII, entre los que se destacan las iglesias de San Pancracio y San Pedro y el palacio municipal. Es notable por su gran universidad fundada por Guillermo de Orange. Entre sus hijos ilustres se cuenta el célebre pintor Harmensz von Rijn conocido como Rembrandt.

Leyden, botella de. Condensador eléctrico que comenzó a usarse hacia 1745 en la ciudad que le dio su nombre. Hoy se emplea en experimentos de laboratorio. Consiste en un recipiente de vidrio cuya mitad inferior está recubierta, exterior e interiormente, por una lámina de estaño. La parte interna comunica con una varilla metálica que hace las veces de conductor eléctrico y que después de atravesar la tapa de la botella termina en una pequeña esfera. Al aplicar a la esfera una carga eléctrica ésta se transmite a la armadura interna y de esta manera queda cargada la botella.

leyenda. Narración literaria en la que se hace referencia a la vida de personajes o a determinados sucesos que la mayoría de las veces no han existido ni ocurrido. Antiguamente se dio este nombre a las biografías de santos y mártires que se leían en las comunidades religiosas a ciertas horas del día. En realidad, la leyenda se caracteriza por la intromisión del elemento sobrenatural y maravilloso en su contenido. Su origen proviene de la necesidad que experimentaban los hombres de otras épocas para explicarse aquellos fenómenos que no podían comprender, supliendo con imagina-

ción la carencia de sus conocimientos. La misma historia, en sus comienzos, no fue otra cosa que una sucesión de leyendas transmitidas de generación a generación. Desde el punto de vista sociológico y antropológico la leyenda es un importante instrumento interpretativo para deducir la cultura y la cosmovisión de los pueblos. El folclore y la mitología, así como la epopeya, juegan notable papel en esta clase de narraciones. No obstante, no todas las leyendas son falsas; muchas relatan hechos verdaderos aunque en ocasiones los deformen o desfiguren al explicarlos.

leyenda negra. Denominación aplicada a la idea desfavorable que de España y de su historia se han formado en el extranjero, a causa de las informaciones y descripciones, en gran parte exageradas, parciales o erróneas, que sobre la vida, el pensamiento y el carácter de los españoles como individuos y como colectividad se hicieron circular por el mundo. Fue una consecuencia del odio y recelo que produjo en Europa la hegemonía de España en la época de la Casa de Austria. La visión y personalidad de Felipe II, el *demonio del mediodía*, hace de éste, especialmente en sus relaciones con su primogénito Carlos, el símbolo de la leyenda antiespañola. Contribuyeron a fomentarla las disensiones religiosas provocadas por la Reforma, los judíos expulsados de la península, las luchas entabladas en Flandes, la desvirtuación de la política hispanoamericana, y la actitud de algunos españoles emigrados como Antonio Pérez. En el siglo XVIII, cuando en la gobernación de España alternaron los ministros aferrados a la tradición con los ministros ilustrados, surge el tópico de las dos Españas: la culta e ilustrada y la negra y retrógrada. Los cargos que se dirigen contra esta última se resumen en el oscurantismo (perduración del catolicismo intransigente, existencia de la Inquisición, menosprecio de las artes útiles, etcétera).

La leyenda negra se forjó también alrededor de los acontecimientos de la conquista y colonización de América, utilizando como testigo de cargo al español fray Bartolomé de las Casas, autor de la *Brevísima relación de la destrucción de las Indias* y de *Historia general de las Indias*. La primera de estas obras, escrita con apasionamiento y sin gran rigor histórico, fue aprovechada por algunos escritores extranjeros para desacreditar la labor de España en el Nuevo Mundo. Los más enérgicos ataques antiespañoles se basan en el trato dado a los indios americanos, motivo de los fervores apostólicos del padre Bartolomé de las Casas. Las famosas *leyes de indias* reconocían a los nativos de América los títulos de propiedad y no podía negárseles la libertad. Pero como en la colonización se necesitaba el trabajo del indio, se

establecieron las llamadas *encomiendas*. Numerosos historiadores modernos tomaron a su cargo la tarea de esclarecer este periodo oscuro y tergiversado de la obra de España en América. Ningún historiador responsable e imparcial se inspira ya en las diatribas que circularon por el mundo en los siglos XVII, XVIII y XIX. Carlos Lummis, Carlos Pereyra, Rómulo D. Carbia, V. Diffie, C. H. Haring Kirpatrick y Hanke figuran entre los historiadores no españoles que tomaron sobre si la tarea de esclarecer los hechos y restablecer la verdad acerca de la obra colonizadora de España en América.

leyes agrarias. Son las que se relacionan con el fomento de la agricultura. Su significado se extiende a las leyes referentes a la distribución conveniente de las tierras y a mejorar el estado de vida de los agricultores. También se conocen con este nombre las que entre los romanos regulaban el régimen de la propiedad territorial. Estas leyes han sido, en todos los tiempos, la causa de las más violentas agitaciones sociales. La primera que se conoce es la del romano Espurio Casio, quien propuso se distribuyera entre los pobres una parte de las tierras públicas. Posteriormente hubo una del tribuno Licinio, otra de Graco y la de Julio César, que repartió tierras en Campania. En los tiempos modernos descuellan la del argentino Rivadavia (1826), la de Alejandro II de Rusia (1863) y las de Holanda de 1860, 1870 y 1881. En México, la legislación agraria adquirió gran trascendencia a partir de la Constitución de 1917, y se procedió a la distribución progresiva de tierras, estableciéndose el ejido, parcela de tierra que, con carácter inalienable, se le entrega al campesino padre de familia.

leyes de indias. Nombre que se aplica al vasto conjunto de documentos legales que dictaron las autoridades españolas, entre los siglos XVI y XVIII, con el objeto de reglamentar el gobierno y administración de las tierras americanas. Apenas producido el descubrimiento del Nuevo Mundo comenzaron a surgir reales cédulas, disposiciones y ordenanzas de toda índole, emanadas de las autoridades metropolitanas (rey, Consejo de Indias, Casa de Contratación) y de los gobernantes locales (virreyes, adelantados, capitanes generales, gobernadores). Estas leyes llegaron a formar un conjunto de magnitud impresionante, pero plagado de incoherencias y contradicciones. El virrey de Nueva España, Luis de Velasco, recibió la misión de reunir y publicar todos los documentos existentes, en su jurisdicción, lo que hizo en 1563. Pero faltaban otras leyes y éstas siguieron acumulándose, por lo cual Felipe II ordenó en 1570 que se hiciera una recopilación completa. Tras de varias vicisitudes y renovación de la comisión encargada, en 1596

Vista lateral del Palacio Potala en Lhasa, Tibet.

Habana. Poeta esencialista, de estilo barroco (a la manera de Góngora), publicó varios libros de poemas, entre los que figuran *Muerte de Narciso, Enemigo rumor* y *Dador*, este último fundamental, al decir de los críticos. Sin embargo, fue su novela *Paradiso*, escrita en 1966, la que le dio a conocer en el mundo literario. Tiene también varios ensayos y una *Antología de poesía* cubana. Fue director de varias revistas, como *Orígenes*, que dio su nombre a toda una generación de escritores y poetas.

Lezo, Blas de (1687-1741). Marino español, defensor denodado de Cartagena de Indias contra las fuerzas inglesas. Participó en el combate naval de Vélez Málaga contra ingleses y holandeses, y perdió allí una pierna, sin abandonar su puesto, ganando así el primer ascenso. Participó en los combates de Tolón y Mallorca, distinguiéndose por su arrojo. Destinado a las Antillas, combatió durante 14 años a los piratas, ganando por méritos de guerra los ascensos a general y jefe de escuadra. De regreso a Europa, dirigió la expedición a Génova y participó en la toma y socorro de Orán. Designado comandante general de la flota de Tierra Firme, obligó a retirarse a la escuadra inglesa, en su histórico ataque a Cartagena de Indias en 1741. Se le concedió como homenaje póstumo el título de marqués de Oviedo, en premio a su gloriosa carrera de marino.

Lhasa. Capital y ciudad santa del Tíbet, situada al sureste del país, en una elevada meseta a 3,650 m de altura, y rodeada de las altas montañas del Himalaya. Es el más importante centro religioso del Asia budista y era residencia del Dalai Lama, jefe espiri-

apareció una colección que se imprimió en cuatro volúmenes. Pero resultó tan defectuosa que debió ser revisada por una comisión en la que colaboraron dos juristas eminentes: Antonio de León Pinela y Juan de Solórzano Pereira. Una nueva comisión, presidida por el ilustre Ramos del Manzano, publicó en 1680 la *Recopilación de las leyes de los reinos de Indias, mandada imprimir por la majestad católica del rey don Carlos II.* Esta obra monumental, que ha pasado a la historia con el nombre de *Recopilación de 1680*, consta de nueve libros ordenados en forma metódica.

El admirable esfuerzo de los juristas de Indias contiene algunos rasgos jamás hallados en ninguna empresa colonizadora. En la primera parte se afirma que no se trata de dominar pueblos, sino de poblarlos en paz y caridad, y se establece el principio de que las tierras americanas no son colonias ni factorías, sino provincias de ultramar. Las tierras del Nuevo Mundo, agregan las leyes de indias, deben ser gobernadas al estilo y orden con que son regidos y gobernados los reinos de Castilla y León. La situación de los indígenas es legislada con admirable espíritu humanitario: los indios no son siervos ni esclavos, sino vasallos libres de la Corona, y la Inquisición no puede interferir en sus hábitos y costumbres tradicionales. La cultura recibe atención constante; la vida de las universidades es reglamentada en el primer libro, mucho antes que las actividades económicas. Adelantándose en varios siglos al progreso social, la recopilación indica que nadie deberá trabajar más de ocho horas por día, y que no se podrá utilizar el trabajo de los menores de 14 años de edad. La obra de 1680

fue ampliada durante el siglo XVIII, por Manuel José de Ayala, compilador de muchas leyes nuevas dictadas por los Borbón. El noble contenido humano y la superior sabiduría política que predominan en las leyes de indias fueron violados en muchas ocasiones por las autoridades y los súbditos del Nuevo Mundo. Pero, su esencia íntima permanece en pie como símbolo de una empresa colonizadora que no ha tenido paralelo en la historia.

Lezama Lima, José (1912-1976). Escritor cubano nacido y muerto en La

Vista general del Palacio Potala en Lhasa, Tibet.

Lhasa

Un atardecer en la ciudad de Lhasa en el Tibet.

tual, y del gobierno tibetano, que habitaba en el Potala, imponente construcción de 11 pisos, a la vez palacio, monasterio, santuario y fortaleza, edificado en un monte rocoso. La población se estima en 105,000 habitantes, y está compuesta en gran parte por lamas que viven en enormes monasterios. Ciudad sin desagües ni pavimentos, con casas de piedra y ladrillo de 2 o 3 pisos, el

primero de los cuales destinan a establo. Se le ha llamado *Ciudad prohibida*, pues durante muchos siglos estuvo prohibida la visita del europeo, y aún hoy sólo se permite en muy raras excepciones. *Véase* TIBET.

Líbano. República situada en la costa oriental del Mediterráneo, que limita al norte y al este con Siria, y al sur con Israel.

Lago junto a la ciudad de Lhasa en el Tibet.

Superficie: 10,400 km²; población: 3.9 millones de habitantes (1997). La cordillera del Líbano, espina dorsal de la nación, tiene cimas de más de 3,000 m y está orientada de norte a suroeste. Paralelamente, y a lo largo de la frontera con Siria, corre otra cadena montañosa, la del Antilíbano, cuyo pico más alto, el Hermón, alcanza 2,314 m. Entre ambas se extiende el valle de Bekaa, zona de aluvión donde se dan muy bien los cereales. Bordea el Mediterráneo otra zona fértil cuya temperatura llega a 32 °C en julio. Los ríos más importantes son el Orontes y el Litani. Además de trigo y cebada se produce tabaco, vid, olivos y varias clases de frutas y hortalizas. La abusiva tala de bosques está hoy regulada, pero los cedros han disminuido mucho. La industria es escasa, y el turismo, principal fuente de ingresos, junto con el comercio y las finanzas, decae por la guerra civil. Ésta ha ocasionado graves daños a Beirut, la capital (475,000 h). La población, que es árabe, profesa las religiones cristiana y musulmana en proporción casi igual. El grupo mayoritario cristiano es el católico maronita, seguido en importancia por el ortodoxo griego.

Historia. Se remonta a la antigüedad. Su costa sirvió de base a los fenicios para comerciar en el Mediterráneo. Luego, como el resto de Levante, fue invadido por asirios, babilonios, persas, macedonios, seleúcidas y romanos. El país ya era cristiano en el siglo IV. En el siglo VII se instaló en el norte una colectividad maronita, mientras una secta musulmana disidente se extendía por el sur. La rivalidad entre ambos grupos todavía perdura.

A partir de 1517, y durante tres siglos, Líbano formó parte del imperio otomano como una provincia autónoma. En 1926 fue declarado república, pero bajo el mandato de Francia. En 1943 éste acabó, y Líbano proclamó su independencia, efectiva en la guerra árabe-israelí (1948); pero bajo la presidencia de Camille Chamoun se apartó de los países árabes, lo que provocó revueltas, para sofocarlas, solicitó la intervención de Estados Unidos (1958). Le sustituyó Fuad Chehab, quien nuevamente estrechó las relaciones con los árabes. El presidente Suleiman Franjieh (1970) afrontó la crisis económica, agudizada por los refugiados palestinos. Los ataques de los fedayin (con base en el Líbano) contra Israel y las represalias judías (1973) originaron tensiones en el gobierno, así como enfrentamientos entre el Ejército Libanés y los fedayin, ocasionando una lucha encabezada por los refugiados palestinos. Los enfrentamientos de éstos con Israel y con los cristianos derechistas de Líbano llevaron a una guerra civil (1975 a 1976), con la intervención de Siria y de las fuerzas pacificadoras de las Naciones Unidas. Las tensiones y violencias continuaron y en

Corel Stock Photo Library

Libélula volando sobre una planta.

Libby, Willard Frank (1908-1980). Químico estadounidense. En 1960 se le otorgó el Premio Nobel de Química por su técnica de fechado radiométrico (1947), que utiliza el carbono 14 para medir la antigüedad de los objetos de origen orgánico. Describió su trabajo en la obra *Cómputo cronológico con radiocarbón* (1952). impartió clases en la Universidad de California en Berkeley (1933-1945), trabajó en el Proyecto Manhattan (1941-1945), posteriormente colaboró en el Instituto de Estudios Nucleares en la Universidad de Chicago (1945-1959) y finalmente en la Universidad de California en Los Angeles (1959-1980), en donde dirigió el Instituto de Geofísica y Física Planetaria.

libélula. Insecto que vive a orillas del agua, alimentándose de moscas y mosquitos los adultos, y de larvas de mosquitos los jóvenes. Estos últimos son acuáticos. La cabeza es de gran tamaño, con fuertes mandíbulas, el abdomen alargado, y cuatro alas, estrechas y alargadas. Pertenece al orden de los odonatos, género *Libellula*, y a veces es confundido con el caballito del diablo.

líber. Conjunto de capas delgadas de tejido fibroso que forman la parte interior de la corteza de los vegetales dicotiledóneos. Las capas interiores del líber, que están en contacto directo con el *cambium*, son las más recientes y van siendo desplazadas anualmente hacia el exterior o corteza, por las otras capas nuevas que van creciendo, dando así lugar a formaciones de líber primario y secundario. Los elementos principales que integran el líber son los

mayo de 1978 los israelíes invadieron el sur de Líbano. La situación siguió agravándose, hasta que en 1982 Israel invadió Líbano, sometió a duros bombardeos a Beirut y cercó a los palestinos, que tuvieron que aceptar su salida del país. Entre octubre de 1983 y marzo de 1984 una Conferencia de Reconciliación Nacional Libanesa, celebrada en Suiza entre todas las facciones libanesas enfrentadas, acercó las posturas de los contendientes. En este sentido se procedió a la denuncia del acuerdo con Israel (1984), a la evacuación por la Fuerza Multinacional de Beirut (1984) que quedó, de hecho, dividido en dos sectores –cristiano y musulmán–, y a la formación de un gobierno de unidad nacional, encabezado por el sunní Rachid Karame que, no obstante, no pudo evitar los continuos enfrentamientos entre las milicias contendientes. En 1987, para pacificar Beirut, las tropas sirias ocuparon el sector musulmán.

En 1983, el presidente Gemayel Bechir (1947–1982) entrega el poder a un gobierno de transición presidido por el coronel Michel Aoun, jefe del Ejército. Al no resolverse la crisis, se forman dos gobiernos que alegan ser legitimos, uno cristiano dirigido por Aoun y el otro musulmán por Selim al-Hoss. En 1989, la Asamblea Nacional, en reunión secreta, nombra presidente de la República a René Muawad, diputado cristiano maronita. A escasos ocho días de haber tomado el poder, Muawad es asesinado y la Asamblea nombra nuevo presidente a Elías Harawi, también cristiano maronita. En 1990, una decisión del general Aoun da inicio a la lucha entre cristianos. A los tres meses de iniciada la lucha

hubo más de 800 muertos y 2,500 heridos en Beirut. El general Aoun se rinde el 13 de octubre y se asila en la embajada de Francia. El gobierno de Harawi se afianza y ordena la partida de las milicias sectarias de la dividida capital. En 1991, los presidentes Assad y Harawi firmaron un acuerdo de amplia cooperación entre Siria y Líbano. En 1995, el Parlamento libanés, bajo presiones sirias, decidió enmendar la Constitución (octubre) a fin de prorrogar por tres años el mandato del presidente E. Harawi.

Libélula asida a una cuerda.

Corel Stock Photo Library

tubos o vasos cribosos que con otros elementos hacen que el líber sea el conductor de la savia elaborada. Se cree que el nombre de líber proviene de que las capas que lo forman se parecen a las hojas de un libro.

liberalismo.

Doctrina política que considera al hombre capaz de establecer por sí mismo y con el solo recurso de los métodos racionales sus propias normas de conducta y convivencia, afirmando que la suprema aspiración de la justicia debe ser la de mantener ileso el principio de igualdad. Puede decirse que el Liberalismo constituye la razón de todas las concepciones democráticas modernas, las que inspiradas en esos ideales, tratan de abrir, ampliamente, a todos los ciudadanos, sin distinción de raza, sexo, ni condiciones, las vías del poder, con la sola condición de que sean personas, honradas. Como consecuencia de todo ello, el Liberalismo niega rotundamente los privilegios y los dogmas, se opone a un derecho revelado o de clase y combate toda autoridad cuyo poder emane de arbitrarias consideraciones. Al declarar que la razón regula las soluciones que deben darse a las antinomias y conflictos que la vida social necesariamente crea, admite la tolerancia, esto es, la coexistencia en su seno de opiniones contrarias o contradictorias acerca de un problema común, que procura resumir o coordinar, pero nunca anular, creyendo como cree que nadie puede arrogarse el monopolio de poseer la verdad absoluta. Ese criterio conduce forzosamente al sistema polémico o de debate –régimen parlamentario en las democracias–, merced al cual el gobierno de un país es ejercido, periódicamente, por aquellos ciudadanos libremente elegidos entre los más idóneos y todos los asuntos tratados en asamblea abierta, primando en las resoluciones la opinión de la mayoría. Este sistema mayoritario, punto neurálgico del liberalismo, ha sido sin embargo en ocasiones criticado , pese a que dentro de las propias esencias liberales halla también su corrección con lo que modernamente se ha dado en llamar "protección legal de las minorías".

liberalización económica.

La teoría de la liberación económica tiene sus fundamentos en la escuela neoclásica, que propaginó el recurso al mercado como método para dewterminar precios en dos planos: nacional (al interior) e internacional (al exterior). Durante la posquema se inicia un proceso de liberalización de las relaciones internacionales, la puesta en marcha de los acuerdos monetarios y financieros alcanzados en la Conferencia de Bretton.

El mayor impulso liberalizador se produjo en el campo del Comercio internacional, se inicia con la firma del Acuerdo General

Corel Stock Photo Library

Mujer liberiana joven.

sobre Aranceles y Comercio (GATT) en 1947, sucedido por rondas de negociaciones comerciales multilaterales impulsadas por el propio GATT, mismas que dieron lugar a una progresiva reducción de los aranceles entre los países desarrollados; el proceso avanzó a través de la creación del desarrollo de áreas de integración comercial que supusieron un proceso de eliminación de obstáculos a la circulación de mercancías, trabajadores y capitales entre los países implicados. La creacion del CEE supuso un avance en las liberaciones de las transacciones económicas en Europa Occidental.

En la decada de 1970 se dieron procesos de liberación económica en los países de Latinoamérica. El golpe de Estado del general Augusto Pinochet en Chile, en 1973, genera un proceso liberalizador de la economía inspirado en las propuestas de la llamada escuela de Chicago, lidereado por Milton Friedman.

La liberación afectó a precios y mercados, eliminando controles y topes, así como las relaciones internacionales. Comportó una drástica reducción de aranceles y eliminación de barreras arancelarias, mientras que la liberación financiera abrió el mercado chileno al plano internacional; políticas de liberalización semejantes se aplicaron en otros países en desarrollo (México, India, Egipto y Marruecos, entre otros) hacia los años ochenta y noventa. Asimismo en la década de los años noventa, los periodos liberalizadores británico y estadounidense, con Margaret Tatcher y Ronald Reagan respectivamente, dieron lugar a la eliminación de controles y limi-

taciones que afectaron a los mercados (financieros, laborales, etcétera) y tuvieron repercuciones como la reducción de impuestos, el corte de prestaciones sociales, la privatización de empresas públicas y, en general, la reducción del peso de la administración en la economía. Para los países de Europa central y oriental que abandonaron los regímenes socialistas, la transición hacia la economía del mercado supone un radical proceso de liberalñización económica al abandonar la práctica de la planificación y restablecer los mecanismos de mercado.

Liberia.

República situada en la costa occidental de África, junto a las aguas del Golfo de Guinea. Sus 111,370 km² de superficie están poblados por 2.607,000 habitantes.

Aspecto físico. Entre el estado de Sierra Leona y las repúblicas de Guinea y de la Costa de Marfil, no muy lejos de la línea ecuatorial, se extiende una región costanera que tiene 600 km de longitud y presenta un clima extremadamente cálido y húmedo. Ésta es la única región importante de la República de Liberia, cuyas tierras se extienden también hacia el interior del continente africano, a través de 400 km de selvas y ciénagas. El suelo produce pequeñas cantidades de frutas, algodón, caña de azúcar, café y arroz. En el subsuelo y el lecho de los ríos yacen considerables cantidades de oro. El caucho es la riqueza natural de mayor importancia.

Economía. La agricultura se realiza aproximadamente sobre 327,000 ha. En la zona costera crecen palma de coco, café y rafia vinífera. Los principales productos alimenticios son arroz y mandioca. Se cultivan también plátanos y cítricos. Las especies ganaderas más importantes son la ovina y la caprina aunque hay también vacunas y porcinas. La producción pesquera es de relativa importancia. Los bosques, con unas 300,000 ha son ricos en caoba, árbol de la cola, palma oleífera y otras especies, pero el cultivo forestal básico es el caucho. El recurso minero más importante es el mineral de hierro, en Bomi Hills. También se extraen diamantes y oro y, cerca de Kolahun hay yacimientos de bauxita. La industria se limita a la preparación de los productos locales: elaboración del caucho, tratamiento de minerales, fábrica de cemento, refinería de petróleo.

Durante un siglo, Liberia reunió a la vez todos los inconvenientes de la independencia y del régimen colonial, sin gozar de ninguna de sus ventajas. La Segunda Guerra Mundial puso fin al secular estancamiento de Liberia. A consecuencia de los acuerdos de 1941 y 1942, Estados Unidos obtuvo la posibilidad de hacer de este país una base estratégica que desempeñó un papel decisivo en los enlaces de los aliados occidentales con África y con el Medio Oriente . Ello valió a Liberia la construcción del puerto de Monrovia y el arreglo del aeropuerto de Robertsfield.

Después de la guerra, experimentó una considerable expansión económica mediante nuevas concesiones agrícolas en beneficio de sociedades extranjeras, y sobre todo de la explotación del hierro, que hizo del país a partir de 1960 el máximo productor y exportador africano de este mineral. Esto coincidió con la subida al poder del presidente William Tubman en 1944 y que fue reelegido constantemente durante 28 años hasta 1971, cuando murió. Le sucedió William Richard Tolbert, el vicepresidente, bajo cuyo mandato se inició una política más liberalizadora.

Liberia estableció relaciones en 1972 con la entónces Unión Soviética pero también inició una aproximación con Sudáfrica al recibir en 1975 la visita de primer ministro de ese país. Tolbert fue reelegido sin oposición y las relaciones diplomáticas con Pekín se establecieron en 1977.

En 1980, se produjo un golpe militar encabezado por un grupo de sargentos que derrocó y dio muerte a Tolbert y a varios ministros de su gobierno. Samuel K. Doe apareció como el hombre fuerte de Liberia y en el gobierno formado el 13 de abril, los ministerios más importantes los ocuparon los personajes de la oposición de izquierda a Tolbert, algunos de los cuales estaban encarcelados al producirse el golpe de Estado. Tras celebrarse comicios electorales en 1985, Samuel K. Doe fue investido jefe de Estado en enero de 1986. En agosto de 1990, entraron en Monrovia fuerzas multinacionales africanas (Ecomog), y la guerrilla del Frente Nacional Patriótico de Liberia (FNLP) dominó en la capital. Doe fue capturado y asesinado en septiembre de 1990 por las fuerzas de una facción disidente del FNLP bajo el mando de Prince Johnson, que se proclamó presidente interino, pronto reemplazado por Amos Sawyer, reelegido por una conferencia nacional en 1991. Sawyer y Taylor firmaron un acuerdo para restablecer la paz (Ginebra, 7 de abril de 1992), pero prosiguió la guerra civil, que hasta 1995 había causado más de 150,000 muertos y forzó a cientos de miles de liberianos al exilio. En agosto de 1995 los líderes de todas las facciones en guerra firmaron, en Abuja (Nigeria), un nuevo acuerdo de alto al fuego y cese de las hostilidades (26 de agosto) que implicó el restablecimiento de la democracia. Taylor entró a formar parte de un gobierno provisional que quedó constituido el 1 de septiembre de 1995, hecho que fue acompañado de la intención expresa por parte de todos los jefes de los grupos combatientes de alcanzar un gobierno elegido democráticamente en el plazo de un año. Pero en abril de 1996, Taylor intentó dete-

ner a R. Johnson, líder de la etnia krahn y del Movimiento Unido de Liberación, lo cual generó un nuevo choque en Monrovia entre ambos *señores de la guerra*, y se vio asolada por saqueos, asesinatos, hambre y emfermedades, y aproximadamente 4,000 refugiados liberianos huyeron del país. Tras el abandono del campo de instrucción Barclay, en Monrovia, por parte de los guerrilleros de la etnia krahn, (11 de junio), y el despliegue de las fuerzas multinacionales africanas Ecomog, la situación pareció normalizarse.

Pueblo y gobierno. La población de Liberia se subdivide en cuatro conjuntos étnicos principales:

1) El grupo *kru* (900,000 h) que ocupa la mitad sur del país. Cuenta con un gran número de tribus: kru propiamente dichos, dey, basa, sikon, krahn, etcétera. Cazadores y pescadores, representan, sin duda, la población antigua del país.

2) Los *mande* (1.300,000 h), que hicieron retroceder a los pueblos antes mencionados y que ocupan el norte y el noreste del país. Las principales tribus están establecidas en la frontera con Sierra Leona y Guinea, de oeste a este: mende, loma, kpelle, mano.

3) Los *vai* (100,000 h), que ocupan el litoral al oeste de Monrovia. Hablan una lengua emparentada con el mandingo (grupo mande-tan). Fueron los principales colaboradores comerciales de los europeos, particularmente en la trata de negros. En el siglo XIX elaboraron, para escribir su lengua, una escritura silábica original.

4) El grupo *O atlántico* (gola, 110,000 habitantes, kisi, 100,000 habitantes, estos últimos se encuentran también en Sierra Leona y en Guinea), que ocupa la frontera oeste.

Agrupados en comunidades patriarcales o en aldeas independientes, a veces unidos temporalmente bajo la guía de un jefe guerrero, estos pueblos no tenían estructuras estatales (salvo en raros periodos, como el imperio de Manes en el s. XVI) y por ello se conoce mal su historia.

Trescientas escuelas, un ferrocarril, varios caminos, un banco y un moderno aeropuerto son los principales nexos que unen con la civilización occidental a esta república negra del continente africano. Monrovia la capital, las pequeñas ciudades de Buchanan, Robertsport y Harper son los principales centros de población.

La Constitución de 1847, suspendida tras el golpe de Estado de abril de 1980, tomaba como modelo la de Estados Unidos. Una nueva Constitución fue promulgada el 6 de enero de 1986 (enmendada en julio de 1988). Según ella, el poder Legislativo lo ejerce el Congreso, formado por la Cámara de Representantes (64 miembros elegidos para 6 años), mediante sufragio directo, y el Senado (26 senadores), me-

diante sufragio indirecto. El presidente y el vicepresidente de la República son elegidos por sufragio universal para un mandato de seis años. En enero de 1991 se organizó una Asamblea Nacional interina.

Historia. Comenzó en 1816, cuando se formó en Estados Unidos la Sociedad Colonizadora Norteamericana, entidad filantrópica que se propuso establecer colonias de negros, liberados de la esclavitud, en la costa occidental de África. Capitaneada por Jehudi Ashmun, una expedición desembarcó en 1822 en el sitio donde hoy se halla la ciudad de Monrovia. Los colonos, que llegaron a ser 5,000, se declararon independientes en 1847 y decidieron establecer una república similar a Estados Unidos, cuya Constitución y forma de gobierno adoptaron en forma casi literal.

En 1990, el Departamento de Estado estadounidense acusó al gobierno de Liberia de violar los derechos humanos, lo que provocó el retiro de la ayuda que le otorgaba. El 10 de septiembre, el presidente Samuel K. Doe perdió la vida en un tiroteo con las fuerzas rebeldes y, en noviembre de ese año, los representantes de las principales guerrillas se reúnen en la capital de Malí, acuerdan un cese al fuego temporal y nombran presidente interino a Amos Sawyer.

libertad. Facultad que tiene el hombre para obrar según le parezca, en un sentido u otro, por lo que es responsable de sus actos. El individuo alienta desde pequeño el instinto natural de *libertad*, que más tarde se desarrollará en él, siendo hombre, y por el que pueblos enteros han dado la

La libertad de expresión en la prensa debe ser una garantía respetada en todo el mundo.

Corel Stock Photo Library

vida. La libertad representa la antítesis de la esclavitud, y ha sido el objeto predilecto de las tendencias y pensamientos del hombre, porque era también el único medio de conquistar la posición a que estaba llamado. El día en que la servidumbre fue abolida, la libertad dejó de tener el mismo sentido, tomó otra tendencia y el deseo de ser libre, por parte del individuo, adquirió un significado mucho más complejo. La lucha por la libertad, iniciada en la más remota antigüedad, adoptó, en su desarrollo, dos formas fundamentales: una de ellas puede llamarse negativa, puesto que tiende a eliminar toda restricción; la otra es positiva, porque lleva la intención de dominar todos los medios con que cuenta el individuo para progresar.

El cristianismo fue el que abolió la esclavitud e introdujo reformas que cambiaron la faz de la sociedad con la revelación que hizo al hombre de su alma individual, por cuya virtud, cada uno de los seres humanos es un sujeto distinto para la libertad. Tales reformas y progresos imprimieron nuevo ímpetu al sentido de individualidad y como consecuencia de ello, no tardó en asentarse definitivamente en la civilización occidental la teoría de un derecho natural como característica esencial de la persona humana.

Aunque la libertad sea específica, en realidad, nunca se es completamente libre. Hay varias clases de libertad, las que el hombre puede gozar parcial o totalmente. Existe la *libertad civil*, cuando la comunidad permite que se haga todo cuanto no sea contrario a las leyes, y la *libertad de asociación* o *de reunión*, cuando los ciudadanos pueden reunirse para tratar cualquier asun-

Corel Stock Photo Library

Estatua de Miguel Hidalgo, libertador de México quien abolió la esclavitud en 1810.

to; pero si las leyes prohiben las asociaciones o las reuniones, los ciudadanos se verán privados de una libertad aunque sigan gozando su libertad civil. Es muy común que el uso de una libertad se oponga al uso de otra. Por ejemplo, si en un barrio existe un terreno baldío que los niños reclaman para jugar en él, los mayores para construir un jardín público y la municipalidad para levantar un hospital, el terreno desocupado vendrá a ser un símbolo de libertad para los tres grupos y cualquiera de ellos que lo obtenga para el fin deseado privará de su

libertad a los otros dos, aunque el sentido de la misma quede exento. Difícil resulta comprender esto. Se cree firmemente que los dueños de una fábrica, por ejemplo, tienen el derecho y la libertad de cerrarla si con ello piensan obtener mayores ganancias; pero, con igual firmeza, se cree que cualquier hombre con deseos de trabajar está en libertad de seguir trabajando, lo que no podrá hacer si se cierra la fábrica. Hasta ahora no se ha encontrado la manera de proteger y asegurar estas dos libertades al mismo tiempo.

Libre albedrío. En pocas palabras define Santo Tomás de Aquino esta facultad diciendo que es "sólo la fuerza electiva"; es decir, la facultad natural que posee la voluntad de elegir entre los diferentes objetos que le propone el entendimiento. Esta libertad individual es la característica de la condición social, cuya unidad fundamental es el individuo. Al libre albedrío se refiere la disputa entre el determinismo y el indeterminismo, con inclusión de cuestiones como el predeterminismo, posdeterminismo y el fatalismo. La doctrina determinista sostiene que todos los actos voluntarios son provocados por estados anteriores del individuo o por fuerzas que se ejercen desde el exterior sobre el mismo. El indeterminismo sostiene, por el contrario, que la voluntad es un agente causal, con vida propia, que saca sus fuerzas de un santuario interior que no está dominado por ninguna otra causa que él mismo. De acuerdo con la primera doctrina, el libre albedrío consiste en poder hacer lo que se quiera; de acuerdo con la segunda, debe incluir el poder de elegir lo que se quiere hacer. El punto crucial del debate se concentra en el

La libertad de cátedra en la enseñanza, fortalece el crecimiento intelectual.

Corel Stock Photo Library

equilibrio del ejercicio de la voluntad y la responsabilidad moral. A su libre albedrío suele agregar el hombre muchas ventajas y prerrogativas que no le corresponden y lo corrompen hasta el punto de convertirlo en un don peligroso. Aspecto importante del libre albedrío es el que se refiere al efecto que la sociedad organizada ejerce sobre los actos y actividades voluntarias del individuo.

Libertad política. La eliminación de trabas y cortapisas para que el individuo pueda desarrollar, libremente, sus derechos dentro de la sociedad, constituye la *libertad política*, que, contrariamente a la libertad individual, se adquiere por la lucha, se conserva y desarrolla por la energía o el valor, se pierde por la negligencia, la corrupción o la cobardía; forma parte de la vida y la gloria de las naciones y crece a medida que los siglos se suceden. Los tiranos, los demagogos y los déspotas fingen ofrecer al pueblo una pretendida libertad, exagerando sus poderes y sus ventajas.

Libertad económica. Es la facultad que tiene el hombre de trabajar y ganar su sustento, de progresar, cambiar las cosas según el principio de lo justo, sin que nadie pueda cohibirle en el ejercicio de ella. Es, en realidad, una forma de la libertad humana y depende del concepto que se tenga de ésta. Dentro de la misma cabe distinguir la libertad de trabajo y la de comercio. Por otra parte, está íntimamente ligada a la libertad política, ya que ésta comprende todo el conjunto de privilegios otorgados a la población de un país. Comprende, además, los derechos que garantizan la libertad y las libertades garantizadas por los

Corel Stock Photo Library

La libertad de culto es independiente a la ideología o filiación política.

derechos, sean éstas civiles, políticas, públicas o económicas.

Libertad de imprenta. Uno de los derechos políticos más importantes que tienen los ciudadanos en los países regidos por gobiernos democráticos y liberales es la facultad de expresar libremente, de palabra o por escrito, lo que piensan o quieren por medio de libros, folletos, diarios y revistas. En la libertad de imprenta están comprendidas la libertad de pensamiento, de palabra y de prensa. Puesto que la vida social exige la comunicación de las ideas y de las

opiniones, y en vista de que el medio mejor para hacer posible aquella comunicación es la imprenta, la libertad que a ésta se refiere debe estar reconocida como un derecho público. Esta libertad, además de su aspecto individual, presenta otro social y, muy particularmente, político; es tan interesante y de tanta trascendencia para la opinión pública, que no en balde se ha apellidado a la prensa el cuarto poder del estado.

Las declaraciones de los derechos públicos o civiles incluidas en las distintas constituciones contienen párrafos que consagran la defensa de esas libertades y derechos esenciales de decir y publicar la verdad en relación con las acciones y funciones del gobierno, de los funcionarios públicos o de los mismos individuos. En muchos casos, las cláusulas constitucionales se refieren directamente a la prensa, porque el periódico es el más firme baluarte de las libertades de un país. Nadie duda que la prensa libre es el medio más seguro para avanzar en la carrera de la civilización y asegurar el bienestar, la moralidad y el orden públicos; pero, sucede con esta facultad lo mismo que con otras muchas libertades que, siendo buenas en su origen y llamadas a producir ventajosos resultados, se desnaturalizan por diversos intereses.

En tiempos de guerra o de emergencia nacional, los estados se ven obligados a establecer censuras sobre la prensa para que no difundan ideas peligrosas en esos momentos o que puedan servir, de cualquier modo al enemigo. Por eso las leyes han fijado reglas y restricciones sobre publicación de ciertas informaciones. Las restricciones son mayores a medida que au-

Uno de los derechos fundamentales de hombre, es la libertad de culto y filiación religiosa.

Corel Stock Photo Library

Corel Stock Photo Library

La libertad de asociación no delictuosa debe respetarse en todo el mundo.

Otras libertades. Todas las libertades están íntimamente relacionadas porque todas, aun bajo distintas denominaciones, tienen su raíz única en esa facultad sobrenatural del hombre de poder elegir lo que quiere hacer. Ese sentimiento está tan arraigado en el hombre desde los primeros tiempos, que en la época del esplendor romano se llegó a divinizar a la libertad, convirtiéndola en una deidad alegórica, hija de Júpiter y de Juno, que, como atributos, ostentaba el gorro frigio, el cetro y las cadenas rotas. Siempre que se ha querido representar a la libertad se recurre a esta figura, con muy ligeras variantes.

Existen también la libertad provisional, la condicional y la vigilada, que son modos de la condena de la gente que han incurrido en los rigores de la ley. La primera es la que se concede a los penados en ciertas condiciones y en razón de su delito. Se llama libertad condicional a la que se concede en el último periodo de su condena a los sentenciados como prueba en vista de su libertad definitiva. La libertad vigilada se caracteriza por la vigilancia especial a que queda sometido el delincuente, el cual tiene que justificar su buena conducta ante los tribunales. Asimismo cabe distinguir, entre el grupo de las libertades políticas, la libertad de enseñanza, facultad de exponer a los demás nuestras ideas y opiniones sobre las materias de enseñanza. Supone no sólo la libertad de enseñar, sino también de aprender.

Delitos contra la libertad. Según el Código Penal, entre los delitos contra la libertad se incluyen las detenciones ilegales, allanamientos de morada, amenazas y coacciones, descubrimiento y revelación

menta el peligro provocado por el uso de esa facultad. La lucha por obtener esta libertad empezó desde el principio de los tiempos, o sea desde que el hombre quiso expresar libremente su opinión; pero, aumentó considerablemente después de la invención de la imprenta y continuó desarrollándose a través de los siglos hasta los tiempos actuales. A pesar de que, en nuestros días, se la combate y, muchas veces, se la suprime –por los gobiernos totalitarios y las dictaduras–, ya no es probable que la humanidad necesite luchar de nuevo por la libertad de pensamiento, de palabra, de prensa y de imprenta.

Libertad de cultos. Se considera fundamental el derecho que el hombre tiene de profesar o no una religión cualquiera, de aceptar sus enseñanzas y de adorar a Dios o no, sin intervenciones ni obstáculos de ninguna especie. Esta libertad tiende a conseguir la completa igualdad de las diversas religiones ante la ley.

La cuestión de la libertad religiosa no se había presentado antes de la era cristiana. Las páginas de la historia que muestran a san Pablo predicando la existencia de un solo Dios en la pagana Atenas o en el Panteón de Roma, revelan que, entre los pueblos antiguos, dominaba una actitud de tolerancia hacia las diversas religiones. Pero, también revela la historia que si bien se permitía al pueblo adorar a cuantos dioses quisiera y como quisiera, se le exigía, con rigidez exagerada y sin tener en cuenta cuáles pudieran ser sus creencias, la pertenencia y la adhesión ciega a la religión del Estado. Después de la era cristiana, cuando la religión llegó a ser un asunto personal y exclusivo de cada individuo, sur-

gió un amargo resentimiento contra cualquier poder que intentara obligar a un individuo a ir en contra de sus principios religiosos, de su conciencia o de su Dios. Así fue como al iniciarse las persecuciones contra los primeros cristianos su religión se fortaleció en vez de extinguirse.

Hace apenas 100 años que los poderes públicos comenzaron a aceptar que la religión no es un asunto del Estado sino una cuestión individual; pero, todavía no se ha conseguido que todos los países hagan la misma concesión.

Todo ser humano tiene la libertad de elegir el culto religioso al que desee adherirse.

Corel Stock Photo Library

de secretos, etcétera. También son delitos contra la libertad los que el Código define y castiga como realizados por los funcionarios públicos contra el ejercicio de los derechos individuales estatuidos en la Constitución, especialmente las violaciones del domicilio, las detenciones ilegales, los impedimentos al derecho de reunión y al libre ejercicio del culto.

Éstas son, pues, las principales libertades de que goza el hombre, el cual en un tiempo, creyó hallar todas la libertades imaginables en el libre ejercicio de sus derechos políticos, pero después descubrió que también necesitaba de sus derechos económicos y se dio cuenta de que sus afectos, sus enfermedades, sus penurias y sus luchas por el diario vivir creaban trabas y obstáculos a la anhelada libertad perfecta y completa. Ahora que los progresos de la civilización ofrecen mayores oportunidades para conservar la salud, prolongar la vida, trabajar con buenas remuneraciones, vivir bien y aprovechar las amplias facilidades culturales y recreativas, las bases de la libertad se han agrandado enormemente y puede decirse que, durante el siglo XX, el problema de la libertad, en todos sus aspectos, ha entrado en una nueva fase histórica como consecuencia de los enormes cambios experimentados por la vida del hombre. El concepto y la realización de la libertad alcanzan ahora una altura sin precedentes en la historia.

libertad, estatua de la.

Gigantesca estatua de cobre erigida en la isla de Bedloe, situada en el puerto de New York. Fue donada por Francia a Estados Unidos para conmemorar la alianza de ambas naciones durante la guerra de Independencia estadounidense y como testimonio de la amistad que une a sus pueblos. El escultor francés Fréderic August Bartholdi, encargado de diseñar el monumento, concibió la idea de representar lo más precioso para el hombre: la libertad, y lo realizó en forma de una mujer majestuosa, con los pies sobre una cadena rota y llevando en la mano izquierda una Tabla de la Ley, en la que aparece inscrita la fecha de la independencia norteamericana, y en la derecha con el brazo en alto, una antorcha encendida. Bartholdi llamó a su estatua *La Libertad iluminando al mundo*. Es la obra escultórica mayor que existe, pues tiene 46 metros de altura y un peso de 225 ton, que se sostiene gracias a una estructura de hierro construida por Alexandre Gustave Eiffel. Se alza sobre un enorme pedestal de 45 m de altura erigido a su vez sobre la base del antiguo fuerte de Wood, y los visitantes pueden subir hasta los pies de la estatua en ascensor y luego, por una doble escalera metálica de caracol (ascendente y descendente), hasta la cabeza; ésta tiene una capacidad para 40 personas, y desde las ventanas

que forman la diadema puede observarse la magnífica vista de todo el puerto, la ciudad con la línea de rascacielos de Manhattan, y New Jersey. La antorcha, que sirve de faro, se encuentra a 92 m de altura y tiene capacidad para 12 personas, pero su acceso no está permitido al público. Fue inaugurada en 1886 y declarada monumento nacional en 1924.

Libertad, La.

Departamento de la República de El Salvador que limita con el Pacífico y los departamentos de Chalatenango, San Salvador, La Paz, Sonsonate y Santa Ana. Tiene una extensión de 1,662 km^2 y 513,866 habitantes (1994). Lo atraviesa la cadena costera y produce café, tabaco, caña de azúcar, cereales y frutos. Está dividido en 22 municipios y su capital es Nueva San Salvador.

Libertad, La.

Departamento del norte de Perú. Está atravesado por los Andes y los ríos Marañón, Chicama, Jequetepeque y Virú y su suelo comprende sectores de las típicas regiones peruanas: costa, sierra y montaña (selva). Se divide en siete provincias, tiene una extensión de 23,242 km^2, 1.287,383 habitantes (1995) y su capital, Trujillo, fundada por Francisco Pizarro en 1535, tiene maravillosas ruinas arqueológicas. En el departamento se cultiva arroz, caña de azúcar, maíz y legumbres, y destaca la producción de plomo, plata, oro y cobre.

Libia.

República árabe del norte de África, independiente desde 1951. Limita al

La estatua de la Libertad se ha convertido en uno de los principales símbolos estadounidenses.

Corel Stock Photo Library

Corel Stock Photo Library

Acercamiento a la estatua de la Libertad en New York.

norte con el Mediterráneo, al este con Egipto y Sudán, al sur con Níger y Chad, y al oeste con Túnez y Argelia. Su territorio, de 1.759,540 km^2, hace del país el cuarto en África por su extensión, aunque habitado solamente por una población de 5.6 millones de habitantes, en su gran mayoría árabes y bereberes. Comprende tres grandes regiones: Tripolitania, Fezzán y Cirenaica.

Territorio y recursos. La región más fértil es la franja costera, que se extiende unos 2,000 km a lo largo del Mediterráneo, interrumpida en 500 km por el desierto del Sahara, que llega al mar en la zona de Sírtica y separa a Tripolitania de Cirenaica. Los italianos construyeron en la década de 1930 una carretera que unió a las dos regiones, antes comunicadas más bien con Túnez y Egipto, respectivamente. En esta franja fértil se cosechan cereales, cítricos y otras frutas, hortalizas, forrajes, cacahuetes y diversos cultivos típicos de la zona mediterránea.

Hacia el interior del país se alza una meseta árida donde la agricultura es muy escasa y el principal medio de vida es el pastoreo de cabras y ovejas, la cría de caballos, asnos, camellos y ganado vacuno. La exportación de pieles es importante en la economía de Libia, y la industrialización de productos agrícolas va siendo cada vez mayor.

La meseta marca el comienzo del desierto hacia el sur, árido y extremoso, con sus días abrasadores y noches frías, sin más agua que unos cuantos oasis en la frontera con Egipto y en la región de Fezzán. Sin embargo, se ha localizado un gran lago

Libia

subterráneo cuyas aguas una vez alumbradas, darán vida a la agricultura en el futuro. Por otra parte, en el desierto está la gran riqueza de Libia: el petróleo, que se empezó a extraer en 1961 y ha colocado al país en el séptimo lugar entre los exportadores del mundo, con una ventajosa posición para surtir a la Unión Europea sin necesidad de pasar por el Canal de Suez o de rodear el Cabo de Buena Esperanza. El petróleo forma 99.8% (1995) de las exportaciones libias y da al país los recursos necesarios para su planificación económica.

Geografía humana y política. Libia es una república de orientación socialista y nacionalista, gobernada por un Consejo de Mando Revolucionario de 12 consejeros que preside Moammar al-Gadaffi tras el derrocamiento del rey Mohamed Idris en 1969. La capital es Trípoli (alrededor de 591,062 h), y otras ciudades importantes son Bengasi, en Cirenaica, Sebha, Misurata, El Beida, Hows, Tobruk, modernizadas por los italianos, destruidas en buena parte durante la Segunda Guerra Mundial y reconstruidas posteriormente. Las comunicaciones se hacen por carreteras de la época colonial italiana o nuevas, que se abrieron para enlazar la costa con los campos petrolíferos del interior o con los oasis, y sobre todo por la vía aérea, pues hay modernos aeropuertos en Trípoli, Bengasi y Sebha. La religión oficial del estado es la musulmana, y la lengua el árabe, aunque también se hablan algunos idiomas beréberes. El gobierno del presidente Moammar al-Gadaffi ha implantado una política de nacionalizaciones y eliminación de influencias extranjeras, y así, por ejemplo, en las ciudades no se ven letreros en italiano o en inglés, y la catedral católica de Trípoli fue convertida en mezquita en 1970. Libia hizo esfuerzos para federarse con Túnez y Egipto en un ideal de unidad árabe que estos dos países finalmente rechazaron.

Historia. Los primeros pobladores históricos de Libia fueron los beréberes, que durante el segundo milenio antes de Cristo hostilizaron a Egipto. Los faraones egipcios gobernaron Cirenaica intermitentemente, hasta que, en el siglo VII antes de nuestra era, los griegos establecieron colonias en su costa. También los fenicios fundaron colonias en Tripolitania, como las ciudades de Lepcis (Leptis Magna de los romanos, después Lebda y hoy Homs), Oea (la moderna Trípoli) y Sabratha, emporios que cayeron bajo la influencia de Cartago y que dieron su nombre griego a Tripolitania, o *tierra de las tres ciudades*. Roma se apoderó de Cirenaica en el año 96 a. C., y de Tripolitania cincuenta años después. Sin embargo, no llegó, a someter a las tribus nómadas del desierto.

En el siglo V los vándalos conquistaron Tripolitania, que pertenecía al imperio romano de Occidente, pero fueron expulsa-

dos en el año 534 por los bizantinos. En el siglo VII los árabes se apoderaron de todo el territorio. Éste en el XVI, cayó en poder de los turcos. La dominación otomana se mantuvo hasta 1911, pero hubo un periodo, desde 1711 hasta 1833, de gobierno semiautónomo de la familia Karamanli. En 1911, durante la guerra ítaloturca, los italianos se apoderaron de la costa libia, y después de la Primera Guerra Mundial (1914-1918), y sobre todo tras la guerra de 1923 contra los Senusi de Libia, Italia fue dominando el interior del país y sometiendo a las indómitas tribus nómadas. Los fascistas de Benito Mussolini hicieron grandes obras en todo el territorio hasta la Segunda Guerra Mundial, durante la cual se disputaron muchas batallas entre las fuerzas blindadas inglesas y las ítaloalemanas de Rommel. Expulsadas estas últimas, Inglaterra administró Tripolitania y Cirenaica desde 1943 hasta 1949, Francia gobernó Fezzán y, por fin, tras un periodo de transición vigilado por las Naciones Unidas, se confederaron las tres regiones de Libia y el país se declaró reino independiente en 1951. Ciñó la corona el rey Muhammad Idris I, de la familia de los Senusi, que se habían distinguido por su fervor islámico y su nacionalismo en la lucha contra Italia.

Dibujos de dos de las más comunes representaciones del signo Libra.

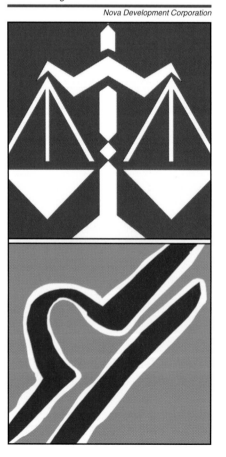

Nova Development Corporation

La nueva nación recibió el nombre de Reino Unido de Libia, constituido como monarquía hereditaria, en la cual el rey ejercía el poder por medio de un gabinete responsable ante el Parlamento. En 1963 se abolió la forma federal de gobierno y el país quedó dividido en diez distritos administrativos. En septiembre de 1969 el coronel Moammar al-Gaddafi derrocó al rey Idris I en un golpe de Estado, instituyó el Consejo de Mando Revolucionario, nacionalizó las industrias petroleras e inició en 1973 una *revolución cultural* contra las ideas *imperialistas, capitalistas, reaccionarias, judías o comunistas*. En marzo de 1977 cambió el nombre del país por el de República Popular Socialista Árabe de Libia, que en ese mismo año sostuvo una guerra de cuatro días con Egipto y participó activamente en la campaña contra Mohammed Anwar al Sadat tras los acuerdos de éste con Israel (1978). En diciembre de 1981, tras ordenar la compañía Exxon la retirada de todo su personal y el abandono de sus concesiones petroleras en Libia, el presidente Ronald Reagan hizo extensiva esa decisión a todas las otras compañías estadounidenses que operaban en Libia. En febrero de 1984, al-Zaruk Rajab sustituyó a Azzuz At-Talhi al frente del gobierno. Mientras mantenía su intervención en el conflicto de Chad, el régimen de Gaddaffi mantuvo sus constantes políticas: intentos, sin éxito, de unificación con otros Estados árabes (Siria y Tunicia, 1980; Chad, 1981; y Marruecos, 1984) y radicalismo islámico, concretando el apoyo a movimientos armados. Por estas causas, Estados Unidos bombardeó Bengazi y Trípoli en 1986 y cinco compañías petroleras estadounidenses abandonaron Libia. Al año siguiente, fuerzas libias sufren desastrosa derrota en el norte de Chad. En 1988, Libia reanudó relaciones diplomáticas con Chad y buscó un acuerdo pacífico a su disputa territorial sobre Aouzou. En 1989, el gobierno libio firmó un tratado con Marruecos, Argelia, Túnez y Mauritania que estableció el mercado común estadounidense. En 1990, Libia era el único país árabe que no había restablecido relaciones diplomáticas con Egipto a pesar de las negociaciones emprendidas en ese sentido a fines de 1988. En una reunión en El Cairo, en febrero de 1991, Gaddaffi y Mubarak, el presidente egipcio, coincidieron en que Iraq debía desocupar Kuwait y entregarlo a su legítimo gobierno.

Libra. Séptimo signo del Zodiaco y nombre de una constelación situada al este de Virgo y al sur del Ecuador celeste. Hace dos mil años, cuando se dio nombre a las constelaciones del Zodíaco, el Sol cruzaba el Ecuador, en su camino hacia el sur, por la constelación de Libra; hoy lo hace por la de Virgo. Libra en latín significa *balanza*.

libra. Antigua unidad de peso de Castilla, que se dividía en 16 onzas, cada una de ellas en 16 adarmes y éstos en 3 tomines, cada uno de los cuales tenía 12 gr. Una libra de Castilla equivale a 460 gramos.

libra esterlina. Unidad monetaria de Gran Bretaña que se representa gráficamente por el signo £ y vale 20 chelines ingleses de 12 peniques cada uno. Hasta 1931 en que Gran Bretaña abandonó el patrón oro, circulaban monedas de oro de ¹/₂, 1, 2 y 5 libras esterlinas, que dejaron de circular y de ser acuñadas con posterioridad a esa fecha. A partir de 1943, los billetes emitidos por el Banco de Inglaterra son de esas mismas denominaciones.

libre albedrío. Facultad de actuar con arreglo a nuestra voluntad, sin más limitaciones que aquéllas que el entendimiento y la razón naturalmente establecen. El libre albedrío ha constituido durante mucho tiempo un motivo de polémica para las escuelas filosóficas; en efecto, si esa potestad humana de elegir, al arbitrio, el bien o el mal, sirve de fundamento para determinar la responsabilidad de los propios actos, no es menos cierto que cuando se ejerce hasta sus últimas consecuencias Nerón, por ejemplo, incendiando Roma acarrea los más tristes resultados. Por eso Donoso Cortés mantiene el criterio de que el libre albedrío, antes que facultad de elegir, es facultad de entender. Los partidarios de ciertas tendencias filosóficas como el fatalismo o determinismo científico, y los mecanicistas niegan el libre albedrío, por el mero hecho de que todos nuestros actos son la consecuencia de un cúmulo de circunstancias por lo que no existe libertad de acción en sentido absoluto. Immanuel Kant señala la contradicción entre la ciencia que suprime la libertad y la moral que la reclama para establecer sus postulados; las modernas teorías endocrinológicas vienen a limitar el ámbito del libre albedrío cuando afirman que la conducta humana es el resultado de la normalidad o anormalidad de las secreciones internas del organismo.

librecambio. Política económica consistente en eliminar todo obstáculo que pueda entorpecer el comercio entre las naciones. La actitud opuesta se llama proteccionismo y consiste en erigir barreras a la entrada de productos extranjeros. Las características del librecambio, en su formulación clásica y postclásica se definen en función del proteccionismo, mediante un ataque global a éste, contenida en los siguientes puntos : 1) la protección no es ventajosa desde el punto de vista de la producción nacional, contribuye a la formación de privilegios, debilitando el sentido innovador y competitivo con repercusiones

Libras esterlinas.

en el mercado internacional; 2) la protección daña a los consumidores nacionales, dado que el punto protegido experimenta un aumento en su precio de venta al interior de las fronteras aduaneras, que ha de soportar el consumidor, propiciando la formación de *Trusts;* 3) el proteccionismo es una amenaza para la paz internacional acentuando las rivalidades nacionales, sustituyendo la división internacional del trabajo y la colaboración económica entre los pueblos por la competencia desleal. En su forma pura, el librecambio sólo ha existido en breves momentos de la historia moderna. El libre cambio aparece como un sistema que permite una distribución de producciones, según la ley de los costos comparativos y una especialización ventajosa para todos, permitiendo a cada país abastecerse de cada producto en el lugar de mayor abundancia a menor costo y calidad. El proceso de la competencia, sosteniendo el espíritu de innovación no solo entre los productores nacionales sino también entre los diversos países; permite un ensanchamiento del mercado, portador de un desarrollo de la producción en masa con sus respectivas ventajas. La baja de precios, reflejada en los costos de producción resulta provechosa para los consumidores, evitando el riesgo de la ruina derivada de la inadecuada localización de productos y mercados ha sido defendido con ardor por los economistas de la escuela clásica. En su famosa obra sobre *La riqueza de las naciones*, publicada en 1776, Adam Smith sostiene que los países deben actuar en la misma forma que los jefes de familia: "El sastre no trata de fabricar el calzado de sus hijos, sino que lo compra al zapatero. A su vez, éste no se afana por confeccionar sus ropas, sino que acude al sastre...". Agrega el gran economista que

el librecambio permite dividir el trabajo entre las naciones: cada una produce las mercaderías que más convienen a su clima, recursos naturales o habilidades, y las cambia por artículos producidos en la misma forma por otros países. En cuanto un país fija rigurosos derechos de aduana a los productos extranjeros o prohibe la importación de alguna mercadería para estimular las industrias nativas, el equilibrio del librecambio queda roto.

Las ideas de Smith cayeron en terreno fértil. A comienzos del siglo XIX la Revolución Industrial había convertido Gran Bretaña en el primer país manufacturero del mundo. Los industriales ingleses, conscientes de su superioridad, lograron que fuesen eliminadas las barreras que entorpecían la entrada y la salida de productos en las Islas Británicas. El librecambio, triunfante en Gran Bretaña hacia 1850, no tardó en extenderse a otros países: Francia lo adoptó durante el reinado de Luis Napoleón Bonaparte III y las pequeñas naciones de Europa se acogieron a él de inmediato. Pero, Estados Unidos y el naciente Reich alemán derivaron hacia un decidido proteccionismo; en ambos países se desarrollaba una pujante industria nacional que no podía, a la sazón, competir con los productos ingleses. En su *Sistema de economía nacional*, el alemán Friedrich List expuso la tesis de que las industrias nacientes debían ser protegidas por todos los medios contra la ruinosa competencia de industrias más desarrolladas. Al comenzar el siglo XX sólo Alemania y Estados Unidos permanecían fieles al proteccionismo en un mundo de naciones librecambistas. Las débiles repúblicas de América Latina, incluidas en la órbita de la economía dominante –que entonces era la británica–, respetaban los cánones del librecambio ortodoxo.

La Primera Guerra Mundial, con su secuela de crisis, desocupación y conflictos sociales, selló la suerte del librecambio tras la gran depresión, el golpe mas duro recibido hasta entonces, las naciones no pusieron unicamente en prácticas medidas proteccionistas, misma que condujo a algunos países a la autarquía. Los gobiernos comenzaron a imponer pesados gravámenes aduaneros para obtener recursos y para proteger la reconstrucción de las industrias. Algunos técnicos no tardaron en proponer diversas medidas que hoy forman el llamado *control de cambios.* Muchos países expuestos a los desequilibrios del comercio internacional crearon una serie de complicados recursos proteccionistas. Los sistemas contingentes, licencias de importación y exportación, el bilateralismo, el control de cambios, sustituyeron el comercio multilateral y libre de la década de los años veinte, y las prácticas del dumping se generalizaron. La situación después de la Segunda Guerra Mundial y el librecambio

Corel Stock Photo Library

Librería El Globo viejo *en Canadá.*

la venta y comercio de libros. Al principio, los impresores eran también libreros; pero, posteriormente, se separó y diferenció el ejercicio de ambas actividades. En Europa el incremento del comercio del libro originó las ferias especiales de Frankfurt y Leipzig (Alemania). En América son notables las ferias del libro que se celebran en la ciudad de México.

libreto. Obra dramática escrita para ser puesta en música, toda ella, como es el caso de la ópera y el oratorio, o sólo en parte, como ocurre con la zarzuela española y la ópera cómica de otros países. De argumento conciso, el libreto debe brindar libre campo a la música y tener cuadros y situaciones dramáticas bien definidas, versos fáciles y ritmos variados. Libretistas famosos de Italia fueron Pedro Metastasio y Felipe Romano; de Francia, Agustín Scribe; de Inglaterra, Juan Gay y Guillermo Gilbert; de Alemania, M. Geibel y Christoph Martin Wieland, y de España, Federico Romero y Carlos Fernández Shaw.

no pasa de ser un ideal acariciado por los economistas neoliberales, pero que difícilmente podrá ser llevado a la práctica mientras subsistan las condiciones sociales, políticas y económicas derivadas de los grandes conflictos mundiales, y que repercuten considerablemente en el desarrollo del comercio internacional. a nivel internacional el éxito de esta doctrina fue considerabla (V.GATT), ha sido sobre el plano regional donde la teoría libre cambista ha visto fortalecer su posición. Así, la creación de la OECDE (Después OCDE) para liberar los pagos entre los países europeos supuso un primer paso importante para la liberación absoluta del comercio, liberación que se ha dado en la Comunidad Económica Europea y particularmente en la EFTA. *Véanse* Aduana; Comercio; Exportación e Importación.

librepensador. Partidario del librepensamiento, doctrina que exige y reclama para la razón de cada individuo independencia absoluta de todo criterio sobrenatural en materia religiosa. Sostiene el librepensador que no se puede obtener de un hombre capaz de reflexión la obediencia a una autoridad que se dice infalible y la conformidad a un dogma inmutable, ni la sumisión a la fe en hechos considerados como milagrosos. El nombre de librepensador se debe al filósofo inglés Antonio Collins (1676-1729), que lo empleó en su exposición de defensa de esta doctrina: *Discurso sobre el librepensamiento.* Henry St John Bolingbroke y David Hume figuran entre los más destacados librepensadores ingleses y Francois Marie Aouret Voltaire entre los franceses.

librería. Tienda donde se venden libros. En la antigüedad ya existía el comercio de libros: En Grecia clásica los que se dedicaban a la venta de libros se llamaban *bibliopolé.* En Roma, las librerías *(taberna librarii)* exhibían en la puerta la lista de los libros que vendían. Durante la Edad Media existieron vendedores ambulantes de libros que iban de ciudad en ciudad, y, también, puestos fijos de copistas y libreros, llamados *estacionarios* en las inmediaciones de catedrales y universidades. La invención de la imprenta dio gran impulso a

Librería en París, Francia.

Corel Stock Photo Library

libro. Esta palabra se deriva del latín *liber* y se emplea para indicar, en forma general, un conjunto de hojas impresas y unidas. Los griegos lo llamaban *biblos.* Muchas obras famosas están compuestas de varios libros o divididas en libros. En este sentido es frecuente hablar de los libros de la Biblia, por ejemplo. Un pequeño número de libros gobierna espiritualmente al mundo civilizado. Los cristianos se rigen por la Biblia, los árabes por el Corán, los chinos por las doctrinas de Confucio, los indios por los Vedas y los persas por el *Zendavesta.* En las sociedades organizadas el hombre nace y su nombre se anota en un libro, y en un libro se registra su nombre cuando muere. El libro está presente en casi todas las manifestaciones diarias del individuo civilizado y es el que le proporciona las más verídicas informaciones, los mejores momentos de esparcimiento y le sirve para estudiar e instruirse. Sin el libro no es posible concebir la civilización. Desde las sociedades más primitivas hasta el presente, el libro, en su forma rudimentaria o moderna, ha sido y es el testimonio máximo del paso del hombre por el mundo y el documento irrecusable de su afán por fijar su obra para la posteridad.

Historia del libro. Es imposible establecer la fecha en que fue publicado el primer libro. En la Biblia se mencionan obras escritas con anterioridad, si bien no se especifica cuánto tiempo antes. Es lógico suponer que el libro nació con la escritura, pero no es así. Los pueblos antiguos grababan sus obras literarias en materias diversas. Los babilonios esculpían en piedra y ladrillos las invenciones de sus poetas, los relatos de sacerdotes y cronistas reales y los textos legales. El famoso código de Hammurabi, el más antiguo del mundo, se halla grabado en un bloque de diorita. 4000 años años a. C. los egipcios grababan en los muros de sus templos y en las tumbas de sus reyes, leyendas religiosas o históricas, a veces muy extensas. No eran simples inscripciones, como las que se graban ahora en los monumentos modernos, sino verdaderas obras literarias o narraciones de hechos acaecidos durante un periodo anterior. Es decir, era la historia de un acontecimiento o la vida de un rey. Reunidas en líneas estas inscripciones, se ha comprobado que algunas formarían un volumen de más de 100 páginas comunes. En las ruinas de Persépolis y de Nínive se han encontrado obras grabadas en las paredes de los monumentos notables por el mismo procedimiento. Pero, la mentalidad moderna tiene una idea completamente distinta del libro. El libro es, como queda dicho más arriba, un conjunto de hojas unidas entre sí, con un texto determinado. Aquellas inscripciones grabadas en los monumentos antiguos se alejan mucho de esta realidad moderna que nosotros tenemos tan presente. Las actas oficiales de los pueblos antiguos se grababan sobre placas de piedra o bronce, y en Beocia se ha encontrado una colección de sentencias del poeta griego Hesíodo grabadas sobre anchas franjas de plomo. Con tales planchas, estos testimonios y estas obras de los pueblos antiguos no podría formarse un libro tal como nosotros lo conocemos. Para que sea libro se necesitan materiales más cómodos y portátiles. En España hay grutas y cavernas donde se hallan grabadas inscripciones de los primitivos iberos y en Suecia también se han encontrado inscripciones en caracteres rúnicos relativas a hechos y acontecimientos notables de los pueblos escandinavos. Se ha sostenido que algunos libros de la Biblia, entre ellos el Decálogo y el Deuteronomio, fueron escritos en láminas de piedra encalada. Asirios y caldeos escribieron bibliotecas enteras con punzones sobre arcilla de ladrillos mientras estaba blanda; después cocían estos ladrillos en el horno y luego los unían y formaban un *volumen*. La llamada *biblioteca de Asurbanipal*, por haberse encontrado en las ruinas del palacio que mandó construir este rey asirio, formaba un ingente montón de ladrillos con multitud de textos en escritura cuneiforme.

La historia del libro está íntimamente unida a la historia del papel. Los habitantes del valle del Nilo comenzaron a utilizar un vegetal indígena que los latinos denominaron después *papyrus*. Aunque no se ha podido fijar la fecha de este descubrimiento, se sabe que fue muchos siglos antes de la era cristiana. En varias sepulturas de personajes egipcios se encontraron rollos de *papyrus*. Este vegetal se disponía en varias tiras delgadas y se pegaban con cola

Libros antiguos.

varias hojas, unas después de otras. Luego se escribía sobre ellas en columnas verticales y se formaban lo que se podría denominar páginas, cada una de las cuales tenía poco más o menos la misma cantidad de líneas, dispuestas en forma paralela. Por razones de espacio y de comodidad, estas tiras no podían estar extendidas, sino que debían permanecer arrolladas. Como la materia del *papyrus* o papiro era frágil, se la arrollaba alrededor de un cilindro de madera, con lo cual se formaba el *volumen*, que significa precisamente enrollamiento o rollo. El cilindro tenía un botón en la parte superior, donde se le añadía una etiqueta con el titulo del libro. Estos rollos o volúmenes, cuando eran muchos, se colocaban verticalmente en una caja cilíndrica y con varias de estas cajas se formaba una biblioteca. Es de suponer que las grandes bibliotecas egipcias debían tener el aspecto de un almacén de papeles pintados, donde los rollos o libros estaban colocados en distintos lugares de acuerdo con la materia de la obra. A esta altura ya se puede hablar de libros. Estos papiros, estos rollos y las medidas que se tomaban para conservarlos demuestran que se trataba ya de verdaderos libros. La trascendencia de semejante descubrimiento hace suponer que se hubiera generalizado rápidamente a los demás países. Sin embargo, no fue así. Los egipcios eran muy celosos de sus descubrimientos y de sus progresos industriales, y no dieron a conocer la forma de fabricar el papiro. El papiro egipcio llegó a Grecia en el siglo VII a. C. y muchos años después los faraones se reservaban todavía el derecho de fabricar papiro para la exportación a los países del Mediterrá-

neo, pero no les revelaron el secreto de su fabricación. En el siglo III a. C. los industriales de Pérgamo perfeccionaron las aplicaciones de la piel de varios animales a los usos de la escritura, y desde entonces la *charta Pergamena* (el pergamino) se convirtió en fuerte rival del papiro.

El libro en Grecia y Roma. La difusión del papiro primero y del pergamino después sirvió para que el pensamiento de los escritores y poetas llegase directamente al lector. Grecia, con su aguda sensibilidad, se aprovechó de estos vehículos para dar un vigoroso impulso a todas las manifestaciones del pensamiento humano. Se multiplicaron los libros, los particulares comenzaron a formar colecciones y los maestros tuvieron a su disposición los textos para enseñar a leer a sus alumnos. De los libros de mayor mérito se hacían copias numerosas, sometidas luego a la revisión y traslación de gramáticos y eruditos, o bien de editores profesionales, quienes corregían errores y rectificaban conceptos falsos y luego ponían su sello o firma. Se asegura que Tolomeo Filadelfo llegó a reunir una biblioteca de más de 450,000 volúmenes. Tanto en Grecia como en Roma la confección de libros llegó a perfeccionarse mucho. Se publicaban libros de todos los formatos y materias, ediciones anotadas y con el retrato del autor. Después se publicaron libros ilustrados, y los magnates competían con los príncipes para crear centros de actividad librera. En Atenas, meridiano del mundo heleno, apenas se encontraban más que libros griegos, pero en las bibliotecas de Alejandría figuraban también muchos autores extranjeros. A principios de la era cristiana, Roma pasó a la

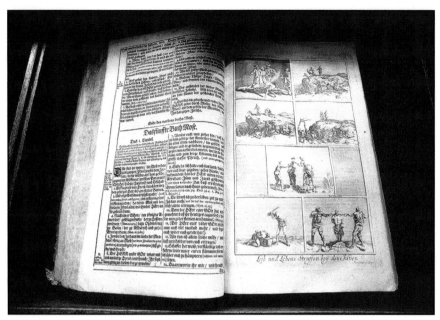

La Biblia luterana, uno de los libros impresos más antiguos.

cabeza del mundo civilizado en la publicación de libros y en la creación de bibliotecas, y la gran fecundidad de algunos autores hizo posible que el libro abundase en aquellos lejanos tiempos. Se dice, a este respecto, que Dídimo de Alejandría escribió 3,500 volúmenes. Ante esta pasmosa fecundidad se pensó en la necesidad de disminuir el grosor y el peso de los libros utilizando papel delgado y escritura más fina. Los 127 libros de la *Historia de Roma* de Tito Livio se publicaron en una edición compacta en un solo tomo, obra de habilidad y paciencia de los copistas. También se hicieron ediciones ilustradas con dibujos y retratos de los personajes y de los autores, copiados directamente o mediante el calco. No era concebible que un libro de gramática o astronomía se pusiese a la venta sin ilustraciones, y lo mismo ocurría con los tratados de historia natural y de geografía. Surgió entónces también una nueva profesión: los comentaristas. Los libros más famosos de la antigüedad necesitaban ser comentados por estos especialistas, que aclaraban para el lector contemporáneo aspectos y referencias del texto que éste desconocía. Había obras cuyos comentarios formaban un volumen aparte, en el que sólo se insertaban líneas o frases del texto comentado. Juntamente con estos profesionales surgieron otros: los críticos. Éstos tenían por misión explicar si tal o cual personaje mencionado en la obra era en realidad un personaje histórico o si era una invención del autor. Además hacían acotaciones al texto, trabajos en los que se destacó particularmente Aristarco, cuyo nombre vino a ser sinónimo de crítico exageradamente puntilloso. Un ejem-

plar de *La Ilíada*, anotado por este crítico, se conserva en la biblioteca de San Marcos, en Venecia.

El libro en la Edad Media. Las huestes bárbaras que derribaron el imperio romano estaban constituidas por jefes y soldados que no sabían leer ni escribir. Los godos, los francos, los hunos, los alanos y demás fuerzas que se apoderaron del mundo que había pertenecido a Roma, no sintieron respeto alguno por los libros. Por otra parte, la nueva fe, el cristianismo, se impuso en muchas partes de Europa a costa de proscribir ciertos libros como perjudiciales para su expansión. El papa Gregorio *el Grande* y san Basilio aconsejaron, sin embargo, el permanente estudio de los autores antiguos del paganismo como irreemplazables para integrar la gran cultura naciente. A su vez, los bárbaros analfabetos llegaron pronto a sentir la necesidad de instruirse, leer libros y poseer bibliotecas. Esta curiosidad era fácil de satisfacer: tenían a mano los grandes centros de cultura de Grecia y Roma. Y entonces se rodearon de sabios y escritores, eruditos y gramáticos, críticos y comentaristas, quienes, en algunos casos, sirvieron para detener la sed de destrucción de algunos jefes bárbaros. Beocio, escritor, traductor y comentarista de Aristóteles, llegó a gozar de la protección del ostrogodo Teodorico y efectuó una magnífica obra a su lado. Pero, el número de escuelas era cada vez menor, el arte de escribir se entregó a la rutina de la copia y de la glosa, la lengua se corrompía y la cultura general corrió serios riesgos de desaparecer. El cristianismo aportó poderosos elementos de vida a aquellas sociedades decadentes y, al cabo

de algunos siglos, todas las escuelas se hicieron cristianas y la enseñanza de la nueva religión creó un nuevo interés por las manifestaciones espirituales en general. San Jerónimo tradujo la Biblia al latín y se publicaron traducciones de muchas otras obras importantes. La actividad en la publicación y copia de siglos anteriores se redujo en la Edad Media a los claustros y cayó en manos de religiosos, sobre todo en lo relacionado con el griego y latín. Muchos libros antiguos se publicaron entonces acompañados de revisiones críticas hechas por religiosos, gramáticos o editores profesionales. Los Evangelios, misales, antifonarios y los escritos de los doctores de la Iglesia, particularmente de san Agustín, san Basilio y san Gregorio, tuvieron gran difusión en la Edad Media. Por su parte, los árabes, que fueron siempre excelentes bibliófilos, se distinguieron también como copistas de textos. El califa Omán, tercer sucesor de Mahoma, reunió en un solo volumen las diversas partes del Corán, y él mismo copió algunos ejemplares de este libro. Particularmente en España, los árabes dieron pruebas de buen gusto por los libros. Córdoba llegó a poseer una biblioteca de más de 400,000 volúmenes que representaban la gran cultura árabe de la península, y en la España musulmana hubo más de sesenta bibliotecas. En el siglo X de nuestra era se produjo un extraño fenómeno: el papiro egipcio y el pergamino comenzaron a escasear en Europa, pero ya los navegantes mediterráneos traían del Cercano Oriente otro producto llamado *charta bombycina*, que sustituyó a aquellos elementos para la impresión de libros. El papel elaborado a base de fibras vegetales era conocido en China desde antiguo y fue introducido en Europa por los árabes; se atribuye a moros valencianos la fundación en su ciudad de Játiva, allá por el siglo XI, de la primera fábrica de papel que hubo en Europa. Gracias a esta innovación, la cultura literaria se vigorizó notablemente en el mundo civilizado. Con la invención de la imprenta por Johannes Gensfleisch Gutenberg, la obra iniciada muchos siglos antes por los egipcios y perfeccionada por griegos y romanos y luego por los cristianos se afirmó definitivamente, para seguir enriqueciendo el patrimonio de la civilización occidental.

El libro en nuestros días. La industria moderna ha dado al libro un gran impulso. Aunque muchos se resisten a creer la importancia que en la difusión del libro tiene el aspecto económico, éste es incuestionable. Un libro lanzado al mercado con gran publicidad y rodeada su edición de todas las garantías de seriedad y responsabilidad, tiene mayores probabilidades de conquistar el favor del público que otro que posea cualidades literarias superiores, pero que no busque, mediante el anuncio, la conquista de la masa de lectores. Para que el libro llegue a manos del lector ha de pasar previamente por una serie de requisitos que a veces retardan su salida algunos años. Terminada la obra, el escritor debe presentarla al editor escrita a máquina a doble espacio y en carillas comunes. El editor pasa el original a manos de sus asesores literarios, quienes deberán dictaminar acerca de las cualidades de la obra: valores literarios, originalidad, importancia del tema, acierto en el enfoque de los problemas que plantea y posibilidades de venta de la obra. Estudiadas estas cualidades, presentadas en esta o en forma parecida, el editor resuelve publicar o no el libro y establece el monto de ejemplares de que ha de constar la edición. Luego se firma contrato con el autor y se adquiere la propiedad del original mediante una cantidad alzada o se le reserva un tanto por ciento sobre el precio global al público. En este último caso, si un libro cuesta al comprador en las librerías 20 pesos por ejemplo y el contrato establece que el autor ha de cobrar un tanto por ciento, éste recibirá el porcentaje que le corresponda por cada ejemplar. Con algunos autores de renombre internacional este procedimiento varía a veces. En estos casos el editor paga cierta cantidad en concepto de anticipo sobre derechos de autor para adquirir el derecho exclusivo de publicar la obra de un escritor de fama. Los agentes literarios desempeñan un importante papel en el intercambio de publicaciones de unas lenguas a otras. Ellos son los representantes de los autores, quienes les confían la misión de procurar la traducción de sus obras. El autor, al firmar contrato con el editor, cede los derechos sobre su libro por la edición de que se trate, durante un tiempo determinado –generalmente dos años después de ponerse a la venta– y pasan a poder del editor con la salvaguardia de la palabra inglesa *copyright*, que es sinónimo internacional de propiedad literaria. Pasado este tiempo, el autor recupera todos los derechos sobre su libro y está en libertad de publicarlo nuevamente, ya sea con el mismo sello editorial, ya con otro. Las leyes de propiedad intelectual existentes en diversos países no tienen uniformidad en cuanto a tiempo. Al transcurrir cierto número de años (distinto en cada país) del fallecimiento del autor, sus obras pasan generalmente a ser del dominio público. En nuestros días las ediciones de libros se multiplican, se les dan varios formatos y la distribución del material y de los grabados –en aquellos libros que llevan ilustraciones– responde a un anhelo de superación visual, en estrecha colaboración entre la literatura y el arte tipográfico. Hoy se publican libros que constituyen verdaderos alardes de técnica y buen gusto artístico. Desde los lejanos siglos en que los egipcios descubrieron el papiro hasta

nuestros días, el libro se ha convertido en símbolo de la civilización. Sin él no sabríamos cómo somos ni veríamos en nosotros mismos reflejado lo que les sucedió a otros hombres en otras épocas históricas. "El aire que respiramos –dice Smiles– está saturado de cuanto encierran las páginas de los libros, y debemos mucho a sus autores, porque sin ellos seríamos bárbaros". *Véanse* BIBLIOGRAFÍA; BIBLIOTECA; COPYRIGHT; EDITOR Y EDITORIAL; ENCUADERNACIÓN; IMPRENTA; LITERATURA; LITERATURA INFANTIL Y PARA MUCHACHOS; MANUSCRITOS; PAPIRO; PERGAMINO; TIPOGRAFÍA.

libros de caballerías.

La literatura caballeresca nació con el feudalismo y se extendió rápidamente por toda Europa. En estos libros la acción se desarrollaba casi siempre en países imaginarios y sus héroes eran protagonistas de hechos increíbles y grandiosos. Las cruzadas tuvieron un eco aventurero y fantástico en los libros de caballerías y el Renacimiento resucitó y dio nuevas formas a estas empresas literarias, en las que los protagonistas eran a veces personajes reales con nombres supuestos. Según las más autorizadas opiniones de historiadores y críticos, la literatura caballeresca tuvo su origen en la épica francesa, país del que pasó al resto de Europa. La vida del sabio Merlín, sus astucias y transformaciones; los hechos del rey Arturo de Bretaña, vencedor de los sajones; las hazañas de Lanzarote del Lago, de su hijo Galaz, de Perceval, de Boortes y otros caballeros bretones, empeñados en el rescate

Antiguo Libro de los Evangelios *en Praga.*

del Santo Grial, forman la larga serie de novelas caballerescas conocidas como del ciclo bretón o de la Mesa Redonda. Al llamado ciclo carolingio pertenecen las obras que se inspiraron en las guerras y conquistas del emperador Carlomagno, en las formidables proezas de los Doce Pares de Francia y otros caballeros de su corte. Estas leyendas fúndanse en una crónica escrita por el arzobispo Turpín, capellán de Carlomagno y personaje llevado y traído también por los autores de este tipo de literatura. El conjunto de libros llamado por algunos autores ciclo grecoasiático tenía por héroes a emperadores de Constantinopla y reyes de Trebisonda, Macedonia, Tesalia, Jerusalén y Arabia, y algunos se proyectaban hasta Rusia, Hungría y Bohemia, países poco conocidos entonces en la Europa meridional. A este ciclo pertenecen los *Amadises* y *Palmerines*, y son los más célebres *Amadís de Gaula* y *Palmerín de Inglaterra*. La exaltada imaginación de los autores ponía en los protagonistas de estos libros maravillas inverosímiles, transformaciones y metamorfosis de todo orden, y los héroes moraban en la inmortalidad, prisioneros de las hadas y disfrutando del amor. Estas novelas de aventuras tuvieron enorme difusión en la Europa medieval, renacentista y postrenacentista, y su influencia en gran núcleo de lectores estuvo en consonancia con su popularidad. Según algunos moralistas, los libros de caballerías no siempre guardaban las formas de virtud y respeto por las buenas costumbres, y entonces se ideó otro tipo de aventuras para contrarrestar su influencia. Así nacieron *Caballería celestial*, *El caballero del Sol*, *El peregrino*, etcétera, destinados a exaltar la tradición religiosa y hogareña. Pero, esta clase de literatura no tuvo la difusión de la anterior y su influencia fue también menor. Correspondió a Miguel de Cervantes Saavedra el papel de aniquilador de la literatura caballeresca. En *el Quijote* se esgrimen las poderosas armas del ridículo contra la caballería andante y se da al lector un libro que es una de las grandes obras de la literatura universal, a la par que sencillo, ameno y al alcance de todas las inteligencias. Aunque tal no haya sido el propósito de Cervantes, El Quijote puso punto final a una época literaria que se caracteriza por toda clase de quimeras y exageraciones.

libros de comercio.

Son los que utiliza el comerciante para registrar todas las operaciones que efectúa, de acuerdo con las disposiciones legales. Los libros de comercio llenan una triple finalidad: al comerciante le sirven de guía en sus actividades y le indican con exactitud la marcha de su negocio; a las personas con quienes opera, les sirven como elementos de prueba en casos de controversia o de pleito; a los acreedores del comerciante, les ayudan a determinar como ha procedido éste en sus operaciones. Los códigos de comercio de todos los países regulan detenidamente lo relativo a ciertos libros de comercio que se deben llevar obligatoriamente; además de éstos, existen otros libros cuyo empleo es facultativo.

Clasificación. Los libros del comerciante pueden ser clasificados en dos formas: jurídica y contable. La primera, establecida en el código de comercio, varía según la legislación de cada país. En España, por ejemplo, se establece que son obligatorios los libros diario, de inventarios y balances, mayor y copiador de cartas; en Argentina la obligatoriedad queda limitada a los libros diario, de inventarios y copiador. Aparte de los establecidos por la ley, todos los demás libros son facultativos, vale decir, pueden ser llevados o no, según convenga al comerciante.

La clasificación contable es más rígida y precisa. Reconoce la existencia de tres categorías de libros: 1) principales, en los que se anotan en forma global las operaciones cuyo detalle consta en los libros auxiliares; 2) auxiliares o elementales, utilizados para registrar el detalle de las operaciones que se realizan: libro de ventas, libro de caja, etcétera; 3) complementarios son los libros cuyas anotaciones aclaran, justifican o amplían los registros de los libros principales y auxiliares: copiador de cartas, libro de actas, etcétera. Se advierte que los puntos de vista jurídico y contable no coinciden necesariamente: el diario es, al mismo tiempo, un libro obligatorio para el jurista y principal para el contador; pero, el copiador es principal para la ley y complementario para la contabilidad.

El diario. Como su nombre lo indica, este diario contiene el detalle pormenorizado de las operaciones del comerciante. Las registra de modo tal que conste con claridad quién es el deudor y quién el acreedor. Cada anotación se llama asiento y consta, en todos los casos, de uno o varios deudores y uno o varios acreedores. Las hojas del libro diario pueden estar rayadas en forma muy diversa, pero la más común es la siguiente:

La columna 1, de un ancho aproximado de 1 cm, sirve para anotar el número correlativo de cada asiento. La 2, que ocupa aproximadamente la mitad de la hoja, sirve para indicar el detalle del asiento: nombre de las cuentas deudora y acreedora, especificación de la operación realizada, forma de pago, etcétera. La columna 3, del mismo ancho que la primera, se usa para indicar el folio del libro mayor en que aparecen las cuentas mencionadas en el asiento. La 4, con una raya interior que separa los pesos de los centavos, sirve para anotar los importes de las cuentas deudoras. La 5, idéntica a la anterior, se utiliza para asentar los importes de las cuentas acree-

doras. Cada página es encabezada por la indicación del mes y año de las operaciones. Cada asiento se separa del posterior y del anterior por una línea horizontal en cuyo centro se coloca el número del día en que se realiza cada operación. Al terminar una página se suman los importes asentados en ella y se anotan al pie las expresiones al *frente o a la vuelta*; al comenzar la página siguiente se repetirá la suma parcial y se anotará la expresión del *frente* o de la *vuelta*, según corresponda.

El mayor. Mientras el libro diario contiene el detalle cronológico de las operaciones, realizado por medio de asientos que mencionan el deudor y el acreedor, el libro mayor es el registro de las mismas operaciones, pero realizadas en forma distinta: cada cuenta se halla separada de las restantes y todos los asientos se desdoblan en dos anotaciones, pues el deudor del asiento del diario es anotado en el debe de la cuenta respectiva y el acreedor en el haber de la cuenta que corresponda. Cada página del libro mayor contiene una cuenta, dividida en dos partes: debe y haber. Cada una de estas partes abarca cinco columnas:

La columna 1 sirve para indicar la fecha (año, mes y día). La 2, para detallar la cuenta que es contrapartida de la que constituye el objeto del asiento. La 3, para anotar el folio del diario donde consta el asiento. La 4, para asentar el monto de cada operación y la 5, para los totales del mes.

Sobre la raya superior de la hoja se escribe el nombre o título de la cuenta. Todo libro mayor posee un índice, en las hojas finales o en volumen aparte, que sirve para anotar por orden alfabético los nombres de las cuentas y los folios en que figuran.

El copiador. Este libro, exigido por las leyes de casi todos los países, sirve para transcribir en forma íntegra y cronológica todas las cartas o telegramas que envía el comerciante. Generalmente se compone de dos partes: la primera corresponde al índice y la segunda, compuesta de hojas numeradas del papel llamado *de seda*, se utiliza para copiar. La carta o el documento que debe copiarse ha de ser escrita con tinta, lápiz o cinta de máquina del tipo llamado de copiar. La transcripción se realiza humedeciendo el papel de seda con un pincel mojado en agua o con una tela húmeda y colocándolo luego en la prensa de copiar durante uno o dos minutos.

Métodos modernos. Los libros analizados hasta ahora responden al esquema tradicional de la contabilidad, utilizada todavía en las empresas reducidas. Pero, la evolución de la técnica contable, muy veloz en el siglo XX, ha obligado a crear nuevos métodos. En primer término, se subdividen el mayor y el diario en libros auxiliares (de compras, de ventas, de cuentas corrientes, etcétera). En segundo término, surgen los diarios de columnas múltiples

que ya poseen impresos en cada columna los nombres de las diversas cuentas y que sólo exigen la transcripción del número que corresponde a cada uno. Por último, surge la contabilidad analítica centralizada, que utiliza dos series de libros: los sintéticos (diario mayor, etcétera), que contienen solamente el resumen global de las operaciones, y los analíticos, en los que consta su detalle específico. La última etapa de esta evolución en el uso de los libros está marcada por la aparición de la contabilidad mecánica. *Véase* CONTABILIDAD.

Libro de los muertos. Colección de conjuros y fórmulas mágicas que los antiguos egipcios ponían en las tumbas para facilitar a los muertos el paso a la vida de ultratumba y la felicidad eterna. En la época del Antiguo Reino los conjuros se inscribían en el interior de las pirámides y se empleaban solamente para los faraones y algunos miembros de la familia real. Durante el Reino Medio su uso se había extendido ya a las clases pudientes, que los hacían inscribir en los féretros. Posteriormente, en el Nuevo Reino, los conjuros se escribían en rollos de papiro a los que se les da el nombre de *Libro de los muertos*. Existían distintas versiones y su contenido no era uniforme. Generalmente se vendían ya hechos, con espacios en blanco para llenarlos con el nombre del difunto; pero, se hacían también de encargo. Los diversos conjuros del libro servían para allanar obstáculos en la otra vida, salir con bien de asechanzas y peligros, ahuyentar y vencer monstruos, impedir la putrefacción y mutilación del cuerpo, etcétera. Otros conjuros e invocaciones servían para fortalecer al difunto en el momento supremo de la prueba en que era sometido ante el dios Osiris y sus jueces.

licencia. Facultad o permiso concedido para hacer alguna cosa, celebrar algún acto o ejercer una profesión. Entre otras muchas clases de licencias, existen: *militar*, que permite al oficial ausentarse de su destino y al soldado reintegrarse a la vida civil; *eclesiástica*, la conferida a un sacerdote para ejercer su ministerio; *marital*, la que el marido confiere a la mujer para que ésta pueda ejercer ciertos actos jurídicos; *matrimonial*, la que precisan ciertas personas para contraer matrimonio; *administrativa*, aquélla que incumbe a los empleados públicos; de *caza y pesca*, la que debe obtenerse para no incurrir en falta cuando se caza o se pesca; de *armas*, la necesaria para portar armas de fuego; *deportiva*, la que un jugador debe disfrutar para poder pasar de un club a otro; *paterna*, la que autoriza a celebrar determinados actos a los menores; poética, la que afecta las leyes del lenguaje o del estilo y es permitida por el uso.

Liceo. En la antigua Grecia se llamó así a un recinto o gimnasio de Atenas, cercano al templo dedicado al dios griego Apolo Liceo, formado por varios edificios, fuentes y paseos arbolados, donde los filósofos se reunían para discutir sus ideas. El Liceo fue usado por Sócrates y más tarde Aristóteles enseñó allí a sus discípulos. Modernamente se da el nombre de liceos a instituciones culturales, artísticas y literarias, que tienden a ampliar la cultura de los adultos, mediante bibliotecas, conferencias, conciertos, exposiciones, etcétera. Se inició este movimiento y alcanzó un gran desarrollo en el siglo XIX, contando con los más ilustres profesores y realizando labor meritoria de extensión universitaria. En algunos países, como Francia y Chile, se llaman liceos a los centros oficiales de segunda enseñanza. *Véase* ENSEÑANZA.

licor. Bebida alcohólica, casi siempre de tipo dulce, que por lo general se saborea después de los postres y el café. Hay diversas clases y la proporción de alcohol varía. Producen a su contacto con la lengua una agradable sensación cálida que se extiende a la faringe, esófago y estómago. Tomados moderadamente ayudan a la digestión. Los licores se preparan ya sea por fermentación, o bien por simple mezcla de alcohol con el azúcar y alguna esencia aromática. Entre los más conocidos figuran el coñac, Gaileys, rompope, marrasquino, benedictino, chartreuse, kirsch; los hay también de toda clase de frutas. Los amargos, como el vermut y el *bitter*, se usan como aperitivos.

lictor. Guardia personal del rey en la antigua Roma. Con el advenimiento de la República romana, los lictores fueron puestos al servicio de los magistrados supremos, investidos del *imperium* y la *potestas*. El número de lictores que acompañaba a cada funcionario era símbolo de su jerarquía: el dictador tenía 24; cada uno de los cónsules, 12; los procónsules y pretores, seis, y los cuestores, cinco. Precedían a dichas autoridades con las *fasces* sobre el hombro izquierdo.

licuadora. Utensilio portátil formado por un recipiente que tiene en su fondo un dispositivo de cuatro aspas, que giran a gran velocidad impulsadas por un motor eléctrico, sobre cuyo eje vertical se coloca el recipiente. De gran utilidad casera, ya que ha permitido simplificar muchas de las labores culinarias, con ella se fraccionan y reducen a papilla legumbres, frutos y otros productos.

Licurgo. Legislador de Esparta, que se supone vivió en el siglo IX a. C., y al que se atribuye la redacción de un código al que debió aquel pueblo su grandeza militar y po-

Corel Stock Photo Library

Fábrica de licor en Cognac, Poitou-Charente, Francia.

lítica. Hijo de Eumono, rey de Esparta, gobernó el país durante la menor edad de su sobrino Carilao, y terminada ésta se alejó, visitando Egipto, Asia Menor y Creta, cuya organización política estudió. A su regreso, sus compatriotas lo consideraron como el único capaz de salvar a Esparta del desorden y le encargaron la reforma de las leyes. Entre las iniciativas que puso en vigor como hombre de gobierno están la creación del Senado integrado por 30 ancianos; el reparto de tierras entre los espartanos, para evitar la desigualdad y la pobreza; la prohibición de acuñar monedas de oro y plata para combatir así la codicia y el fomento entre los jóvenes de ambos sexos de la afición a los deportes. Cuenta la leyenda que abandonó Esparta por orden del oráculo de Delfos, después de hacer jurar a su pueblo que no modificaría sus leyes hasta que él regresara, y a fin de no relevar jamás a los espartanos de juramento tal no regresó jamás. *Véanse* ESPARTA; GRECIA.

líder. Del inglés *leader*, que significa *guía*. En sociología, el director, jefe o conductor de un partido político, grupo social u otra colectividad. En psicología, aquel individuo que goza de cierta autoridad sobre un grupo. También se dice de aquel que va a la cabeza de una competencia deportiva. Los actos que identifican el liderazgo de un individuo sobre un grupo son aquellos que fortalecen al grupo y contribuyen a un desempeño efectivo del mismo. Aunque esos actos pueden ser desarrollados por cualquier miembro, frecuentemente se restringen a la persona designada como el líder oficial. Un líder demócrata fomenta la participación en la toma de de-

cisiones, nutre la unión del grupo y facilita la interacción social. En economía empresarial se aplica a la empresa que consigue ejercer un control directo y una manipulación exclusiva sobre un mercado. La empresa obtendrá un papel de líder más absoluto en la medida en que pueda reducir los costos medios para niveles de producción mayores, tendiendo hacia un aumento de beneficios. Análogamente el producto líder es aquél que por sus condiciones óptimas de fabricación y por su precio obtiene mayor aceptación entre los consumidores con mayores rendimientos para sus oferentes. Asimismo, un sector líder es aquel que abre nuevas perspectivas de desarrollo para un país por sus aportaciones cuantitativas y sus cualidades específicas que permiten impulsar el crecimiento de los demás sectores.

Lie, Trygve Halvdan (1896-1968). Estadista y diplomático noruego elegido primer secretario general de las Naciones Unidas en 1946. Abogado diplomado en la Universidad de Oslo, inició su carrera política como asesor legal del Partido Laborista noruego, en cuyas filas formaba desde los 16 años. Se destacó como mediador entre patronos y empleados, por lo que fue designado para ocupar la cartera de Justicia en el ministerio laborista de 1938. Ministro de Comercio al año siguiente, realizó gran acopio de víveres y materias primas destinadas a asegurar la vida nacional durante la Segunda Guerra Mundial. A la invasión del país por los nazis, pasó a Inglaterra como miembro del gabinete de resistencia.

Trygve Lie fue el primer secretario de la ONU.

Corel Stock Photo Library

Lie, Trygve Halvdan

Ministro de Relaciones Exteriores en 1941 y delegado noruego a la Conferencia de San Francisco presidió el comité que redactó la carta del Consejo de Seguridad. Presentó su renuncia de secretario general de las Naciones Unidas en octubre de 1952.

Liebig, Justus Baron von (1803-1873). Químico alemán, uno de los fundadores de la química orgánica. Estudió en Bonn, Erlangen y París, de donde se trasladó a Giessen como profesor de química, convirtiendo el laboratorio de esta universidad en uno de los más famosos del mundo. Tuvo como colaborador a Friedrich Wöhler. Realizó grandes descubrimientos, entre los que se destacan la transformación del alcohol y el ácido acético, que determinó su hallazgo del cloroformo, cloral y otros productos; la formación artificial del ácido tártrico; el método de plateado para el vidrio y, sobre todo, el desarrollo de los abonos químicos como fertilizantes del suelo. Suyo es también el procedimiento de condensación del jugo de carne, que lleva su nombre. Entre sus numerosas obras se destacan *Tratado de química orgánica*, *Instrucción sobre el análisis de los cuerpos orgánicos* e *Investigaciones sobre la química de la alimentación*.

liebre. Mamífero roedor, caracterizado por tener el labio superior hendido y ser un animal solitario y tímido. Pertenece a la familia de los lepóridos, género *Lepus* (el más extenso de la familia). Del nombre del género deriva el adjetivo leporino que, por extensión, se aplica a otras especies que presentan el labio hendido incluso el caso anormal del hombre. Tiene una longitud de 60 cm y una altura de 20 cm; posee abundante y largo pelo, cuya coloración varía según la parte del cuerpo: la cabeza y el dorso son de un color rojizo oscuro, las extremidades y el cuello, leonados, y el tórax y abdomen blancos; orejas grises muy largas y cola cuya parte superior es negra, en tanto que la inferior es blanca. Tiene cinco dedos en las extremidades delanteras y

Liebre ártica.

Corel Stock Photo Library

Corel Stock Photo Library

Corona de la realeza en Liechteinstein.

cuatro en las posteriores con uñas corvas y agudas; las primeras son más cortas que las segundas; su marcha es una sucesión de saltos, y puede trasponer de esta manera paredes de más de 1.5 m de altura. Habita en casi toda Europa y en Asia, África y América. En las regiones más frías cambia de color al llegar el invierno (liebre variable y de los Alpes). Su alimento preferido son los vegetales, en cuya busca sale de noche; suele causar grandes destrozos en las plantaciones de hortalizas, en los campos de mieses y en las cortezas de los árboles. No hace madrigueras bajo tierra, sino que forma camas entre las matas, donde nacen y viven sus dos a cinco crías que vienen al mundo con los ojos abiertos y el cuerpo con su pelaje completo; éstas al tener uno o dos meses abandonan a sus padres, los cuales casi nunca se quedan solos, pues en un año se repite varias veces la llegada de nueva prole. Su abundancia constituye en ciertas regiones una verdadera plaga y es preciso organizar enérgicas batidas para librar los cultivos de sus devastaciones.

liebre patagona. Mamífero roedor del género *Dolichotis*, también llamado *mara*, que abunda en América del Sur. Es más grande que la liebre europea, con la que se puede confundir por sus largas orejas y su andar a saltos. Se halla recubierta por un largo pelaje grisáceo con algunas vetas laterales amarillentas. Vive agrupada en colonias.

Liechtenstein. Pequeño estado europeo independiente, situado entre Suiza y Austria; su extensión es de 160 km² y su población de 29,868 habitantes (1995). Hasta 1806 formó parte del imperio romano germánico y desde esa fecha hasta 1866 de la Confederación Germánica. Originalmente constituía dos condados, Vaduz y Schellenberg, que pasaron por herencia a la casa de Liechtenstein, adoptando la denominación de Principado de Liechtenstein por merced del emperador Carlos VI en 1719. Es una monarquía consti-

tucional, en la que el príncipe legisla junto con la Dieta, que se compone de 25 miembros elegidos por sufragio universal y sistema proporcional, salvo tres que designa el monarca, el cual nombra también un administrador o gobernador, que le representa y hace las veces de primer ministro. Francisco José II reinó desde 1938 hasta 1989, año de su muerte, y le sucedió Juan Adán, su hijo, quien ascendió al trono como príncipe gobernante.

El país está formado por valles fértiles y picos montañosos. Las actividades agrícolas han ido perdiendo importancia en las últimas décadas frente al importante desarrollo del sector industrial y del sector de servicios, los cuales emplean 50% de la población económicamente activa.

La lengua oficial es el alemán; la religión católica la profesa 80% de la población (1996). La capital es Vaduz, con 5,085 habitantes (1996).

lied. Palabra alemana que significa *canción* y designa un género de música vocal en que sólo se desarrolla un tema. A finales del siglo XVIII, con el nuevo ideal de naturalidad, poetas como Johann Goethe, Johann Christoph Friedrich von Schiller y Clemens Brentano escribieron partes a la manera popular, cuya inspiración no desdeñaron Wolfgang Amadeus Mozart y Ludwig van Beethoven. Pero, el genio del *lied* debía encarnarse en Franz Schubert, que, entre más de 600, dejó ciclos inmortales, como *La bella molinera* y *El viaje de invierno*. En los *lieder* posteriores de Robert Schumann, Johannes Brahms, Hugo Wolf

Viñedo en Vaduz, Liechteinstein.

Corel Stock Photo Library

y Richard Strauss predominan la nota personal,la emoción y el colorido.

lienzo. Tela que se fabrica de lino, cáñamo o algodón y que tiene usos diversos, según su calidad. Los lienzos gruesos se emplean para la confección de sacos, tiendas de campaña, tapicería, alfombras, etcétera. Los de calidad media se usan para vestido, cortinajes, sábanas, telas para cuadros, y los de más fina calidad para mantelería, pañuelos, encajes, etcétera. *Véase* LINO.

Lifar, Serge (1905-1986). Bailarín y coreógrafo ruso. A raíz de la revolución de 1917 emigró a Francia para seguir el impulso de su vocación: la danza. Estudió con Bronislava Nijinskaia y en 1925 sustituyó a Vaclav Nijinski en el elenco de Serge Diaghilev. Primer bailarín y director coreógrafo de la Ópera de París a los 25 años, introdujo en el arte de la danza muchas novedades y estilos nuevos de su creación. Dictó una cátedra de Coreografía en la Sorbona y escribió varios libros: *Memorias*, *La danza* y otros.

liga. Confederación formada por varios Estados con carácter defensivo u ofensivo. La historia registra la existencia de numerosas ligas, de las que citamos algunas: *Liga Aquea*, que subsistió desde la muerte de Alejandro Magno hasta la reducción de Grecia a provincia romana (323 a 146 años a. C.). Formaron parte de la misma todas las ciudades del Peloponeso a excepción de Esparta, que fue rechazada por haber pretendido ejercer la hegemonía. *Liga Etolia*, que existió en Grecia central y en la cual se congregaban las tribus, mientras que en la Aquea se reunían las ciudades para la obra de defender su independencia; la organización era similar y subsistió hasta que fue disuelta por el Senado Romano. *Liga Itálica* (año 91 a. C.) constituida por los pueblos de Italia central para obtener el derecho a la ciudadanía romana. *Liga Stelinga*, formada en el siglo IX por los francos para oponerse a la tiranía de los nobles. *Liga Hanseática*, formada por 85 ciudades, de gran importancia en la Europa de los siglos XIII a XV; los privilegios de la misma comprendían la libertad y seguridad de tránsito y comercio para todos los ciudadanos de las poblaciones hanseáticas y exención de derechos de paso o entrada de mercancías; aunque organizada como unión puramente comercial, adquirió predominio político e internacional. *Liga Santa coalición formada por iniciativa de Antonio Ghishlier (1504–1572)*, constituida para contrarrestar el poderío de Carlos VIII de Francia, la cual representó en la Edad Moderna la primera tentativa de lo que se llamó más tarde el equilibrio europeo. El mismo nombre de Liga Santa se dio a la formada en 1571, contra el turco, que resultó vencido en la batalla naval de Lepanto. *Liga Católica* (1609), contra la unión protestante y bajo la dirección de Maximiliano de Baviera. *Liga del Rin* (1658), para la defensa de los tratados de Westfalia. *Liga de Augsburgo* (1686), formada contra Francia por las grandes naciones europeas. *Liga de los derechos del hombre*, fundada en Francia a raíz del proceso Dreyfus para impedir la conculcación de los derechos individuales. *Liga Musulmana*, constituida en la India por Alí Jinnah para oponerse al Partido del Congreso, de Mohandas Karamchand llamado Mãhatmã Gandhi, y preconizar la formación del Estado de Pakistán.

liga árabe. Organización internacional fundada en El Cairo el 22 de marzo de 1945 por Arabia Saudita, Egipto, Iraq, Líbano, Siria, Jordania y Yemen. Posteriormente ingresaron Argelia, Bahrein, Emiratos Arabes Unidos, Kuwait, Libia, Mauritania, Marruecos, Omán, Somalia, Qatar, Sudán, Túnez, República Árabe del Yemen, Djibuti y la Organización para la Liberación de Palestina, en representación de Palestina. El organismo supremo es el Consejo de la Liga, integrado por representantes de los Estados miembros. Existen varios comités permanentes y una Secretaría General. Funcionan además una serie de organismos encargados de las cuestiones económicas, militares, sociales y culturales.

Los objetivos de la Liga Árabe son estrechar los lazos entre los países participantes y coordinar sus actividades políticas con el fin de llegar a una mutua colaboración entre ellos que garantice su independencia, soberanía y, en general, los intereses propios de los países árabes. La cuestión palestina y las relaciones con Israel, que han sido por otra parte el más eficaz aglutinante de los países árabes, ha llevado consigo, sin embargo, importantes disidencias. En 1948 no pudo evitar la formación del Estado de Israel, en 1956 no supo promover la necesaria solidaridad con Egipto, y en 1967 su acción contra Israel fue desorganizada y escasa. El predominio egipcio (la sede residía en El Cairo y el secretario general era egipcio) provocó la reticencia de varios países. Tras la muerte de Gamal Abdel Nasser (1970) se atenuaron las divergencias entre Egipto y Arabia Saudita, lo que facilitó el acuerdo panárabe que impuso el embargo petrolífero a raíz de la guerra con Israel (17 de octubre de 1973). Tras la firma de paz con Israel (1979), Egipto tuvo que abandonar sus actividades en el seno de la Liga y ésta trasladó su sede a Túnez. Por otro lado, se agravaron también las diferencias internas entre los miembros de la Liga por el conflicto Irán-Iraq y por los reiterados enfrentamientos entre las diversas facciones del movimiento palestino. En mayo de 1991 fue elegido secretario el egipcio Esmat Abdel Meguid.

Liga de las Naciones. Organización establecida después de la Primera Guerra Mundial para promover la paz internacional. Sesenta y tres naciones fueron miembros, incluyendo todos los poderes europeos principales en uno u otro momento. Estados Unidos tuvo un papel importante en su fundación pero no fue incluido. Desde su sede en Ginebra, la liga organizó muchas actividades de bienestar social y económico, aunque se concentró en asuntos políticos. Fue nominalmente responsable de la administración de muchos territorios coloniales bajo el sistema de mandato.

Corel Stock Photo Library

La Liga de las Naciones en su sesión de apertura en Ginebra en 1920.

Liga de las Naciones

Un importante instrumento de diplomacia en los años 20, la liga no pudo cumplir con sus objetivos principales de desarme y paz en los años 30. Perdió miembros y dejó de utilizarse antes de la Segunda Guerra Mundial. Algunos de sus servicios técnicos continuaron funcionando hasta que la organización fue terminada formalmente el 18 de abril de 1946, cuando fue sucedida por la recientemente creada Organización de las Naciones Unidas.

Creación. El estallido de la Primera Guerra Mundial en 1914 llevó a Gran Bretaña, Francia, Estados Unidos y varios países neutrales a explorar alternativas a los métodos diplomáticos tradicionales para mantener la paz. Mientras continuaba la guerra, varios esquemas para la organización mundial fueron presentados y ganaron el apoyo popular. Algunos líderes gubernamentales, incluyendo al presidente de Estados Unidos Woodrow Wilson, Jan Smuts de Sudáfrica, y Lord Robert Cecil, un miembro del gabinete británico, proporcionaron su apoyo al ideal de la liga como una forma de evitar guerras futuras. Este ideal fue uno de los Catorce Puntos presentados por Wilson como la base para una paz justa, y para cuando llegó la Conferencia de Paz en París se había convertido en el principal objetivo de guerra de los victoriosos poderes aliados. Trajo a la política mundial los mismos preceptos liberales que, por lo menos en teoría, guiaron la experiencia política de las democracias occidentales: un sentido de propósito moral, una creencia en el procedimiento parlamentario y una fe que las diferencias podrían ser resueltas pacíficamente.

Cuando la Liga de las Naciones fue establecida el 10 de mayo de 1920 decepcionó a algunos de sus partidarios originales. El convenio, que fue la base de la operación de la liga, fue incluido en el Tratado de Versalles impuesto sobre la derrotada Alemania . Esto hizo que pareciera que la liga era una herramienta para el uso de los victoriosos contra sus antiguos enemigos que no eran miembros. El Senado de Estados Unidos se rehusó a ratificar el tratado de paz, y, en un golpe contra el Presidente Wilson, también mantuvo al país fuera de la liga. La Unión Soviética tampoco fue un miembro al principio, aunque, igual que Estados Unidos, cooperó con la conferencia de desarme de la liga y algunas otras actividades.

Organización. El propósito y las reglas de la organización fueron definidas en el Convenio de la Liga de las Naciones, que consistió de 26 artículos cortos. Su enfoque era más legal que la Carta de las Naciones Unidas; se asumió que las naciones miembro podrían trabajar juntos sin comprometer su soberanía. Bosquejados en el Convenio había tres enfoques que evitarían la guerra: arbitraje en el arreglo de disputas, desarme y seguridad colectiva.

Bajo el Convenio todos los Estados miembro eran representados en una asamblea que mantenía sesiones por lo menos una vez al año. Cada nación tenía una votación y se requería de unanimidad para todas las decisiones. La asamblea regulaba el presupuesto y la membresía de la liga y servía como el podio para la opinión pública mundial. La principal labor política de la liga y la conciliación de disputas internacionales fueron delegados a otro pequeño cuerpo: el consejo. Los asientos permanentes en el consejo fueron reservados para Gran Bretaña, Francia, Japón, Italia y, posteriormente, Alemania y la URSS; otros países fueron elegidos para ser representados temporalmente en el consejo para llegar a un total de ocho, posteriormente delegado a 10 y después a 14 miembros. El tercer órgano principal de la liga era el secretariado, que consistía en un equipo internacional de varios cientos de oficiales que administraban las actividades de la liga. Por otro lado, la liga estaba vinculada a varios otros cuerpos, más notablemente la Corte Internacional de Justicia Permanente o Corte Mundial que se reunía en La Haya y la Organización Internacional de Trabajo.

Actividades. A principios de la década de 1920 la liga intentó establecer su posición como el centro de los asuntos mundiales. El entusiasmo público que había ayudado a lanzarla era difícil de mantener en tiempo de paz. Fue efectiva al encontrar soluciones pacíficas para varias disputas menores, tales como aquellas entre Suecia y Finlandia con respecto a las Islas Aland en 1920 y entre Grecia y Bulgaria en 1925. Sin embargo quedaron dudas con respecto a si en realidad podría detener la agresión de un poder importante, y la posición de Alemania con respecto a la seguridad europea aún era una preocupación importante. Las propuestas para reforzar el convenio y superar estas irregularidades no ganaron aprobación; el protocolo de Ginebra de 1924, que calificaba a la guerra agresiva como un crimen internacional, falló a causa de la oposición británica. La maquinaria de seguridad colectiva de la liga se mantuvo sin prueba y ninguna fuerza internacional fue reunida para asegurarla, aunque esto fue propuesto frecuentemente. El desarme no podía proceder mientras la inquietud acerca de la seguridad continuara.

Esta situación no cambió fundamentalmente a fines de la década de 1920, pero la liga ganó en prestigio porque la amenaza de guerra era remota. El Pacto de Locarno de 1925 aseguró a los vecinos de Alemania y preparó el camino para la aceptación de Alemania en la liga el siguiente año. Los ministros extranjeros y otros líderes gubernamentales asistieron a sesiones en Ginebra y la reputación de la liga era alta. Ganó apoyo a través de su valioso trabajo

no político, combatiendo la proliferación del uso del opio y otras drogas ilícitas, contribuyendo al bienestar infantil, mejorando la condiciones de salud en el ámbito mundial y disminuyendo las barreras contra el comercio internacional.

La Depresión de los años 30 y una serie de crisis internacionales cambiaron el clima político. La crisis que siguió a la invasión japonesa de Manchuria en septiembre de 1931 frecuentemente se ve en retrospectiva como el primer reto decisivo al sistema de la liga. Sin embargo, en ese momento los estadistas europeos en el consejo de la liga no lo percibieron de esa manera. En 1932 enviaron una comisión de investigación para estudiar los aciertos y los errores de la guerra entre China y Japón. Japón pronto dejó la liga pero no se hizo ningún esfuerzo para obligarla a devolver el territorio que había conquistado.

Manchuria estaba lejos y mucha gente deseaba que la liga aún pudiese ser efectiva si la agresión ocurriese más cerca de Europa. La llegada al poder de Adolfo Hitler en Alemania agravaba la crisis. En 1933 retiró a Alemania de la Conferencia en Ginebra que versaba sobre el desarme y posteriormente de la liga. Trataron de convencerlo de regresar a la organización en vez de intentar detenerlo.

La seguridad colectiva finalmente fue puesta a prueba en 1935 cuando Italia atacó Etiopía. Después de que el emperador de Etiopía, Haile Selassie buscó ayuda, la liga votó por la imposición de sanciones económicas en contra de Italia hasta que detuviese su agresión. Gran Bretaña y Francia, cuya cooperación era esencial en este esfuerzo, actuaron tímidamente, ya que no deseaban antagonizar con el dictador italiano Benito Mussolini. Por lo tanto intentaron hacer funcionar varias soluciones de compromiso con él y no intentaron cortar sus vitales provisiones de petróleo. Italia pudo superar esta política de sanciones a medias y finalizar su conquista de Etiopía. Italia se retiró de la liga en 1937 y continuó con intervenciones extranjeras adicionales, junto con Alemania y la URSS, durante la guerra Civil española.

La liga jamás se recuperó de este retroceso. Continuó reuniéndose a finales de los años 30 pero no pudo tomar ninguna acción efectiva. Una reacción de sus partidarios fue tratar de usar la liga como el punto de reunión para una coalición antifascista construida alrededor de Gran Bretaña, Francia y la URSS. Otra tendencia conflictiva fue solicitar revisiones del Convenio para evitar que la liga impusiese sanciones. Se suponía que esta táctica mejoraría la posición de la liga en labores humanitarias no políticas tales como la ayuda a refugiados. La liga fue casi ignorada en todos los eventos que surgieron con tanta rapidez durante la explosión de la Segunda Guerra

Corel Stock Photo Library

Símbolo internacional de la Liga de la Cruz Roja.

Mundial. Revivió brevemente en diciembre de 1939 para efectuar el gesto sin significado de expulsar a la URSS por su ataque a Finlandia.

Evaluación. A pesar de su fracaso en la detención de la guerra, la liga fue una empresa pionera en asuntos internacionales. La recurrencia de la guerra solamente enfatizó la necesidad del mundo de una alternativa efectiva a la anarquía y las Naciones Unidas siguieron la estructura y los métodos de la liga en sus definiciones principales. Los cambios de matiz dentro de la nueva organización reflejaron algunas de las lecciones de la experiencia de la liga. La Carta de las Naciones Unidas es un documento más político y menos legal que el Convenio. Otorga más dependencia a la diplomacia y menos a los procedimientos judiciales elaborados que eviten la guerra. Además, las Naciones Unidas enfatizan el trabajo no político en el desarrollo económico a un grado considerablemente superior que la liga. Las Naciones Unidas son verdaderamente un grupo mundial que intenta cumplir con las necesidades de sus miembros; la liga estaba más limitada en rango y membresía. *Véase* GUERRA.

Liga de Sociedades de la Cruz Roja.
Federación internacional de las organizaciones nacionales de la Cruz Roja. Tiene su sede en Ginebra y está integrada por los delegados de los países signatarios, dirigida por un consejo ejecutivo, elegido por votación, al frente del cual hay un presidente y un secretario general.

Una Conferencia Internacional de la Cruz Roja, CICR, constituye la más alta autoridad, se reúne cada cuatro años y está compuesta por representantes del Comité Internacional, de la Comisión Permanente y de los Gobiernos signatarios. La Comisión Permanente de la Cruz Roja coordina las actividades de la CICR y de la Liga de Sociedades. El número de países miembros de la Liga de Sociedades de la Cruz Roja asciende a 152, con más de 260 millones

de miembros, la más importante y numerosa organización no gubernamental (ONG) con fines humanitarios. El presupuesto para la operaciones de la CICR, es aportado fundamentalmente por las sociedades nacionales de los veintiséis países *donadores*. La CICR obtuvo el Premio Nobel de la Paz en 1917 y en 1963, en este último año junto con la Liga.

lignina. Sustancia orgánica de estructura compleja relacionada con la celulosa. Impregna los tejidos fibrosos y vasculares de la madera, a cuya formación y consistencia contribuye; permite el paso del agua, sin hincharse, por inhibición, y la atraviesan fácilmente los gases. El ácido sulfúrico y el yodo la tiñen de amarillo; la atacan los ácidos y sustancias alcalinas, por lo cual, cuando se prepara la pulpa de madera, destinada a la fabricación de papel, se separa la lignina con hidróxido de sodio y bióxido de sulfuro, para luego aprovecharla industrialmente en la elaboración de plásticos, fenol, jabones, insecticidas, abonos, placas de acumuladores y muchos otros usos.

lignito. *Véase* CARBÓN.

lija. Pez marino del orden de los salacios, de cuerpo casi cilíndrico, sin escamas y cubierto de una piel de color blancuzco que tira a verde, dura y áspera. A los costados de la cabeza tiene cinco aberturas branquiales en forma de media luna. Hay la lija menor y la lija mayor. Aquélla alcanza una longitud de 50 a 60 cm y la mayor de 1 m. Habita en los mares de la zona tórrida y

Café en una calle de Lille, Francia.

Corel Stock Photo Library

Corel Stock Photo Library

Lilas en flor.

templada, abundando en el Atlántico, Mediterráneo y Mar del Norte.

lila. Arbusto de la familia de las oleáceas, muy ramoso, que alcanza 4 a 5 m de altura. Originario de Persia, de donde fue introducido en Europa en el siglo XVI por Busbek, embajador alemán en Constantinopla, se extendió por el mundo como planta de jardín, muy apreciada por la fragancia de sus flores. Tiene hojas verdes acorazonadas, pecioladas y enteras de unos 12 cm y flores que crecen en ramilletes cónicos, erguidos, formados por pequeñas flores de corola tubular, dividida en cuatro lóbulos iguales opuestos en forma de cruz. Tiene generalmente un color lila, aunque las hay rojo purpúreas y blancas. Es planta poco exigente en cuanto a cuidados y terrenos, pero prospera mejor en tierras ligeras, sustanciosas y ventiladas, resistiendo los fríos más intensos.

Lilienthal, Otto (1848-1896). Ingeniero alemán nacido en Anklam y muerto cerca de Rhinow. Fue pionero de la moderna aviación diseñando y construyendo planeadores (aviones sin hélice ni motor) del tipo monoplano y biplano, que él mismo tripulaba. Fundamentó su teoría del vuelo de planeo en un libro publicado en 1889 con el título *El vuelo de las aves como base de la aviación*. Murió accidentado en una de estas pruebas de vuelo (que sumaron más de dos mil).

Lille. Ciudad de Francia situada a orillas del río Deule, con 178,301 hab (1994). Antigua capital del Flandes francés y capital del departamento del Norte, es uno de los principales centros industriales y comerciales del país. Posee universidad, escuelas

Interior del Palacio Torres Tagle en Lima, Perú.

técnicas, uno de los principales museos de Francia, fundiciones de hierro y acero, importantes industrias textiles, de azúcar, de remolacha y aceites, fábricas de bebidas alcohólicas, colorantes y tabacos. Fue ocupada durante largo tiempo por las tropas alemanas durante las guerras mundiales.

Lima. Capital de la república de Perú y departamento del mismo nombre, situada en las orillas del río Rímac, a 11 km de su desembocadura en el Pacífico y a 12 del puerto de El Callao. Se encuentra al pie de los Andes, en una fértil llanura que desciende suavemente hacia el mar. Aunque casi nunca llueve, el aire está saturado de humedad, sobre todo de junio a septiembre, en que perdura la niebla, pero el resto del año goza de un suave clima templado. Tiene una población de 6.321,173 habitantes (1993) en su mayoría de raza blanca, pero con un porcentaje de indios mestizos.

Construida con un buen criterio urbanístico es hoy una población moderna, con las comodidades que el progreso confiere a los grandes poblados, pero sin perder su personalidad criolla y sin que desentonen los estilos de las calles y construcciones nuevas con las mansiones y templos seculares. La zona vieja ha sido destruida en gran parte por los terremotos, muy frecuentes en la región, pero conserva numerosas reliquias de su brillante pasado, como el antiguo palacio de los Virreyes, hoy Casa de Gobierno, el de la Inquisición, convertido en museo del Virreinato; el lujoso palacio de Torre Tagle, actual ministerio de Relaciones Exteriores, de construcción característicamente limeña, con sus grandes balcones salientes de madera la-

brada etcétera; en cuanto a las iglesias, son notables la catedral, comenzada en 1535 y reconstruida después del terremoto de 1746, en una de cuyas naves se guarda la urna que contiene los restos de Francisco Pizarro; las iglesias de San Agustín, San Francisco, San Pedro, San Marcelo, y, principalmente, La Merced, con magníficas tallas doradas a fuego. La parte nueva, de trazado regular en cuadrícula, se ha desarrollado rápidamente, con amplios bulevares y numerosas plazas llenas de plantas ornamentales. Lima cuenta con muchos es-

tablecimientos docentes, como la famosa Universidad de San Marcos, fundada en 1551, la Católica, las escuelas Naval, Militar, Técnicas y de Bellas Artes, así como bibliotecas y museos con verdaderas riquezas arqueológicas. Esta ciudad es un centro comercial de gran tráfico. Tiene un magnífico aeropuerto y varias líneas de ferrocarriles y carreteras que la enlazan con el resto del país y con el exterior. Sus principales industrias son las textiles, de algodón y lana, y las del cuero, hierro, cobre, tintura, cerámica y platería.

Lima fue fundada por Pizarro en 1535 con el nombre de Ciudad de los Reyes. El nombre moderno es una corrupción del quechua Rimac. Durante la época de la colonia fue la capital del virreinato de Perú, que hizo de ella una residencia lujosa, rica en edificaciones y con las ventajas de las más favorecidas ciudades de España. En Lima se declaró la independencia de Perú el 28 de julio de 1821. En 1880-1881 sostuvo una lucha contra las tropas chilenas, durante la cual fueron destruidos e incendiados numerosos edificios particulares y algunos públicos, como la Biblioteca Nacional.

Lima. Departamento de la república de Perú, cuyo límite oeste llega al océano Pacífico, con una costa arenosa de 70 km de ancho aproximadamente, surcado por los ríos Rímac, Chancay y otros que llegan de la cordillera. Ésta se alza en la zona este, con su mayor altura en Huacrín (4,965 m). Tiene una superficie de 34,801 km^2 y la población es de 6.478,957 habitantes (1993). Su capital es Lima, que también lo es de la nación peruana. La agricultura y la

Casas sobre una colina en la ciudad de Lima, Perú.

(De arriba abajo). Motociclista cubierto de limo y limo en la costa del Mar del Norte en Alemania.

ganadería son importantes. Se cultiva caña de azúcar, algodón, vid, cáñamo, maíz, trigo y frutas, gracias a importantes obras de regadío. Hay grandes industrias en las cercanías de Lima. Existen yacimientos de varios minerales, principalmente hierro, cobre, plata, carbón y salinos.

lima. Fruto del limero, de forma esferoidal aplanada, corteza amarilla y pulpa verdosa, jugosa y de sabor agridulce. Es una especie de limón dulce. De la corteza se extrae un aceite esencial aromático y el jugo de su pulpa es muy preciada en la preparación de refrescos. También se consume el fruto al natural. El limonero, árbol de la familia de las aurunciáceas, tiene unos 5 m de altura y abunda en las regiones templadas.

lima. Herramienta que sirve para desgastar o alisar metales y otras materias duras. Se compone de la hoja, que es de acero templado, con sus superficies finamente

Lima de acero.

estriadas, en uno o dos sentidos, y de un mango o empuñadura, generalmente de madera. La hoja tiene forma, tamaño o sección muy variados según los usos a que se destine.

Lima y Silva, Francisco (1786-1853). Mariscal de campo y político brasileño. Formó parte, con Muñiz y Costa, de la regencia provisional en 1831 y después de proclamar a Pedro II ocupó él solo la regencia por muerte de Muñiz y renuncia de Costa. Al ser declarada la unidad de la regencia en 1836, entregó el poder a Diego Antonio Feijó y pasó a ocupar el cargo de senador.

Limbo. En los primeros tiempos del cristianismo se llamó Limbo a un lugar donde se creía que iban a residir las almas de los hombres justos que murieron a. C., donde esperaban la redención del género humano. Con la Pasión de Jesucristo, las almas del Limbo fueron redimidas y después de la Resurrección pasaron al Cielo. La Iglesia católica enseña también que las almas de los que mueren antes del uso de razón sin haber sido bautizados, van al Limbo.

limnología. Ciencia que estudia las relaciones mutuas entre los organismos de agua fría y las interacciones entre estos organismos y su medio ambiente, como lagos, estanques y arroyos. Es una ciencia hidrológica interdisciplinaria que combina aspectos de meteorología, hidrobiología, hidroquímica, hidrofísica y geología.

limo. Lodo pegadizo sedimentado en corrientes lentas de agua sucia. También se da el nombre de limo a los depósitos terrosos constituidos por una mezcla de arcilla con arena silícea. Estos depósitos suelen tener a veces carbonato de cal y óxido de hierro, elementos a los que se adhieren también restos orgánicos. Hay una variedad de limo muy consistente en el fondo del océano Pacífico.

Limoges. Ciudad francesa, capital del departamento del Alto Vienne, con 136,407 habitantes y 170,065 el área urbana. Situada a orillas del río Vienne, ha sido en todo tiempo un gran centro comercial y un importante mercado agrícola. Posee hermosa catedral gótica y varias notables iglesias. Pero, lo que le vale renombre universal son sus esmaltes, porcelanas y lozas.

limón. Fruto del limonero, de forma ovoide de unos 10 cm en la parte alargada, que termina en una especie de pezón y es de unos 6 cm en su diámetro menor. Es un hesperidio de corteza blanca esponjosa, sobre la que se forma una piel de color amarillo más o menos rugosa, según las variedades, que engloba en su masa nu-

merosas glándulas esenciales que desembocan al exterior por medio de poros. El interior del fruto está dividido en ocho o doce gajos, separados unos de otros por una especie de piel que permite individualizarlos y que contienen una pulpa jugosa rica en sustancias alimenticias. El árbol que lo produce, el limonero, de la familia de las rutáceas, alcanza de 4 a 5 m de altura y es originario de Asia. Los árabes lo cultivaron en Persia, y desde allí los cruzados lo llevaron a Europa, donde se aclimató perfectamente en las costas que rodean el Mar Mediterráneo. Más tarde su cultivo se extendió a América y hoy se produce el limón en la mayoría de los países en que las temperaturas invernales no son muy bajas, ya que es planta que se hiela fácilmente. El limonero es planta de hojas perennes, pecioladas, que brotan alternas, en forma elíptica, de borde dentado y superficie lustrosa de hermoso color verde. Las flores, grandes y de delicada fragancia, son rosadas por fuera y blancas cuando se abren, y tienen la propiedad de no necesitar polinización para dar frutos. Los limoneros producen continuamente flores y frutos, siendo más abundantes en invierno y principio de verano. El limón es una de las frutas más saludables por la riqueza de su jugo en vitaminas A, B y C, además de contener sales minerales necesarias al organismo. La mayor parte de las cosechas de limones se consumen en fresco, pero también se utilizan grandes cantidades para fabricar con sus jugos bebidas y refrescos, que se venden en el comercio envasados. Se emplea el limón para la obtención de ácido cítrico, esencia de limón, pectina y para la fabricación de dulces, pastelería, productos de belleza, perfumería y multitud de productos alimenticios.

Limón. Provincia de Costa Rica, que comprende la zona principal de su litoral sobre el Mar Caribe. Superficie: 9,300 km². Población: 251,482 habitantes (1995). Capital: Limón, es un activo puerto comercial, enlazado por ferrocarril con el interior del país. Produce bananas, ca-

Limones.

cao, ananás y caucho. Posee una próspera industria ganadera.

Limón, José (1908-1972). Bailarín y coreógrafo mexicano, pionero de la danza moderna y de la coreografía. Desde 1930 hasta 1940 estudió baile con Doris Humphrey y Charles Weidman en la ciudad de New York, y actuó con su compañía. Limón formó su propia compañía en 1947, con Humphrey como codirector artístico. La Compañía de Danza José Limón, continúa presentando obras de Humphrey y Limón, y otros. Sus bailes exhiben un estilo directo dramáticamente expresivo. Entre sus coreografías cabe destacar *Chacona en re menor,* de Johann Sebastian Bach (1946); *Concerto grosso,* de Antonio Vivaldi (1948); *Danzas mexicanas,* de Novak (1950); *Odiseo,* de Silvestre Revueltas (1963). Al momento de su muerte era director artístico del Teatro de la Danza Estadounidense en la ciudad de New York.

limonita. Hidróxido de hierro, que se conoce también con el nombre de hematites parda. Este mineral contiene una alta proporción de hierro. Generalmente se presenta en la naturaleza en masas compactas, fibrosas o de forma arriñonada, de color pardo oscuro y pardo amarillento. Es uno de los minerales más utilizados para la obtención del hierro, y existen variedades que contienen manganeso y son excelentes para la fabricación del acero. Se encuentra en abundancia en diferentes países. Algunas variedades de limonita de color amarillo se utilizan en pintura como ocres. *Véase* HIERRO.

límulo. Artrópodo marino de forma arcaica, que vive en los mares templados o cálidos. En épocas anteriores de la Tierra fue frecuente, pero hoy sobreviven unas pocas especies, en Japón, costa sudeste de Estados Unidos, las Antillas, islas de la Sonda y Molucas, por lo que suele conocerse con el nombre de cangrejo de las Molucas. Es de gran tamaño, alcanza hasta 60 cm de longitud, y tiene el cuerpo aplanado y claramente dividido en tres regiones: un cefalotórax en forma de gran escudo con la parte anterior semicircular y la posterior con una escotadura donde se articula el abdomen, que tiene forma hexagonal y que termina en la cola, que es una larga espina prismática. Todo el cuerpo está cubierto de fuerte caparazón quitinoso, que por la parte superior no tiene más articulaciones que entre el cefalotórax y el abdomen y éste con el apéndice caudal, en la parte inferior presenta la boca, que se abre entre la inserción de 6 pares de patas que terminan en pinzas. Se alimenta de moluscos pequeños y gusanos, y vive a poca profundidad en las cercanías de las playas, pudiendo vivir algún tiempo fuera del agua.

Corel Stock Photo Library
Linaria silvestre.

La hembra deposita los huevos en un hoyo en la arena de la playa, en la zona que queda descubierta cuando baja la marea. Son comestibles, pero su carne es poco apreciada. Debido a su forma particular también se le llama *cangrejo cacerola* y los indígenas de las Molucas utilizan las espinas caudales, que son muy duras, para fabricar puntas de lanzas.

Linares. Ciudad de España, capital del partido judicial homónimo, en la provincia de Jaén. Población: 61,712 hab (1995). Tiene industrias metalúrgicas e importantes minas de plomo argentífero. Es una ciudad moderna, cuyo desarrollo se inició durante el siglo XVIII. El municipio comprende, además de la capital, otras varias poblaciones vecinas.

Linares. Provincia interior de la Séptima Región de Chile, en la zona sur central del país. Corresponde a la hoya del río Maule. Al este, los Andes la separan de Argentina. Entre sus principales alturas descuellan los volcanes Las Yeguas (3,500 m) y Longavi (3,230 m). Superficie: 9,414 km². Población: 45,400 habitantes. Su base económica es agropecuaria: viñedos, remolacha y ganado. Hay una planta azucarera. La capital es Linares, con 73,800 habitantes. La comuna de Parral fue cuna del poeta Pablo Neruda.

Linares, José María (1810-1861). Estadista boliviano. Fue el primer presidente civil de su país que asumió el poder en 1857 con aplauso del pueblo, que lo llamó

redentor político. Hizo reformas constitucionales, administrativas y judiciales. Fundó el colegio militar en Sucre y organizó el ejército. En 1859, Linares, se proclamó dictador. Más tarde su ministro Ruperto Fernández lo derrocó.

Linares Rivas, Manuel (1867-1938). Dramaturgo español, cuyas obras dialogadas y de tesis moral, lo presentan como el mejor de los seguidores de Jacinto Benavente. Escribió numerosas comedias y varios dramas destacándose entre sus obras: *El abolengo, Lady Godiva, Como buitres, La garra, Cobardía, Doña Desdenes, Las zarzas del camino, La fuerza del mal, La mala ley* y *Cristobalón.*

linaria. Planta herbácea con tallos erguidos, ramosos, de 40 a 60 cm de altura, hojas estrechas semejantes a las del lino, de color verde azulado y generalmente en verticilos y flores amarillas en espiga. Comprende hasta 150 especies distintas, algunas de las cuales crecen en las tierras bajas y aun en las playas y otras en las más altas cumbres. Crece en terrenos áridos y se emplea en medicina como depurativa, purgante y antiescorbútica.

lince. Mamífero carnicero de la familia de los félidos, que habita en todos los continentes menos en Australia. Mide hasta 80 cm de altura; su pelaje, largo y sedoso, le cubre todo el cuerpo, incluso la cara, que aparece dotada de una barba ancha; hasta en la punta de las orejas existe un pincel de pelos negros; tiene un color bermejo oscuro y está salpicado de manchas negras. Sus robustas extremidades y poderosas garras recuerdan las del león y el tigre. Vive en los bosques o entre las rocas; es de hábitos nocturnos; se alimenta principalmente de conejos, ratas, ratones y de algunas avecillas, a veces ataca a los venados y hasta a las ovejas. Caza a la manera de los gatos. Su sentido más desarrollado es el del oído; como todos los felinos su olfato es poco sutil e insuficiente para percibir los olores a gran distancia, lo que le impide descubrir a sus perseguidores. Los antiguos creían que su vista penetraba a través de las paredes. Aunque su piel es hermosa, pierde fácilmente el pelo. El lince común vive en Europa septentrional, el rojo en América del Norte y el ártico en el Canadá. En África y en el sur de Asia vive una especie denominada caracal o lince de las estepas, de color leonado.

linchamiento. Especie de procedimiento sumario usado en Estados Unidos, según el cual la multitud juzga y ejecuta a un delincuente sin intervención de la ley ni la justicia. Parece que su nombre proviene de Charles Lynch, hacendado del estado de Virginia, que durante la guerra de inde-

Corel Stock Photo Library

Lince en su hábitat natural.

pendencia de Estados Unidos, castigaba rápidamente y sin trámites legales a los forajidos y a los simpatizadores de Gran Bretaña. El linchamiento se manifiesta desde mediados del siglo XVIII, y su práctica decae en forma muy evidente a partir de 1935; en la década de 1960 el número registrado de linchamientos no llega a uno por año. Actualmente en todos los estados del sur y en varios del norte y oeste de Es-

Detalle del monumento a Lincoln en Washington, EE.UU.

Corel Stock Photo Library

tados Unidos existen leyes que castigan severamente esta práctica brutal.

Lincoln, Abraham (1809-1865).

Decimosexto presidente de Estados Unidos, donde se le considera como una de las más preclaras figuras de su historia. Hijo de padres de origen humilde, descendientes de los primeros emigrantes ingleses llegados al país, su cuna fue un cajón de manzanas en una miserable cabaña de troncos, en Kentucky. Perdió a su madre, Nancy Hanks, a muy temprana edad, y su padre, Thomás Lincoln, se casó en segundas nupcias con Sara Bush Jonhston, la que en realidad guió los primeros pasos de Abraham en la vida, enseñándole a leer y escribir. Esta educación tuvo que ser por las circunstancias, escasa y deficiente, a pesar del extremado interés que siempre sintió por el estudio.

Su niñez transcurrió en medio de las faenas agrícolas y su afán creciente por el estudio. Poco después se ganaba la vida, transportando en el río Ohio mercaderías y pasajeros en una barcaza. Hizo un viaje por el Ohio y el Mississippi, hasta New Orleáns, donde presenció la venta de un grupo de esclavos. Este hecho hubo de ejercer evidente influencia en su vida y del mismo se derivó el que más adelante se convirtiera en uno de los más firmes propulsores de la lucha por la abolición de la esclavitud.

Llegado a la mayoría de edad, se trasladó a Illinois y se quedó a trabajar en New Salem. Durante seis años se ocupó en los más diversos trabajos, como empleado de almacén, agrimensor y administrador rural de correos, mientras se entregaba con afán

al estudio de la carrera de derecho. Sus cualidades de hombre recto y organizador, hicieron que pronto la población de New Salem le distinguiera con su confianza y estima y así llegó a ser el consejero y guía de cuantos se acercaban a él. En estas circunstancias fue elegido representante de la población ante el Congreso del estado de Illinois.

En 1837 se trasladó a Springfield. Se entregó desde entonces a la política, ingresando en la agrupación liberal, cuyo lema era el de la liberación de los esclavos. Se casó con Mary Todd, una joven de Springfield, y adquirió una casa que es actualmente museo y monumento nacional. En 1847 intervino en la campaña para la elección de Henry Clay. Su labor resultó tan destacada y efectiva, que fue postulado para la Cámara de Representantes y elegido por mayoría.

En 1858, intentó conquistar una curul en el Senado, pero resultó derrotado por Stephen Douglas y esto le apartó momentáneamente de la actividad política, dedicándose a la práctica de su profesión hasta que el ardor por la causa de los esclavos lo atrajo de nuevo a la lucha partidista, destacándose su personalidad en tal forma que, llegado el momento de una elección presidencial, fue designado como candidato del Partido Republicano Abolicionista. Su triunfo en las elecciones de noviembre de 1860, lo llevó a la presidencia de la república, de la que tomó posesión el 4 de marzo de 1861.

Durante la campaña electoral, los esclavistas de los estados del sur, habían lanza-

Vista general del monumento a Lincoln en Washington, EE.UU.

Corel Stock Photo Library

do la amenaza de separarse de la Unión si Lincoln resultaba electo. El 20 de diciembre de 1860, Carolina del Sur levantó la bandera de la segregación, siguiendo el ejemplo todos los estados esclavistas, que constituyeron, a principios de 1861, una Confederación independiente. La guerra civil era un hecho y las milicias sureñas se apoderaron de las fortalezas federales de toda la región, particularmente el fuerte Sumter, en la bahía de Charleston.

Entonces Lincoln se enfrentó al grave problema y adoptó una serie de medidas históricas: ordenó un reclutamiento militar de 75,000 hombres y reunió un ejército con el que avanzó desde Washington hacia el sur, poniendo en movimiento al pueblo para multiplicar los esfuerzos a que obligaban las circunstancias. Reorganizó el ejército, adaptó el frente interno a las necesidades creadas por la guerra civil y atendió con inteligencia y energía todas las funciones de gobierno. A finales de 1862 expuso ante el pueblo sus ideales políticos en la famosa proclama para la liberación de los esclavos de tan amplio alcance en la historia de Estados Unidos. Tras algunos reveses y muchas dificultades, los ejércitos del norte obtuvieron una serie de victorias y Lincoln pronunció su famosa oración de Gettysburg, que se ha considerado como la más completa declaración de la fe democrática, en la historia moderna.

La guerra se prolongaba todavía cuando llegó a término el periodo presidencial de Lincoln, que se lanzó a la reelección y fue elegido presidente por segunda vez. El 9 de abril de 1865 se rindieron todas las fuerzas de la Confederación, y Lincoln se dispuso a trabajar por la reconstrucción y progreso del destrozado país.

En la noche del 14 de abril de 1865, cuando Lincoln asistía a una función en el teatro Ford, de Washington, un partidario fanático de los esclavistas, le disparó un tiro en la cabeza que le ocasionó la muerte pocas horas después. Fue enterrado en Springfield, Illinois, y su tumba es lugar de peregrinación nacional. *Véase* GUERRA DE SECESIÓN.

Lindbergh, Charles Augustus

(1902-1974). Aviador estadounidense, llamado *El águila solitaria* por ser el primero en cruzar en vuelo solitario el océano Atlántico. Graduado en la Universidad de Wisconsin, se inició en la aviación en Lincoln (Nebraska), y realizó su primer vuelo a los 22 años de edad. Enrolado como cadete de vuelo en la Reserva Aérea de Estados Unidos, alcanzó el grado de teniente y después fue piloto en la línea Chicago-Saint Louis. Ganó el premio Orteig, de 25,000 dólares y la fama internacional al realizar el vuelo New York-París sin escalas en el *Spirit of Saint Louis*, el 20 de mayo de 1927: 5,800 Km, en 33 horas y media. En 1929 se casó con Anne Morrow y en 1932 su primer hijo fue secuestrado y asesinado, crimen que conmovió al mundo. Huyendo de la publicidad se trasladó a Europa donde, con el doctor Alexis Carrel Lindberg, escribió *El cultivo de los órganos.* En 1938 fue condecorado por el gobierno nazi. Esto y el que el presidente Franklin Delano Roosevelt criticara públicamente sus declaraciones de no intervención, llevaron a Lindberg a renunciar a su puesto en la Reserva Aérea de Estados Unidos. Sin embargo, cuando su país entró en la Segunda Guerra Mundial, sirvió como consejero civil del ejército estadounidense, cargo que no le impidió participar en 50 misiones de combate en el Pacífico. Después de la guerra, los Lindberg vivieron en Connecticut. El gran aviador murió en una isla de Hawai donde solía pasar sus vacaciones. Entre sus obras están: *Nosotros, El Espíritu de Saint Louis,* y *Del vuelo y de la vida.*

Lindow, hombre de.

Restos antropológicos descubiertos en 1984, en una turbera cerca de Manchester, Inglaterra. El cuerpo contaba con aproximadamente 2,200 años de antigüedad, se encontraba bien preservado y resultaba excepcional por la forma en la que había sido ejecutado. Se presume que fue un sacrificio humano, ya que al parecer fue primero apaleado, luego degollado y finalmente colocado dentro de un estanque. La complejidad de esta ejecución ritual lleva a algunos arqueólogos a pensar que era un miembro importante de la sociedad céltica, quizá hasta un druida.

Dentro de su estómago se encontró un pedazo de pan harina de avena quemado, una última cena tradicional para las víctimas de sacrificio celtas. La ausencia de cicatrices corporales (fuera de las que le hicieron durante el sacrificio) tienden a indicar que era de una clase noble, y no un guerrero. La muerte del hombre de Lindow se considera similar a las muertes del hombre de Tolland y otros cuerpos encontrados en turberas escandinavas. Si los cuerpos del hombre de Lindow, así como los escandinavos, son los restos de druidas, es posible que la dominación de los druidas en la cultura europea se haya extendido geográficamente más allá de lo que se pensaba originalmente.

Lindsay, Nicholas Vachel

(1879-1931). Poeta estadounidense. Llevó una vida errante, recitando sus versos en las plazas públicas y en los teatros de los pueblos. En su poesía se mezclan elementos populares (baladas, canciones de negros) con otros derivados del poeta Edgard Allan Poe. Enfermo y cansado de la pobreza, se suicidó bebiendo una lata de creolina. Sus libros más importantes son: *El congo, El ruiseñor chino* y *Las ballenas doradas de California.*

línea.

Extensión considerada en una sola de sus tres dimensiones: la longitud. Se considera engendrada por un punto en movimiento. Cuando el punto se desplaza siempre en la misma dirección origina una línea recta y una curva cuando cambia de dirección. La línea se puede representar por un trazo de lápiz sobre un papel o de tiza sobre un encerado. Si una línea no está limitada por ninguno de sus extremos, se

Pintura que representa a Charles Lindbergh y su avión: Spirit of Saint Louis.

Art Today

Esquema que muestra el trazo imaginario de la línea equinoccial.

nuestro planeta que pasa por todos los puntos donde la brújula no sufre ninguna desviación.

linfa y vaso linfático. La linfa es el humor acuoso trasudado de la sangre que circula por los vasos linfáticos. Es de color amarillento, más salada que la sangre, de reacción débilmente alcalina y de densidad apenas mayor que la del agua. Su estructura, al igual que la de la sangre consta de dos elementos: glóbulos y materia fundamental líquida. Los glóbulos son idénticos a los leucocitos sanguíneos. Están constituidos, sobre todo, por sustancias albuminoideas y granulaciones grasosas. El plasma linfático contiene, entre otros, dos albuminoides: las sustancias fibrinógeno y fibrinoplástica que se solidifican al salir la linfa de los vasos, formando un coágulo; éste se retrae y sale entonces un líquido acuoso, el suero de la linfa. El suero contiene sustancias grasas, albuminoideas y sales. La coagulación de la linfa es más lenta que la de la sangre. La linfa tiene dos fuentes diversas: en parte proviene de los alimentos y aun directamente de los tejidos y en mayor cantidad de la sangre. Después de la digestión, la linfa es más rica en sustancias sólidas, sobre todo albúminas y cuerpos grasos, y entonces toma el nombre de quilo. La linfa cumple un doble pa-

llama indefinida. Si está limitada por un extremo, el otro marca una dirección o sea es un rayo y la parte de línea comprendida entre dos de sus puntos es un segmento lineal.

Línea, La. Ciudad española del municipio de San Roque, en la provincia de Cádiz. Tiene 62,455 habitantes (1995). Su nombre proviene de la línea fortificada que los españoles construyeron durante el sitio de Gibraltar en 1727. La ciudad mantuvo activo contacto con la posesión británica de Gibraltar, situada a poca distancia.

línea de demarcación. *Véase* TORDESILLAS, TRATADO DE.

línea equinoccial. Círculo máximo imaginario que divide la Tierra en dos hemisferios y equidista de ambos polos. Se le llama Ecuador Terrestre o Línea Equinoccial porque la duración del día y de la noche en dicha línea abarca igual número de horas en todo el año. El citado círculo sirve para determinar la posición de un punto de la superficie del globo terráqueo, la cual está dada por la longitud (meridiano) y la latitud (paralelo). La línea Equinoccial, mide 40.076,625 m. La medición de la longitud del arco de un grado de meridiano, fue practicada en república de Ecuador en 1736 por la comisión presidida por los sabios franceses Pedro Bouguer y Carlos Marie de La Condamine, a quienes ayudó el matemático y científico ecuatoriano Pedro Vicente Maldonado. En astronomía, ecuador es el círculo máximo que se considera en el firmamento o esfera celeste, que corre perpendicular al eje de la Tierra.

También, astronómicamente hablando, hay otro ecuador: el galáctico, que es otro círculo máximo tomado en medio de la Vía Láctea. En física se llama ecuador magnético a la línea trazada en la superficie de

Sistema linfático. Diagrama que muestra la relación entre los conductos linfáticos, los nódulos linfáticos y los vasos sanguíneos (venas).

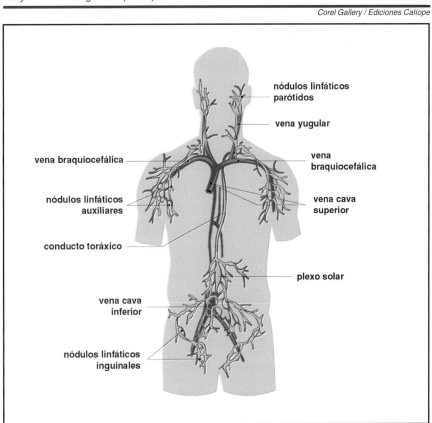

nódulos linfáticos parótidos

vena yugular

vena braquiocefálica

vena braquiocefálica

nódulos linfáticos auxiliares

vena cava superior

conducto toráxico

plexo solar

vena cava inferior

nódulos linfáticos inguinales

pel fisiológico: sirve de intermediario en los cambios nutritivos entre la sangre y los tejidos y representa un verdadero aparato de desagüe.

Sistema linfático. Está constituido, en el hombre, por los vasos, los ganglios y los troncos linfáticos. Los vasos, delicados, de paredes delgadas, son capilares de diámetro variable entre 4 centésimos y 1 o 2 décimos de milímetro. Ofrecen en toda su extensión expansiones producidas por válvulas interiores que facilitan, como las válvulas venosas, el avance del líquido que conducen. Los vasos nacen en los tejidos y van a constituir luego los troncos que atraviesan uno o muchos ganglios linfáticos y que en número de dos terminan en las venas subclavias. Es éste el único punto de comunicación entre el sistema venoso y el linfático. Los ganglios, interpuestos en el trayecto de los vasos, son cuerpos ovoideos o aplanados, del volumen de una lenteja o una avellana en estado normal y color blanco rojizo; abundan en el cuello, las ingles, las axilas, las raíces de los pulmones y el mesenterio.

No hay grandes diferencias entre el sistema linfático de los mamíferos y el del hombre. En las aves los ganglios son poco numerosos y en los reptiles y peces faltan por completo, pero sus vasos son, en cambio, más voluminosos y carecen de válvulas.

lingua franca.

Cualquier lengua auxiliar, generalmente de tipo rudimentario, utilizada como medio de comunicación entre gente que habla diferentes lenguas. El término describía originalmente una mezcla de italiano y otros idiomas (lingua franca, *lengua franca*) empleada por comerciantes en el Mediterráneo durante la Edad Media. El inglés, ya que se habla en todo el mundo, especialmente en sus múltiples formas *pidgin*, puede considerarse como una lingua franca. En países en donde se hablan varios lenguajes o dialectos distintos, un lenguaje puede ser seleccionado como la lingua franca del comercio y gobierno. Ejemplos de esto incluyen el *creole*, el mandarín chino y el swahili, un lenguaje bantú hablado en toda África oriental.

lingüística.

Ciencia que se ocupa del estudio del lenguaje. Durante mucho tiempo la lingüística no fue una ciencia independiente, con método y objeto propios, pues, para los griegos y romanos, por ejemplo, estudiar una lengua significaba solamente tratar de perfeccionar el estilo literario para darle más belleza y corrección. Entre los que sentaron las bases de la lingüística moderna se cuenta el italiano Giovanni Battista Vico, según el cual el lenguaje humano es un inapreciable instrumento para el estudio e investigación de las culturas antiguas. En el siglo XIX se descubrió que las lenguas europeas, y algunas de las asiáticas, constituían una sola familia y tenían un origen común: el indoeuropeo. Nació así el estudio comparativo de las lenguas y el descubrimiento de que éstas evolucionan, más o menos rápidamente, como la misma sociedad que las habla. Diversas teorías trataron de explicar el verdadero sentido de esta evolución. Los hermanos August Wilhelm von y Schlegel, Franz Bopp, Alexander von Humboldt, Jakob y Wilhelm Grimm y algunos otros opinaron que la desaparición de las desinencias y otras características morfológicas y sintácticas sólo podía representar una decadencia del lenguaje. El famoso lingüista danés Otto Jespersen combatió activamente esta opinión. Según él, un idioma simplificado como el inglés, tiene que ser superior a los idiomas antiguos, en los que la sintaxis abunda en irregularidades, los vocablos son largos y complejos, etcétera. Es indudable, sin embargo, que la concisión y el énfasis de los mejores escritores latinos y griegos no pueden ser traducidos con exactitud a un idioma como el inglés, ni siquiera a otros más similares a los antiguos, como el italiano, el castellano o el francés. La escuela francesa, cuyos representantes más insignes son Lucien Levy Bruhl, A. Meillet, Cuny y J. Vendryes, reconoció y estudió esas diferencias, pero sin pretender que su existencia significara una superioridad de las lenguas modernas sobre las antiguas.

Cuando se descubrió el origen de las hoy llamadas lenguas indoeuropeas, un inmenso número de investigadores se dedicó, pacientemente, a la búsqueda de etimologías, a reconstruir la evolución fonética de los vocablos, etcétera. Deben citarse aquí los nombres de August Schleicher y de los que formaron la llamada escuela de los neogramáticos, especialmente Hermann Osthoff y Carlos Brugmann. El significado del lenguaje como medio de expresión (que Vico juzgaba tan importante) fue olvidado casi por completo. Sólo ya en el siglo XX logró la lingüística convertirse en una ciencia de muy amplio contenido. Benedetto Croce, Karl Vossler, Leo Spitzer, Terracini, Iordan y otros muchos revelaron, a través de sus estudios, aspectos inéditos del lenguaje e influyeron notablemente en la crítica literaria. Contra la tendencia a considerar el lenguaje como una forma abstracta, desligada del medio geográfico y sin tener en cuenta el uso común, se elevó también el llamado grupo de los neolingüistas, influidos principalmente por la notable labor de Julio Gillieron, quien confeccionó, después de pacientes trabajos, un famoso *Atlas lingüístico de Francia*. En esta obra se estudian los dialectos empleados en 922 aldeas francesas por algunos de sus habitantes, elegidos entre los más ancianos. El lenguaje aparece, así estudiado, en sus formas individuales y más vivas, considerado como una creación humana a la que no pueden aplicarse leyes similares a las que gobiernan las llamadas ciencias exactas.

Los vocablos *lingüística* y *filología* designan el grupo de conocimientos científicos que se refieren al lenguaje. Pero, en una acepción más restringida, *filología* es la ciencia que estudia la gramática y el léxico de una lengua. Los antiguos filólogos eran los que solían explicar en clase los textos antiguos, aclaraban sus puntos oscuros y determinaban la veracidad de la edición. Siempre que se trate de la evolución del lenguaje y su significación espiritual, deberá preferirse el vocablo *lingüística*.

Liniers y Bremond, Santiago de

(1753-1810). Marino y militar francés al servicio de España, a quien cupo la gloria de reconquistar la ciudad de Buenos Aires, ocupada en 1806 por los ingleses, y de rechazar una segunda tentativa de invasión realizada por éstos en 1807.

Liniers nació en Niort (Francia) y fue el segundo hijo de una antigua familia noble. A muy temprana edad ingresó en la escuela militar de Malta, regresando a su patria con la Cruz de Caballero de esa orden, para ingresar como subteniente en el regimiento de Royal-Piémont. Hallándose su regimiento de guarnición en Carcasona, supo que España preparaba una expedición contra los moros de Argelia. Por su entusiasmo, dimitió de su cargo e ingresó como voluntario en la escuadra española congregada en Cartagena. Su comportamiento fue distinguido en esa campaña, en la cual recibió su bautismo de sangre junto a la bandera que defendería durante toda su vida. Ese episodio lo decidió por la marina, y fue ascendido a alférez e incorporado a la expedición que dirigió Pedro Antonio Ceballos contra los portugueses de Brasil. De regreso tomó parte en el sitio de Gibraltar y se apoderó de un buque inglés, hecho que le valió ser promovido a capitán de fragata. Encargado poco después de una misión ante el rey de Trípoli, supo lograr la confianza del soberano, quien le regaló su propio alfanje y le concedió la libertad de varios prisioneros europeos. De vuelta a España, se casó con Juana de Menvielle y se dedicó a trabajos hidrográficos, hasta que el gobierno lo destinó a la escuadrilla del Río de la Plata, designándolo jefe de la misma. Acompañado por su mujer y su hijo Luis se radicó en Buenos Aires, relacionándose rápidamente con la sociedad de la colonia. Al poco tiempo perdió a su esposa, y para olvidar su pena se dedicó al trabajo con renovado ahínco. Esbozó un plan para la defensa de Montevideo; estudió la posibilidad de aumentar la flota mediante el aprovechamiento de los barcos mercantes; trató de explotar racionalmente la pesca, especialmente la de la ballena, industria próspera en otros países. Realiza un intento por regresar a su patria, pero la Revolución Francesa, dirigida contra la nobleza a la cual pertenecía, trastornó sus proyectos.

Casado en segundas nupcias con Martina Sarratea, aceptó el cargo de gobernador de Misiones que le ofreció el virrey Joaquín del Pino. Dos años después regresó a Buenos Aires y volvió a hacerse cargo de la flota, hasta entonces había sido uno de los muchos oficiales que vegetaban en las colonias españolas. Pero, la derrota de Trafalgar, al anular el poderío marítimo de España, abría la ruta hacia las ricas comarcas sudamericanas. El ataque británico a Buenos Aires no se hizo esperar. Las milicias, reunidas apresuradamente y mal dirigidas, no pudieron resistir. El virrey Sobremonte huyó a Córdoba y los británicos se apoderaron de la ciudad (junio de 1806). Liniers, que no había estado presente cuando la capitulación, pasó a Montevideo para organizar la resistencia. Logró reunir una división, con la cual cruzó el Río de la Plata y a la que se unieron los dispersos del ejército derrotado por los británicos en Perriel, y el 12 de agosto, apoyadas por la población, las fuerzas de Liniers reconquistaron Buenos Aires. El pueblo, entusiasmado y agradecido, confió a Liniers el mando militar. Seguro de que los invasores volverían, se preparó para rechazarlos adiestrando a los ciudadanos en el uso de las armas. En pocos meses reunió un contingente de 8,500 hombres. Fabricó balas, aprestó cañones, construyó baterías y reductos para oponerse al desembarco y valiéndose de su prestigio impuso orden y disciplina a gentes de todas clases y condiciones. Cuando el ataque se produjo, halló a la ciudad dispuesta, y tras una serie de dramáticas batallas los invasores capitularon y abandonaron para siempre la empresa.

En reconocimiento a los servicios prestados Liniers fue confirmado en el cargo de virrey, que virtualmente ejercía desde la primera invasión. Muy pronto el gobierno de España lo sustituyó por Baltasar Hidalgo de Cisneros, dando oído a calumnias y receloso de su origen francés. Siempre leal a la causa que servía, Liniers entregó sin protestas el mando a Cisneros y se retiró con su familia a Córdoba.

Pero, las invasiones de los británicos habían despertado en los criollos la conciencia de su poder, y en 1810 depusieron al virrey español. Liniers tomó sin vacilar la dirección del movimiento contrarrevolucionario en las provincias del norte, sin embargo las deserciones debilitaron su pequeño ejército, y sorprendido por una patrulla patriota fue fusilado por orden de la Junta de Buenos Aires en un lugar llamado *Cabeza de Tigre*, el 26 de agosto de 1810.

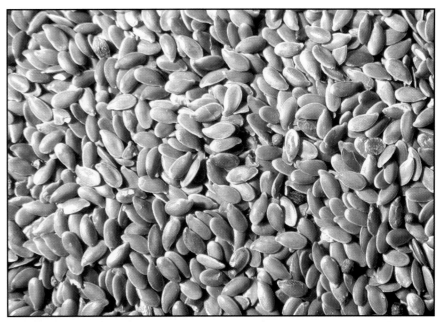

Semillas de lino.

linimento. Preparación líquida a base de aceites y bálsamos que se emplea para mitigar dolores musculares. Se aplica por medio de fricciones en la parte dolorida y suele estar compuesto por estimulantes, como el alcanfor, amoníaco, trementina o mostaza, que provocan un aflujo de sangre a la región friccionada, que se enrojece y aumenta la temperatura. Muchos linimentos son venenosos por vía bucal y externamente no deben usarse con excesiva frecuencia. En los equipos deportivos solían ir especialistas en la aplicación de linimentos, que los usaban para tratar a los jugadores que durante las pruebas sufrían contusiones, golpes, etcétera.

Linné, Carl von (1707-1778). Botánico y médico sueco. Se le llama *el Padre de la botánica moderna*. Hijo de un modesto cura protestante, ingresó en la Universidad de Upsala para estudiar teología, pero prefirió dedicarse a la historia y a la medicina, pasando a la Universidad de Lund, donde trabajó con Anders Celsius. Publicó un libro (el primero de los 180 que escribió) sobre el sexo de las plantas y dio una serie de conferencias sobre las maravillas del mundo vegetal que atrajeron la atención sobre sus trabajos, consiguiendo subvención para un viaje a Laponia a fin de estudiar su flora. Después residió varios años en Holanda, donde se graduó en medicina. Como médico naval viajó por toda Europa, donde logró gran reputación. En París residió varias temporadas y trabajó en el *Jardín des Plantes*, habiéndole correspondido dar su actual nombre a la planta del café. De regreso a su patria fue honrado con las más altas distinciones, ejerció la medicina en Estocolmo y fue catedrático de botánica en Upsala y miembro de la Academia de Ciencias. Su gran aporte a las ciencias consistió en poner orden dentro del caos, demostrando que con sólo dos palabras latinas puede describirse de manera sencilla y práctica todo ser vivo e indicarse sus relaciones con los demás. En su clasificación correspondió al hombre la designación *Homo sapiens*, de acuerdo con la nomenclatura binaria formada por dos palabras, de las cuales una corresponde al género, y la otra, a la especie. Su clasificación, a base de fórmulas claras, preparó el terreno para el posterior avance de la botánica y la zoología. Entre sus libros citaremos *Genera plantarum*, *Bibliotheca botánica* y *Systema Naturae*.

lino. Planta herbácea que se cultiva para utilizar su fibra, fuente de tejidos muy apreciados, y sus semillas, de las que se extrae un aceite de gran utilidad industrial. Presenta un tallo simple o ramificado cuya altura varía entre 50 cm y 1 m, hojas alternas y flores blancas o azules, según la variedad. El fruto es una cápsula que contiene entre seis y diez semillas de color rojizo. Su nombre científico es *Linum usitatissimun* y es cultivado en las regiones aptas para la siembra de cereales, con los que presenta gran similitud.

Cultivo. El lino crece mejor en terrenos arenoarcillosos, bajo climas templados y no muy húmedos. Pocos meses después de plantadas las semillas comienzan a surgir las primeras flores. Las lluvias que necesita deben ser inferiores a 700 mm anuales, y ello limita el área de su cultivo, que se extiende a las regiones de clima benigno y veranos de mediana extensión: Polonia, las praderas rusas, el norte de Estados Unidos y las pampas argentinas.

Comenzando junto al Mar Báltico, el área del lino se extiende de Rusia hacia el norte de Moscú y llega hasta las llanuras del occidente siberiano. En Estados Unidos de América abunda el lino en las llanuras del río Rojo, que cubren buena parte de los estados de North Dakota, Minnesota y South Dakota . Una de las zonas mas importantes del mundo es la región cerealista de las pampas argentinas, que ocupa el norte de la provincia de Buenos Aires y el sur de las de Santa Fe, Córdoba y Entre Ríos. Aquí se cultiva el lino en las condiciones más favorables y la cosecha argentina es una de las principales en la producción mundial. La semilla es sembrada durante el invierno, aprovechando la benignidad del clima, y se beneficia con unos 600 mm de lluvias. La siembra se desarrolla entre los meses de mayo y agosto y la cosecha se realiza en noviembre y diciembre. Poco después comienza el embarque del producto, que es adquirido por Estados Unidos, Gran Bretaña, Alemania y otros países europeos, a los que llega la mayor parte de la cosecha argentina, calculada en 1.500,000 ton anuales, término medio.

Las fibras. Afirman los etnólogos que el hombre de la Edad de Piedra ya conocía el valor de las fibras de lino, con las que fabricaba telas bastas y resistentes. Utilizadas también por los egipcios, las telas de lino arraigaron en Irlanda hacia el siglo XIII y allí adquirieron un prestigio que todavía conservan.

Una vez cosechada la planta y almacenadas sus semillas, se procede a separar las fibras mediante un procedimiento llamado enriaje, que consiste en someter las fibras a la acción del agua, que elimina la sustancia gomosa que las mantiene unidas. Una vez secos, los tallos se someten al agramado, operación consistente en eliminar las fibras rotas y pequeñas que forman la estopa; las restantes, que servirán para la fabricación de tejidos finos, están formadas por una sola célula cilíndrica cuya longitud oscila entre dos y cuatro cm. La fibra del lino, muy resistente, tiene mayor brillo que la del algodón, pero es más difícil de blanquear y teñir, lo cual aumenta el costo de las telas.

El aceite de linaza. Las semillas de lino producen el aceite de linaza, de gran importancia industrial. Este producto se obtiene mediante la compresión de las semillas, que son calentadas y sometidas a la acción de prensas hidráulicas; el aceite obtenido es filtrado y queda listo para ser expendido en el comercio. La materia prensada y seca que queda como residuo recibe el nombre de *torta de lino* y es utilizada como alimento para el ganado. Existen dos variedades de aceite de linaza, llamadas

aceite crudo y *aceite cocido*; ambas sirven para elaborar barnices, lacas y linóleos. Al ser aplicado sobre una superficie, el aceite de linaza absorbe oxígeno del aire y forma una capa delgada, que no se quiebra y resiste con eficacia las variaciones climáticas. La India y Argentina producen los aceites de linaza de calidad más elevada.

linóleo. Material impermeable, apto para recubrir los pisos de las cocinas, sanatorios, barcos y cualquier otro lugar donde la higiene sea primordial. Debe su nombre a la gran proporción de aceite de lino que contiene. Para fabricar el linóleo se refina primeramente el aceite de lino en grandes tanques. Luego, por medio de agitadores, se mezcla con aire, obteniéndose una sustancia parecida al caucho. Pasa así a calderas de vapor donde se le agrega adecuada proporción de resinas y gomas que lo vuelven impermeable. Se le deja reposar varias semanas para que adquiera mayor consistencia, y después, en un mezclador, se le añade corcho, madera pulverizada y pigmentos. En ese estado se extiende sobre arpillera o tejido de yute y se le hace pasar por prensas cilíndricas que le dan el espesor deseado. Hay varios tipos de linóleo en el comercio. El más simple es aquel en el que el pigmento está mezclado con los ingredientes y es por tanto de un solo color. Otros presentan diseños variados a tonos brillantes. Las principales ventajas del linóleo son su larga duración, no ser tan frío ni resbaladizo como las baldosas o el mármol y el hecho de no presentar uniones ni intersticios donde pueda

Linterna de gasolina.

Corel Stock Photo Library

acumularse la basura, lo que hace sumamente fácil el mantenerlo limpio.

linotipia. Máquina de composición tipográfica provista de matrices de letras que, mediante un mecanismo manejado por el operador de la misma, funde líneas de tipos que se utilizan en la impresión de diarios, libros, etcétera. Inventada por Ottmar Mergenthaler, consta de un teclado, similar al de una máquina de escribir, pero con unas 90 teclas que corresponden a las letras mayúsculas, minúsculas, números y signos especiales utilizados en la composición, que el linotipista pulsa como si escribiese a máquina el texto que haya de componerse. Las matrices de letras y signos están colocadas y clasificadas en un depósito o almacén llamado magazine, dividido en tantos canales o compartimientos como letras o signos tenga el alfabeto que se utilice, de manera que cuando el linotipista oprime o pulsa una tecla, se desprende la matriz correspondiente y esta va automáticamente a alinearse en una especie de componedor, al lado de la matriz que la precedió. Cuando el número de matrices con sus correspondientes bandas espaciadores (que ha ido colocando también con el movimiento de una tecla especial el operador) es el necesario para completar una línea, la máquina distribuye automáticamente los blancos, ensanchándolos o comprimiéndolos para que tenga la línea la longitud debida, cosa que se gradúa previamente con un molde de la medida necesaria. Entonces la maquina avisa al operario, con un toque de timbre, que la línea está completa. Con un movimiento de palanca, la línea de matrices es llevada frente a un crisol con metal líquido, inyectando el mismo en el molde de matrices, fundiéndose la línea completa, que pasa, convertida ya en lingote, a un componedor que las va reuniendo. Las matrices utilizadas son entonces devueltas automáticamente por medio de un largo brazo a un distribuidor que las acondiciona de nuevo en el compartimiento correspondiente del *magazine*, listas para ser utilizadas nuevamente. Las linotipias modernas disponen de numerosos juegos de matrices de los más diversos tipos y tamaños de letras, de modo que una sola máquina puede componer con diferentes tipos.

linterna. Farol portátil en que la luz está protegida con una pared anterior de vidrio. Las hay cuya luz es producida por la combustión de aceite, petróleo, acetileno, y tienen formas adecuadas a los usos a que se dedican. Las linternas de señales poseen dispositivos que les permiten ocultar o mostrar la luz con facilidad y algunas, como las empleadas en los ferrocarriles, pueda cambiar el color de la luz anteponiéndole vidrios de diferentes colores. Las

Corel Stock Photo Library

Linterna encendida en un jardín.

más usadas actualmente son las linternas eléctricas, que constan de una pequeña lámpara incandescente alimentada por pilas secas o acumuladores; también las hay con pequeñas dínamos, que funcionan con movimientos de los dedos al empuñarlas.

linterna de proyección. Proyector de imágenes fijas sobre una pantalla. Se denomina también *linterna mágica* y en sus modelos más perfeccionados se le suele llamar estereoptición. Consta de una fuente luminosa, ordinariamente a base de una lámpara eléctrica de regular potencia o de un arco voltaico; de una caja o linterna provista de un reflector en su parte posterior y de un condensador óptico en su parte anterior; y de un objetivo fotográfico montado sobre un marco o corredera a través del cual puede deslizarse un chasis o bastidor en el que se coloca el diapositiva, en cristal o celuloide, que quiere proyectarse. Las imágenes se introducen invertidas, pues los rayos del objetivo las devuelven en sentido contrario. Cuando se desea proyectar un dibujo, fotografía o cualquier imagen opaca, se usa una linterna provista de un espejo el cual envía la imagen por reflexión al objetivo.

Lin Yutang (1895-1976). Escritor, ensayista y catedrático chino, ciudadano de Estados Unidos. Su libro más importante es *La importancia de vivir*, traducido a varios idiomas. Estudió en Harvard, Leipzig y Jena y fue inventor de un sistema simple de índice para diccionarios chinos. En general, su obra tiende a hacer conocer el pensamiento de su pueblo aunque han tildado sus conceptos de *demasiado occidentalizados*. Publicó además: *Mi país y mi pueblo, Una hoja en la tormenta, Momento en Pekín, La sabiduría de la China y la India.*

liofilización. Eliminación del agua de una solución mediante la congelación a temperaturas muy bajas y tratamiento al vacío. Las sustancias orgánicas termolábiles conservan sus propiedades durante un tiempo prolongado, regenerándose la solución original por el agregado de agua.

Este método, que evita los efectos perjudiciales del calor (oxidación, enzimas y el mismo calor), es particularmente interesante cuando se desea una desecación que no produzca ninguna alteración en las sustancias orgánicas tratadas. En la actualidad, ha experimentado un notable desarrollo para la conservación de productos alimenticios, en medicina y en la industria farmacéutica: conservación del plasma, de sueros, antibióticos, hormonas, etcétera.

Lipmann, Fritz Albert (1899-1986). Bioquímico estadounidense de origen alemán, que descubrió en 1945 la coenzima A y su importancia en el metabolismo y compartió el Premio Nobel de Medicina o Fisiología en 1953, con sir Hans Adolf Krebs, por este trabajo. Lipmann empezó a estudiar el papel de las enzimas en el metabolismo en los años 30. Después efectuó estudios sobre los mecanismos involucrados en la síntesis de proteína y finalmente continuó con el estudio de los cambios de energía en los organismos vivientes. En 1971 publicó el libro autobiográfico *Divagaciones de un bioquímico.*

Lippi, Fra Filippo (1406?-1469) **y Filippino** (1457?-1504). Pintores italianos, padre e hijo, de la escuela florentina. El padre, Filippo, fue de vida romántica y agitada en su juventud, y perteneció a la orden de Carmelitas Descalzos de Florencia la cual abandonó y después se casó con Lu-

Esquema de un aparato utilizado para liofilizar muestras biológicas.

Salvat Universal

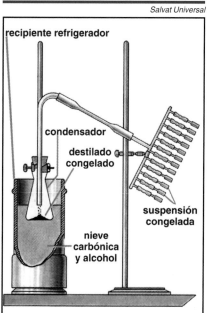

crezia Buti. Entre sus obras más famosas se hallan las series de frescos sobre las vidas de san Juan Bautista y san Esteban, existentes en la catedral de prato. Maestro de Sandro Botticelli, son famosas sus vírgenes o madonas, rebosantes de elegancia, ternura maternal e inocencia infantil. *La Anunciación,* de la pinacoteca de Munich, *La adoración del Niño,* del Museo de Berlín, y el retablo de *La coronación de la Virgen,* de los Oficios de Florencia, se destacan entre sus pinturas, todas bellísimas.

Su hijo Filippino estaba dotado de auténtico genio original, abandonó pronto la manera paterna y de Botticelli, produciendo una de las grandes obras pictóricas del renacimiento florentino siendo joven aún: *La aparición de la Virgen a San Bernardo.* En contraste con esta obra, toda delicadeza, se ofrecen sus imágenes de *San Juan Bautista* y *La Magdalena,* de un realismo vigoroso, el *Centauro herido,* el magnífico *Retrato de un cartujo, La adoración de los Magos,* y *La Madona con el Niño,* de un sentido más humano. También abordó con éxito la pintura de los grandes frescos que, sobre temas de la vida de san Pedro y san Pablo, decoran los muros de la capilla Brancacci de Florencia.

Lippmann, Gabriel Jonas (1845-1921). Físico francés que desarrolló el primer método para reproducir todos los colores en una sola imagen sobre una placa de transparencia. El proceso Lippmann involucraba el uso de una película de emulsión que, como la película de aceite en la superficie de agua, producía todos los colores del espectro por interferencia cuando los rayos de luz pasaban a través de él. Recibió el Premio Nobel de Física en 1908 por su descubrimiento. La técnica era lenta y difícil de llevar a cabo y jamás fue comercialmente factible.

Lippmann, Walter (1889-1974). Periodista y ensayista estadounidense especializado en temas de economía y política internacional. Entre sus obras se destacan *Prefacio a la moral y Método de libertad.* Graduado en la universidad de Harvard, se inició como redactor pasando a formar parte de la redacción del *World* y del *Herald Tribune,* de New York. Fue auxiliar del secretario de la Guerra durante la Primera Guerra Mundial, y capitán del Servicio de Información Militar. Fue ganador del premio Pulitzer en 1962.

Lipscomb, William Nunn (1919-). Químico estadounidense. Desde 1946 estudió en la Universidad de Minnesota, donde en 1954 fue nombrado profesor y director del departamento de química física. En 1959 pasó a la Universidad de Harvard como profesor de química, y presidió el departamento correspondiente de 1962 a

Lipscomb, William Nunn

Corel Stock Photo Library

Líquido en un matraz de laboratorio.

1965. Ha estudiado la estructura y la función de las enzimas y los productos naturales de química inorgánica. Recibió el Premio Nobel de Química en 1976 por sus estudios sobre la estructura y las propiedades de diversos compuestos del boro.

liquen. Planta criptógama que crece en las rocas, paredes y cortezas de los árboles, formando capas, costras o masas de apariencia musgosa. Se desarrolla tanto en regiones frías como en cálidas, lo mismo en los valles que en las altas montañas, y es difícil encontrar una región donde no exista alguna de las 4,000 especies de líquenes conocidas, entre las que los hay amarillos, verdes, grises, azules, pardos y negros. Todos tienen de común la estar compuestos de la asociación de un alga y un hongo, de manera que ambos se benefician en la unión. El alga sintetiza los alimentos, por medio de su clorofila, y el hongo absorbe y almacena el agua que ambos necesitan para vivir. A este tipo de asociación beneficiosa para los dos componentes se llama en biología *simbiosis*.

Los líquenes son tan poco exigentes que pueden vivir donde ninguna otra planta podría hacerlo, siendo la avanzada de los seres vivos en su lucha por terrenos vegetales, haciendo posible la vida en lugares en los que sin ellos sería imposible. Esto se debe a que los líquenes producen un ácido capaz de disolver las rocas y descomponer el suelo, que al mezclarse con los mismos desechos del liquen va enriqueciendo la tierra, haciendo posible la vegetación de otras plantas.

No tienen ni raíces, ni tallos, ni hojas, estando formados por unas láminas de forma irregular y de extensión variable que se llaman talos. Estos talos se presentan, frecuentemente, formando una especie de costras sobre las rocas, otras veces recubren las cortezas de los árboles constituyendo masas musgosas con láminas foliares o caliciformes. Algunos son ricos en almidón, por lo que se utilizan como alimentos para el hombre y los animales. El liquen de Islandia lo comen los naturales preparando una especie de pan y el llamado *liquen del reno* es el principal alimento de los rebaños de renos en las regiones árticas.

liquidámbar. *Véase* OCOZOL.

líquido. Estado particular de la materia en el que la fuerza atractiva de las moléculas permite a éstas una cierta libertad de movimientos, gracias a la cual los líquidos no tienen forma propia y adoptan la de los recipientes que los contienen. Tienen un volumen constante, son poco compresibles y cuando están en reposo su superficie es horizontal, es decir, está a un mismo nivel. Si colocamos un líquido en un recipiente con varias ramificaciones o tubos, el líquido alcanzará en todos esos tubos el mismo nivel. La presión que se ejerce en un punto cualquiera de una masa líquida, se trasmite con la misma intensidad en todos los sentidos y puntos del líquido. En esta propiedad y en la escasa compresibilidad de los líquidos se basan las prensas y los frenos hidráulicos, etcétera. La fuerza que atrae unas moléculas a otras, se llama cohesión molecular y su valor varía con los distintos líquidos. A ello y a la mayor o menor intensidad de las fuerzas de rozamiento entre las moléculas al deslizarse unas sobre otras se debe que los distintos líquidos tengan distinto grado de fluidez. Como además de la cohesión molecular existe la fuerza de adhesión entre el líquido y la pared sólida del recipiente que lo contiene, de la relación que haya entre cohesión interna y adhesión depende el que el líquido moje o no las paredes del recipiente o de un cuerpo sólido que se introduzca en él. En líquidos muy flúidos de escasa cohesión, como el agua, las paredes del recipiente o un cuerpo sólido puesto en contacto con ella, se mojan; en el mercurio, cuerpo de gran cohesión molecular no se mojan. Una molécula es influida por la atracción de las demás que la rodean situadas a una cierta distancia muy pequeña pero apreciable: esto determina una atracción dirigida en todos sentidos radialmente y por tanto la molécula queda en equilibrio. Pero, las moléculas que están en la superficie, en vez de tener una esfera completa de influencia, tendrán una media esfera solamente y las que además de estar en la superficie queden situadas en los bordes de ésta sólo tendrán un cuarto de esfera. De ahí que en las moléculas superficiales exista una resultante de las atracciones de las moléculas vecinas dirigida oblicuamente hacia abajo y hacia el lado contrario a la pared del recipiente más próxima. Al componerse esta resultante con la fuerza de atracción que ejercen las moléculas sólidas del vaso o recipiente determina la formación de lo que se llama *meniscos* cuando el recipiente es muy estrecho como ocurre en los tubos capilares. En los líquidos de poca cohesión, como el agua, el menisco es cóncavo y en los de mucha cohesión es convexo. Este desequilibrio a que quedan sometidas las moléculas superficiales por lo que hace a las atracciones de moléculas vecinas explica también lo que se conoce por tensión superficial, es decir el hecho de que la superficie de todo líquido quede como si fuera una tela ligeramente restirada desde todos sus bordes. El fenómeno de la tensión superficial explica el que si ponemos con sumo cuidado una aguja de coser, horizontalmente, sobre un vaso que contenga un líquido la aguja se sostiene a flote pese a que su densidad es muy superior a la del líquido.

Si introducimos, verticalmente, en un recipiente con agua un tubo de pequeño diámetro, de 1 mm, por ejemplo, de manera que parte de él permanezca fuera del agua, veremos que ésta asciende en el tubo a un nivel más alto que el de la superficie del líquido, debido a la atracción que sobre el líquido ejercen las paredes del tubo. A este fenómeno se le llama *capilaridad*. El agua del suelo asciende, por capilaridad, por infinidad de finos tubos que tienen los troncos de los árboles, desde las raíces hasta las hojas, de donde pasa al aire por evaporación.

Los líquidos son un estado de la materia intermedio entre los sólidos y los gases. Si se calienta un líquido en un recipiente abierto, la fuerza de cohesión de sus moléculas va disminuyendo a medida que aumenta la temperatura, hasta que al llegar a cierto grado, aquél empieza a hervir y las moléculas se liberan pasando al estado gaseoso. Si hacemos bajar la temperatura la fuerza de cohesión de sus moléculas va aumentando y al llegar a un punto determinado, el líquido empieza a solidificarse. Las temperaturas de ebullición y de solidificación de los distintos líquidos son constantes y características de cada líquido, por ejemplo, el agua siempre hierve a 100 °C al nivel del mar y se convierte en hielo a 0 °C. También podemos obtener cuerpos líquidos partiendo de sólidos o de gases. Si aumentamos la temperatura de un sólido, llega un momento que se funde adoptando la forma líquida, y si un gas lo enfriamos intensamente, la cohesión de sus moléculas aumenta hasta llegar a convertirse en líquido. La temperatura a que un gas pasa a líquido, es la misma a que ese líquido se vuelve a transformar en gas, a igualdad de presión, y se llama punto crítico o temperatura crítica. Un gas se puede convertir en líquido a temperaturas superiores a su punto crítico si se le somete a fuertes presiones. Por este procedimiento se han liquidado casi todos los gases y entre ellos el aire que fue obtenido por primera vez en forma líquida, en pequeñas cantidades, por Louis Cailletet en 1877. Las máquinas inventadas por Karl von Linde (1895) y P. Claude permitieron obtenerlo en mayor abundancia. Actualmente se fabrica en cantidad para las diversas industrias que lo utilizan. El punto crítico de una mezcla de gases, como el aire, debe ser más bajo que el de cualquiera de sus componentes, y la temperatura a que habrá que bajar el aire, para convertirlo en líquido a la presión normal, será de unos -140 ºC. El procedimiento utilizado para liquidar el aire consiste en hacerlo pasar por una serie de compresores en cascada, que lo van sometiendo a presiones sucesivas y crecientes hasta alcanzar unos 500 kg/cm². Este trabajo de compresión produce un gran desprendimiento de calor que obliga a tener los cilindros de los compresores, igual que los de los motores de explosión, rodeados de cámaras por donde circula una corriente de agua fría que se renueva continuamente. Cuando se ha logrado enfriar el aire fuertemente comprimido, se le pone en comunicación con cámaras donde se expande, perdiendo gran cantidad de calor, o sea enfriándose ligeramente. Después se le pasa a otras cámaras mayores, donde por efecto de la expansión su temperatura desciende por debajo de su punto crítico, empezando a condensarse en forma líquida. El líquido obtenido es transparente, ligeramente azulado y de aspecto parecido al agua, y se va recogiendo en recipientes especiales convenientemente aislados. Para su transporte se usan botellas de doble pared plateada, entre las que se ha practicado un vacío muy intenso. El aire líquido tiene propiedades muy curiosas. Puesto en un recipiente abierto, hierve a la temperatura normal, y si se vierte sobre un bloque de hielo, hierve de la misma manera y se evapora produciendo un raro efecto, por parecer que es agua que hierve sobre el hielo. Si colocamos aire líquido en una sartén de hierro, se vuelve quebradiza como el vidrio, y un alambre de acero arrollado en una cerilla y colocado en una copa con aire líquido, se funde al encender la cerilla debido a la atmósfera rica en oxígeno que se produce a su alrededor. El alcohol que se utiliza para fabricar termómetros por su bajo punto de solidificación, se solidifica fácilmente con aire líquido, pero las principales aplicaciones del aire líquido son la fabricación de oxígeno, argón, neón y otros gases, para los que se requieren bajas temperaturas, y la fabricación de explosivos. El aire líquido encerrado y sometido a altas temperaturas es un violento explosivo que se ha utilizado en la guerra.

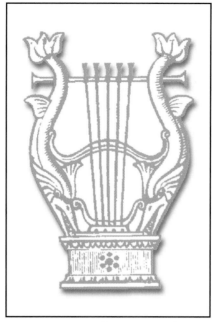

Lira antigua.

lira. Antiguo instrumento musical de procedencia oriental que los griegos empleaban en el canto y la recitación poética. (De ahí el calificativo *lírico*.) Poseía de 4 a 18 cuerdas, puestas en vibración con los dedos o mediante una púa llamada plectro. Cayó en desuso en los primeros siglos de la era cristiana. Su sonoridad era íntima y delicada.

lira. Unidad monetaria italiana. Su valor, peso y contenido metálico, se fijó por las normas de la Unión Monetaria Latina (1865), que la hacía equivalente a las unidades monetarias de los otros países que integraban esa Unión: Bélgica, Francia, Suiza y Grecia.

Lira, Carmen. *Véase* Lyra Carmen.

Lira, Pedro (1846-1921). Pintor chileno. Estudió leyes pero se dedicó por entero a la pintura. En 1873 viajó a París y allí fue influido por los pintores románticos como Eugene Delacroix y los realistas como Gustave Courbet. En 1892 fue nombrado director de la Escuela de Bellas Artes, cargo que ocupó hasta su muerte. Entre sus obras se destacan: *La fundación de Santiago por Pedro de Valdivia, Prometeo encadenado, Jesús en el desierto, Los canteros* y *La dama del manto.*

lírica. *Véase* Poesía.

lirio. Nombre vulgar de la especie *Iris germánica.* Es una planta de la familia de las iridáceas, de hojas radicales, duras y ensiformes. Entre sus numerosas variedades, las hay de raíces tuberosas y bulbosas y de flores azules o moradas, y también rojas. Pero, el lirio de color blanco es el más famoso, sus pétalos inmaculados son símbolo de pureza, y también de majestad, y figura en los emblemas de varias casas reales. Sus hermosas flores están sostenidas por largos tallos. Otras variedades son: el lirio de Persia, el enano, el piel de tigre, el de Florencia, cuyos pétalos muestran venas azuladas y, por último, el fétido, de tallo sencillo y flores malolientes con pétalos azules y amarillos. *El lirio de agua* se llama también *cala.*

lirón. Mamífero roedor de la familia de los glíridos. Se parece al ratón, pero es más oscuro que éste y tiene el pelo de la cola y las orejas más largo; vive en los montes, se alimenta de raíces de plantas y pasa el invierno adormecido y oculto. Su tronco mide 16 cm y su cola 13. Su pelaje es sedoso y en la parte superior de color ceniciento, y más claro en los costados. Al anochecer sale de su madriguera en busca de alimento y trepa árboles y rocas con la destreza de una ardilla. Es sumamente voraz, alimentándose sobre todo de bellotas, avellanas, castañas, nueces, etcétera. En el otoño hace su provisión de invierno y la encierra en un agujero. Prepara su albergue y su sueño invernal dura siete meses. Abunda en Europa meridional y oriental, y sobre todo en los países balcánicos y Bielorusia.

Lisboa. Capital de la República Portuguesa, con 677,790 habitantes, situada en

Arco de Lisboa en Portugal

Lisboa

Monumento a los exploradores en Lisboa, Portugal.

el estuario del Tajo, que le brinda un puerto natural, de los mejores del mundo por su extensión, ya que puede albergar escuadras enteras en plena seguridad. De él salieron en los siglos XV y XVI las célebres flotas de los descubrimientos y comercio con las Indias. De supuesto origen fenicio, Lisboa se llamó bajo los romanos *Olisipo* y oficialmente *Felicitas Julia*, siendo luego dominada por los godos y los árabes, hasta que en 1147 fue reconquistada por Alfonso Henriquez. En aquel tiempo Lisboa se reducía al barrio de callejuelas estrechas y tortuosas que rodeaban al castillo moro, que aún domina la ciudad. En la época de los descubrimientos, fue uno de los puertos principales del mundo, alcanzando gran prosperidad, de la que se conservan magníficos monumentos, como el monasterio de los Jerónimos, de estilo gótico manuelino, con notables tallas en puertas, naves y claustro; y la torre de Belén, evocadora de los descubrimientos portugueses. La Basílica de la Estrella y los antiguos palacios reales de Belén y Ajada, aunque más modernos, son también de gran belleza. Posee universidad, importantes museos, escuelas técnicas militares y navales y una Biblioteca Nacional con más de 400,000 volúmenes y valiosos manuscritos antiguos. La ciudad está edificada sobre varias colinas, y recibe el agua por el célebre acueducto de Aguas Libres, terminado en 1749. Lisboa ha sufrido varios terremotos, pero el más violento fue el de 1755, que en menos de 10 minutos redujo a escombros casi toda la ciudad; fue reconstruida durante el gobierno de Sebastião José de Carvalho, marqués de Pombal: las

tropas de Napoleón Bonaparte ocuparon la ciudad de 1807 a 1809, y fue escenario de múltiples revueltas civiles durante el siglo XIX y centro de los disturbios que precedieron a la instauración de la República en 1911. La ciudad moderna es limpia, con calles amplias y grandes desniveles, que se salvan con ascensores públicos. Hermosas plazas, como la del Comercio, rodeada por edificios ministeriales de gran carácter, que se abre directamente sobre el estuario del Tajo, y la Plaza del Rocío, que es el centro

Torre de Belén en Lisboa, Portugal.

de la ciudad. Posee astilleros y construcciones mecánicas, hilanderías y fábricas de tejidos de algodón, industrias pesqueras y manufacturas de objetos artísticos, y joyas típicas de filigrana portuguesa, fabricadas con hilos de plata y oro. Las principales exportaciones del puerto de Lisboa son: vinos, corcho, conservas de pescado, ganado y frutas.

Durante la Segunda Guerra Mundial, por su posición estratégica y por ser casi la única gran capital europea que permaneció neutral, Lisboa fue el eslabón entre Europa y América y centro de gran actividad política y diplomática.

Lisipo (370-310 a. C.). Notable escultor griego, que modificó el canon de Policleto creando figuras más esbeltas y delgadas, de cabeza pequeña, ligeras y graciosas. Se le atribuyen *Hércules sentado*, *Venus saliendo del agua* y *Atleta frotándose el brazo*; pero, no hay certidumbre sobre si son los originales o sólo copias. Fue muy prolífico; se cuenta que acostumbraba a guardar en una hucha una moneda de oro por cada estatua que concluía, hallándose, cuando murió, más de 1,500 monedas. Alejandro Magno sólo permitió a Lisipo reproducir sus rasgos.

Lister, Joseph (1827-1912). Médico cirujano inglés, fundador de la cirugía antiséptica. Estudió Medicina en el Colegio Universitario de Londres. Fue profesor de cirugía en la Universidad de Glasgow, en la de Edimburgo y en el Colegio Real de Londres. La reina Victoria le concedió el título de barón en 1883, elevado a la categoría de par en 1897, y lo designó cirujano de cámara. Mentalidad investigadora y genial, sus teorías respecto al uso de antisépticos en el tratamiento de las heridas revolucionaron la cirugía moderna. Conocedor de las investigaciones de Louis Pasteur sobre las fermentaciones y la función que en ellas desempeñaban organismos microscópicos, que podían ser transportados por el aire, concibió la posibilidad de que las infecciones en las operaciones quirúrgicas se debieran a causas similares, y en 1865 inició la aplicación de su procedimiento de antisepsia con ácido carbólico, que le proporcionó resultados satisfactorios. Pasteur y Lister se apoyaron mutuamente en sus investigaciones y experiencias y la medicina se ha beneficiado incalculablemente con tales descubrimientos.

Liszt, Franz (1811-1886). Pianista y compositor húngaro a quien la música debe, además de una amplia producción, varias innovaciones en el campo orquestal y perfeccionamientos de la obra pianística. Aportó el desarrollo del poema sinfónico, así llamado por su contenido descriptivo, y, aunque no fue su creador, utilizó con gran acierto otra innovación, el *leit motiv*, es decir, el motivo fijo o conductor. Maestro de la técnica del piano, educó a muchos pianistas de la siguiente generación entre ellos D'Albert, Hans Guido Bülow, Camille Saint-Säens y Isaac Albéniz. Nació en Raiding, donde su padre era administrador de la casa del príncipe de Esterhazy, y apenas tenía nueve años cuando le oyeron tocar el piano dicho príncipe y otros nobles húngaros, quienes, advirtiendo su valía, le aseguraron una pensión durante seis años para que perfeccionara sus estudios musicales. Con este motivo se trasladó con su familia a Viena, donde tuvo por maestros al pianista Karl Czerny y al compositor Antonio Salieri. En 1823 se presenta por primera vez ante el público vienés, con un gran éxito que se repite luego en otras ciudades europeas, y decide trasladarse a París, en cuyo Conservatorio intenta continuar los estudios; mas, por ser extranjero, rechazan su petición de ingreso y debe continuarlos privadamente. Comienza por entonces a cultivar la composición, y a los 14 años estrena su obra en un acto *Don Sancho*.

Continúa sus giras como pianista siendo acogido con entusiasmo en todas las salas de concierto de Europa, así como en los más distinguidos círculos sociales, artísticos y literarios. Ciertas inclinaciones místicas le hacen abandonar por un tiempo los conciertos. Durante muchos años compartió su vida con la condesa d'Agoult, conocida como literata con el seudónimo de *Daniel Stern*, y más tarde, cuando se estableció en Weimar, donde fue nombrado maestro de capilla, encontró Liszt en la princesa de Sayn-Wittgenstein a la compañera espiritual bajo cuya influencia dejó la

carrera de pianista para dedicarse a la composición de sus grandes obras: varios poemas sinfónicos, entre ellos *Los preludios*, inspirados en Alphonse de Lamartine, *Lo que se oye en las montañas*, en el que ensalza a la naturaleza; *Orfeo y Los ideales*, dos sinfonías basadas en el *Fausto* de Johann Wolfgang Goethe y en Dante Alighieri; dos conciertos para piano y orquesta, las famosas *Rapsodias húngaras*, de temas folclóricos, etcétera. En 1861 se trasladó a Roma, y, sintiendo renacer los sentimientos religiosos de su juventud, recibe las órdenes menores y se dedica desde entonces a la composición de música religiosa. De esta época son sus oratorios *La leyenda de Santa Isabel* y *Cristo, una Misa solemne*, además de cantatas, salmos y piezas para coro. Hizo varios viajes a Weimar y Budapest, y en 1886, estando en Bayreuth, donde había ido a las representaciones del *Tristán* y *Parsifal* de Richard Wagner, murió víctima de una pulmonía.

La alta estimación de que gozó Liszt en vida lo demuestra el haber sido nombrado ciudadano de honor de varias capitales europeas, el doctorado *honoris causa* que le confirió la Universidad de Könisberg y el título de nobleza que le concedió el emperador Federico Guillermo.

litera. Vehículo antiguo a manera de caja de coche, sin ruedas y con dos varas laterales que se sujetaban en dos caballerías puestas una delante y otra detrás, a diferencia de la silla de manos que era llevada por dos hombres. También recibe este nombre cada una de las camas fijas en los camarotes de los buques.

literatura. Según el significado original de esta palabra (*litterae*, en latín, significa

La literatura tiene sus inicios en la antigüedad al ser labrados glifos en las piedras.

letras) todo lo escrito es literatura, tanto las antiguas inscripciones en piedra y los modernos contratos comerciales como los discursos políticos, la novela, la poesía y el teatro. En la actualidad se clasifican como literarios sólo aquellos textos escritos intencionalmente con cierto propósito artístico o aun moral y político. En muchas obras estas tres cualidades aparecen unidas, como, por ejemplo, en el *Facundo* del argentino Domingo Faustino Sarmiento; en otras, sólo una de ellas tiene realmente importancia. En la poesía lo esencial suele ser la imaginación; por el contrario, en la novela, las ideas morales, sociales y filosóficas se mezclan íntimamente con sucesos inventados por el autor. Guerras, revoluciones o, simplemente, cuestiones judiciales provocan a veces la intervención de los escritores, que, en tal caso, ponen la literatura al servicio de la sociedad. Así, el novelista francés Émile Zola no vaciló en defender al capitán Dreyfus, acusado de traición y al que él creía inocente. En esas ocasiones la literatura se convierte en una defensora de la libertad y la dignidad del hombre.

La literatura ha estado al servicio de las sociedades en casos como guerras y revoluciones.

literatura

Los cambios morales y religiosos de la historia, se ven reflejados en la literatura.

Los grandes cambios morales y religiosos de la historia casi siempre han sido precedidos por gran número de libros que anuncian, de algún modo, esos acontecimientos. Las obras maestras de la literatura suelen, pues, aparecer cuando la civilización de un pueblo ha alcanzado su esplendor máximo y su influencia política llega a las regiones más alejadas. Las tragedias griegas, *La Eneida* de Virgilio, las odas de Horacio, fueron escritas cuando las civilizaciones griega y latina dominaban el mundo occidental. La literatura española del Siglo de Oro corresponde a la época imperial que siguió al descubrimiento de América. Johann Wolfgang Goethe y Johann Christoph Friedrich von Schiller aparecieron, en Alemania, cuando esta nación parecía ser el centro cultural de Europa. Si las fuerzas políticas, morales y económicas de un país decaen, también su literatura comienza a morir, se debilita y no influye ni siquiera en la vida de sus habitantes.

Estos fenómenos revelan claramente que la literatura es el simple reflejo de los mismos fenómenos que crean una civilización. Un escritor, como cualquier otro hombre, no puede vivir apartado de los problemas de su tiempo, pues los ve reflejados, constantemente, tanto en su vida como en la del prójimo. La aparición de una civilización implica, necesariamente, un esfuerzo creador que el escritor siente y traduce a su modo. Cuando una nación comienza, en cambio, a repetir su historia, a ser incapaz de renovación política, social y económica, su literatura se reduce entonces a imitar las antiguas y pierde toda originalidad y eficacia. Aún aquellas obras que parecen servir sólo de entretenimiento al hombre, que parecen exaltar únicamente la inteligencia o la belleza puras, no pueden aislarse de los problemas contemporáneos. La literatura cambia junto con las condiciones sociales y culturales; por eso no es posible que los escritores del siglo XX, por ejemplo, escriban del mismo modo que los romanos o los griegos.

Aunque algunos autores, conservadores, amigos de la tradición, evitan rozar en sus obras los conflictos de la edad en que viven, los más originales e interesantes suelen ser los que prefieren tener en cuenta esos mismos problemas. Hay autores que prefieren en sus novelas evocar y resucitar el pasado; sus temas son los tradicionales, los mismos que habían tratado los escritores antiguos. Otros escritores prefieren, en cambio, narrar los sucesos de su propia época. Representan dos actitudes que se repiten a lo largo de la historia de la literatura, una y otra son válidas, pero la influencia y trascendencia de los escritores que describen e interpretan las cuestiones de la época en que viven son mucho mayores, pues alcanzan a modificar o, por lo menos, a hacer más evidente el espíritu de toda una nación en una determinada época de su historia.

Las grandes obras literarias son, precisamente, aquéllas que mejor representan el alma de los pueblos; las que por su lenguaje, por sus caracteres o por sus ideales pueden identificarse fácilmente con algunos rasgos de los países donde han sido creadas. Las tragedias griegas, la *Eneida* de Virgilio, *La divina comedia* de Dante Alighieri, el *Quijote* de Miguel de Cervantes Saavedra, los dramas de William Shakespeare, el *Fausto* de Goethe, han sido consideradas como las obras típicas de Grecia, Roma, Italia, España, Inglaterra y Alemania. Sin embargo, la literatura de un pueblo no está representada por una sola obra ni por un solo escritor, sino por muchos, aparentemente contradictorios, pero que revelan con esas mismas diferencias todas las posibilidades y complejidades de la historia. El ensayista Michel Eyquem de Montaigne es un escritor típicamente francés, como Francisco de Quevedo y Villegas español; Walt Whitman norteamericano, y José Hernández, el autor de *Martín Fierro*, argentino; pero también Pascal, en el que nada recuerda el escepticismo de Montaig-

La literatura maya se debilitó a la par que la sociedad donde se originó.

ne, es francés. Lope de Vega Carpio se parece muy poco a Quevedo y la obra americana de Ricardo Güiraldes no tiene, a pesar del tema, mucha similitud con la de Hernández. Este espíritu común se revela a través del lenguaje.

En efecto, la lengua que habla una nación descubre, en cierto sentido, los ideales de sus habitantes, sus costumbres y su concepción general del mundo y de la vida. La literatura china, por ejemplo, es muy distinta de la europea, ante todo por la peculiaridad del idioma y de su escritura que participa en gran manera, del carácter del dibujo. Un poema en esa lengua es tanto literatura como pintura y su correcta traducción a un idioma europeo es imposible; pueden darse de él versiones aproximadas, pero siempre infieles. Aun dentro de una misma nación, el lenguaje cambia, profundamente, de una época a otra. Muchos vocablos pierden su antiguo sentido y, a veces, todo sentido. Son las obras literarias las que aclaran y precisan el significado de las palabras, conservan o renuevan la estructura gramatical de la lengua. Hoy podemos notar, en los periódicos, que términos como paz, guerra, libertad, democracia, dictadura, crimen y justicia, son empleados de un modo confuso y arbitrario. Es deber del escritor darles una significación exacta. En este sentido, todos los libros tienen la misma función, pues en los problemas del lenguaje están contenidos también los problemas humanos.

El escritor estadounidense Ralph Waldo Emerson ha dicho que toda la literatura parece haber sido escrita por un solo hombre. Cambian las condiciones de la historia y eso basta para que los libros sean de una variedad casi infinita; pero los ideales y las creencias que contienen no son esencialmente distintos. El filósofo italiano Benedetto Croce llega a considerar como literarias las obras de los grandes pensadores, pues ellos han creado, como los poetas, un mundo en el que los intereses más elevados del hombre aparecen representados con idéntica grandeza y profundidad. Obras religiosas como la *Biblia* hebraica, el *Corán* árabe, los Vedas hindúes, poseen, a menudo, una belleza singular, puramente poética. Los *Salmos* de David, una de las partes de la Biblia, tienen un valor poético cuya eficacia no se ha perdido aún. El escritor francés contemporáneo Paul Claudel ha tratado de resucitar el ritmo y el espíritu de esos salmos para probar que pueden servir como ejemplo de una nueva literatura cristiana. Un escritor tan distinto como el estadounidense Walt Whitman, también se valió de esos ritmos bíblicos en su poesía. Así, el concepto de la literatura, que antes se había restringido a la poesía y los géneros afines, se ha ampliado hasta encerrar todas las obras humanas que utilizan el lenguaje como medio de expresión. Uno

La escritura china se liga estrechamente al dibujo.

de los ejemplos más claros de esta unión de distintos géneros literarios es el *ensayo* actual; en él caben todos los temas tanto poéticos como filosóficos o políticos.

La novela, aunque predominantemente imaginativa, suele encerrar también consideraciones de toda índole. Algunas de las obras más cárácteristicas de nuestro tiempo pretenden ser una suma de todos los conocimientos y empresas del hombre. Desde la antigüedad, ha habido libros como *De la naturaleza de las cosas* del poeta latino Lucrecio, La *divina Comedia* de Dante, el *Fausto* de Goethe, que unen la poesía a la teología, la filosofía, la histo-

Las grandes obras literarias son aquellas que mejor representan el alma de los pueblos.

ria y aun las ciencias. Hoy, ciertas novelas, como *La montaña mágica* de Thomas Mann, *En busca del tiempo perdido* de Marcel Proust, *Ulises* del irlandés James Joyce, continúan esa tradición. Los pasajes puramente líricos están interrumpidos, en esas obras, por descripciones de la anatomía o psicología del hombre; los caracteres se revelan a través de la descripción subjetiva de los mismos personajes y la más objetiva del autor, etcétera. Las diferencias más notables son quizá las que pueden establecerse entre la poesía y la prosa, ya que la primera parece representar un mundo imaginario cerrado e independiente de la historia, mientras que la novela y el ensayo ponen en relación al hombre con su época. Sin embargo, tampoco la poesía puede desligarse por completo de los problemas históricos, pues expresa ciertas condiciones culturales relacionadas, a su vez, con factores económicos y sociales. El gran poeta, por otra parte, no separa la poesía de su propia vida, sino que las pone en relación mutua. Aun ciertos procedimientos considerados como propios de la prosa, el narrativo por ejemplo, han sido empleados por la poesía de todos los tiempos. Las epopeyas primitivas suelen ser largas narraciones con argumento, caracteres, paisajes y situaciones similares a los de la novela moderna. Sólo la poesía lírica parece preferir los procedimientos de la música a los típicamente literarios. Sin embargo, todas las obras, tanto en prosa como en poesía nacidas dentro de una misma escuela literaria (Clasicismo, Romanticismo, Expresionismo, Superrealismo) se parecen o pueden, al menor, reconocerse como similares. Por otra parte, en cualquier género literario (novela, poesía, teatro) suelen distinguirse características propias de los otros géneros.

El teatro, por ejemplo, presenta, de la novela a veces, los elementos narrativos (el desarrollo de la acción, aunque en diálogos) y el ritmo de la poesía o la intensidad de la expresión, como sucede en las tragedias griegas y las obras del teatro clásico español, francés o inglés. Del mismo modo, el criterio más moderno tiende a no distinguir, como hacían los antiguos, entre contenido y forma, entre el pensamiento mismo y el modo de expresarlo; corregir la forma seria, corregir el pensamiento. Esto no parece tan indudable cuando se trata de la simple expresión común, la literatura periodística o la conversación; pero, no podemos alterar el estilo de Cervantes, por ejemplo, sin modificar también, de un modo más o menos profundo su pensamiento. A determinados pensamientos, a determinada concepción del mundo corresponde un estilo también determinado. El pensamiento clásico se expresa en un estilo sereno claro, ordenado; los románticos escribían en un estilo entrecortado a veces por exclamaciones apasionadas, con cierto tono íntimo que trataba de revelar directamente el mundo de los sentimientos.

Cada escritor usa, además, el estilo que corresponde a su particular modo de entender y sentir el mundo. Los poetas del

La poesía lírica se dedicaba al elogio de héroes individuales.

Dante fue uno de los exponentes literarios más importantes de su tiempo.

Siglo de Oro español, a pesar de vivir en las mismas condiciones sociales y culturales suelen diferenciarse claramente por su estilo. Lope de Vega, amigo de los temas populares, escribe sencillamente, con fluidez similar a la de las canciones de la vieja literatura española; Francisco de Quevedo, aficionado a la política, a la filosofía, al pensamiento reconcentrado y moralista de algunos escritores romanos, tiene un estilo oscuro, donde abundan los juegos de ideas; el poeta Luis de Góngora y Argote, en quien la vida de los sentidos tiene una singular importancia, fue autor de versos donde los colores y los aromas forman un mundo musical de gran complejidad.

Historia de la literatura. La literatura más antigua de todos los países suele estar representada por obras religiosas que expresan el asombro y la curiosidad del hombre ante la naturaleza. Los primeros libros hindúes son los *Vedas* (tentativa de explicación, en forma de cantos, del origen del mundo y el hombre), el *Mahabarata* (poema épico donde se narran las reencarnaciones del dios Visnú) y el *Ramayana* (la lucha de Rama contra el rey de los demonios). La literatura persa primitiva se reduce a una colección de libros atribuidos a Zoroastro, en los que se habla de Dios y de los espíritus. Ese mismo carácter tienen los primeros libros chinos. Con esas obras, el hombre de la antigüedad pretendía comprender el mundo, ordenarlo en leyes y establecer un sistema de moral que permitiera la convivencia de los hombres en sociedad.

De todos esos libros el más cercano al espíritu occidental, por la influencia que

ejerció a través del cristianismo, es la *Biblia* hebrea. En ella se unen, junto con alabanzas al Creador, reglas jurídicas y morales, una legislación de las costumbres y la historia de los mismos hebreos. Lo más típicamente literario de ese libro es su poesía. No está compuesta por versos regulares y rimados, su variedad y armonía está basada principalmente en la sucesión de imágenes similares u opuestas. La primitiva poesía europea parece no imitar estos ejemplos sino otros asiáticos más antiguos. En efecto, muy similares a los himnos hindúes parecen haber sido los primeros cantos griegos; pero, se han perdido, razón por la cual se consideran, comúnmente, como las obras más antiguas de este pueblo las epopeyas atribuidas a Homero: la *Ilíada* y la *Odisea*. Las obras del género épico, donde se narran, casi siempre, grandes hazañas militares o populares, nacen junto con la historia; no suelen aparecer cuando la civilización está ya más adelantada. Así, Homero no tuvo continuadores; los poetas que le siguieron se dedicaron a la poesía lírica, al elogio de héroes individuales, como guerreros o atletas, o a la expresión de emociones personales. Este lirismo guardó siempre la armonía característica del sistema político de los griegos, sus ideas filosóficas y su concepción del hombre. Esta armonía no era, quizá, sino el equilibrio entre las fuerzas desordenadas de la naturaleza, tal como había sido expresado en la primitiva poesía griega, y el orden de la razón, preconizado más tarde como única fuente de la verdad y la moral por Sócrates y su escuela. Esta unión de las fuerzas e instintos naturales con un ideal de serenidad y perfección dará origen a uno de los géneros literarios más característicos del alma griega, la tragedia, que nació en los festivales que entonces se celebraban en honor del dios del vino. Los himnos a Dionisos, que se cantaban a esta divinidad, tenían una forma dialogada, pues a las palabras del recitante solía responder un coro. Esquilo introdujo un tercer personaje y de este modo, nacieron las primeras situaciones teatrales.

En las obras de Esquilo, como en las posteriores de Sófocles y Eurípides, el destino arrastra, irrevocablemente, a los hombres; pero, el terror y la compasión que la suerte de estos seres inspiraba, devolvía, según opinión del filósofo griego Aristóteles, la serenidad al espectador. La grandeza de la literatura griega, a la que habría que añadir el nombre del creador de la comedia, Aristófanes, y los de los grandes prosistas, como Tucídides, concluyó con la muerte de Alejandro y la decadencia de Atenas. Las glorias de esta literatura fueron heredadas por los latinos, habitantes de un imperio que pronto alcanzaría tanto esplendor y poder como Grecia. El teatro romano de Plauto y Terencio es una

La elección del latín como lengua oficial de la Iglesia, contribuyó a que ciertos aspectos de la cultura romana, se mezclaran en la literatura cristiana.

decidida imitación de la comedia griega. Sin embargo, el genio latino se caracteriza por el mayor rigor de algunos de sus principales escritores.

Casi todos los historiadores romanos son moralistas. El griego Herodoto era aficionado a recordar las curiosidades y rarezas que había encontrado en sus viajes; en cambio, a los romanos Tito Livio y Salustio sólo les preocupa la salud moral de sus conciudadanos. La preocupación casi constante de establecer un orden moral y político riguroso, único que podía procurar cierta unidad al extenso imperio, originó una legislación compleja y minuciosa (el derecho romano), del cual nacerían las leyes modernas. Esta concepción del mundo, que podríamos llamar política, persiste en los grandes poetas latinos. Horacio y Virgilio viven preocupados por la suerte del imperio. Horacio da a sus obras un claro sentido moral en defensa de las instituciones públicas; Virgilio pretende, en la *Eneida*, probar el ilustre origen de sus compatriotas, descendientes, según él, de algunos valientes troyanos. La fama de Cicerón ha decaído mucho, pues su mayor virtud es la pureza del lenguaje, cosa, que hace de él un modelo excelente para el estudio del latín; pero la misma falta de originalidad de sus ideas morales y filosóficas aclara suficientemente algunas de las características del alma romana. La decadencia de esta literatura se inicia, como en Grecia, con la muerte de uno de sus mejores hombres, el emperador Augusto.

Durante la Edad Media las obras griegas y latinas dejaron de interesar a los euro-

peos. Los cristianos no veían en la antigüedad sino una etapa superada de la historia; el espíritu de la *Biblia* parecía oponerse al que animaba las obras paganas. Sin embargo, la elección del latín como lengua oficial de la Iglesia contribuyó a que ciertos aspectos del alma romana, principalmente los jurídicos, se mezclasen con los puramente cristianos. La literatura medieval abunda en obras de carácter filosófico y religioso de índole polémica; con ellas se luchaba por asegurar definitivamente la unidad de la nueva sociedad europea. Sin embargo, a medida que las distintas naciones iban apareciendo, resucitaban ciertas formas literarias basadas en las antiguas tradiciones populares, aunque algunas tuvieran como tema hechos contemporáneos. Así, surgen en Alemania el cantar de los *Nibelungos*, colección de poemas donde se narran las aventuras de los dioses y semidioses locales; en Escandinavia, los *Eddas*, también poemas mitológicos; en Francia, la *Canción de Rolando*; en España, el *Mio Cid*.

Estas epopeyas, mitológicas o históricas, contienen, además, las semillas de una lengua nacional y anuncian la creación de nuevos grupos espirituales, nuevas comunidades y nuevos intereses. En este sentido, la importancia de esas obras es considerable; pero, el conocimiento de la literatura clásica y de la perfección de sus obras ejercerá también una gran influencia en el desarrollo de las literaturas nacionales. El Renacimiento, nació en Italia; sus principales promotores fueron los escritores Francesco Petrarca y Giovanni Boccaccio. Así aparecieron, en todos los países, unas obras en las que la concepción cristiana del mundo aparecía expresada con un rigor y

Con el paso del tiempo, la literatura se fue haciendo más popular y accesible.

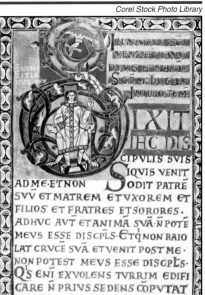

Las epopeyas mitológicas o históricas, contienen las semillas de una lengua nacional y anuncian la creación de nuevos grupos humanos.

una perfección dignos de la antigüedad. En Italia, Dante Alighieri escribe la *Divina Comedia*, largo viaje por el infierno, el purgatorio y el paraíso, guiado, en sus dos primeras etapas, por el poeta pagano Virgilio.

En el siglo XVI se advierte un retorno a los antiguos temas de la naturaleza. El poeta español Garcilaso de la Vega escribe unas églogas (poemas de inspiración campestre), similares a las de Virgilio; fray Luis de León divulga, posteriormente, el nombre de Horacio en numerosas traducciones e imitaciones. Esta resurrección del sentido pagano de la naturaleza, característico de la Edad Moderna, no se reduce, sin embargo, a estos años. Toda la literatura europea parecerá, desde entonces, una herencia del Renacimiento. Aunque muchos intentaron una vuelta a la Edad Media, o sea a la creación de obras despegadas de la cultura clásica, la mayoría de los escritores continuaron, influidos por la concepción analítica, de los primeros años del humanismo, movimiento nacido dentro del mismo Renacimiento.

El teatro, que en la Edad Media se había reducido a la exhibición de escenas de la vida religiosa y a obras de carácter burlón o satírico, profundamente saturadas del espíritu de la época, se interesa por los temas paganos y por la representación de las pasiones humanas. En el Siglo de Oro español se destacan, entre otros, los nombres de Miguel de Cervantes, el genial autor del *Quijote*; Fray Gabriel Tellez llamado Tirso de Molina, con obras como *El burlador de Sevilla* y *La prudencia en la mujer*; Lope de Vega, el *Fénix de los ingenios* de increíble fecundidad literaria, con *Fuen-*

literatura

Corel Stock Photo Library

A raíz de la Revolución Francesa, las emociones populares y los intereses colectivos adquieren importancia en la literatura.

teovejuna, *El mejor alcalde el rey, La dama boba, Porfiar hasta morir* y *La estrella de Sevilla*; y Pedro Calderón de la Barca, con *El alcalde de Zalamea, La vida es sueño* y *El médico de su honra*. Las obras de éstos y de otros grandes escritores españoles del Siglo de Oro tienen lugar preeminente en la historia de la literatura y el teatro universales.

En Inglaterra, el nombre de William Shakespeare llena toda una época y deja una obra imperecedera. Jean Racine, en Francia, escribe unas tragedias con tema griego, y Alexander Pope, en Inglaterra, tra-

ta de exponer, en un largo poema, una visión del hombre ideal que combine las virtudes del cristiano con las del pagano. Pues no debe olvidarse que el cristianismo seguía presente. Así, el mismo fray Luis de León es también el traductor de algunos pasajes de la *Biblia* al par que escribe poemas religiosos y Jean Racine compone, en los últimos años de su vida, dos tragedias cristianas.

Sin embargo, el espíritu crítico iniciado por la burguesía del Renacimiento, nueva clase social nacida de la extensión del comercio, condujo, necesariamente, a una mayor confianza en los poderes de la razón. Su fruto más importante será el movimiento religioso protestante, conocido bajo el nombre de Reforma, el cual se opuso a la autoridad de la Iglesia. Aparecen entonces, en la literatura, obras de carácter racionalista, en las que se critican las creencias, los sistemas políticos y la naturaleza divina del hombre. Autores representativos de este movimiento son Francois Marie Arouet llamado Voltaire en Francia, Jonathan Swift y Thomas Hobbes en Inglaterra. Aunque nacidas de una sociedad donde la nueva aristocracia defendía, en lo posible, sus privilegios, las obras de estos autores anuncian la proximidad de grandes cambios sociales. En efecto, el pueblo, entendiendo por tal a los pequeños burgueses, artesanos y asalariados de toda especie, sube al poder a fines del siglo XVIII, al producirse la Revolución Francesa.

Una de las primeras consecuencias de estos cambios es la importancia que adquieren en la literatura el amor a la naturaleza, las emociones populares y los intereses colectivos. Ciertamente, ya los clásicos hablaban con admiración de la vida natural; pero, en ellos los bosques, lagos y cam-

piñas ofrecían un refugio tranquilo y silencioso al ajetreo de la política y la sociedad, mientras que para la nueva literatura, llamada romántica, la naturaleza es el verdadero hogar del hombre. Jean Jacques Rousseau escribió entonces que la civilización es un producto artificial que acaba con la bondad natural de los seres humanos. Los poetas románticos expresaron, con entusiasmo, esas mismas ideas y sentimientos. Así, los cambios sociales provocados por la Revolución Francesa fueron acompañados por profundas transformaciones de la sensibilidad. Los sentimientos, emociones y pasiones populares son entonces los temas preferidos por los escritores. La literatura pierde, en gran parte, su interés por la imitación de los antiguos; no son los héroes sobrehumanos los únicos seres interesantes, pues un hombre humilde puede ser protagonista de una novela. Esta defensa y enaltecimiento del hombre como individuo será el ideal más importante de la nueva sociedad burguesa.

El individualismo había nacido con el Renacimiento; pero, literaria y políticamente, no aparece definido con claridad hasta el siglo XVIII. Algunos escritores románticos, como los ingleses Samuel Taylor Coleridge, George Gordon lord Byron y Percy Busshe Shelley; el alemán Johann Christian Friedrich Holderlin, el francés Víctor Hugo y el español Mariano José de Larra comprenden claramente el sentido social de su tarea e intervienen más o menos directamente en las aventuras políticas de la época. El poeta se concibe a sí mismo como un ser elegido que debe cumplir una misión en el mundo. La poesía no es sólo un canto de éxtasis en la alegría o de queja en el dolor, sino también un instrumento de influencia social. Aunque algunos escritores clásicos habían intervenido ya en la política de su pueblo (léanse por ejemplo algunas odas de Horacio), los románticos llevan esa intervención a sus últimas consecuencias. Este apasionamiento con que sellan todos los actos de la vida, es una de las más notables características románticas. El alemán Johann Wolfang Goethe, aunque considerado generalmente como una figura intermedia entre el Clasicismo y el Romanticismo, puede ser llamado un romántico típico por su novela *Werther*.

Al Romanticismo, una de cuyas tendencias se deleitaba en la exaltada descripción de estados de ánimo individuales, siguió una modalidad literaria que se preocupaba por exponer los dramas colectivos, la miseria humana en su aspecto social y material. Hasta entonces los artistas se habían ocupado de las cuestiones sociales desde un punto de vista ideal. El hombre o la mujer pobre solían ser individuos pintorescos, a quienes el destino perseguía. La propagación repentina de las industrias hizo ese idealismo literario inadecuado

Para la nueva sociedad burguesa, la defensa y el enaltecimiento del hombre como individuo fue el ideal más importante.

Corel Stock Photo Library

El teatro, presenta los elementos narrativos de la novela.

para expresar las nuevas condiciones de vida, el aumento de asalariados y desocupados, etcétera. Nacieron entonces el Realismo y el Naturalismo, movimientos literarios que pretendían describir, objetivamente, la complejidad de ese nuevo mundo.

Los novelistas franceses Honoré de Balzac y Émile Zola, el inglés Charles Dickens, los rusos Lev Nikolqevich Tolstoi y Fedor Mihajlovich Dostoievski, los españoles Benito Pérez Galdós, José María de Pereda y Emilia Pardo Bazán tratan de representar, a principios y mediados del siglo XIX, la vida real de los hombres. El protagonista de sus obras no es el hombre raro y distinguido que solía poblar las novelas románticas, sino el individuo común. No se narran tampoco las extraordinarias aventuras de un ser que, aparentemente, vive fuera del mundo, sino las acciones más corrientes. La misma poesía parece interesante por las pasiones y miserias del hombre. Se produce entonces una revolución en el lenguaje poético, que se hace más natural. Posteriormente, el francés Charles Baudelaire introduce, por primera vez, la fealdad como tema poético: cadáveres, mujeres horribles, ancianos miserables. Estos mismos poetas no dejan, sin embargo, de cuidar la perfección del lenguaje.

Al pasar la guerra de 1870 Europa parece entrar en una era de relativa paz y tranquilidad, durante la cual surge el llamado Simbolismo literario, del cual nacerán otros movimientos modernos. Aquí, el belga Maurice Maeterlinck y el italiano Gabriele D'Annunzio, entre otros, crean obras de teatro y poesía donde lo esencial parece ser la sugestión que nace de la armonía de las palabras, de los silencios y las pausas, de la misma belleza del lenguaje. Algunos poetas franceses llevan estos recursos al

límite. Así, Stéphane Mallarmé escribe una poesía oscura, difícil de entender, pero de un gran rigor musical y filosófico.

En la literatura hispanoamericana las ideas y sentimientos del simbolismo se traducirán en el llamado Modernismo literario. Juan Ramón Jiménez y Salvador Rueda en España; Rubén Darío, José Santos Chocano, Leopoldo Lugones, Amado Nervo, Salvador Díaz Mirón, Ricardo Jaimes Freyre, Julio Herrera y Reissig, son sus representantes más notables en América. Todos ellos tratan de renovar, de un modo u otro, la poesía en lengua castellana, unos tratando de introducir en ella las nuevas formas francesas y otros creando numerosas imágenes que en Herrera y Reissig, principal-

mente, presentan una indudable originalidad. Al lado del movimiento simbolista comienza a aparecer una literatura menos tradicional aún pues, no sólo pretende revolucionar el estilo, sino también la misma moral y aun los fundamentos de la sociedad. Con ella, la función del escritor parece transformarse y adquirir nuevo sentido.

En todos los tiempos ha habido, sin duda, numerosos escritores que han intentado crear un mundo nuevo, una literatura original y distinta; pero en nuestra época ya no aparecen como casos aislados, hundidos entre la multitud de los escritores tradicionales. Lo más característico de la literatura del siglo XX es su división en dos grandes bandos irreconciliables. De un lado, los novelistas que se preocupan, ante todo, del análisis psicológico, del estudio de situaciones y caracteres y los poetas que continúan el simbolismo y aun la tradición grecolatina; de otro, los revolucionarios del lenguaje, los negadores de la concepción tradicional del hombre. Las obras de los poetas franceses Arthur Rimbaud e Isidore Lucien Ducasse llamado conde de Lautreamont fueron, en este sentido, las más originales. De ellos y de otros autores similares nació gran parte de la literatura moderna.

Los escritores expresionistas alemanes crearon obras en las que los sentimientos humanos son tan importantes que alteran y deforman el mundo exterior. Franz Werfel y George Kaiser son los representantes más populares de este movimiento. En el Impresionismo, por el contrario, el mundo exterior parece dominar al hombre, que reacciona según las impresiones de sus sentidos. La literatura impresionista no ha producido tantas obras como la pintura del mismo nombre. Otros movimientos mo-

En el siglo XVI la literatura advierte un retorno a los antiguos temas de la naturaleza.

Dentro de la literatura moderna, se encuentran a su vez, la literatura fantástica y la ciencia ficción.

dernos, como el Futurismo y el Dadaísmo, que pretendían destruir toda la cultura antigua, fueron pronto superados por el Superrealismo. Los escritores superrealistas, principalmente franceses, unían el sueño y la realidad, pretendían modificar la vida y aun la sociedad transformando la sensibilidad del hombre.

La zona intermedia entre estos escritores revolucionarios y los tradicionales está ocupada por los autores que consideran los elementos de la tradición y los de la revolución para unirlos, de tal modo que parecen realizar tanto la idea de una continuidad de la cultura (al no abandonar técnicas y temas tradicionales) como satisfacer las exigencias de una mayor identificación con el complejo espíritu de la época. Sus ejemplos más característicos son los novelistas modernos: Marcel Proust y André Gide en Francia; Thomas Hardy y George Meredith en Inglaterra; José Martínez Ruíz llamado Azorín, Miguel de Unamuno, Ramón Pérez de Ayala y Pío Baroja en España. Junto a estos escritores podríamos nombrar los casos solitarios, aquellos otros que crean, con sus obras, toda una literatura. El irlandés James Joyce, autor de dos libros monumentales, constituye en este sentido, el ejemplo más notable de nuestra época.

La situación de la literatura americana ante la europea es singular. Los escritores americanos no pueden sentir el peso de la tradición continental del mismo modo que sus contemporáneos europeos. Casi nada a su alrededor les habla de un pasado cuya influencia en Europa es constante. El paisaje y el hombre americano, por su vigor y originalidad, impulsan al escritor a tratar de expresar sus relaciones con ellos de un modo nuevo. El resultado consiste en unas obras singulares, de una peculiar grandeza. En la actualidad la diversidad de los estilos y de los autores es tan extensa que se-

ría difícil mencionarlos. Dentro de estos estilos encontramos a la literatura postmodernista, con sus multiples subdivisiones, la feminista, la estructuralista, la fantástica y de ciencia ficción, etcétera. *Véanse* NOVELA; POESÍA; TEATRO.

literatura hispanoamericana.

La literatura hispanoamericana es, en su totalidad, posterior al descubrimiento y la colonización, como su mismo nombre lo indica, porque, si bien se han conservado algunos supuestos textos de literatura precolombina, como el *Ollantay* incaico, la mayoría de ellos, cuando menos, son creaciones de época posterior o han sido reelaborados después de la conquista. Dividiremos, pues, la literatura hispanoamericana, para su estudio, en tres etapas: conquista, colonia y emancipación.

Durante la conquista, las primeras y más valiosas obras literarias son las crónicas o relaciones de los conquistadores –Alvar Núñez Cabeza de Vaca, Bernal Díaz del Castillo, Hernán Cortés y Pedro de Valdivia–, los catequizadores –fray Bartolomé de las Casas– o de los extranjeros que acompañaron a los descubridores y conquistadores ibéricos –Francisco Antonio Pigafetta, Américo Vespuccio y Ulrico Schmidl, narraciones en las que la ausencia de belleza estilística se ve suplida por el encanto que supone la sinceridad del documento vivo.

Mezcla, precisamente, de documento vivo y composición artística es el magnífico poema de la conquista de Chile, *La araucana*, escrito por uno de los soldados que intervinieron en ella, Alonso de Ercilla y Zúñiga, gran epopeya escrita en lengua española, de la que muy pronto se hicieron imitaciones, como la continuación de la misma por el poeta chileno Pedro de Oña, el *Arauco domado* y la *Grandeza mexicana* de Bernardo de Balbuena. Crónica escrita en admirable prosa clásica es la *His-*

toria de la conquista de México, de Antonio de Solís. Fruto de las entonces creadas universidades del Nuevo Mundo es la gran floración de humanistas formados en sus escuelas, con tal rigor clásico, que, para muchos, el latín y el griego se convirtieron en lenguas naturales de expresión artística. Tal es el caso del poeta guatemalteco Rafael Landívar, quien, ya bien entrado el siglo XVIII, escribe su poema *Rusticatio mexicana*, digno de figurar entre los clásicos del Lacio.

Una gran poetisa mexicana, que comienza el periodo colonial, inicia, con acentos propios, el Parnaso del Nuevo Mundo. Es sor Juana Inés de la Cruz, apodada la *Décima Musa*, la primera poetisa del Nuevo Mundo, porque, aunque Juan Ruiz de Alarcón y Mendoza nació en él, su vida literaria transcurrió en España. Con su lírica mística y amatoria, con su teatro de capa y espada, con sus admirables comedias y demás obras teatrales afirma la senda, en la que transitaron los mexicanos Francisco de Terrazas y Antonio de Saavedra Guzmán, en la poesía, Luis de Belmonte Bermúdez, Manuel Zumaya y Juan Pérez Ramírez, en el teatro, José Joaquín Fernández de Lizardi –El pensador mexicano–, en la novela de raíz picaresca *El periquillo sarniento*, y fray Manuel de Navarrete, en la poesía neoclásica. Los autores que acabamos de mencionar figuran entre los más destacados del periodo literario colonial en la Nueva España.

En Perú, un número de poetas entre los que figura una poetisa extraordinaria, la misteriosa Amarilis, corresponsal real o fingida de Lope de Vega Carpio, reúne los nombres de Mateo Rosas Oquendo, Juan del Valle Caviedes, Esteban de Terralla Landa, Pedro de Peralta Barnuevo *(Lima fundada)*, Diego Dávalos y Figueroa, fray Diego de Ojeda *(La Cristiada)* y Mexia de Fernangil, que preceden a la máxima figura de las letras peruanas coloniales, el Inca Garcilaso de la Vega, traductor insuperable de León Hebreo y autor tanto de *La Florida del Inca* como de los imperecederos *Comentarios reales*, que le acreditan de prosista insigne, a quien siguen, aunque a gran distancia, Juan de Espinosa Medrano (conocido por *El Lunarejo*) y Concolorcorvo, autor del chispeante *Lazarillo de ciegos caminantes*.

En el Río de la Plata citaremos los nombres del arcediano Martín del Barco Centenera, autor del poema *Argentina*; Luis de Tejeda, Luis de Miranda, el cronista Ruy Díaz de Guzmán y el iniciador del teatro porteño, Manuel de Labardén, autor de la *Oda al Paraná* y de una tragedia, *Siripo*.

Ecuador nos brinda las poesías de Jacinto de Evia, del padre Joaquín de Ayllón, de José Murillo *(Breve vida de la mejor azucena de Quito)* y del padre Juan Bautista Aguirre; la prosa del padre Juan de Velasco, autor de la *Historia del reino de Quito.* En Colombia, la Madre Francisca Josefa Castillo y Guevara cultiva la mística en *Sentimientos espirituales,* con mérito comparable al de Santa Teresa. Vienen, después, los teóricos de la emancipación: Francisco de Caldas, Antonio Nariño, Francisco Antonio Zea y Camilo Torres. Chile, tras de Pedro de Oña, da dos escritores dignos de mención: Francisco Núñez de Pineda y Bascuñán y fray Juan de Barrenechea y Albis. En las Antillas se recuerda el nombre del primer dramaturgo del Nuevo Mundo, Cristóbal de Llerena, de Santo Domingo, y de los cubanos José Suri y Águila, Mariano José de Alba, Diego de Campos, Manuel Justo Ruvalcaba y Manuel de Zequeira y Arango.

Con la emancipación se inicia el auténtico esplendor de las letras sudamericanas, guiadas por la obra y el ejemplo de tres maestros: el venezolano Andrés Bello, polígrafo, poeta y sociólogo insigne *(Gramática castellana* y *Silva a la agricultura en la zona tórrida);* el ecuatoriano José Joaquín de Olmedo, poeta de la emancipación en su *Canto a la victoria de Junín* y (aunque Cuba alcanzó posteriormente la independencia) el cubano José María de Heredia, autor de dos composiciones famosas, modelos de la escuela grandilocuente: *Al Niagara* y *Al teocalli de Cholula.* Tras de estos maestros, la poesía del despertar emancipador llegó a su punto máximo: en el Río de la Plata se destacan el uruguayo Francisco Acuña de Figueroa, autor de *La madre africana;* los argentinos Juan Cruz Varela, Esteban de Luca, Juan Crisóstomo Lafinur, fray Cayetano Rodríguez, Vicente López y Planes *(Himno Nacional)* y José Antonio Miralla, precursor del Romanticismo con su traducción de la famosa *Elegía* escrita en un cementerio de aldea, del poeta inglés Thomas Gray; en Colombia José María Salazar (Himno Nacional), Luis Vargas Tejeda y José Fernández Madrid, fundador del teatro nacional con las tragedias *Guatimozín* y *Atala;* en México, Anastasio de Ochoa y Acuña, Andrés Quintana Roo, Francisco Manuel Sánchez de Tagle, Wenceslao Alpuche, José Joaquín Pesado, Alejandro Arango y Escandón y José María Roa Bárcena; en Cuba, unida todavía a España se recuerdan los nombres de Domingo del Monte, Ignacio Valdés Machuca y José Jacinto Milanés; en Santo Domingo, Félix María del Monte; en Perú, José María Pando, Felipe Pardo Aliaga y Mariano Melgar; en Chile, Camilo Henríquez y el argentino, residente en este último país y autor de su *Himno Nacional,* Bernardo de Vera y Pintado.

Junto a los poetas, cuyo modelo era la lira correcta y enfática de Quintana, florecen los prosistas de la emancipación, nutridos con las ideas de la Enciclopedia y la Revolución Francesa. Figuran al frente de

Museo Nacional de Historia

Sor Juana Inés de la Cruz, retrato de Miguel Cabrera.

ellos, Simón Bolívar, el mariscal Francisco de Miranda y el preceptor del Libertador, Simón Rodríguez. Notables escritores revolucionarios de esta época son: en Nueva Granada, Camilo Torres, Francisco A. Zea y José Mejía Lequerica, ya mencionados; en el Río de la Plata, Mariano Moreno, redactor de *La Gaceta,* Bernardo de Monteagudo, el padre Juan Ignacio Gorriti y el padre Gregorio Funes, autor de una discutida *Historia civil de las Provincias Unidas del Río de la Plata;* en Bolivia, un escritor indígena, Pazos Kanki, completa este cuadro de la prosa de la emancipación, nutrida de Jean Jacques Rousseau y alentada por el generoso propósito de dar libertad a los oprimidos.

Inmediatamente después del Neoclasicismo y del periodo revolucionario surge el movimiento romántico. El Romanticismo en América, latente en muchas de las composiciones de los poetas anteriores, tiene sus iniciadores en dos poetas uno del Norte y otro del Sur: Fernando Calderón y Esteban Echeverría, el primero mexicano y el segundo argentino, educado en Francia, autor de un poema famoso, *La cautiva.* Sigue a éste una figura singular, el argentino José Mármol, enemigo de Juan Manuel Rosas, a quien impreca en *Cantos del peregrino,* el primer novelista americano con *Amalia.* Junto a él trabajaron los expatriados por la tiranía de Rosas, Juan María Gutiérrez, Florencio Varela, Florencio Balcarce y José Rivera Indarte, refugiados en Montevideo y amigos de los poetas uruguayos Adolfo Berro, Juan Carlos Gómez y Alejandro Magariños Cervantes.

A partir de este momento, la lira romántica sudamericana cuenta con nombres de trascendencia continental con Olegario Víctor Andrade, argentino, como Ricardo Gutiérrez, Carlos Guido Spano y Rafael Obligado; el uruguayo Juan Zorrilla de San Martín, autor de un poema famoso, *Tabaré;* los colombianos José Joaquín Ortiz, José Eusebio Caro y Miguel Antonio Caro, padre e hijo, auténticos poetas y humanistas los dos, así como Julio Arboleda y Rafael Pombo; los venezolanos Juan Antonio Pérez Bonalde, traductor del *Cancionero de Heine* y de *El cuervo* de Poe, José Antonio Maitín, Cecilio Acosta, Abigail Lozano, Juan Vicente González y Heriberto García y Quevedo; los ecuatorianos Dolores Veintemilla de Galindo y Julio Zaldumbide; los chilenos Eusebio Lillo y Blest Gana; los peruanos Carlos Augusto Salaverry, Pedro Paz Soldán y Unanue *(Juan de Arona),* Luis Benjamín Cisneros y Clemente Alhaus; los cubanos Gabriel de la Concepción Valdés, más conocido como Plácido el Mulato, famoso por su sentida *Plegaria,* compuesta la víspera de su fusilamiento; la gran poetisa, radicada en España, Gertrudis Gómez de Avellaneda *(A Cristo, A Cuba* y la tragedia *Saúl),* Clemente Zenea, José Fornaris *(Cantos de Siboney)* y Joaquín Lorenzo Luaces; los dominicanos José Joaquín Pérez y Salomé Ureña de Enríquez; los paraguayos Juan E. O'Leary e Ignacio Pane; los mexicanos Fernando Calderón, Ignacio Rodríguez Galván *(La profecía de Guatimoc),* Guillermo Prieto, Ignacio Manuel Altamirano, Justo Sierra, Juan de Dios Peza, el famoso Manuel Acuña, autor del conocido *Nocturno a Rosario,* y Manuel María Flores, no menos popular por sus *Pasionarias.*

Párrafo aparte merece un género especial de la poesía artístico popular rioplatense, cantora del gaucho o gauchesca, que se alimenta del romancero y el refranero populares, conservados por tradición popular entre los gauchos de las libres pampas argentinas y cuyo producto máximo es el inmortal *Martín Fierro* de José Hernández.

Precursores del *Martín Fierro* fueron Juan Gualberto Godoy, Hilario Ascasubi *(Santos Vega),* Estanislao del Campo *(Fausto)* y el uruguayo Bartolomé Hidalgo. Gauchescos posteriores son Antonio Lusisch, Orosmán Moratorio y Elías Regules, que, con el español José Alonso y Trelles *(El viejo Pancho),* cierran el verdadero ciclo de esta poesía, continuada después hasta la hora presente por poetas más modernos, como Rafael Obligado, Carlos Roxlo y Fernán Silva Valdés.

La prosa romántica sudamericana cuenta con dos prosistas de genio; el ecuatoriano Juan Montalvo, polemista y purista en sus famosos *Capítulos que se le olvidaron a Cervantes* y en los *Siete tratados,* y el ar-

literatura hispanoamericana

gentino Domingo Faustino Sarmiento, autor de una copiosa obra, escrita al correr de la pluma, entre la que se destaca *Facundo*, a la que hay que agregar *Recuerdos de provincia*, *Argirópolis* y *Vida de Dominguito*; el ya citado Miguel Antonio Caro, el puertorriqueño Eugenio María Hostos (*Vida de Plácido*), el argentino Juan Bautista Alberdi (*El crimen de la guerra*), el peruano Manuel González Prada y el cubano José Martí, apóstol y mártir de la libertad cubana, uno de los escritores más sinceros y emocionantes.

En la novela, es *María*, del colombiano Jorge Isaacs, el producto típico del romanticismo al uso. Otros novelistas románticos son los argentinos Vicente Fidel López, su hijo Lucio Vicente López (*La gran aldea*), Eugenio Cambaceres, Miguel Cané (*Juvenilia*) y Paul Groussac; los uruguayos, Alejandro Magariños Cervantes y Eduardo Acevedo Díaz; los chilenos Alberto Blest Gana y José Victorino Lastarria; el boliviano Nataniel Aguirre, y los mexicanos Ignacio Manuel Altamirano, Pantaleón Tovar, Manuel Payno, Luis Gonzaga Inclán, José Tomas de Cuéllar, Vicente Riva Palacio y José M. Roa Bárcena.

La prosa gauchesca produjo también una gran cantidad de obras que habrían de culminar en el inmortal *Don Segundo Sombra* de Ricardo Güiraldes, evocación prodigiosa de una figura legendaria. Iniciado este género, en la prosa, con el *Juan Moreira* de Eduardo Gutiérrez, origen asimismo del teatro criollo, le siguen José Sixto Álvarez, más conocido por *fray Mocho*, Yamandú Rodríguez, Adolfo Montiel Ballestero, Martiniano Leguizamón y el uruguayo Javier de Viana, a los que hay que agregar el buen novelista argentino Benito Lynch y el fino prosista uruguayo Enrique Amorim.

El ensayo y la historia han producido durante el siglo XIX figuras de la talla del insigne estadista argentino Bartolomé Mitre, Andrés Lamas, Adolfo Saldías (*Historia de la Confederación Argentina*), Francisco Bauzá; José Manuel Estrada, Paul Groussac y Ricardo Rojas, argentinos también; los chilenos Diego Barros Arana, Miguel Luis y Gregorio Víctor Amunátegui, Benjamín Vicuña Mackenna y el célebre José Toribio Medina; los venezolanos Juan Vicente González, Cecilio Acosta y Rafael María Baralt; el genial cubano Enrique José Varona; los peruanos Mariano Felipe Paz Soldán y Manuel González Prada; el célebre filólogo colombiano Rufino José Cuervo y los mexicanos Lucas Alamán, José María Luis Mora, Fernando Orozco y Berra, Francisco del Paso y Troncoso y Joaquín García Icazbalceta y dos grandes costumbristas de América, el peruano Ricardo Palma, autor de las famosísimas *Tradiciones peruanas*, de perenne lozanía evocativa, y el cubano José Victoriano Betancourt.

Art Today

Rómulo Gallegos, autor de Doña Bárbara.

Con el Modernismo, nueva doctrina literaria el castellano se flexibiliza, incorporándose, junto a las peculiaridades idiomáticas y fonéticas de América, todo el repertorio de ideas y sensaciones de la más moderna poesía contemporánea. El gran poeta del Modernismo es Rubén Darío, de León (Nicaragua). Llegado a España, donde conoce la obra de Salvador Rueda, incorpora a esos nuevos ritmos otros muchos más, resultado de su intuición increíble. *Prosas profanas*, *Cantos de vida y esperanza*, *Canto a Argentina*, son los principales títulos de este poeta que cumplió una misión única en la lírica de habla castellana, a la que dotó de nueva musicalidad. Algunas de las grandes innovaciones de este poeta yacen latentes en la obra de otros poetas como José Asunción Silva (*Nocturno*), Julián del Casal, Manuel Gutiérrez Nájera, Salvador Díaz Mirón y Manuel José Othón; pero, fue a él a quien el destino reservó el mérito o la ocasión de revelarlas. Leopoldo Lugones y Julio Herrera y Reissig son los dos poetas máximos del Modernismo en Sudamérica. En el Modernismo de Amado Nervo, Luis Gonzaga Urbina, José Juan Tablada, Agustín Acosta, Ismael Enrique Arciniegas y Guillermo Valencia, se reflejan, también, influencias parnasianas y simbolistas. Poetas que, iniciados por el Modernismo, evolucionaron hacia otras tendencias son José Gálvez, Ventura García Calderón, José María Eguren, César Vallejo, el vigoroso José Santos Chocano, Ricardo Jaime Freyre, Pedro Bonifacio Palacios (*Almafuerte*), Evaristo Carriego y las poetisas Delmira Agustini y Juana Fernández conocida como Juana de Ibarbourou.

La prosa modernista dio un prosista exquisito en el uruguayo José Enrique Rodó, autor de dos libros fundamentales, *Ariel* y *Los motivos de Proteo*. En Chile, Pedro Prado y Augusto D'Halmar son los representantes más destacados de esta nueva tendencia.

Ya fuera del Modernismo, señalaremos a tres prosistas de valor universal: Alfonso Reyes, Carlos Vaz Ferreira y Pedro Henríquez Ureña.

Maestros del relato procedente de la realidad americana son el estupendo cuentista uruguayo Horacio Quiroga (*Anaconda*, *Cuentos de la selva*), el colombiano José Eustasio Rivera (*La vorágine*), y el gran novelista venezolano Rómulo Gallegos (*Doña Bárbara*, *Cantaclaro*), pintor de la selva, la costa y los llanos de su patria. Un artífice del estilo arcaizante, Enrique Larreta (*La gloria de don Ramiro*); un fino observador, Roberto J. Payró (*El casamiento de Laucha*); un buen estilista, Carlos Reyles; un humorista, Joaquín Edwards Bello (*El roto*), y un narrador, Eduardo Barrios, representan lo mejor de la novelística sudamericana hasta mediados del siglo XX.

Enunciar solamente los nombres de los escritores y poetas que ilustran América de habla castellana contemporánea sería tarea larga. En la poesía, iniciada la rebeldía contra el modernismo por el mexicano Enrique González y Martínez con su famoso soneto *Tuércele el cuello al cisne*, son muchos los poetas que se apartan de la fórmula para cultivar, un lirismo renovador. Ramón López Velarde (*Suave Patria*), Guadalupe Amor, Jaime Torres Bodet, Xavier Villaurrutia, Carlos Pellicer, José Gorostiza, Bernardo Ortiz de Montellano, Salvador Novo, Octavio Paz, se destacan en la pléyade de poetas y escritores de México.

En las Antillas, surge la poesía afroantillana influida por los ritmos del folclore negro, en la que destacan Nicolás Guillén, Emilio Ballagas, José Zacarías Tallet, Román Guirao, Luis Pales Matos y Manuel del Cabral.

Líricos puros de las Antillas son Eugenio Florit, Manuel Poveda y Mariano Brull; Guatemala nos ofrece a Rafael Arévalo Martínez y Miguel Angel Asturias, gran novelista también; Costa Rica, a Máximo Jiménez, Rafael Estrada, Raúl Contreras y Claudia Lars; Honduras, a Rafael Heliodoro Valle; Nicaragua, a Salomón de la Selva y Azarías H. Pallais.

Colombiano de gran originalidad es Miguel Angel Ossorio, más conocido por su seudónimo de Porfirio Barba Jacob. Chile cuenta con tres grandes poetas: el bilingüe occidentalizado Vicente Huidobro (*Horizont Carré* y *Mio Cid Campeador*), el intenso Neftalí Ricardo Reyes, conocido por su seudónimo de Pablo Neruda, y la gran poetisa, Premio Nobel, Gabriela Mistral. A Argentina pertenecen Baldomero Fernández

Moreno, Alfonsina Storni, Ricardo Molinari, Francisco Luis Bernárdez y Horacio Rega Molina, representantes todos muy destacados de la lírica actual; al Uruguay, Emilio Oribe, Carlos Sabat Ercasti, Juan Parra del Riego, Julio J. Casay y Vicente Basso Maglio, con una producción continuada, índice de la frescura de esta generación; al Perú, Xavier Abril, Martín Adán, Alejandro Peralta, Carlos Oquendo, Luis Fabio Xammar, que mantienen vigorosa la producción lírica; al Ecuador, Jorge Carrera Andrade y a Venezuela, Miguel Otero Silva y, sobre todo, el gran poeta Manuel Rugeles; a Chile, Víctor Domingo Silva, poeta, novelista y dramaturgo. La novela contemporánea cuenta como precursor al vigoroso aguafortista mexicano Mariano Azuela *(Los de abajo)*, cuyo naturalismo se continúa en la obra de Martín Luis Guzmán, Gregorio López y Fuentes *(El indio)* y José Rubén Romero. En Venezuela, Gallegos se ve seguido por Teresa de la Parra, Julián Padrón y Mariano Picón Salas; en Cuba, a más de Alfonso Hernández Catá, incorporado, en cierto modo, a las letras españolas, cultivan la novela Carlos Loveira, Miguel de Carrión y Luis Felipe Rodríguez. En Perú, Ciro Alegría, con su gran novela *El mundo es ancho y ajeno*, domina el panorama nacional, en tanto que Adolfo Costa du Rels es narrador por excelencia de Bolivia. En Colombia, Ossorio Lizaraso. En Argentina, junto a Eduardo Mallea, se destacan Pablo Rojaz Paz, Arturo Cancela, Leónidas Barletta, Jorge Luis Borges y Ernesto Sábato, autor de *El túnel* y agudo ensayista.

Novelas que se han impuesto por encima del nombre de sus autores, como expresión original de la realidad sudamericana, además de *La vorágine* y *Doña Bárbara*, son *Huasipungo* de Jorge Icaza, *Noviembre* de Humberto Salvador, *Los sangurimas* de José de la Cuadra, *Baldomera* de Alfredo Pareja, *El tigre* de Flavio Herrera. *El hombre de hierro* de Rufino Blanco Fombona, *Fiebre* de Otero Silva, *Puros hombres* de Antonio Arraiz, *El señor presidente* de Miguel Angel Asturias, *La amortajada* de María Luisa Bombal y *Engrana-*

Los niños, no se interesan por la moraleja de las fábulas, sino por el hecho de que los animales hablen y se compoten como hombres.

Corel Stock Photo Library

Corel Stock Photo Library

Caperucita Roja *de Perrault.*

jes de Rosa Arciniega, evocadora también de la historia americana.

El teatro en Hispanoamérica tiene un dramaturgo importante en el autodidacto uruguayo Florencio Sánchez *(Barranca abajo, Los muertos)*, con vigoroso dominio de los recursos escénicos. Entre los autores teatrales mexicanos, se destacan José Joaquín Gamboa, Rodolfo Usigli, Mauricio Magdaleno, Francisco Navarro y Xavier Villaurrutia, y entre los dramaturgos sudamericanos, el argentino Samuel Eichelbaum, Justino Zavala Muñiz, Francisco Espinola, Alberto Zum Felde, Antonio Álvarez Lleras, Bernardo Canal Feijóo, Armando Moock y el argentino Conrado Nalé Roxlo *(La cola de la sirena y El pacto de Cristina)*, fino humorista también, a quien acompaña en las esperanzas del teatro actual Tulio Carella con su delicioso *Don Basilio Mal Casado*.

En la crítica y en el ensayo se destacan el peruano Ventura García Calderón, crítico de la literatura hispanoamericana; el venezolano Mariano Picón Salas y el colombiano Germán Arciniegas; los cubanos Jorge Mañach y Juan Marinello; los argentinos Jorge Luis Borges, Victoria Ocampo, Francisco Romero, Macedonio Fernández, Luis Emilio Soto, Ezequiel Martínez Estrada *(Radiografía de la pampa)*, Bernardo Canal Feijóo, Raúl Escalabrini Ortiz, Arturo Marasso, Alberto Gerchunoff y Alberto Battistessa; los uruguayos Eduardo Dieste, Alberto Zum Felde y Alberto Lesplaces, y el chileno Armando Donoso. En la actualidad la literatura hispanoamericana ha evolucionado hacia diversos estilos, como lo son el realismo mágico cuyo máximo exponente es el colombiano Gabriel García Márquez; en prosa destacan el fallecido Octavio Paz, José Agustín, Elena Poniatowska, Isabel Allende, Julio Cortázar, Mario Vargas Ilosa, entre otros; en poesía destaca Mario Bene-

detti; en novela, José Emilio Pacheco, Paco Ignacio Taibo II, etcétera y en la Literatura Barroca Alejo Carpentier, José Lezamalima, etcétera.

literatura infantil. En las primitivas obras de la literatura se narra o canta la vida de los héroes y de los seres mágicos o divinos que parecen poblar la naturaleza. Esas leyendas, mitos y canciones, que reproducen el asombro del hombre ante el esplendor del mundo, su admiración ante los que son capaces de las más arriesgadas empresas, son también las que primero interesan a la infancia. Desde hace siglos, madres, abuelas y niñeras cuentan a los niños esas historias; pero, entre los primeros que decidieron reunirlas en un libro fueron dos escritores franceses, Charles Perrault y la condesa de Aulnoy. Ambos se inspiraron, principalmente, en las narraciones recogidas por un italiano, Juan Francisco Straparola, pero transformándolas casi por completo. El libro de Perrault, conocido bajo el título de *Historias y cuentos de los tiempos pasados y sus moralejas o* con el subtítulo de *Cuentos de mi madre la Oca*, que inspiraría más tarde una célebre *suite* al músico Maurice Ravel, recogió también los cuentos entonces muy populares en la corte del rey Luis XIV, aun entre los personajes más graves y maduros. *El gato con botas, Caperucita Roja, La bella durmiente del bosque, La Cenicienta, Barba Azul*, eran los héroes de ese libro cuya fama se difundió inmediatamente por todo el mundo. Se cuenta del mismo Perrault que su interés y su amor por la infancia lo llevaron a luchar contra algunos hombres de entonces que pretendían prohibir los jue-

En la literatura infantil se traduce el mundo sencillo e ingenuo de los niños.

Art Today

Corel Stock Photo Library

Las lecturas infantiles son ideales si están abundantemente ilustradas.

gos de los niños en los jardines del rey. Muchos años después, el escritor inglés Oscar Wilde escribió un cuento con ese tema. La vida de Perrault es una lucha constante por dar a la infancia lo que ésta pide y merece: el placer de los juegos al aire libre, en medio de la naturaleza, y la libertad de la imaginación, sin restricciones. Amigo de Charles Perrault era el fabulista Jean de La Fontaine. Sus fábulas no son sólo una nueva versión de otras más antiguas, como las del griego Esopo y el romano Fedro, sino también un prodigio de poesía, de sugestión y belleza verbal. Como Perrault, La Fontaine era un hombre incapaz de maldad, y sus fábulas reproducen ese mismo mundo simple e ingenuo. Se ha dicho que los niños no se interesan por la moraleja de las fábulas, sino por el hecho de que los animales hablen y se comporten como hombres. Sería lo maravilloso lo que les atrae de ellas y no la lección de moral que pretenden difundir. Hoy se escriben historias de animales desde un punto de vista natural. En los libros de Eric Knight se cuentan las aventuras de una perra común, *Lassie*; en los de Félix Salten, las de una familia de ciervos que, aunque dotados del don de la palabra, no entienden la moral humana. Estas obras han tenido más aceptación entre los niños que las antiguas fábulas. Se ha dicho que en ellas hay un engaño esencial: los animales inocentes predican como viejos maestros. Las fábulas de La Fontaine escapan a esa acusación por la cuidada elección de las palabras y la música de sus versos, que han hecho de él, según algunos críticos, uno de los poetas más grandes de Francia. El filósofo inglés John Locke opinaba, sin embargo, que las fábulas de Esopo son la lectura ideal para los niños, sobre todo si están abundantemente ilustradas. Los españoles Félix María Samaniego y Tomás

de Iriarte y el italiano Trilussa han divulgado en sus países este género literario que, aunque discutido, encontrará siempre defensores. Gracias a él puede llegar a los niños algo de la mejor poesía. Hacia los cinco o seis años, el niño demuestra gran interés por el ritmo y la sonoridad de las palabras; pero, al comenzar sus estudios, pierde casi siempre esa afición, que vuelve a aparecer en la adolescencia. Se ha observado que cualquier poesía que no exija un gran esfuerzo de observación agrada a los jóvenes. Aun aquella que no es aceptada por los adultos a causa de su aparente falta de sentido, es apreciada perfectamente por los jóvenes, quizá porque llegan a ella sin ningún prejuicio. Se han editado numerosas antologías de poemas para niños y jóvenes; pero, la obra completa de casi todos los poetas agrada espontáneamente y sin esfuerzo a la mayoría de los adolescentes.

Jean Jacques Rousseau, cuyas ideas sobre educación diferían completamente de las de sus contemporáneos y antecesores, opinaba que un niño no debe leer nada hasta los 12 años y aún entonces sólo obras que pueden acrecentar su amor por la vida natural, como *Robinson Crusoe*. Estas ideas tienen como fundamento el interés que niños y adolescentes sienten instintivamente por la simplicidad de la naturaleza. Huckleberry Finn, famoso protagonista de una de las novelas del estadounidense Samuel Langhorne Clemens llamado Mark Twain, prefiere a la vida civilizada de los adultos sus paseos y andanzas por el río Mississippi. Sin llevar, como Rousseau, estas ideas a consecuencias extremas, es indudable que los mejores libros para la infancia, y aun para la adolescencia, son aquellos que satisfacen estas ideas e inclinaciones naturales. La belleza de los paisajes, la vida de los animales, la lucha

por la vida en ambientes libres de todo artificio hacen que nazcan en él sentimientos de heroísmo, nobleza y simpatía difíciles de despertar con otros métodos de educación. Los cuentos de hadas, donde gigantes, dragones, princesas, enanos y encantamientos parecen simbolizar las fuerzas primitivas del alma humana, pueden tener ese mismo sentido. Los libros que dan al lector la idea de lo maravilloso, desarrollan, al mismo tiempo, el sentido poético de la vida, tienden a destruir el egoísmo y el orgullo humano y ofrecen no una visión errónea del mundo, como suponen algunos, sino una representación imaginaria, pero vívida de los grandes ideales.

Los sucesores de Perrault fueron los hermanos Jakob y Wilhelm Grimm. Uno de ellos, Jakob, era un gran conocedor de cuentos populares, tanto de su país como del mundo entero. El libro conocido bajo el título de *Cuentos de hadas de los hermanos Grimm* es una colección de narraciones recogidas, del pueblo. La presencia de lo mágico en estos cuentos (*Pulgarcito* y *Hansel y Gretel* son quizá sus personajes más populares) es más destacada que en los de Perrault. El sentido sobrenatural de la vida es característico de los pueblos del norte de Europa, Alemania y Escandinavia. El genial cuentista Hans Christian Andersen era danés. En sus cuentos *(El patito feo, El ruiseñor)* el mundo entero de las cosas cobra sentido humano. A estos libros habría que añadir los escritos especialmente para los niños. En ellos, a menudo, lo sobrenatural no cuenta, el propósito pedagógico o simplemente informativo es más importante. Sin embargo, algunas de estas obras igualan o superan en imaginación a los cuentos populares. Los más notables entre ellos son, sin duda, los del matemático inglés Charles Lutwidge Dogson conocido como Lewis Carroll: *Alicia en el país de las maravillas* y *A través del espejo y lo que allí vio Alicia*. Aficionado a los juegos de palabras y a los más arbitrarios recursos de la imaginación, Carroll creó un mundo en el que lo inesperado aparece a cada vuelta de la página. Los dos volúmenes antes mencionados constituyen, sin duda alguna, un ejemplo típico de obras que, en la literatura mundial, interesan por igual a todas las edades, hazaña lograda por el evidente genio poético del autor. Otros libros, como *Robinson Crusoe* de Daniel de Foe o *Los viajes de Gulliver* de Jonathan Swift, también cuentan con un público vasto; pero es indudable que los lectores más jóvenes no se interesan en las reflexiones morales de Robinson ni en los comentarios políticos de Gulliver. Muchas ediciones para niños y jóvenes, de ambos libros, suprimen esos pasajes; pero ese criterio no es afortunado. El sentido de esas obras se pierde así completamente; y, reducidas de ese modo, no alcanzan, ni aun para los niños, el nivel literario que tienen algunos de los cuentos de Andersen, por ejemplo. La misma objeción puede hacerse a las ediciones de los clásicos al alcance de los niños. La curiosa idea de que un libro cuyo lenguaje ha sido completamente transformado y en el que se han suprimido algunos episodios y caracteres conserva aún sus virtudes, sólo puede nacer de una errónea interpretación de lo que es la literatura o de un culto excesivo y ciego a las obras antiguas. Sólo cuando es un gran escritor el que hace estas adaptaciones puede esperarse un resultado más o menos feliz. En este sentido, son admirables los cuentos que Charles y Mary Lamb extrajeron de los dramas y comedias de William Shakespeare y de *La Odisea* de Homero. Lo mismo debe decirse de la nueva redacción que de las leyendas mitológicas de la antigüedad hizo el estadounidense Nataniel Hawthorne con el título de *Cuando la Tierra era niña* y de las interpretaciones de los mitos del norte de Europa que publicó la novelista sueca Selma Lagerloff. Estos libros, traducidos a todos los idiomas, se han convertido en verdaderos clásicos universales de la literatura infantil. Variada fortuna han tenido, en cambio, las obras escritas especialmente para niños. Los libros de Juana Spyri *(Heidi)*, los de la condesa de Segur *(Las desgracias de Sofía)*, los de Cristóbal Schmid *(Genoveva de Brabante)*, el *Peter Pan* de sir James M. Barrie, los de Luisa María Alcott, *Mujercitas* y *Hombrecitos*, y los del italiano Carlo Lorenzini conocido como Carlo Collodi, el creador de *Pinocho*; los del brasileño Montereiro Lobato y los ensayos en lengua castellana de Elena Fortún y Constancio Vigil, son muy populares. En general, la literatura para los niños más pequeños adolece casi siempre de la misma falta: las virtudes que presuponen como ejemplares, suelen ser mediocres; las situaciones que pretenden ser emocionantes a lo sumo resultan sentimentales y el lenguaje empleado es por regla general, poco expresivo. Hay, sin embargo, algunos casos de excepción entre los que deben contarse, sobre todo, los libros de Carroll ya citados, el del escritor francés Antoine de Saint Exupéry titulado *El principito* y el inolvidable *Platero y yo* del poeta español Juan Ramón Jiménez. Todos ellos demuestran que un escritor puede expresar todo su talento en una obra para niños, sin limitaciones. Existe, generalmente, el prejuicio de suponer en el niño lo que padres y maestros desean ver en él. Así han causado asombro, casi siempre, los experimentos que prueban la rara comprensión que un niño puede tener de una obra generalmente considerada inaccesible para él. Es indudable que, ante todo, interesan a los niños y jóvenes las novelas que narran aventuras marinas, como las del capitán Marryat, o policíacas, como las de sir Arthur Conan

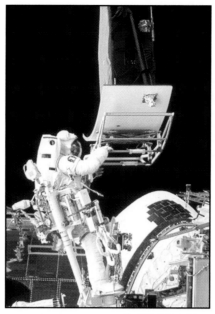

Las novelas científicas se caracterizan por los exploradores, los héroes y la inclusión de elementos fantásticos de un ciencia avanzada.

Doyle; también les interesan las de pieles rojas de Mayne Reíd, las de piratas de Rafael Sabatini y Emilio Salgari, las de vaqueros de Zane Grey y las de la selva de Eduardo Rice Burroughs. Puede, sin embargo, afirmarse que los mejores libros para los niños y adolescentes son aquellos que también interesan a los adultos. Sin embargo, obras como *Las mil y una noches* no constituyen un buen modelo, pues no se ignora que la traducción más común de este libro, la de Antoine Galland, es sólo una interpretación fragmentaria del original árabe. Versiones como las de Mardrus o, más exactas aún, como las del capitán inglés sir Richard Francis Burton, o la traduccuón al español de Consinos Assens, ya no satisfacen a los niños, ni siquiera a todos los adultos. Pero en la literatura de los países occidentales hay abundantes ejemplos de libros excelentes que no han sido, siempre, escritos especialmente para la juventud; sin embargo, son, sin duda, los más recomendables. A los libros del ya nombrado Mark Twain, podrían añadirse las obras completas del genial inglés Charles Dickens, cuyo mundo variado y complejo sobrepasa con mucho al comúnmente limitado de la literatura infantil y ofrece a la imaginación una excitación e incentivo constantes. Algo similar podría decirse, aunque en menor grado, de las novelas del gran amigo de Dickens, Wilkie Collins. A pesar del tema policíaco, la nobleza de los caracteres y la finura de las observaciones psicológicas hacen que esos libros sean obras magníficamente aptas para la juventud. Algunas de las novelas del inglés Robert Lewis Balfour conocido como Robert Louis Stevenson son ya tan famosas entre los jóvenes que se les considera, erróneamente, excesivamente simples para satisfacer a los adultos. Sin embargo, *La isla del tesoro* es, realmente, un libro excepcional, irreemplazable en su género. Las novelas de Jane Austen, *La ballena blanca* del estadounidense Herman Melville, las aventuras entre indios y blancos de James Fenimore Cooper, algunos cuentos de Edgar Allan Poe, las narraciones y cuentos de Rudyard Kipling sobre temas de la India, los recuerdos de infancia de los argentinos Domingo

En los libros para niños y jóvenes, tienen mucha importancia las ilustraciones.

Faustino Sarmiento y Cané, así como los de los españoles Santiago Ramón y Cajal y Miguel de Unamuno, no han decepcionado nunca a los lectores jóvenes.

Hoy son muy comunes los libros para niños y jóvenes que tratan de enseñar, de un modo sencillo y ameno, verdades de toda índole, históricas y científicas, o presentar, en forma atractiva, algunos ejemplos morales. Este propósito didáctico no es, sin embargo, nuevo. Por el siglo XVII se publicó en Inglaterra una obra que lleva este largo título: *Un ejemplo para los niños: exacta relación de la conversión, santa y ejemplar vida y alegre muerte de algunas criaturas*. En ella se narran las hazañas espirituales de algunos seres infantiles, la mayor parte de los cuales moría entre los cuatro y los seis años de edad. Estas historias piadosas han sido sustituidas por fantasías científicas e históricas. Su idealismo ayuda a la juventud a comprender, con simpatía, las figuras de la historia, así como también el esfuerzo de los primeros hombres por superar las condiciones de vida salvaje. También contribuyen a interpretar las revoluciones y las guerras. La biografías no tienen popularidad entre los lectores más jóvenes cuando en ellas abundan los documentos; pero las noveladas, aquellas que dan a la vida de un hombre famoso un interés dramático, son leídas con placer por hombres y mujeres de todas las edades. Ejemplos de historias noveladas son las obras de Alexandre Dumas y sir Walter Scott, por citar sólo a dos escritores.

Los héroes de las ciencias, los exploradores de las regiones inhóspitas o salvajes. Los inventores y los artistas despiertan la misma curiosidad y entusiasmo. Entre los libros de este género se pueden citar *Los cazadores de microbios* y *Los vencedores del hambre*, de Paul De Kruif; la relación de los viajes de Knut Rasmunssen, Martin Johnson y Stefanson, escritas por ellos mismos; el viaje en balsa a través del océano Pacifico, narrado por Thor Heyerdal en *Kon-Tiki*. Las novelas científicas o seudocientíficas también podrían incluirse en este grupo. La fama de Julio Verne ha decaído algo debido al rápido progreso de la ciencia. El asombro ante las *Cinco semanas en globo*, *La vuelta al mundo en ochenta días* o las *Veinte mil leguas de viaje submarino* no puede ser muy grande en la época de los aeroplanos supersónicos, las bombas atómicas, la televisión y el radar. Pero el culto al heroísmo latente en todas las obras de este escritor francés, así como su gusto por el misterio y el peligro, harán que siempre tenga muchos lectores. Sus fantasías han sido superadas científicamente, por las de Herbert George Wells, aunque el contenido filosófico y político de algunos de sus cuentos y novelas pase inadvertido para los adolescentes o no les interese. En Estados Unidos nació, en los años 30 y se desarro-

lló durante los años 50, un género literario que tiene, indudablemente su origen en Verne y Wells y que ha contado con el apoyo entusiasta de millones de lectores jóvenes. Son las narraciones clasificadas como de *ciencia y ficción*. Sus autores demuestran poseer una imaginación tan sorprendente que la policía prohibió cierto día la circulación de uno de esos libros porque se describía en él, con bastante exactitud, el funcionamiento de la bomba atómica que había de estallar por primera vez un año más tarde. En ese mismo país se publican continuamente libros de divulgación científica.

El interés por la naturaleza que defiende Rousseau en su obra *Emilio o de la educación* y que es común a niños y muchachos puede encontrar satisfacción, no sólo en las obras imaginativas, sino también en los mismos libros de ciencia. Una de las obras más admirables de este género es la monumental del francés Henri Fabre sobre la vida de los insectos. Escrita en un lenguaje que reproduce con claridad y sencillez las experiencias de su autor, sin clasificaciones engorrosas, ofrece al lector una visión animada y viviente de la naturaleza. *La vida de las abejas*, del poeta belga Maurice Maeterlinck, es más imaginativo, aunque no de menor interés.

En los libros para niños y jóvenes tienen casi siempre, mucha importancia las ilustraciones. Ellas dan variedad al texto, animan a la imaginación y ayudan a ver las escenas. Un niño identifica fácilmente el texto con los grabados por cuya razón es indispensable cuidar la armonía de ambos.

litificación. *Véase* GEOLOGÍA.

litio. Metal alcalino de color blanco plateado y extraordinariamente dúctil. Es elemento químico con número atómico 3, de peso atómico 6,94 y densidad 0.534 g/cm^3 (sólido), se funde a 180.5 °C y su punto de ebullición es de 1,342 °C. Cuando se le somete a temperaturas de 200 °C, en contacto con el aire produce una luz blanca muy intensa, convirtiéndose luego en óxido. Fue descubierto por Arfvedson en 1817 y sir Humphry Davy logró obtenerlo por medio de la electrólisis; los compuestos de litio son muy abundantes en la naturaleza: muchas aguas minerales lo contienen y asociado con otros metales puede presentarse en forma de fosfatos o silicatos. Los compuestos de litio tienen numerosas aplicaciones, en medicina como diuréticos y antisépticos y en las industrias se emplean en pirotecnia, fotografía, fabricación de vidrio, diversas aleaciones y otros usos.

litografía. Arte de dibujar o grabar en piedra preparada al efecto, para multiplicar los ejemplares de un dibujo o escrito. Fue inventado a finales del siglo XVIII por Aloys

Senefelder, natural de Bohemia, que había escrito unas palabras sobre una piedra caliza, y al someter la piedra a la acción de una solución de agua fuerte, observó que ésta no corroía las partes escritas, de modo que las letras quedaban en relieve. La grasa de la tinta había protegido esas partes de la piedra de la acción corrosiva. Con gran constancia, y estimulado con una pensión del gobierno bávaro, Senefelder perfeccionó su descubrimiento.

En principio, la litografía se funda en que el agua y las sustancias grasas no se mezclan. Cuando en la superficie de una piedra litográfica se escribe o se dibuja con tinta o lápices grasos, si después se humedece la piedra con agua, el agua es absorbida por aquellas partes de la piedra que no están cubiertas por la tinta. Si entonces se pasa sobre la piedra un rodillo con tinta de imprimir, esta tinta se adherirá solamente a los trazos de tinta que sirvieron para hacer el dibujo o la escritura sobre la piedra; pero, la tinta de imprimir será repelida por las partes de la piedra saturada de agua. Y si después se aplica un papel en blanco a la superficie de la piedra y se comprime sobre ella, el dibujo hecho en la piedra quedará impreso y reproducido en el papel.

En los comienzos de la litografía se utilizaban piedras cuya composición era, en su mayor parte, de carbonato de calcio, siendo las mejores las procedentes de Baviera, y los dibujos se hacían a mano. Desde sus inicios la litografía fue utilizada como medio de reproducción artística, y grandes dibujantes lograron admirables obras de arte, en una o varias tintas, por medio de la piedra litográfica.

Los grandes perfeccionamientos que posteriormente experimentaron las artes gráficas, también se extendieron a la litografía y, en la actualidad, existen métodos y prensas que, aunque basados en el principio de Senefelder, han sustituido las piedras litográficas por placas y cilindros metálicos, principalmente de cinc, y el dibujo a mano por ingeniosos procedimientos de transporte fotográfico, dando así origen a la fotolitografía.

Esta moderna rama de las artes gráficas, también llamada *offset*, utiliza prensas especiales y hace posible la impresión de millares de ejemplares por hora, de carteles, mapas, láminas, folletos, etcétera, en bellos colores y esmerada ejecución, que reproducen con fidelidad todos los detalles y tonalidades del dibujo que sirvió de original.

litosfera. *Véase* GEOLOGÍA.

litotricia. Técnica médica no invasiva utilizada para desintegrar cálculos renales o biliares. Su nombre completo es litotricia de onda de shock extracorporal. Es una alternativa a la cirugía abierta que elimina el dolor y el riesgo asociado con incisiones quirúrgicas. El artefacto utilizado, denominado litotritor, fue desarrollado y probado por primera vez en la antigua Alemania Occidental en 1980.

El paciente anestesiado se coloca en un baño de agua o sobre una almohada llena de agua. El baño o la almohada contienen un pequeño electrodo que genera breves pero numerosas ondas ultrasónicas, generalmente durante una hora. El paciente está colocado de tal manera que las ondas se enfocan sobre la piedra en el riñón y causan su fragmentación. Los fragmentos son eliminados después de forma natural a través de la orina, y el paciente regresa generalmente a la actividad normal en unos cuantos días. Algunos médicos dicen que la litotricia puede causar daño al riñón en algunos pacientes, lo puede llevar a problemas de hipertensión.

Corel Stock Photo Library

Ejército lituano en el desfile del Día de la Independencia.

litre. Árbol chileno de hojas enteras, flores amarillas en panojas y pequeños frutos azucarados, que hacen fermentar los naturales para fabricar la bebida alcohólica llamada chicha. Su madera es tan dura que se utiliza para ejes de carros y dientes de engranajes, y su sombra produce en niños y mujeres principalmente, una especie de salpullido al que se llama también litre.

litro. *Véase* METROLOGÍA.

Littré, Maximilien-Paul-Émile (1801-1881). Lexicógrafo y filósofo francés, autor de un famoso diccionario sobre la lengua francesa y su desarrollo histórico. Discípulo de Auguste Comte, se convirtió en el jefe de la escuela positivista, pese a oponerse a ciertos aspectos del sistema. Elegido para la Academia Francesa, fue también diputado, senador y director de la *Revista de Filosofía Positiva*. Entre sus numerosas obras destacan, además, *Diccionario de Medicina y Cirugía*, *Historia de la lengua francesa* y *Augusto Comte y la filosofía positiva*.

Lituania. País del norte de Europa, junto al Mar Báltico, entre Letonia, Belarús, Polonia y la provincia rusa de Kaliningrado. Su territorio cubre 65,200 km², poblado por 3.728,000 habitantes, que tiene por lengua oficial el lituano el más parecido de todos los europeos al antiguo sánscrito.

Territorio y producción. El territorio lituano es llano y está cubierto por más de 200 lagos de gran tamaño y un millar de lagunas pequeñas. Las tierras del sur son más elevadas y en ellas existen varias hileras de colinas. Amplios bosques, pantanos, turberas y algunas porciones de tierra apta para la agricultura configuran el aspecto general del suelo, bordeado por grandes dunas sobre la costa báltica. El río más importante es el Niemen, cuyos numerosos afluentes riegan las tierras labrantías. Durante los

largos inviernos se hielan las aguas de todos los ríos, y al llegar el verano comienzan las lluvias, abundantes y beneficiosas, que permiten cosechar trigo, avena, cebada, centeno, patatas y lino. Gran parte de los habitantes del país se dedican a las faenas agrícolas y a la cría de ganado; otros se dedican a la pesca y a la industria de la madera, que aprovecha la corriente del Niemen para el transporte de los troncos. La riqueza minera es insignificante y la falta de hierro y carbón había impedido el desarrollo de industrias manufactureras, pero en la actualidad funcionan varias fábricas de maquinaria, talleres de metalurgia y astilleros que construyen naves mercantes y de pesca. La proporción de la industria en la economía nacional, se elevó después de la Segunda Guerra Mundial y representa 65 por ciento.

Generales lituanos en el Día de la Independencia.

Corel Stock Photo Library

Pueblo y gobierno. Los lituanos son un antiguo grupo étnico que habla un idioma indoeuropeo, el más arcaico que se conoce. Son individuos de tez blanca y cabello rubio, estrechamente relacionados con los letones. Navegan durante buena parte del año por las aguas del Niemen y viajan en antiguos ferrocarriles que se extienden a través de 3,200 km. Desde 1918, año en que el país se declaró independiente, los gobernantes se esforzaron por mejorar la condición de los habitantes, estableciendo la educación gratuita y obligatoria, y repartiendo la tierra laborable. A finales de la Segunda Guerra Mundial, la URSS volvió a ocupar el territorio de Lituania, que pasó a ser una de las repúblicas que formaban esa Unión.

El poder Ejecutivo lo ejerce el presidente del Consejo Supremo (jefe de Estado), un primer ministro y un Consejo de Ministros. El poder Legislativo está en manos del Consejo Supremo y al poder Judicial lo representan la Corte Suprema, la Fiscalía General y las cortes menores.

Principales ciudades. La capital de Lituania es Vilna (590,000 h), en lituano llamada *Vilnius*, vetusta ciudad que fue la causa de una prolongada pugna territorial con Polonia, que acabó por arrebatar a su vecina la que era su capital histórica. El importante puerto de Memel o Klaiped de los lituanos (208,300 h) fue ocupado por los alemanes poco antes de estallar la Segunda Guerra Mundial y recuperado por los soviéticos varios años después, es la única salida importante al Mar Báltico y el principal centro industrial del territorio lituano. La ciudad de Kaunas o Kovno (434,000 h) fue capital del país entre 1920 y 1939; su nombre significa *campo de batalla* en idioma lituano, y no deja de ser acertado, porque la ciudad ha sufrido las vicisitudes de muchas guerras. Posee una universidad, museos, galerías de arte y muchos edi-

Lituania

ficios modernos, construidos para albergar a las autoridades en la época de su apogeo, que se prolongó hasta 1939. Siauliai o Shavli (149,000 h) es el principal centro de la actividad ferroviaria.

Vida cultural. En Vilna y Kaunas existen dos universidades, y en la primera de estas ciudades tiene su sede la Academia Lituana de Ciencias.

El arcaico idioma lituano, legítimo orgullo de la nación, estuvo prohibido en la época de la dominación zarista. La vida intelectual se desarrolló durante varios siglos utilizando los idiomas polaco y latino, pero el pueblo conservó un nutrido bagaje de canciones populares –llamadas *dainos*– y numerosas tradiciones, costumbres y leyendas de remoto origen, transmitidas de padres a hijos en el idioma natal. Los hábitos populares, que tienen su expresión más bella en las danzas folclóricas y los festivales de la cosecha, subsisten intactos en villorrios y campiñas.

La historia religiosa de Lituania es singular. El pueblo fue convertido al cristianismo a finales del siglo XIV, pero abrazó la religión luterana en la época de la Reforma; apenas había transcurrido medio siglo desde esta conversión colectiva, y la prédica de hábiles misioneros enviados desde Roma lograba que el pueblo volviera al catolicismo, en el que permanece. Hay algunos ortodoxos y protestantes en las ciudades principales, donde también residieron durante largo tiempo grandes núcleos de judíos, exterminados por completo durante la ocupación alemana.

Historia. Remotos y oscuros son los orígenes de la nación lituana. Los historiadores suponen que sus integrantes, parientes étnicos de los griegos, tuvieron origen a orillas del Mar Caspio y emigraron hacia el Báltico, donde ya vivían en tiempos de los romanos. Lo cierto es que a comienzos del siglo XIII Lituania era un gran ducado de próspera existencia. El acontecimiento más importante de estos primeros tiempos fue el casamiento del gran duque Jagellon con Eduvigis, reina de Polonia; a partir de esta época los gobernantes de Lituania fueron también reyes de la tierra polaca y ardientes propagadores de la fe cristiana en el oriente de Europa. En el siglo XV lituanos y polacos lograron derrotar en varias oportunidades a los ambiciosos caballeros de la Orden Teutónica, quienes fueron aniquilados en forma definitiva en la batalla de Tannenberg, ganada por Vytautas el Grande, héroe nacional del país báltico. En la época de su apogeo, el reino de polacos y lituanos se extendía desde el Báltico hasta el Mar Negro, a través de las planicies del Vístula y el Dnieper.

El año 1795 señaló el fin de la independencia de Lituania, que fue absorbida por el imperio ruso y por el reino de Prusia. Los zares, dueños de la mayor parte del territo-

rio, impusieron una férrea dictadura que reprimió con dureza todos los intentos de rebelión, al tiempo que trataban de eliminar el idioma lituano y de imponer la religión ortodoxa rusa en reemplazo del catolicismo. Aniquilado durante la Primera Guerra Mundial, el pueblo lituano logró declarar su independencia en febrero de 1918, cuando la Rusia imperial ya había dejado de existir. Los años posteriores trajeron un grave conflicto con Polonia, que ocupó la ciudad de Vilna, considerada patrimonio histórico de los duques de Varsovia; los gobernantes lituanos replicaron conquistando el estratégico puerto de Memel, que los ejércitos de Adolfo Hitler ocuparon en marzo de 1939, poco antes de emprender la Segunda Guerra Mundial. En junio de 1940, en medio del caos bélico, penetraron en Lituania las tropas de la entonces Unión Soviética, a la sazón aliadas de la Alemania de Hitler, y ocuparon el territorio. El Partido Comunista se convirtió en la fuerza dominante y comenzó a imponer sus doctrinas, pero el proceso quedó interrumpido en 1941, cuando Alemania invadió la Unión Soviética y Lituania quedó en poder de los alemanes. Terminada la guerra, con la derrota alemana, Lituania se convirtió en una república federada de la Unión Soviética.

En 1988 se formó el Movimiento Lituano por la Perestroika, que triunfó en las elecciones de 1989 al Congreso de Diputados de la URSS. Se restableció el lituano como lengua oficial. Los nacionalistas fueron mayoritarios en el parlamento de la República (1990) y Vitautes Landsberguis, elegido presidente, proclamó la independencia el 3 de marzo de 1990. La dura réplica soviética (bloqueo económico, ocupación militar de Vilna) forzó la suspensión de la medida (mayo de 1990) y la apertura de negociaciones. Tras el fallido golpe de Estado de agosto de 1991 en Moscú, la independencia del país fue reconocida internacionalmente. Lituania ingresó en la ONU, e introdujo su moneda, el litas. En las primeras elecciones legislativas en 1992 triunfó el Partido Democrático del Trabajo y el ex comunista Algirdas Brazauskas sustituyó a Landsbergis como presidente de la república, cargo en el que fue confirmado por sufragio universal (1993). Tras ingresar en el Consejo de Europa (mayo), todas las tropas rusas abandonaron el país (31 de agosto). En junio de 1995 Lituania firmó un acuerdo de asociación con la Unión Europea.

liturgia. Orden y forma que aprobó la Iglesia para celebrar los oficios divinos. La liturgia se divide en dos grandes ramas: la oriental u ortodoxa y la romana o latina. A su vez estas ramas se dividen en diversos grupos. Corresponden a la rama oriental los grupos siriaco egipcio, persa y bizantino. Pertenecen a la rama romana los gru-

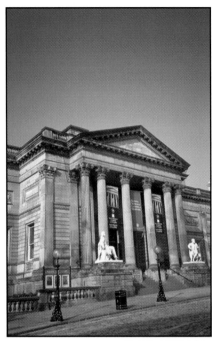

Corel Stock Photo Library

Galería de Arte Walker *en Liverpool, Inglaterra.*

pos mozárabe, galicano, ambrosiano y romano. De todos ellos, el grupo romano es el más importante. Los ritos y ceremonias de la liturgia romana, extendida en la mayor parte de la Iglesia católica, descansan en los dos grandes ciclos del Adviento y de la Pascua de Resurrección. El ciclo del Adviento comprende el periodo de cuatro semanas que precede a la Pascua de la Natividad, culmina con la conmemoración del nacimiento del Señor, el 25 de diciembre, continúa con la fiesta de la Epifanía o Adoración de los Reyes Magos, el 6 de enero, y termina el domingo de Septuagésima, entre el 18 de enero y el 21 de febrero. El ciclo de la Pascua de Resurrección se inicia con la Cuaresma, periodo de 40 días que precede a la resurrección del Señor, y que empieza el Miércoles de Ceniza y concluye el Sábado Santo. Su culminación es el Domingo de Resurrección (entre el 22 de marzo y el 25 de abril). A los 40 días se celebra la Ascensión del Señor a los cielos, y 10 días después la Pascua de Pentecostés o venida del Espíritu Santo, después de la cual llega el domingo de la Trinidad y el primer jueves siguiente la conmemoración del Corpus Christi. Durante todo el año cristiano, la solemnidad, el esplendor y el simbolismo de la liturgia católica se exteriorizan en grandiosas ceremonias y ritos que han ido tomando forma a través de la historia.

Litvinov, Maksim Maksimovich (1876-1952). Diplomático soviético. Desde su juventud se dedicó a actividades revolucionarias y perteneció al partido bolchevique.

Al triunfar la revolución, en 1917, fue enviado del gobierno soviético ante Gran Bretaña. Jefe de la delegación soviética a las conferencias del desarme (1927-1929) en la Sociedad de las Naciones. Desempeñó el cargo de comisario de Relaciones Exteriores (1930-1939), y merced a su talento diplomático consiguió que la Unión Soviética fuera reconocida por varias naciones, entre ellas Estados Unidos. Fue defensor de la doctrina de la seguridad colectiva contra los estados fascistas. El pacto entre Adolfo Hitler y José Stalin (1939) le representó el ostracismo, porque expresó al segundo su disentimiento. Atacada Rusia por Alemania (1941), el Kremlin lo sacó de aquél y le envió de embajador a Washington, cargo del que fue relevado sin explicaciones.

Liverpool. Ciudad de Inglaterra sobre el río Mersey, a 6 km de su desembocadura en el Mar de Irlanda. Puerto de gran movimiento que sigue a los de New York, Londres y Hamburgo. Población: 474,000 habitantes (1994). Está unido a Manchester por un canal y bajo el río Mersey un túnel facilita las comunicaciones. La intensa actividad de su puerto hace de Liverpool uno de los principales centros marítimos de comercio exterior de Gran Bretaña.

Ciudad moderna, de amplias y cuidadas calles, grandes avenidas y hermosos edificios públicos, de los que se destacan el Saint George Hall, lugar de asambleas públicas y célebres conciertos; la catedral católica y la universidad, que sostiene una escuela de estudio de enfermedades tropicales y ha cooperado con misiones en todo el mundo para combatir el paludismo, la fiebre amarilla, la enfermedad del sueño, etcétera. Posee numerosas e importantes industrias, principalmente astilleros, productos químicos, perfumes, maquinaria de precisión y tabacos.

Fue una aldea de pescadores hasta que en 1207 el rey Juan levantó allí un castillo y se le concedió el título de ciudad. Su importancia fue escasa hasta convertirse, en el siglo XVIII, en el centro del tráfico de esclavos africanos. Posteriormente sus actividades se orientaron hacia la construcción de barcos para el transporte del comercio británico *The Beatles*, de fama mundial.

Livingstone, David (1813-1873). Misionero y explorador escocés del continente africano, a cuyo mejor conocimiento contribuyó con importantes viajes y descubrimientos que, iniciados en 1840, se prolongaron hasta el fin de su vida, víctima de la disentería en las orillas del lago Banguelo, donde los nativos lo enterraron al pie del árbol bajo el que murió. A los 10 años trabajaba en una hilandería de algodón y en sus horas libres estudiaba; alcanzó a graduarse posteriormente en medicina en la

Corel Stock Photo Library

Vista panorámica de la ciudad de Liverpool en Inglaterra.

Universidad de Glasgow en 1840. Este mismo año entró en relación con la Sociedad Misional Londinense, que lo envió al interior de Sudáfrica, en territorio desconocido y del que solamente se sabía que se hallaba poblado por tribus salvajes.

En cumplimiento del propósito que le llevó a África de cristianizar a sus habitantes y detener la trata de negros, se estableció en Bechuana, donde permaneció durante nueve años y contrajo matrimonio con la hija de un misionero residente. Explorador de vocación, se lanzó al interior de regiones desconocidas, descubriendo el lago Ngami, el valle del Zouga y el gran río Zambeze, en el cual descubrió la catarata Victoria (1855). Luego de un breve viaje a Inglaterra en 1856, de donde regresó con el nombramiento de cónsul inglés para África Central y Oriental, puesto que conservó cinco años, exploró la región del lago Nyassa, de la que trazó mapas, y redactó informes de sus exploraciones.

Su expedición más famosa, costeada por particulares, comenzó en 1865 y tenía por objeto el descubrimiento de las fuentes del Nilo. Adentrado en la región del lago Tangañica, donde le abandonó parte de su escolta, como no se tuvo noticias suyas durante años, fue enviado en su búsqueda un corresponsal del diario *New York Herald* el periodista inglés Henry Morton Stanley, quien lo encontró en noviembre de 1871 en Ujiji, a orillas del lago Tangañica. Determinado a proseguir su exploración, Livingstone regresó y la continuó durante dos años hasta que encontró la muerte en el lugar antes indicado. Trasladado su cadáver a Inglaterra, sus restos reposan en la Abadía de Westminster. Sus obras comprenden: *Viajes e investigaciones misionales en el África del Sur, Relato de una expedición al Zambeze y sus tributarios* y *Diarios postreros de David Livingstone en el África Central.*

Livio, Tito (59–17 a.c.). Famoso historiador romano. Nació en Padua, hijo de una familia acomodada y noble. Tras algunos estudios preparatorios a los 24 años se trasladó a Roma. Allí estudió filosofía y política. El emperador Augusto, al saber de sus trabajos, le distinguió con su aprecio y su amistad y le sugirió que escribiera una gran historia de Roma. Tito Livio aceptó la sugerencia, pero exigiendo que su labor fuera por completo independiente y que se pusieran a su servicio los viejos archivos; con ellos y con las tradiciones populares y toda clase de testimonios compuso los 142 tomos de su *Historia de Roma*, de los cuales sólo 35 han llegado a nosotros. Dicha historia comprende desde los orígenes y la fundación de Roma hasta la muerte de Druso, en el año 9 de la era cristiana. Los personajes, ambientes, etcétera, que desfilan por dichos libros los hacen un modelo del género. Compuso también *Diálogos acerca de la filosofía.* Fue muy admirado en su tiempo y recibía visitas constantes de gente de residencia muy lejana, atraída por su saber.

liza. *Véase* MUJOL.

llama. Mamífero rumiante, que vive en la región central de las montañas Andinas (Perú y Bolivia). Es el mayor camélido que habita la América meridional, pues llega a tener hasta 1.50 m de alto, con un cuerpo

Corel Stock Photo Library

Llama en los Andes.

aproximadamente de igual longitud, cuello largo y erguido, cabeza pequeña, con ojos brillantes y grandes, boca con el labio superior hendido y orejas largas y puntiagudas. Tiene el cuerpo cubierto de lana de color pardo, gris y amarillento y hasta blanco, que los indígenas de la región tiñen de los más diversos colores y utilizan para tejer sus vestidos. La cola es corta, con cerdas, y las patas delgadas y largas, con callosidades como las de los camellos en las rodillas, y terminadas en dos dedos separados. Su carne es comestible y su cuero muy apreciado, así como su leche. Vive en las altas regiones, siendo más abundante en el sur de Perú. En los países andinos se utiliza como bestia de carga por la gran seguridad de pie que tiene para caminar por los caminos estrechos de la montaña. Puede transportar unos 50 kg, y cuando se le pone demasiada carga se tumba, no habiendo fuerza humana que la haga caminar si no se le reduce el peso. Es un animal muy resistente al trabajo y muy sobrio, y se alimenta de pequeños arbustos y líquenes de los que crecen en las altas montañas. Es capaz de resistir varias semanas sin beber agua, pues obtiene la que necesita para vivir de los alimentos húmedos que ingiere. Cuando está enojada o es atacada, ahuyenta a sus enemigos lanzándoles salivazos de hierba a medio digerir, que pueden convertirse en verdaderos vómitos. En las altas planicies andinas, los indígenas cuidan grandes rebaños de llamas, de las que se sirven como si fuesen ovejas, a más de utilizarlas como recuas de carga por los escarpados caminos de la montaña.

Llaneces, José (1863-1919). Pintor y escultor español que nació en Madrid y

desde muy joven se estableció en París. Se destacó vertiendo en el lienzo las costumbres de los siglos XVII y XVIII. En Buenos Aires dejó notables muestras de su arte, pues decoró brillantemente uno de los salones del Jockey Club, hizo un busto de Bartolomé Mitre y un bello grupo escultórico simbolizando la Caridad. Su obra más sobresaliente es un magnífico busto de Francisco de Goya, que se conserva en el museo del Prado de Madrid.

Llanos, los. Nombre con que se designa una vasta región de América del Sur que comprende partes de Colombia y Venezuela. Su extensión es de más de 900,000 km² y abarca desde el delta del Orinoco, al este, hasta las estribaciones orientales de los Andes al oeste, y desde el pie de las montañas costaneras, al norte, hasta la cuenca del río Caquatá-Japurá al suroeste. De esa extensión corresponden a Colombia unos 600,000 km², que constituyen inmensas sabanas con grandes extensiones de pastos y secciones de bosques, regadas por numerosos ríos tributarios del Orinoco y el Amazonas. Esta inmensa región casi despoblada ofrece ilimitadas posibilidades de desarrollo económico y de expansión agrícola y ganadera.

La región de los Llanos, en Venezuela, comprende unos 300,000 km² y se extiende desde las bocas del Orinoco hasta el Táchira y desde Carabobo hasta el río Meta; presenta inmensas mesetas, espléndidas sabanas, grandes bosques y fértiles dehesas. La llanura es inmensa y majestuosa. Entre el Guaviare y el Arauca hay una inmensa extensión de tierra sin un solo árbol. El clima es cálido y sólo se dan allí dos estaciones: invierno época de lluvias y de inundaciones, que empieza en agosto, y verano, que empieza en febrero, se agrie-

ta el suelo, se seca la vegetación se levantan torbellinos de polvo, se desecan las lagunas. Cada zona presenta un carácter particular: la de Barcelona y Cumaná se caracteriza por sus mesetas áridas. Las sabanas situadas al este, cerca del Orinoco, son verdosas y con abundancia de agua creciendo allí las palmeras llamadas *moriches*. Las llanuras del Apure son tan planas e iguales que su descenso no se advierte. En ellas no se encuentran peñascos, piedras, ni cascajo: sólo arena y greda. En otras partes, grupos de árboles pequeños semejan buques de vela, y a lo lejos producen el mismo efecto que ellos. A los indios de la llanura se les llama *cuibos*, y entre las innumerables tribus que allí habitan están las de los fieros *banivas*, los *guahibos*, los *sálivas* y los *mitúas*. Esta región fue el baluarte de la Independencia de Venezuela y en ella se registraron decisivas batallas entre españoles y americanos. Entre los llaneros de Apure y San Martín, escogió José Antonio Páez los lanceros que por su arrojo se distinguieron en tales combates, y en Los Llanos reunió Simón Bolívar su ejército, en 1819, para tramontar los Andes. La principal fuente económica de la región es la ganadería, los campos de petróleo en los llanos de Venezuela acuerdan usar parte de los ingresos del petróleo para financiar el desarrollo de Centroamérica.

Llanquihue. Provincia chilena de la Región de los Lagos (Región X), en el sur del país. Limita al este con Argentina y al oeste con el Océano Pacífico. Se destacan en ella los lagos Llanquihue y Todos los Santos, el primero de los cuales es el mayor del país, con una superficie de 878 km². Las mayores alturas que se registran en los Andes, son los volcanes Tronador (3,460 m) y Osorno (2,652m). Los principales ríos

Caminoneta Monstruo *sobre llantas gigantes.*

Corel Stock Photo Library

son el Maullín, el Petrohué y el Puelo. La provincia tiene un área de 18,205 km² y una población de 230,000 habitantes. La capital de la misma, así como de la región, es Puerto Montt (122,399 habitantes). Posee importantes sectores como el agropecuario, el industrial (alimentos, madera) y el turístico.

llanta. Cerco de caucho o goma con que se cubren las ruedas de ciertos vehículos como las bicicletas y, principalmente, los automóviles y aeroplanos, a fin de que el movimiento al rodar resulte más suave. También se les llama neumáticos, llantas de goma o llantas neumáticas. Las primeras fueron de caucho macizo, pero debido a que resultaba incómodo viajar con ellas, se creó la llanta neumática o llanta de aire, de excelentes propiedades amortiguadoras merced al aire comprimido. Pese a cuantos sustitutos han sido ensayados, continúan siendo las mejores y las que mejor se adhieren al camino gracias a la llamada superficie de rodamiento, nombre que se da a la parte que descansa sobre el suelo, la cual se cubre de relieves de muy diversas formas para aumentar la adherencia, y evitar en lo posible el resbalamiento lateral, efecto muy peligroso que se manifiesta en las curvas, principalmente en las ruedas traseras. Tales relieves son acanaladuras y salientes más o menos acentuados.

Tres son las características de la llanta neumática: flexibilidad, vigor y durabilidad. La primera llanta de este tipo se componía de un solo tubo de goma que montado sobre el aro de la rueda se adhería al camino, pero tenía la falla de no poder retener una adecuada presión de aire, problema que fue resuelto al fabricarla en dos partes: una, la cámara interior para el aire comprimido, y otra la cubierta o parte exterior que le sirviera de protección al mantener contacto directo con la carretera, por lo que debería ser muy fuerte y tener varios centímetros de espesor.

Así surgió la cubierta o cámara exterior, construida a base de fuertes cuerdas de algodón o rayón revestidas de caucho y una capa de caucho resistente a la abrasión o desgaste por rozamiento. Las primeras cubiertas se hicieron de tejido de algodón con caucho mecánicamente prensado cuyas capas eran debidamente moldeadas y el caucho de la superficie externa vulcanizado. Este tipo de cubierta que fue muy usado hasta 1920 recibía de 55 a 75 libras de presión y duraba un promedio de 6,500 km. Mas no era muy elástica, el tejido tendía a romperse y las capas a separarse. Entonces se ideó otro método de fabricación a base de hilados o arrollamientos especiales de cuerdas impregnadas de caucho, cruzados entre sí unas veces y otras dispuestos en devanados oblicuos y superpuestos. Esto acrecentó la durabilidad de

Corel Stock Photo Library
En autos deportivos, el uso de llantas especiales ayuda al mejor desempeño en una carrera.

las cubiertas, que alcanzaron un recorrido normal de 12,000 kilómetros.

El próximo gran progreso en la materia fueron los neumáticos de balón o fláccidos, aparecidos en 1923. De una capacidad interior mucho más grande que los anteriores y admitiendo el aire a una presión más baja que éstos, presentaban las ventajas de conducción más segura y suave, mayor seguridad contra el resbalamiento y acción más eficaz del freno. Pero como los automóviles eran cada vez más aptos para la velocidad, las llantas se calentaban en exceso, originándose su gran desgaste. Con objeto de obviar este inconveniente se procedió a fabricar las cubiertas de manera que la superficie de rodamiento tuviese un área menor, lo cual disminuía la presión y reducía la temperatura, se agregó más caucho al cordaje para aumentar su fortaleza y se empezaron a utilizar materiales llamados antioxidantes y aceleradores, gracias a los cuales las llantas se calentaban mucho menos y se adherían al camino todavía mejor, perfeccionándolas hasta conseguir que casi no patinaran.

Más tarde se fabricaron los neumáticos a prueba de pinchazos, es decir, que aunque fueran perforados no perdían el aire, circunstancia que contribuyó a evitar accidentes. Después de la Segunda Guerra Mundial se acometió la fabricación de un nuevo tipo de neumático de balón que se popularizó en seguida; lleva el aire a una presión de 24 libras y su función amortiguadora de los baches es muy superior. También se fabrican llantas de un solo cuerpo y no sólo prestan el servicio regular de una cámara interior, sino que también al ser perforadas los orificios se obturan automáticamente, reteniendo el aire mejor que todas las anteriores.

Las cámaras interiores son más fáciles de construir que las cubiertas, y se las vulcaniza y cura en aparatos de forma circular tras un breve proceso. Las cubiertas se componen de tres materiales: caucho, tejido o cordaje y productos químicos, los cuales se unen en diferentes etapas del proceso de producción. El caucho y los compuestos químicos forman una mezcla a las que en las operaciones a que se somete, se le agrega azufre y además otros 25 a 30 compuestos que imprimen al caucho dureza, haciéndole más resistente al desgaste y más fácil de moldear. Otras sustancias que se le agregan endurecen el caucho, le añaden peso y hacen que se cure con mayor rapidez. Una llanta que ha sido bien preparada en sus compuestos, bien construida y expuesta al calor y la presión durante el tiempo necesario en el procedimiento de vulcanización, resistirá tanto el calor como el frío. La llanta se desgasta naturalmente por el rozamiento con la superficie de la carretera, otro motivo de deterioro es el calor desarrollado por el rozamiento interno de los elementos que la componen, a causa de los constantes movimientos de aplastamiento al dar vueltas la rueda. Este calentamiento disminuye empleando cuerdas en lugar de tejido de algodón en la fabricación de la cubierta. Las estrías y acanaladuras salientes aumentan su adherencia al suelo y dificultan el patinaje; de ahí que cuanto más adherente sea el piso del camino, tanto mayor será el desgaste de la cubierta. También se fabrican llantas en las que una vez gastada la capa exterior de rodadura, aparece otra igual a la primera y cuyas acanaladuras, antes del desgaste de la capa exterior, ejercen un efecto ventilante. Los bandajes macizos, antes muy empleados en camiones y autobuses, han desaparecido por completo, siendo sustituidos por grandes llantas neumáticas, y si lo requiere la carga a soportar, se montan ruedas gemelas.

Durante la Segunda Guerra Mundial se fabricaron llantas con caucho sintético,

llanta

Llanura junto al río Urumbamba en Perú.

que se parece al natural en sus propiedades físicas y químicas aunque difiere en su estructura. Existen varias clases de este tipo de caucho, pero todas se componen, como el natural, de hidrógeno y carbono. El que se utilizó más para este fin fue el *Buna-S* a base de butadieno y sodio. De gran elasticidad y gran resistencia al desgaste y a la tracción, así como de reducida tendencia al envejecimiento, superaba en esto al caucho natural, sin embargo presentaba las desventajas de un recalentamiento excesivo que hacía estallar las cubiertas, poca resistencia al desgarramiento y numerosas dificultades en su manufactura. Su vulcanización se efectuaba en forma similar a la del caucho natural, siempre que se le compusiera con sustancias tales como azufre, aceleradores, plastificantes, pigmentos y materiales de relleno. También se emplea en la fabricación de llantas una mezcla de caucho natural y sintético, que da excelentes resultados. *Véanse* Automóviles; Firestone, H.; Goodyear, C.; Rueda.

llantén. Planta herbácea vivaz, muy común en los sitios húmedos y praderas. Tiene hojas anchas, gruesas, de borde entero o algo ondulado, forma ovalada, que salen directamente de la raíz mediante un peciolo, ya que la planta no tiene tallo. Flores pequeñas, verdosas, con corola dividida en cuatro pétalos en cruz y con cuatro estambres. Fruto en capsulitas membranosas que se dan de alimento a canarios y otros pájaros domésticos. Las infusiones de las hojas se usan en medicina.

llanura. Superficie de tierra de gran extensión cuyas principales características son la poca sinuosidad del relieve y la escasa altitud sobre el nivel del mar. Generalmente está surcada por ríos. Éstos y la acción de los fuertes vientos hacen que las llanuras sufran una constante erosión.

Para analizar las riquezas y la vida en las llanuras es necesario distinguir entre las situadas en zona templada y en zona fría. En la región templada, la llanura es el centro de todas las actividades. El clima, poco sujeto a cambios bruscos de temperatura, y las persistentes lluvias favorecen el creci-

Llave de la cerradura de un baúl.

miento de los pastos blandos y, por consiguiente, la cría del ganado, especialmente vacuno. La facilidad que presenta el terreno para construir vías de comunicación hace que la llanura no sólo sea un foco agrícola-ganadero, sino también un centro industrial y comercial. Las praderas estadounidenses y las pampas argentinas son las partes del globo que mejor representan este tipo de llanura.

En la zona fría, la vegetación es muy pobre. Salvo algunos pastos duros, las demás especies son poco aprovechables (musgos y líquenes). El ganado ovino es el que mejor resiste la rigurosidad del clima. Las estepas rusas y asiáticas y la región de la tundra en Canadá nos proporcionan los ejemplos más claros de las diversas formas de llanura en zona fría.

llave. Instrumento metálico, con guardas que corresponden a las de la cerradura, y que sirve para abrir y cerrar las puertas y candados. Los egipcios ya utilizaban llaves y cerraduras y en Roma eran corrientes, habiéndose encontrado en Pompeya llaves de hierro y bronce con guardas. En la Edad Media se hacían de hierro, llegándose a una gran perfección, como lo prueban las obras maestras de cerrajería que datan de esa época. La llave clásica consta de un vástago de metal que se llama tija o caña, terminada en una especie de aro –por donde se empuña y hace girar la llave–, que se llama anillo. En el extremo opuesto tiene una parte transversal, que es con la que se mueve la cerradura; se llama paletón y suele tener una sección complicada, con entalladuras y salientes, que se llaman guardas. Las llaves más empleadas actualmente son las inventadas por Linus Yale en 1860. Consisten en una tija plana, estriada con dientes o entalladuras, que ajustan en un hueco de idéntica forma a la de la cerradura. Al ser introducida en la cerradura, la llave al girar pone en movimiento un cilindro con cinco orificios perpendiculares que coinciden con otros tantos del cierre, deslizándose por cada uno de ellos una varilla; la llave sólo actúa cuando eleva las varillas a la altura precisa. Existen, también, llaves maestras que pueden abrir juegos de varias cerraduras Yale.

Lleras Camargo, Alberto (1906-1990). Político y diplomático colombiano, estudió derecho en la Universidad de Bogotá, director de *El Tiempo* y *El Espectador de Bogotá* y fundador de *El Liberal*. Elegido diputado en 1930, ministro de Gobierno en 1935, 1936 y 1938 presidente de la Universidad de los Andes (1954-1956), fue elegido director general de la Unión Panamericana; delegado a la IX Conferencia Panamericana reunida en Bogotá. Al crearse la Organización de los Estados Americanos (OEA), se le eligió como secretario general de la misma, cargo al que renunció en 1954. En 1958 fue elegido presidente de la República bajo su presidencia se promulgó una nueva Constitución, se puso en marcha una moderada reforma agraria y se inició un plan de desarrollo de 10 años bajo los auspicios de la Alianza para el Progreso, en 1962 termina su mandato, meure en 1990.

Lleras Restrepo, Carlos (1908-1994).

Político colombiano. Estudió Derecho en Bogotá. Periodista en *El Tiempo*, propiedad de su familia, del que también fue director (1941). Abogado, concejal de la capital y ministro de Hacienda (1938-1942 y 1943-1944), creó el Fondo del Café. Formó parte de la delegación colombiana en las conferencias que crearon la Organización de las Naciones Unidas (ONU) y el Fondo Monetario Internacional. Miembro del comité director del partido liberal desde 1948. Exiliado durante la presidencia de Gustavo Rojas Pinilla, regresó en 1957 y colaboró con el gobierno de su primo Alberto Lleras Camargo (1958-1962). Colaboró en la Administración de John F. Kennedy en la Alianza para el Progeso, fue asesor de la CEPAL y delegado de la conferencia de la ONU sobre Comercio y Desarrollo (Ginebra, 1964). Elegido presidente de la República en 1966, dedicó sus mejores esfuerzos a la creación del Grupo Andino, de integración regional, preparatorio de la Asamblea Latinoamericana de libre comercio (ALALC).

Llorente, Teodoro (1836-1911).

Poeta valenciano y castellano, de depurado gusto y gran musicalidad. *Llibret de versos* y *Nou llibret de versos*, reúnen lo mejor de su poesía regional; en tanto que *Versos de juventud* y *Florilegio* representan su aporte a la poesía castellana.

Lloyd George, David (1863-1945).

Político inglés. Activo y elocuente durante su permanencia en la Universidad de Oxford, se graduó en 1884. De rápida carrera política, pronto lo eligió como candidato el Partido Liberal. Su actuación como diputado fue audaz y fogosa. Sucesivamente ocupó los cargos de ministro de Hacienda, de la Guerra y primer lord del Almirantazgo. En la Primera Guerra Mundial fue ministro de la Guerra y, en 1916, al renunciar lord Herbert Asquith a la jefatura del gabinete inglés, Lloyd George fue designado primer ministro, al frente de un gobierno de coalición, cargo que desempeñó con gran decisión, inteligencia y energía, hasta 1922, en que fue sustituido por Bonar Law. Fue paladín del derecho y de las reformas de sentido social. Sancionó la ley de Seguro Nacional y otras leyes de gran trascendencia. Fue uno de los más notables hombres públicos de Inglaterra. Luchador

Corel Stock Photo Library

La lluvia proviene de la acumulación de agua en las nubes.

incansable, George Clemenceau dijo de él: "Tiene siempre un año menos y una garra más". Jefe del Partido Liberal y presidente de la delegación británica a la Conferencia de Paz de Versalles (1919).

Lloyd's.

Asociación inglesa de aseguradores específicamente dedicada al ramo marítimo, cuyo origen remonta a las postrimerías del siglo XVII, Toma su nombre del de Edward Lloyd, dueño de un café de la

Edificio Lloyd´s en Inglaterra.

Corel Stock Photo Library

calle de la Torre, en Londres, donde solían reunirse todas aquellas personas cuyos negocios se relacionaban con las cosas del mar, por hallar allí una excelente información. Instalado posteriormente en el edificio del *Royal Exchange*, se le concede la entrada en el Registro de las Corporaciones y autorización para dedicarse a otros seguros distintos del de su especialidad de origen.

El *Registro Marítimo Lloyd's* es un importante catálogo de todos los buques del mundo realizado por un núcleo de expertos que no tienen relación con la entidad aseguradora del mismo nombre. El valor que estos técnicos asignan a cada navío que surca los mares del mundo sirve para determinar las tasas de seguros, las tarifas aduaneras y el precio de cada embarcación.

lluvia.

Precipitación en forma de gotas del agua contenida en la atmósfera. El aire atmosférico contiene siempre en suspensión mayor o menor cantidad de agua, que determina su humedad y que proviene en su totalidad de la evaporación del agua de la superficie terrestre.

Casi toda el agua que corre por la tierra proviene de las precipitaciones y principalmente de la lluvia. El agua de los ríos, lagos y mares se transforma continuamente en vapor, unas veces de manera patente, como sucede después de una lluvia en los trópicos, pero la más de las veces en forma invisible. Gran parte del agua de las lluvias se filtra en la tierra proporcionando humedad a los terrenos, y de esta agua una buena parte vuelve a evaporarse y otra no menor es absorbida por las raíces de las plantas, que después de nutrirse de las sustancias que traía disueltas la expulsan en

Corel Stock Photo Library

La lluvia en exceso llega a causar catástrofes.

forma de vapor por las hojas. Todo este vapor asciende arrastrado por las corrientes ascendentes de aire caliente y va dilatándose a medida que disminuye la presión, hasta que a 1,400 m, generalmente, se empieza a condensar en minúsculas gotitas de agua que constituyen las nubes. Estas masas de gotitas de agua se mantienen en suspensión gracias a las corrientes ascensionales de aire y son arrastradas por los vientos a las más diversas regiones. Cuando en esta peregrinación una nube atraviesa una región de la atmósfera más fría que su masa, la nube se contrae, se hace más densa y aumenta la humedad, hasta que pasando el punto de saturación se forma la niebla.

La condensación de la lluvia se opera ayudada por la presencia en la atmósfera de polvo, cuyas partículas atraen la humedad y facilitan la formación de las gotas. También tienen gran influencia las cargas eléctricas de las nubes, hasta el punto de que se han ideado teorías que explican la formación de la lluvia por fenómenos eléctricos de ionización de las gotitas, que van atrayendo a las otras, hasta formar gotas de suficiente peso para iniciar la caída.

Las pequeñas gotas empiezan a descender uniéndose en su caída a otras que aumentan su tamaño, llegando a la tierra en forma de lluvia. Las gotas de lluvia que caen en un lugar en un momento dado son aproximadamente del mismo tamaño, siendo más gruesas las gotas de lluvia en los países cálidos que en los fríos, y mayores las de las lluvias de verano que las de invierno oscilando el tamaño entre 0,8 y 5 milímetros de diámetro.

La cantidad de agua que cae sobre un cierto punto se mide con un aparato especial que se llama *pluviómetro*, que recoge el agua caída en el área ocupada por su boca, dándonos la medición en milímetros de altura, que equivaldría a la altura que habría alcanzado el agua si se hubiese mantenido íntegra formando una capa sobre la superficie llovida. Las precipitaciones acuosas y su repartición a lo largo del año determinan el régimen pluviométrico de la reglón, que es uno de los datos fundamentales para el clima del país. Las lluvias reciben distintos nombres según su intensidad y duración: lluvia propiamente dicha, seguida y acompasada; llovizna de gotas pequeñísimas; chubasco, muy intenso y de corta duración; se llama chaparrones a las que no llegan a durar 5 minutos, y aguaceros cuando duran más de media hora. También se suelen clasificar en ciclónicas, orográficas, de niebla, ecuatoriales, monzónicas, etcétera. La cantidad de agua de lluvia que cae sobre la superficie de la Tierra es enorme, pudiéndonos dar una idea el saber que el promedio diario de perturbaciones atmosféricas con caída de lluvia es de 45 mil en todo el globo. Su distribución es muy desigual, pues hay regiones donde la lluvia es escasísima y no pasa anualmente de 100 litros por metro cuadrado y otras donde alcanza en el mismo tiempo y superficie 12 mil litros. La lluvia es necesaria para la vida. Los vegetales la precisan porque ella disuelve las sustancias de que se nutren, y sin lluvias las tierras se desecarían haciéndose imposible toda vida vegetal. En las zonas en que las precipitaciones acuosas son pocas, decrece la vida y se convierten en desiertos. A más de esto, la humedad del ambiente es imprescindible para que sea posible la respiración. La lluvia al caer limpia el aire de las partículas de polvo que siempre mantiene en suspensión: como grumos de humo, granos de polen, etcétera; por eso después de una lluvia persistente la atmósfera está más diáfana y transparente. Las gotas arrastran en su caída ciertas cantidades de ácidos, como el ácido nítrico, así como amoníaco, generalmente de origen eléctrico, que contribuyen a la nitrogenación del suelo. En los periodos de sequía los campos se empobrecen y agostan, los animales adelgazan y enferman, por el contrario, tras la lluvia renace la alegría de los campos, que se tornan verdes, reactivándose la vida de plantas y animales.

Conocidos los grandes trastornos que acarrea la ausencia de lluvias, los hombres de ciencia han estudiado las condiciones que se requieren para que la lluvia se produzca, y provocado lluvias artificiales en regiones en que no llueve. *Véanse* AGUA; LLUVIA ARTIFICIAL.

lluvia artificial. Nombre con que se designa la lluvia que resulta de los procedimientos que emplea el hombre para provocarla. Esos procedimientos para lograr que llueva a voluntad se basan principalmente en las investigaciones realizadas por el físico francés Bergeron, según las cuales la lluvia proviene de nubes que contienen cristales de hielo y gotas de agua. Vincent Schaefer, Irving Langmuir y otros, en Estados Unidos, hicieron en tal sentido notables experimentos. Entre los principales procedimientos para obtener la lluvia artificial, figuran la reacción en cadena, el hielo seco y el yoduro de plata. Para el procedimiento de la reacción en cadena, un aeroplano se eleva sobre las nubes de tipo cúmulus y las rocía con grandes gotas de agua. Éstas se unen a las pequeñas gotas de agua que existen en las nubes, las agrandan, provocan la división de estas gotas y la formación de otras nuevas en una creciente reacción en cadena y, finalmente, caen en forma de lluvia.

En el procedimiento a base de hielo seco (dióxido de carbono solidificado), el aeroplano rocía las nubes con gránulos de hielo seco para estimular en las partes más altas y frías de las nubes la formación de cristales de hielo que se transforman en copos de nieve. Al descender los copos a las capas inferiores más calientes de las nubes, se convierten en agua y después en lluvia. El yoduro de plata se utiliza, generalmente, desde tierra por medio de dispositivos, llamados generadores, que se sitúan en la cima de las montañas. Estos generadores producen humo que lleva en suspensiónel yoduro de plata hacia las nubes, en las que provoca la formación de cristales de hielo. En 1950, se usaron en Francia cohetes cargados con yoduro de plata que se lanzaron hacia las nubes.

Los experimentos para obtener la lluvia artificial se iniciaron hacia 1946, principalmente en Estados Unidos y en Australia, a los que siguieron otros países. Además de los productos químicos mencionados, se han empleado en los experimentos el trióxido de sulfuro, el cloruro de sodio (sal común) y otros compuestos metálicos del yoduro como los de plomo, sodio y potasio. Aunque una parte notable de las pruebas efectuadas ha dado resultados que se consideran satisfactorios, en otras pruebas esos resultados han sido inciertos o atribuibles –ya fueran favorables o contrarios– a otros factores metereológicos ajenos a la intervención del hombre. Los esfuerzos e investigaciones para perfeccionar las técnicas y los procedimientos que proporcionen la lluvia a voluntad, prosiguen en activa etapa experimental.

lluvia radiactiva. En la explosión de una bomba de fisión las partículas radioactivas son impulsadas hacia las regiones más elevadas de la tropósfera, pero no llegan a traspasar sus límites. A continuación empiezan a caer, a la vez que son arrastradas por el viento; el descenso se produce poco después de la explosión y constituye la llamada *precipitación radiactiva local*, la cual se extiende sobre una región de forma aproximadamente elíptica, cuyo eje mayor es de varios centenares de km, con el punto de la explosión en uno de sus extremos. En el caso de una bomba de fusión, algunas partículas radiactivas penetran profundamente en la estratosfera y al caer son arrastradas por las corrientes en chorro existentes en el límite de la troposfera: de esta manera, junto con la precipitación radiactiva local tiene lugar otra, calificada de intermedia, la cual puede ocurrir al cabo de un tiempo en regiones muy alejadas del lugar de la explosión

lobanillo. Tumor subcutáneo, especialmente del ganglio. Suele ser redondo, de muy diversos tamaños e indoloro. Su contenido tiene el aspecto de cera o miel y es una masa grisácea o amarillenta, untuosa, espesa, farinácea y opaca. Se produce por la formación y retención de productos de secreción, glandulares y mucosos que no hallan libre salida.

lobelia. Planta lobeliácea de las regiones cálidas y templadas que a menudo se cultiva con fines ornamentales. Sus flores de color azul, blanco, rosado, rojo, etcétera, tienen un cáliz con cinco divisiones, y la corona un tubo cilíndrico, con dos labios. Contienen un jugo lechoso, acre y con frecuencia venenoso. El tallo oscila entre 20 y 70 cm de alto. Las distintas especies, en número de 200 aproximadamente, suelen cultivarse en los jardines.

lobo. Mamífero carnicero de la familia de los cánidos, de forma y tamaño parecidos a los de un perro mastín. Alcanza de 70 a 85 cm de alto y 1.15 m de largo, hasta el nacimiento de la cola. Robusto de cuerpo,

Corel Stock Photo Library

Mirada penetrante de un lobo.

tiene hocico y orejas puntiagudas y erectas, con cola peluda. El pelaje, generalmente gris amarillento, puede ser muy oscuro según las latitudes donde vive. Se alimenta de animales que caza a la carrera y que busca tras largas caminatas, en las que a veces emite un aullido penetrante y prolongado. Ataca con frecuencia al ganado lanar y a las crías de vacunos y caballos, llegando a constituir un verdadero azote para los rebaños. En los inviernos crudos y, sobre todo, cuando están hambrientos se atreven con animales mucho mayores que ellos, a los que atacan en manadas, por lo que los caballos se defienden colocando las crías en el interior de un grupo de adultos, con todas las cabezas hacia dentro

Lobelia.

Corel Stock Photo Library

para repeler los ataques con sus coces. Se dan casos de ataques de lobos a hombres en carruajes con caballos, llegando a penetrar en las casas de los poblados aislados. Viven hasta 15 años, se aparean en invierno y suelen tener 4 o 5 lobeznos por camada, que permanecen en la guarida hasta pasados dos meses, para acompañar después a la madre en sus correrías.

Los lobos han sido frecuentes hasta no hace mucho, pero la activa persecución a que se les ha sometido los ha exterminado en muchos países, reduciéndolos a las zonas montañosas de Europa, norte de África, Asia y de América. Se solía cazar a ojeo, para lo cual se organizaban batidas con numerosos cazadores, que recorrían grandes extensiones haciendo ruido con el fin de que los lobos al huir, se vieran obligados a pasar por lugares donde los esperan tiradores apostados. Para estos ojeos, así como para proteger los ganados, se empleaban grandes perros mastines, a los que se colocan anchos collares de cuero, erizados de clavos con la punta hacia fuera, llamados *carlancas*, para evitar que al luchar con los lobos éstos los degollaran. También se cazaban atrayéndolos mediante animales atados en las proximidades de los puestos de tiro, actualmente está prohibida su caza por estar en peligro de extinción. Los lobos se amansan mucho cuando se les cría con cariño desde cachorros, llegando a obedecer a los dueños. Se cruzan con facilidad con los perros comunes, produciendo híbridos fecundos, de gran parecido con el lobo. Este es el origen de los perros lobos, en los que por cruces sucesivos se obtienen cualidades que permiten adiestrarlos, por lo que se les utiliza con frecuencia en

Corel Stock Photo Library

Vista panorámica de Loch Ness.

la policía y para realizar importantes misiones en la guerra.

lobo de tierra.
Mamífero carnicero de la familia de los protélidos de aspecto parecido a una pequeña hiena, de pelo gris amarillento, con rayas transversales negras. Vive en África del Sur escondiéndose durante el día en madrigueras que excava en la tierra, para salir por la noche en busca de animales pequeños, de termes, hormigas y otros insectos que le sirven de alimento. Tiene cinco dedos en las patas anteriores y cuatro en las posteriores.

Lobo Guerrero, Bartolomé
(1557-1622). Sacerdote español. Fue arzobispo de Santa Fe de Bogotá en 1599. Se distinguió por su gran caridad y por haber fundado el Colegio de San Bartolomé de Bogotá, una de las instituciones culturales más notables de la época colonial, que todavía subsiste en la capital de Colombia y de la cual han salido eminentes figuras del pensamiento, la política y las letras. Fue promovido en 1602 al arzobispado de Lima, en cuya ciudad murió.

lobo marino.
Véanse FOCA; LEÓN MARINO.

lóbulo.
Parte saliente de una víscera que se halla limitada por una división o profundidad. Existen lóbulos en el cerebro, cerebelo, pulmones, hígado y otros órganos. Adoptan dimensiones diferentes. Los lobulillos pulmonares son parecidos a pequeñas bolsas membranosas unidas entre sí por un tejido resistente. Su volumen viene a ser de un centímetro cúbico. *Véase* ANATOMIA.

locación.
Véase ARRENDAMIENTO.

Locarno, conferencia de.
En la ciudad suiza de Locarno se reunieron, del 5 al 16 de octubre de 1925, los representantes de Alemania, Bélgica, Checoslovaquia, Francia, Gran Bretaña, Italia Y Polonia, para tratar de los complejos problemas relacionados con la paz y la seguridad de Europa. Como resultado de esta conferencia, se concertaron varios tratados y pactos entre las naciones participantes, que fueron firmados posteriormente en Londres en diciembre de 1925. Uno de los principales fue el Tratado de Garantía Mutua, firmado entre Alemania, Bélgica, Francia, Gran Bretaña e Italia, por el cual se garantizaban las fronteras de Francia y Bélgica con Alemania, según habían sido establecidas en el Tratado de Versalles, y se ponían en vigor las cláusulas de este tratado que establecían una zona desmilitarizada al este del Rin. Se concertaron, además, dos tratados de garantía entre Francia, Polonia y Checoslovaquia. También se firmaron cuatro acuerdos o convenciones de arbitraje, por los cuales se establecía el arreglo pacífico de las disputas que pudieran surgir entre las diversas naciones signatarias, que deberían ser resueltas mediante la acción diplomática, un organismo de arbitraje o la Corte Permanente Internacional de Justicia. Al año siguiente, 1926, Alemania ingresó en la Sociedad de las Naciones y fue evacuada la zona del Rin. Europa y el mundo entero alentaron grandes esperanzas de que esos pactos y tratados, inspirados en lo que se llamó entonces el *espíritu de Locarno*, traerían a Europa una época de paz y seguridad. Pero, los acontecimientos políticos que se desarrollaron en Alemania, que produjeron el surgimiento del nazismo y el advenimiento de Adolfo Hitler al poder, la hostilidad de la Unión Soviética a los tratados de Locarno, la actitud agresiva de Benito Mussolini en Italia, y la apatía de las grandes potencias signatarias para poner en vigor las cláusulas de los tratados, echaron por tierra esas esperanzas y no pudieron impedir la serie de incidentes y acontecimientos internacionales que hicieron posible la Segunda Guerra Mundial.

Loch Ness, monstruo de.
Animal legendario que, según se dice, vive en las profundidades del lago Ness en el norte de Escocia. La creencia de que una criatura misteriosa vive en el lago se remonta a la Edad Media y a la leyenda del caballo de agua, o kelpie, que atraía a los viajeros a su muerte. La primera ocasión en que se registró haberse visto fue en el año 565, cuando san Columba asistió al entierro de un hombre que se dijo había sido mordido hasta morir por un monstruo mientras nadaba en Loch Ness. Según un escritor, san Columba dijo haber visto el monstruo. Aunque se han reportado varias ocasiones en que se ha visto durante los siglos subsecuentes, no fue hasta 1933 que el monstruo de Loch Ness se convirtió en tema de fascinación mundial. En ese año un hombre y una mujer que paseaban en auto a lo largo del camino junto al lago, observaron algo enorme que salía del agua en el centro y durante varios minutos vieron "un enorme animal que rodaba y se sumergía". El incidente fue ampliamente reportado por la prensa. Desde entonces muchos investigadores han intentado obtener evidencia de la existencia de la criatura, utilizando equipo que va desde telescopios y cámaras a sonares y hasta un submarino. La especulación con respecto a qué tipo de animal misterioso habita el lago es infinita. En 1972 y 1975 una expedición estadounidense patrocinada por la Academia de Ciencias Aplicadas utilizó equipo científico sofisticado para obtener algunas fotografías submarinas sorprendentes, durante periodos de tiempo que algunos investigadores consideran que muestran un enorme animal nadando sumergido en Loch Ness. Utilizando el equipo sonar, una expedición británica no detectó la presencia de tal criatura en 1987. La mayoría de los científicos se mantienen escépticos con respecto a la existencia del *monstruo*.

locha.
Pez malacopterigio de unos 30 cm de longitud, cuyo nombre científico es *Cobitis taenia*. Su cuerpo, casi cilíndrico, es de color negruzco con manchas amarillentas. Abunda en los ríos y lagos de las regiones frías y su carne es de un sabor muy delicado.

Locke, John
(1632-1704). Filósofo inglés, fundador de la escuela empirista y renovador del pensamiento filosófico durante el siglo XVIII, cuya evolución intelectual se le debe en gran parte. Unido a la suerte del primer ministro, Anthony Ashley Cooper primer conde de Shaftesbury, de quien fue secretario, a su caída le siguió al exilio en Holanda. En este país escribió sus dos obras fundamentales, *Ensayo sobre el entendimiento humano* y *Ensayo sobre el gobierno civil*. En el primero niega las ideas innatas de René Descartes mediante su teoría positiva del conocimiento, que divide las

ideas en nacidas de la sensación y producto de la reflexión, estableciendo una crítica del juicio, precedente de la gran revolución kantiana. Idéntica importancia en el campo de la evolución política tiene la segunda de sus obras citadas, que establece el principio del *contrato social*, vulgarizado luego por Jean Jacques Rousseau. Fue autor también de *Carta sobre la tolerancia*, precursora del libre pensamiento, y *Ensayo sobre la educación*, orientador de la pedagogía inglesa posterior, tendiente a la formación de clases dirigentes y basado en el sentimiento de dignidad personal.

lockout. Expresión inglesa que significa *cerrar el paso*. Denota la contrapartida de la huelga obrera, réplica patronal al sistema de paralización del trabajo empleado por los trabajadores. Se basa en la existencia de una coalición o sindicato patronal y consiste en el cierre de las fábricas, talleres u oficinas hasta que los obreros acepten las propuestas o resoluciones adoptadas por los patronos.

locomoción. Facultad de trasladarse de un punto a otro. El hombre utiliza diversos medios de locomoción. Emplea la locomoción animal, y la mecánica cuando se traslada mediante máquinas inventadas a tal fin. La rueda es el elemento más utilizado en la locomoción terrestre, que en este caso se llama tránsito rodado para diferenciarlo del aéreo y el marítimo, que utilizan el deslizamiento. Existe a lo largo de la escala zoológica gran variedad en cuanto a órganos y tipos de locomoción. Los animales inferiores no disponen de órganos especiales para ello: las amibas caminan por expansión y retracción de su mismo cuerpo. En los gusanos y moluscos la traslación se hace con órganos especiales musculosos, como el pie de los caracoles; y en los artrópodos y vertebrados existen órganos locomotores específicos que cuentan con partes sólidas. *Véase* TRANSPORTES.

locomotora. Máquina que marcha sobre carriles y está destinada al arrastre de vagones. Según la fuente de energía que utilice puede ser de vapor, aire comprimido, eléctrica o Diesel. Puede decirse que, aunque con anterioridad hayan existido diversos ensayos al respecto –José Cugnot, Evans, Richard Trevithick, etcétera– la primera locomotora práctica la inventó George Stephenson cuando construyó en 1814 una máquina puesta al servicio del ferrocarril minero de Killinkworth a Hetton (Inglaterra). En toda locomotora de vapor pueden distinguirse tres partes fundamentales: la destinada a transformar el agua en vapor (caldera, hogar y chimenea), la destinada a convertir este vapor en fuerza motriz aprovechable (cilindros, toma de vapor y recalentadores), y la destinada a transmitir esa fuerza a las ruedas, haciendo posible la tracción (bielas, excéntricas, cajas de engrase y cambio de marcha). Para mejor comprender el funcionamiento de la locomotora estudiaremos, por separado, cada una de sus partes.

Caldera. Es tubular horizontal y se halla montada sobre el bastidor o chasis de la máquina, teniendo adosado en su parte posterior el hogar o foco calorífico, que provoca la elevación de la temperatura del agua contenida en los tubos hasta transformarla en vapor; el hogar se halla provisto de un emparrillado especial para contener el combustible, o un quemador cuando funciona con aceites pesados. Debajo del emparrillado se halla instalado el cenicero, cuyo objeto es almacenar las cenizas de la combustión de modo que no puedan ser esparcidas con el traqueteo de la marcha y provocar incendios, especialmente en las traviesas o durmientes que sirven de apoyo a los rieles. El tiro, compuesto de la chimenea y la caja de humos que recoge las emanaciones del hogar, se halla instalado en la parte anterior de la locomotora; la chimenea se halla provista de un capuchón protector y a veces de una rejilla para la retención de las chispas.

El tiro se provoca artificialmente con el auxilio de chorros de vapor que al ser lanzados a la chimenea provocan intensas corrientes de aire, aun cuando la locomotora esté estacionada. La puerta del hogar suele ser basculante, ovalada y reducida, con un dispositivo de seguridad para prevenir accidentes. Las paredes del hogar son de plancha de cobre, que se oxida poco y resiste la acción del fuego mejor que el hierro; en su parte anterior hay una placa tubular destinada a servir de apoyo a los tubos, formando el todo la llamada caja de fuegos. La caldera va envuelta en una chapa de hierro, a modo de manguito protector de la intemperie y de las pérdidas de temperatura, y se halla provista de dispositivos de seguridad, tales como indicadores de nivel y de tiro, manómetros, grifos de purga y de descarga, válvulas de seguridad, silbato, etcétera, cuyo manejo puede siempre efectuarse desde la cabina del maquinista.

Los tubos de la caldera son de hierro o acero sin soldadura, terminando a veces la parte que se halla en contacto con las llamas del hogar en una especie de boquilla de cobre rojo. La alimentación de la caldera se efectúa por medio de inyectores o recuperadores, aprovechando las corrientes de vapor, estos últimos, aparte de que su limpieza y cuidado son más fáciles, permiten que el agua penetre en la caldera a temperaturas de 130°C, evitando así los grandes descensos de presión. Para disminuir las peligrosas incrustaciones de sales en los tubos, no es raro que el agua de alimentación sea depurada convenientemente con tratamientos a base de cal y otra sustancia; cada 2,000 km de recorrido es preciso limpiar a fondo la caldera.

El carbón utilizado como combustible debe ser de la especie que aglomerándose al fuego no obstruya el paso del aire; las hullas semigrasas resultan excelentes. La temperatura del hogar oscila alrededor de los 1,000°C en las locomotoras de gran potencia; la superficie de la rejilla es grande, como pequeño el espesor del combustible pudiendo emplearse la carbonilla. Los barrotes de la rejilla del hogar poseen un juego que ayuda a que las cenizas se viertan en el cenicero, que a su vez se halla provisto de orificios de entrada de aire para equilibrar la temperatura de los gases de combustión. Además, para evitar la producción de humos, se emplean sopladores de aire que desembocan en el emparrillado, así

Locomotora canadiense del Pacífico.

locomotora

Corel Stock Photo Library

Locomotora Clyde de 1914 en Aveling.

como chorros de vapor lanzados a él por conducciones especiales. La carga del hogar se efectúa, en cierto tipo de locomotoras muy moderno, por medio de correas sin fin que aportan el carbón automáticamente desde el ténder. Las válvulas de seguridad se hallan montadas en una cúpula sobre la caja de fuegos.

Cilindros. Se hallan situados en la parte anterior de la máquina, debajo de la caja de humos sostenidos por el chasis o bastidor, pudiendo ser interiores o exteriores y ordinariamente cuatro. Son preferidos siempre los exteriores, tanto por su visibilidad como por su más cómodo entretenimiento; las cajas de vapor forman cuerpo con aquellos, cuya estructura es de fundición gris de grano fino, mientras que los émbolos o pistones son de acero forjado y cortados a bisel. Para evitar pérdidas de vapor poseen varios aros que encajan en unas ranuras practicadas al efecto en el cuerpo del cilindro; además, y con el mismo objeto, las aberturas tubulares de las cajas de vapor o distribución van provistas de guarniciones, que son estopas o cojinetes de metal blanco formando collarets. El vapor penetra en los cilindros a una velocidad de unos 240 m/s; la regulación de su entrada se efectúa desde la válvula o toma de vapor, especie de cúpula en cuyo interior desemboca, curvado, un tubo que al verter así el vapor lo separa del agua que todavía contiene, la cual cae en el centro del recipiente, y es devuelto a la caldera, combinada con la caja de distribución que merced a un dispositivo adecuado –generalmente una placa sin ranuras– lo suministra alternativamente a los cilindros. Primitivamente, el vapor de los cilindros era arrojado después de cada expansión a la caja de humos, a la chimenea o al exterior; luego se descubrió que ese mismo vapor, recalentado, adquiría nuevo poder expansivo, y Mallet aprovechando ese descubrimiento construyó en

1876 la primera locomotora llamada *compound,* a cuatro cilindros, dos de los cuales –denominados de alta– reciben el vapor directo de la toma, devolviéndolo luego al recalentador –o tubo que aprovecha de nuevo el calor del hogar– para pasar entonces a los otros dos cilindros –o de baja– de mayor diámetro que los anteriores, donde termina la expansión. Este invento produjo una gran economía de combustible y aumentó notablemente el rendimiento de la locomotora.

Bielas. El pistón del émbolo va unido a las ruedas motrices –generalmente seis– por medio de un juego de bielas de acero que se apoyan en una manivela y resbalan sobre dos guías dispuestas paralelamente

De arriba abajo: locomotora en la estación y locomotora Clayton & Shuttleworth 6 NHP de 1920.

Corel Stock Photo Library

al cilindro por medio de patines de acero, muchas veces guarnecidos de metal blanco. Las ruedas motrices llevan un contrapuso para facilitar las puestas en marcha y evitar los puntos muertos. Esas ruedas son de acero matrizado y estampado y se acoplan a los ejes por medio de una prensa hidráulica que alcanza hasta 120 ton de presión; sus llantas son de acero duro y se colocan en la rueda dilatándolos al rojo. El eje de la manivela es de acero-níquel; el problema de la adaptación a las curvas de las locomotoras de gran longitud, como son todas las modernas, fue resuelto con la colocación de unos trucs o bogías (carretones) en la parte anterior a las ruedas motrices; éste es un cuerpo de cuatro ruedas pequeñas que giran en torno a un pivote y toma así con facilidad curvas muy pronunciadas sin que las pestañas se salgan de sus carriles.

Antiguamente no se frenaban directamente las ruedas de la locomotora, pues se pensaba que era suficiente con los frenos de los vagones, para de tener el *convoy*; actualmente todas van provistas de frenos, casi siempre triples: de mano, de vacío o aire comprimido –tipo *Westinghouse*– y de vapor. Este último actúa por el lanzamiento de un chorro de vapor en la parte del cilindro opuesto a la dirección de la marcha. Todos los dispositivos, móviles o rodantes, van provistos de cajas de engrase que funcionan a base de mechas, automáticamente o por inyección del propio vapor, al que se hace arrastrar partículas de aceite; aquél escapa hacia la atmósfera, mientras que éstas, más pesadas, caen por gravitación sobre la superficie, que debe ser lubricada. El cambio de marcha se reduce a una palanca equilibrada por un contrapeso o por un resorte a hélice que, al ser accionada, desplaza el sentido de la distribución del vapor, de suerte que lo hace entrar detrás del pistón para que el escape se haga por delante, situando a este, al propio tiempo, en lugar conveniente.

Para que la locomotora pueda ponerse en marcha son necesarias dos condiciones: a) que la potencia transmitida por las bielas a las ruedas motrices, sea mayor que el esfuerzo del arrastre y b) que este esfuerzo sea menor que la adherencia, o sea la resistencia del rozamiento entre la rueda y los carriles. Si el esfuerzo motor es menor que ambas resistencias, la máquina no arranca; si es mayor que la adherencia, la locomotora permanece parada y sus ruedas giran sobre los rieles sin moverse de su sitio; para ayudar a esa puesta en marcha, todas las locomotoras llevan un depósito arenero cuyos conductos se hallan en la parte anterior de las ruedas motrices. La arena arrojada sobre la superficie del carril provoca una mayor adherencia. La potencia de las locomotoras modernas es enorme: con su ténder llegan a pesar hasta 500 ton, la presión de caldera es de 16 atmósferas (algunas hasta 35) y tienen una fuerza práctica de 3,000 caballos, arrastrando perfectamente trenes de 2,000 ton en pendientes de 12 por 100. Se han construido locomotoras de una potencia de 6,500 caballos de fuerza, que arrastran trenes de 1,000 ton a 160 k por hora.

Las pérdidas de tiempo que para la velocidad de la locomotora de vapor, puesta en franca competencia con el transporte automotor y aéreo, representan los aprovisionamientos periódicos de agua y combustible, ha obligado a sus constructores a idear ingeniosos procedimientos para compensarlos. Por lo que respecta al combustible, el uso del polvo de carbón mezclado con brea, o del aceite pesado por medio de quemadores especiales, ha resuelto este problema casi totalmente; en cuanto al agua, ciertos ferrocarriles han ensayado con éxito la instalación de unos canales de varios kilómetros en el centro de los rieles, desde donde las locomotoras en marcha pueden aprovisionar el depósito del ténder por medio de unos succionadores automáticos.

Locomotora eléctrica. Funciona generalmente utilizando corriente continua, que toma por pantógrafos de una línea aérea –catenaria–; su regulación se efectúa por medio del reóstato que funciona a baja tensión –110 voltios– para evitar accidentes. Ofrece la ventaja de que los motores producen el movimiento circular y pueden ser acoplados directamente a la ruedas motrices, sin necesidad del juego de bielas y manivelas que requieren las de vapor para transformar en rotación la fuerza rectilínea del cilindro, además su puesta en marcha y su aceleración son más rápidas y enérgicas.

Locomotoras Diesel. Pueden ser de dos sistemas según empleen el motor Diesel como propulsor o lo utilicen para producir energía eléctrica por medio de una dínamo. Parece que estas últimas se revelan como más prácticas, tanto por la ductilidad de su manejo como por las mayores velocidades que puedan alcanzar.

Locomotoras de aire comprimido. Emplean el aire comprimido contenido en depósitos a presiones que van desde 56 a 135 atmósferas que luego es lanzado a un sistema de émbolos como en las de vapor. Este género de locomotoras suele emplearse en las minas, donde una chispa o el fuego del hogar de las otras, podrían provocar terribles accidentes. *Véanse* CALDERA; DIESEL; MOTOR; FERROCARRIL; MOTOR ELÉCTRICO; MÁQUINA DE VAPOR; TRANSPORTES.

locura. *Véase* ENFERMEDADES MENTALES.

locutor. Nombre que se da a la persona que habla ante el micrófono en las transmisiones radiales, y particularmente a quien hace de ello una profesión. Los locu-tores se dividen en varios grupos que señalan más exactamente la misión que desempeñan: *anunciadores*, los que simplemente leen avisos comerciales y anticipan el curso de un programa; *animadores*, quienes actúan como maestros de ceremonias y ayudan directamente al desarrollo de los números artísticos; *comentaristas*, los que suministran impresiones acerca de los sucesos que interesan a la opinión pública, e *informadores*, quienes transmiten noticias generales. Para ser locutor se requiere voz agradable, buena dicción, conocimientos generales que acentúen su personalidad y saber matizar en forma atrayente la lectura de los escritos sin caer en el exceso oratorio.

Lodge, sir Oliver Joseph (1851-1940). Físico inglés, profesor de las universidades de Liverpool y Birmingham. Presidió la Sociedad de Física, la de Investigaciones Psíquicas y la Asociación Británica para el Progreso de las Ciencias, y obtuvo el título de caballero en 1902. Efectuó importantes investigaciones sobre electricidad y telegrafía sin hilos. Autor de notables tratados científicos, *Modernos aspectos de la electricidad y Electrones, Atomos y rayos*, abordó posteriormente otros problemas en *El hombre y el universo* y *La supervivencia del hombre*. En su obra *Vida y materia* afirma la influencia del espíritu sobre las fuerzas materiales. Otras obras famosas de este pensador y humanizador de la ciencia son: *Relatividad*, y *Por qué creo en la inmortalidad personal*.

Lodz. Ciudad de Polonia en el distrito del mismo nombre. Situada a 130 km al su-

De arriba abajo: Villa de Borkenes y Quaint Svolvaer en las islas Lofoten, Noruega.

Corel Stock Photo Library

roeste de Varsovia y que es, después de ésta, la ciudad más populosa del país. En 1872 contaba solamente con 50,000 habitantes, ascendiendo su población actual a cerca de 846,500. Este rápido crecimiento comenzó con la implantación de la industria textil. Posteriormente, se ha convertido, además, en centro de industrias químicas y metalúrgicas.

Loeb, Jacobo (1859-1924). Biólogo alemán, naturalizado estadounidense. Graduado en medicina en Estrasburgo, profesó en Wurzburgo y Estrasburgo, y realizó investigaciones zoológicas en Nápoles. En Estados Unidos fue catedrático en los universidades de Chicago y California, y ocupó posteriormente la dirección del Departamento de Biología Experimental del Instituto Rockefeller de Investigaciones Médicas. Especializado en estudios sobre el origen de la vida, demostró la posibilidad de la partenogénesis artificial.

Loeffler, Friedrich (1852-1915). Bacteriólogo alemán que en 1882 descubrió el bacilo del muermo y en 1891 el de la difteria, con lo que conquistó renombre universal. Realizó también, en colaboración con otros biólogos, numerosas investigaciones referentes al paludismo y a la glosopeda.

loess. *Véase* SUELO.

Loewi, Otto (1873-1961). Farmacólogo y fisiólogo alemán, profesor de las universidades de Viena, Marburgo, Graz y Bruselas. Se distinguió por sus estudios fisiológicos del sistema nervioso, especialmente por los relacionados con la transformación química de los impulsos nerviosos, las hormonas y el metabolismo del riñón. Por estas aportaciones científicas le fue concedido el Premio Nobel de Medicina o Fisiología de 1936, compartido con Hallet Dale. En 1938 fue encarcelado por los nazis y dos años más tarde buscó refugió en Estados Unidos, donde prosiguió sus investigaciones.

Lofoden o Lofoten, islas. Archipiélago perteneciente a Noruega, situado en el océano Glacial Ártico entre los 67 y los 69° de latitud norte. Lo forman cuatro islas mayores y varias menores cuya superficie total es de 1,425 km², ascendiendo su población a 40,000 habitantes. Son islas muy montañosas y rodeadas de aguas poco profundas y riquísimas en pesca. En ellas se da la langosta y el arenque, este último en enormes cantidades, al igual que el bacalao, el cual se exporta ya seco y salado y de cuyo hígado se extrae el aceite, producto derivado, fuente de inapreciable riqueza.

logaritmo. Potencia a que hay que elevar un número dado –llamado base–

logaritmo

para obtener otro número dado llamado antilogaritmo. P|or ejemplo: en la igualdad $2^3 = 8$, el exponente 3 es el logaritmo de 8 respecto de la base 2, lo que se escribe así: $3 = \log_2 8$.

Las propiedades fundamentales de los logaritmos son:

1) El logaritmo de 1 es 0.

2) El logaritmo de la base es la unidad.

3) El logaritmo de un producto es igual a la suma de los logaritmos de los factores.

4) El logaritmo de un cociente es igual a la diferencia entre el logaritmo del dividendo y el del divisor.

5) El logaritmo de una potencia es igual al producto del exponente por el logaritmo de la base.

6) El logaritmo de una raíz es igual al logaritmo del radicando dividido por el índice de la raíz.

Estas propiedades permiten convertir la multiplicación en suma, la división en resta, la potenciación en producto y la extracción de raíces en división, es decir: transformar una operación aritmética en otra más sencilla, y de aquí su gran utilidad. En el análisis matemático se emplean los logaritmos llamados *naturales*, porque son los que aparecen de una manera *natural* en los cálculos, y se representan por la letra *L;* su base es un número inconmensurable cuya notación internacional es *e,* que vale 2,718281828459...; pero, como inapreciable instrumento de cálculo en las operaciones prácticas, tanto matemáticas como físicas, astronómicas, geodésicas, etcétera, se usan los logaritmos cuya base es 10, que se representan por *log,* y reciben el nombre de *vulgares* a causa de su aplicación concreta, y de *decimales* por su formación.

Observando las igualdades siguientes:

$$10 = 10^1, \ 100 = 10^2, \ 1000 = 10^3,$$

etcétera, se ve que, de acuerdo con la definición, se tiene:

$$\log 10 = 1, \ \log 100 = 2, \ \log 1000 = 3,$$

etcétera, y, por consiguiente, los logaritmos de los números comprendidos entre 10 y 100, están comprendidos entre 1 y 2; los de los números mayores que 100 y menores que 1000 son mayores que 2 y menores que 3, etcétera, lo que permite decir que constan de una parte entera igual a tantas unidades como cifras tiene el número menos una, puesto que los números comprendidos entre 100 y 1000, por ejemplo, tienen tres cifras y, como hemos dicho, su logaritmo es mayor que 2 y menor que 3. La parte entera del logaritmo de un número se llama *característica*, y la fracción que hay que añadirle para completar su valor, es la *mantisa*. Como la obtención de la característica es inmediata, sólo hay ta-

blas de mantisas, las cuales se calculan mediante delicadas operaciones matemáticas en las que intervienen los logaritmos naturales.

La invención de los logaritmos produjo una verdadera revolución en los métodos antiguos de cálculo. El primer atisbo de ella se encuentra en el tratado de aritmética de Stifel, 1544; pero al matemático alemán le faltó el instrumento adecuado para desarrollar su teoría: las fracciones decimales, que no aparecieron hasta fines del siglo XVI y que, en manos del inglés John Neper y del suizo Bürgi, dieron origen a los llamados *números artificiales* o *logaritmos*, según el neologismo introducido por Neper, en cuyo honor se llaman también *neperianos* los naturales. Los vulgares o decimales se deben al inglés Henry Briggs, quien hizo la primera tabla de logaritmos, publicada en Londres, en 1624.

lógica. Ciencia que expone las leyes, modos y formas del razonamiento. Aristóteles, considerado el padre de la lógica, la definió como ciencia de la demostración, es decir, como respuesta al porqué de las cosas.

La figura lógica en que la demostración recibe su expresión más perfecta es el silogismo deductivo, mediante el cual, partiendo de verdades universales y evidentes se prueba algo particular. Ejemplo: *Todo cuerpo es pesado, el aire es cuerpo; por lo tanto el aire es pesado.* En este silogismo, el primer término, llamado premisa mayor, es el principio general aceptado y evidente por sí mismo; el segundo término o premisa menor emplaza lógicamente al primero con el tercer término; y la conclusión es la tesis demostrada. En toda deducción, naturalmente, la verdad de la conclusión depende de la verdad de los principios que sirven para demostrarla. La deducción sólo prueba que, si ciertos juicios son verdaderos, la conclusión es verdadera.

La demostración, si procede de lo particular a lo universal, recibe el nombre de inducción. Esta operación lógica se fundamenta en nuestro conocimiento empírico. En efecto, nuestra observación nos indica que algo es verdadero en todos los casos posibles. La inducción no es una demostración perfecta como la deducción, pues en ella, desde el punto de vista estrictamente lógico, antes que probar algo adelantamos una conjetura.

logística. Rama de la ciencia militar que trata del movimiento y acantonamiento de las tropas y de su aprovisionamiento. La estrategia y la táctica actuales exigen una severa vigilancia de los medios de transporte, vías de comunicación, itinerarios, alimentos, municiones, servicio médico, etcétera, sin la cual no es posible conducir con éxito una campaña. Los guerreros más

primitivos usaban ya a sus mujeres o a bestias de carga, que llevaban de un sitio a otro todo lo necesario para la prosecución de la guerra. Una de las principales razones de los triunfos del griego Alejandro Magno era la cuidada organización del equipo militar. Los soldados romanos solían cargar, además de sus armas, bultos muy pesados que contenían las tiendas necesarias para acampar durante la noche, un saco de cereales, recipientes con agua, etcétera. La aparición del ferrocarril, el aeroplano, los camiones, los grandes buques, transformaron totalmente las concepciones de la logística. Antiguamente los barcos se movían con la fuerza del viento y de los remos y sólo existía el problema de cómo alimentar a la tripulación. La escuadra ateniense que en el siglo V a. C. atacó Siracusa estaba acompañada por 30 barcas cargados de alimentos. Hoy el problema esencial es el de la provisión de petróleo o el material combustible que use la nave. De ello se encargan grandes buques tanques que recorren el mar sin alejarse nunca del teatro de operaciones.

Logroño. Ciudad española, capital de la provincia de La Rioja. Población: 125,456 habitantes (1995). Situada a orillas del Ebro, es la capital natural de la región de la Rioja. Posee edificios antiguos de interés arquitectónico, pero es esencialmente una ciudad moderna, con instituto de enseñanza secundaria, bancos y edificios públicos. Recibe los productos de una fértil región agrícola y sus principales industrias son la elaboración de vinos y la fabricación de conservas. Posiblemente fundada por los romanos, fue ocupada luego por los musulmanes y reconquistada en el año 755.

Lohengrin. *Véase* ÓPERA.

Loja. Ciudad del sur de Ecuador, capital de la provincia homónima y cuya población es de 114,198 habitantes (1996). Está situada en las estribaciones de la cordillera de Zamora y en la confluencia del río Zamora con el Malacatos. Es centro comercial, agrícola (caña de azúcar, café, algodón y quinina) y ganadero. Hay minas de oro, plata y cobre. Cuenta con industria textil, del tanino y alimentaria. Cuenta con, obispado y universidad. En la Escuela de Derecho, fundada en 1546, se dio el grito de Independencia el 18 de noviembre de 1820. La carretera Panamericana atraviesa esta ciudad.

Loja. Provincia situada en el extremo sur de Ecuador, en el límite con Perú; cruzada de sur a norte por cordones de la cordillera de los Andes y por el río Zamora, afluentes del Amazonas. Su superficie es de 10,792 km^2 y su población de 389,632 habitantes. La capital es Loja (2,249 m de altura y 114,198 h). Cultivos de café, caña de azúcar, cereales, algodón y frutales. Ganadería, minas de cobre y de oro.

Lomas de Zamora. En el reparto de tierras hecho por don Juan de Garay en 1580 al fundar Buenos Aires, le tocó un lote a uno de sus 60 acompañantes apellidado Zamora. Fue allí donde más tarde se levantó la ciudad y delineó el partido de Lomas de Zamora, provincia de Buenos Aires. Su superficie es de 99,340 km², con una población de 572,769 habitantes.

Lombardo Toledano, Vicente (1894-1968). Abogado y político mexicano nacido en Teziutlán (Puebla) y muerto en la ciudad de México. Perteneció al grupo de *Los Siete Sabios*. Ejerció diversos cargos académicos y administrativos, públicos y privados. En 1936 fundó la Universidad Obrera; fue secretario general de la CTM (Confederación de Trabajadores de México), militante y director de partidos políticos (como el Popular Socialista, fundado por él en 1948), fundador y colaborador de varias publicaciones y asimismo autor de numerosos libros en los que examina acertadamente la situación social, política y cultural de su propio país.

lombardos. Pueblo de raza germánica que se estableció a orillas del Elba y del Oder y el norte de Italia en el siglo VI, bajo el mando de Alboin, y fundó un reino muy poderoso. Su último rey, Didier, fue vencido por Carlomagno, que ciñó entonces la corona. Con la decadencia carolingia sobrevino la disgregación. Las ciudades lombardas de la región italiana o Lombardía, se constituyeron en repúblicas y ducados; fue-

Corel Stock Photo Library
La catedral de Milán fue construida por los lombardos.

Galería en la ciudad de Milán, ciudad pricipal de de Lombardía en Italia.

Corel Stock Photo Library

ron dominadas sucesivamente por franceses, españoles y austriacos hasta que pasó a poder del rey de Cerdeña (1859), que la incorporó al nuevo reino de Italia. Hoy la Lombardía es una región de Italia que ocupa la vertiente sur de los Alpes y el valle central del Po, entre el Piamonte, la Emilia y Venecia. Se halla dividida en nueve provincias, siendo la ciudad de Milán la más populosa de la región; su superficie total es de 23,810 km², con más de 6 millones de habitantes. De clima brusco, pero de terreno bien regado y disponiendo de fuerza motriz abundante que le brindan los grandes torrentes alpinos es una de las regiones más industriosas de Italia; tiene minas de hierro y lignito y cultiva la seda. En su ámbito se hallan instaladas grandes fábricas de tejidos, armas, maquinaria y productos alimenticios; sus quesos gozan de merecido renombre. *Véase* CARLOMAGNO.

lombriz. Animal anélido de cuerpo blando, cilíndrico y alargado, formado por numerosos anillos retráctiles, cubiertos por un fuerte tegumento, que vive en los terrenos húmedos, realizando galerías en la tierra. De color blanco o rojizo, alcanzan una longitud de 30 cm y un diámetro de 5 a 7 mm con el extremo exterior aguzado, donde se abre la boca. Se desplazan reptando, ayudadas de pequeñas cerdas rígidas, que tienen en la parte ventral de cada lado de los anillos. Aunque no tienen ojos, son sensibles a la luz, de la que huyen permaneciendo enterradas durante el día y saliendo a la superficie por la noche. Abren sus galerías sirviéndose de la cabeza como cuna, ingiriendo a la vez gran cantidad de tierra, de la que al pasar por su largo intestino absorben las sustancias orgánicas. Se alimentan de mantillo y vegetales tiernos o

en descomposición y no poseen órganos especiales para la respiración, realizando esta función a través de la piel, que mantienen siempre húmeda, gracias a una secreción que vierten por orificios de la parte superior de los segmentos. Las lombrices tienen la facultad de regenerar parte de su cuerpo, cuando la pierden por accidente, pudiendo regenerar hasta los segmentos de la cabeza. Acumulan en la boca de sus galerías los excrementos y cuando el terreno está empapado por abundantes lluvias, suelen salir a la superficie. En esta costumbre se basa la propiedad que se les atribuye de predecir el tiempo. Al principio de los fríos, labran una profunda galería y se arrollan en espiral para pasar aletargadas el invierno. Son un excelente cebo para la pesca con anzuelo, por lo que los pescadores las buscan colocándolas en recipientes de lata con tierra húmeda donde se mantienen vivas largo tiempo. Al clavarlas en el anzuelo, debe hacerse de manera que permanezcan vivas, ya que de ello depende en gran parte el éxito de la pesca. Aunque pueden donar las raíces de algunas plantas, se las considera beneficiosas para la agricultura por contribuir a la aireación de la tierra esponjándola con sus galerías.

lombriz intestinal. Gusano de la familia de los ascárides, que vive a expensas del hombre, del buey o del cerdo, alojándose en el intestino delgado y, en algunos casos raros, en el estómago o el esófago. La hembra alcanza hasta 40 cm de longitud y el macho 25; su cuerpo es adelgazado en la parte anterior y el borde interno de los labios se halla finamente dentado. De color rojizo, desprenden un olor nauseabundo; cuando se les secciona ese olor es irritante y provoca el lacrimeo y el vómito.

lombriz intestinal

Se calcula que cada hembra produce varios millones de huevos por año; tan enorme capacidad reproductora es una de las causas principales de su propagación, sobre todo porque los huevos, que salen al exterior mezclados con las heces fecales, son muy resistentes a la sequedad y al frío. Se supone que las lombrices son transmitidas al organismo por el conducto de aguas contaminadas o de alimentos; son frecuentes en los niños, a quienes producen desagradables trastornos nerviosos. Para expulsarlas se recomiendan los vermífugos y una cuidadosa selección de bebidas y alimentos. Los huevos de ciertas especies de ascárides pueden germinar perfectamente en la tierra húmeda; entonces dan origen a larvas pequeñísimas arrolladas en espiral. Se encuentran difundidos por todo el orbe y por la facilidad de su propagación debe desinfectarse siempre las frutas, y los vegetales así como los tubérculos que suelen comerse crudos.

Lombroso, Cesare (1836-1909).
Médico y antropólogo italiano. Se dedicó a investigaciones psiquiátricas. Lo más sobresaliente de su doctrina criminológica consiste en explicar el origen natural del delito por el atavismo, la degeneración y la neurosis epiléptica, afirmando que sólo los hechos y el estudio directo del criminal pueden asentar la ciencia penal. Fue el primero en realizar esfuerzos para establecer la causa de los delitos. Escribió varios libros, el principal de ellos fue *El hombre delincuente.*

Loncomilla.
Río de Chile, afluente del Maule donde se libró un combate el 8 de diciembre de 1851 entre las fuerzas gubernamentales, mandadas por Manuel Bulnes, y las revolucionarias, dirigidas por José

Corel Stock Photo Library

De arriba abajo: Autobús frente al Parlamento y el palacio de Buckingham en Londres, Inglaterra.

María de la Cruz Prieto, durante la Revolución Chilena contra la elección presidencial de Manuel Montt. Aunque primeramente las tropas de Cruz fueron derrotadas, su resistencia impidió a Bulnes obtener una victoria concluyente. Días después, el 16 de diciembre, se firmó el Tratado de Purapel, el cual puso fin a la contienda.

London, Jack (1876-1916).
Novelista estadounidense, nacido en California, su verdadero nombre fue John Griffith London. Se matriculó en la Universidad de California, que abandonó para dedicarse a buscador de oro. Periodista ágil y dinámico, marchó a Japón como corresponsal de guerra durante el conflicto ruso–japonés de 1904. Después viajó por Oceanía, vivió en las islas del Pacífico y recorrió México. Aventurero y autodidacta de gran talento y vitalidad, su vida está reflejada en sus novelas *Martin Eden y John Barleycorn*. Escritas en estilo peculiar, vigoroso y directo, sus obras representaron varios éxitos lo mismo en el idioma inglés, que en el francés, alemán, español e italiano, a los que en seguida se tradujeron. Las más famosas son: *El ídolo roto, El hijo del lobo, La peste escarlata, El lobo de mar, El vagabundo de las estrellas, Jerry el de las islas, La llamada de la selva, Antes de Adán, Colmillo blanco y La fe de los hombres.* Puso de relieve su ideario socialista en *La guerra de clases, El talón de hierro* y otras obras.

Londres.
Capital del Reino Unido de Gran Bretaña e Irlanda del Norte y de la Comunidad Británica de Naciones. El Gran Londres, que incluye las poblaciones vecinas, uno de los mayores conglomerados urbanos que existen, tiene 6.967,500 habitantes (1994). La ciudad se halla situada en el sureste de Inglaterra, en ambas orillas del río Támesis, a 80 km de su desembocadura en el Mar del Norte. El corazón de la ciudad es la *City,* antiquísimo centro en cuyo derredor han crecido gigantescas zonas urbanas y suburbanas que ahora forman el Gran Londres, cuya superficie es de 1,876 km^2 y ocupa por sí solo un condado entero, llamado Londres, pero sobrepasa los límites del mismo y sus 29 distritos ocupan porciones en los condados vecinos de Middlesex, Essex, Kent, Surrey y Hertfordshire. La superficie edificada de Londres propiamente dicha, ocupa de este a oeste un largo de 25 km y de sur a norte una anchura de 17 km. Las edificaciones de la ciudad, sin contar los suburbios, cubren 305 km^2, está surcada por 8,700 calles, con una longitud total de 5,200 km. La *City* es un distrito administrativo autónomo, rodeado por los otros 28 distritos de la ciudad, que son otras tantas divisiones municipales. Londres propiamente dicho puede dividirse en cuatro grandes sectores: la *City,* el Puerto, *East End* y *West End.* En los tres primeros, con estrechas conexiones entre sí, están los grandes mercados, centros de comercio y de industria, la banca, la bolsa, las compañías de seguros para el movimiento del puerto, que sigue a New York en movimiento mundial; se extienden 90 km de muelles y almacenes, todos los cuales se enlazan por medio de embarcaciones menores y ferrocarriles. Es típica esa parte de Londres por la fisonomía de sus barrios y cada uno de éstos tiene su agrupación de oficios, comercios y profesiones.

Carreta antigua en Covent Garden *en Londres, Inglaterra.*

Corel Stock Photo Library

Allí se encuentra el famoso mercado de Smithfield, Clenkerwell, con sus plateros, relojeros y orfebres; las librerías e imprentas del Paternoster Row y el barrio de Whitechapel, de propagada mala fama. En el *East End* se encuentra la famosa catedral de San Pablo. El *West End*, de carácter aristocrático, es el barrio de la nobleza y las clases acomodadas donde se hallan el Palacio Real, los ministerios, el Parlamento, la Abadía de Westminster, el monumento a Nelson, los museos, teatros, parques y jardines públicos. Como centro de la capital se acepta a la *City*, que durante el día es el punto más animado de los grandes distritos. Hay en la *City* una manzana (la del Banco de Inglaterra) donde la circulación de vehículos y peatones se considera más activa que en cualquier otro punto del mundo. Se calcula que por allí transitan a diario cientos de miles de personas y millares de vehículos, mientras que por el subsuelo corren cientos de trenes subterráneos. En la *City*, el Puerto y el *East End* están los famosos edificios de la Bolsa o Real Mercado de Cambios (*Royal Exchange*) y el Mercado de Valores (*Stock Exchange*), la sede de la famosa compañía de seguros Lloyd's; el puerto, que se extiende hasta la desembocadura del Támesis y es uno de los más activos del mundo; el antiguo y sombrío conjunto de estructuras que constituyen la Torre de Londres, edificada por los normandos en el siglo XI y que sirvió durante largo tiempo de prisión tenebrosa. Allí también se abre la ancha avenida del Strand, bordeada de tiendas, bazares y notables edificios y monumentos. El Támesis entra en Londres y serpentea por la enorme ciudad entre muelles, antiguos canales, bancos y diques, y corre bajo puentes monumentales. Éstos, en número de 24, no sólo constituyen vías de comunicación de primer orden, sino obras arquitectónicas de verdadera grandeza. Merecen citarse, sobre todo, los de Blackfriars, de Westminster, de Londres y de la Torre. Este enorme puente, terminado en 1894 en sustitución del antiguo puente de Londres, tan típico con su hilera de casas y su capilla en el centro, consta de dos altísimas torres con un puente levadizo entre ellas que permite el paso de las grandes embarcaciones. Esta capital tiene fama por sus parques y jardines, como el Hyde Park, con 160 ha de superficie; los jardines de Kensington, el parque de Saint James, los jardines del palacio de Buckingham, el parque Victoria, etcétera. Son numerosos los grandes museos, teatros y otros famosos edificios públicos con que cuenta la ciudad. Se destacan entre ellos el museo Británico, poseedor de tesoros únicos en literatura, arte y ciencias naturales, como las esculturas del Partenón, la piedra de Rosetta y su colección geográfica de 116,000 mapas y cartas; la universidad, la Real Academia, la

Corel Stock Photo Library

(De izq. a der.). Exterior del Royal Albert Hall *y vista nocturna del puente de Londres, Inglaterra.*

Real Sociedad de Geografía, la galería Nacional; el teatro de la ópera (*Covent Garden*), construido en el jardín de un antiguo convento, en que se representaron las primeras tragedias; el *Royal Albert Hall*, principal sala de conciertos; el museo de la reina Victoria, y la famosa galería *Tate* con sus colecciones pictóricas.

Importancia económica. Londres es el centro de la vasta región del mundo que recibe el nombre de *área de la libra esterlina*. De su inmenso puerto salen todos los años más de 25,000 naves que llevan a los

rincones más apartados del mundo los productos de la industria británica y traen, al regresar, toda clase de materias primas. El 35% del comercio británico pasa por el puerto londinense. La agencia marítima Lloyd's es el asegurador de la mayoría de las naves mercantes del mundo. Durante el siglo XIX Londres se convirtió en el centro financiero del mundo: casi todos los pagos hechos de un continente a otro pasaban por los bancos de la *City*, porque la libra esterlina era la moneda del comercio internacional. Casi todos los préstamos y em-

(De izq. a der.). Vista nocturna del Big Ben y la abadía de Westminster en Londres, Inglaterra.

Corel Stock Photo Library

Londres

El puente de Londres.

préstitos mundiales eran hechos en Londres. Centenares de fábricas trabajaban todo tipo de materias primas, transformándolas en tejidos, alimentos y maquinarias. Esta hegemonía económica ha disminuido en el siglo XX, pero sin desaparecer, y en Londres han surgido grandes fábricas de automóviles, estudios cinematográficos y de televisión, fábricas de aviones, etcétera.

Historia. Los pocos datos que se tienen sobre el origen de Londres, indican que la ciudad surgió como nudo de comunicaciones, al iniciarse la ocupación de Inglaterra por las fuerzas romanas en el siglo I de la era cristiana. Cuando el nombre latino de *Londiniunm* aparece en la historia, se refiere a una población ya muy frecuentada por los mercaderes y que fue destruida en el

año 61, cuando se dio la retirada del gobernador romano Suetonio ante las hordas de la reina Boadicea. Esta reina de origen britano fue después derrotada por los romanos y éstos restauraron entonces la ciudad de Londres permaneciendo en ella y en el país durante tres siglos y medio. De las murallas que rodeaban a la ciudad en aquella época quedan todavía algunos restos, así como reliquias de los templos, palacios y tumbas. A principios del siglo V, los romanos, ante el grave peligro que entrañaban los ataques de anglos, sajones, daneses, etcétera, retiraron sus legiones. En seguida cayeron sobre Londres siglos de oscuridad y su historia se torna incierta. En el siglo IX la ciudad resurge con cierta independencia, y aparece como capital del rei-

no de Alfredo *el Grande*, aunque todavía hubo de soportar las continuas incursiones de daneses, noruegos y suecos. Bajo el reinado de Eduardo *el Confesor* (1043-1066) se aseguró la paz y Londres gozó de tranquilidad para desarrollar su comercio y establecer posición dominante en los asuntos nacionales. Bajo el mandato del rey Guillermo I *el Conquistador* se otorgó a los ciudadanos londinenses un gobierno propio que elevó a la ciudad al mismo rango de los condados. La elevación al mayorazgo o alcaldía está relacionada con el reinado de Ricardo I, cuando se estableció definitivamente el gobierno de un alcalde mayor con su grupo de consejeros, tal como se mantiene hasta hoy. Londres fue la primera corporación municipal establecida en Inglaterra. En las crónicas de 1191 se dice que sus ciudadanos, reunidos en San Pablo, eligieron al rey Juan contra los derechos de su sobrino Arturo. El mencionado rey Juan, llamado *Sin Tierra*, concedió extraordinarios privilegios a los vecinos de la ciudad y la confirmó como capital del reino. Durante los siglos XIII y XIV la prosperidad fue en aumento. En el transcurso de la guerra de las Dos Rosas se convirtió en centro de la región más poblada de Inglaterra y floreció la arquitectura en su mayor esplendor. Las guerras de Reforma, en el periodo de los Tudor, produjeron enormes cambios en el aspecto y en la vida social y económica. Poco después, bajo los Estuardo, vino una época intranquila de rebeliones contra la corona, y algunos años después de la caída de Carlos I y ya restaurada la monarquía con Carlos II, la ciudad sufrió dos grandes calamidades: la peste de 1665 y el gran incendio de 1666, que prácticamente la destruyó. Este desastre aportó la ventaja de que en la reconstrucción los arquitectos se esmeraron para dar grandiosidad a los edificios y las autoridades se preocuparon en implantar todos los adelantos de higiene, alumbrado y servicios públicos. Los progresos del colonialismo británico y la gran expansión comercial promovida por el triunfo de la revolución industrial, convirtieron a Londres –que hacia comienzos del siglo XVI apenas contaba 50,000 habitantes y había pasado a más de un millón en los comienzos del siglo XIX– en la mayor ciudad del mundo. El auge continuó cuando en la próspera *era victoriana*, o sea el feliz reinado de Victoria (1837-1901) que señala el apogeo del poderío británico, la ciudad entera se entregó al comercio o a los negocios y la capital fue creciendo en forma vertiginosa hasta aparecer como la gran urbe que hoy es, a pesar de la destrucción parcial que ha sufrido en las guerras mundiales y haber perdido el cetro del comercio y de las finanzas del mundo, por la ascensión prodigiosa de New York, cabeza económica de Estados Unidos. En 1997 Londres y Beijing firman

Catedral de San Pablo en Londres, Inglaterra.

el acuerdo mediante el cual se garantiza el traspaso a China de la soberanía de Hong Kong.

Long, Crawford Williamson (1815-1878).

Cirujano estadounidense; el primero en aprovechar las virtudes anestésicas del éter en las operaciones. Anteriormente esta sustancia sólo había sido utilizado en supuestas demostraciones de magia o en juegos de sociedad. Luego de probar este anestésico sobre sí mismo lo empleó en intervenciones menores, pero no informó a nadie de su descubrimiento, ignorante completamente de la gran trascendencia del mismo. Cuando más tarde un dentista de Boston, Guillermo Tomás Green Morton, hizo una demostración pública de la utilidad del éter, reclamó la prioridad de su descubrimiento en un informe publicado en 1849, tres años después.

Long Beach.

Ciudad estadounidense en California. Población: 433,852 habitantes. Es puerto en la bahía de San Pedro, 30 km al sur de Los Ángeles, lugar frecuentado por turistas y centro industrial con grandes refinerías de petróleo; no lejos se halla Signal Hill, que es uno de los campos petrolíferos más grandes del mundo. El centro de diversiones Pike, con su carnaval, es famoso en toda California. La escuadra estadounidense tiene allí una de sus bases.

Longfellow, Henry Wadsworth

(1807-1882). Profesor y poeta estadounidense. Viajero en su juventud visitó Europa, residió en Inglaterra y recorrió Francia, España, Alemania e Italia, países cuyas lenguas y literatura estudió, así como su his-

Corel Stock Photo Library

Avenida Regent *en Londres, Inglaterra.*

toria medieval; a su regreso a Estados Unidos con solamente 22 años de edad fue calificado, como uno de los hombres más doctos del país. Traductor de las *Coplas* de Jorge Manrique al inglés, en versión que precedió de un agudo *Estudio sobre la poesía española*, este amor a las literaturas extranjeras se halla en muchas versiones de diferentes idiomas, entre las que descuella la famosísima de *La Divina Comedia*. Ha sido llamado el *poeta de los niños* por ser éstos los que conservan vivo el amor por sus poemas narrativos, *Evangelina* y *Hiawatha*, descripción de un pasado indio embellecido por una mística de la natura-

leza, creación total del poeta. Sencillo en su expresión, hasta haber sido calificado por algunos críticos poco benévolos como *el poeta del lugar común*, supo encontrar acentos sinceros para relatar la pérdida de su esposa, la cual muere en un terrible accidente que le inspiró *Cruz de nieve*, considerada como la mejor de sus poesías. Profesor durante muchos años en Harvard, su conocimiento de la literatura extranjera influyó en su obra, entre la que se destacan, además de los poemas citados, la comedia *El estudiante español, Cuentos de la posada junto al camino, Paul Revere* y *El herrero de aldea*.

longitud.

Véase LATITUD Y LONGITUD.

longitud de onda.

Distancia imaginaria que existe entre cada una de las ondas que forman el ciclo de una emisión radiofónica. Cuando sumergimos un bastón en el interior de un recipiente con agua observaremos que al introducirlo y sacarlo sucesivamente del líquido, se producen en su superficie una serie de ondulaciones que se extienden hasta los extremos. A mayor rapidez en la operación, mayor será la proximidad entre una y otra de las ondas que dicho movimiento alternativo genera. El tiempo que media entre una y otra inmersión se denomina en electricidad *frecuencia* y la distancia de una a otra onda *longitud*. Las ondas eléctricas provenientes de una descarga se propagan a razón de 300,000 km/seg y su energía es tanto mayor cuanta menor es la longitud. Para lograr ondas de 300 m, por ejemplo, se precisan alternancias de 1.000,000 de veces por segundo. Las ondas se dividen, según su longitud, en largas, cortas, ultracortas, de 10 a 1 m, y microondas de algunos cm.

Vista aérea del puerto de Long Beach.

Corel Stock Photo Library

longitud de onda

Se consideran como impropias para radio-difusión las superiores a 2,000 metros.

long playing. *Véase* MICROSURCO.

Lope de Rueda. *Véase* RUEDA, LOPE DE.

Lope de Vega. *Véase* VEGA, FÉLIX LOPE DE.

López, Estanislao (1786-1838). Caudillo y general argentino. Veterano de la Independencia, en la que colaboró, apoyó posteriormente a Francisco Ramírez en su lucha por la autonomía federal. Amigo y aliado de Juan Manuel Rosas, combatió denodadamente al general José María Paz, a quien hizo prisionero. Derrotado en los combates de Paso Aguirre, Herradura y Pavón, no por eso renunció a la lucha, venciendo en los de Cepeda, Cañada de la Cruz y Gamonal. Nombrado gobernador vitalicio de la provincia de Santa Fe, mantuvo durante más de 20 años el poder. Figura característica de su época.

López, Francisco Solano (1827-1870). Presidente de la República del Paraguay. Educado en Europa, donde ejerció la diplomacia y, dedicado a la carrera de las armas, estudió milicia en Prusia. Fue ministro de Guerra y Marina. Era general y jefe del ejército (1862) cuando murió su padre, Carlos Antonio, quien ocupaba la presidencia de su nación, y le sucedió en el cargo. Formó un extraordinario ejército de 100,000 hombres e implantó un gobierno sólo regido por su voluntad. Al serle declarada la guerra (1865) por Argentina, Brasil y Uruguay, dio pruebas de bravura, audacia y temeridad que lo convirtieron en personaje de leyenda. Luchó heroicamente y murió en la batalla de Cerro Corá, tras de una guerra en que hasta las mujeres y los niños lo rodearon en defensa de la patria.

López, Narciso (1797-1851). Militar y político venezolano, figura romántica de la emancipación americana. Huérfano y recogido por el general español Morales, llegó al grado de general en el Ejército Español por su valor y talento. Desempeñó algunos cargos militares en Cuba. Sospechoso de simpatía por la causa de la Independencia de Cuba, fue degradado a simple soldado. En una de las expediciones que organizó para este fin, fue capturado, condenado a muerte y ejecutado.

López, Vicente Fidel (1815-1903). Publicista, historiador y político argentino, hijo del autor del himno nacional argentino, Vicente López y Planes. Estudió en el Colegio de Ciencias Morales y en la Universidad de Buenos Aires, donde se doctoró en derecho. En 1842 marchó a Chile y fundó la *Revista de Valparaíso*, con la que contribuyó a la cultura de aquel país. Volvió a

su patria en 1852 y ese mismo año fue ministro de Gobierno e Instrucción Pública en el gabinete de su padre, gobernador de Buenos Aires. En el periodo 1873-1876 fue rector de la Universidad de Buenos Aires y ocupó la cátedra de Economía Política. Fundó la Escuela de Comercio y reabrió la facultad de medicina. En 1883 fue ministro de Hacienda con el gobierno de Carlos Pellegrini. Poco antes de morir fue uno de los fundadores del Instituto Libre de Segunda Enseñanza. Gran orador, polemista y periodista, dirigió con Andrés Lamas y Juan María Gutiérrez la *Revista del Río de la Plata*. Entre sus principales libros figuran: *Curso de Bellas Artes, Manual de la historia de Chile, Tratado de Derecho Romano, Historia de la República Argentina,* –su obra fundamental–, *La revolución argentina* y *Las razas arias del Perú*, entre sus novelas, *La novia del hereje* y *La loca de la guardia*, ambas al estilo de Walter Scott.

López de Ayala, Pedro (1332-1407). Célebre historiador, poeta y caballero castellano. Participó activamente en los reinados de Pedro I, Enrique II, Juan I y Enrique III, formando parte del consejo de regencia de este último durante la minoría de edad. *Sus Crónicas* de los reinados de dichos monarcas, escritas según el método de Tito Livio, son ricas en pormenores exactos y delinean con vigor y fidelidad los caracteres históricos. Como poeta, le dio fama su *Rimado de palacio*, que es un reflejo de la vida social y política de la España de aquel tiempo. Tradujo varias obras latinas e italianas. Fue consejero de Juan I, y hábil diplomático.

López de Gómara, Francisco (1511?-1562). Historiador español. Fue capellán de Hernán Cortés y actuó como secretario y cronista del conquistador, cuyas hazañas narró en la *Crónica de la conquista de Nueva España*, segunda parte de su *Historia general de las Indias*, que pronto alcanzó varias ediciones. Nombrado cronista por Carlos V, redactó unos anales que abarcan la primera mitad del siglo XVI y publicó la *Historia de Horruc y Haradín Barbarroja, reyes de Argel*.

López de Legazpi, Miguel (1510-1572). Navegante español y conquistador de Filipinas. Muy joven se trasladó a México, donde desempeñó el cargo de escribano mayor del cabildo, hasta que en 1563 el virrey de Nueva España, don Luis de Velasco, le nombró jefe de la expedición que habría de tomar posesión del archipiélago recientemente descubierto por Fernando de Magallanes. Partió con una flota de una fragata y cuatro navíos armados el 21 de noviembre del mismo año y llegó a Filipinas el 13 de febrero del siguiente. Acogidos amistosamente los españoles por los indí-

Museo Nacional de Historia

Antonio López de Santa Ana.

genas y fondeada la flota en la bahía de San Pedro, cerca de Caucongo, Legazpi tomó posesión del país en nombre de España, levantando un altar y estableciendo un fuerte. Tras esto, y antes de someter a los tagalos, considerados como los nativos más indómitos, decidió castigar a los matadores de Magallanes. Fondeó en la rada de Cebú el 26 o 27 de abril de 1565, encontrando a los nativos bisayos dispuestos a la paz y al sometimiento. Realizado el primero de sus propósitos sin derramamiento de sangre, se dirigió contra los tagalos, capitaneados por Matanda y Solimán, los que, poseedores de algunas piezas de artillería facilitadas por los portugueses y servidas por un cristiano, trataron de oponerse a la invasión castellana, siendo prontamente derrotados. Cuatro años más tarde y con refuerzos llegados de España, Legazpi acometió la conquista de la isla de Luzón, fundando la ciudad de Manila, la que muy pronto, gracias a la amistad de Legazpi con los chinos, prosperó en su comercio. Legazpi murió de apoplejia en Manila.

López de Mesa, Luis (1884-1967). Médico, escritor y político colombiano. Fue rector de la Universidad Nacional, ministro de Educación y de Relaciones Exteriores, y como tal representó a su patria en la Conferencia Panamericana de Lima y en las Reuniones de Consulta de Cancilleres de Panamá y La Habana. Participó en el arreglo fronterizo entre Colombia y Venezuela. Publicó, entre otras, las siguientes obras: *El libro de los apólogos, La tragedia de Nilse, Introducción a la historia de la cultura en Colombia, De cómo se ha for-*

mado la nacionalidad colombiana y *Disertación sociológica.*

López de Santa Anna, Antonio

(1791-1876). Político y general mexicano. Se distinguió en la guerra de Independencia. En 1829, derrotó al brigadier español Barradas que había desembarcado en Cabo Rojo, con una fuerza expedicionaria, victoria que le valió el grado de general de división y gran popularidad. En 1833 ocupó por primera vez la presidencia de la república. Durante la guerra con Texas (1836) se puso al frente de las tropas, y en la batalla de San Jacinto fue derrotado y hecho prisionero por Sam Houston, para comprar su libertad, firmó el reconocimiento de Independencia de Texas, después de un vergonzoso comportamiento, se retiró a su hacienda de Manga de Calvo. En Veracruz (1838), en un combate contra una escuadra francesa que había llegado a México a exigir el pago de sus reclamaciones, Santa Anna perdió una pierna. En 1846, durante la guerra con Estados Unidos, fue nuevamente presidente y salió a combatir a los estadounidenses, dirigiendo las operaciones con poca habilidad, por lo que tuvo que renunciar a la presidencia, fue despojado del mando de tropas y salió de la nación. En 1853 regresó, fue elegido presidente y se convirtió en dictador, dándosele el título de *alteza serenísima;* en ese mismo año realiza el Tratado de la Mesilla, firmado con Estados Unidos, por el que se vendieron a este país más de 1 millón de km² de territorio mexicano; una vigorosa oposición armada lo obligó a abandonar el gobierno y expatriarse de nuevo. En 1867 intenta intervenir de nuevo en la política de su país, pero no encontró apoyo. Sebastián Lerdo de Tejada le permitió volver a México en 1874, donde murió olvidado. La vida pública de Santa Anna fue un complicado tejido de sublevaciones y destierros, victorias y derrotas, y entre ellas periodos en que ocupó varias veces la presidencia. Su contradictoria actuación política y militar fue un factor de perturbación en el primer medio siglo de México independiente.

López Mateos, Adolfo (1910-1969).

Político y abogado mexicano. Nació en Atizapán de Zaragoza (Estado de México). Entre los cargos que desempeñó figuran los de senador, miembro de la Delegación de México a la Conferencia de Cancilleres en Washington, delegado al Consejo Económico y Social de las Naciones Unidas y Secretario del Trabajo y Previsión Social. Elegido presidente de la república para el periodo 1958-1964 entre sus actos de gobierno se destacan el impulso dado a la industrialización del país, la nacionalización de la industria eléctrica, la realización de un vasto plan de obras públicas y aprovechamiento de recursos hidráulicos. Impulsó la

educación pública e instituyó los libros de texto gratuitos y auspició el progreso de la alfabetización. Solucionó el problema de límites con Estados Unidos al obtener la reintegración de El Chamizal al territorio de la nación.

López Michelsen, Alfonso (1917-).

Político colombiano. Tras cursar estudios secundarios en París, Londres y Bruselas, se doctoró en derecho en el Colegio Mayor de Nuestra Señora del Rosario, Bogotá, en 1936. Ha sido profesor de derecho administrativo en este centro, así como en las universidades Libre de Bogotá y Nacional de Colombia. Hijo del presidente reformista Alfonso López Pumarejo, fundó en 1959 el Movimiento Liberal Revolucionario, fruto de la pasajera escisión del Partido Liberal, y fue su candidato presidencial en 1962. Desempeñó el gobierno del Departamento de César en 1967, y la cartera de Asuntos Exteriores entre 1968 y 1970. En abril de 1974, ganó la presidencia como candidato liberal. Ha reducido la inflación, alentado la producción agrícola y minera, y nivelado las rentas. Inició conversaciones con Cuba en 1975. Terminó su mandato en 1978, y en 1982 volvió a presentarse a la reelección sin éxito.

López Portillo y Pacheco, José

(1920-). Político mexicano. En 1946 se licenció en derecho en la Universidad Nacional Autónoma de México, centro donde ocupó la cátedra de teoría general del Estado. Se afilió al Partido Revolucionario Institucional en 1945 y en 1958 entró a formar parte de sus Consejos de Planificación Eco-

Ignacio López Rayón.

Museo Nacional de Historia

nómica y Social. Fue Subsecretario de la Presidencia (1968) y del Patrimonio Nacional (1970), director general de la Comisión Federal de Electricidad (1972-1973) y Secretario de Hacienda y Crédito Público (1973-1975). En 1976, como candidato del PRI, obtuvo la Presidencia del país con un programa atento tanto al desarrollo económico como a la reforma social. Como presidente intentó conducirse en un curso medio, retirándose de las políticas izquierdistas de su predecesor. En asuntos *extranjeros* se convirtió en uno de los principales voceros de los países del llamado *Tercer Mundo,* crítico de las políticas estadounidenses. A principios de su administración la economía mexicana se beneficiaba con la explotación de su vasto recurso petrolero. Para 1980 el precio del petróleo cayó y el gobierno se encaró con una crisis financiera. Durante su último año en la presidencia se vio obligado a devaluar la moneda (peso) y a nacionalizar la banca; fue sucedido en la presidencia por Miguel de la Madrid Hurtado. Sus obras, de política y economía, un volumen de crítica literaria y dos novelas *Don Q* (1969) y *Quetzalcoatl* (1965).

López Pumarejo, Alfonso (1886-1959).

Político colombiano, que ocupó dos veces la presidencia de la República de su país. Fue banquero y director del Partido Liberal, que lo llevó a la presidencia en los periodos de 1934 a 1938 y de 1942 a 1946. No pudo concluir su segunda presidencia a la que renunció y entró a ejercer el mando en 1945 el primer designado, Alberto Lleras Camargo. Fue presidente de la delegación de Colombia en la Asamblea de las Naciones Unidas y embajador de Colombia en Londres. Fue el inspirador de la reforma constitucional de 1936 y de la reforma tributaria.

López Rayón, Ignacio (1773-1832).

Abogado y patriota mexicano. Fue secretario de Miguel Hidalgo y Costilla, al levantarse éste en armas en favor de la independencia de México, y lo acompañó en diversas acciones de guerra. Cuando en Saltillo se acordó, después de la derrota de Puente Calderón, que Hidalgo, Ignacio Allende y los altos jefes de la revolución se dirigieran a Estados Unidos, López Rayón fue designado para ponerse al mando de las tropas (unos 3,500 hombres) que se quedaban en México. Después de la emboscada en que Hidalgo y su séquito cayeron prisioneros, López Rayón y su lugarteniente José María Liceaga, en cuyas manos estaba la suerte de la causa de la independencia, efectuaron la heroica retirada a Zacatecas y después a Michoacán, a través de regiones desérticas, acosados por las tropas realistas. En Zitácuaro derrotó al jefe realista Vicente Emparán y estableció la Junta de

López Rayón, Ignacio

Zitácuaro (19 de agosto de 1811), con el propósito de reorganizar el ejército, proteger la revolución y libertar a la patria. Fue derrotado por el brigadier Félix María Calleja (2 de enero de 1812), pero continuó la guerra con variada fortuna, hasta que hecho prisionero en 1817, fue libertado en 1820. Al sobrevenir la independencia, ocupó importantes cargos de gobierno, y el Congreso lo declaró benemérito de la patria.

López Velarde, Ramón (1888-1921).

Poeta mexicano. Fue también gran prosista y su libro *El minutero*, en que se agrupan sus principales escritos en prosa, es una obra maestra que basta para consagrar a un escritor. Pero, su fama descansa merecidamente en su obra poética, que señaló un rumbo nuevo a la poesía mexicana. Es, sobre todo, el cantor de la provincia, en la que descubrió un tesoro escondido de poesía, que supo captar en versos de hechizo indefinible, plenos de gracia melancólica. Es también el cantor de la patria, a la que exalta en todas sus obras con intenso lirismo. Sus obras poéticas principales son: *La sangre devota, Zozobra* y *El son del corazón* obra póstuma que incluye uno de sus poemas más conocidos: *La Suave Patria*.

López y Planes, Vicente (1785-1856).

Abogado, poeta y político argentino. Autor de la letra del Himno Nacional Argentino. Actuó durante las invasiones inglesas, por lo que fue condecorado, y en la Revolución de Mayo, en calidad de secretario auditor de la expedición auxiliadora al Alto Perú. Después fue electo diputado por Buenos Aires a la Asamblea General Constituyente de 1813, que lo designó secretario. Posteriormente desempeñó otros importantes cargos y en 1827, al renunciar Baernardino Rivadavia la primera magistratura, el Congreso General Constituyente lo nombró presidente provisional. Más adelante presidió el Supremo Tribunal de Justicia de Buenos Aires y, caído Juan Manuel de Rosas, ocupó con carácter provisional la gobernación de Buenos Aires, provincia a la que representó en la reunión de gobernadores de San Nicolás de los Arroyos. Además del Himno Nacional, compuso los poemas *El triunfo argentino y Oda a las delicias del labrador*.

Iorán. *Véase* RADAR.

Lorena, Claudio de (1600-1682).

Pintor y grabador francés. Pasó la mayor parte de su vida en Roma, donde murió, y es uno de los grandes maestros franceses del paisaje. Sus cuadros, luminosos y de un colorido admirable, le valieron ser calificado como el pintor del Sol y del mar. La mayoría de sus obras al óleo, se hallan en

Inglaterra y el resto diseminadas por los más importantes museos de Europa. *El molino, La mañana, El crepúsculo y Desembarco de Cleopatra en Tarsis* figuran entre sus cuadros más conocidos. Su nombre verdadero fue Claude Gelée, y también se le conoce por el Lorenés Claude Lorraine.

Lorentz, Hendrick Antoon (1853-1928).

Físico holandés, catedrático de física matemática en la Universidad de Leyden y director del Instituto Teyler de Haarlem. Efectuó importantes investigaciones sobre el electromagnetismo, la teoría electrónica de la luz, la concepción electrodinámica de la constitución de la materia, la transmisión de ondas a través de los cuerpos, y está considerado como uno de los fundadores de la teoría electrónica. Se le concedió el Premio Nobel de Física de 1902, en unión de Pieter Zeeman. Publicó: *Sobre el cálculo diferencial e integral, Ensayo de una teoría sobre los fenómenos eléctricos y ópticos de los cuerpos en movimiento* y *Teoría electromagnética de Maxwell*.

Lorenz, Konrad Zacharias (1903-1989).

Etólogo austriaco, frecuentemente llamado el *fundador de la etología*, ciencia que estudia comparativamente el comportamiento en seres humanos y otros animales. Compartió el Premio Nobel de Medicina o Fisiología en 1973 por su trabajo en este campo, con Karl von Frisch y Nikolaas Tinbergen.

Lorenz recibió su título médico (1928) y su doctorado en zoología (1933) en la Universidad de Viena. A principio de los años 30, él y su colega Oskar Heinroth estudiaron y describieron el proceso de impresión que ocurre a una muy temprana edad en algunos animales. Encontró, por ejemplo, que cuando los gansos rompían el cascarón frente a él y, en ausencia de su madre, aprendían a seguirlo y lo identificaban como ésta, aun cuando posteriormente vieran a su madre verdadera. Lorenz encontró que algunos patrones de comportamiento instintivo de este tipo ocurren en todos los miembros de una especie y reclasificó ciertas especies basado en similitudes y diferencias en tales patrones.

Lorenz prestó atención posteriormente al comportamiento humano, particularmente a la agresión. Aunque encontró que los patrones de comportamiento agresivo eran instintivos hasta cierto grado, mantuvo que ya no eran necesarios para la supervivencia y podrían alterarse para convertirse en comportamientos socialmente útiles. Sus puntos de vista, presentados en *Sobre la agresión: el pretendido mal* (1963) levantó controversia pero recibió una amplia atención. Lorenz también escribió *Cuando el hombre encontró al perro* (1950), *La otra*

Corel Stock Photo Library

Loro verde del Amazonas.

cara del espejo (1973), *Los ocho pecados mortales de la humanidad civilizada* (1973) y *El año del ganso gris* (1979), entre otros. *Véase* INSTINTO.

Lorenzini, Carlos (1826-1890).

Escritor italiano. Con el seudónimo de Carlos Collodi escribió algunas obras para niños. En varias de ellas, de carácter didáctico, la narración sirve de pretexto para incluir algunas lecciones de historia, botánica o física. Su obra más popular, *Pinocho*, es la historia de un muñeco de madera que transformado parcialmente en niño pasa por una serie de aventuras. La gracia, la humanidad y la fantasía de Pinocho merecieron los elogios de hombres como Benedetto Croce. En 1939 el dibujante Walt Disney realizo una película inspirada en este libro.

Loreto.

Departamento de Perú en la región del Amazonas. Limita al norte con las repúblicas de Ecuador y Colombia; al este con Brasil; al sur con los departamentos de Madre de Dios, Junín, Cuzco, Pasto y Huánuco; al oeste con los departamentos de San Martín y Amazonas. El río Amazonas lo cruza de oeste a este y le proporciona una importante vía fluvial. Se divide administrativamente en seis provincias, las que, a su vez, comprenden 40 distritos. Su extensión es de 348,177 km^2, su población de 667,500 habitantes y su capital Iquitos.

La explotación forestal es la actividad económica esencial; la producción de caucho le confiere el primer lugar del país. Cultivos de arroz, maíz, frijoles, yuca, café y plátanos. Ganadería de subsistencia y abundante pesca en los ríos (bacalao de río). Además del curso del Amazonas, son rutas fluviales importantes sus afluentes: Morona, Pastaza, Tigre y Napo, que comunican el oriente de Ecuador con el Atlántico, por medio del Marañón (origen del Amazonas), así como Huallaga y Ucayali, en territorio peruano.

loro. Ave del orden de las psitácidas. Es un animal de pico corvo y plumaje de brillantes colores, que puede ser hallado en todas las zonas tropicales y subtropicales del planeta. Se conocen más de 500 especies diferentes de psitácidas, entre las cuales descuellan los loros propiamente dichos, los guacamayos, el papagayo y las cacatúas.

Todos estos animales gozan de fama universal por la facilidad con que aprenden a imitar el lenguaje humano y diversos sonidos; en ello parece tener intervención su lengua que es redonda, carnosa y muy movible. El loro común tiene el plumaje verde y mide hasta 30 cm de largo, de los cuales corresponden 10 o 12 a la cola. Su centro de dispersión parece hallarse en la cuenca del bajo Amazonas y entre sus parientes taxonómicos se hallan el loro de cabeza azul, que vive en las Antillas, y el loro de frente blanca, originario de Cuba. Todas estas especies aprenden con facilidad a *hablar*, pero ninguna puede competir con el papagayo o yaco, especie africana que abunda en las costas de Guinea y en las selvas del Congo. Este loro forma grandes bandadas y se alimenta con plátanos, mangos y otros frutos tropicales; aprende a imitar toda clase de sonidos y posee una memoria sorprendente. Suele vivir hasta 40 años. Cuando se encoleriza, cosa que sucede a menudo, levanta las brillantes plumas de su nuca, formando un círculo alrededor de la cabeza.

Las guacamayos o aras tienen vistoso plumaje, larga cola y coloración de brillantes tonalidades. El más grande de estos animales es el guacamayo rojo o aracanga, que tiene cerca de 1 m de longitud y abunda en el valle del Amazonas. En México se llama guacamaya a una variedad de color verde con algunos tonos rojos.

La familia de las cacatúas abarca gran número de aves, cuyo tamaño varía en forma considerable. Son oriundas de Oceanía y aprenden a *hablar* con menos facilidad que los loros, pero son mucho más inteligentes. La cacatúa tiene la cabeza adornada por un moño de largas plumas eréctiles. La especie más conocida y bella es la Inca, que está diseminada por todo el sur de Australia; soporta muy bien el cautiverio y es dócil y fácil de domesticar.

La cotorra es una psitácea pequeña del continente americano. Se caracteriza por su pico muy corvo; el plumaje es recio y en su color predomina el verde. En general, las cotorras son difíciles de domesticar, se resisten al cautiverio y son reacias a aprender a hablar; sin embargo algunas especies pequeñas se conservan en las casas de familia. Al género cotorra pertenece el loro más común en América del Norte. Se trata de la cotorra de la Carolina, cuya longitud es de 32 cm y mide 55 cm desde un extremo de las alas hasta el otro. Su pluma-

Corel Stock Photo Library

(De arriba abajo y de der. a izq.). Pareja de loros azules, loros rojos del Amazonas y loro en un parque de atracciones de Florida.

je es verde en el lomo y amarillento vivo en la parte inferior; la frente y los hombros son de color rojizo o anaranjado.

La popularidad de que gozan las aves del grupo de los loros obedece a que aprenden a repetir palabras y hasta frases enteras; para enseñarles es necesario repetir muchas veces las mismas palabras, pronunciándolas siempre en la misma forma y emitiendo los sonidos con absoluta claridad. La posesión de loros encierra un grave riesgo: estos animales pueden trasmitir al hombre una enfermedad que se conoce con el nombre de psitacosis. Producida por un virus filtrable, provoca diarreas agudas, bronquitis, fiebres altísimas y algunas veces la muerte.

El orden de las psitácidas posee dos aves extraordinarias: el kea y el kakapú, que habitan en Nueva Zelanda. El kea tiene el tamaño de una gallina y se comporta como una verdadera ave de rapiña; cuando el ganado lanar fue introducido en la isla, comenzó por ir a picotear en los montones de desperdicios de los mataderos, y con el tiempo se habituó a atacar a las ovejas vivas. Se posa sobre ellas y desgarra con su ganchudo pico la piel y las carnes hasta llegar a los riñones, que parecen constituir para él una golosina. Este caso de alteración de los hábitos es uno de los más extraños que se conocen. El kakapú es el único loro que no vuela. Sólo abandona su nido por las noches y aunque sus alas están bien desarrolladas, prefiere vivir en el suelo.

Losada y Quiroga, Diego (1513-1569). Conquistador español, uno de los primeros en llegar a la comarca del Darién, donde sometió numerosas tribus aguerridas, fundando la ciudad de Santiago de León de Caracas, al pie de un elevado monte. Deseoso de obtener el gobierno de Venezuela, no pudo lograrlo y sufrió continuos sinsabores en su lucha por el poder y durante los repartos de los territorios conquistados.

Lot. Sobrino de Abraham, cuya historia se narra en el Libro del Génesis. Emigró con su tío a Canaán y se radicó en la ciudad de Sodoma; cuando Jehová decidió destruir la urbe, resolvió salvar a este varón virtuoso y envió en su auxilio a dos ángeles, ordenando a Lot, a su mujer y a sus dos hijas que no se volvieran para mirar el incendio de la ciudad pecadora. Pero, su mujer, presa de invencible curiosidad, desobedeció la orden divina y se volvió a mirar hacia atrás, quedando convertida en estatua de sal.

Lota. Ciudad del centro de Chile en la región de Biobío con 47,159 habitantes, situada en la costa este del Golfo de Arauco. Es el centro minero que cuenta con el yacimiento de carbón de más alto valor industrial de Chile. El núcleo minero e industrial es Lota Alto, con refinerías de cobre, refractarios y fábricas de cerámica. En Lota Bajo se concentran los barrios residenciales y el sector financiero. Realiza exportaciones de carbón.

lotería. Juego público en el que se premia con distintas sumas de dinero varios billetes sacados a la suerte entre un gran número de ellos previamente vendidos. Considerado en todos sus aspectos es un juego de azar y constituye una excepción al principio que los prohibe; en algunos países es monopolio del Estado, mientras que en otros esta sólo bajo su inspección.

La lotería se fundó en Italia en el siglo XV y de allí se propagó a Francia, Inglaterra, Holanda, Alemania y España. En 1538 Francisco I autorizó este juego en Francia, otorgando el privilegio de su explotación a un particular con la condición de que le pagara anualmente 2,000 libras tornesas. Una lotería muy célebre fue la de Hamburgo cuyos premios consistían, además de dinero, en fincas, llegándose en los sorteos a ofrecerse, como premios ciudades, aldeas, palacios y tierras de labor.

En China la lotería es muy antigua y se efectúa mediante un tablero dividido en 50 cuadros con distintas figuras en las casillas por las cuales se apuesta. En España data del año 1763 y fue autorizada por el rey Carlos III. La lotería puede ser numérica o de clasificación, que es la que se juega en Holanda y consiste en que cada billete comprende un ciclo de sorteos. A menudo se da al jugador, si su número sale en el primer sorteo, una participación gratis para el sorteo próximo; la mayor parte y el más crecido de los premios se reservan para el último con objeto de mantener vivo el interés de los jugadores; los billetes son de distintas clases y a cada una de ellas corresponde un determinado conjunto de premios, aun cuando hay billetes enteros que abarcan todas las clases.

En la lotería numérica, los billetes, documentos al portador, se dividen en décimos y vigésimos. Para cada sorteo se vende al público un determinado número de billetes y se otorga un cierto número de premios. Las bolas con los números de los billetes se colocan en un bombo y las bolas correspondientes a los premios, en otro. Simultáneamente se extrae la bola de un número y la de un premio hasta que se agota la cantidad de éstos. Se conceden premios a aquellos números cuya última cifra es igual a la del que obtuvo el premio mayor, y también, en concepto de aproximación, a varios números cuyas últimas cifras corresponden a las de aquél.

La cuantía de los premios varía según los sorteos, que en España, México y Argentina, por ejemplo, adquieren su expresión máxima en Navidad y Año Nuevo. En España el sorteo de Navidad tiene un premio mayor de 30 millones de pesetas para cada una de las tres series de billetes vendidos. El sorteo de Navidad en Argentina tiene un primer premio de 5 millones de pesos para cada una de las seis series de billetes vendidos, siguiéndole en importancia premios de 1.000,000, 500,000, etcétera.

Los sorteos se verifican en presencia de la autoridad y de un notario o escribano que interviene y fiscaliza las operaciones, examina los bombos de premios y números, que lee en voz alta y comprueba, así como al final extiende el acta del sorteo, el cual es también presenciado por el público.

Se llama también lotería al juego casero en que se imita la antigua lotería, utilizando 24 o 40 cartones y 90 bolas numeradas correlativamente. Cada cartón consta de 15 números en tres filas y cada una de éstas de nueve compartimientos horizontales, cinco ocupados por números y los otros estampados en color. Se dan dos cartones a cada jugador y se desarrolla el juego sacando *bolas* (fichas cilíndricas de madera) de un saquito; quien hace esto último canta el número de las bolas que van saliendo. Los jugadores cubren con una ficha los números de sus cartones correspondientes a las bolas cantadas y el primero que consigue cubrir dos números de una fila lo anuncia diciendo: *ambo*; el que cubre tres dice: *terna*, y el que cubre cuatro, *cuaterna*, ganando el que hace *quina*, o sea el que cubre los cinco números de una fila. Suele prolongarse el juego hasta que cualquiera de los jugadores hace *lotería*, cuando cubre los 15 números de un cartón, con lo que gana las apuestas empeñadas. Es éste un pasatiempo familiar que en el siglo XVIII llegó a ser el juego favorito de las cortes de Luis XVI, de Catalina II y de la duquesa de Angulema. También existe la llamada lotería mexicana que es un juego de azar, entre dos o más participantes que consta de cartones con 12 figuras colocadas de manera aleatoria y cartas con figuras correspondientes a las contenidas en los cartones; el portador de las cartas realiza una descripción particular, canta la presentación de cada figura. A cada figura cantada coincidente con su representación en el cartón se coloca una ficha, el primer participante que logre completar su cartón con una ficha en cada casillero es el ganador, se juega especialmente en las ferias.

Loti, Pierre. Seudónimo del escritor francés Luis-Maríe-Julien Viaud (1850-1923). Fue oficial de marina en la escuadra de su patria y en sus libros abundan las descripciones del mar y los ambientes exóticos. Entre sus obras se destacan *El pescador de Islandia, Aziyadé, Las desencantadas, La novela de un espahí* y *Ramuntcho.*

loto. Planta ninfeácea de Egipto y otros países, con flores blancas, rosadas o azules, que en algunas variedades llega a alcanzar unos 30 cm de ancho. Estas flores crecen en un delgado tallo de 1 o 2 m de largo y sólo sobresalen un poco de la superficie del agua. En Egipto el loto crece a lo largo del Nilo y corrientes de agua cercanas. Era la flor sagrada de los antiguos habitantes de este país y se la consideraba símbolo del renacimiento del Sol y de la resurrección de las almas. En las pinturas y bajorrelieves egipcios se ve representado el loto en manos de las mujeres, y también como ofrenda en los altares de los dioses. En los frisos de las habitaciones y de los muebles se acostumbraba a pintar una serie de lotos. En los capiteles la flor del loto alternaba con la del papiro. El loto sagrado de chinos e hindúes es miembro de la misma familia.

Flor de loto.

Louisiana. Estado localizado al sureste de Estados Unidos. Ubicado dentro de la llanura costera del Golfo de México. Superficie: 128,594 km². Población: 4.315,000 de habitantes en 1994. Lo bordea el río Mississippi por el este, por el sur el Golfo de México, por el oeste colinda con el estado de Texas y por el norte Arkansas. La capital del estado es Batoun Rouge (225,000 h, 1992) y la ciudad más grande es New Orleans (490,000 h, 1992). Fue descubierto por el español Panfilo de Narvaez en 1528. Más tarde, Robert Cavalier le puso el nombre de Louisiane en honor al rey francés Luis XIV reclamandola para Francia en 1682.

Hidrografía. Los ríos más importantes que cruzan el estado son el Mississippi, el Río Rojo, el Atchafalaya y el Ouachita. El nivel del río Mississippi es más bajo que el de las presas o naturales y por esta razón las corrientes forman normalmente ramificaciones semejantes a las ramas de un árbol.

Los lagos, incluidos los artificiales como la presa de Toledo, se encuentran a lo largo de todo el estado. En el curso del Mississippi y del Río Rojo se ubican un gran número de lagunas, dejadas cuando los ríos cambian su cauce, ejemplo de esto son las lagunas de False River y la de Raccourci Old River en el Mississippi. Algunos lagos como el Pontchartrain y el Maurepas son el resultado de corrientes subterraneas y otros como el Sabine y los lagos Cacasieu, en la zona costera del oete, son formados por las corrientes marinas que penetran en la tierra.

Suelo. Los suelos aluviales ponen en peligro la gran fertilidad del estado. Éstos están asociados con el nivel del agua del río Mississippi. Las tierras pantanosas orgánicas tiene una alta fertilidad natural, pero al estar pobremente drenadas se ven afectadas por inundaciones. Los suelos residuales de las tierras altas se derivan de antiguos sedimentos y son arenosos e infértiles. Se usan pricipalmente para pasto y bosques.

Clima. Tiene un clima humedo subtropical, influenciado por su latitud, su ubicación a lo largo del Golfo de México, por las masas de aire continentales y por los vientos del sur. La precipitación anual promedia desde los 1,175 mm en el noroeste hasta más de 1,625 mm en el sureste. Las temperaturas diurnas durante el verano varían desde los 29 a los 38 ℃., en las tardes y de los 16 a los 24 ℃. en las mañanas. Durante el invierno las temperaturas registran menos de 0 ℃. El estado está sujeto a tormentas tropicales durante el verano y a huracanes en verano y en otoño, con frecuencia acompañados de tornados. Las estaciones frías son más variables debido a la influencia, tanto del aire frío polar como del aire cálido tropical.

Vista nocturna del barco Natchez *en Louisiana.*

Vegetación , vida animal y recursos naturales. El número de especies de plantas es de aproximadamente 4,500. Debido a la presencia del hombre la vegetación original del estado ha cambiado. Manantiales de agua dulce y pantanos de agua salada rodean el Golfo de México, mientras que cipreses, encinas y cauchos se encuentran en los pantanos.

Louisiana tiene una abundante vida animal. Ardillas, pavos, castores, ratas almizcleras, visones, mapaches, zarigüeñas y caimanes son muy comunes hoy en día. La nutria ha aumentado desde su introducción en la década de 1930 y un gran número de armadillos han emigrado desde las zonas del suroeste. Hay una gran variedad de peces y anfibios que se encuentran en los mantos acuíferos.

Los recursos minerales son pocos pero económicamente importantes. En el delta del Mississippi se encuentran depósitos de

M.S. Natchez *en New Orleans, Louisiana.*

Catedral de San Luis en New Orleans, Louisiana.

petroleo. En el oeste del estado hay bolsas de gas natural y petroleo. Desde la década de 1940 se extraen estos minerales en el norte. En el sureste hay salinas, particularmente en Five Island -Avery, Belle Isle, Cote Blanche, Jefferson y weeks. También se extraen sulfuro, arena, grava, arcilla, etcétera.

Vista nocturna exterior del museo del Louvre.

Cultura. Tiene un gran número de instituciones culturales, principalmente en New Orleans, Baton Rouge y Shreveport, galerias de arte, museos históricos, planetarios y zonas históricas. El museo estatal de Louisiana, en New Orleans, es probablemente el más famoso. Las zonas históricas están señaladas, incluida la zona india prehistórica de Poverty Point, al noreste de Monroe y Marksville y al sureste de Alexandria. Hay zoológicos y parques en todo el estado, así como acuarios.

Actividades económicas. Las industrias manufacturas más importantes son: las químicas (petroleo, fertilizantes, etcétera) y las alimenticias (azúcar, arroz, etcétera). La energía está producida en su mayoria por petroleo y gas natural, extraidos ambos en el estado. En 1988 se produjo aproximadamente 56.8 billones de kilovatios por hora.

Basicamente antes de la Segunda Guerra Mundial, Louisiana era un estado agricultor. Despues de ésta la agricultura paso a un segundo término. Se cultiva arroz, algodón, azúcar, etcétera.

Es uno de los estados que tiene mayor volumen de pesca, no obstante, a decreci-do por proliferación de las nutrias.

Turismo. Generalmente se encuentra enfocado hacía los centros metropolitanos, siendo el más importante New Orleans. La ciudad atrae un gran número de visitantes durante el Mardi Gras (carnaval) y es famoso por su Jazz conocido como Dixieland. El condado Cajun destaca culturalmente en el suroeste y es una zona popular turística que recibe muchos visitantes en sus multiples festivales, particularmente por su arte culinario.

Lourdes. Ciudad francesa, en el departamento de los Altos Pirineos, célebre como lugar de peregrinación cristiana desde 1858. En ese año una humilde joven, Bernadette Soubirous, presenció en una gruta de las afueras 18 apariciones de la Virgen María, que le encargó dijese a los pobladores, entonces poco más de 4,000, que deseaba la erección de una capilla. Las autoridades eclesiásticas francesas, y luego el Vaticano, aprobaron las declaraciones de Bernadette, convirtiendo la gruta en un santuario, al que poco después llegaron muchos millares de peregrinos. Innumerables enfermos han dado testimonio de su curación al llegar ante la imagen de Nuestra Señora de Lourdes. Funciona en la ciudad, hoy importante, una oficina de comprobaciones, integrada por médicos que llevan cuenta detallada de las curaciones.

Louverture, Toussaint (1743-1803). General y político haitiano, nacido en Santo Domingo. Jefe del levantamiento de 1791 en favor de los españoles, luego expulsó a éstos de la isla y volvió al servicio de Francia con el grado de general, cuando dicho país abolió la esclavitud (1794). Convertido en dictador desconoció a las autoridades francesas (1800), proclamó la independencia y comenzó la organización política de la isla. Derrotado por la expedición enviada por Francia, fue trasladado a este país y encerrado en el castillo de Joux, donde murió.

Louvre. Grandioso museo francés de bellas artes y arqueología situado en París, en la orilla derecha del río Sena. Fue una antigua e histórica residencia real cuyo origen parece remontarse a principios del siglo XIII. Varios monarcas de Francia la embellecieron y agrandaron sucesivamente hasta constituir un vasto conjunto de edificios de imponente grandeza arquitectónica, que fue terminado en el siglo XIX, durante el reinado de Napoleón III. Rodeado de bellos patios y jardines es uno de los palacios más grandes del mundo. En 1793 la Convención lo habilitó como museo, abriendo sus puertas al público para que pudiera contemplar ese tesoro artístisco comenzado en tiempos de Francisco I y acrecentado continuamente por donaciones, adquisiciones y, sobre todo, aportaciones de guerra, especialmente de las campañas napoleónicas. Posee colecciones egipcias, asiáticas, del Extremo Oriente, griegas, romanas, de la Edad Media, etcétera, con estatuas, sarcófagos, monumentos, pinturas y objetos de inapreciable valor. Entre sus numerosas obras de arte figuran las maravillosas esculturas de la *Venus de Milo* y la *Victoria de Samotracia*. La riqueza en obras maestras de la pintura es inigualable. Las grandes escuelas italianas están representadas por cuadros admirables de Rafael Sanzio, Leonardo da Vinci, Tiziano Vecellio, Alessandro Botticelli, Giotto, Fra Angélico, Guido Reni y otros grandes pintores. Las escuelas españolas tienen obras de Diego Rodríguez de Velázquez, Doménikos Theokópoulos llamado el Greco, José de Ribera, Francisco de Zurbarán, Francisco de Goya y otros maestros. En las salas dedicadas a la pintura flamenca se destacan las grandes obras de Peter Paul Rubens, Anton Van Dyck, Jacob Jordaens y David Teniers. Las escuelas holandesas tienen en Harmensz van Rijn Rembrandt, Jacob Isaac van Ruysdael, Frans Hals y Jan Vermeer de Delft a sus más característicos representantes. Alberto Durero, Hans Holbein y Lucas Cranach se destacan en las salas de pintura alemana. Y en las secciones de la pintura francesa se admiran las obras maestras de Francois Clouet, los hermanos Antoine, el viejo; Louis y Mathieu Le Nain, Pourbous, Le Sueur, Nicolas Poussin, Charles Le Brun, Jean Baptiste Greuze, Jean Honoré Fragonard, Jean Antoine Watteau, Francois Boucher, Jean Marc Nattier, Pierre Paul Prudhon, Eugéne Delacroix, Jean Auguste Ingres, David, Antoine Jean Gros, Francois Gerard, Théodore Gericault, Isabey, Henri Victor Regnault y otros grandes artistas. Su biblioteca cuenta con volúmenes, grabados y litografías de gran valor artístico.

En 1989, bajo las directrices del plan presidencial de Francois Mitterrand, se amplió el espacio de servicios del museo (oficinas, recepción, entrada) y el arquitecto I. M. Pei se hizo cargo de la construcción del nuevo acceso al museo en la *Gran Place*, diseñando para ello una estructura piramidal de acero y cristal que da una nueva identidad al conjunto arquitectónico.

Lovecraft, Howard Philips (1890-1937).

Escritor renombrado por la macabra imaginación que plasmó en sus historias de fantasía y de terror, numerosas películas basadas en estas historias han sido filmadas. Lovecraft escribió sobre el enredo del tiempo y del espacio. Creó el mito de Cthulhu para justificar su visión sobre los horribles orígenes del mundo. Algunas de sus mejores obras son: *The Dunwich Horror* y *Other Weird Tales* (1939) y *Best Supernatural Stories of H. P. Lovecraft* (1945). Cinco volúmenes de *Selected Letters* (1965-1976) han sido recopilados.

Lowell, James Russell (1819-1891).

Poeta crítico estadounidense, promotor de la lucha antiesclavista. Profesor, y diplomático distinguido, debe lo más perdurable de su fama a sus poemas precursores y contemporáneos de la guerra de Secesión, coronados por la apasionada *Oda conmemorativa* en honor a Abraham Lincoln y los graduados de Harvard caídos en la lucha. Dado a conocer con un poema caballe-

Pirámide *de cristal a la entrada del museo del Louvre en París, Francia*

resco: *La visión de sir Launfal*, ejerció a continuación la enseñanza como sucesor de Henry Wadsworth Longfellow en la cátedra de literaturas europeas de la Universidad de Harvard.

Lowell, Percival (1855-1916).

Astrónomo estadounidense. En 1902 fue nombrado profesor de astronomía en el Instituto Tecnológico de Massachusetts. Dedicado inicialmente a los negocios, el anuncio por parte de F. Schiaparelli, de la existencia de *canales* en Marte le llevó a interesarse plenamente por la astronomía, y construyó un observatorio cerca de Flagstaff. En 1907 obtuvo desde allí la primera fotografía aceptable de Marte, estudió sus supuestos *canales* y se inclinó en favor de su naturaleza artificial, destinados a aprovechar los recursos hidráulicos del planeta. Al estudiar las perturbaciones de la órbita de Neptuno indicó en 1915, la posible existencia de un nuevo planeta, así como su órbita y posición, datos que llevaron al descubrimiento de Plutón, en 1930.

loxodromia.

Curva que en la superficie terrestre forma ángulos iguales en su intersección con todos los meridianos y sirve para navegar con rumbo constante.

loza. *Véase* CERÁMICA.

LSD.

Dietilamida del ácido lisérgico, también conocido como LSD-25 y *ácido*, prototipo de las drogas alucinógenas. Los efectos del LSD fueron descubiertos en 1943 cuando una pequeña cantidad fue ingerida accidentalmente por el químico suizo Albert Hofmann, quien primero sintetizó la droga mientras estudiaba derivados de alcaloides del hongo *ergot*, un hongo parásito del centeno y del trigo. El LSD puede estimular el sistema nervioso simpático, pero su acción es compleja y no totalmente conocida. Produce una dilatación de las pupilas e incrementa la velocidad del pulso, la presión arterial y la temperatura. El LSD puede causar distorsiones sensoriales con alucinaciones visuales vívidas y ocasionalmente auditivas. Las respuestas emocionales y subjetivas varían ampliamente y pueden incluir dificultad en la concentración, pérdida de identidad, sentimientos de irrealidad, aparentemente visiones mágicas, depresión, ansiedad y a veces pánico y terror. El LSD no produce dependencia física pero puede desarrollarse una dependencia y tolerancia psicológica. Es potente en muy pequeñas dosis; tan poco como 35 microgramos pueden producir efectos observables. Ha sido utilizado experimentalmente en el estudio de enfermedades mentales y también para tratar varias condiciones psiquiátricas y alcoholismo. Sin embargo, en la actualidad el LSD no tiene un uso médico comprobado y su uso general, manufactura y venta son ilegales en Estados Unidos y Latinoamérica. La popularidad del LSD llegó a su culminación en los años 60. En las décadas de 1970 y 1980 otras drogas parecieron recibir más atención, pero un resurgimiento en el uso del LSD ocurrió a fines de los años 80 y a principios de los años 90.*Véase* DROGAS.

Lubbock, John (1834-1913).

Político, sociólogo y naturalista inglés que presidió la Cámara de los lores con el título de lord Avebury. En ella se votó, por su iniciativa, la ley de Fiestas Bancarias; asimismo, propuso otras leyes para la reglamentación del trabajo. Fue discípulo de Charles Darwin y conquistó fama universal con sus interesantes investigaciones sobre el hombre primitivo. Efectuó importantes estudios sobre los insectos, de los que ha revelado interesantes detalles, especialmente de las hormigas, las abejas y las avispas.

Lubitsch, Ernst

Lubitsch, Ernst (1892-1947). Director cinematográfico alemán. Sus películas se distinguieron principalmente por su peculiar humorismo, en el que tenía gran importancia la sorpresa y la ironía. En 1922 se trasladó a Estados Unidos. Entre sus mejores películas se cuentan *El patriota, Ninotchka, Un ladrón en la alcoba* y *La octava mujer de Barba Azul.*

lubricante. Sustancia aplicada a la parte móvil de las máquinas y de las herramientas con objeto de facilitar su funcionamiento, evitando pérdidas inútiles de energía, así como aquellos rozamientos excesivos que, al transformarse en calor, terminarían por deteriorar prematuramente las piezas. Según su composición, pueden ser animales, extraídos de la ballena, del buey, del cachalote etcétera; vegetales, extraídos de las semillas de ricino, calza, sésamo, etcétera, y minerales provenientes de la destilación del petróleo. Entre las características generales que debe reunir un buen lubricante figuran: la viscosidad que determina el flujo del lubricante según el movimiento de la superficie donde deba actuar; neutralidad, de modo que su índice ácido no pueda perjudicar la estructura del metal de las piezas en que se deposite; pureza, para evitar que las partículas sólidas que contenga en suspensión ensucien u obstruyan los conductos de las partes engrasadas; conductibilidad, para que el calor absorbido por el rozamiento sea irradiado al exterior, rebajando así la temperatura de la máquina en marcha, y equilibrio, para que la fricción entre el lubricante y el metal sea lo más reducida posible.

Luca de Tena, Torcuato (1865-1929). Periodista español, fundador de

Algunos lubricantes son derivados del petróleo.

Lubricante utilizado en el motor de un barco de vapor.

Prensa Española, sociedad cuyas publicaciones, entre ellas el diario A B C y la revista *Blanco y Negro,* contribuyeron enormemente al progreso del periodismo gráfico en España.

Lucano, Marco Anneo (39-65). Poeta latino. Nacido en Córdoba (España), fue llevado pronto a Roma, donde sus relaciones familiares (nieto de Séneca *el Retórico,* sobrino de Séneca *el preceptor de Nerón)* y su precoz talento literario le auguraban una brillante carrera. Del círculo de amigos de Nerón pasó al de sus adversarios, intervino en la conjuración de Pisón y debió darse muerte, a los 26 años, por orden imperial. Debe su fama a la *Farsalia* o *De bello civili,* poema épico en 10 libros sobre las luchas civiles entre César y Pompeyo y la derrota de éste en Farsalia, Grecia. Amante de la historia y la elocuencia, discípulo de los estoicos en filosofía, poseedor de un estilo brillante y retórico, es natural que se apartase en varios aspectos del modelo épico virgiliano. Las acciones son narradas por orden cronológico y, lo que es más importante, aparecen conducidas no por rivalidades entre los dioses (recurso imprescindible desde Homero), sino por el destino y la decisión de los grandes hombres. El modelo del filósofo estoico está representado por el aliado de Pompeyo, Catón de Utica, quien defiende hasta el final la causa más justa y sólo escuchaba los dictados austeros de su conciencia.

Lucas, Robert E. (1937-). Economista estadounidense. Doctorado en economía en la Universidad de Chicago en 1964, fue profesor en la Universidad de Carnegie-Mellon entre 1963 y 1975 y en la de Chicago a partir de este último. Su labor teórica se desarrolló en el campo macroeconómico, en el que adoptó un enfoque clásico caracterizado por diferir en su explicación del ciclo económico, de las teorías de la nueva macroeconomía keynesiana. Algunas de sus aportaciones más destacadas residen en la importancia que concede a las previsiones racionales en el análisis y las políticas económicas, lo que lo llevó a considerar la interpretación de la curva de *Phillips,* sosteniendo que cada intento de aumentar el empleo por medio de políticas de *relanzamiento de la economía* se dirigen a un aumento de la inflación, y que no puede alcanzarse un aumento durable del em-

pleo con una elevada tasa de inflación. Sus teorías le valieron el Premio Nobel de Economía en 1995. Algunas de sus obras más importantes son: *Las previsiones y la neutralidad del dinero* (1972); *La muerte de la economía keynesiana: amores e ideas* (1980) y *Modelos de ciclo económico* (1987).

Lucas, san (?-83?). Autor del tercer Evangelio y de los Hechos de los Apóstoles, médico y erudito escritor de elegante estilo. Se cree que fue también pintor. Nacido en Antioquía de familia siria, no conoció a Jesucristo, sino que, ya convertido por san Pablo a la nueva religión, se unió a los Apóstoles y a María para difundir la doctrina. Escribió muchos hechos que se habían escapado a los relatores de la vida de Jesús: los del buen samaritano, de la pecadora y del hijo pródigo. Es el que relata más pormenores sobre la infancia de Jesús. Viajó con san Pablo, pero no se sabe cuándo murió. Su fiesta se celebra el 18 de octubre.

lucayas. *Véase* BAHAMAS O LUCAYAS, ISLAS.

Luce, Clara Boothe (1903-1987). Escritora estadounidense. Periodista en *Vogue* y directora de *Vanity Fair*, sus comedias *Mujeres*, de sátira femenina, y *Un margen de error*, son ejemplo de su fervor democrático y sus convicciones liberales. Se destacó como reportera en la Segunda Guerra Mundial. Se casó con Henry Luce, fundador de las revistas *Time, Life* y *Fortune*. Entre otras obras suyas descuellan *Europa en primavera, Hijo de la mañana* y *Ven al establo*. Ejerció cargos representativos en el Congreso de Estados Unidos y en 1953 fue designada embajadora de esa nación en Italia.

Lucena. Ciudad española de la provincia de Córdoba, con 34,780 habitantes. Centro agrícola (olivos, cereales, viñedos) y comercial, cuenta con industrias de aguardientes, aceite, jabón, turrones y alfarería. Entre sus monumentos se destacan las iglesias de San Mateo, construidas sobre una antigua mezquita, y la de Santiago (siglo XIV). Su castillo del Moral sirvió de prisión a Boabdil, el último rey moro de Granada.

Luceño y Becerra, Tomás (1844-1933). Autor teatral español, uno de los cultivadores más felices del llamado género chico. Gran sainetero, sus obras, fiel reflejo de la realidad madrileña, representan el último eslabón de la gran tradición iniciada por Ramón de la Cruz. Autor de innumerables obras de gran éxito, entre las más importantes se destacan: *El ilustre enfermo, Viva el difunto, La niña del estanquero, Cuadros al fresco* y *Teatro moderno*.

lucha. Pelea entre dos personas, en que abrazándose una a otra procura dar cada

cual con su rival en tierra. Se conoció este ejercicio unos 30 siglos a. C.; en algunos templos egipcios aparecen esculpidas en relieve escenas de luchas, y Homero habla, en *La Ilíada* del combate entre Ayax y Ulises. La lucha fue el menos brutal de los ejercicios de fuerza, ya que no se permitía golpear al adversario con el puño ni con el pie, ni apretarle la garganta. En Roma fue introducida en el siglo II a. C. Después de la Edad Media adquirió mucha importancia y a raíz de la invención de la imprenta dio origen a copiosa literatura. Durero trazó más de 100 dibujos sobre las diversas presas y caídas más en boga durante los siglos XV y XVI. A la lucha griega sucedió la grecorromana, en la cual los contendientes trataban recíprocamente de ponerse de espaldas en el suelo, ajustándose a determinadas reglas; ésta adquirió mucha popularidad a partir de 1898, con motivo de un campeonato celebrado en el Casino de París, al que acudieron atletas de todos los países y en el que quedó campeón el francés Paul Pons. Lucha libre, que los norteamericanos denominan *catchas-catch-can*, es aquella en la cual son lícitos muchos recursos prohibidos en la grecorromana. En los pueblos asiáticos se conoce la lucha desde antes de la era cristiana y mediante ella se decidió en Japón más de una vez la sucesión al trono; formaba y forma parte de la educación de los *samurais* o casta militar y de los *daimios* o casta nobiliaria. Por el año 1600 apareció el *jiujitsu*, lucha en que la agilidad y la habilidad obtienen el triunfo sobre la fuerza bruta. La lucha hindú se parece a la de Japón en la corpulencia de los contendientes y en el número e ingeniosidad de los ataques. Los

turcos tienen fama de figurar entre los mejores luchadores del mundo, principalmente en lucha libre.

Lucía, santa (281-304). Virgen y mártir cristiana, considerada abogada de la vista y cuya fiesta se celebra el 13 de diciembre. Aquejada de una larga enfermedad, que no aliviaban médicos ni medicinas, y teniendo noticia de los milagros que operaba santa Águeda, acudió al sepulcro de la ésta y se sintió inmediata y totalmente curada. Desde ese momento, y a pesar de pertenecer a una familia pagana, abrazó el cristianismo y distribuyó todos sus bienes entre los pobres. Denunciada y conducida ante Pascasio, prefecto de Siracusa, quien inútilmente intentó hacerla abjurar de sus convicciones, fue martirizada y finalmente degollada.

Lucía de Lamermoor. *Véase* ÓPERA.

Luciano de Samosata (120-180). Escritor satírico griego. Después de una vida de sofista errabundo se estableció en Atenas, abandonó la filosofía y se convirtió en libelista mordaz, agudo y original, que reflejó, cual ningún otro escritor contemporáneo, el escepticismo y la crisis moral de la época. Filósofo de formación y literato de vocación, Luciano transformó el inmenso material del pensamiento platónico en sátira, valiéndose para ello de una deslumbrante fantasía y de un sentimiento agudísimo del ridículo, expresado en estilo ameno. Crítico mordaz, sus obras padecen en la actualidad de la ausencia de información por parte del lector de la intimidad de las personalidades e instituciones a quienes

Lucha grecorromana olímpica.

van dirigidas sus críticas. *El sueño, Diálogos de los dioses y Diálogos de los muertos, Ermotimo, Historia verdadera, El parásito* y *Lucio o el asno,* figuran entre sus principales obras.

luciérnaga. Insecto coleóptero, de la familia de los lampíridos, con élitros en los machos, mientras que las hembras carecen de ellos. Emite de noche una luz fosforescente especial. Se conoce también con el nombre de gusano de luz. Tiene el cuerpo muy blando, y en particular el abdomen, y su longitud oscila, en las especies más conocidas, entre 10 y 15 mm; su boca es muy pequeña, los ojos gruesos y la cabeza aparece completamente oculta por su coselete o tórax semicircular.

Los órganos luminosos, situados a ambos lados del abdomen, consisten en una espesa red de delicadas ramificaciones de las tráqueas y en numerosos filamentos nerviosos, en parte transparentes y en parte provistos de una masa carnosa. Los nervios estimulan a las ramificaciones de las tráqueas a dar oxígeno al tejido adiposo que envuelve estos órganos. El oxígeno se combina inmediatamente con ciertas sustancias que forman la luciferina en dicho tejido y el resultado es la producción de una luz sin calor. La luz emitida es, por lo general, verdiblanca.

Las luciérnagas viven en las regiones cálidas y tropicales. Si se le priva, por mutilación, de su aparato fosforescente, continúan viviendo y la misma parte así desprendida conserva durante algún tiempo su fosforescencia. A veces las larvas, e incluso los huevos, dan luz. En Paraguay existe una curiosa especie conocida con el nombre de luciérnaga ferroviaria; carece de alas, tiene una gran longitud, que alcanza entre 70 y 80 mm, y emite, desde ambos lados de su abdomen, una fuerte luz roja; al mismo tiempo, despide una suave luz verde desde otros puntos de su cuerpo. Se la llama luciérnaga ferroviaria porque sus luces rojas y verdes se parecen a las señales ferroviarias. En algunos países tropicales se acostumbra introducir muchas luciérnagas en una botella, de la que se valen luego como linterna.

Lucifer. Véase DEMONIOS Y DIABLOS.

lucio. Pez acantopterigio de agua dulce, de carne muy delicada. Tiene aproximadamente 1.5 m de longitud y pesa alrededor de 20 kg. Es de cabeza aplanada y hocico ancho y grande. El lomo es de color negruzco, los costados son grises y el vientre blanco. Gracias a su cola poderosa, reforzada por las aletas dorsal y anal, atraviesa el agua como una flecha y cae sobre su presa con seguridad infalible. Devora peces de toda especie, batracios y hasta aves y mamíferos de hábitos acuáticos.

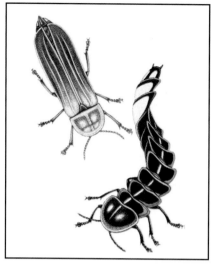

Salvat Universal

Luciérnaga macho (arriba) y hembra (abajo); en esta última pueden observarse los órganos luminosos, situados en la parte inferior del extremo del abdómen.

Lucrecio Caro, Tito (98-55 a. C.). Poeta y filósofo latino, autor del poema en seis libros titulado *De la naturaleza de las cosas,* de extraordinaria originalidad. Magnífico exponente de la filosofía epicúrea, con gran contenido didáctico, estilo elocuente, que reúne precisión científica, pasión y una fuerza épica que recuerda la de Homero. Una parte del poema está dedicada a poner de manifiesto la falsedad de la superstición. En otras narra las más avanzadas especulaciones físicas de los griegos y expone la teoría atómica de Demócrito. Fue muy apreciado por Giordano Bruno y por Isaac Newton, y ha servido de estímulo a la física y la química modernas. Poco se sabe de la vida del poeta, creyéndose que fue un aristócrata romano, contemporáneo de Cicerón. Según una leyenda muy posterior a su muerte, Lucrecio estaba loco, escribía en sus ratos de lucidez y terminó en el suicidio.

Ludendorff, Erich (1865-1937). General alemán que tuvo destacada participación militar en la Primera Guerra Mundial. Perteneció al Estado Mayor Imperial, y se distinguió personalmente al comienzo de la guerra en la toma de Lieja. En el frente oriental fue jefe de Estado Mayor bajo las órdenes de Paul von Hindenburg y trazó los planes a que se debieron las victorias de Tannenberg y de los Lagos Masurianos. Fracasó su plan de ofensiva en el frente occidental, huyó a Suecia al sobrevenir la derrota de los imperios centrales. De regreso en Alemania acompañó a Adolfo Hitler durante el fracasado golpe de Estado de 1923, separándose de él poco después y formando la Liga de Tannenberg, de doctrina pangermanista, pagana y antisemita.

Ludovico Pío (778-840). Emperador del sacro imperio romano, hijo y sucesor de Carlomagno. Fue coronado emperador en Reims por el papa Esteban IV en el año 816. Repartió el imperio entre sus tres hijos, llamados Lotario, Pipino y Luis, pero después de casarse en segundas nupcias con Judith de Baviera decidió modificar la división para dar una parte al príncipe Carlos, hijo de este matrimonio. Este hecho provocó la rebelión de sus tres hijos mayores, y Ludovico Pío, abandonado por su ejército cerca de Colmar, fue confinado en un monasterio por orden de Lotario. Pero Luis y Pipino desaprobaron la conducta de Lotario, lucharon juntos contra éste y repusieron en el trono a Ludovico (834), quien murió seis años más tarde. Ludovico tuvo entre sus títulos el de rey de Francia y en la historia de esta nación se le conoce con el nombre de Luis I *el Piadoso.*

Ludwig, Emil (1881-1948). Escritor alemán, conocido universalmente por sus biografías históricas. Se doctoró en leyes en la Universidad de Heidelberg, pero ejerció muy poco la profesión, pues se dedicó por entero a su vocación literaria, que habría de convertirlo en uno de los más populares escritores de su época, con un estilo pleno de agilidad y brillantez, con una técnica psicológica de gran aceptación en el mundo entero, no obstante algunas críticas que no comprometieron mucho sus méritos. Siendo muy joven se radicó en Suiza; en 1932 tomó carta de ciudadanía y allí vivió gran parte de su vida, alternando con numerosos viajes. Su obra es muy extensa y gran parte de ella ha sido traducida a varios idiomas. *El hijo del hombre* y *El kaiser Guillermo II* suscitaron enojo entre sus compatriotas. Escribió, entre otras: *Goethe, historia de un hombre, Manfredo y Elena, Napoleón, Bismarck, Wagner, Lincoln, Roosevelt* y *Tres titanes.*

Lugo. Ciudad española, capital de la provincia homónima. Situada cerca de las márgenes del río Miño, está rodeada por antiguas murallas construidas por los romanos, que dieron a la urbe el nombre de *Lucus Augusti.* Tiene fábricas de chocolates, conservas y sombreros, y en ella residen autoridades provinciales. Su población es de 88,253 habitantes. Entre sus edificios principales destacan la catedral, de interesante arquitectura en parte románica, las iglesias de Santo Domingo, de San Francisco, y el palacio del Ayuntamiento.

Lugo. Provincia del norte de España que limita con el Mar Cantábrico al norte, al este con las provincias de Oviedo y León, al sur con la de Orense y al oeste con las de Pontevedra y La Coruña. Pertenece con estas tres últimas al antiguo reino y actual comunidad autónoma de Galicia. Tiene una extensión de 9,803 km² y 386,405 habitantes. Se divide en 11 partidos judiciales. Su capital es Lugo.

Su territorio, lleno de valles separados por montes y colinas, está accidentado por los montes Cántabro-Astúricos y el Macizo Gallego, que forman en su parte central la meseta de Lugo. Sus principales ríos son el Miño, el Sil, el Navia, el Eo, el Masma y el Eume, y la costa comienza en la ría de Ribodeo y termina en la de Vivero. Es una provincia ganadera y agrícola, aunque su suelo también posee algo de azufre, hierro, plomo y antimonio.

Lugo y Albarracin, Pedro de.

Escultor colombiano, nacido a principios del siglo XVII en Santa Fe de Bogotá. Su obra escultórica puede apreciarse hoy día en varias iglesias bogotanas. Se destacan el *Ecce-Hommo*, en el templo de San Ignacio; *el Señor de la Misericordia*, en San Agustín; *el Cristo Atado a la Columna*, en Las Nieves, y muchas más que dan fe de su éxito como entallador. Una de sus primeras obras parece haber sido la estatua, labrada en piedra y bronce, del arzobispo Fernando Arias de Ugarte (1629). En muchas de sus imágenes policromadas, fundidas en plomo, se advierte el gusto por el verismo que caracterizaba a la escuela sevillana del siglo XVII. Consistía esa tendencia en usar cabelleras humanas, pestañas y otros artificios para adornar las imágenes religiosas. Su valor como uno de los más distinguidos imagineros de la Colonia ha sido reconocido por la crítica.

Lugones, Leopoldo (1874-1938).

Poeta argentino nacido en el pueblo de Río Seco, provincia de Córdoba. Admirador de Victor Hugo y de Rubén Darío, figuró entre los paladines de la llamada entonces *poesía modernista*; pero, ni el arte de estos dos maestros inmortales de la forma, ni la influencia de los parnasianos y simbolistas franceses, pudieron debilitar su poderosa personalidad. A veces grandilocuente, exquisitamente lírico e irónico, Lugones es uno de los vates más insignes de la América de habla española. Sus obras pasan de 40. *Las montañas del oro, Los crepúsculos del jardín*, páginas impregnadas de suave melancolía; *Odas seculares, El libro de los paisajes, Poemas solariegos, Romances de Río Seco, El imperio jesuítico* (estudio histórico de las misiones del siglo XVIII); *Historia de Sarmiento, La guerra gaucha* y *El ángel de la sombra*, pueden mencionarse entre sus obras. Ocupó cargos en la Sociedad de las Naciones y recibió el Premio Nacional de Literatura. Sobresalió también como periodista de envergadura, crítico sagaz y distinguido helenista.

Luini, Bernardino (1475?-1532?).

Pintor italiano de la escuela lombarda, contemporáneo y seguidor de Leonardo da Vinci. De su vida, apenas se sabe que vivió en Milán y cultivó la amistad de la familia Pelucca, de rancio abolengo milanés, enamorándose de la hija de los patricios, que se cree le sirvió de modelo en algunos frescos con que decoró la mansión de dicha familia.

Junto a estos primeros frescos mencionaremos los de la iglesia de Saronno y los de la iglesia mayor de Milán. Pero, entre sus pinturas se destacan, como suficientes para garantizarle la inmortalidad, *El sepelio de santa Catalina*, en que se supone reprodujo la imagen de su amada, y las deliciosas *Ninfas en el baño*, ambas en el museo Brera de Milán. En los principales museos de Europa se admiran otras obras maestras de Luini.

Luis IX, san (1214-1270).

Rey de Francia hijo de Luis VIII y de Blanca de Castilla. Ascendió al trono en 1226, a los 11 años de edad, por lo que hubo de ejercer la regencia su madre, que gobernó con acierto y habilidad, frente a las pretensiones de los señores feudales, deseosos de debilitar la monarquía. Llegado Luis a la mayoría de edad se reprodujeron los alzamientos de los nobles, que formaron una liga contra el rey, apoyados por Enrique III de Inglaterra. Pero, Luis los derrotó en Taillebourg y en Saintés, sometiéndolos y obligando a Enrique III a firmar la tregua de Burdeos en 1243. Al recobrarse de una grave enfermedad tomó la resolución de realizar una cruzada para libertar a los cristianos de la opresión de los infieles, embarcándose en 1248. Luego de varias victorias en Egipto, fue diezmado su ejército por el hambre y la peste y los mamelucos lo derrotaron y le hicieron prisionero. Pagó un fuerte rescate y permaneció luego cuatro años en Palestina visitando los lugares sagrados. En 1254 murió su madre, que desempeñaba la regencia del reino en ausencia del monarca, y Luis hubo de regresar a Francia. Se consagró a la reforma del reino, revelándose como un gran legislador. Por iniciativa suya Roberto de Sorbón fundó la escuela que lleva su nombre, la Sorbona, que habría de adquirir tanta celebridad. La religiosidad de Luis y tal vez la influencia de su hermano Carlos, designado rey de Sicilia, le motivaron a llevar a cabo una nueva cruzada, esta vez contra los moros de Túnez, donde desembarcó en 1270. Pero, al propagarse una nueva peste que contaminó al rey, éste murió. La Iglesia lo canonizó en 1297 y sus restos fueron trasladados a Francia y depositados en San Dionisio. San Luis llevó una vida ejemplar y se complacía en administrar justicia sentado en una encina en el bosque de Vincennes.

Luis XI (1423-1483).

Rey de Francia, hijo de Carlos VII y de María de Anjou. Se unió

Corel Stock Photo Library

Busto de Luis XIV, rey de Francia.

a los señores feudales y se alzó contra su padre. Carlos VII venció a los sublevados y declaró la guerra a su hijo, quien gobernaba sus propios estados del Delfinado. Luis huyó al Franco Condado y allí permaneció hasta la muerte de su padre, cuyo trono heredó en 1461. Mediante sus actos de gobierno excitó el recelo de la nobleza y el clero. Se formó contra él la Liga del Bien Público, encabezada por el poderoso duque de Borgoña, Felipe *el Bueno*, y a la muerte de éste por su hijo Carlos *el Temerario*. Luis XI sufrió reveses y humillaciones, pero a la postre logró deshacer el movimiento de rebeldía y alcanzar éxitos definitivos en el orden político. Su reinado fue una serie de luchas e intrigas, pero realizó una obra útil en beneficio de la unidad nacional de Francia. Murió a raíz de un ataque de apoplejía, en la ciudad de Tours.

Luis XIV (1638-1715).

Rey de Francia, apodado *el rey Sol* y *el Grande*, por el poderío alcanzado por el reino bajo su gobierno, apoteosis del absolutismo. Hijo de Luis XIII y Ana de Austria, ascendió al trono (1643) a los cinco años, bajo la tutela de su madre, entregada a la gestión de su primer ministro, el cardenal Giulio Mazarino, quien gobernó hasta su muerte. Este primer periodo se caracteriza por dos sucesos importantes: el fracaso de la Fronda, intento de alzamiento armado contra el poder real, en lo interno, y la terminación de las guerras de los Treinta Años (Tratado de Westfalia, 1648) y con España (Paz de los Pirineos, 1659), en cuanto a la política exterior. A partir de la muerte de Mazarino (1661), Luis

Luis XIV

XIV se reservó las atribuciones de primer ministro, ejerciendo un gobierno personal que duró 54 años y a cuyo sostenimiento contribuyó, en no escasa medida, la gestión financiera de su ministro Jean Baptiste Colbert. François Michel le Tellier, marqués de Louvois, reorganizador de la marina francesa del ejército, fue otro de sus grandes ministros, ya que una de las virtudes de este monarca fue el saber rodearse de hombres capaces, cuya gestión le puso en condiciones económicas y militares de dictar su ley a Europa.

La guerra de la Devolución (1667-1668) y la guerra de Holanda (1672-1678) ampliaron las fronteras de Francia a desventaja de España, provocando contra él la Liga de Augsburgo, causa de una guerra (1688-1697) en la que enfrentó con dificultad a sus adversarios. Finalmente, la apertura de la sucesión de España, sobre cuyo trono se creía con derechos por su matrimonio con la infanta María Teresa, hermana del rey español Carlos II, muerto sin descendencia, provocó la guerra de Sucesión de España (1701-1714) en la que cosechó graves reveses, viendo a Francia invadida y estando a punto de sucumbir ante el empuje de sus adversarios. Un ligero cambio de la fortuna de las armas, coronado con la victoria de Denain, y la circunstancia de que el adversario de Felipe V pasó a ocupar el trono imperial, lo que hacía tan peligroso o más, para el equilibrio europeo, el poder de la casa de Austria que el de la de Borbón, le permitió cierto respiro que aprovechó para firmar la paz, pactando los tratados de Utrecht y Rastadt sin demasiadas concesiones.

Reconocido rey de España uno de sus nietos, el citado Felipe V, Luis XIV pudo conservar casi la totalidad de sus territorios europeos, aunque tuvo que ceder gran parte de sus colonias a Inglaterra. Demostró con ello la debilidad económica en que habían dejado al país la larga serie de guerras mantenidas hasta el momento y el fasto deslumbrador de la corte, en la que el rey brillaba como un semidiós, representación viva del Estado. De Luis XIV es la famosa frase "El Estado soy yo", resumen del sentimiento absolutista, recogido posteriormente por tantos gobernantes dictatoriales. Pese a este deísmo de Estado, el gobierno de Luis XIV se caracterizó por su esplendor intelectual: apoyó desde la corte a los grandes escritores y artistas y fomentó las construcciones públicas, entre las que resaltan como símbolo de grandeza y gusto el palacio y los jardines de Versalles. En materia religiosa, Luis XIV fue menos prudente que Armand Jean du Plessis, cardenal y duque de Richelieu y Mazarino: persiguió a los jansenistas con la abadía de Port-Royal, que fue destruida, y a los protestantes hugonotes, con la revocación del Edicto de Nantes y las dragonadas, que obligaron a expatriarse a muchas familias, con grave daño para la economía francesa.

Luis XV (1710-1774). Rey de Francia, bisnieto de Luis XIV, de quien heredó el trono cuando tenía cinco años de edad (1715). Durante su minoría fue designado regente el duque Felipe de Orleans, sobrino de Luis XIV. La mayoría de edad coincidió (1723) con la muerte de Felipe, y Luis designó primer ministro al duque de Borbón, a quien muy pronto el cardenal André Herculé de Fleury, que había sido preceptor del monarca, logró hacer desterrar para sustituirle al frente del gobierno. Se casó en 1725 con María Leszczynska, hija del destronado rey de Polonia, y apoyó a su suegro en su lucha para reconquistar el trono, guerra en la que ganó Lorena. A la muerte de Fleury, bajo cuya administración mejoraron las condiciones financieras de Francia, Luis emprendió guerras infructuosas que agotaron los recursos del país. Aumentó los impuestos, daba ejemplo de todos los vicios y muy influido por Jeanne Antoinette Poisson, marquesa de Pompadour y por Marie Jeanne Bécu, duquesa Du Barry. Cuando se suscribió el *Pacto de familia* entre las tres cortes borbónicas de París, Madrid y Nápoles, Inglaterra les declaró la guerra arrebatando a Francia la India y Canadá, además de otras colonias. Los excesos de Luis XV prepararon el camino de la Revolución Francesa, con sus intrigas y libelos que denunciaban la corrupción de la nobleza; hasta se popularizaron canciones que satirizaban a los personajes de la corte. En determinada oportunidad Luis XV pronunció la desaprensiva frase: "*Aprés moi, le déluge*" ("Después de mí, el diluvio").

Luis XVI (1754-1793). Rey de Francia, el mayor de los tres hijos varones de Luis, *el Delfín;* sucedió a su abuelo, Luis XV, en 1774, por haber muerto antes su padre. Contrajo matrimonio con María Antonieta, archiduquesa de Austria. De carácter débil y desconocedor de los asuntos de gobierno, confió el cargo de primer ministro al conde Maurepás, quien emprendió reformas económicas y políticas. No supo sostener a los buenos ministros Anne Robert Jacques Turgot y Jacques Necker en sus planes de reformas necesarias.

Habiéndose reunido en Versalles, en 1789, los Estados Generales, es decir, representantes de la nobleza, el clero y el Estado llano, y negándose la nobleza y el clero a deliberar con el tercer Estado, los diputados de éste se constituyeron en Asamblea Nacional y juraron no separarse hasta dejar formada una Constitución. La corte trató de negociar luego que vio la firmeza de la Asamblea, pero rumores de que se organizaba la reacción y la dimisión de Necker dieron motivo a que se amotinara el pueblo de París, que atacó y tomó la Bastilla. Esto aconteció el 14 de julio de 1789, comienzo de la Revolución Francesa y desde entonces Luis XVI no pudo ejercer su autoridad. En las jornadas del 5 y 6 de octubre siguiente, masas tumultuosas salieron de París hacia Versalles, donde se apoderaron del rey y su familia. La intervención de Marie Joseph Motier, marqués de Lafayette salvó a las personas reales, pero fueron obligadas a trasladarse a París, así como la Asamblea.

El 21 de junio de 1791 quiso Luis XVI abandonar Francia y salió disfrazado de las Tullerías; pero, reconocido y detenido en Varennes, fue conducido de nuevo a París y tuvo que jurar la Constitución que había redactado la Asamblea. Luis XVI pidió luego auxilio a las potencias extranjeras para ser repuesto en su autoridad. Karl Wilhelm Ferdinand, el duque de Brunswick publicó, el 25 de julio de 1792, un manifiesto en el que decía que Austria y Prusia habían resuelto hacer cesar la anarquía en Francia y colocar nuevamente al rey al frente del Estado. Este reto lanzado a Francia produjo tal indignación en el pueblo de París, que pidió la destitución del rey en la Asamblea, acusándolo de traidor a la patria. Atacó la residencia real de las Tullerías y lo obligó a refugiarse en la Asamblea. De este modo terminó el reinado de Luis XVI (10 de agosto de 1792), aunque la proclamación de la República esperó hasta el 21 de septiembre, fecha en que se inauguró la Convención Nacional, que acto seguido procesó al último representante de la monarquía, lo condenó a muerte y el 21 de enero de 1793 fue guillotinado Luis XVI junto con toda su familia.

Luis Felipe I (1773-1850). Rey de Francia, hijo de Luis Felipe de Orleans –el llamado *Felipe Igualdad*– y de Luisa de Borbón. Con el triunfo de la revolución de julio de 1830, que derrocó a Carlos X, Luis Felipe que era teniente general del reino fue proclamado sucesor y aceptó la corona con el apoyo de la burguesía liberal. Difíciles los 10 primeros años de su reinado por continuas sublevaciones y conspiraciones republicanas, así como por atentados contra su persona, el ministro François Guizot aseguró la tranquilidad de los últimos ocho. Sin embargo, la obstinación del rey y su ministro en rechazar una fórmula electoral que ampliase el hasta entonces restringidísimo número de electores, dio motivo a una manifestación en febrero de 1848 que pronto se transformó en motín y revolución, siendo proclamada la república. El rey se refugió en Inglaterra, donde falleció dos años más tarde. Su formación liberal y simpatía le valieron durante su reinado el sobrenombre de *rey Ciudadano*.

Luján, nuestra señora de. Advocación con la que se venera una imagen de la Virgen María en la población del mismo nombre, a 60 km de Buenos Aires, declarada canónicamente en 1887 patrona de Argentina, Uruguay y Paraguay. La imagen fue traída de Brasil en 1630 y permaneció en una capilla de la estancia de Rosendo de Oramas, a orillas del río Luján hasta 1671. En esa fecha fue trasladada a otra estancia cercana, en donde se edificó más tarde una capilla mayor e independiente, donde fue colocada la imagen, y en torno a ella fue formándose una villa que se transformó lentamente en la notable población actual de 58,909 habitantes. En 1910 se inauguró en el mismo lugar una suntuosa basílica de estilo gótico, consagrada a su devoción.

lujo. Exceso en el adorno y en la acumulación de cosas superfluas. El lujo ha sido objeto de profundos estudios en todas las épocas y los tratadistas han dado de él múltiples definiciones. Mientras para unos es el exceso en los gastos personales, para otros es el uso de cosas de elevado precio y para otros más significa el atesoramiento y goce de bienes no esenciales. La economía política y la sociología difieren en cuanto a qué son y qué significan las cosas esenciales y las superfluas. Sin embargo, en distintas épocas se han dictado leyes, denominadas suntuarias, para reprimir el lujo. Modernamente se establecen impuestos sobre los artículos considerados superfluos o lujosos.

La historia demuestra que hubo figuras que han vivido rodeadas de un lujo excesivo (Cleopatra, Heliogábalo, etcétera), pero esta manía entra dentro de la extravagancia y de la disipación, términos que no deben confundirse con la palabra lujo. La civilización y el progreso han hecho necesarias para el hombre infinidad de cosas que en otras épocas no eran indispensables o

Corel Stock Photo Library

Oficina de lujo en New York, EE.UU.

eran desconocidas. Una dama de la aristocracia de la Edad Media vivía rodeada de menos comodidades que la modesta dueña de casa de hoy. Esto demuestra que la idea de lujo es diferente a través de la historia y que no hay posibilidad de establecer con exactitud dónde termina lo necesario y dónde comienza lo superfluo. Un ejemplo: el uso de la corriente eléctrica era un lujo a fines del siglo XIX y hoy es una necesidad. Los más severos moralistas ya no rechazan la idea de que el deseo de ascender en la escala social, de mejorar las condiciones de vida y luchar para adquirir mayor número de cosas necesarias y aun superfluas, forma parte del concepto que la sociedad actual posee del progreso.

Lukács, György (1885-1971). Filósofo marxista, crítico literario y escritor húngaro. Uno de los teóricos marxistas más importantes de la primera mitad del siglo XX, que desarrolló una estética marxista dibujando un vínculo entre el arte y la lucha social. Sus primeros trabajos, como *El alma y las formas* (1911) y *La teoría de la novela* (1916), mostraban la fuerte influencia del pensamiento de Max Weber y de Carlos Marx.

Después de trasladarse a Viena, Lukács escribió su principal evaluación del Marxismo, *Historia y conciencia de clase* (1923). Sin embargo, fue rápidamente etiquetado como revisionista porque se separaba de una ortodoxia estándar marxista-leninista. Después de la llegada de Adolfo Hitler al poder en 1933, vivió en Moscú en donde trabajó en el Instituto Marx-Engels y en el Instituto de Filosofía en la Academia Soviética de las Ciencias. Después de la Segunda Guerra Mundial, Lukács regresó a Hungría para convertirse en profesor de filosofía y estética en Budapest. Su interpretación idealista del Marxismo frecuentemente lo convirtió en el centro de controversia ideológica, y su participación en la revolución de 1956 le dejó en segundo plano, pero en 1965 fue rehabilitado.

Toda la obra de Lukács debe considerarse una de las aportaciones básicas del marxismo posterior a Vladimir Ilich Uliánov Lenin y Antonio Gramsci.

Lulio, Raimundo Llull, llamado (1235-1316). Célebre filósofo y poeta español, hijo de Ramón Llull, caballero que acompañó a Jaime I en la conquista de Mallorca. Desde muy joven entró en el palacio de los reyes de Aragón, como paje de

Residencia de lujo en Francia.

Corel Stock Photo Library

Las auroras boreales son un ejemplo del fenómeno de la luminiscencia.

Jaime I. Durante su juventud llevó una vida desordenada. Arrepentido en su madurez, dejó la corte, dio sus bienes a los necesitados y consagró el resto de su vida a Dios. Aprendió la gramática y la lengua arábiga con objeto de predicar el cristianismo entre los moros. A los 50 años se trasladó a París; volvió a Mallorca y se retiró a una ermita situada en la cumbre de la montaña de Randa, consagrándose al estudio y la penitencia. Pasó luego a la ermita de Algayde, donde compuso su libro *Arte Mayor*, contra los infieles. Atribuidas sus concepciones a inspiraciones celestiales, sus adeptos lo llamaron el *Doctor iluminado*.

Se trasladó luego a Roma, habló con el papa Clemente V y los más doctos cardenales, exponiéndoles sus doctrinas. Volvió a París y en la Sorbona 40 doctores examinaron su *libro*, aprobándolo unánimemente. Recorrió Armenia y Chipre, alentando con su palabra la conquista de Tierra Santa, y predicó en Egipto y Túnez. Marchó a África a combatir el mahometismo por medio de la palabra y prosiguió sus peregrinaciones por diversas ciudades cristia-

nas. Después de pasar tres años en su ermita, reanudó sus viajes apostólicos, hasta que finalmente en Túnez fue encarcelado. Salió de la prisión y murió lapidado en Bugía. Unos mercaderes genoveses recogieron su cadáver y lo llevaron a Mallorca. Además de místico y teólogo, fue químico, filólogo y poeta. En su *Arte magna general* combatió la autoridad de Averroes, ya remontándose a la teología, o descendiendo a minuciosos análisis lógicos. Entre sus principales obras se cuentan: *Libros de contemplación en Dios, Árbol de la ciencia, Libro de amigo y amado, Félix de las maravillas del mundo* y *Blanquerna*.

Lully o Lulli, Jean Baptiste (1632?-1687).
Músico francés de origen italiano, creador de un tipo de ópera, insuperado hasta Christoph Willibald Glück, que le valió el sobrenombre de padre de la ópera francesa. Autor de la música de algunas comedias de Jean Baptiste Poquelin, llamado Molière, el número de sus óperas alcanza la veintena, destacándose entre ellas *Acis y Galatea, Amadís, Proserpina* y *El burgués gentilhombre* por la belleza de sus minuetos, y *Teséo, Alceste* y *las fiestas de Amor* y *Baco* por sus oberturas.

Lumière, Auguste Marie (1862-1954) y Louis Jean (1864-1948).
Químicos, inventores e industriales franceses que se especializaron, Auguste en biología y Louis en química, para ponerse al frente de la fábrica de productos fotográficos que su padre había instalado en Lyon. Inventaron emulsiones más sensibles y perfectas colocándose a la cabeza de la industria fotográfica. Después de estudiar los aparatos ideados para conseguir la cronofotografía, inventaron el cinematógrafo, y los procedimientos reflectivos para tomar, copiar y pro-

yectar cintas cinematográficas en celuloide transparente, casi idénticas a las actuales.

Realizaron la primera proyección cinematográfica del mundo el 12 de marzo de 1895, que consistía en la película *La salida de los obreros de la fábrica Lumière*, en Lyon-Montplaisir, y el 28 de diciembre en el Grand-Café, 14 boulevard des Capucines, de París, se inauguró el primer cine público. A Louis se deben, además del cinematógrafo, numerosos aportes a la fotografía, entre ellos la invención de la fotografía en color, y a Auguste, trabajos de investigación sobre la función de los coloides en los seres vivos, la cicatrización de heridas cutáneas, etcétera.

luminiscencia.
Emisión de luz realizada por materiales relativamente fríos. Es distinta a la incandescencia, en la cual los materiales emiten luz como resultado de sus altas temperaturas. La luminiscencia incluye el fenómeno de fluorescencia (emisión de luz estimulada por radiación pronta que continúa ocurriendo durante periodos prolongados después de que el estímulo ha sido eliminado). La emisión luminiscente surge de átomos y moléculas que han sido energetizadas de alguna manera sin calentar apreciablemente el material a granel y que liberan la energía sobrante en forma de luz. La excitación puede causarse por absorción de luz visible, radiación ultravioleta, rayos X y rayos gamma por la colisión con partículas cargadas, por reacciones químicas y por otros medios.

Las primeras formas observadas de luminiscencia fueron fenómenos naturales de electroluminiscencia, como las auroras, y de bioluminiscencia, como la luz producida por luciérnagas, gusanos de luz, y muchas variedades de vida marina. La bioluminiscencia es una forma de quimioluminiscencia, que es la emisión de luz como resultado de una reacción química.

Muchos elementos, compuestos químicos y minerales pueden demostrar fluorescencia. El neón y otros gases fluorescen cuando un rayo de electrones pasa a través de ellos. Los materiales sólidos que fluorescen –como la cubierta de los tubos de luz fluorescentes y los bulbos de la televisión– son conocidos como fósforos. Ciertos minerales fluorescen en colores vívidos cuando son irradiados.

La triboluminiscencia es la luminiscencia causada por fricción; algunos minerales como el corundum (óxido de aluminio) que brilla después de ser calentado a una temperatura inferior a la del calor rojo.

La sonoluminiscencia es un fenómeno relativamente nuevo, y consiste en la luminiscencia que ocurre en algún hidrocarburo líquido cuando éste es irradiado con ondas de sonido de alta frecuencia.

luminotecnia.
Véase ILUMINACIÓN.

Los hermanos Lumière, fueron los inventores del cinematógrafo.

Lummis, Charles Fletcher (1859-1928). Escritor e hispanófilo estadounidense. Dirigió el periódico *Daily Times* de Los Ángeles y la biblioteca pública de la misma ciudad. Fundó museos y logró que se conservaran y protegieran los monumentos coloniales de California; creó bibliotecas y donó la suya al museo Southwest , que fundó en Los Ángeles. Ferviente hispanófilo, escribió *Los exploradores españoles del siglo XVI*, después de haber recorrido toda la América de habla española, desde México a Chile. Además de ese libro, escribió *El rey de los broncos, Canciones americanas de la vieja California* y *Mi amigo Will*. Cuando murió, estaba preparando un diccionario enciclopédico sobre América.

Lumumba, Patrice Émery (1925-1961). Político del Congo. Sufrió prisión por delitos de orden común y político. En 1958 fundó el partido Movimiento Nacional del Congo. En 1960, al ser acordada la independencia, formó el primer gabinete congoleño en el que figuró como primer ministro. Viajó en misiones políticas por África, Bélgica, Gran Bretaña y Estados Unidos. En la crisis política que sobrevino en el Congo y degeneró en graves disturbios, Lumumba fue depuesto por el presidente Joseph Kasavubu, perseguido por el jefe del Ejército Joseph Mobutu Sese Seko, y hostigado por políticos enemigos hasta que cayó en poder de Mobutu. Trasladado prisionero a la provincia separatista de Katanga, fue muerto poco después de fugarse de la prisión (febrero de 1961), según la versión que se dio publicamente. *Véase* CONGO.

Luna, la. Astro, único satélite natural de la Tierra, que gira alrededor de ésta y presenta diversos aspectos al reflejarnos la luz que recibe del Sol. La Luna es el cuerpo celeste más próximo a la Tierra y, por ello, el primero que ha pisado el hombre en una hazaña magnífica. La Luna tiene un diámetro de 3,476 km o sea aproximadamente la cuarta parte que el de nuestro planeta, del que se halla a una distancia de 384,405 km, lo que equivale a 30 veces el diámetro de la Tierra. Esta distancia que es enorme comparada con las terrestres, resulta insignificante en el campo astronómico, ya que el Sol está 416 veces más lejos que la Luna, y la estrella más cercana está 12 millones de veces más lejos de nosotros que nuestro satélite. El conocimiento de la Luna empezó a tener una base científica en la invención del primer anteojo por Galileo Galilei y llegó a una gran precisión con el telescopio de Isaac Newton. Desde la invención de la fotografía tales estudios avanzaron mucho, pues este medio permite mayor precisión que la observación directa, con la ventaja de fijar las observaciones para un análisis posterior. Aplicando cámaras especiales a los telescopios, se han obtenido magníficas fotografías que registran los accidentes de la Luna con asombrosa claridad.

Midiendo sobre las fotografías las dimensiones de las sombras de las montañas lunares, se ha podido calcular con toda precisión su altura; y el empleo combinado del espectroscopio y la fotografía ha permitido analizar la luz que nos llega de los astros y comprobar hechos tan importantes como la ausencia de atmósfera y agua en la Luna.

Corel Stock Photo Library

Vista telescópica de la luna.

Los ciclos lunares influyen sobre los seres vivos.

Corel Stock Photo Library

Por tanto, no existen lluvias, ríos, ni mares en la Luna, y su superficie, al no haber estado sometida a los efectos erosivos de la atmósfera, ni del agua, conserva la misma fisonomía que cuando se formó, con montañas abruptas y escarpadísimas, únicamente modificadas por los impactos producidos por la caída a enorme velocidad de meteoritos y cuerpos celestes. La envoltura atmosférica de la Tierra ejerce un efecto regulador de la temperatura que recibimos del Sol, impidiendo cambios muy bruscos. La Luna, a más de no tener esa protección, está expuesta a los rayos solares durante un día lunar de dos semanas de duración, en que su superficie alcanza temperaturas de unos 180 °C, para pasar bruscamente a temperaturas de 170 °C, cuando la superficie pasa de la luz a la sombra de la noche lunar. Estos grandes cambios de temperatura serían suficientes por sí solos, para impedir allí la existencia de cualquier género de vida similar al de la Tierra.

A simple vista se aprecian en la Luna manchas oscuras y zonas brillantes de formas variables, que se definen como accidentes de diversos tipos. Toda la superficie está sembrada de depresiones circulares, rodeadas de un borde elevado y abrupto, semejante a las marcas que dejan al romperse las burbujas de una espesa papilla en ebullición, y que se conocen con el nombre de cráteres lunares. Los hay de diversos tamaños, y muchos tienen en el centro una especie de montaña cónica, casi tan alta como las montañas del borde, mientras otros tienen el fondo plano, y a nivel más bajo que la superficie exterior. A éstos se les llama circos y suelen ser de mayor extensión que los cráteres. El mayor es el llamado de Clavius, que tiene unos 250 km de diámetro y está rodeado de una

Luna, la

barrera de móntañas que alcanzan más de 6,000 m de altura.

Un espectador colocado en su centro no alcanzaría a ver la barrera de montañas, por la gran curvatura de la superficie de la Luna. Algunos astrónomos suponen que los cráteres podrían haberse producido por la caída de grandes meteoritos sobre la superficie aún fluida del astro, mientras otros los atribuyen a formaciones volcánicas. Cuando se terminó el análisis del material lunar traído a la Tierra por los astronautas estadounidenses, se pudo concluir que ambas ideas eran correctas.

A más de las barreras que circundan los cráteres y circos, existen en la superficie lunar alineaciones montañosas semejantes a las terrestres, pero de vertientes mucho más escarpadas, que se conocen con el nombre de montañas y a las que se les ha dado nombres, como la cordillera de los Apeninos, con picos de 6,000 m, los Montes Leibniz y Doerfel que pasan de los 8,000 m y son los más altos. A pesar de ser algo menores que las montañas mayores de la Tierra, proporcionalmente son las lunares cuatro veces más altas, ya que la Luna tiene un diámetro cuatro veces me-

nor que nuestro planeta. Las manchas oscuras que se ven a simple vista corresponden a las regiones planas de la superficie, que vistas en detalle presentan ciertas rugosidades, semejantes a las que forman las arenas de las playas, cuando se retira el mar. A estas manchas se las conoce con el nombre de *mares lunares*, por su aspecto similar al de los mares de la Tierra, pero no porque contengan agua, pues ya hemos explicado que este elemento allí no existe.

La superficie está surcada por rupturas de miles de km de longitud y que llegan a 500 m de ancho, que se llaman grietas, y que pueden haberse producido por las grandes diferencias de temperatura entre el día y la noche lunares. El peso de la Luna es 3.3 veces mayor que el de un volumen de agua igual al suyo, lo que nos indica que debe estar compuesta de materiales poco densos, semejantes a los volcánicos, como la piedra pómez de la corteza terrestre. El color de la superficie lunar parece blanco plateado sólo por la luz que nos refleja.

La Luna gira alrededor de la Tierra, describiendo una órbita elíptica, en 29 días, 12 horas, 44 minutos y 2.8 segundos, que es lo que se llama *revolución sinódica* de la

Luna, si la calculamos en relación con las sucesivas posiciones del Sol; pero, si calculamos el tiempo que tarda en dar una vuelta alrededor de la Tierra, tomando como punto de referencia una estrella fija, obtenemos que éste es de 27 días y seis horas, que es lo que llamamos *revolución sideral* de la Luna. La diferencia entre estas dos revoluciones, que corresponden aproximadamente a los meses, proviene del hecho de que la Tierra y la Luna tardan un año en dar juntas una vuelta alrededor del Sol. Además de este movimiento de traslación, la Luna gira alrededor de su eje, empleando en dar una vuelta sobre sí misma exactamente el mismo tiempo que invierte en dar una vuelta alrededor de la Tierra. Esto determina que continuamente esté frente a nosotros un poco más de la mitad de su superficie, ya que el resto posterior, opuesto a la Tierra, había permanecido siempre invisible para nosotros hasta octubre de 1959, aunque se conocía 59% de la superficie de la Luna, debido a las variaciones de las revoluciones lunares y a los cambios de su órbita, que producen unas aparentes oscilaciones, o *movimientos de libración*.

Las posiciones relativas de la Luna y nuestro planeta con respecto al Sol determinan que desde nuestro planeta no veamos siempre la misma cantidad de Luna iluminada por los rayos solares, sino que ésta vaya creciendo o decreciendo, a medida que recorre su órbita. Se llaman *fases lunares* los distintos aspectos que presenta su vista desde la Tierra. Supongamos que la Luna está situada entre nosotros y el Sol, según se indica en la posición 1 del dibujo adjunto. Como la parte iluminada por el Sol es la opuesta de la que mira a la Tierra, y la Luna no tiene luz propia, ésta nos será invisible en ese momento. Esta fase se llama *luna nueva*. A medida que la Luna sigue su camino alrededor de la Tierra, iremos viendo aparecer por uno de sus bordes una franja iluminada que forma un creciente lunar, como se representa en la posición 2 del dibujo (con sus puntas o cuernos opuestos a la dirección en que recibe la luz del Sol), y que aumentará de extensión hasta llegar a la posición 3, en que la parte iluminada es exactamente una media luna.

En este momento las posiciones del Sol y de la Luna, con respecto a la Tierra, forman un ángulo recto. La Luna tarda en hacer este recorrido aproximadamente siete días, o sea un cuarto de su giro total. A esta fase se la llama *cuarto creciente*.

Al continuar su movimiento hacia la posición 4, la Luna nos va mostrando mayor cantidad de superficie iluminada, hasta que al cabo de otros 7 días alcanzará la posición 5 opuesta al Sol, con relación a la Tierra, viéndose desde ésta todo el disco lunar iluminado, fase que se llama de *luna llena*. En

Diagrama de las fases lunares, según la explicación del texto.

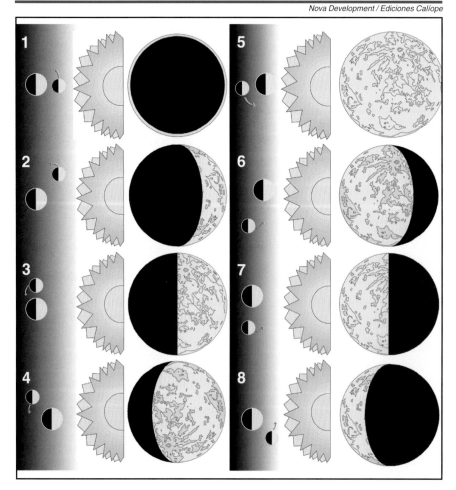

Nova Development / Ediciones Calíope

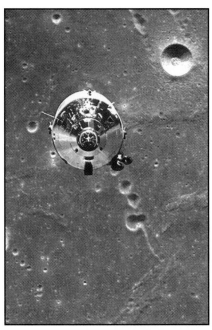

La expedición espacial del Apolo 17 fue la primera en hacer estudios geológicos sobre la Luna.

esta fase es cuando más luz nos envía la Luna, llega a ser 1/500,000 veces de la luz del Sol al mediodía. A partir de este momento, y a medida que el astro sigue su recorrido, la zona iluminada va disminuyendo, hasta que llega a la posición 7 en el dibujo, en que la parte iluminada es otra vez exactamente la mitad de la Luna, aunque esta mitad es distinta a la de la posición 3. La superficie iluminada se va reduciendo en la posición 8 hasta que desaparece totalmente al llegar al punto de partida, fase denominada *cuarto menguante.* De esta manera se cierra el ciclo o lunación en el tiempo de 29 días y medio aproximadamente.

El plano de la órbita que recorre la Luna en su movimiento alrededor de la Tierra, no coincide con el plano de la elíptica, o sea con el que recorre la Tierra alrededor del Sol, sino que forma con él un pequeño ángulo de unos 5°, a lo que se debe el que no se produzcan eclipses de Sol y de Luna todas las veces que los tres astros ocupan las posiciones marcadas con los números 1 y 5 en el dibujo, sino que solamente se originan cuando los tres están perfectamente en línea recta. De la misma manera que nosotros recibimos de la Luna la luz del Sol reflejada en su superficie, aquélla recibe luz solar reflejada en la superficie de la Tierra. Esta luz permite que advirtamos, aunque muy débilmente iluminada, la parte oscura del astro cuando cruza por la fase de *luna nueva.*

La fuerza de la gravedad de la Luna, debido a su menor volumen, es unas seis veces menor que la de la Tierra, de modo que los cuerpos pesan en su superficie seis ve-

ces menos que en la nuestra. En la Luna un hombre puede levantar 300 kg y saltar fácilmente 4 m de altura.

La Luna ejerce sobre nuestro planeta una fuerza atractiva que se hace patente al producirse en la superficie del mar las acumulaciones de agua que originan las mareas. Si suponemos a la Tierra rodeada de una capa uniforme de agua, será fácil comprender cómo en la parte de la Tierra más próxima a la Luna y en la opuesta la envoltura acuosa se altera por la atracción ejercida por el satélite, creando una gran ola que se traslada con el mismo movimiento de rotación de la Tierra y produciendo una elevación periódica del nivel de los mares que es lo que se llaman mareas. Éstas se producen dos veces por día, separadas por 12 horas 25 minutos; por eso las mareas se retrasan en relación con las del día anterior unos 50 minutos.

En la vida de los pueblos antiguos la Luna ha tenido una gran importancia; sirvió, inclusive, en muchos de ellos, como los caldeos, para contar el tiempo, como hacen todavía los mahometanos. En otros pueblos ha originado las más variadas creencias y supersticiones, y se le ha atribuido influencia sobre el desarrollo de las plantas y hasta sobre las facultades mentales de los hombres. De ello que se llame lunáticos a los que sufren alguna perturbación mental. Con la conquista de la Luna por el hombre en 1969, nuestro satélite ha perdido gran parte de sus cualidades poéticas, para convertirse en un astro inhóspito donde el hombre sólo puede sobrevivir pro-

Astronauta sobre la Luna.

Acercamiento telescópico a la superficie de la Luna.

tegido por sus trajes espaciales contra las mortales radiaciones solares, las temperaturas extremas y la falta de oxígeno.

Muchas han sido las teorías ideadas para explicar el origen y la formación de la Luna, la mayoría de las cuales obedece a las teorías cosmogónicas generales. Una de las más antiguas es la de Pierre Simon, marqués de Laplace, quien suponía que planetas y satélites formados por la concentración de una nebulosa espiral, en distintos núcleos, continuarían girando sobre sí y alrededor del núcleo central de concentración, el cual sería el centro del sistema. El astrónomo George Howard Darwin modificó esta teoría, suponiendo que la Luna se había originado por un desprendimiento de parte de nuestro planeta, cuando estaba aún sin consolidar. Según él, el rápido movimiento de rotación de que estaba dotada la Tierra en su fase fluida, habría producido un aplastamiento helicoidal, que habría determinado la formación de un conjunto de dos masas esféricas unidas que girarían alrededor del centro común de gravedad; al separarse una de otra, la más pequeña habría terminado por girar alrededor de la mayor. Otras teorías suponen que la Luna se ha originado por las perturbaciones producidas en nuestro sistema solar por el paso, próximo a nosotros, de alguna gran estrella; y hay también quien supone que la Luna puede haberse formado por la concentración de corpúsculos cósmicos, que entraron en nuestra órbita de atracción, explicando la formación de los cráteres lunares, como impactos producidos por la caída de estos trozos de materia cósmica sobre la Luna.

Luna, la

Fotografía de la Luna llena.

En el progreso de nuestros conocimientos sobre la Luna se destacan acontecimientos de gran trascendencia ocurridos en 1959. En ese año, la Unión Soviética lanzó al espacio los proyectiles cohetes: *Lunik 1* (2 de enero) que pasó, dos días después, a 6,500 km de la Luna para colocarse en órbita alrededor del Sol; *Lunik 2* (12 de septiembre), que 35 horas después cayó casi en el centro de la Luna, y *Lunik 3* (4 de octubre) que tres días después dio vuelta por detrás de la Luna, de cuya cara invisible tomó fotografías que transmitió a la Tierra electrónicamente. La fotografía, que fue dada a la publicidad el 26 de octubre, reveló que la otra cara de la Luna presenta menos cráteres, montañas y otros accidentes orográficos, que la parte visible y conocida. En enero de 1966 el *Lunik 9* descendió lentamente en la Luna, en el océano de las Tempestades, desde donde trasmitió información científica y las primeras fotografías enviadas a la Tierra tomadas desde la superficie lunar. Dos meses después la Unión Soviética envió el *Lunik 10* que fue el primer satélite artificial de la Luna. Los soviéticos en vuelo no tripulado depositan en suelo lunar el 10 de noviembre de 1970, por el *Lunik 17, el Lunajod 1 vehículo lunar* automático, autopropulsado y dirigido a control remoto desde la Tierra con forma de caldera de 2.15 m de diámetro portador de un equipo de televisión para explorar la superficie lunar y mediante el cual se determinaría la posición del Sol por la longitud y dirección de las sombras, un telescópio de rayos X para medir las radiaciones extragalácticas, un espectrómetro de rayos X para determinar la composición del suelo lunar, un penetrómetro para determinar la densidad y un reflector laser (en cooperación franco-

soviética) cuyo fin fue la orientación y las mediciones muy precisas de distancias, formas y tamaños de los accidentes lunares. Fotografió una superficie de 80 km², transmitió más de 200 panorámas y más de 20 mil fotografías, realizando análisis fisicomecánicos del suelo en 500 km de la superficie lunar y análisis químicos en otros 25 puntos de dicha superficie.

El *Lunajod 2*, depositado en el suelo lunar por el *Lunik 21* (8 de enero de 1972) recorrió 37 km, terminando su misión a principios de junio del mismo año. Tomo 86 panoramas y 80 mil fotografías de la superficie lunar durante 60 sesiones de comunicación. Los exitos en la conquista de la Luna permitieron plantear la posibilidad de alcanzar también otros planetas, se desarrollaron otros programas espaciales como *el Mariner, Viking, Pioner* y *Voyager* por parte de Estados Unidos y *el Venera*, por parte de la ex Unión Soviética.

Por su parte, los Estados Unidos, el 28 de julio de 1964 lanzaron el vehículo espacial *Ranger 7*, equipado con seis cámaras de televisión, que después de 68 horas y 35 minutos llegó a la superficie de la Luna, en el Mar de las Nubes, a 15 km del punto de contacto asignado. Cuando se encontraba a 16 minutos y 1,800 km de distancia de la Luna empezó a transmitir fotografías a la Tierra, la última de ellas a sólo 1,500 m de altura antes de estrellarse en la superficie lunar. Las fotografías captaron datos de gran importancia referentes a la capa superficial de polvo, cráteres y otros accidentes de menos de 1 m de diámetro, inobservables por medio de telescopios, que sólo pueden distinguir objetos lunares mayores de 400 m de diámetro. El conjunto de fotografías obtenidas –4,316 en total– constituyó una valiosísima aportación al estudio

de la superficie lunar con vistas a la posibilidad de enviar a nuestro satélite vehículos espaciales tripulados. Posteriormente los estadounidenses lograron hacer descender lentamente en la Luna sus sondas espaciales llamadas *Surveyor*, que incluso analizaron, con una pala mecánica la tierra circundante y enviaron a la Tierra muchas fotografías y datos diversos. Por fin, tras la circunvalación de la Luna por los tripulantes del *Apolo 11* (Neil Armstrong, Edwind Aldrin y Michael Collins), Armstrong y Collins pusieron por primera vez el pie en la superficie lunar el 21 de julio de 1969, día histórico para la humanidad, que siguió expectante el trascendental acontecimiento desde los aparatos de televisión. Se estudiaron muestras de polvo y rocas lunares que trajeron los astronautas a la Tierra, para determinar la estructura y el posible origen de nuestro satélite. Al *Apolo 11* siguió el *Apolo 12* (noviembre de 1969) con el mismo éxito que el primero. La misión llevada a cabo por sus tripulantes, Charles Conrad, Alan Bean y Richard F. Gordon fue de más alcance científico que la de sus predecesores. *Véase* Astronáutica.

Luna, Álvaro de (1390-1453). Condestable de Castilla y maestre de Santiago, privado del rey Juan II de Castilla. Paje del servicio del rey, captó su voluntad llevando el peso del gobierno como su favorito. Árbitro todopoderoso de los destinos de Castilla, los nobles, conjurados contra él, consiguieron por dos veces su destierro a Escalona, de donde regresó cada vez más fuerte, hasta su caída definitiva. Hecho prisionero, juzgado con parcialidad evidente y condenado a ser decapitado, la sentencia fue cumplida en Valladolid donde el cadáver quedó expuesto al pueblo durante tres días.

Figura muy discutida, representa la defensa del poder real contra la nobleza, y en este sentido fue el precursor de la política de los Reyes Católicos. Varón galante y culto, dejó algunas poesías y el *Libro de las claras y virtuosas mujeres*. Iñigo López de Mendoza, el marqués de Santillana, le dedicó un enconado poema, *Doctrinal de privados*, que refleja el odio que concitó el personaje.

Luna, Pedro de. *Véase* Benedicto XIII.

lunch. Voz inglesa que equivale al almuerzo; alimento ligero que se realiza entre el desayuno y la comida que incluso puede sustituir a alguna de estas dos.

lunes. Segundo día de la semana. Los romanos lo consagraban a la Luna, que personificaban en la diosa Diana adornada con ese atributo. El lunes se considera como la jornada menos productiva de la semana de labor, ya que el trabajador, influido por el reposo o los excesos del fin de semana, suele mostrarse cansado en sus ocupaciones habituales. En Francia y en muchos países llaman festejar san Lunes el no ir al trabajo ese día.

lupa. Lente biconvexa, de pequeña distancia focal, también llamada microscopio simple o lente de aumento. Se emplea para aumentar ópticamente las dimensiones de objetos cercanos que se desee examinar. Si se utiliza para leer las páginas de un libro, se observará que si la lente se coloca a una distancia más de dos veces mayor que la distancia focal, las letras parecerán más pequeñas. Pero si se coloca a una distancia menos del doble de su distancia focal, entonces las letras aumentarán de tamaño. La potencia o aumento absoluto de una lupa depende de su distancia focal y de su distancia al objeto. En general aquélla es de 0.5 a 5 cm, siendo tanto mayor el aumento cuanto menor es esa distancia. Para evitar algunas fallas, como por ejemplo el cromatismo de las lentes, se usan lupas, que son pequeños sistemas de 2 o 3 lentes. Por ser las lupas sistemas ópticos convergentes, concentran los rayos, y si ellos inciden sobre un papel lo calientan hasta incendiarlo.

lúpulo. Planta canabinácea, de hojas parecidas a las de la vid y fruto en forma de piña. Éste, desecado, sirve para aromatizar y dar sabor amargo a la cerveza. Las escamas de los conos del lúpulo están recubiertas por una sustancia resinosa, amarga y amarillenta, conocida con el nombre de lupulino. Es un polvo granulado muy aromático y amargo que se encuentra en una proporción de un 10 % entre las escamas del lúpulo. En su composición interviene una esencia hidrocarbonada, o aceite volátil, que es la que da un perfume especial a la cerveza y le confiere la propiedad de formar espuma por agitación. El lúpulo es una planta cultivada con preferencia en los países en que la vid no prospera, para reemplazar el vino por la cerveza. Hay cuatro variedades principales de lúpulo: rojo, blanco, verde y amarillo. El lúpulo rojo tiene los sarmientos vigorosos y rojizos. Se cultiva sobre todo en Baviera (Alemania) e Inglaterra. El blanco, conocido también bajo el nombre de lúpulo flamenco, tiene los sarmientos muy desarrollados y verdes. Esta variedad es muy estimada en Estados Unidos, Inglaterra, Alemania, Bélgica y Holanda. Los lúpulos verde y amarillo son menos apreciados porque el aroma de su lupulino es más fuerte y no tan agradable como el de las otras variedades. Los principales países productores de lúpulo son Estados Unidos, Gran Bretaña, Alemania, Francia, Bélgica e Italia.

lupus. Enfermedad de la piel y las membranas mucosas de carácter tuberculoso.

Corel Stock Photo Library
Lupa.

Su denominación deriva del término latino *lupus* que significa lobo, por la acción destructora que presenta esta afección. Enfermedad de origen desconocido que cursa con intensos trastornos de la homeostasis inmunitaria. El lupus se distingue por la producción de tubérculos que tienden a ulcerarse y a extenderse en especial a la piel, mucosas y cerosas. Entre los más conocidos se destacan el lupus *vulgar*: dermatosis de origen tuberculoso caracterizado por manchas rojo parduzcas, formados por nódulos pequeños translúcidos, encajados profundamente en la piel. Sin tratamiento progresa lentamente, teniendo a la clasificación y la formación de cicatrices que originan graves deformaciones y el *eritematoso*: una de las entidades patológicas mas características del grupo de las colagenosis, los trastornos que definen esta infección sugieren que se desarrolla a nivel del tejido conjuntivo(degeneración de autoalergia) y debido a desórdenes de tipo inmunitario (fenómenos de autoalergia) como la existencia de anticuerpos antinucleares. El lupus erimatoso suele aparecer en mujeres jóvenes presentando diversas formas evolutivas,aguda, subaguda, y crónica. Las formas aguda y subaguda se conocen también como lupus eritematóso generalizado o diseminado; clínicamente se manifiesta con fiebre, adelgazamiento, postración, con síntomas locales como manifestación articular seudorreumática, y manifestaciones cutáneas (la más típica de las cuales en el eritema de vepertillo que asienta y se extiende sobre los pómulos). Afectación visceral, endocarditis, negritis, etcétera. El lupus eritematoso crónico se limita exclusivamente en la piel (donde a su vez, las lesiones pueden estar generalizadas en grandes áreas o localizadas) es de evolución crónica y con frecuencia benigna, y de ahí que sea muy discutida su relación con el lupus eritematoso agudo y subagudo.

Los diferentes lupus atacan especialmente las mejillas y la nariz. Es una afección muy rebelde. Antiguamente el lupus tuberculoso era incurable. Su tratamiento podrá ser conservador en algunos casos consiste en medidas generales de apoyo (reposo, estabilidad emocional, protección de la luz solar), en ciertas circunstancias es necesaria la administración de corticoides, solos o combinados con fármacos eitotóxicos.

Luque. Ciudad de Paraguay y cabeza del distrito homónimo. Está emplazada a 20 km de Asunción y fue fundada por el gobernador Ledesma Balderrama en 1635. Económicamente depende de la riqueza agrícola de su distrito, donde se cultivan caña de azúcar, tabaco, cereales, etcétera. Población: de 40,677 habitantes (1995).

Luque, Crisanto (1889-1959). Eminente eclesiástico colombiano que fue obispo titular de la diócesis de Tunja de 1932 a 1950, año este último en que fue designado por la Santa Sede como arzobispo de Bogotá y primado de Colombia. En 1952 fue elevado a la dignidad de cardenal, siendo por tanto el primer sacerdote colombiano a quien se le otorgó el honor del capelo.

Luria, Aleksandr Romanovic (1902-1977). Psicólogo soviético. Estudió la fisiología cerebral, el papel del lenguaje en la regulación de la conducta humana y la neuropsicología de la conducta humana y de las lesiones cerebrales. Sus principales obras son *La afasia traumática* (1947), *Las funciones corticales superiores del hombre* (1962), *Problemas básicos de sociolingüística* (1973) y *Lenguaje y conciencia* (1979).

Luria, Salvador Edward (1912-1991). Médico italiano, nacionalizado estadounidense (1947). Profesor de microbiología (1958-1965) y de biología desde 1965 en el Instituto Tecnológico de Massachusetts. Sus investigaciones sobre los virus bacterianos representan una importante contribución al proceso de transformación de la genética mendeliana en la moderna biología molecular. En 1959 compartió con Max Delbrück y Alfred Day Hershey el Premio Nobel de Medicina o Fisiología. Autor de *Vida: un experimento inacabado* (1973).

Lusitania. Provincia romana en la Península Ibérica. Establecida como una provincia imperial en el primer siglo, incluyó parte de España occidental y todo Portugal al sur del río Duero. Sus habitantes, los lusitanos, habían resistido con éxito a los romanos hasta el año 139 a. C., cuando fueron derrotados. Durante el siglo I a. C., el

Museo histórico de la casa de Lutero en Alemania.

general romano Quinto Sertorio los dirigió en rebelión contra el dominio romano, pero nuevamente fueron conquistados por Pompeyo *el Grande* en el año 73 a. C. Bajo el imperio, la región prosperó; su economía se vio enriquecida por el comercio de animales domésticos, metal y madera.

Lutero, Martín (1483-1546). Reformador religioso alemán que promovió y encabezó en su patria el protestantismo. Nacido en Eisleben, pequeña ciudad de Sajonia, estudió en la Universidad de Erfurt y allí ingresó en el convento de Agustinos. Antes de doctorarse profesó cátedras de moral y comentarios bíblicos en la Universidad de Wittenberg, que acababa de fundarse, y en Erfurt. Después hizo un viaje a Roma (1510) donde el espectáculo de la corte pontificia, con sus preocupaciones mundanas e intereses políticos, parece que le impresionó desfavorablemente. Reintegrado a su patria, fue designado prior del convento agustino de Wittenberg en 1512, se graduó de doctor el mismo año y dirigió en la universidad la cátedra de teología. A partir de 1516 comenzó a enunciar públicamente principios contrarios al dogma católico.

Por entonces, el papa León X, con el fin de acabar la construcción de la basílica de San Pedro, concedió indulgencias para los que contribuyeran a los gastos de la obra y de la guerra contra los turcos. Lutero denunció desde el púlpito los abusos en que incurrían los predicadores de indulgencias, asunto que se encomendó a los dominicos, acusándoles de hacer vergonzoso tráfico de ellas. No se limitó a esto, sino que incluso combatió la eficacia de las mismas indulgencias y la autoridad de la Igle-

sia y del pontífice para concederlas, extendiéndose luego en su crítica a la existencia del Purgatorio, la gracia de los sacramentos, el mérito de las buenas obras y el libre albedrío.

Publicó luego unas conclusiones que contenían 95 proposiciones contrarias a la doctrina de la Iglesia, las cuales hizo fijar en las puertas de la iglesia de Wittenberg. En ellas, inspirado por la sentencia del Nuevo Testamento "los justos vivirán por la fe", Martín Lutero afirmaba que sólo Dios perdona los pecados y que éstos no se lavan por la absolución del sacerdote. Es necesaria una fe especial mediante la cual cree-

mos firmemente que Jesucristo murió por nosotros y que se nos aplican los méritos de su muerte. Y como la fe en Jesucristo es el único principio que nos justifica, los actos de las obras de caridad, de penitencia, etcétera, resultan inútiles, si bien cuando el fiel se ha aplicado a sí mismo los méritos de Jesucristo no puede menos que practicar buenas obras y alejarse del mal.

Combatió también la transubstanciación, el sacrificio de la misa, la autoridad del papa, y realizó una nueva interpretación de la naturaleza de los votos monásticos y de los sufragios por los difuntos. Repetía en todas formas que la remisión de los pecados no depende de la contrición, sino solamente de la fe y que para ser absuelto y perdonado basta creer que uno lo es en efecto. Las doctrinas de Lutero pusieron a toda Alemania en conmoción. El papa lo emplazó a que compareciera en Roma, amenazando al mismo tiempo con la excomunión a quienes lo protegieran. Sin embargo, el elector de Sajonia, Federico, y la Universidad de Wittenberg, tomaron la defensa de Lutero, pidiendo que la causa se juzgara en Alemania, en lo que el papa consintió. Celebrada la reunión con el legado papal en Augsburgo, éste exhortó a Lutero a retractarse de sus errores y herejías; Lutero se defendió contestando que no había enseñado ningún error, pues sus afirmaciones se fundaban en el estudio e interpretación de la Sagrada Escritura.

Temiendo ser apresado y trasladado a Roma, y siempre protegido por el elector de Sajonia, Lutero abandonó Augsburgo. A fines de junio de 1519 afrontó una discusión pública y solemne con el teólogo Johann Eck, quien acusó a Lutero de seguir las doctrinas de Jan Huss y otros recono-

Casa donde nació Martín Lutero en Eisenach, Alemania.

cidos herejes. Pero las ideas luteranas habían encontrado adeptos entre los profesores de Wittenberg, siendo los más fervientes Carlostadio y Philipp Melanchthon, y entre los humanistas de Erfurt. El papa León X, el 15 de junio de 1520, dio una bula en que condenaba como heréticas, falsas y escandalosas 41 proposiciones sacadas de los escritos de Lutero y le conminaba a retractarse en un plazo de dos meses. Las universidades de Lovaina y Colonia quemaron públicamente los escritos de Lutero, y lo mismo se hizo en Tréveris, Maguncia y otros lugares. Y el 3 de enero de 1521 fue excomulgado y declarado hereje.

Carlos V, apenas coronado emperador, convocó a una reunión llamada la Dieta de Worms. Lutero compareció en abril de 1521 ante la Dieta, amparado con un salvoconducto, se defendió de las acusaciones que se le hacían y terminó declarando que no se podía retractar ni someter a la autoridad papal porque su conciencia se lo impedía. Lutero partió de Worms, por orden del emperador, quien dictó a los pocos días un bando ordenando la destrucción de las obras de Lutero y la ejecución de la bula papal de excomunión. El elector de Sajonia, que nunca dejó de proteger al innovador religioso, tomó algunas medidas para ponerlo a salvo. Lutero permaneció retirado nueve meses en el castillo de Wartburg, desde donde continuó escribiendo obras que inmediatamente se publicaban. Al dejar su retiro recorrió los diversos estados de Alemania predicando sus enseñanzas. Atrajo a su causa, aparte de los príncipes y la nobleza, a los aldeanos y artesanos, a los que arrastraba con la vehemencia de sus discursos. Se estableció luego en Wittenberg para comenzar la obra de organización de la nueva Iglesia.

Poniendo en práctica su enseñanza de que los sacerdotes y monjas no sólo podían casarse a pesar de sus votos, sino que estaban obligados a ello, contrajo matrimonio en 1525 con la monja Catalina de Bora. Lutero realizó una importante aportación a la literatura alemana con su traducción de la Biblia.

La reforma luterana pronto se extendió por toda Europa. Actualmente, la iglesia luterana es la iglesia oficial de Dinamarca, Noruega, Suecia, Finlandia e Islandia. Los luteranos están también en mayoría en gran parte de Alemania, y los países bálticos y cuentan con bastantes adeptos en Estados Unidos. El numero de protestantes luteranos que hay en el mundo se calcula en 80 millones. Además, el ejemplo de Lutero fue seguido en la organización de otras confesiones cristianas protestantes.

Luthuli, Albert John (1898-1967).
Líder sudafricano, defensor de los derechos civiles. Fue el primer africano en recibir el Premio Nobel de la Paz, en 1960.

Corel Stock Photo Library

Vista interior de la habitación de Lutero en Eisenach, Alemania.

Después de asistir al *Adams College*, institución de formación de profesores, del Consejo Americano de Misiones, cerca de Durban, dio clases ahí durante 15 años. En 1936, Luthuli fue elegido jefe de los Abasemakholweni, una comunidad de cristianos Zulú en la provincia de Natal. Se unió al Congreso Nacional Africano en 1945, defendiendo la ciudadanía total para todos los sudafricanos; en 1951 se convirtió en presidente de la sucursal de Natal en el Congreso y en 1952 su presidente general.

Luthuli recibió una profunda influencia de sus convicciones religiosas y también de la lucha de derechos civiles en Estados Unidos. Sus puntos de vista se resumieron en un mensaje a los votantes blancos en 1958: "No estaremos tranquilos hasta que el principio democrático que se concede a los europeos se extienda para incluir a toda la población... Nuestra meta no es la supremacía blanca ni la supremacía negra, sino una sociedad sudafricana multirracial". Se oponía a la insurrección armada, creyendo en la resistencia pasiva.

Constantemente arrestado, finalmente confinado (1959) por el gobierno en su propia colonia rural por promover *hostilidades*, se le permitió dejar el país durante un periodo corto para recibir el Premio Nobel de la Paz, que le fue otorgado por su lucha pacífica contra la discriminación racial. Cuando regresó a Sudáfrica se enfrentó a limitaciones aún más estrictas a su libertad. En 1960, el Congreso Nacional Africano fue declarado fuera de la ley y forzado a operar en forma oculta o en exilio. En 1962 el gobierno prohibió la publicación de las declaraciones de Luthuli. Su autobiografía, *Libertad para mi pueblo*, fue publicada en 1962.

luto. Expresión de duelo por la muerte de un familiar, exteriorizada en diferentes formas según la época y la raza. Los pueblos primitivos lo manifestaban rompiéndose los vestidos, como los hebreos; afeitándose las pestañas, como los egipcios, o arrancándose los cabellos y arañándose el rostro. En los países de civilización occidental el luto se manifiesta mediante el uso de ropa negra.

Lützen. Ciudad alemana de la Sajonia prusiana, 20 km al suroeste de Leipzig. Tiene aproximadamente 5,000 habitantes. Es notable en la historia porque en sus cercanías se libraron dos importantes batallas que se conocen con ese nombre. La primera tuvo lugar el 16 de noviembre de 1632, en el curso de la guerra de los Treinta Años, entre las tropas del rey Gustavo Adolfo de Suecia, a las que se unió el ejército del duque de Sajonia-Weimar, y que defendían la unión protestante, contra las fuerzas del emperador Fernando II de Austria, perteneciente a la liga católica, al mando de Albrecht de Wallenstein, duque de Friedland. Las tropas de Gustavo Adolfo obtuvieron la victoria; pero, en el curso de la batalla este rey cayó mortalmente herido al dirigir personalmente una carga de caballería en lo más recio del combate. Su muerte fue un gran revés para la coalición protestante. La segunda batalla se celebró el 2 de mayo de 1813, cuando los ejércitos aliados de Rusia y Prusia atacaron a los franceses al mando de Napoleón. Éste resultó vencedor, aunque tuvo mayores pérdidas que sus atacantes.

Luxemburg, Rosa (1871-1919). Revolucionaria y teórica marxista alemana, nacida en Polonia. Después de haber participado en 1892 en la creación del Partido Socialista Polaco, el 20 de mayo de 1898 se trasladó a Berlín y desde entonces participó activamente en la vida de la social-democracia alemana. Fue una de las voces más autorizadas en el gran debate contra el revisionismo de Eduard Bernstein, al que consideraba como una manifestación del pensamiento burgués. Asumió la dirección del órgano de la socialdemocracia de Dresden en 1898 y, en 1901 del órgano de Leipzig. Polemizó con Vladimir Ilich Uliánov llamado Lenin, y sostuvo que cualquier forma nueva de lucha no debía ser impuesta por la dirección, sino emanar de la fuerza creadora de las masas. En diciembre de 1905 se trasladó a Varsovia para tomar parte activa en la Revolución Rusa, y el 4 de marzo fue detenida. De la Revolución Rusa sacó la gran experiencia de la huelga masiva. De nuevo en Berlín, se opuso cada vez más a la línea política oportunista de la socialdemocracia y polemizó duramente con Karl Kautsky. En 1907, en el Congreso de la Internacional en Stuttgart, logró que se aprobara una resolución contra la guerra, firmada incluso por el mismo Lenin, y que sería el fundamento de la estrategia revolucionaria leninista. Luchó en favor de una acción de masa, por el derecho al voto en Prusia y contra el militarismo. En 1914 fue condenada a un año de cárcel por su actividad antimilitarista. Cuando el grupo socialdemócrata votó a favor de los créditos de guerra (4 de agosto de 1914) inició junto a otros compañeros una fuerte lucha contra la guerra y en favor de una política revolucionaria. Publicó con Mehring la revista *Die Internationatle* (1915) y fundó la Liga Espartaco. Después de la manifestación contra la guerra del 1 de mayo de 1916 fue arrestada en concepto de *detención preventiva* y permaneció en prisión hasta el final de la guerra. Puesta en libertad el 8 de noviembre asumió la dirección del diario *Die Rote Fahne*. Elaboró el programa del Partido Comunista Alemán (KPD) fundado en el primer congreso de la Liga Espartaca y formó parte de la dirección. Arrestada el 15 de enero de 1919, junto con Karl Liebknecht, fue asesinada antes de ser conducida a la cárcel. Su cuerpo fue arrojado a un canal y tardó varios días en ser recuperado. Algunos especialistas creen que fue la mejor continuadora de Carlos Marx en el plan teórico.

Luxemburgo.

Gran ducado independiente en el oeste de Europa. Limita al norte y al oeste con Bélgica, al sur con Francia y al este con Alemania. Superficie de 2,586 km² y población de casi 400,000 habitantes (1996). El territorio forma parte de la meseta de las Ardenas y su suelo montañoso no es muy favorable a los cultivos. Una parte está cubierta de bosques de encinas y pinabetes, donde se cría mucha caza menor, se forman las praderas en que abunda el ganado y se cría una raza de caballos muy estimados para el Ejército. En la otra parte, vecina a Francia y Alemania, están los fértiles valles regados por el Mosela y otros ríos de menor importancia, donde se cultivan diversas especies de cereales, legumbres y frutos, y se produce un vino ligero muy apreciado. La industria de los habitantes está especialmente adelantada en hilados de algodón y tejidos de cáñamo y de lino, y producción de yeso, cerveza, aguardiente, papel, cartón y cigarro. Pero la principal actividad nacional la constituyen las fundiciones de acero, que utilizan el mineral de hierro que se extrae de las enormes reservas que posee el país. Sus industrias, junto con la agricultura y la ganadería, proveen abundantemente a sus necesidades, y gracias a su situación privilegiada entre las grandes potencias europeas y a la entrada del valle del Mosela, tiene un comercio excepcionalmente activo. La población es católica en su mayoría y principalmente de origen alemán, pero ha adoptado la lengua francesa para el uso corriente.

La capital del gran ducado tiene también el nombre de Luxemburgo (76,446 h), y es notable por haber sido la plaza más fortificada e inexpugnable de Europa; se le conoció como el *Gibraltar del norte*. La capital se divide en dos partes bien definidas: la ciudad alta y la ciudad baja. La primera se halla situada en un peñón inaccesible por casi todos sus lados y rodeada de murallas, contrafuertes, profundos fosos y una serie de acueductos que le dan a la roca un aspecto fantástico. La ciudad baja, que se extiende hacia el oeste al pie de la roca, también está fortificada y el río Alzette la divide en dos cuarteles: el Grande y el de Pfaffenthal. La ciudad baja es moderna y está muy bien trazada y construida. Sobresalen en ella los edificios del Ayuntamiento, el palacio del Gran Duque, la Casa de Gobierno, la Cámara de diputados, la antigua iglesia de San Nicolás, que data del año 1120, la de Nuestra Señora, la antigua casa de los jesuitas, donde funciona el seminario del Ateneo, una serie de bibliotecas, museos, teatros y un pintoresco parque público, sobre el peñón y entre los muros de la fortaleza.

Luxemburgo es una monarquía constitucional, regida por un soberano con el título de gran duque, perteneciente a la dinastía Nassau-Braganza. El país se rige por la Constitución de 1868, modificada en 1956. El jefe del Estado, la gran duquesa Carlota, que ascendió al trono en 1919, abdicó en 1964 en favor de su hijo el gran duque Juan. Está asistido en las funciones de gobierno por un gabinete de siete ministros y un Consejo de Estado de 21 miembros. La Cámara de diputados se compo-

Corel Stock Photo Library

Minarete de una mezquita en Luxor, Egipto.

ne de 59 miembros elegidos por sufragio universal para un periodo de cinco años.

Historia. Desde la Edad Media y principalmente alrededor del siglo IX, Luxemburgo fue una fortaleza disputada que pasó de mano en mano, pero consiguió conservar siempre su identidad y gracias a ello obtuvo su independencia y puso en su escudo este lema: *"Mir Woller Bleiwe Wat Mir Sin"* (Seremos lo que somos). El gran ducado, actualmente más pequeño que en otras épocas, estuvo sucesivamente en poder de los alemanes, franceses, austriacos, españoles y holandeses, y habiéndose declarado independiente a mediados del siglo XIX, todavía debió sufrir la invasión germana durante las guerras mundiales. El primer señor de Luxemburgo que se menciona en la historia fue Sigefroy, descendiente de los condes de Verdun, quien en el año 953 obtuvo la fortaleza de Luxemburgo (Lucili Burgum o Lutzel Burg) a cambio de la abadía de San Maximino de Tréveris, de la que era patrono. En posesión de la fortaleza y en perpetua lucha con el arzobispado de Tréveris, le sucedieron su hijo Federico, su nieto Gilberto y su bisnieto Conrado; el nieto de este último, llamado Guillermo, gobernando en 1096 y siendo aliado del emperador alemán Enrique IV, ensanchó las posesiones de la fortaleza y recibió el título de conde de Luxemburgo. Desde aquellos primeros tiempos de su existencia el condado formaba parte de Alemania, pero en 1354 el emperador Carlos IV lo convirtió en ducado y nombró duque a su hermano Wenceslao. El hijo del emperador, llamado también Wenceslao, sucedió a su tío en el ducado y lo empeñó por una suma exigua al marqués de Moravia, quien, en virtud del empeño, tomó posesión del ducado, que más tarde entregó a Francia. Desde 1412 hasta principios del siglo XIX el ducado y el título estuvieron tanto en manos de Francia, como de Alemania, Austria y España (cuando ésta fue dueña de los Países Bajos), hasta que en 1814 quedaron en posesión de los reyes de Holanda. Los monarcas holandeses tenían el título de grandes duques y gobernaban la fortaleza y la ciudad que había crecido a su alrededor como una parte más de la Confederación alemana.

A la muerte de Guillermo III de Holanda, el gran ducado pasó a manos del duque de Nassau, y al poco tiempo, quedó dividido en dos partes: una perteneciente al reino de Holanda y la otra como una provincia de Bélgica. Mediante el tratado de Londres, firmado en 1867, la parte holandesa quedó convertida en nación independiente y su integridad garantizada por las potencias europeas occidentales, formando el actual gran ducado. Luxemburgo entró en 1947 a formar parte de la Unión Aduanera del Benelux (con Bélgica y Holanda) y, en 1949, de la Organización del Tratado del Atlántico Norte (OTAN), y fue uno de los países fundadores del Mercado Común Europeo. En 1964 la gran Duquesa Carlota abdicó en favor de su hijo Juan. Los socialcristianos encabezaron la vida política del país y en el mes de febrero de 1969 integraron un gobierno de coalición con el Partido Democrático (liberales), presidido por el socialcristiano Pierre Werner, quien estableció relaciones diplomáticas con China, en 1972 y la República Democrática Alemana en 1973. El retroceso sufrido por los socialcristianos en las elecciones del mes de mayo de 1974, condujo a la formación de un gobierno de coalición de liberales muy socialistas, presidido por Gastón Thorn del Partido Liberal (junio de 1974). Esta coalición resultó derrotada por los cristianodemócratas en las elecciones celebradas el mes de junio de 1979, que vencieron, nuevamente, en las que se llevaron a cabo en junio de 1984, por lo que desde 1979, sus líderes Pierre Werner (1979-1984) y Jacques Santer (desde julio de 1984) encabezaron gobiernos de coalición. En las elecciones de 1989, el Partido Cristiano Social fue el más votado, y Santer formó un gobierno de coalición con los socialistas, pero dimitió para asumir la presidencia de la Comisión Europea (1994) y fue sustituido por Jean-Claude Juncker.

Luxor. Ciudad de Egipto, situada a orillas del Nilo, con una población de unos 138,000 habitantes (1992). Ocupa el sitio en que se levantaba la ciudad de Tebas. El templo de Luxor, uno de los más famosos de Egipto, junto con el de Karnak, fue construido por Amenofis III en el siglo XV a. C.

Corel Stock Photo Library

Vista panorámica del Valle de los Reyes *en Luxor, Egipto.*

Mide 290 m de largo y 55 de ancho. Dos grandes estatuas y un par de hermosos obeliscos (uno de los cuales está en la plaza de la Concordia, en París) adornaron la entrada del templo. En el interior del edificio, una doble hilera de siete columnas conduce a un patio y a un pórtico. Finalmente, en el fondo del edificio está el santuario. En los alrededores de Luxor fue descubierta, en 1922, la tumba del faraón Tutankamon.

luz. Agente físico que ilumina los objetos y los hace visibles. La luz, que llega hasta nosotros desde los astros nos permite conocer no sólo todo lo relativo al comportamiento y aun la estructura misma de estos mundos distantes –planetas, estrellas, nebulosas–, sino también los movimientos de los mundos invisibles de los átomos y los secretos más recónditos de la materia. El Sol constituye la principal fuente de luz para nosotros. Gracias a ella la clorofila de

Exterior del templo de Luxor, en Egipto.

Corel Stock Photo Library

Luz reflejada sobre el agua en Sidney, Australia.

los vegetales puede elaborar sustancias orgánicas, como los azúcares y los almidones, a partir de sustancias minerales, sin lo cual no sería posible la vida. La importancia de la luz para el hombre y para los animales es incalculable. Para comprenderlo basta pensar que ellos poseen, en su gran mayoría, un órgano especial, el órgano de la vista, destinado únicamente a poner la luz a su servicio.

La luz del Sol influye en nuestra vida cotidiana, pues la mayoría de la gente trabaja durante el día y descansa por la noche. Y de la cantidad de luz recibida en las distintas épocas del año dependen las estaciones. La luz solar es una fuente permanente de energía. A través de la actividad vegetal, esta energía se convierte finalmente en productos que sirven a la alimentación de hombres y animales. Además existe una gran cantidad de energía acumulada en el suelo, que se ha ido almacenando durante miles de años bajo la forma de carbón. Cuando generamos la energía eléctrica con que iluminamos nuestras casas mediante el uso de carbón, podemos decir que las estamos iluminando con la luz solar que alumbró la Tierra hace ya muchos siglos.

A medida que el hombre ha obtenido mayor dominio sobre las distintas formas de energía, y aprendió a convertirlas en luz, ha logrado independizarse más y más de la luz del Sol; de este modo, hoy son muchas las fábricas y establecimientos que trabajan durante las 24 horas del día.

¿Qué es la luz? Antiguamente se creía que la luz consistía en ciertos rayos que se proyectaban desde los ojos hacia los objetos vistos. Durante la noche no se podía ver –explicaban– porque las tinieblas llenaban el espacio y, de manera semejante a lo que sucede con la niebla durante el día, impedían el paso de estos rayos hacia los objetos. Más tarde se descubrió que la luz era un agente exterior y entonces se la estudió científicamente. Nació así la óptica, que trata de la naturaleza y propiedades de la luz.

En 1666, el físico inglés Isaac Newton realizó la descomposición de la luz solar; haciéndola pasar por un prisma de vidrio, demostró que la luz blanca es una mezcla de siete colores: rojo, anaranjado, amarillo, verde, azul, añil y violeta. Esta serie de colores se llama *espectro luminoso*. El mismo fenómeno de descomposición de la luz se produce en el arco iris. Allí las gotas de lluvia hacen las veces de innumerables prismas pequeños. Investigaciones posteriores lo llevaron a afirmar, basado en el hecho de que la luz se propaga en línea recta, que estaba constituida por pequeñísimos corpúsculos, enunciando así su *teoría corpuscular* de la luz. Pero, por otra parte, existían buenas razones para sostener que la luz se propagaba por medio de ondas.

Cuando las ondas que se forman en el agua chocan contra un obstáculo, ellas no se rompen sino que rodean sus bordes, continuándose detrás de aquél. El holandés, Christiaan Huygens, contemporáneo de Newton, observó que los bordes de la sombra de los objetos no eran nítidos, y esto lo llevó a pensar que quizá con la luz sucediera algo análogo a lo que pasa con las ondas del agua. Sus trabajos culminaron con el enunciado de una *teoría ondulatoria* de la luz.

Quedó establecida así una larga polémica entre los que sostenían la naturaleza corpuscular de la luz y los que defendían la teoría ondulatoria. Se disipó en 1801, cuando Tomás Young dio pruebas experimentales definitivas de su naturaleza ondulatoria. La desviación de la luz en torno a los bordes de los obstáculos se llama *difracción*. La luz que aparece por detrás del borde de una sombra constituye una delgada franja, semejante a las ondas en el casco del agua.

Relacionado con la propagación por medio de ondas se halla el fenómeno de *interferencia*. Si observamos las ondas de agua provenientes de dos direcciones distintas, veremos que en algunos lugares tienden a sumarse y en otros a neutralizarse. El resultado depende del sitio en que se

Planta de luz a base de energía solar.

encuentren las crestas y los valles de las ondas. Con la luz sucede otro tanto. Si se hacen interferir dos rayos de luz de modo que se vean bandas brillantes y oscuras, las bandas oscuras aparecen donde las ondas se han neutralizado unas con otras, encontrándose el valle de una con la cresta de otra. En aquellos lugares donde se han encontrado dos crestas o dos valles, aparece la banda luminosa.

Las ondas de luz son muy distintas de las ondas sonoras. Mientras éstas vibran en la misma dirección en que se propaga el sonido, llamándose por eso *longitudinales*, las de las luz vibran en todas direcciones, formando un ángulo recto con la dirección del rayo. Se llaman, por ello, ondas transversales. Las ondas sonoras no pueden transmitirse en el vacío o en un espacio sin aire. Cuando se estableció la naturaleza ondulatoria de la luz, se pensó que ésta también, a semejanza del sonido, necesitaría de un medio para propagarse; por tanto, como la luz se propagaba en el vacío, se supuso que éste debía estar formado por una sustancia desconocida, que se llamo éter, y que vibraría cada vez que un rayo de luz recorriese el espacio. Sin embargo, la suposición de este éter planteaba una cantidad de problemas insolubles, y hubo que buscar otra explicación.

En 1860 James Clerk Maxwell formuló la *teoría electromagnética de la luz*, estableciendo que las ondas luminosas eran de naturaleza eléctrica y no mecánica como las sonoras. Esta concepción fue completada por Max Planck, en 1900, con su teoría de los *quanta*. Plank afirmaba que en un rayo luminoso podían discernirse pequeñísimas porciones o unidades de energía (*paquetes* de energía) que se llamaron *quanta* o *fotones*. La cantidad de energía en el *quantum* o fotón individual depende de la longitud de la onda de luz o del número de veces que ella vibra en un segundo. Basado en esta teoría, Albert Einstein afirmó, poco tiempo más tarde, que la luz es de naturaleza corpuscular pese a propagarse por medio de ondas. La experimentación posterior ha corroborado que la luz participa simultáneamente de la naturaleza ondulatoria y de la corpuscular. Con lo que se demuestra que tanto Newton como Huygens tenían razón. Se trata ahora de encontrar una teoría que explique satisfactoriamente esta doble y extraña naturaleza de la luz.

Ondas electromagnéticas. No hay que creer que las únicas ondas electromagnéticas conocidas son las luminosas. Lo cierto es que son éstas las únicas para cuya recepción poseemos un órgano especial, que es el órgano de la vista. Para algunas de las demás ondas, el hombre ha creado aparatos receptores especiales. Así, por ejemplo, un aparato de radio es sensible a la energía electromagnética de grandes longitudes de onda. Se llama longitud de

Corel Stock Photo Library

El sol es fuente de la luz natural.

onda a la distancia que media entre la cresta de una onda y la cresta de la siguiente. Hay algunas clases de luz cuyos rayos no podemos ver porque su longitud de onda excede los límites entre los cuales nuestros ojos son sensibles. Los rayos que tienen menor longitud de onda que los visibles, son los rayos *ultravioleta*. Son emitidos por el Sol junto con la luz común. Los rayos que tienen mayor longitud de onda que la percibida por nuestros ojos son los rayos *infrarrojos*. Todos los objetos calientes despiden estos rayos. En realidad, nuestros ojos sólo son sensibles a 3% de la energía y electromagnética.

No es exacto, sin embargo, decir que vemos ésta u otra luz. Aunque parezca extraño, la luz no se ve: se ven las fuentes luminosas que impresionan nuestras retinas o los objetos que reflejan la luz. Pero, si estuviéramos en una pieza oscura, totalmente desprovista de objetos, incluso de partículas de polvo, y encendiéramos una linterna, comprobaríamos que el rayo de luz emitido por ésta no se ve. De igual modo, en las grandes alturas resplandecen los astros, pero el cielo es negro. En la tierra, el cielo se ve azul porque nuestro planeta se halla rodeado de una masa de aire que refleja la luz del Sol y otros astros.

Principales clases de rayos. Se distinguen unos de otros por su longitud de onda. Las longitudes de onda más largas de la energía electromagnética se miden en km. Las más cortas se dan en los rayos cósmicos y se miden en pequeñas fracciones de un cienmillonésimo de centímetro que equivalen a un *angström*, y en unidades 1,000 veces menores que el *angström*. Son los principales: los rayos cósmicos, los

rayos gamma del radio, los rayos X, los rayos ultravioletas, la luz visible, las ondas infrarrojas o del calor y las ondas de la radio.

Cuando se descompone la luz solar, cada uno de los colores que resultan tiene una longitud de onda diferente. La menor longitud de onda corresponde al violeta y luego aumenta para el añil, el azul, el verde, el amarillo, el anaranjado, y el rojo, siendo, por consiguiente, la de este último la mayor de todas. Mirando cuidadosamente el espectro, en realidad pueden verse más de 100 colores distintos.

Velocidad de la luz. Cuando encendemos una lamparita en una habitación, ésta se ilumina instantáneamente. En verdad, no parece que la luz necesitara tiempo para llegar hasta las paredes y luego a nuestros ojos. Pero, los astrónomos, que trabajan con grandes distancias, desde hace muchos siglos sabían que la luz necesitaba tiempo para ir de un lugar a otro. La velocidad de la luz, de acuerdo con la teoría de

Lámpara de luz a base de petróleo inflamado.

Corel Stock Photo Library

Corel Stock Photo Library

La vida en la Tierra no sería posible sin la luz solar.

la relatividad de Einstein, es la mayor posible, constituyendo un límite infranqueable. Por esta razón ella ha sido tomada como patrón de medida tanto para los átomos como para las estrellas. La velocidad de la luz en el vacío se calcula en 300,000 km/seg, aunque la cifra exacta obtenida por Albert Abraham Michelson es de 299,796 km/seg. La primera medida aproximada de la velocidad de la luz fue obtenido en 1675 por Olaus Roemer. Este astrónomo danés observó que cuando la Tierra se halla más separada de Júpiter, uno de los satélites de este planeta tarda 16 minutos más para entrar en el cono de sombra del planeta, que cuando la Tierra y Júpiter se hallan más próximos. El diámetro de la órbita de la Tierra es de alrededor de 300 millones de km. El atraso de 16 minutos con que se ve eclipsarse el satélite se debe a que la luz tarda ese tiempo en recorrer esos 300 millones de km. Esto significa que en cada segundo la luz recorre algo más de 300,000 km según el cálculo de Roemer, que resultó bastante aproximado.

La luz proveniente del Sol tarda ocho minutos y medio en recorrer la distancia que lo separa de la Tierra. Si Sirio, la estrella más brillante del firmamento, hiciera explosión en este instante, transcurrirían más de ocho años y medio para que se pudiera observar la explosión en la Tierra. Si pudiéramos mirar la Tierra desde Rigel podríamos contemplar el descubrimiento de América.

Año de luz. Son tan inmensas las distancias siderales que los astrónomos han creado una unidad especial para medirlas. Esta unidad es el año de luz que representa la distancia que la luz recorre en un año.

Un año de luz equivale a 9.460,000 millones de kilómetros.

Frecuencia de la luz. Se entiende por frecuencia el número de ondas que pasan por un punto en el término de un segundo. La frecuencia de un rayo luminoso se obtiene dividiendo la velocidad de la luz por la longitud de onda. Se comprende así que sea la frecuencia de la luz violeta la mayor de los colores del espectro, ya que a ella corresponde la menor longitud de onda. Su frecuencia es de 750 billones de ondas por segundo.

Comportamiento de la luz. La luz puede comportarse de muy diversas maneras, según sean los cuerpos que se encuentran en su recorrido. El conocimiento de las leyes que gobiernan este comportamiento ha permitido la construcción de instrumentos ópticos que nos prestan inestimables servicios, al ampliar las posibilidades de nuestro órgano de la visión. Las lentes son los instrumentos ópticos más simples y antiguos. Mediante el juego acertado de las lentes han podido construirse los demás instrumentos ópticos, como el telescopio, el microscopio, la lupa o lente de aumento, los anteojos para leer, prismáticos, etcétera.

Según que la luz pueda o no pasar a través de un cuerpo interpuesto en su recorrido, éste será transparente u opaco. Hay objetos intermedios que permiten el paso de parte de la luz y reflejan el resto. Estos objetos se llaman translúcidos. Otros objetos, como los espejos, reflejan íntegramente la luz que reciben. Esta propiedad de reflejarse sobre las superficies pulidas se llama *reflexión* de la luz. Se da el nombre de reflexión *regular* o *especular* a la que tiene lugar sobre la superficie de un espejo.

En ella, la luz se refleja con un ángulo igual al del rayo que llega al espejo. Se llama *ángulo de incidencia* al formado por el rayo y la superficie del espejo en el punto de incidencia. El ángulo de reflexión y el de incidencia son siempre iguales.

Otro tipo de reflexión lo constituye la reflexión *difusa,* que tiene lugar cuando la luz incide sobre superficies como la nieve fresca, el papel secante, etcétera. Presenta la particularidad de que la luz se refleja en todas direcciones sin seguir una fija. La capacidad de un cuerpo para reflejar mayor o menor cantidad de luz se llama poder reflector del cuerpo.

Refracción. No siempre sigue la luz una línea recta. Cuando pasa de un medio a otro –del aire al agua, por ejemplo– se desvía bruscamente, cambiando de dirección en la superficie de separación de los dos medios. Una varilla que parece quebrarse cuando se la introduce en el agua, representa un ejemplo común de la refracción. Se ha demostrado experimentalmente que la refracción se debe a que la luz se propaga con distinta velocidad en los distintos medios. En el vidrio la velocidad de la luz es igual a las dos terceras partes de su velocidad en el vacío, es decir, 200,000 km/seg. En el agua es igual a las tres cuartas partes. La velocidad de la luz en el aire es apenas menor que en el vacío. Como la refracción es constante para los distintos medios, cada uno tiene un *índice de refracción* característico. El índice de refracción absoluto es el índice de refracción de una sustancia con respecto al vacío.

Polarización de la luz. Sabemos que las ondas luminosas son transversales, puesto que vibran en infinidad de planos perpendiculares a la dirección del rayo. Luz polarizada es aquella cuyas ondas vibran en un solo plano. Se la puede obtener haciendo pasar un rayo de luz natural a través de una lámina de turmalina, que es un mineral del sistema hexagonal. Si se coloca una segunda lámina con su eje paralelo al de la anterior, las láminas actúan a la manera de un enrejado, dejando pasar sólo las ondas que vibran en el plano normal al de las rejas. Cuando los ejes forman un ángulo recto, no queda libre ningún plano y entonces no pasa luz.

Espectros. Newton llamó colores complementarios a aquellos que, mezclados, dan la sensación del color blanco. El rojo es complementario del verde, el anaranjado del azul y el amarillo del violeta. El color de las cosas depende de la proporción en que reflejan los distintos colores del espectro. Se ven blancas aquellas que reflejan todos los colores del espectro en igual proporción. Se trata, hasta aquí, de la luz emitida por el Sol. El espectro de la luz emitida por un cuerpo incandescente cualquiera, se llama *espectro de emisión* del cuerpo. El espectro de emisión varía según que el cuerpo incandescente sea sólido o líquido o que se trate de gases. En el primer caso se obtiene un espectro continuo, y en el segundo uno discontinuo, formado por líneas brillantes separadas por espacios oscuros. Los aparatos usados para la observación directa de los *espectros* se llaman espectroscopios. A veces el espectro es recogido por una placa fotográfica sensible. Se tiene así lo que se llama un *espectrógrafo*. Los espectros de emisión dependen de la composición química de la sustancia. Gracias a esto se ha podido llegar a conocer la composición química de las estrellas más lejanas, analizando el espectro de la luz que proyectan.

Fotometría es la medida de la luz. Existen unidades para medir la intensidad luminosa y unidades de iluminación. En un congreso científico realizado en 1889 se resolvió adoptar como unidad práctica de intensidad la *bujía decimal*, igual a la vigésima parte de un *violle*. El violle es la intensidad de luz emitida normalmente por 1 cm^2 de platino en fusión. Se llama así porque fue propuesta por Jules Violle (1841–1923) en 1884. Se llaman fotómetros los instrumentos que se usan para medir la intensidad luminosa.

La unidad de iluminación es el *lux* o *bujíametro* que equivale a la iluminación que recibe una pantalla colocada a 1 m de distancia de una bujía decimal. Algunas sustancias tienen la propiedad de producir pequeñas corrientes eléctricas por la acción de la luz: el efecto fotoeléctrico. Se aprovecha este fenómeno en los *ojos eléctricos* que se emplean para el funcionamiento automático de diversas máquinas. Se ha intentado también, aunque sin éxito, convertirlo en una fuente barata de electricidad.

Ciertas sustancias, como algunos compuestos de la plata, por la acción de la luz se transforman, oscureciéndose. Este fenómeno, llamado efecto fotoquímico, es la base de la fotografía. Ya se mencionó la importancia de la luz en la actividad vegetal. Sobre los organismos animales produce, especialmente los rayos ultravioletas, un aumento de la vitamina D y de calcio fortaleciendo dientes y huesos. También puede ocasionar serias quemaduras.

Fuentes de luz. La principal es la luz del Sol. De él proviene 80% de la luz que nos alumbra. El 20% restante es la luz que refleja la atmósfera.

Desde que contó con el fuego, el hombre trató de procurarse una iluminación artificial para alumbrarse por la noche. Así fue pasando sucesivamente de las simples antorchas a las lámparas de gas, de queroseno o de aceite de ballena, hasta la luz eléctrica actual y la luz fluorescente. Las primeras luces eléctricas consistían en arcos que unían dos barras de carbón. Luego se ideó la lámpara de filamento incandescente. El filamento, que emite la luz,

Barco alumbrado a base de luz eléctrica.

puede ser de platino, carbón o tungsteno. También puede obtenerse luz haciendo pasar una corriente eléctrica a través de un gas que por su acción se torne incandescente. En las lámparas de mercurio la electricidad pasa por un vapor de mercurio, y lo mismo ocurre en la luz fluorescente. No es rara la presencia de luz en algunos insectos como las luciérnagas, que tienen una lucecita situada en el abdomen, muy brillante, que se enciende y se apaga con ciertos intervalos. Tiene la extraña propiedad de ser completamente fría. Existen también algunas bacterias y hongos provistos de ciertas fosforescencias. Suelen verse en las maderas podridas de los bosques. Algunos peces de las profundidades del mar pueden irradiar fuertes destellos luminosos. *Véanse* ALUMBRADO; BUJÍA; COLOR; ESPECTRO Y ESPECTROSCOPIO; FOSFORESCENCIA; FOTÓMETRO; ILUMINACIÓN; LÁMPARA; QUANTA, TEORÍA DE LOS.

luz eléctrica. La lámpara eléctrica utiliza la luz producida por un filamento, que al ser atravesado por una corriente eléctri-

Luz eléctrica en una fuente de Francia.

luz eléctrica

Corel Stock Photo Library

La luz eléctrica es indipensable para el funcionamiento de múltiples aparatos, como los de un parque de diversiones.

ca se pone incandescente, pero a medida que se ha ido conociendo mejor la electricidad se han descubierto propiedades que permitieron diversos tipos de lámparas eléctricas, cada uno adecuado a un uso determinado. Hoy, a más de las lámparas de filamento incandescente, existen otras que utilizan la luminosidad que produce un gas al ser atravesado por una corriente; otras que se sirven de la fluorescencia que los rayos eléctricos producen al chocar con ciertos cuerpos, y otras que aprovechan la luminosidad del arco que salta entre dos carbones.

Los primeros experimentos que siguieron a la invención de la batería eléctrica pusieron de manifiesto que cuando una corriente eléctrica pasa por un alambre metálico de gran resistencia, se transforma en calor, llegando el alambre, si la corriente es suficientemente intensa, a ponerse al rojo vivo. Esta propiedad fue utilizada por Moses Farmer para construir la primera lámpara eléctrica con hilos de platino, con la que en 1859 ya iluminaba su propio domicilio. Esta lámpara no tuvo aceptación y es a Tomás Alva Edison a quien se debe el haber inventado la lámpara que revolucionó el alumbrado del mundo. Conocedor de los defectos de la lámpara de Farmer, Edison trabajó durante los años 1878 y 1879 hasta encontrar una sustancia que sustituyese el filamento de platino, que aun llegándolo a hacer del grosor de un cabello resultaba excesivamente caro.

Después de infinidad de experiencias concluyó que el carbón era la sustancia más apropiada, porque presenta gran re-

sistencia a la electricidad y si se aislaba del aire no se transformaba en cenizas, aun puesto al rojo vivo durante mucho tiempo. Entonces fabricó una ampolla de vidrio, en el interior de la cual colocó un filamento de carbón, y extrayendo el aire de la ampolla, hasta no dejar sino un millonésimo de su volumen, obtuvo el primer éxito con su lám-

Palmera hecha con focos de luz neón.

Corel Stock Photo Library

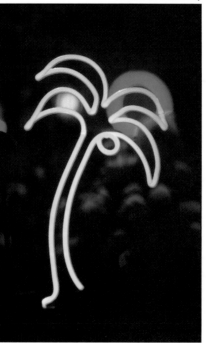

para de carbón. Para obtener el carbón más apropiado, Edison había ensayado infinidad de sustancias que calcinaba –entre ellas madera de todas clases–, y pudo comprobar que el carbón de bambú era el que mejor se adaptaba a producir luz eléctrica. Más tarde Edison sustituyó este filamento de carbón por otro, que él mismo fabricaba, a base de celulosa. Investigaciones posteriores indujeron a buscar entre los metales el filamento ideal para las lámparas. Después de múltiples experiencias se encontró que el tungsteno producía una luz tres veces más intensa que el filamento de carbón para consumos iguales. La luz producida por la lámpara de tungsteno, aunque más blanca que la lámpara de carbón, está lejos de la composición de la luz solar, predominando en ella las radiaciones rojas y amarillas.

Otro paso importante en el perfeccionamiento de la lámpara de tungsteno fue el introducir en las ampollas gases neutros. Se había observado que, tras un cierto tiempo de uso, las lámparas depositaban en la pared interna de las bombillas un polvillo negruzco que les restaba brillantez, oscureciendo el vidrio. Estudiado el problema se vio que se debía a la oxidación del metal por el oxígeno, que siempre quedaba en el interior de la ampolla, lo que se eliminó introduciendo gases neutros, como el argón, que evitaron los primitivos inconvenientes, obteniéndose lámparas mucho más eficaces y casi idénticas a las utilizadas en la actualidad.

Las lámparas eléctricas se construyen de todas formas y tamaños, desde las que son como un grano de trigo y que se utilizan en los endoscopios para examinar el interior de órganos, como los pulmones y la vejiga, hasta las gigantescas que se utilizan en faros, proyectores y reflectores, para iluminar aeródromos, y en los estudios de cine. Las lámparas ordinarias de alumbrado suelen ser de 60 a 150 vatios, mientras que las empleadas en los estudios son de miles de vatios y las lámparas de faros y proyectores son mucho mayores, y llegan a tener millones de bujías.

La lámpara de mercurio está basada en la propiedad del vapor de mercurio, de hacerse luminoso cuando lo atraviesa una corriente eléctrica. Consiste en un tubo de vidrio del que se ha extraído el aire, en uno de cuyos extremos tiene una placa de hierro que hace de ánodo o polo positivo y en el otro polo negativo o cátodo está formado por mercurio líquido. Para encender la lámpara se pone el tubo horizontal, de manera que el mercurio líquido cierre el circuito entre las dos puntas y al pasar la corriente se calienta y evapora parte del mercurio, lo que se advierte por hacerse el vapor luminoso. Entonces se coloca vertical, con el cátodo abajo, y la corriente sigue pasando por el gas conductor, que brilla con una luz azulada rica en rayos ultravioleta. Debido al gran calor que produce la lámpara se suelen fabricar los tubos de cuarzo, que tiene punto de fusión más alto que el vidrio, por lo que también se la llama lámpara de cuarzo; por el alto poder bactericida de los rayos ultravioleta, se la utiliza mucho en medicina.

El vapor de mercurio tiene la propiedad de hacer fluorescente a ciertas sustancias que encuentra en su camino. En ello se basan las llamadas lámparas fluorescentes, que son tubos con dos electrodos en sus extremos y que tienen su parte interna recubierta de una capa que se hace fluorescente al chocar con los rayos ultravioleta que produce el vapor de mercurio en el interior del tubo. El color de la luz de estas lámparas, depende de la sustancia que tienen; el silicato de cinc produce una fluorescencia verde, el tungstato de magnesio blanca amarillenta, el tungstato de calcio da la luz azul y el silicato de berilo y cinc la produce blanca amarillenta. Necesitan mayor voltaje que las de alumbrado corriente, por lo que van provistas de un transformador y un reactor de seguridad, pero como consumen menos que las de incandescencia han tenido gran aceptación.

Los tubos con que se forman los dibujos y letras de los anuncios luminosos están llenos de gases, que, como el vapor de mercurio, se hacen luminosos al ser atravesados por la corriente. Cuando estos tubos se llenan de neón, producen una brillante luz roja y azul si se llenan de argón, y para obtener otros colores se suele colorear el mismo vidrio. Para recorrer los tubos de gran longitud se precisa corriente de alto voltaje por lo que las instalaciones van provistas de un autotransformador, pero el consumo es pequeño siendo una luz económica. Parecidas a las lámparas de neón son las que utilizan los vapores de sodio, que producen una brillante luz amarilla empleada para alumbrado de carreteras, aeropuertos, etcétera.

Las lámparas de arco están formadas por dos carbones, entre los que salta una chispa continua de gran poder lumínico. Son fuentes luminosas de gran potencia y están dotadas de un mecanismo que mantiene constante la distancia de los carbones mientras se van quemando. Se emplean para alumbrados públicos, para proyectores y, reflectores de estudios cinematográficos y para grandes reflectores de defensa antiaérea, que en el caso de ser portátiles llevan también sus generadores de corriente portátiles. *Véanse* FLUORESCENCIA; INCANDESCENCIA.

luz negra. Las radiaciones ultravioleta e infrarrojas, que son invisibles, tienen la propiedad, al ser utilizadas debidamente mediante dispositivos especiales, de hacer visibles objetos ocultos en la oscuridad. A

Corel Stock Photo Library

Las abejas encuentran los estambres de una flor gracias a líneas de color ultravioleta en los pétalos.

esta propiedad se le da el nombre de *luz negra*. Para producir rayos ultravioleta se utilizan, generalmente, lámparas de cuarzo y vapor de mercurio. Una de sus aplicaciones se relaciona con la fotografía. En la oscuridad de la noche se puede fotografiar objetos si sobre ellos se proyecta un haz invisible de rayos ultravioleta y se usa una lente de cuarzo en la cámara fotográfica. Otras aplicaciones de los rayos ultravioleta los hacen muy útiles en terapéutica, como germicidas, agentes cicatrizantes de heridas y valiosos auxiliares en el tratamiento de ciertas enfermedades pulmonares y de la piel. También se emplean para tratar algunos alimentos, entre ellos la leche, y estimular la formación de vitamina D.

Las lámparas eléctricas con filamentos de tungsteno son, generalmente, la fuente de rayos infrarrojos, los que también se usan en fotografía, y pueden alcanzar grandes distancias. Han sido empleados en la guerra para fotografiar en la oscuridad y para percibir blancos invisibles y poder apuntar y disparar sobre ellos. Los dispositivos consisten en un proyector de rayos infrarrojos y una mira telescópica especial. La luz negra así proyectada penetra en la oscuridad, a través de la niebla y el humo que pudieren interponerse, y al hacer contacto con el blanco, éste refleja la luz negra que es entonces percibida por la mira telescópica. Dentro de esta mira, un mecanismo electrónico reproduce el blanco y lo hace visible en una pantalla fluorescente. Entre otras importantes aplicaciones de los rayos infrarrojos figuran las terapéuticas en casos de artritismo y reumatismo, y también, para deshidratar y conservar alimentos.

luz polarizada. *Véase* POLARIZACIÓN.

luz zodiacal. Anillo de tenue luminosidad que rodea al Ecuador Solar. Según la hipótesis más admitida se trata de la misma luz del Sol reflejada sobre una afluencia de pequeñas partículas de materia cósmica, granitos de polvo iluminado, que adoptando la forma de un disco lenticular rodean al Sol hasta más allá de la Tierra. Aparece en la zona del Zodíaco como un débil resplandor, de unos 50° de altura, de forma cónica, que en primavera y otoño se observa al anochecer, hacia el occidente, mientras que en verano y otoño se muestra hacia el oriente antes de amanecer. En las latitudes medias casi pasa inadvertida, a causa de la duración del crepúsculo, pero en los trópicos es un hecho de observación corriente durante todo el año. Los egipcios antiguos la observaron y al representarla por un triángulo le dieron su verdadera forma. También fue conocida por los árabes y los mexicas.

Luz y Caballero, José Cipriano de la (1800-1862). Pedagogo y pensador cubano. Destacó en la labor docente, y realizó importantes innovaciones no sólo en la enseñanza primaria, sino en los colegios superiores por él fundados, creando cátedras e implantando métodos más racionales. Su sistema consideró la razón y la ética fundamental como factores del hombre, sin olvidar la verdad científica. Publicó: *Impugnación al examen de Cousin sobre el ensayo del entendimiento de Locke* y *Aforismos*.

Lwoff, André (1902-1994). Biólogo y médico francés. En 1921 empezó a trabajar en el Instituto Pasteur de París, donde en 1938 fue nombrado director del departamento de fisiología de los microorganismos. Profesor de microbiología en la facultad de ciencias de la Sorbona de 1959 a 1968, y director del Instituto de Investigaciones sobre el Cáncer de Villejuif (1968-1972), se le debe la demostración de la existencia de virus bacterianos latentes y la explicación del fenómeno de la lisogenia. En 1965 compartió con Jacques Monod y François Jacob el Premio Nobel de Medicina o Fisiología.

Lyell, sir Charles (1797-1875). Geólogo británico, nacido en Escocia. Con sus investigaciones probó la antigüedad de la Tierra y preparó el camino a la teoría de la evolución de Charles Darwin, con quien le unió estrecha amistad. Su obra fundamental, *Principios de geología*, asienta los cimientos de esta ciencia sobre la base del uniformismo, teoría según la cual la acción geológica de los tiempos pasados se explica por las mismas fuerzas natu-

Tren rápido TGV en la estación de Lyon, Francia.

rales (como la erosión, por ejemplo) que todavía siguen actuando.

Lynch, Benito (1880-1951). Novelista argentino, que se ha destacado vigorosamente en los relatos campesinos y costumbristas, logrando aciertos en la descripción de su ambiente y psicología de sus personajes. Une a la solidez narrativa una concepción intensa y sobria de los temas de su preferencia. Entre sus principales obras figuran: *Plata dorada*, *Los caranchos de la Florida*, que atrajo un interés general del público y de la crítica; *Ranquela*, *Evasión*, *Las mal calladas*, y luego la difundida novela *El inglés de los güesos*, una de las más notables en su género que posee la literatura argentina. Posteriormente aparecieron *El romance de un gaucho*, *El antojo de la patrona*, *De los campos porteños* (cuentos), *Palo verde*, etcétera. Escribió para el teatro y desarrolló intensa labor en periódicos y revistas.

Lynen, Feodor (1911-1979). Bioquímico alemán. Discípulo y colaborador de Heinrich Wieland. En 1942 comenzó a dar clases en la Universidad de Munich. Fue designado director del *Max Planck Institut für Zellchemie* de Munich en 1954 y del *Max Planck Institut für Biochemie* de la misma ciudad en 1972. Estudió principalmente los mecanismos y la regulación del metabolismo del colesterol y de los ácidos grasos. En 1964 se le concedió el Premio Nobel de Medicina o Fisiología, que compartió con K. E. Bloch.

Lyón. Ciudad de Francia, capital del departamento del Ródano y la tercera de Francia por su población de 422,444 habitantes el municipio y casi 1.262,223 el área urbana. Es un importante centro industrial, destacándose en particular por su fabricación de la seda y otros textiles.

Está situada en la confluencia de los ríos Ródano y Saona, que la dividen en tres partes, comunicadas por numerosos y magníficos puentes. Entre ambos ríos se encuentra el centro comercial y a cada orilla se extienden los amplios muelles, sobre

Mercado de curiosidades en Lyon, Francia.

todo el de la izquierda del Ródano, en cuyo lado norte comienza el barrio residencial de Broteaux con el gran parque de la *Tête d'Or* y el zoológico. A la derecha del Saona se halla el barrio de Fourvieres, con calles y casas medievales, de donde parten los funiculares que suben a la *Croix Rousse*, pintoresco barrio popular desde el cual se divisa toda la ciudad y sus alrededores. Entre los edificios más notables de Lyón merecen citarse la catedral del siglo XII; la iglesia de Saint-Nizier, del XIV, la de Saint-Martin d'Ainay, del XI, y la de San Pedro, del XVII, transformada en museo de Bellas Artes. Su universidad es la segunda de Francia, y su biblioteca pública una de las mejores, pues cuenta con 450,000 volúmenes y más de 1,000 incunables. Es un gran centro industrial, mercantil y financiero, con importantes fábricas de tejidos, principalmente de seda, que tienen renombre internacional. Sus industrias químicas y metalúrgicas y sus fábricas de maquinaria son también importantes.

Lyón aparece en la historia en tiempos remotos como una ciudad gala en la que los romanos establecieron una colonia, llamada *Lugdunum*, en el año 42 a. C. En ella se celebraba la asamblea a la que concurrían representantes de todas las Galias. Destruida por un incendio en el año 58 de nuestra era, fue reconstruida por Nerón, y en la época de los Antoninos se embelleció con notables monumentos, gran parte de los cuales fueron arrasados por los hunos posteriormente. Formó parte del reino de Borgoña y a la muerte de Lotario I se convirtió en capital del de Provenza, sufriendo desde esta época varias vicisitudes y pasando de unas manos a otras, hasta que en 1312 quedó incorporada a la corona de Francia, cuyos reyes tomaron bajo su protección las ferias que a fines de la Edad Media y en los albores de la Moderna dieron fama a Lyón, erigida también en residencia de poderosos banqueros, algunos de ellos originarios de Alemania, como el célebre J. Kleberger, principal agente de la política financiera de Francisco I. En 1793 se sublevó contra la Convención y, por un decreto de ésta, llevó durante algún tiempo el nombre de *Commune affranchie*. Lyón fue uno de los centros de resistencia durante la ocupación alemana de 1940-1944.

Lyra, Carmen (1888-1949). Escritora costarricense. Sus primeros relatos son de tono psicológico y costumbrista –*Las fantasías de Juan Silvestre* (1918) y *En una silla de ruedas* (1918)–, pero su libro más conocido es la colección de relatos infantiles *Los cuentos de mi tía Panchita* (1920). Posteriormente escribió artículos políticos en revistas como *Repertorio Americano* y *Renovación*, y en el diario *Trabajo*, órgano del Partido Comunista al que se adhirió en 1931.